SEBASTIAN ZANDER

Das Adhäsionsverfahren im neuen Gewand

Schriften zum Prozessrecht

Band 223

Das Adhäsionsverfahren im neuen Gewand

Ein dogmatischer, rechtstatsächlicher und rechtsvergleichender Beitrag zur Behandlung zivilrechtlicher Ansprüche im Strafverfahren

Von

Sebastian Zander

Duncker & Humblot · Berlin

Die Juristische Fakultät
der Eberhard Karls Universität Tübingen
hat diese Arbeit im Wintersemester 2009/2010
als Dissertation angenommen.

Bibliografische Information der Deutschen Nationalbibliothek

Die Deutsche Nationalbibliothek verzeichnet diese Publikation in
der Deutschen Nationalbibliografie; detaillierte bibliografische Daten
sind im Internet über http://dnb.d-nb.de abrufbar.

D 21

Alle Rechte vorbehalten
© 2011 Duncker & Humblot GmbH, Berlin
Fremddatenübernahme: Klaus-Dieter Voigt, Berlin
Druck: Berliner Buchdruckerei Union GmbH, Berlin
Printed in Germany

ISSN 0582-0219
ISBN 978-3-428-13395-6 (Print)
ISBN 978-3-428-53395-4 (E-Book)
ISBN 978-3-428-83395-5 (Print & E-Book)

Gedruckt auf alterungsbeständigem (säurefreiem) Papier
entsprechend ISO 9706 ♾

Internet: http://www.duncker-humblot.de

Für
Erika Gehlfuß
Annegret Zander
Johannes Zander

Vorwort

Falls Sie bereits in diesem Vorwort einige Bemerkungen, aktuellste Entwicklungen oder erste Einschätzungen zum Adhäsionsverfahren erwarten, muss ich Sie enttäuschen. Es soll eine andere Aufgabe erfüllen. Diese Arbeit wurde im Wintersemester 2009/2010 von der Juristischen Fakultät der Eberhard Karls Universität Tübingen als Dissertation angenommen. Dies konnte allein deswegen gelingen, weil mich viele liebe Menschen sehr unterstützt haben. Der Platz, ihnen allen hier gleich zu Beginn dieses Buches Dank zu sagen, ist daher der Beste.

Besonders verbunden bin ich meinem Doktorvater Professor Dr. *Jörg Kinzig*. Er hat das Entstehen der Arbeit von Beginn an begleitet und aufopferungsvoll unterstützt. Von ihm habe ich nicht nur in fachlicher, sondern auch in persönlicher Hinsicht vieles lernen können. Die Zeit an seinem Tübinger Lehrstuhl war nicht nur in Bezug auf die Fertigstellung dieser Arbeit eine sehr schöne, an die ich mich immer gerne zurückerinnere. Herr Professor Dr. *Hans-Jürgen Kerner* hat zügig das Zweitgutachten erstellt, das wertvolle Anregungen für die Veröffentlichungsfassung enthielt. Dafür danke ich ihm sehr herzlich.

Für unumgängliche und sorgfältige Korrekturarbeiten danke ich besonders meinen Lehrstuhlkollegen *Stephan Dangelmayer, Anja Esperschidt,* Dr. *Benjamin Linke, Mirjam Lubrich, Benjamin Steinhilber, Tanía Valdés* und – in der badischen Entfernung – *Ann-Kathrin Stadtlander*. Ich weiß, welche Mühe sie auf sich genommen haben. Während der gesamten Zeit war Dr. *Magdalena Grupp* für mich eine wichtige Ansprechpartnerin und Freundin für alle Fragen rund um das Dissertationsprojekt, gleiches gilt für *Sabine Lechler*. Beträchtlich geholfen haben mir bei der Erstellung und Durchführung der Umfrage *Steffen Rieger* von der Universitätsbibliothek Tübingen und JProf. Dr. *Markus Huff* vom Tübinger Institut für Wissensmedien, ohne den die Auswertung der Daten viel länger gedauert hätte. Ihnen allen danke ich herzlich. Meine größte Stütze ist *Manuela Rupsch,* die mir viele Lasten abnimmt: Danke!

Dass ich die Promotionszeit nicht als Einzelkämpfer sondern unter Gleichgesinnten absolvieren durfte, lag besonders auch an meinen lieben Kollegen Dr. *Carolin Bartsch,* Dr. *Tanja Schmutz* und *Andreas Weiss*. Unsere produktiven, aber vor allem persönlichen wöchentlichen Treffen haben dazu beigetragen, die Neue Aula fast zu einem Zuhause werden zu lassen. Ihnen gilt mein besonderer Gruß.

Tübingen, im Januar 2011   *Sebastian Zander*

Inhaltsübersicht

Kapitel 1

Einführung und Grundlagen des Adhäsionsverfahrens 27

A. Einleitung und Fragestellung 27

B. Gang der Darstellung 31

C. Die historischen Wurzeln des Adhäsionsverfahrens 32

D. Die Ziele des Adhäsionsverfahrens 52

E. Zur Legitimation des Adhäsionsverfahrens 60

Kapitel 2

Die rechtliche Ausgestaltung des reformierten Adhäsionsverfahrens 71

A. Die Grundsätze des Verfahrens 71

B. Der Ablauf des reformierten Adhäsionsverfahrens 80

C. Zusammenfassung 214

Kapitel 3

Eigene empirische Untersuchung 215

A. Voraussetzungen der Umfrage 215

B. Darstellung und Diskussion der Ergebnisse 222

C. Ertrag der Umfrage 241

Kapitel 4

Äquivalente Rechtsinstitute im deutschsprachigen Raum 243

A. Rückblick auf den Schadensersatz im Strafverfahren der DDR 244

B. Die Privatbeteiligung in Österreich 270

C. Das Adhäsionsverfahren in der Schweiz 287

D. Darstellung und Bewertung der Gemeinsamkeiten und Unterschiede 307

10 Inhaltsübersicht

Kapitel 5

Chancen für das Adhäsionsverfahren 326

A. Das Adhäsionsverfahren als Teil des Strafverfahrens 326

B. Probleme des Adhäsionsverfahrens und Lösungsansätze 329

C. Zusammenfassung: Konsequenzen für die zukünftige Behandlung des Adhäsionsverfahrens 376

Anhang 383

Literaturverzeichnis 422

Sachverzeichnis 449

Inhaltsverzeichnis

Kapitel 1

Einführung und Grundlagen des Adhäsionsverfahrens   27

A. Einleitung und Fragestellung 27
    I. Ziel der Arbeit 27
    II. Mechanismus und Rechtsquellen des Adhäsionsverfahrens 29
    III. Terminologie 30

B. Gang der Darstellung 31

C. Die historischen Wurzeln des Adhäsionsverfahrens 32
    I. Die Anfangsphase: Ausbildung eines Adhäsionsverfahrens (bis 18. Jahrhundert) 33
    II. Zweite Phase: Entwicklung bis zum Erlass der RStPO im Jahr 1877 34
    III. Dritte Phase: Vorbereitung der gesetzlichen Regelung im Jahr 1943 35
    IV. Vierte Phase: Entwicklung bis zur ersten umfassenden Reform im Jahr 1986 37
        1. Rechtliche Entwicklung 37
        2. Anwendungspraxis 39
    V. Fünfte Phase: Entwicklung bis zur zweiten umfassenden Reform im Jahr 2004 41
        1. Rechtliche Entwicklung 41
        2. Anwendungspraxis 43
    VI. Sechste Phase: Aktuelle Entwicklung seit dem Jahr 2004 46
        1. Rechtliche Entwicklung 46
        2. Anwendungspraxis 47
    VII. Zusammenfassung 50

D. Die Ziele des Adhäsionsverfahrens 52
    I. Ursprüngliches Ziel: Prozessökonomische Gesichtspunkte 52
    II. Erweiterte Zielsetzung: Beachtung von Verletztenbelangen 54
    III. Wechselwirkung mit den Zielen des Strafverfahrens 57
    IV. Zusammenfassung 60

E. Zur Legitimation des Adhäsionsverfahrens 60
    I. Nachteile des Adhäsionsverfahrens 61
        1. Überblick 61

12 Inhaltsverzeichnis

2. Zu starker Eingriff in die Stellung des Beschuldigten 61
3. Fremdkörper im Strafverfahren 65
II. Verhältnis zu anderen Rechtsinstituten der Wiedergutmachung 68
III. Ergebnis 70

Kapitel 2

Die rechtliche Ausgestaltung des reformierten Adhäsionsverfahrens 71

A. Die Grundsätze des Verfahrens 71
   I. Spezielle adhäsionsrechtliche Grundentscheidungen 71
   II. Geltung allgemeiner Prozessrechtsmaximen 74
      1. Adhäsionsverfahren als Teil des Strafverfahrens 74
      2. Anwendbarkeit strafprozessrechtlicher Grundsätze 75
      3. Berücksichtigung zivilprozessrechtlicher Prinzipien 78
   III. Zusammenfassung 79
B. Der Ablauf des reformierten Adhäsionsverfahrens 80
   I. Allgemeine Zulässigkeitsvoraussetzungen 80
      1. Vorliegen eines Antrags, § 404 StPO 80
        a) Formelle Anforderungen 81
          aa) Form 81
          bb) Inhalt 81
            (1) Meinungsstand 81
            (2) Eigene Stellungnahme 82
            (3) Konkrete Ausgestaltung 83
          cc) Mängel und deren Behandlung 84
        b) Zeitpunkt des Antrags 87
        c) Wirkungen des Antrags 88
          aa) Wirkungen für den Antragsteller 88
          bb) Wirkungen für den Beschuldigten 89
          cc) Wirkungen für das Verfahren 89
        d) Rücknahme des Antrags 91
        e) Ergebnis 92
      2. Erfasste Ansprüche 92
        a) Vermögensrechtliche Ansprüche 92
        b) Adhäsionszusammenhang 94
        c) Ergebnis 96
      3. Antragsberechtigung 97
        a) Verletzter 97
          aa) Meinungsstand 97
          bb) Eigene Stellungnahme 98

Inhaltsverzeichnis 13

cc) Beispiele 99

b) Erbe 101

c) Nachweis der Antragsberechtigung 102

d) Ergebnis 103

4. Antragsgegner 103

5. Zuständigkeit des Gerichtes 104

6. Im Strafverfahren 105

7. Zivilverfahrensrechtliche Voraussetzungen 107

a) Allgemeines 107

b) Beispiele 108

8. Ergebnis 109

II. Die Besonderheiten in den einzelnen Verfahrensabschnitten 109

1. Überblick 109

2. Ermittlungsverfahren 110

a) Einfluss der §§ 403 ff. StPO auf den Verfahrensablauf 110

aa) Information des Verletzten, § 406h S. 1 Nr. 2 StPO 110

bb) Auswirkungen des Antrags auf das Ermittlungsverfahren 111

b) Die Rechtsstellung der Beteiligten 112

3. Zwischenverfahren 114

a) Einfluss der §§ 403 ff. StPO auf den Verfahrensablauf 114

b) Die Rechtsstellung der Beteiligten 115

4. Hauptverfahren 115

a) Einfluss der §§ 403 ff. StPO auf den Verfahrensablauf 115

aa) Meinungsbild der Literatur zum Ablauf des Verfahrens 115

bb) Eigene Darstellung 116

cc) Zusammenfassung 121

b) Die Rechtsstellung der Beteiligten 122

aa) Stellung des Antragstellers 122

(1) Konzeption der Rechtsstellung des Antragstellers 122

(2) Recht zur Teilnahme an der Hauptverhandlung, § 404 Abs. 3 S. 2 StPO 125

(a) Inhalt des Teilnahmerechts 125

(b) Von Rechtsprechung und Literatur entwickelte weitere Rechte 129

(aa) Recht auf Unterstützung 129

(bb) Recht auf Stellungnahme 129

(cc) Recht auf Einflussnahme 131

(3) Grenzen der Rechte des Antragstellers 135

(4) Besonderheiten bei einer Abwesenheit des Antragstellers in der Hauptverhandlung 136

(5) Eigene Stellungnahme und Ergebnis 137

14 Inhaltsverzeichnis

bb) Stellung des Beschuldigten 138

cc) Stellung der Staatsanwaltschaft 142

dd) Stellung der übrigen Personen 143

c) Prozesskostenhilfe, § 404 Abs. 5 StPO 143

aa) Überblick 143

bb) Voraussetzungen und Verfahren 144

cc) Entscheidung 145

III. Die Entscheidung des Gerichts über den Adhäsionsantrag 147

1. Überblick 147

2. Stattgebendes Urteil 148

a) Streitige Entscheidung 149

aa) Allgemeine Voraussetzungen 149

bb) Entscheidungsformen 150

cc) Form und Inhalt des Urteils 152

b) Anerkenntnisurteil 153

aa) Rechtsentwicklung 153

bb) Ausgestaltung des Anerkenntnisses 155

cc) Probleme des Anerkenntnisses im Strafverfahren 156

3. Vergleich, § 405 StPO 158

a) Überblick 158

b) Vorteile 159

c) Voraussetzungen 160

aa) Antragserfordernis 160

bb) Vergleichsgegenstand: Aus der Straftat erwachsene Ansprüche 161

cc) Inhalt eines Vergleichs 161

d) Geeignete Verfahrenssituationen 162

e) Rechtsfolge 163

aa) Bei wirksamem Vergleich 163

bb) Bei unwirksamem Vergleich 163

f) Einbettung der Vergleichsverhandlungen in das Strafverfahren 165

4. Absehensentscheidung 166

a) Grundlagen und Systematik 166

b) § 406 Abs. 1 S. 3 Var. 1 StPO: Unzulässiger Adhäsionsantrag (1. Konstellation) 167

c) § 406 Abs. 1 S. 3 Var. 2 StPO: Unbegründet erscheinender Antrag (2. Konstellation) 168

d) § 406 Abs. 1 S. 4 bis 6 StPO: Nichteignung (3. Konstellation) 168

aa) Überblick und Zweck der Regelung 168

bb) Anwendbarkeit 169

(1) Schmerzensgeldansprüche 169

Inhaltsverzeichnis 15

(2) Kritik und Bewertung 170

(3) Ergebnis 172

cc) Der Begriff der Nichteignung 172

(1) Ermittlung der Nichteignung 172

(a) Meinungsstand 172

(b) Stellungnahme 173

(c) Ergebnis 175

(2) Indizien für die Nichteignung 175

(a) Erhebliche Verfahrensverzögerung 176

(b) Gesetzlich nicht geregelte Indizien 177

(c) Zusammenfassung 182

(3) Ergebnis 183

dd) Berücksichtigung der berechtigten Interessen des Antragstellers 183

ee) Rechtsfolge 184

e) § 406 Abs. 1 S. 1 StPO: Keine Verurteilung oder Anordnung einer Maßregel (4. Konstellation) 185

f) Formelle Fragen der Absehensentscheidung 186

g) Zusammenfassung und Ergebnis 188

5. Wirkung der Entscheidung 188

6. Nebenentscheidungen 190

a) Kosten des Verfahrens 190

aa) Überblick 190

bb) Bei einer stattgegebenden Adhäsionsentscheidung: § 472a Abs. 1 StPO 191

cc) Bei allen übrigen Entscheidungen: § 472a Abs. 2 StPO 191

b) Vorläufige Vollstreckbarkeit 194

IV. Die Rechtsmittel im Adhäsionsverfahren 195

1. Überblick 195

2. Rechtsmittel gegen die Absehensentscheidung 196

a) Sofortige Beschwerde durch den Antragsteller 196

b) Stellungnahme 201

3. Rechtsmittel gegen das stattgebende Adhäsionsurteil, § 406a Abs. 2 StPO 202

a) Für den Antragsteller und die Staatsanwaltschaft 202

b) Für den Beschuldigten 203

4. Rechtsmittel gegen das Strafurteil 204

a) Für den Antragsteller 204

b) Für den Beschuldigten 204

c) Für die Staatsanwaltschaft 205

5. Rechtsmittel gegen das gesamte Urteil (Adhäsionsentscheidung und Strafurteil gleichzeitig) 205

16 Inhaltsverzeichnis

    6. Rechtsmittel gegen die Kostenentscheidung 207
    7. Übersicht und Ergebnis 208
  V. Einzelfragen 209
    1. Vollstreckung 209
    2. Gebühren für Rechtsanwälte 210
    3. Grenzüberschreitende Sachverhalte 212
  VI. Zusammenfassung 213

C. Zusammenfassung 214

Kapitel 3

Eigene empirische Untersuchung   215

A. Voraussetzungen der Umfrage 215
  I. Bisher durchgeführte empirische Untersuchungen zum Adhäsionsverfahren 215
  II. Ziele der eigenen Untersuchung 217
  III. Herausbildung von Hypothesen 217
  IV. Auswahl der Erhebungsmethode 219
  V. Rahmenbedingungen zur Durchführung der Umfrage 220

B. Darstellung und Diskussion der Ergebnisse 222
  I. Teilnehmerbezogene Fragen (Fragen 1 und 2) 222
  II. Fragen zum Adhäsionsverfahren im Berufsalltag der Teilnehmer (Fragen 3 bis 5) 224
  III. Inhaltliche Einschätzungen zum Adhäsionsverfahren (Fragen 6 bis 9) 228
  IV. Auswertung der (offenen) Abschlussfrage 233

C. Ertrag der Umfrage 241

Kapitel 4

Äquivalente Rechtsinstitute im deutschsprachigen Raum   243

A. Rückblick auf den Schadensersatz im Strafverfahren der DDR 244
  I. Überblick 244
    1. Allgemeines zum Schadensersatz im Strafverfahren 244
    2. Überblick über die historische Entwicklung 245
    3. Überblick über die rechtliche Ausgestaltung des Schadensersatzes im Strafverfahren 247
      a) Zum Strafverfahrensrecht in der DDR 247
      b) Rechtsquellen des Schadensersatzes im Strafverfahren 249
    4. Anwendungshäufigkeit in der Praxis 249

Inhaltsverzeichnis 17

II. Voraussetzungen des Schadensersatzverfahrens 251
   1. Antrag 251
   2. Antragsberechtigung 252
   3. Schadensersatzanspruch 253
   4. Weitere Voraussetzungen 253
III. Rechtliche Ausgestaltung des Schadensersatzverfahrens 254
   1. Verfahren 254
   2. Stellung des Geschädigten 256
   3. Entscheidung 257
     a) Zusprechende Entscheidung 257
     b) Abweisung 258
     c) Verweisung 259
     d) Sonderkonstellation: Keine Entscheidung über den Antrag 259
   4. Rechtsbehelfe 260
   5. Gebühren 262
IV. Besonderheiten des Schadensersatzes im Strafverfahren in der DDR 263
   1. Erlass eines Arrestbefehls 263
     a) Zweck des Arrestbefehls 263
     b) Voraussetzungen und Verfahren 263
     c) Rechtsfolgen des Arrestbefehls 265
   2. Strafbefehlsverfahren 266
V. Zusammenfassung 268

B. Die Privatbeteiligung in Österreich 270
  I. Überblick 270
    1. Zur historischen Entwicklung 270
    2. Die rechtstechnische Ausgestaltung 271
    3. Anwendungshäufigkeit in der Praxis 272
  II. Voraussetzung der Privatbeteiligung 273
    1. Formlose Anschlusserklärung 273
    2. Erklärungsberechtigung 274
    3. Erklärungsgegner 274
    4. Erfasste Ansprüche 274
    5. Weitere Voraussetzungen 275
  III. Rechtliche Ausgestaltung der Privatbeteiligung 276
    1. Wirkung der Privatbeteiligung 276
    2. Verfahrensablauf 276
    3. Stellung des Privatbeteiligten 277
    4. Entscheidung des Gerichts 279
    5. Rechtsbehelfe 281
  IV. Besonderheiten der österreichischen Privatbeteiligung 282

18 Inhaltsverzeichnis

1. Rückstellungsverfahren 282
2. Anspruch auf Vorschussleistung, § 373a öStPO 282
3. Anspruch auf Befriedigung, § 373b öStPO 285
4. Bedenklichkeitsverfahren, §§ 375 bis 379 öStPO 285
5. Exkurs: Bindungswirkung strafrechtlicher Urteile 286
V. Zusammenfassung 286

C. Das Adhäsionsverfahren in der Schweiz 287
   I. Geschichte und geltendes Recht des Adhäsionsverfahrens im Überblick .. 287
      1. Besonderheit des Schweizer Strafverfahrens 287
      2. Überblick über die historische Entwicklung 288
      3. Überblick über die rechtstechnische Ausgestaltung 290
      4. Anwendungshäufigkeit in der Praxis 291
   II. Exemplarische Vertiefung detaillierter kantonaler Regelungen am Beispiel der Zürcher StPO 292
      1. Voraussetzungen des Verfahrens 292
         a) Antrag 292
         b) Antragsberechtigung 292
         c) Erfasste Ansprüche 293
         d) Weitere Voraussetzungen 294
      2. Rechtliche Ausgestaltung nach der StPO-ZH 294
   III. Nach der Gesamtreform: Die Zivilklage in der neuen StPO-CH 298
      1. Überblick 298
      2. Voraussetzungen für die Zivilklage 299
      3. Rechtliche Ausgestaltung der Zivilklage 300
   IV. Besonderheiten im schweizerischen Adhäsionsverfahren 303
      1. Zweiteilung des Verfahrens 303
      2. Prozesskostensicherheit 305
      3. Strafbefehlsverfahren 305
   V. Zusammenfassung 306

D. Darstellung und Bewertung der Gemeinsamkeiten und Unterschiede 307
   I. Zur Frage der Vergleichbarkeit 307
   II. Die Voraussetzungen des Adhäsionsverfahrens 307
   III. Der Verfahrensablauf 310
      1. Die Einbettung in den Ablauf des Strafverfahrens 310
      2. Beschleunigungsgrundsatz vs. Adhäsionsverfahren 311
      3. Die Rechtsstellung von Beschuldigtem und Antragsteller im Hauptverfahren 314
   IV. Die gerichtlichen Entscheidungsmöglichkeiten 317
   V. Die Rechtsmittel im Adhäsionsverfahren 319

Inhaltsverzeichnis 19

VI. Sonstige Gemeinsamkeiten und Unterschiede 321
VII. Zusammenfassung und Bewertung des Rechtsvergleichs 324

Kapitel 5

Chancen für das Adhäsionsverfahren 326

A. Das Adhäsionsverfahren als Teil des Strafverfahrens 326
    I. Ziel einer Anwendungssteigerung? 326
    II. Geeignete Konstellationen für einen Adhäsionsantrag 328

B. Probleme des Adhäsionsverfahrens und Lösungsansätze 329
    I. Informationsdefizit bei Verletzten und bei Juristen 329
        1. Problemstellung 329
        2. In der Literatur vertretene Lösungsansätze 331
        3. Stellungnahme 331
    II. Psychologische Hemmschwelle bei der Anwendung der §§ 403 ff. StPO .. 333
        1. Problemstellung 333
        2. In der Literatur vertretene Lösungsansätze 334
        3. Stellungnahme 335
    III. Begrenzter Anwendungsbereich des Adhäsionsverfahrens 337
        1. Problemstellung 337
        2. Erweiterung der Antragsberechtigung auf Legalzessionare 337
        3. Einbeziehung weiterer Antragsgegner 339
            a) Versicherer 339
            b) Jugendliche 340
        4. Erweiterung des Adhäsionsverfahrens 343
            a) Adhäsionsentscheidung bei einer Einstellung nach § 153a Abs. 2 StPO 343
            b) Adhäsionsentscheidung bei einem Freispruch 345
            c) Adhäsionsentscheidung in einem Strafbefehl 346
               aa) Zulässigkeit einer Erweiterung 346
               bb) Konzeption de lege ferenda 348
            d) Ergebnis 353
        5. Arbeitsrechtliche Ansprüche 353
        6. Einschränkung der Absehensentscheidung wegen Nichteignung 354
        7. Erweiterungen im rechtlichen Umfeld des Adhäsionsverfahrens 356
            a) Prozesskostenhilfe 356
            b) Rechtsschutzversicherung 358
        8. Ergebnis 360
    IV. Unvereinbarkeit zwischen Zivil- und Strafrecht 360

Inhaltsverzeichnis

1. Problemstellung 360
2. In der Literatur vertretene Lösungsansätze 360
3. Eigene Stellungnahme 361
V. Geringe Attraktivität des Adhäsionsverfahrens für die Beteiligten 362
   1. Für das Gericht 362
      a) Problemstellung: Pensen 362
      b) In der Literatur vertretene Lösungsansätze 363
      c) Eigene Stellungnahme 364
   2. Für Rechtsanwälte 365
      a) Problemstellung: Gebühren 365
      b) In der Literatur vertretene Lösungsansätze 365
      c) Eigene Stellungnahme 366
   3. Für den Verletzten 366
      a) Problemstellung 366
      b) Eigene Stellungnahme 367
VI. Schwächen der derzeitigen rechtlichen Ausgestaltung des Adhäsionsverfahrens 370
   1. Ausweichtendenzen der Gerichte zur Vermeidung einer Adhäsionsentscheidung 370
   2. Zu später Zeitpunkt der Antragstellung im Adhäsionsverfahren 371
   3. Beschränkte Rechtsmittel 373
   4. Ergebnis 374
VII. Zusammenfassung 375

C. Zusammenfassung: Konsequenzen für die zukünftige Behandlung des Adhäsionsverfahrens 376
   I.   Folgen für die am Adhäsionsverfahren Beteiligten 376
   II. Resümee 378
   III. Ausblick 381

Anhang 1: Statistiken des Statistischen Bundesamtes 383

Anhang 2: Auflistung verschiedener in der Darstellung verwendeter Vorschriften 389

Anhang 3: Fragebogen der Onlineumfrage 419

Literaturverzeichnis 422

Sachverzeichnis 449

Tabellen- und Abbildungsverzeichnis

Tabelle 1: Entwicklung des Adhäsionsverfahrens 51

Tabelle 2: Entscheidungsumfang des Beschwerdegerichts 199

Tabelle 3: Das Rechtsmittelsystem im Adhäsionsverfahren 208

Tabelle 4: Erstkontakt mit dem Adhäsionsverfahren 225

Tabelle 5: Adhäsionsanträge in geeigneten Verfahren (aufgeteilt nach denjenigen Ländern mit mehr bzw. weniger als 5 % der Teilnehmerzahl) 226

Tabelle 6: Anteil der Verfahren mit einem Adhäsionsurteil an allen durchgeführten Adhäsionsverfahren 228

Tabelle 7: Kategorien der offenen Abschlussfrage 234

Tabelle 8: Verfahrensvoraussetzungen (Synopse) 309

Tabelle 9: Verfahrensablauf (Synopse) 316

Tabelle 10: Entscheidungsmöglichkeiten (Synopse) 318

Tabelle 11: Rechtsmittel (Synopse) 320

Tabelle 12: Sonstiges (Synopse) 323

Abbildung 1: Anteil der Adhäsionsverfahren an der Zahl der Verurteilungen 48

Abbildung 2: Anteil der Grundurteile an Adhäsionsurteilen 49

Abbildung 3: Einfluss des Adhäsionsverfahrens auf den Ablauf des Strafverfahrens 58

Abbildung 4: Entscheidungsmöglichkeiten des Gerichts 148

Abbildung 5: Möglichkeiten der Absehensentscheidung 167

Abbildung 6: Übersicht über die einem Rechtsbehelf zugänglichen Entscheidungen 196

Abbildung 7: Bundesland, in dem die Teilnehmer tätig sind 223

Abbildung 8: Berufserfahrung 223

Abbildung 9: Erstkontakt mit dem Adhäsionsverfahren 224

Abbildung 10: Gründe für das „Schattendasein" des Adhäsionsverfahrens 229

Abbildung 11: Gründe für Einstellung 232

Abbildung 12: Negative Einschätzung des Verfahrens 235

Abbildung 13: Positive Einschätzung des Verfahrens 236

Abbildung 14: Die zehn häufigsten praktischen Probleme des Adhäsionsverfahrens 238

Abbildung 15: Reformideen mit mehr als zwei Nennungen 239

Abbildung 16: Die fünf häufigsten Fallgruppen der sonstigen Antworten 241

Verzeichnis der verwendeten Abkürzungen

Abk.	Abkommen
ABl.	Amtsblatt
Abs.	Absatz
AcP	Archiv für die civilistische Praxis (Z)
AE	Alternativ-Entwurf
a. E.	am Ende
a. F.	alte Fassung
AG	Amtsgericht bzw. Ausführungsgesetz
AGS	Anwaltsgebühren Spezial (Z)
AHStR	Anwalts-Handbuch Strafrecht
AK	Kommentar zum StGB (Reihe Alternativkommentare)
allg.	allgemein
Alt.	Alternative
ÄndG	Änderungsgesetz
ÄndVO	Änderungsverordnung
Anm.	Anmerkung
AnwBl.	Anwaltsblatt (Z)
ARB	Allgemeine Bedingungen für die Rechtsschutzversicherung
Art.	Artikel
AS	Amtliche Sammlung (Schweiz)
BauR	Zeitschrift für das gesamte öffentliche und zivile Baurecht (Z)
BBl.	Bundesblatt (Schweiz)
Begr.	Begründer
Beschl.	Beschluss
BGB	Bürgerliches Gesetzbuch
BGG	Bundesgerichtsgesetz (Schweiz)
BGH	Bundesgerichtshof
BGHSt	Entscheidungen des Bundesgerichtshofes in Strafsachen
BMJ	Bundesministerium der Justiz
BR	Bundesrat
BRAK-Mitt	Bundesrechtsanwaltskammer – Mitteilungen (Z)
BR-Drs.	Bundesratsdrucksache
Bsp., bspw.	Beispiel, beispielsweise
BStP	Bundesstrafrechtspflegegesetz (Schweiz)
BT	Bundestag
BT-Drs.	Bundestagsdrucksache
BV	Bundesverfassung (Schweiz)

Verzeichnis der verwendeten Abkürzungen

BVerfG	Bundesverfassungsgericht
BVerfGE	Entscheidungen des Bundesverfassungsgerichts
BW	Baden-Württemberg
bzgl.	bezüglich
bzw.	beziehungsweise
DAR	Deutsches Autorecht (Z)
DB	Durchführungsbestimmung
DDR	Deutsche Demokratische Republik
d.h.	das heißt
DJT	Deutscher Juristentag
DR	Deutsches Recht (Z)
DRiZ	Deutsche Richterzeitung (Z)
DRZ	Deutsche Rechts-Zeitschrift (Z)
E	Entscheidung bzw. Entwurf
EBRV	Erläuternde Bemerkungen zur Regierungsvorlage
ecolex	ecolex – Fachzeitschrift für Wirtschaftsrecht (Z)
EG	Einführungsgesetz bzw. Europäische Gemeinschaft(en)
EGMR	Europäischer Gerichtshof f. Menschenrechte
EGStGB	Einführungsgesetz zum Strafgesetzbuch
EGV	Vertrag zur Gründung der Europäischen Gemeinschaft
Einl.	Einleitung
EMRK	Europäische Menschenrechtskonvention
EU	Europäische Union
EVBl.	Evidenzblatt der Rechtsmittelentscheidungen in der Österreichischen Juristenzeitung (Österreich)
evtl.	eventuell
f., ff.	folgende, fortfolgende
FPR	Familie Partnerschaft Recht (Z)
FS	Festschrift
G.	Gesetz
GA	Goltdammer's Archiv für Strafrecht (Z)
GBl.	Gesetzblatt
GebrMG	Gebrauchsmustergesetz
gem.	gemäß
GeschmMG	Geschmackmustergesetz
GG	Grundgesetz
GKG	Gerichtskostengesetz
grds.	grundsätzlich
GrS	Großer Senat
GRUR	Gewerblicher Rechtsschutz und Urheberrecht (Z)
GS	Der Gerichtssaal (Z)
GVG	Gerichtsverfassungsgesetz
HK	Heidelberger Kommentar

Verzeichnis der verwendeten Abkürzungen

Hrsg.	Herausgeber
i. d. F.	in der Fassung
i. d. R.	in der Regel
i. d. S.	in diesem Sinne
i. E.	im Ergebnis
i. e. S.	im engeren Sinn
i. H. v.	in Höhe von
InsO	Insolvenzordnung
IPRax	Praxis des Internationalen Privat- und Verfahrensrechts (Z)
i. R. d.	im Rahmen der/des
i. R. v.	im Rahmen von
i. S.	im Sinne
i. S. d.	im Sinne der/des
i. S. e.	im Sinne einer(s)
i. S. v.	im Sinne von
i. V. m.	in Verbindung mit
JA	Juristische Arbeitsblätter (Z)
JBl.	Juristische Blätter (Z)
JGG	Jugendgerichtsgesetz
JR	Juristische Rundschau (Z)
Jura	Juristische Ausbildung (Z)
JurBüro.	Juristisches Büro (Z)
juridikum	Juridikum – Zeitschrift für Kritik, Recht, Gesellschaft (Z)
JuS	Juristische Schulung (Z)
JZ	Juristenzeitung (Z)
Kap.	Kapitel
KG	Kammergericht
KK	Karlsruher Kommentar zur Strafprozeßordnung
KMR	Kleinknecht/Müller/Reitberger, Kommentar zur Strafprozeßordnung (Loseblatt)
LG	Landgericht
Lit.	Literatur
LK	Strafgesetzbuch, Leipziger Kommentar
LS	Leitsatz
MarkenG	Markengesetz
MdJ	Ministerium der Justiz
MDR	Monatsschrift für deutsches Recht (Z)
MSchrKrim.	Monatsschrift für Kriminologie und Strafrechtsreform (Z)
MüKo	Münchner Kommentar zum Strafgesetzbuch
m. w. N.	mit weiteren Nachweisen
n. F.	neue Fassung
NJ	Neue Justiz (Z)
NJOZ	Neue Juristische Onlinezeitung (Z)

Verzeichnis der verwendeten Abkürzungen

NJW	Neue Juristische Wochenschrift (Z)
NJW-RR	NJW-Rechtsprechungs-Report Zivilrecht (Z)
NK	Nomos Kommentar zum Strafgesetzbuch
NKrimP	Neue Kriminalpolitik (Z)
NStZ	Neue Zeitschrift für Strafrecht (Z)
NStZ-RR	NStZ-Rechtsprechungs-Report (Z)
NZV	Neue Zeitschrift für Verkehrsrecht (Z)
OG	Oberstes Gericht der Deutschen Demokratischen Republik
OGI	Informationen des Obersten Gerichts (Z)
OHG	Opferhilfegesetz
ÖJZ	Österreichische Juristenzeitung (Z)
OLG	Oberlandesgericht
OWiG	Gesetz über Ordnungswidrigkeiten
PatG	Patentgesetz
RG	Reichsgericht
RGBl.	Reichsgesetzblatt
RGSt	Entscheidungen des Reichsgerichts in Strafsachen
RiStBV	Richtlinien für das Strafverfahren und das Bußgeldverfahren
Rn.	Randnummer
Rpfleger	Der Deutsche Rechtspfleger (Z)
Rspr.	Rechtsprechung
RuP	Recht und Politik. Vierteljahreshefte für Rechts- und Verwaltungspolitik (Z)
RuS	Recht und Schaden (Z)
RVG	Rechtsanwaltsvergütungsgesetz
S.	Seite oder Satz
SGB	Sozialgesetzbuch
SJZ	Schweizerische Juristen Zeitung (Z)
SK	Systematischer Kommentar
sog.	so genannt
SortSchG	Sortenschutzgesetz
SSt	Sammlung strafrechtlicher Entscheidungen des Obersten Gerichtshofs Österreichs
StÄG	Strafrechtsänderungsgesetz
StGB	Strafgesetzbuch
StPdG	Strafrechtliche Probleme der Gegenwart (Z)
StPO	Strafprozessordnung
StPRefG	Strafprozessreformgesetz
StraFo	Strafverteidiger Forum (Z)
Streit	Streit: feministische Rechtszeitschrift (Z)
StRR	Strafrechtsreport (Z)
StrRG	Gesetz zur Reform des Strafrechts
StV	Strafverteidiger (Z)

StVG	Straßenverkehrsgesetz
StVO	Straßenverkehrsordnung
StVollstrO	Strafvollstreckungsordnung
s. u.	siehe unten
SüJZ	Süddeutsche Juristenzeitung (Z)
u. a.	und andere bzw. unter anderem
UrhG	Urheberrechtsgesetz
usw.	und so weiter
u. U.	unter Umständen
v.	von, vom
VersR	Versicherungsrecht (Z)
VGH	Verwaltungsgerichtshof
vgl.	vergleiche
VO	Verordnung
VRR	Verkehrsrechtsreport (Z)
VV	Vergütungsverzeichnis
VVG	Gesetz über den Versicherungsvertrag
WiStG	Gesetz zur weiteren Vereinfachung des Wirtschaftsstrafrechts
wistra	Zeitschrift für Wirtschaft, Steuer, Strafrecht (Z)
WpHG	Wertpapierhandelsgesetz
WZG	Warenzeichengesetz
WzS	Wege zur Sozialversicherung (Z)
Z	Zeitschrift
ZAkDR	Zeitschrift der Akademie für Deutsches Recht (Z)
ZAP	Zeitschrift für die Anwaltspraxis (Z)
z. B.	zum Beispiel
ZGS	Zeitschrift für das gesamte Schuldrecht (Z)
ZH	Zürich
ZInsO	Zeitschrift für das gesamte Insolvenzrecht (Z)
ZIP	Zeitschrift für Wirtschaftsrecht und Insolvenzpraxis (Z)
ZJJ	Zeitschrift für Jugendkriminalrecht und Jugendhilfe (Z)
ZPO	Zivilprozessordnung
ZR	Blätter für Zürcherische Rechtsprechung
ZRP	Zeitschrift für Rechtspolitik (Z)
ZStrR	Schweizerische Zeitschrift für Strafrecht (Z)
ZStW	Zeitschrift für die gesamte Strafrechtswissenschaft (Z)
ZVR	Zeitschrift für Verkehrsrecht (Z)

Im Übrigen werden die üblichen Abkürzungen gebraucht (zitiert nach *Kirchner/Butz, Abkürzungsverzeichnis der Rechtssprache*, 6. Aufl., Berlin u. a. 2008).

Zitierte Internetquellen wurden zuletzt abgerufen am 20. Januar 2011.

Kapitel 1

Einführung und Grundlagen des Adhäsionsverfahrens

A. Einleitung und Fragestellung

I. Ziel der Arbeit

„Es gibt mehr Dissertationen über das Adhäsionsverfahren als Adhäsionsverfahren selbst!". Mit diesem Bonmot hat einmal *Rieß* die tatsächliche Situation des Adhäsionsverfahrens in der deutschen Strafverfahrenswirklichkeit umschrieben[1]. In der Tat steckt in der Aussage mehr als nur ein Körnchen Wahrheit. Einmal beschreibt sie treffend, dass Adhäsionsverfahren im deutschen Strafverfahren nur sehr selten anzutreffen sind. Zum anderen – geradezu entgegengesetzt – ist das Verfahren erstaunlich häufig Gegenstand zahlreicher wissenschaftlicher Stellungnahmen, die allesamt das Ziel verfolgen, seine mangelnde praktische Bedeutung zu erklären, und Möglichkeiten einer Änderung erörtern[2].

Das Adhäsionsverfahren ist die Möglichkeit für den Verletzten einer Straftat, bereits im Strafverfahren über die aus der Straftat resultierenden vermögensrechtlichen Ansprüche einen vollstreckbaren Titel erlangen zu können. Dadurch sollen im Idealfall einem Strafverfahren nachfolgende Zivilverfahren, in denen über zivilrechtliche Folgen der Straftat gestritten wird, vermieden werden. Zudem soll sowohl dem Täter, vor allem aber auch dem Opfer eine Möglichkeit an die Hand gegeben werden, sich eine weitere Konfrontation mit dem Geschehen zu ersparen. Das Adhäsionsverfahren ist bereits seit dem Jahr 1943 Teil des deutschen Strafprozesses. Charakteristisch ist allerdings vor allem, dass es in der Rechtswirklichkeit nie richtig angekommen ist und bis heute nur eine ganz untergeordnete Rolle spielt. Fest steht, dass es in der Praxis nahezu nie durchgeführt wird[3]. Daher hat der Gesetzgeber bereits mehrere Male versucht, das Verfahren umfassend zu reformieren. Das Ziel bestand stets darin, seine Anwendungshäufigkeit

---

[1] *Rieß* (1984a), S. L 148.

[2] Dies hat etwa *Weigend* (1989), S. 522 zur etwas sarkastischen, aber durchaus ernst zu nehmenden Feststellung bewegt, dass der Zweck des Adhäsionsverfahrens in der Vergangenheit vor allem darin bestanden hätte, als Gegenstand akademischer Systematisierungsbemühungen zu dienen. Vgl. auch *Schork*, Jura 2003, 304, 308, die den Widerspruch zwischen gesetzgeberischer Tätigkeit, wissenschaftlicher Auseinandersetzung und praktischer Relevanz des Adhäsionsverfahrens beschreibt.

[3] Statt vieler nur *Rieß* (2005), S. 425 m.w.N. Vgl. auch die im Anhang 1 wiedergegebenen Zahlen.

28 Kap. 1: Einführung und Grundlagen des Adhäsionsverfahrens

zu steigern. Der jüngste umfassende Reformversuch wurde durch das Opferrechtsreformgesetz im Jahr 2004 unternommen[4]. Dieser mangelnden praktischen Bedeutung steht eine durchaus beachtliche wissenschaftliche Bearbeitung des Verfahrens in der Literatur gegenüber. Auch nach der jüngsten Reform des Verfahrens sind bereits drei Dissertationen erschienen, die ausschließlich das Adhäsionsverfahren zum Gegenstand haben[5]. Insofern stellt sich die berechtigte Frage, warum an dieser Stelle eine weitere Arbeit zum Adhäsionsverfahren vorgelegt wird. Diese Frage kann leicht beantwortet werden. Zum einen erscheint es sinnvoll, dass die Auslegung der Vorschriften zum Adhäsionsverfahren (insbesondere der durch die letzte Reform veränderten Teile) sowie dessen Integration in den Strafprozess hier ausführlich dargestellt wird. Denn eine ausführliche Kommentierung in den etablierten Großkommentaren ist noch nicht vollständig verfügbar, was – im Hinblick auf eine systematische Darstellung des Verfahrens – auch nicht durch andere Publikationen ersetzt wird. Weiterhin verfolgt diese Arbeit auch einen anderen Ansatz als die bisher erschienenen Arbeiten, der im Folgenden aufzuzeigen sein wird[6].

Ziel dieser Arbeit ist zweierlei. Einmal soll sie eine *umfassende Bestandsaufnahme* des Adhäsionsverfahrens fünf Jahre nach dem Opferrechtsreformgesetz[7] unternehmen. Diese Bestandsaufnahme besteht aus einer detaillierten Darstellung der rechtlichen Ausgestaltung des Verfahrens, seiner Voraussetzungen und seiner Integration in den Ablauf eines Strafverfahrens. Weiterhin fließen Erkenntnisse aus einer unter der Richterschaft durchgeführten Umfrage in die Arbeit ein, damit auch praktische Erfahrungen hinreichend berücksichtigt werden. Abgerundet wird die Darstellung mit einem Blick über die Grenzen hinaus, indem auf die rechtliche Ausgestaltung der zum Adhäsionsverfahren äquivalenten Regelungen in Österreich und der Schweiz eingegangen wird. Ergänzt wird der rechtsvergleichende Beitrag um die Darstellung der früheren Rechtslage in der DDR. Zudem soll die Arbeit *Folgerungen aus der Bestandsaufnahme* ziehen, indem sie aufzeigt, welcher Platz dem Adhäsionsverfahren künftig im Strafverfahren zukommen sollte. Erhellt wird die Frage, welche Erwartungshaltung die Rechtspraxis an das Adhäsionsverfahren sinnvollerweise stellen kann. Weiterhin werden praktische Probleme dargestellt, Lösungsmöglichkeiten erörtert und ergänzende Vorschläge für die künftige Behandlung des Verfahrens unterbreitet. Insgesamt soll

---

[4] Opferrechtsreformgesetz v. 22.06.2004, BGBl. I (2004), S. 1354.

[5] *Klein* (2007); *Spiess* (2008); *Bahnson* (2008).

[6] Schwerpunkt der Darstellungen von *Klein* (2007) und *Bahnson* (2008) ist vor allem die Gesetzgebungsentwicklung des Opferrechtsreformgesetzes und sein Einfluss auf das Adhäsionsverfahren. *Spiess* (2008), dagegen stellt ausführlich eigene Umfrageergebnisse sowie die Rechtslage in Frankreich dar.

[7] Das Zweite Opferrechtsreformgesetz (Gesetz zur Stärkung der Rechte von Verletzten und Zeugen im Strafverfahren, BGBl. I (2009), S. 2280) vom Spätsommer 2009 hat an den Regelungen zum Adhäsionsverfahren nichts geändert.

A. Einleitung und Fragestellung

die Arbeit einen dogmatischen, empirischen und rechtsvergleichenden Beitrag zur Behandlung zivilrechtlicher Ansprüche im Strafverfahren leisten.

Damit ein Grundverständnis des Adhäsionsverfahrens gewährleistet ist, folgen einige Bemerkungen zu seinem Mechanismus, seinen Rechtsquellen sowie zur Terminologie. Anschließend wird der Gang der Darstellung in dieser Arbeit skizziert. Das Kapitel 1 schließt mit Ausführungen zur Historie des Adhäsionsverfahrens sowie seines eigentlichen Zwecks.

II. Mechanismus und Rechtsquellen des Adhäsionsverfahrens

Durch einen Antrag des Verletzten oder seines Erben wird im Rahmen eines Strafprozesses ein Adhäsionsverfahren eingeleitet. Damit kann der Antragsteller einen aus der Straftat erwachsenen vermögensrechtlichen Anspruch gerichtlich im Strafverfahren geltend machen und einen vollstreckbaren Titel erlangen. Es handelt sich um einen originären Teil des Strafprozesses und nicht etwa um ein parallel laufendes Verfahren oder einen „Anhang", wie es der Wortlaut nahe legt[8]. Der Antrag kann über fast die gesamte Prozessdauer gestellt werden, vom Ermittlungsverfahren bis zum Beginn der Schlussvorträge. Das Strafgericht prüft neben den strafrechtlichen Fragen, ob die im Antrag geltend gemachten Ansprüche begründet sind. Besteht der Anspruch nach Ansicht des Gerichts, gibt es ihm im Strafurteil statt, wenn der Angeklagte schuldig gesprochen oder zumindest eine Maßregel der Besserung und Sicherung angeordnet wird. Ist das Gericht dagegen der Meinung, dass der Anspruch nicht besteht, führt dies nicht etwa zu einer negativen Sachentscheidung, sondern das Gericht erklärt lediglich, dass es von einer Entscheidung über den Anspruch absieht. Dann bleibt dem Verletzten der Weg zum Zivilgericht offen. Darüber hinaus kann das Strafgericht auch von einer Entscheidung absehen, soweit der Strafprozess für eine gleichzeitige Entscheidung über Straf- und Zivilsache nicht geeignet ist. Festzuhalten ist, dass das Strafverfahren durch das Adhäsionsverfahren um einen Entscheidungsgegenstand ergänzt wird.

Hauptrechtsquellen für das Adhäsionsverfahren sind die §§ 403 bis 406c StPO. Die §§ 403 und 404 StPO befassen sich mit den Zulässigkeitsvoraussetzungen des Verfahrens. Die §§ 405 und 406 StPO regeln die Entscheidungsmöglichkeiten des Gerichts. Die §§ 406a bis 406c StPO schließlich stellen leges spe-

---

[8] Aus dem Lateinischen: adhaereo (sich anschließen, anhängen) und adhaesio, -onis, f. (das Anhängen, Anhaften). Die Bezeichnung geht auf *Eschenbach* zurück, der damit den missverständlichen Begriff Denunziationsprozess abgelöst hat (Plitt-*Eschenbach* (1790), S. 176). Geläufig ist auch der Ausdruck „Anhangsverfahren". Als weitere Namensvorschläge, die sich allerdings nicht durchgesetzt haben, wurden etwa Kohäsionsverfahren (*Scholz,* JZ 1972, 725) oder Inhärenzverfahren (*Kühler,* ZStW 71 (1959), 617, 624) erwogen.

30 Kap. 1: Einführung und Grundlagen des Adhäsionsverfahrens

ciales zu prozessualen Rechtsinstituten dar, deren Ausgestaltung für die Zwecke des Adhäsionsverfahrens abgeändert wird[9]. Über die §§ 403 ff. StPO hinaus finden sich im jeweiligen Sachzusammenhang einige weitere Vorschriften, die das Adhäsionsverfahren zum Gegenstand haben[10]. Damit umreißen verhältnismäßig wenige Vorschriften den gesetzgeberischen Rahmen des Verfahrens. So findet sich keine Norm, die bestimmt, auf welche Weise das Gericht die Behandlung der Ansprüche in die Hauptverhandlung integrieren soll. Da also die Bestimmungen nicht vollständig sind, müssen ergänzend allgemeine Vorschriften und Prozessmaximen zur Anwendung kommen.

III. Terminologie

Eine einheitliche Bezeichnung für die Beteiligten im Adhäsionsverfahren hat sich (noch) nicht eingebürgert. In der Verfahrenssituation stehen zwei Lager einander gegenüber. Auf der einen Seite tritt jemand im Strafverfahren auf, der behauptet, ihm seien durch die strafrechtlich relevante Handlung eines anderen zivilrechtliche Ansprüche entstanden. Dieser jemand kann (und wird auch häufig) als Adhäsionskläger oder (seltener) als Adhärent[11] bezeichnet werden. Das Gesetz spricht in den §§ 403 ff. StPO vom Antragsteller, wobei dieser Begriff jedoch dann nicht mehr eindeutig ist, wenn er ohne Bezugnahme auf das Verfahren verwendet wird[12]. Der Begriff Anspruchssteller spiegelt nicht dessen besondere Stellung im Strafverfahren wieder. Auch als Geschädigten, Verletzten oder Opfer kann man ihn streng genommen nicht bezeichnen, denn dieser Umstand soll durch das Strafverfahren ja erst geklärt werden[13].

---

[9] § 406a StPO befasst sich mit Rechtsmitteln, § 406b StPO mit der Vollstreckung der Adhäsionsentscheidung und § 406c StPO enthält eine besondere Vorschrift zur Wiederaufnahme des Verfahrens.

[10] § 472a StPO (Kostenregelung); § 406h S. 1 Nr. 2 StPO (Information des Verletzten); § 81 JGG (keine Anwendung im Jugendstrafrecht); § 110 S. 3 UrhG; § 25 Abs. 5 S. 3 GebrMG, § 51 Abs. 5 S. 3 GeschmMG, § 143 Abs. 5 S. 3 MarkenG, § 142 Abs. 5 S. 3 PatG, § 39 Abs. 5 S. 3 SortSchG (jeweils keine Einziehung bei einem Adhäsionsverfahren wegen bestimmter Ansprüche); diverse Gebührentatbestände in der Anlage zu § 2 Abs. 2 RVG; § 211 GVGA (Vollstreckung von Entscheidungen in Strafverfahren über die Entschädigung des Verletzten in der Geschäftsanweisung für Gerichtsvollzieher); diverse Schlichtungsgesetze der Länder (z. B. § 1 Abs. 2 Nr. 7 BbgSchlG oder § 1 Abs. 2 Nr. 8 HessSchlG).

[11] Zum Beispiel von *Bahnson* (2008), S. 44 und passim.

[12] Vgl. Prozesskostenhilfeantrag, Beweisantrag, Antrag auf Ablehnung eines Richters u. v. m.

[13] Vgl. aber auch *Weigend* (1989), S. 424 und *Kilchling,* NStZ 2002, 57, die zu Recht feststellen, dass auch ein zunächst nur „vermeintlich" Verletzter nicht einfach als Nicht-Verletzter bezeichnet und behandelt werden kann. Denn mit der Anklageerhebung liegen zumindest glaubwürdige Anhaltspunkte für die Verletzteneigenschaft vor („mehr als nur eine Arbeitshypothese"). Daraus folgt eine zumindest relative Unabhängigkeit des Begriffs von einer rechtskräftigen Schuldfeststellung.

Den anderen Teil bezeichnet das Gesetz je nach Verfahrensstadium unterschiedlich[14]. Diese in § 157 StPO genannten Bezeichnungen (Beschuldigter, Angeschuldigter oder Angeklagter) werden auch in der Literatur verwendet – oft aber nicht einheitlich[15]. Auch der Bezeichnung als Antragsgegner oder Adhäsionsbeklagter begegnet man häufig[16]. Selten ist die fremd anmutende Bezeichnung als „Adhäse"[17]. Als Täter kann man ihn der Unschuldsvermutung wegen erst nach einem rechtskräftigen Urteil bezeichnen. Beschuldigter ist der Oberbegriff für alle Verfahrensstadien, so dass er sich auch als Bezeichnung im Adhäsionsverfahren, das ja auch alle Verfahrensabschnitte betreffen kann, gut eignet.

In dieser Arbeit werden einheitlich die Begriffe „Antragsteller" für den Anspruchsteller (den Verletzten einer Straftat) und „Beschuldigter" als Anspruchsgegner (den Tatverdächtigen) verwendet[18]. Diese Bezeichnungen werden konsequent und unabhängig vom jeweiligen Abschnitt des Strafverfahrens benutzt, denn sie geben die gegensätzlichen Interessenssphären noch am treffendsten wieder. Für den Antragsteller wäre an sich der präzisere und eine Verwechslungsgefahr vermeidende Ausdruck des „Adhäsionsantragstellers" angebracht. Angesichts des zugegebenermaßen recht sperrigen Begriffs sowie der Tatsache, dass in dieser Arbeit andere Anträge als der Adhäsionsantrag kaum eine Rolle spielen, soll es beim Antragsteller bleiben. Wurde (noch) kein Antrag gestellt, soll trotz der damit verbundenen (auch hier nicht verkannten) Schwierigkeiten der auch vom Gesetzgeber verwendete Begriff des „Verletzten" benutzt werden[19]. Zu beachten ist dabei stets, dass es sich (zunächst) nur um einen „potenziellen Verletzten" handelt[20].

B. Gang der Darstellung

Die Arbeit ist in fünf inhaltliche Blöcke gegliedert. Die Kapitel 1 bis 4 stellen dabei die schon angesprochene Bestandsaufnahme des geltenden Adhäsionsver-

---

[14] Es verwendet in Anlehnung an die durch § 157 StPO vorgesehene Unterscheidung folgende Bezeichnungen: Beschuldigter (§§ 403, 404 Abs. 1 S. 3 StPO); Angeschuldigter (§ 404 Abs. 5 StPO) und Angeklagter (§§ 405 S. 1, 406 Abs. 1 S. 1, Abs. 2, 406a Abs. 2 S. 1, 3, Abs. 3 S. 1, 406c Abs. 1 S. 1 StPO).

[15] *Dallmeyer,* JuS 2005, 327, 328.

[16] *K. Schroth* (2005), Rn. 330.

[17] So *Stransky* (1939), S. 6.

[18] Zum österreichischen Begriff des „Privatbeteiligten" und zu den schweizerischen Bezeichnungen „Zivilkläger" oder „Privatkläger" siehe näher im Kapitel 4. Diese sehr treffenden Bezeichnungen können mangels gesetzlichen Niederschlags für das deutsche Adhäsionsverfahren allerdings nicht verwendet werden. Zukünftig sollte der Gesetzgeber der Klarheit wegen eine eindeutige Bezeichnung wählen.

[19] Eine einheitliche Definition hat sich nicht durchgesetzt. Vgl. zur Diskussion um den Verletztenbegriff zuletzt *Hilger,* GA 2007, 287, 289.

[20] Mit den in Fn. 13 beschriebenen Schwierigkeiten.

fahrens dar, Kapitel 5 wird einen Ausblick auf den künftigen Stellenwert des Verfahrens zum Inhalt haben.

Die Arbeit beginnt damit, die Grundlagen des Adhäsionsverfahrens zu erörtern (Kapitel 1). Anschließend wird die rechtliche Ausgestaltung der §§ 403 ff. StPO dargestellt (Kapitel 2). Hierzu werden zunächst die Grundsätze und gesetzgeberischen Grundentscheidungen beschrieben, denen das Verfahren in Deutschland folgt. Anschließend wird der Ablauf des reformierten Adhäsionsverfahrens detailliert nachgezeichnet. Insbesondere die Auswirkungen des Opferrechtsreformgesetzes und Auslegungsschwierigkeiten, die sich aus seiner Einführung ergeben haben, werden erörtert.

Ein weiteres Kapitel ist der Darstellung der eigenen empirischen Arbeit gewidmet (Kapitel 3). Durchgeführt wurde eine Onlineumfrage unter deutschen Strafrichtern, die zum Ziel hatte, die grundlegende Einstellung der Richterschaft zum Adhäsionsverfahren zu erfragen. Aufgabe dieses Kapitels ist es, die Durchführung der Umfrage und ihre Ergebnisse aufzuzeigen und zu diskutieren.

Hieran schließt sich ein Kapitel an, das die rechtliche Ausgestaltung analoger Regelungen zum Adhäsionsverfahren im deutschsprachigen Ausland darstellt (Kapitel 4). Hierfür wurden die Regelungen im österreichischen sowie im schweizerischen Strafverfahrensrecht untersucht[21]. Ergänzend finden sich in diesem Kapitel auch Ausführungen zum Schadensersatzverfahren im Strafprozessrecht der DDR.

Nach der dogmatischen, rechtstatsächlichen und rechtsvergleichenden Bestandsaufnahme werden im folgenden Kapitel 5 Konsequenzen für die künftige Behandlung des Adhäsionsverfahrens gezogen. Hierfür wird in einem ersten Schritt ermittelt, welche Erwartungshaltung sinnvollerweise von Gesetzgeber, Strafrechtspflege und Betroffenen an das Adhäsionsverfahren gestellt werden kann. Anschließend erfolgt die Erörterung praktischer Probleme und die Darstellung von Lösungsansätzen. Abschließend werden die Auswirkungen für den Verletzten, die Strafrechtspflege sowie den Gesetzgeber aufgezeigt.

C. Die historischen Wurzeln des Adhäsionsverfahrens

Die wechselvolle Geschichte des Adhäsionsverfahrens ist sehr gut dokumentiert[22]. Daher kann sich die Darstellung der rechtlichen Entwicklung darauf be-

---

[21] In beiden Ländern befindet sich das Strafverfahren (und auch die das Adhäsionsverfahren betreffenden Vorschriften) in einem umfangreichen Reformprozess.

[22] Vgl. *Meier/Dürre*, JZ 2006, 18, 19; SK-*Velten* (2003), vor §§ 403–406c Rn. 1 ff.; *Schmanns* (1987), S. 9–11 sowie *Klein* (2007), S. 5–24 und 223–225. Wegen ihrer Ausführlichkeit hervorzuheben sind die Arbeiten von *Spiess* (2008), S. 5–85, die insbesondere die jüngere Entwicklung seit dem Opferschutzgesetz 1986 (BGBl. I (1986), S. 2496) darstellt, *Brokamp* (1990), S. 12–94, der die Entwicklung von 1943 bis zum

C. Die historischen Wurzeln des Adhäsionsverfahrens

schränken, nur die wichtigsten Entwicklungslinien nachzuzeichnen, die für das Verständnis der heutigen Regelung unverzichtbar sind. Das Adhäsionsverfahren ist keine moderne Erfindung, sondern ein Rechtsinstitut mit jahrhundertelanger Geschichte. Es bietet sich aus heutiger Sicht an, die Entwicklung des Verfahrens in sechs unterschiedlich lange Phasen einzuteilen. Nach Hinweisen zur rechtlichen Entwicklung wird bei jeder „Etappe" die tatsächliche Anwendungspraxis und -häufigkeit beleuchtet.

I. Die Anfangsphase: Ausbildung eines Adhäsionsverfahrens (bis 18. Jahrhundert)

Verschiedene Autoren haben versucht, die Anfänge des Adhäsionsverfahrens bereits für das Römische Recht zu belegen[23]. Sie stützen sich namentlich auf als einschlägig betrachtete Stellen in den Digesten. Heutzutage wird man davon ausgehen müssen, dass diese Interpretationsversuche nicht tragen. Wie *Schönke* überzeugend aufgezeigt hat, belegen die Digestenstellen lediglich, dass ein Richter mehr oder minder zufällig im selben Verfahren sowohl über einen zivilrechtlichen Anspruch als auch den Strafausspruch zu entscheiden hatte[24]. Gesicherte Erkenntnis ist, dass die Geschichte des Adhäsionsverfahrens nicht bis in römische Zeit zurückreicht[25].

Im Mittelalter gab es ebenfalls noch kein dem Adhäsionsverfahren vergleichbares Rechtsinstitut, da eine trennscharfe Unterscheidung zwischen Zivil- und Strafprozess nicht gängig war. Verfahrensinitiative und -leitung befanden sich zunächst in privater Hand[26]. Darüber hinaus existierten mit dem „Kompositionsverfahren" Regelungen, die einen Ausgleich beim verletzten Opfer herbeiführten[27]. Insofern war ein Bedürfnis für ein Adhäsionsverfahren auch nicht gegeben. Eine Trennung zwischen Strafverfahren und materiell-rechtlichem Schadensersatzverfahren erfolgte erst mit Herausbildung eines (öffentlichen) Strafanspruchs der Rechtsgemeinschaft im Verlauf des 15. und 16. Jahrhunderts[28].

Opferschutzgesetz 1986 detailliert darlegt sowie *Schönke* (1935), S. 3–54; *ders.* (1951), S. 347–350 und *Stransky* (1939), S. 44–50, welche die Entwicklung von römischer Zeit bis in die 1930er Jahre hinein nachzeichnen. Allgemein zur historischen Entwicklung der Stellung des Verletzten im Strafverfahren ausführlich *Weigend* (1989), S. 24–172.

[23] Vgl. etwa *Tittmann* (1824), S. 149.

[24] *Schönke* (1935), S. 5.

[25] Grundsätzlich waren Straf- und Zivilprozess voneinander unabhängige Verfahren. Siehe hierzu *Waldstein/Rainer* (2005), § 12, § 32 Rn. 22 ff.; *Mommsen* (1955), S. 64, 1020 ff.; *Rein* (1844), S. 255; *Geib* (1842), S. 97 ff., 252 ff., 508 ff.

[26] *Rüping/Jerouschek* (2007), Rn. 63; SK-*Velten* (2003), Vor § 403 Rn. 1.

[27] Vergleiche detailliert zur „compositio" (Wergeld), die nach altgermanischem Strafrecht der Verbrecher zur Sühne an den Verletzten oder (bei Tötungen) an seine Angehörigen zu zahlen hatte, *Schütze* (1874) § 5 S. 17; *Wächter* (1881), § 18 S. 39; § 19 S. 41; *E. Schmidt* (1965), § 40.

[28] *Weigend* (1989), S. 85; SK-*Velten* (2003), Vor § 403 Rn. 1.

34 Kap. 1: Einführung und Grundlagen des Adhäsionsverfahrens

Erst dann entstand die Idee, den staatlichen Strafanspruch und den privaten Schadensersatz in einem einzigen Verfahren abzuhandeln[29]. Im weiteren Verlauf setzte sich die Aufspaltung eines ursprünglich einheitlichen Verfahrens in eine privatrechtliche und eine öffentlich-rechtliche Komponente endgültig durch. Aus der Straftat resultierende Forderungen fanden dennoch im 17. Jahrhundert wieder Eingang in das Strafverfahren. Aus praktischen Erwägungen – nämlich des Grundsatzes des Sachzusammenhangs – heraus entwickelte sich der Adhäsionsprozess[30]. Der Verletzte hatte auf das Strafverfahren nicht mehr als privater, verfahrensbestimmender Ankläger, sondern allenfalls noch als so bezeichneter Denunziant einen Einfluss[31]. In diesem denunziatorischen oder vermischten Prozess konnte er sich die Teilnahme am (Straf-)Prozess hinsichtlich möglicher Schadensersatzansprüche vorbehalten[32]. Diese frühe Adhäsionsmöglichkeit führte dazu, dass Straf- und Zivilverfahren nebeneinander herliefen, obwohl dieser Verfahrensablauf dem Wesen des damals vorherrschenden Inquisitionsprozesses widersprach[33]. Die Verbindung von Zivil- und Strafverfahren wurde aber durch das „paternalistische Interesse des Staates an einer umfassenden, ausgleichenden Erledigung von Störungen der guten Ordnung"[34] als legitim angesehen. Anerkannt war, dass der strafrechtliche Teil als Hauptsache anzusehen sei, was zu einer Verweisung der Zivilsache führte, wenn die Strafsache den Charakter als Hauptsache verloren hatte[35].

Genaue Hinweise zur praktischen Bedeutung des Verfahrens oder gar zu seiner Anwendungshäufigkeit sind für diese erste Phase nicht ersichtlich. Auch die früh erschienenen Arbeiten[36], die sich mit dem Adhäsionsverfahren beschäftigten, behandeln allein die rechtlichen Grundlagen der damaligen Zeit. Zur praktischen Bedeutung nehmen sie keine Stellung.

II. Zweite Phase: Entwicklung bis zum Erlass der RStPO im Jahr 1877

Nachdem ein Adhäsionsverfahren entstanden war, wurde in verschiedenen deutschen Partikularrechten aus der ersten Hälfte des 19. Jahrhunderts die Mög-

---

[29] *Weigend* (1990), S. 12.

[30] Dies ist inzwischen gängige Ansicht. Vgl. bereits die Ausführungen bei *Planck* (1857) S. 636. Eine detaillierte Übersicht findet sich bei *Schönke* (1935), S. 29 f.

[31] *Weigend* (1989), S. 147.

[32] Hierzu *Planck* (1857), S. 636.

[33] Zum Inquisitionsprozess vgl. *Vormbaum* (2009), S. 89, 92; *Rüping/Jerouschek* (2007), Rn. 129 m.w.N.; *Kabus* (2000), S. 29.

[34] *Schulz* (1982), S. 45.

[35] Eingehend *Nagler,* GS 112 (1939), 133, 155 ff.

[36] Vgl. etwa *Jordan* (1839), S. 122; *Kleinfeller,* GS 88 (1922), 1 ff.; *Vollrath* (1924), S. 10 ff.

C. Die historischen Wurzeln des Adhäsionsverfahrens

lichkeit geschaffen, im Strafverfahren auch zivilrechtlichen Schadensersatz zu erlangen. Eine Betrachtung der Rechtslage in den einzelnen deutschen Staaten ergibt dabei ein differenziertes Bild. Ein Adhäsionsprozess war in einem Teil der Staaten vorgesehen, darunter waren Preußen, Baden sowie die Königreiche Hannover und Sachsen[37]. Beobachtet werden kann jedoch auch das Phänomen, dass bis in die 1850er Jahre hinein zwar die Zahl der Strafverfahrensordnungen mit Adhäsionsmöglichkeit beständig zunahm, dann aber das Adhäsionsverfahren ab den 1860er Jahren in immer mehr Partikulargesetzen wieder abgeschafft wurde[38].

Im Jahr 1877 wurde die Reichsstrafprozessordnung als Teil der so genannten Reichsjustizgesetze verabschiedet, die am 1. Oktober 1879 in Kraft traten. Die RStPO enthielt keine Regelungen über das Adhäsionsverfahren. Der Gesetzgeber hatte sich gegen die Aufnahme vergleichbarer Bestimmungen entschieden. Dieser Umstand ist umso interessanter, als in den ersten beiden Gesetzesentwürfen zur RStPO noch (Adhäsions-)Bestimmungen zu finden waren[39]. Dennoch führte die Erwägung zur Streichung, dass das Rechtsmittelsystem im „Civil- und Strafprozesse" zu verschieden sei[40]. Insofern wurde eine bis dahin entstandene Tradition des Adhäsionsverfahrens durchbrochen[41].

Auch für die Zeit bis zum Jahr 1877 liegen keine Erkenntnisse über die praktische Bedeutung des Verfahrens vor. Immerhin finden sich einige Stellungnahmen in der Literatur. Diese bescheinigen im Vergleich zur davor liegenden Zeit eine schrumpfende Bedeutung[42].

III. Dritte Phase: Vorbereitung der gesetzlichen Regelung im Jahr 1943

Nachdem der Adhäsionsprozess zunächst von der juristischen Landkarte verschwunden war, setzte sich in der Kaiserzeit eine Reihe namhafter Stimmen für die (Wieder-)Einführung des Verfahrens ein[43]. Gehört wurden sie indes nicht.

---

[37] *Schönke* (1935), S. 28 ff. mit einem detaillierten Überblick.

[38] *Weigend* (1989), S. 148.

[39] Nämlich in §§ 322–336 Entwurf I-RStPO sowie in §§ 328–341 Entwurf II-RStPO. Dies geschah auch auf den Impuls des 2. DJT in Dresden (1861) hin. Zur genauen Ausgestaltung der Regelungsentwürfe siehe *Schönke* (1935), S. 42–46. Auch ein späterer Antrag auf Wiedereinführung blieb erfolglos, vgl. *Hahn* (1880), S. 1111; *Bennecke/Beling* (1900), S. 652.

[40] *Hahn* (1880), S. 284. Eingehend hierzu auch *Birkmeyer* (1898), S. 120; *Schönke*, DRZ 1949, 121, 124.

[41] *K. Schroth* (2005), Rn. 321.

[42] Vgl. etwa die Bemerkung von *Jordan* (1839), S. 122, nach dem die Bedeutung des Adhäsionsprozesses in Gesetzgebung und Praxis umso mehr abnimmt, je mehr er „in der Theorie zur wissenschaftlichen Bestimmtheit und Vollendung entwickelt" sei.

[43] *Schönke* (1935), S. 42.

36   Kap. 1: Einführung und Grundlagen des Adhäsionsverfahrens

Vielmehr schien der Gedanke eines weitgehend „ungestörten" und von zivilrechtlichen Fragen gänzlich befreiten Strafprozesses zu überwiegen. Dennoch gab es mehrere Neuanläufe für eine Kodifikation des Adhäsionsverfahrens. In den Jahren 1909, 1913, 1919 und 1920[44] sahen verschiedene Gesetzentwürfe eine Aufnahme vor – allerdings in das Strafgesetzbuch und nicht in die Prozessordnung, was mit der Erwägung begründet wurde, dass eine Verurteilung zu zivilrechtlichem Schadensersatz die „Wirkung der Strafe in erheblichem Maße" vertiefe[45]. Verwirklicht wurde allerdings keines dieser Vorhaben.

Erst ab den späten zwanziger Jahren entwickelte sich ein „adhäsionsfreundlicheres" Klima[46]. Nachdem bereits in den Jahren 1930, 1937 und 1939 Gesetzentwürfe für die Schaffung eines Adhäsionsprozesses vorgelegt worden waren, wurde schließlich im Jahr 1943 der Adhäsionsprozess in die Reichsstrafprozessordnung durch die „Dritte Verordnung zur Vereinfachung der Strafrechtspflege"[47] eingeführt. Vor der Schaffung der Vorschriften gab es erhebliche Diskussionen im Schrifttum, welche die Einführung des Verfahrens hinsichtlich seines Nutzens für die nationalsozialistische „Rechtserneuerung" untersuchten[48]. Standort für die neuen Bestimmungen waren – wie noch heute – die §§ 403 ff. RStPO. Eine Begründung, welche die Motivlage des Gesetzgebers zur Einführung eines Adhäsionsverfahrens erhellen würde, existiert indes nicht. Gesicherte Meinung ist dennoch, dass mit der Einführung keinesfalls nationalsozialistisches Gedankengut den Weg in die StPO fand, sondern im Kern Aspekte der Prozessökonomie, etwa dass die Gerichte personell entlastet werden sollten, den leiten-

---

[44] Vgl. hierzu ausführlich *Kleinfeller,* GS 88 (1922), 1, 29 ff. sowie die Darstellung bei *Ambrosius,* GS 107 (1936), 143, 145 ff.

[45] *Schönke* (1935), S. 47.

[46] Dies wurde begleitet durch einige wohlwollende Literaturstimmen, welche die befürchteten Nachteile im Vergleich zu den Vorteilen für vernachlässigbar hielten. Hierzu zählen etwa *Kleinfeller,* GS 88 (1922), 1, 9; *Breuling,* DRiZ 1928, 439, 441; *Nicolai* (1931), S. 85; *Ambrosius,* DR 1934, 282, 284; *ders.* GS 107 (1936), 143, 165; *Helmich* (1935), S. 81; *Gleispach* (1938), S. 510 sowie *Nagler,* GS 112 (1939), 133, 168. Zu sachlichen Fehlern mancher Autoren, welche die Wiedereinführung des Adhäsionsverfahrens mit der „urdeutschen" Tradition begründen (mitunter wurde sogar zu Unrecht die Lex Salica Chlodwigs I. aus dem frühen 6. Jahrhundert bemüht), und die vor allem bei *Ambrosius* auf einem nationalsozialistisch geprägten Geschichtsverständnis fußen, siehe *Weigend* (1989), S. 165 dort Fn. 595 („Geschichtsklitterung"). Mag die historische Herleitung auch zweifelhaft sein, ist festzustellen, dass die positiven Stellungnahmen für eine Einführung überwiegen.

[47] RGBl. I (1943), S. 342. Zu beachten ist, dass der Gang der Gesetzgebung nicht im heutigen Sinn ausgestaltet war. Vielmehr handelte es sich um eine vereinfachte Rechtsetzung, die für die die Technik der „Führererlasse" maßgeblich war; vgl. zu dieser Problematik *Moll* (1999), S. 313. Eingehend zur Neueinführung des Adhäsionsverfahrens *Grau,* DJ 1943, 331 ff.; *Klee,* ZAkDR 1943, 226 ff.; *Schönke,* DR 1943, 721, 727 ff.; *Köstner* (1943), S. 12 ff. und *Sommer,* DR 1944, 475.

[48] Befürwortend etwa *Gleispach* (1938), S. 509 ff. Ablehnend aber *Deimling* (1938), S. 26 ff.

C. Die historischen Wurzeln des Adhäsionsverfahrens 37

den Antrieb darstellten[49]. Dies überrascht nicht, wenn man sich vor Augen führt, dass in den Kriegszeiten an allen nur denkbaren staatlichen Stellen Personal gespart werden sollte[50]. Darin spiegelt sich ein bis heute gültiger Zweck des Verfahrens wieder. Ein weiteres entscheidendes Motiv war es, die „Volkstümlichkeit" des Strafprozesses zu fördern[51].

Da das Verfahren im deutschen Recht bis zum Jahr 1943 nicht vorgesehen war, gibt es naturgemäß für diese Zeitspanne auch keine Hinweise auf die Anwendungspraxis.

IV. Vierte Phase: Entwicklung bis zur ersten umfassenden Reform im Jahr 1986

1. Rechtliche Entwicklung

Die Vorschriften überdauerten das Kriegsende, was sicherlich daran lag, dass sie von ideologisch geprägten Erwägungen frei waren. Im Jahr 1950 wurde das Verfahren nahezu unverändert in das deutsche Strafprozessrecht übernommen[52]. Auch die durch das Einführungsgesetz zum Strafgesetzbuch[53] erfolgten Änderungen im Jahr 1974 waren von untergeordneter Bedeutung[54]. An der gesetzestechnischen Ausgestaltung hat sich im Übrigen nichts getan. Die Entwicklung des Verfahrens wurde von zahlreichen Stellungnahmen aus der Wissenschaft begleitet[55].

Eine erste wirklich umfassende Überarbeitung der §§ 403 ff. StPO erfolgte im Jahr 1986 durch das Opferschutzgesetz[56]. Der das Adhäsionsverfahren reformie-

---

[49] *Schönke,* DR 1943, 721. So auch die Einschätzung von *Rieß* (1984), S. C 35; *Weigend* (1989), S. 166 und *Meier/Dürre,* JZ 2006, 18, 19. Vgl. auch die ausführlichen Darstellungen bei *Köckerbauer* (1993), S. 36 und *Brokamp* (1990), S. 14.

[50] Daher, so *Grau,* DR 1943, 331, 333, gerade die Einführung „zum jetzigen Zeitpunkt".

[51] *Amelunxen,* ZStW 86 (1974), 457, 460.

[52] Durch das so genannte Vereinheitlichungsgesetz (BGBl. I (1950) S. 455 ff.) ergaben sich durch Art. 3 Nr. 174 (S. 498 f.) lediglich zwei kleinere inhaltliche (unter anderem die Aufhebung des Vertretungsverbots und die Aufhebung der Regelung, dass für eine Ehefrau nur ihr Ehemann einen Adhäsionsantrag stellen konnte) sowie redaktionelle Änderungen. Eine Darstellung der Änderungen findet sich bei *Brokamp* (1990), S. 43–45. Für die Auslegung der damals geltenden Vorschriften ist der Rückgriff auf *Schönke,* DR 1943, 721, 727–730 möglich.

[53] Einführungsgesetz zum Strafgesetzbuch v. 2.3.1974 BGBl. I (1974), S. 496. Eingehend hierzu *Göhler,* NJW 1974, 825 ff.

[54] Neben einer redaktionellen Änderung wurde § 406d StPO a. F. gestrichen, der die Anwendbarkeit auf die Buße zum Inhalt hatte (zum Verhältnis dieser Buße zum Adhäsionsverfahren *Kern* (1954), 409).

[55] Zu nennen sind etwa *Kickton* (1947), S. 27; *G. Meyer,* SüJZ 1950, 191, 194 ff.; *Erich* (1952), S. 88.

[56] Opferschutzgesetz v. 18.12.1986 BGBl. I (1986), S. 2496. Das Gesetz trat am 1.4. 1987 in Kraft. Daher ist nicht einheitlich – obwohl es sich um das gleiche Gesetz handelt – vom Opferschutzgesetz 1986, oft aber auch vom Opferschutzgesetz 1987 die

38 Kap. 1: Einführung und Grundlagen des Adhäsionsverfahrens

rende Teil des Opferschutzgesetzes wollte Verletztenrechte nicht grundlegend neu fassen, sondern ein bestehendes Rechtsinstitut verbessern[57]. Die Vorgeschichte dieses Reformgesetzes bestand in einer noch bis heute andauernden Wandlung der kriminalpolitischen Einstellung. Zunächst hatte die Rolle des Verletzten im Strafverfahren nur einen äußerst bescheidenen Umfang. Träger des Strafanspruchs war der Staat, der diesen mit seinen Organen im Interesse der Öffentlichkeit durchsetzt. Die Beteiligung des Verletzten erschöpfte sich in seiner Anzeige und der Zeugenstellung, womit er lediglich als „Hilfsmittel" im Strafverfahren fungierte[58]. Diese vor allem für den Verletzten selbst unbefriedigende Stellung wurde ab ungefähr Mitte der 1960er Jahre verstärkt kritisch gesehen[59]. In dieser Zeit begann die „moderne Opferdiskussion", die in stärker werdendem Maße die Zunahme von Opferrechten forderte, und die zur Herausbildung und Entwicklung der Viktimologie innerhalb der Kriminologie führte[60]. Erst durch dieses Entstehen der viktimologischen Diskussion gerieten der Verletzte und dessen Stellung stärker in den Fokus der Öffentlichkeit und Kriminalpolitik, bis hin zu einer „nachgerade weltumspannende[n] Woge der Viktimophilie", wie es *Weigend* beschrieb[61]. Der kriminalpolitische Blickwinkel erweiterte sich vom Verhältnis „Staat – Täter" auf die Beziehungen „Staat – Täter – Opfer". Schließlich befasste sich auch die strafrechtliche Abteilung des 55. DJT im Jahr 1984 mit der „Stellung des Verletzten im Strafverfahren"[62]. Diese Entwicklung führte zu häufig geäußerten Reformforderungen, mit dem Ziel, das Opfer als einen ernstzunehmenden Teilnehmer im Strafverfahren mit eigenen Rechten anzuerkennen.

Rede. Zur Genese des Gesetzes vor allem im Hinblick auf das Adhäsionsverfahren vgl. *Brokamp* (1990), S. 57–94. Zu Stellungnahmen und Einschätzungen des Gesetzes vgl. *Böttcher,* JZ 1987, 133 ff.; *Burghard,* Kriminalistik 1987, 135 f.; *Kempf,* StV 1987, 215 ff.; *Rieß,* StV 1987, 212 ff. und Jura 1987, 281 ff.; *Rieß/Hilger,* NStZ 1987, 145 ff.; *Weigend,* NJW 1987, 1170 ff. jeweils mit weiteren Nachweisen. Vgl. auch die Untersuchung von *Jäger* (1996), S. 166, der den Eingriff in die Stellung des Beschuldigten kritisiert.

[57] *Klein* (2007), S. 22.

[58] *K. Schroth* (2005), Rn. 1. Vgl. hierzu auch die Nachweise bei *Dölling* (2007), S. 77; *Gräfin von Galen,* BRAK-Mitt. 2002, 110; *Stöckel,* JA 1998, 599, 600 f., sowie die umfangreiche historische Darstellung bei *Weigend* (1989), S. 24–167.

[59] Vgl. etwa *Holst* (1969), S. 150: „Man kann dem Staat den Vorwurf nicht ersparen, dass er dem Opfer die gebotene Fürsorge vorenthält".

[60] *Schwind* (2009), § 19 Rn. 5 ff.; *Dölling* (2007), S. 78; *G. Kaiser* (1997), S. 296 ff.

[61] *Weigend* (1989), S. 16. Vgl. auch die Analyse von *Schünemann,* NStZ 1986, 193, 194, die der Stellung des Verletzten im Strafverfahren bescheinigt, urplötzlich nicht nur „en vogue", sondern geradezu „à la mode" zu sein, und *Bommer,* ZStrR 121 (2003), 172, 173, der eine Vielzahl von Gründen für diese Entwicklung aufzählt. Siehe hierzu ausführlich *Stangl,* NK 2008, 15, 16 f.; *Löffelmann,* BewHi 2006, 364, 366 f.; *Bohne,* Kriminalistik 2005, 166 f.; *Hubig* (2008), S. 285; *Hilf* (2006), S. 57 f.; *Hinz,* DRiZ 2001, 321, 322 ff.; *Seelmann,* JZ 1989, 670, 672 und *ders.* (1990), S. 159 ff. Für die Entwicklung in Österreich siehe zusätzlich *Jesionek* (2004), S. 255.

[62] Hierzu das Gutachten von *Rieß* (1984), 1 ff.; die Verhandlungen (Band 2 Teil L) sowie die Stellungnahme von *Jung,* JR 1984, 309 ff.

C. Die historischen Wurzeln des Adhäsionsverfahrens

Der Fortgang des Adhäsionsverfahrens hängt unmittelbar mit dieser im zunehmenden Maße an den Interessen des Verletzten orientierten Entwicklung zusammen. Der Gesetzgeber sah das Verfahren als ein besonders wirksames Element des Opferschutzes an. Dies zeigt nicht nur der Umstand, dass im Opferschutzgesetz ein Schwerpunkt auf die Umgestaltung der §§ 403 ff. StPO gelegt wurde, sondern wurde auch durch die Einschätzungen des Gesetzgebers sowie von Literaturstimmen deutlich[63]. Durch das Opferschutzgesetz sollten offensichtliche Anwendungshemmnisse des damals geltenden Adhäsionsrechts überwunden werden[64]. Zu diesem Zweck wurden die Möglichkeit von Grund- und Teilurteilen sowie die der Prozesskostenhilfe geschaffen. Zudem wurde die bis dahin vorhandene Streitwertgrenze aufgehoben. Diese Reformmaßnahmen waren eher zurückhaltender Art[65]. Dennoch befürchteten einige Stimmen einen zu weitgehenden Eingriff in die Möglichkeiten der Verteidigung, hingegen kritisierten andere die Halbherzigkeit der ergriffenen Maßnahmen[66]. Die kriminalpolitische Bedeutung des Opferschutzgesetzes wurde als bedeutsamer angesehen als dessen praktische, da der Gesetzgeber nur kleine Schritte auf das Opfer zugegangen sei, sowohl im Hinblick auf das Adhäsionsverfahren selbst als auch im gesamten Gesetz[67].

Nach Erlass des Opferschutzgesetzes setzte sich die opferfreundliche Gesetzgebung fort, was etwa der Erlass des Zeugenschutzgesetzes im Jahr 1998 belegt[68]. Die Vorschriften der §§ 403 ff. StPO blieben jedoch zunächst unverändert.

2. Anwendungspraxis

Zunächst finden sich Hinweise darauf, dass das Verfahren von der Rechtspraxis angenommen wurde[69]. Im letzten Kriegsjahr spielte das Verfahren dann – soweit ersichtlich – aus nachvollziehbaren Gründen keine Rolle mehr. Nach dem Krieg zeichnete sich zunächst ab, dass die Bedeutung des Verfahrens mit der Zeit zunahm, was aus heutiger Sicht erstaunlich erscheint[70]. Statistische Aussagen

---

[63] BT-Drs. 10/5305 S. 15; *Brokamp* (1990), S. 66; *Hammerstein* (1984), S. 27.

[64] BT-Drs. 10/5305 S. 15. Zu den Änderungen detailliert *Brokamp* (1990), S. 57 ff. und *Burmann* (1987), S. 73 ff.

[65] *Weigend,* NJW 1987, 1170, 1176 vermutet, dass hierfür die traditionelle Auffassung verantwortlich zeichnete, dass die Frage des Schadensersatzes ins Zivilrecht gehöre und daher für das Straf- und Strafverfahrensrecht allenfalls von marginalem Interesse sei. Ihm zustimmend *Tenter/Schleifenbaum,* NJW 1988, 766.

[66] *Weigend,* NJW 1987, 1170, 1171.

[67] *Böttcher,* JZ 1987, 133, 141.

[68] BGBl. I (1998), S. 820. Zu diesem Gesetz *Rieß,* NJW 1998, 3240 ff. und *Seitz,* JR 1998, 309 ff.

[69] *Sommer,* DR 1944, 475.

[70] *Schönke,* DRZ 1949, 121: „Diese Vorschriften [die §§ 403 ff. StPO; d. Verf.] beginnen in der Praxis eine größere Rolle zu spielen ...“; *G. Meyer,* JZ 1953, 216: „Lang-

40   Kap. 1: Einführung und Grundlagen des Adhäsionsverfahrens

über die Anzahl der Adhäsionsverfahren gibt es erst seit dem Jahr 1988. Für die Zeit davor liegen keine bundesweiten verlässlichen Zahlen vor. Ein wenigstens in der Tendenz recht klares Bild kann aber eine Gesamtschau aus kleineren empirischen Untersuchungen, die über die tatsächliche Bedeutung des Verfahrens und seiner Verbreitung Auskunft geben, der Anzahl der veröffentlichten Gerichtsentscheidungen sowie schließlich von zahlreichen Stellungnahmen in der Literatur ergeben.

Untersuchungen mit dem Ziel, die Akzeptanz des Adhäsionsverfahrens in der Praxis zu beleuchten, wurden zunächst von *Schmahl,* später auch von *Kühne* durchgeführt[71]. Beide konstatierten eine sehr geringe Anwendungshäufigkeit. Die Zahl der veröffentlichten Entscheidungen zum Adhäsionsverfahren ist ebenfalls denkbar gering. So ergibt eine Datenbankabfrage für den Zeitraum von 1950 bis 1986 eine erstaunlich geringe Trefferzahl[72]. Betrachtet man schließlich Einschätzungen aus Fachkreisen, so ergibt sich, dass das Adhäsionsverfahren im betreffenden Zeitraum im Rechtsalltag praktisch keine Rolle gespielt hat. Bereits im Jahr 1959 kam die Einschätzung auf, das Verfahren befinde sich in einem Zustand „bedauerlicher Bedeutungslosigkeit … in der deutschen Rechtspraxis"[73] und hätte sich nicht einbürgern können[74]. Berühmt und oft zitiert ist *Jeschecks* Diagnose als „totes Recht"[75]. Auch die (durchaus despektierlich gemeinte) Bezeichnung als „Appendix des Strafprozesses"[76] spricht Bände. Sogar die Ablehnung des Verfahrens, weil es „praktisch sinnlos" sei, ist anzutreffen[77]. Für den Verletzten jedenfalls würde sich ein Verfahren nicht lohnen[78]. Auch ohne amtli-

---

sam aber ständig zunehmend gewinnt der Adhäsionsprozeß an Bedeutung.", vgl. auch *Grebing,* ZStW 87 (1975) 472.

[71] *Schmahl* (1980), S. 206 ff. und *Kühne,* MschrKrim 69 (1986), 98 ff. Eine kurze Darstellung der Untersuchungen findet sich unten auf S. 163.

[72] Mit den in den entsprechenden Entscheidungen jedenfalls auftretenden Suchbegriff „Adhäsionsverfahren" und der Gegenprobe mit „§ 403 StPO" ergeben sich bei den Datenbanken Juris maximal 22 Treffer und bei Beck-Online maximal 37 Treffer.

[73] *Kühler,* ZStW 71 (1959), 617, 624, der jedoch die Ansicht teilt, dass der „Adhäsionsprozeß eine Belebung" erfahren solle (S. 618).

[74] *Würtenberger* (1956), S. 193.

[75] *Jescheck,* JZ 1958, 591, 593. Diese Einschätzung hat sich auch in den kommenden Jahrzehnten nicht geändert, vgl. AE-WGM (1992), S. 13. Etwas relativiert wird die harte Diagnose durch *Granderath,* NStZ 1984, 399, 400, der feststellt, dass den BGH immerhin „einige Anwendungsfälle" erreicht hätten.

[76] *Scholz,* JZ 1972, 725, 726, vgl. auch seine Diagnose als „vergessenen Winkel des Strafprozesses".

[77] *Fey,* AnwBl. 1986, 491. Vgl. auch die Einschätzung, dass das Verfahren daher auch künftig keine Bedeutung erlangen würde, *Odersky* (1984), S. 42.

[78] *Meyer-Goßner,* ZRP 1984, 228, 229 („Wer mit dem Ziel des Schadensersatzes den Weg des Adhäsionsverfahrens beschreitet, wird in der Regel wenig Freude haben"). Zustimmend *Groth,* ZRP 1984, 336.

C. Die historischen Wurzeln des Adhäsionsverfahrens 41

che Statistiken[79] lassen alle Aussagen den Schluss zu, dass der Anwendungsbereich des Verfahrens allmählich gegen Null tendierte. Sooft wie jedoch resignierende Aussagen über das Verfahren getroffen werden, werden auch Änderungsmöglichkeiten vorgeschlagen, denn, und das ist der erkennbare Grundtenor der Einschätzungen: „Der Gedanke des Sachzusammenhangs ist so einleuchtend, daß es für geeignete Fälle einen prozessualen Weg der Verwirklichung geben muss, auch wenn sie selten sein mögen"[80].

V. Fünfte Phase: Entwicklung bis zur zweiten umfassenden Reform im Jahr 2004

1. Rechtliche Entwicklung

Immerhin gut 17 Jahre lang blieben die das Adhäsionsverfahren betreffenden Vorschriften unverändert. Erst im Jahr 2004 erlebten die §§ 403 ff. StPO durch das Opferrechtsreformgesetz eine neuerliche, weit reichende Umgestaltung. Zunächst spricht dieser lange Zeitraum dafür, dass sich die gesetzgeberischen Änderungen auszahlten, denn sonst wäre eine Reform bereits früher denkbar gewesen. Dennoch kann – wie sogleich aufzuzeigen sein wird – von einer gesteigerten Anwendungshäufigkeit nicht die Rede sein[81]. Über die durch das Opferschutzgesetz verwirklichten Reformvorschläge hinaus wurden viele weitere in der Literatur entwickelt[82]. Auch einige Gesetzesinitiativen hatten eine Optimierung des Adhäsionsverfahrens zum Ziel[83]. In diese Phase fallen aber auch diejenigen Stellungnahmen, die angesichts der praktischen Bedeutungslosigkeit eine gänzliche Abschaffung des Verfahrens empfehlen[84].

---

[79] Erst seit dem Jahr 1988 führt das Statistische Bundesamt Zahlen zum Adhäsionsverfahren. Siehe dazu auch unten Kapitel 1: C. V. 2. sowie die Tabellen im Anhang 1.

[80] *Jescheck,* JZ 1958, 591, 594. Vgl. auch *Scholz,* JZ 1972, 725, 726: „Die ... Verkoppelung von strafrechtlicher Sanktion und zivilrechtlicher Restitution ist heute bewusster und lebendiger denn je."

[81] Vgl. hierzu die Übersichten bei *Klaus* (2000), S. 190 ff.

[82] Nur beispielhaft seien genannt: *Köckerbauer,* NStZ 1994, 305, 311; *Rössner/ Klaus,* NJ 1996, 288; *Kintzi,* DRiZ 1998, 65, 72. Auf die einzelnen Vorschläge wird an geeigneter Stelle eingegangen.

[83] BR-Drs. 709/96; BR-Drs. 552/00; BR-Drs. 618/01. Vgl. für den Inhalt der einzelnen Initiativen die Übersicht bei *Spiess* (2008), S. 29–33.

[84] Vgl. etwa *Hofmann* (1973), S. 105; *Rehwagen* (1974), S. 210; *Fey,* AnwBl. 1986, 491; *Rüping* (1983), S. 203 sowie *Weigend* (1989), S. 526 f. und *Hirsch* (1989), S. 718 („keine sachliche Notwendigkeit"). Vgl. etwas später noch *Staiger-Allroggen* (1992), S. 165, die eine eigenständige Wiedergutmachungssanktion (S. 166) als Fernziel ansieht, zunächst jedoch das Adhäsionsverfahren durch einen umfassenden Täter-Opfer-Ausgleich ersetzen möchte. Interessanterweise haben die Stimmen, die eine Abschaffung des Verfahrens fordern, immer mit der mangelnden praktischen Bedeutung des Verfahrens argumentiert, nicht aber mir grundsätzlichen Erwägungen. Dennoch sind bis dato keinerlei gesetzgeberische Bestrebungen zu beobachten gewesen, die das Verfahren abschaffen oder gar nur einschränken wollten.

42 Kap. 1: Einführung und Grundlagen des Adhäsionsverfahrens

Eine erneute Reform der §§ 403 ff. StPO schien dem Gesetzgeber Anfang des neuen Jahrtausends nötig zu sein. Impuls war der nunmehr vorherrschende legislatorische Grundgedanke, dass die Aufgabe eines sozialen Rechtsstaates nicht allein darin bestehen könne, die Straftat und Schuld oder Unschuld des Täters im Strafverfahren festzustellen, sondern auch die Belange des Opfers zu wahren[85]. Die Einschätzung, dass das Adhäsionsverfahren dazu besonders gut geeignet sei, leitete dabei weiterhin die gesetzgeberische Tätigkeit[86]. Der konkrete Auslöser für das Opferrechtsreformgesetz kam aus der europäischen Rechtssetzung. Durch einen Rahmenbeschluss wollte der Rat der Europäischen Union eine Angleichung der die Stellung und die wichtigsten Rechte des Opfers betreffenden Vorschriften und Praktiken in den Mitgliedstaaten erwirken[87]. Daneben erkannten die kriminologische Forschung der vergangenen Jahrzehnte sowie insbesondere die praktische Arbeit von verschiedenen Einrichtungen, die Opfer von Straftaten unterstützen, dass Bedürfnisse und Interessen der Opfer vielfältiger sind, als sie in der geltenden Gesetzesfassung zum Ausdruck gelangten. Wie bereits bei der ersten umfangreichen Reform entschied sich der Gesetzgeber nicht für ein „Adhäsionsverfahrensänderungsgesetz", sondern für die Einbettung der Änderungen in ein weit reichendes Reformwerk. Die das Adhäsionsverfahren betreffenden Vorschriften stellten zwar einen zentralen Teil des neuen Gesetzes dar, darüber hinaus enthielt es aber eine ganze Reihe weiterer Regelungsgegenstände[88]. Das verabschiedete Gesetz stellte einen Mittelweg aus zwei Entwürfen der Bundesregierung[89] sowie der Fraktion von CDU/CSU[90] dar. Nach Beratungen im Rechtsausschuss passierte ein modifizierter Entwurf von SPD und Bündnis 90/Die Grünen unter Ablehnung des Entwurfes von CDU/CSU am 4. März 2004 den Bundestag. Eine Beschlussempfehlung des einberufenen Vermittlungsausschusses[91]

---

[85] BT-Drs. 15/1976 S. 1. Damit wurde die durch das Opferschutzgesetz begonnene Gesetzgebung zur Verbesserung der Rechte des Verletzten fortgesetzt.

[86] BT-Drs. 15/814 S. 2 („Stärkung im Kernbereich seiner Interessen").

[87] Rahmenbeschluss der Europäischen Union über die Stellung des Opfers im Strafverfahren (ABl. EG Nr. L 82/1 v. 22. März 2001). Dessen Art. 9 gebietet den Mitgliedstaaten, Mindeststandards zu gewährleisten, wodurch Opfer einer Straftat das Recht erhalten, im Rahmen eines Strafverfahrens Schadensersatzansprüche geltend zu machen.

[88] *Heger*, JA 2007, 244, 247. Eine Übersicht über den Ablauf des Gesetzgebungsverfahrens findet sich unter http://dip21.bundestag.de/dip21/gesta/15/C069.pdf. Unter anderem enthielt das Gesetz die Stärkung diverser Verfahrens- und Informationsrechte sowie die Reduzierung der Zeugenbelastung. Vgl. im Einzelnen die ausführliche Darstellung bei *Spiess* (2008), S. 34–82; *Klein* (2007), S. 225–274, sowie *Hilger*, GA 2004, 478 ff.; *Stiebig*, Jura 2005, 592 ff.; *Ferber*, NJW 2004, 2562 ff.

[89] BR-Drs. 829/03. Gleichzeitig gab es noch einen inhaltsgleichen Entwurf der Bundestagsfraktionen von SPD und Bündnis 90/Die Grünen (BT-Drs. 15/2536, für erledigt erklärt am 4. März 2004).

[90] Dieser Entwurf wurde als „Zweites Opferschutzgesetz" bezeichnet (BT-Drs. 15/814).

[91] BT-Drs. 15/3062.

C. Die historischen Wurzeln des Adhäsionsverfahrens 43

nahm der Bundestag am 6. Mai 2004 an, wogegen der Bundesrat keinen Einspruch mehr einlegte. Damit wurde das Gesetz am 30. Juni 2004 im Bundesgesetzblatt verkündet und trat am 1. September 2004 in Kraft.

2. Anwendungspraxis

Ein erster, nach anderthalbjähriger Geltung des Opferschutzgesetzes erstellter Bericht der Bundesregierung zur Anwendung des Adhäsionsverfahrens hatte zum Ergebnis, dass eine Zunahme nicht zu verzeichnen sei[92]. Seit dem Jahr 1988 führt das Statistische Bundesamt in seiner Statistik „Strafgerichte" eine eigene Rubrik „Adhäsionsverfahren"[93]. Dabei zählt es die Verfahren, die mit einem Adhäsionsurteil abgeschlossen werden, und zwar für alle Eingangsinstanzen[94]. Die Daten werden nach einzelnen Bundesländern sowie nach Oberlandesgerichtsbezirken aufgeschlüsselt, was Rückschlüsse auf regionale Unterschiede zulässt. Zusätzlich wird die Anzahl der Endurteile sowie der Grundurteile festgehalten. Darüber hinausgehende Daten gehen aus den Erhebungen des Statistischen Bundesamtes nicht hervor. Zu beachten ist, dass die Zahlen erst ab dem Jahr 1995 das gesamte Bundesgebiet beschreiben[95]. Für gewöhnlich wird die geringe praktische Bedeutung des Adhäsionsverfahrens mit dem Verhältnis der Adhäsionsurteile an der Gesamtzahl aller erledigten Verfahren zu belegen versucht[96]. Dieser Wert ist allerdings nur bedingt aussagekräftig. Der durch diese Vorgehensweise ermittelte besonders niedrige Wert ist nicht überraschend. Denn in die Gesamtzahl aller erledigten Verfahren fließen auch diejenigen Erledigungsformen ein, in denen ein Adhäsionsurteil gar nicht ergehen kann[97]. In vielen dieser Fälle muss das Straf-

---

[92] Anlage zu BR-Drs. 246/89 S. 6, wobei eine mangelhafte Datenbasis beklagt wurde.

[93] Rechtspflege Strafgerichte Fachserie 10 Reihe 2.3. Konkreter Anlass für die Einführung war die Evaluation des Opferschutzgesetzes. Konkreter Anlass war die Auswertung des Opferschutzgesetzes. Der Merkmalskatalog zur Statistik der Strafgerichte wird im Ausschuss Justizstatistik, einem Unterausschuss der Justizministerkonferenz der Länder, festgelegt. Der bundesweit abgestimmte Merkmalskatalog wird dann von den jeweils zuständigen Landesjustizverwaltungen über Anordnungen in Kraft gesetzt. Umfang und Ausprägungen der Justizstatistiken dienen vor allem Verwaltungszwecken wie der Personalbedarfsberechnung für die Justizorgane bzw. der Kapazitätsplanung im weiteren Sinne.

[94] Die zusammengetragenen Werte können im Anhang 1 zu dieser Arbeit nachgeschlagen werden. Eine kurze Auswertung der Zahlen bis 1998 findet sich bei *Klaus* (2000), S. 185–205.

[95] Erst ab 1991 wurde die Erfassung auf den Ostteil Berlins ausgedehnt. 1993 kamen Sachsen, Sachsen-Anhalt und Thüringen hinzu, erst 1994 Brandenburg und zuletzt 1995 Mecklenburg-Vorpommern.

[96] *Klaus* (2000), S. 185 ff. aber auch Anlage zu BR-Drs. 246/89 S. 6.

[97] Statistik Strafgerichte 2.2 (Art der Erledigung der Strafverfahren) Laufende Nummern 3 (Erlass eines Strafbefehl nach § 408a StPO), 11 bis 20 (diverse Einstellungen des Verfahrens unter anderem nach § 153a StPO), 27 (Rücknahme der Klage nach § 411 Abs. 3 StPO).

44 Kap. 1: Einführung und Grundlagen des Adhäsionsverfahrens

gericht von der Entscheidung über einen Adhäsionsantrag nach § 406 Abs. 1 S. 4 StPO absehen. Dies ist jedoch keine Frage der mangelnden praktischen Bedeutung des Verfahrens, sondern natürliche Folge der derzeitigen rechtlichen Ausgestaltung. Da eine (reguläre) Verurteilung oder Maßregelverhängung auch Voraussetzung eines Adhäsionsurteils ist, erscheint es sinnvoller, die Anwendungshäufigkeit des Verfahrens im Verhältnis Zahl der Adhäsionsurteile zu Zahl der Erledigungen durch Strafurteil darzustellen[98].

Insgesamt eignen sich die Zahlen nur eingeschränkt dafür, ein genaues Abbild der praktischen Bedeutung des Adhäsionsverfahrens zu geben. Sie geben keine Auskunft über die Zahl gestellter Adhäsionsanträge, über die Zahl der Absehensentscheidungen (insbesondere wegen Nichteignung) und auch nicht über die Gründe für die Absehensentscheidungen. Die neu geschaffene Möglichkeit eines Vergleichs kommt erst ab dem Jahr 2008 vor[99]. Zudem können Fehler in der statistischen Erfassung nicht ausgeschlossen werden. Aus den Zahlen ist daher nicht abzulesen, in wie vielen Fällen das Verfahren tatsächlich eine Rolle spielt, wie hoch die praktische Bedeutung tatsächlich ist. Auch wenn ein Adhäsionsverfahren nicht durch ein Urteil abgeschlossen wird, also nicht in der Statistik auftaucht, kann es durchaus auf das Verhältnis Beschuldigter/Antragsteller Einfluss ausgeübt haben. Führt man sich vor Augen, dass ein Adhäsionsurteil grundsätzlich nur bei einem Strafurteil möglich ist, und dass das Verfahren auch anders beendet werden kann, wird klar, dass den statistischen Werten allenfalls eine Indizfunktion zukommen kann. Dennoch eignen sie sich dafür, in einem ersten Zugriff die Anwendungshäufigkeit des Adhäsionsverfahrens zu beurteilen. Die Zahlen sind aus dem Anhang 1 zu dieser Arbeit ersichtlich und sollen an dieser Stelle nur auszugsweise dargestellt werden[100]. Der kurze Blick auf die Statistik belegt die vorherrschende Einschätzung. So ergibt sich bis zum Jahr 1998 ein jährlicher Anteil der erstinstanzlichen durch Urteil erledigten Adhäsionsverfahren an der Gesamtzahl der erledigten Verfahren zwischen 0,24 % und 0,45 %[101]. Das Verhältnis Gesamtzahl der erledigten Verfahren zu Verfahren mit Adhäsions-

---

[98] So verfährt auch *Rieß* (2005), S. 438 f. Allerdings ist selbst dieses Verhältnis mit Mängeln verbunden, da die Verurteilungen die Zahl der verurteilten Beschuldigten wiedergibt, also mehrere Beschuldigte in einem Verfahren gesondert erfasst werden. Genauer wäre der Vergleich mit den in Strafverfahren ergangenen Urteilen. Insofern unterscheidet die Statistik jedoch nicht zwischen verurteilenden, einstellenden oder freisprechenden Entscheidungen.

[99] Siehe hierzu noch Kapitel 2: B. III. 3.

[100] Aus den genannten Gründen ist die detaillierte Aufschlüsselung, Darstellung und Auswertung der Daten wenig zielführend.

[101] Wobei *Klaus* den Anteil aus dem Verhältnis zur *Gesamtzahl der erledigten Verfahren* ermittelt. Da jedoch ein stattgebendes Adhäsionsurteil grundsätzlich auch eine strafrechtliche Verurteilung voraussetzt, es bei übrigen Erledigungsformen grundsätzlich gar nicht zu einer Adhäsionsentscheidung kommen kann, erscheint es richtiger, das Verhältnis zur *Gesamtzahl der Verurteilungen* heranzuziehen, wie es im Folgenden auch geschieht.

C. Die historischen Wurzeln des Adhäsionsverfahrens 45

urteilen ist bei Landgerichten wesentlich höher als bei Amtsgerichten[102]. Die Zahlen sind nach Oberlandesgerichtsbezirken geordnet. Regionale Unterschiede ergeben sich dabei allenfalls für einzelne Jahre und auch nur im Promillebereich[103]. Im (seit dem Jahr 1995 möglichen) Ost-West Vergleich hat sich herauskristallisiert, dass in den „neuen" Bundesländern der Anteil leicht erhöht ist[104]. In den Jahren 1999 bis 2004 ergibt sich ein ähnliches Bild. Der Anteil der Adhäsionsurteile in der ersten Instanz (Amts- und Landgerichte) an der Gesamtzahl der erstinstanzlichen Verurteilungen schwankt zwischen 0,64% im Jahr 1999 (2.663 Adhäsionsurteile) und 1,43% im Jahr 2004 (6.182 Adhäsionsurteile), im Durchschnitt lag er bei 1%[105]. Wiederum fällt auf, dass bei Landgerichten der Wert höher als bei Amtsgerichten ist[106]. Der Anteil der Grundurteile an den Adhäsionsurteilen lag bei den Amtsgerichten im gesamten Zeitraum bei 7,76%[107] und bei den Landgerichten bei 14,4%[108]. Wiederum ergibt ein Ost-West Vergleich einen leicht erhöhten Wert in den „neuen" Ländern (1,62%[109]). In regionaler Hinsicht sind deutliche jährliche Schwankungen zu beobachten und zwar in einem Ausmaß, der jeder Theorie einer örtlich beschränkten höheren Anwendungspraxis des Adhäsionsverfahrens widersprechen würde. Trotz verbleibender Unsicherheiten liefern die Zahlen ein klares Indiz hinsichtlich der Anwendungshäufigkeit. Sie untermauern die – vor dem Jahr 1988 lediglich vermutete – geringe Anwendungshäufigkeit des Adhäsionsverfahrens.

Derweil wurden auch in der Praxis Versuche unternommen, durch eine adhäsionsfreundliche Auslegung der Vorschriften Verbesserungen in der Anwendungsstatistik zu erzielen. Bekanntestes Beispiel ist das Naumburger Modell[110]. Diese blieben aber in der Praxis ohne die allseits gewünschte Breitenwirkung.

---

[102] Zur Erklärung vermutet *Klaus,* dass sich entweder Richter am Landgericht durch ihre gehobene Position zivilrechtliche Entscheidungen eher zutrauten, oder in Landgerichtssachen vom Verletzten schneller ein Rechtsbeistand hinzugezogen würde (*Klaus* (2000), S. 196).

[103] Etwas zu weitgehend wohl *Klaus* (2000), S. 201, der davon spricht, das Verfahren sei in Brandenburg, Sachsen und Nordrhein-Westfalen „zu Hause".

[104] *Klaus* (2000), S. 198 vermutet, dass hier noch eine Tradition des Adhäsionsverfahrens der DDR fortwirkt.

[105] 25.235 Adhäsionsurteile von insgesamt 2.516.387 Verurteilungen im Zeitraum 1999–2004. Adhäsionsurteile von Oberlandesgerichten (wenn sie als Eingangsinstanz tätig werden) sind extrem selten und können für die Betrachtung außen vor bleiben.

[106] Schwankungsbreite bei Landgerichten: 1,03% im Jahr 2000 und 3,23% im Jahr 2004 (Durchschnitt: 1,69%). Schwankungsbreite bei Amtsgerichten: 0,62% im Jahr 1999 und 1,38% im Jahr 2004 (Durchschnitt: 0,99%).

[107] 1.878 Grundurteile bei 24.193 Adhäsionsurteilen.

[108] 150 Grundurteile bei 1.042 Adhäsionsurteilen.

[109] 7.289 Adhäsionsurteile von insgesamt 445.239 Verurteilungen im Zeitraum 1999–2004.

[110] In einem Modellversuch aus dem Jahr 1997 wurden in der Staatsanwaltschaft Halle/Saale, Zweigstelle Naumburg die dort tätigen 12 Staatsanwälte angehalten, bei den bearbeiteten Fällen jedes Mal genau zu prüfen, ob ein Adhäsionsverfahren sinnvoll

46   Kap. 1: Einführung und Grundlagen des Adhäsionsverfahrens

Die Reform durch das Opferschutzgesetz änderte an den Einschätzungen aus Fachkreisen nichts. Oft begegnet man Beschreibungen eines „Schattendaseins", welches das Verfahren führe. Es könne keine nennenswerte Rolle spielen[111]. Nach *Weigend* wurde „das Adhäsionsverfahren allenfalls in Einzelfällen versucht und noch seltener erfolgreich abgeschlossen"[112].

Diese äußerst geringe praktische Bedeutung des Verfahrens zog zudem sehr pessimistische Grundeinstellungen zum Verfahren selbst nach sich, so wenn etwa *Rössner/Klaus* von einem Dilemma sprechen, in dem sich das Adhäsionsverfahren befinde[113]. Befürchtet wurde gar, dass einem Großteil der beteiligten Kreise schon das Verfahren überhaupt nicht geläufig sein dürfte[114]. Die Bewertung als „bisheriger Holzweg" erscheint in diesem Zusammenhang stringent[115].

VI. Sechste Phase: Aktuelle Entwicklung seit dem Jahr 2004

1. Rechtliche Entwicklung

Die geltenden Vorschriften der §§ 403 ff. StPO selbst wurden seit dem Jahr 2004 keiner Veränderung mehr unterzogen. Jedoch wurde durch das Zweite Justizmodernisierungsgesetz im Jahr 2006[116] das Adhäsionsverfahren auch bei Strafverfahren gegen Heranwachsende zugelassen, selbst dann wenn Jugendstrafrecht Anwendung findet[117]. Begründet wurde dies mit der Notwendigkeit eines ausgedehnten Opferschutzes[118]. Charakteristisch für die jüngste Zeit sind Diskussionen, ob und inwieweit nochmals Veränderungen am Verfahren herbeigeführt werden sollten, sei es auf gesetzgeberischer Ebene, oder – vielleicht bedeutsamer

---

sein könnte. Wenn ja, sollten die Verletzten ausführlich informiert werden. Über das Naumburger Modell wurden umfangreiche Statistiken geführt. Im Versuchszeitraum konnte eine Steigerung der Anwendungshaufigkeit auf immerhin etwa 5% der Verurteilungen erzielt werden. Vgl. hierzu ausführlich *Rössner/Klaus,* ZRP 1998, 162, 163 f.; *Klaus* (2000), S. 211–218; *Betmann,* Kriminalistik 2004, 567, 570 f. und *Spiess* (2008), S. 26–28.

[111] *Glaremin/Becker,* JA 1988, 602, 602; *Schirmer,* DAR 1988, 121, 121 („Dämmerzustand"); *Hirsch* (1989), S. 715; *D. Meyer,* JurBüro 1991, 1153. Fast schon als lyrisch zu bezeichnen ist die Beschreibung eines „Dornröschenschlafs" (*Jaeger,* VRR 2005, 287, 287).

[112] *Weigend* (1990), S. 15.

[113] *Rössner/Klaus,* ZRP 1998, 162, 162, sowie nochmals *Klaus* (2000), S. 219: „nicht zum besten bestellt". Dies stützt auch eine Untersuchung von *Staiger-Allroggen* (1992), S. 106 f.

[114] *Kintzi,* DRiZ 1998, 65, 71.

[115] *Hassemer/Reemtsma* (2002), S. 87, dazu *Jung,* JZ 2003, 1096, 1098.

[116] BGBl. I (2006), S. 3416 ff.

[117] Die Änderung ist in rechtstechnischer Hinsicht eher „versteckt": § 109 Abs. 1 S. 2 JGG wurde in der Weise geändert, dass der Verweis auf § 81 JGG, der die Nichtanwendbarkeit des Adhäsionsverfahrens zum Gegenstand hat, einfach gestrichen wurde.

[118] BT-Drs. 16/3038 S. 67; *Huber,* JuS 2007, 236, 241.

C. Die historischen Wurzeln des Adhäsionsverfahrens

– auf der rechtstatsächlichen Ebene[119]. Grundgehalt vieler Aussagen ist eine wohlwollende Einstellung zu den §§ 403 ff. StPO, die jedoch gepaart ist mit Zweifeln an der „rechtlichen Durchschlagskraft". Weitere Änderungen der Vorschriften sind derzeit nicht in Sicht, auch wenn von verschiedener Seite weitere Reformschritte überlegt werden[120].

2. Anwendungspraxis

Inwieweit die Reform des Adhäsionsverfahrens die beabsichtigten positiven Impulse aussenden konnte, kann nach fünf Jahren zumindest tendenziell beurteilt werden. Der erste Blick geht wieder in die offizielle Statistik des Statistischen Bundesamtes.

Im Jahr 2005 betrug der Anteil der Adhäsionsentscheidungen an den erstinstanzlichen Urteilen 1,21%, im Jahr 2006 0,73%[121], im Jahr 2007 1,07% und im Jahr 2008 1,39% (Durchschnitt: 1,1%). Gegenüber dem Durchschnittswert aus den Jahren 1999 bis 2004 (1,00%) ist damit keine wesentliche Steigerung zu verzeichnen[122]. Gesteigert hat sich dagegen der Anteil der Grundurteile an den Adhäsionsurteilen[123]. Erhalten geblieben ist der Trend, dass der Anteil bei den Landgerichten jeweils höher als bei den Amtsgerichten ist. Ein Ost-West Vergleich zeigt, dass weiterhin in den neuen Ländern ein (wenn auch nur leicht) höherer Wert zu verzeichnen ist (Durchschnittswert in den Jahren 2005 bis 2008: 1,41%). Aus den Zahlen kann nicht abgeleitet werden, dass die durch das Opferrechtsreformgesetz eingeführten Veränderungen zu einer merklichen Steigerung der Adhäsionsurteile geführt haben[124].

---

[119] Vgl. nur *Spiess* (2008), S. 276 ff.; *Hansen/Wolff-Rojczyk*, GRUR 2009, 644, 645; sehr positiv auch *Grau/Blechschmidt/Frick*, NStZ 2010, 662, 670. In diesem Zusammenhang ist auch auf die Informationskampagne der nordrhein-westfälischen Justizministerin „2 in 1 Recht einfach: Schadensersatz im Strafprozess" hinzuweisen, hierzu *Kempfer*, TOA-Infodienst Nr. 39, 2010, 7.

[120] Die gesetzgeberische Tätigkeit im Hinblick auf den Opferschutz ist nicht zum Erliegen gekommen. Das bereits erwähnte Zweite Opferrechtsreformgesetz ist am 1.10.2009 in Kraft getreten. Es enthält jedoch hauptsächlich Gesetzgebungsneuerungen im Bereich des Schutzes von Verletzten und Zeugen. Auswirkungen auf die §§ 403 ff. StPO hat es nicht. Hierzu *Bittmann*, JuS 2010, 219 ff.

[121] Im Jahr 2006 hat es einen „Einbruch" der absoluten Zahlen gegeben, was manchen Autor bereits zu äußerst pessimistischen Einschätzungen veranlasst hat (vgl. *Sommerfeld*, ZRP 2008, 258, 259). Allerdings hat sich auch die Zahl der Verurteilungen reduziert.

[122] Vgl. die im Anhang 1 wiedergegebenen statistischen Werte.

[123] 2005: 11,09%; 2006: 19,34%; 2007: 12,11%; 2008: 7,51%; Jahre 1999–2004: 8,04%.

[124] Interessant ist, dass vom niedersächsischen Ministerium der Justiz eine positive Entwicklung der Zahlen berichtet wird (Opferschutzbericht des Landes Niedersachsen 2007, S. 20 f. [abrufbar unter: www.mj.niedersachsen.de]).

48   Kap. 1: Einführung und Grundlagen des Adhäsionsverfahrens

Die folgenden beiden Grafiken sollen – die statistischen Bemerkungen abschließend – den Trend darstellen, der sich in den Jahren 1999 bis 2008 für den Anteil der Adhäsionsurteile an der Gesamtzahl der strafrechtlichen Verurteilungen ergeben hat[125].

Sichtbar wird, dass das Opferrechtsreformgesetz (dargestellt durch die gestrichelte Linie) die Zahl der Adhäsionsurteile nicht in die Höhe schnellen ließ, wie dies möglicherweise zu erwarten gewesen wäre. Vielmehr ist der Anteil (rechte Skala) im Grunde gleich (niedrig) geblieben, da auch die Anzahl der Verurteilungen leicht abgenommen hat. Vergleicht man lediglich die letzten drei Jahre vor mit denen nach der Reform, ist sogar eine leichte Abnahme zu verzeichnen[126].

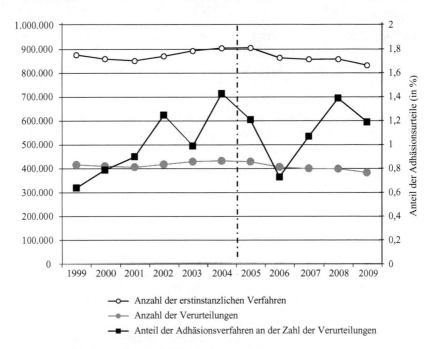

—○— Anzahl der erstinstanzlichen Verfahren
—●— Anzahl der Verurteilungen
—■— Anteil der Adhäsionsverfahren an der Zahl der Verurteilungen

Quelle: Eigene Berechnungen und Statistisches Bundesamt.

Abbildung 1: Anteil der Adhäsionsverfahren an der Zahl der Verurteilungen

---

[125] Betrachtet werden die Jahre 1999 bis 2009. Dargestellt werden jeweils die Werte der erstinstanzlichen Adhäsionsurteile (ohne die zu vernachlässigenden OLG) sowie der Anteil der Grundurteile an ihnen. In Ergänzung werden die Entwicklung der Zahl der Verfahren, sowie die Zahl der Verurteilungen genannt.

[126] Die Abbildung zeigt auch, dass die Zahl der Verurteilungen nur etwas weniger als die Hälfte der Erledigungsformen im Strafverfahren darstellt. Würde man die Zahl der Adhäsionsurteile auf die Zahl der gesamten Verfahren beziehen, wäre der prozentuale Anteil ebenfalls etwa doppelt so hoch.

C. Die historischen Wurzeln des Adhäsionsverfahrens

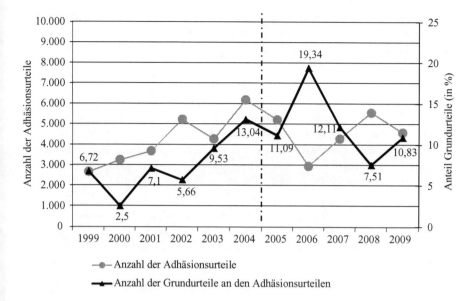

Quelle: Eigene Berechnungen und Statistisches Bundesamt.

Abbildung 2: Anteil der Grundurteile an Adhäsionsurteilen

Der Anteil der Grundurteile wiederum liegt zunächst höher als noch vor der Reform. Dies lässt die vorsichtige Interpretation zu, dass die durch das Opferrechtsreformgesetz nochmals hervorgehobene Pflicht zur möglichst weitreichenden Entscheidung von den Gerichten beachtet wird. Insgesamt bewegen sich die Werte allerdings auf einem eher niedrigen Niveau. Der fallende Trend der Jahre 2007 und 2008 kann damit zusammenhängen, dass sich der Vergleich als neue Entscheidungsform etabliert hat, was wiederum zu Lasten der Grundurteile geht.

Die Auswirkungen des Opferrechtsreformgesetzes wurden teilweise im Hinblick auf alle vorgenommenen Änderungen[127], teilweise spezifisch auf das Adhäsionsverfahren[128] hin untersucht. Skeptische Einschätzungen über die Wirksamkeit der gesetzgeberischen Änderungen im Hinblick auf die Anwendungshäufigkeit überwiegen dabei[129]. Die Untersuchung von *Spiess*[130] ergab, dass für die von ihr befragten Juristen das Verfahren in der strafgerichtlichen Praxis keine Rolle

---

[127] *Ferber,* NJW 2004, 2562 ff.; *Hilger,* GA 2004, 478 ff.; *Neuhaus,* StV 2004, 620; *Schork/König,* NJ 2004, 537 ff.
[128] *Betmann,* Kriminalistik 2004, 567 ff.; *Dallmeyer,* JuS 2005, 327 ff.; *Loos,* GA 2006, 195 ff.; *Rieß* (2005), S. 425 ff.
[129] *Spiess* (2008), S. 84; *Hilger,* GA 2004, 478, 485; *Dallmeyer,* JuS 2005, 327, 330.
[130] *Spiess* (2008), S. 198–200.

50   Kap. 1: Einführung und Grundlagen des Adhäsionsverfahrens

spielte, und dass das Opferrechtsreformgesetz keine wesentliche Steigerung in der Anwendungshäufigkeit bewirkte. Zu beobachten sind indes auch optimistischere Einschätzungen aus Kreisen der Richterschaft[131].

VII. Zusammenfassung

Das Adhäsionsverfahren kann auf eine jahrhundertelange Geschichte zurückblicken. In Deutschland ist es seit dem Jahr 1943 Teil des Strafverfahrens. Kennzeichnend für seine Geschichte ist die äußerst geringe praktische Bedeutung des Verfahrens. Dies ergeben die Auswertung der Stellungnahmen in der Literatur sowie (seit dem Jahr 1988) tendenziell auch die Zahlen des Statistischen Bundesamtes. Nach Einrichtung des Verfahrens im Jahr 1943 wurde das Verfahren zweimal (1986 sowie 2004) umfassend reformiert, wobei die gesetzgeberischen Aktivitäten stets auf eine Attraktivitätssteigerung des Adhäsionsverfahrens gerichtet waren. In der Praxis waren die gesetzgeberischen Maßnahmen allerdings nicht durchschlagend.

---

[131] Im Zuge der Umfrage (siehe Kapitel 3 der Arbeit) wurde dem Verfasser mehrmals bestätigt, dass in der Gerichtspraxis eine Steigerung der praktischen Bedeutung zu verzeichnen sei.

C. Die historischen Wurzeln des Adhäsionsverfahrens

Tabelle 1

Entwicklung des Adhäsionsverfahrens

zeitliche Phasen	*rechtliche Entwicklung*	*Anwendungspraxis*
Anfangsphase	Herausbildung eines Adhäsionsverfahrens	wenige Anhaltspunkte
Zweite Phase (18. Jhd.–1877)	Inkrafttreten der RStPO (ohne Adhäsionsverfahren)	
Dritte Phase (1877–1943)	Reformdiskussion, schließlich *Aufnahme des Adhäsionsverfahrens in die RStPO* (§§ 403 ff. RStPO) im Jahr 1943	
Vierte Phase (1943–1986)	Übernahme des Verfahrens in die StPO im Jahr 1950 (Ausdehnung des Teilnahmerechts auch auf die Ehefrau [§ 404 Abs. 3 S. 2 StPO n. F.]; Aufhebung des Vertretungsverbotes [Streichung des § 404 Abs. 3 S. 3 StPO]; kleinere Wortlautänderungen) *Opferschutzgesetz im Jahr 1986* (Aufhebung der Streitwertgrenze; Zulassung von Prozesskostenhilfe [§ 404 Abs. 5 StPO]; Zulassung von Grund- und Teilurteil)	zunächst kurze Phase einiger praktischer Bedeutung, dann jedoch fast ausschließlich Stellungnahmen, die jede praktische Bedeutung verneinen
Fünfte Phase (1986–2004)	Aufnahme der Adhäsionsurteile in die Statistik Strafverfolgung (im Jahr 1988) *Opferrechtsreformgesetz im Jahr 2004* (Neuregelung der Informationspflicht in § 406h Abs. 2 (jetzt: S. 1 Nr. 2) StPO; Ergänzung des § 404 Abs. 2 S. 2 StPO; Einführung des Prozessvergleichs in § 405 StPO; Neuregelung der Absehensklausel in § 406 Abs. 1 StPO; Einführung des Anerkenntnisurteils in § 406 Abs. 2 StPO; Pflicht zur vorläufigen Vollstreckbarkeit in § 406 Abs. 3 S. 2 StPO; Einführung des Rechtsmittels der sofortigen Beschwerde in § 406a Abs. 1 StPO)	keine Änderungen durch das Opferschutzgesetz ersichtlich; weiterhin keine merkliche Bedeutungssteigerung zu beobachten; Zahlen des Statistischen Bundesamtes als diese Aussage stützendes Indiz; verstärkte Bemühungen in der Wissenschaft, eine praxisfreundliche Auslegung der §§ 403 ff. StPO zu erreichen
Sechste Phase (bis heute)	Zweites Justizmodernisierungsgesetz im Jahr 2006 (Verfahren auch bei Heranwachsenden)	aus Statistiken keine Bedeutungssteigerung abzulesen; große Anzahl an Stellungnahmen aus der Wissenschaft, die eine Änderung durch die gesetzgeberische Reform verneinen

Quelle: Eigene Darstellung.

D. Die Ziele des Adhäsionsverfahrens

I. Ursprüngliches Ziel: Prozessökonomische Gesichtspunkte[132]

Bei der Einführung des Adhäsionsverfahrens im Jahr 1943 ließ sich der Gesetzgeber vor allem von Motiven leiten, welche die Rechtspflege als Ganzes entlasten wollten[133]. Damit griff er einen Gedanken auf, der so alt ist wie die Idee einer Zusammenfassung von Zivil- und Strafverfahren selbst[134]. Dieser Aspekt der Prozessökonomie spielt auch im heutigen Verfahren eine Rolle. Da (zumindest von der Grundidee her) ein auf ein Strafverfahren folgender Zivilprozess vermieden wird, dienen die §§ 403 ff. StPO dazu, die Justiz insgesamt zu entlasten[135]. Ermöglicht werden soll eine prozessökonomisch sinnvolle gleichzeitige Entscheidung über Straftaten und aus diesen entstandene zivilrechtliche Ansprüche[136].

Aus der Zusammenfassung zweier an sich unterschiedlicher Verfahren resultieren weitere Zielsetzungen, die zu einem „reibungsfreieren Betrieb" der Rechtspflege führen sollen. Zu nennen sind insbesondere die Vermeidung möglicherweise differierender Entscheidungen[137]. Darüber hinaus soll das Verfahren den Sachzusammenhang zwischen Straftat und Wiedergutmachung verdeutlichen[138]. Ein weiterer Punkt ist die möglichst endgültige und umfassende rechtliche Bewältigung eines strafrechtlich relevanten Vorfalls. Dies ist nicht in einem so weitgehenden Sinn zu verstehen, dass durch ein Adhäsionsverfahren alle zwischen dem Täter und dritten, von der Straftat betroffenen Personen bestehenden Konflikte befriedet werden sollen. Lediglich die auf die angeklagte Tat beschränkten Folgen sollen einheitlich behandelt werden[139]. Insofern kann nicht von einer „allumfassenden" Rechtsfrieden stiftenden Zielsetzung des Adhäsionsverfahrens

---

[132] Die Begriffe Zweck und Ziel werden synonym gebraucht.

[133] *Schönke,* DR 1943, 721.

[134] So etwa schon *Kleinfeller,* GS 88 (1922), 1, 6.

[135] BT-Drs. 15/1976 S. 8 sowie *Rieß* (2005), S. 430; *Roxin/Schünemann* (2009), § 65 Rn. 1. Als Entlastungsfaktoren kommen in Betracht: weniger Personalaufwand seitens der Gerichte für die Behandlung einer Rechtsstreitigkeit; Einsparung von Zeit und Kosten beim Verletzten selbst sowie bei Zeugen. Kritisch zum Zweck der Prozessökonomie *Miklau* (2004), S. 297, der bezweifelt, dass einem Strafverfahren oft Zivilverfahren nachfolgen, was bedeuten würde, dass ein Adhäsionsverfahren einen prozessökonomischen Zweck gar nicht erfüllen könne. Er räumt aber a. a. O. selbst ein, dass ein Unterbleiben von Zivilprozessen auch andere Ursachen haben könne (etwa Resignation des Verletzten) als die ausgiebige Berücksichtigung des Wiedergutmachungsinteresses des Verletzten im Strafverfahren.

[136] LR-*Hilger* (2009), Vor § 403 Rn. 6; *Pfeiffer* (2005), Vor § 403 Rn. 1.

[137] *Brokamp* (1990), S. 157. Widersprüchliche Entscheidungen bergen die Gefahr, dass allgemein das Vertrauen in die Justiz leidet.

[138] *K. Schroth* (2005), Rn. 317.

[139] SK-*Velten* (2003), § 403 Rn. 2.

D. Die Ziele des Adhäsionsverfahrens

gesprochen werden. Im Bereich der angeklagten Tat jedoch ist Anspruch an das Verfahren, dass es durch seinen Beitrag zur Prozessökonomie die Erreichung von Rechtsfrieden und damit eines der Hauptziele des gesamten Strafverfahrens fördert.

Die Ersparnis von Ressourcen ergibt sich daraus, dass das Strafgericht über die für die Beurteilung der zivilrechtlichen Ansprüche erforderlichen tatsächlichen Kenntnisse bereits verfügt, die sich das Zivilgericht erst aneignen müsste. Dies gilt allerdings nur dann, wenn ein Strafverfahren mit Adhäsionsverfahren mit dem Aufwand von je einem eigenständigen Straf- und Zivilverfahren verglichen wird, und nur wenn es im Strafverfahren nicht zu einer Absehensentscheidung hinsichtlich des Adhäsionsantrags kommt. In letztgenannten Fall ist der Antragsteller aufs Neue darauf angewiesen, den Rechtsweg zu beschreiten, da er bei einer Absehensentscheidung so steht, als hätte er niemals einen Antrag gestellt[140]. Hierin kann kaum ein justizökonomischer Vorteil gesehen werden. Jedoch zieht längst nicht jede Absehensentscheidung des Strafgerichts einen separaten Zivilprozess nach sich[141]. Daher spielt der Aspekt der Einsparung von justiziellen Ressourcen durchaus eine Rolle, und zwar besonders für diejenigen Fälle, die einfach und ohne größeren Aufwand zu beurteilen sind.

Nicht notwendigerweise kann das Adhäsionsverfahren nachfolgende Zivilverfahren vermeiden helfen. Kommt es zu einer Absehensentscheidung durch das Gericht, ist aus Gründen der Justizökonomie „noch nichts gewonnen". Im Gegenteil dürfte der Verletzte dann häufig den Zivilrechtsweg bestreiten. Ein wirklicher justizökonomischer Vorteil kann nur dann entstehen, wenn die praktische Bedeutung der Absehensentscheidung abnimmt.

Im Hinblick auf die Vermeidung widersprüchlicher Entscheidungen gilt ähnliches[142]. Es liegt geradezu auf der Hand, dass die Beurteilung *eines* Sachverhalts von *einem* Gericht eine widersprüchliche Entscheidung vermeidet. Auch hier gilt jedoch die Einschränkung, dass die Bedeutung dieses Aspektes von der Häufigkeit einer Absehensentscheidung abhängt. Im Ergebnis dient das Adhäsionsverfahren der Zielsetzung der Justizökonomie, allerdings nur in geringem Umfang.

---

[140] Außer Acht bleiben für die hier interessierende Frage die materiell-rechtlichen Wirkungen der Antragstellung oder die (mögliche) Kostenfolge des § 472a Abs. 2 StPO.

[141] Gründe können höhere finanzielle Risiken sein oder, dass die Titulierung angesichts einer offensichtlichen Vermögenslosigkeit des Beschuldigten sinnlos ist.

[142] Widersprüchlich kann dabei (logischerweise) nicht der Gegenstand der Entscheidung sein, da Straf- und Zivilrecht gänzlich unterschiedliche Rechtsfolgen nach sich ziehen. Vielmehr kann ein Widerspruch nur insoweit vorliegen, als der der angeklagten Tat zugrunde liegende Lebenssachverhalt vom Strafgericht als erwiesen und vom Zivilgericht als nicht erwiesen betrachtet wird (und umgekehrt).

II. Erweiterte Zielsetzung: Beachtung
von Verletztenbelangen

War die Prozessökonomie lange Zeit das einzige Ziel des Adhäsionsverfahrens, lässt sich seit ungefähr 30 Jahren eine erweiterte Zielsetzung ausmachen. Denn es wurde erkannt, das Verfahren auch einem anderen Verfahrensbeteiligten zu Gute kommen kann, nämlich den Verletzten selbst. Das Verfahren soll ihm die Verfolgung zivilrechtlicher Ansprüche erleichtern, indem es ihm zumindest zu einem Teil die Last der Prozessführung abnimmt und im Vergleich zu einem eigenen Zivilprozess eine schnellere Entscheidung ermöglicht[143]. Dass die Vermeidung eines einem Strafverfahren nachfolgenden Zivilprozesses für den Verletzen positiv ist, etwa weil ihm weitere belastende Vernehmungen erspart bleiben, leuchtet unmittelbar ein.

Es verbreitete sich die Erkenntnis, dass mit der möglichen Geltendmachung zivilrechtlicher Ansprüche bereits im Strafverfahren dazu beigetragen werden kann, die Interessen des Verletzten entscheidend zu unterstützen. Diese für den Verletzten positive Wirkung des Adhäsionsverfahrens war zunächst nicht mehr als eine positive Begleiterscheinung. Im Lauf der Zeit hat sich der Schutz des Verletzten indes zu einer über eine bloße Reflexerscheinung hinausgehenden Zielsetzung entwickelt. Das Adhäsionsverfahren soll nunmehr explizit dazu dienen, den Schutz des Verletzten zu verwirklichen. Diese Fortentwicklung lässt sich zunächst ganz konkret an der gesetzgeberischen Tätigkeit ablesen. In den beiden bedeutsamen Reformen der §§ 403 ff. StPO[144] wurden Bestimmungen mit dem ausdrücklichen Ziel aufgenommen, die Interessen des Verletzten effizienter durchzusetzen[145]. Die Zielsetzung des Opferschutzes leitet darüber hinaus den Gesetzgeber, die Justiz sowie die Wissenschaft maßgeblich bei Einschätzungen des Adhäsionsverfahrens[146]. Die jüngsten Gesetzesreformen waren von dem

---

[143] SK-*Velten* (2003), § 405 Rn. 9; Weiner/Ferber-*Weiner* (2008), Rn. 1 („wesentlicher Bestandteil einer opferbezogenen Strafrechtspflege").

[144] Opferschutzgesetz v. 18.12.1986, BGBl. I (1986), S. 2496 und Opferrechtsreformgesetz v. 22.06.2004, BGBl. I (2004), S. 1354.

[145] Vgl. nur BT-Drs. 10/5305 S. 8 und BT-Drs. 15/1976 S. 1. (Ausgewählte) Beispiele sind die Zulassung eines Grund- oder Teilurteils sowie der Prozesskostenhilfe (durch das Opferschutzgesetz) oder die Zulassung eines Anerkenntnisurteils sowie die Einführung der sofortigen Beschwerde gegen die Absehensentscheidung (durch das Opferrechtsreformgesetz).

[146] Etwa wenn festgehalten wird, dass das Adhäsionsverfahren auch aus Opferschutzgründen zum Regelfall der Durchsetzung zivilrechtlicher Ansprüche des Verletzten gemacht werden soll (vgl. BT-Drs. 15/1976, S. 8, 16). Siehe auch *Feigen* (2007), S. 898, der das gesetzgeberische Bekenntnis zum Opferschutz in einfach gelagerten Fällen begrüßt, oder OLG Frankfurt NJW 2007, 168, das den Grund für die Privilegierung des Antragstellers im Vergleich zu übrigen Gläubigern des Beschuldigten in dessen persönlichen Opferschutz erblickt.

D. Die Ziele des Adhäsionsverfahrens

Bestreben geleitet, dem Verletzten eine verbesserte Möglichkeit dafür an die Hand zu geben, einen vollstreckbaren Titel zu erlangen.

Durch eine Straftat werden nicht nur die Interessen der Allgemeinheit, sondern auch solche des Verletzten berührt[147]. Diese sind vielfältig und kaum punktgenau auszumachen. Dies liegt daran, dass viele Faktoren eine Rolle spielen, die einerseits vom Verletzten selbst ausgehen (etwa seine persönliche Erwartungshaltung), andererseits aber auch von außen beeinflusst werden (etwa ein Verhalten des Beschuldigten). Zahlreiche Opferstudien und Opferbefragungen[148] haben versucht, die Interessen des Verletzten herauszuarbeiten und zu systematisieren. Eine gewisse Orientierung innerhalb der Opferinteressen bietet eine Unterteilung in die drei Interessengruppen Mitwirkungsrechte im Verfahren, Schutzrechte und Wiedergutmachung[149]. Vor allem letztere spielt bei Verletzten eine herausragende Rolle[150] und steht in engem Zusammenhang zu dem Ziel des gesamten Strafverfahrens, Rechtsfrieden zu schaffen[151]. Da Strafverfolgung sich nicht allein in bloßer Täterüberführung erschöpfen sollte, ist es nicht grundsätzlich ausgeschlossen, dass die Interessen des Verletzten im Ablauf des Strafverfahrens Berücksichtung finden[152]. Insbesondere das Wiedergutmachungsbedürfnis kann durch das Adhäsionsverfahren bedient werden. Es soll Bedürfnisse des Verletzten befriedigen, indem es ihm eine Möglichkeit bietet, einen vollstreckbaren Titel zu erlangen. Damit kann es einen Teilbereich der Wiedergutmachung (nämlich die zivilrechtlich relevante) abdecken helfen. Das Adhäsionsverfahren bietet dabei dem Verletzten einige Privilegien im Vergleich zu einem „normalen" Zivilverfahren. Beispielsweise muss der Verletzte keinen Gebührenvorschuss entrichten[153].

---

[147] *Jung,* ZStW 93 (1981), 1147, 1152.

[148] An dieser Stelle seien nur genannt: *Kilchling* (1995); *M. Kaiser* (1992); *Staiger-Allroggen* (1992). Die Umfrage von *Spiess* (2008), S. 226 hat ergeben, dass das Verletzteninteresse am Adhäsionsverfahren eher hoch eingeschätzt wird. Derartige Umfrageergebnisse etwas einschränkend *Fischer* (2009), § 46a Rn. 3, der darauf hinweist, dass damit nur Wunschvorstellungen abgefragt würden.

[149] Nach *Hilf* (2007), S. 59 („Partizipation", „Protection", „Restauration"), die darauf hinweist, dass damit jedoch keine trennscharfe Eingruppierung vorgenommen wird, sondern die einzelnen Gruppen sich überschneiden und auch in einem Spannungsverhältnis zueinander stehen können. Vgl. auch *Jung,* JR 1984, 309, 310.

[150] *Weigend,* Rechtswissenschaft 1 (2010), 39, 55; *Kilchling,* NStZ 2002, 57, 62; *Eder-Rieder* (1999), S. 36; *M. Kaiser* (1992), S. 263; *Staiger-Allroggen* (1992), S. 109 und 164. Vgl. ausführlich zum Begriff der Wiedergutmachung *Buttig* (2007), S. 66 ff., *Schmitz-Garde* (2006), S. 22 und *Rössner/Bannenberg* (2002), S. 157.

[151] *Roxin/Schünemann* (2009), § 1 Rn. 3; *Wulf,* DRiZ 1980, 205, 209 und *ders.* 1981, 374, 375. Vgl. auch *Rieß,* JR 2006, 269, 277, der zu Recht feststellt, dass dem Strafverfahren mit der Berücksichtigung von Opferinteressen eine neue Aufgabe zugefallen ist.

[152] *Roxin,* RuP 1988, 69, 72.

[153] Weitere Vorteile sind: Geltung des strafprozessualen Amtsermittlungsgrundsatzes, kein Anwaltszwang, früherer Zeitpunkt der Verjährungshemmung.

56 Kap. 1: Einführung und Grundlagen des Adhäsionsverfahrens

Verletzteninteressen spielen aber nicht nur bei der Erlangung eines zivilrechtlichen Titels eine Rolle. Auch der primär justizökonomische Aspekt, einen weiteren Zivilprozess zu vermeiden, kann für Verletzte sehr bedeutsam sein. Verhindert wird nämlich dadurch auch, dass der Verletzte ein weiteres Mal mit der Straftat konfrontiert wird[154]. Durch ein doppeltes Verfahren muss er dem Gericht, den übrigen Beteiligten und meist zusätzlich noch weiteren Anwesenden (der „Öffentlichkeit") mehrfach Einblick in eine Situation gewähren, die er in den häufigsten Fällen nicht (gerichts)öffentlich machen möchte. Oft will der Zeuge sein eigenes Verhalten für sich behalten[155]. Dies ist bei einem Diebstahl sicherlich nicht so bedeutsam wie bei Sexualdelikten. Gerade bei letztgenannten Straftaten bedarf es keiner besonderen Vorstellungskraft, die opferschützende Dimension des Adhäsionsverfahrens zu erkennen[156]. Weiterhin bietet das Verfahren die Möglichkeit für den Verletzten, seine Anliegen mit einer gewissen Distanz zu verfolgen. Der Amtsermittlungsgrundsatz nimmt dem Antragsteller einige Arbeit hinsichtlich seiner Beweisführung ab. Ein kommunikativer Prozess ist anders als im Zivilverfahren für eine Entscheidung im Adhäsionsverfahren keine Voraussetzung, was je nach Fallgestaltung für den Verletzten (aber auch für den Beschuldigten) sehr angenehm sein kann[157]. Während der Verletzte im Zivilprozess gehalten ist, alle anspruchsbegründenden Tatsachen beizubringen und im Bestreitensfall auch zu beweisen, kann er sich im Adhäsionsverfahren darauf beschränken, einen Antrag zu stellen.

Die möglichst effiziente Schadloshaltung des Verletzten in Bezug auf den ihm durch die Straftat entstandenen materiellen und deshalb auch zivilrechtlich auszugleichenden Schaden ist mithin die zweite das Verfahren bestimmende Zielsetzung[158]. Im Ergebnis kann sich die opferschützende Wirkung sogar stärker entfalten als der justizökonomische Aspekt, der nur in sehr geringem Umfang wirkt. Während ursprünglich der Justizökonomiegedanke das Verfahren allein bestimmte, lässt sich nun feststellen, dass sich die Verhältnisse fast umgekehrt haben. Der Opferschutzgedanke ist die Grundlage aller das Adhäsionsverfahren

---

[154] Es ist gesicherte Erkenntnis, dass ein Gerichtsverfahren zu einer erneuten („sekundären") Viktimisierung beitragen kann. Ein Strafverfahren, das oft erst Monate nach der Tat erfolgt, zwingt zur erneuten Auseinandersetzung mit der Tat und kann einen eventuell bereits begonnenen Verarbeitungsprozess verzögern. Zu diesem Phänomen *G. Kaiser* (1997), S. 458; *Jesionek* (1997), S. 239; *Tampe* (1992), S. 40 f.

[155] *Dahs,* NJW 1984, 1921, 1923 (Da sein Handeln „unklug, leichtgläubig naiv, übermäßig gefühlsbetont, sexuell bestimmt oder unmoralisch im weitesten Sinne gewesen" ist). Hierzu auch *Lösch,* Streit 2007, 152, 157 und *Beduhn* (2004), S. 72 und insbesondere S. 76 f. („Schweigemechanismen").

[156] *Roxin* (1993), S. 301. Vgl. auch *Hassemer/Reemtsma* (2002), S. 88 zum Aspekt der „eingesparten" weiteren Auseinandersetzung mit der Straftat. Vgl. auch das Fallbeispiel BGH NStZ-RR 2009, 238.

[157] *Walther,* JR 2008, 205, 209.

[158] *Rieß* (2005), S. 429.

D. Die Ziele des Adhäsionsverfahrens 57

betreffenden Überlegungen. Die Justizökomonie spielt nicht mehr die entscheidende Rolle.

III. Wechselwirkung mit den Zielen des Strafverfahrens

Ziel des Strafverfahrens ist es, das materielle Strafrecht zu verwirklichen, indem es die materiell richtige, justizförmig zustande gekommene und den Rechtsfrieden schaffende Entscheidung über die Strafbarkeit des Beschuldigten herbeiführt[159]. Diese Zielrichtungen des Strafverfahrens werden nicht notwendigerweise stets in gleicher Intensität verwirklicht, sondern zwischen ihnen besteht eine Wechselbeziehung, die allerdings ein bestenfalls labiles Gleichgewicht bildet[160]. Damit diese Ziele möglichst weitgehend verwirklicht werden, ist das Strafverfahren von Grundsätzen geprägt[161].

Das Adhäsionsverfahren bewirkt, dass das Strafgericht gegenüber einem „normalen" Strafverfahren eine erweiterte Entscheidung treffen muss. Dieser Umstand wirkt sich immer auf den Ablauf des Strafverfahrens aus. Darüber hinaus erhält mit dem Antragsteller ein weiterer Verfahrensbeteiligter eine prozessuale Stellung im Strafverfahren, die mit einer Reihe von bestimmten Befugnissen einhergeht. Da das Adhäsionsverfahren Teil des Strafverfahrens wird, muss es sich den Zielen des Strafverfahrens unterordnen und sich an den für das Strafverfahren geltenden Grundsätzen messen lassen. Ausgangspunkt ist, dass die Ziele des Strafverfahrens vorrangig sind. Die durch das Adhäsionsverfahren erfolgte Erweiterung des Verfahrensgegenstands kann jedoch dazu führen, dass die Zwecke des Strafverfahrens nicht mehr erreicht werden können. Je nach Fallkonstellation kann sich das Adhäsionsverfahren entweder problemlos in das Strafverfahren einfügen[162] oder aber dazu führen, dass die Behandlung zivilrechtlicher Fragen den Rahmen des Strafverfahrens sprengt. Muss das Gericht etwa komplizierte Rechtsfragen aus dem Haftungsrecht beurteilen, kommt es zum unlösbaren Konflikt mit dem Beschleunigungsgebot[163], wenn das Gericht

---

[159] KK-*Pfeiffer/Hannich* (2008), Einl. Rn. 2; *Meyer-Goßner* (2009), Einl. Rn. 4; *Kühne* (2007), § 1 Rn. 2 f.; *Roxin/Schünemann* (2009), § 1 Rn. 3; *Volk* (2008), § 3 Rn. 1; ausführlich auch *Rieß*, JR 2006, 269, 270; *Murmann, GA* 2004, 65, 70 und *Foerster* (2008), S. 107–139. Die Ziele des Strafverfahrens werden auch mit den Schlagworten „Wahrheit", „Gerechtigkeit" „Rechtsfrieden" wiedergegeben, wobei die Ziele auch untereinander in eine Wechselwirkung treten und keines „um jeden Preis" verwirklicht werden darf (vgl. BGHSt 38, 214, 220 für das Ziel „Wahrheit").

[160] *Volk* (2008), § 3 Rn. 1, der anschaulich das Bild einer Waage verwendet.

[161] Vgl. nur die Aufzählung bei *Roxin/Schünemann* (2009), § 11 Rn. 1 f.

[162] Die Ziele des Adhäsionsverfahren können auch die Zwecke des Strafverfahrens unterstützen, etwa wenn das Ziel Opferschutz dem Rechtsfrieden dient, weil durch die Adhäsionsentscheidung die Folgen der Straftat umfassend bewältigt werden können.

[163] Der Beschleunigungsgrundsatz dient dazu, das Ziel „Rechtsfrieden" zu erreichen, da Belastungen für den Beschuldigten so gering wie möglich gehalten werden (vgl.

58   Kap. 1: Einführung und Grundlagen des Adhäsionsverfahrens

umfangreiche Beweiserhebungen allein im zivilrechtlichen Bereich anstellen müsste. Folgende Grafik verdeutlicht dies.

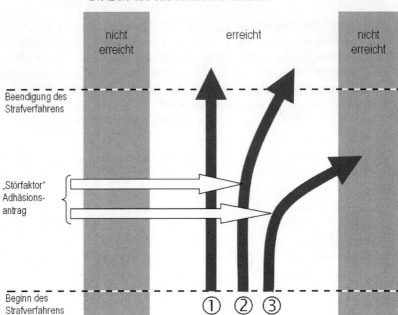

Quelle: Eigene Darstellung.

Abbildung 3: Einfluss des Adhäsionsverfahrens auf den Ablauf des Strafverfahrens

Die erste Konstellation (linker Pfeil, ①) beschreibt dabei den Normalfall eines Strafverfahrens *ohne* Adhäsionsantrag. Der Ablauf des Strafverfahrens wird hier nicht beeinflusst von der Behandlung zivilrechtlicher Ansprüche. Im Zeitpunkt der Beendigung des Strafverfahrens werden die vom Strafverfahren verfolgten Ziele erreicht. Die zweite Konstellation (mittlerer Pfeil, ②) stellt ein Strafverfahren dar, in dem der Verletzte einen Adhäsionsantrag gestellt hat, der sich für die Entscheidung im Strafverfahren eignet[164]. Ersichtlich werden die Ziele des Strafverfahrens nicht mehr auf „geradem Weg" erreicht. Der Adhäsionsantrag bewirkt, dass sich das Gericht mit Fragen befassen muss, die nicht die Entschei-

---

Schmitt, StraFo 2008, 313, 314). Präziser als die Bezeichnung Beschleunigungsgebot ist das „Verbot der Verfahrensverzögerung" (*Rieß,* JR 2006, 269, 276).

[164] Vgl. auch den Wortlaut von § 406 Abs. 1 S. 4 StPO.

D. Die Ziele des Adhäsionsverfahrens

dung über die Strafbarkeit des Beschuldigten betreffen. Dennoch rechtfertigen die Ziele des Adhäsionsverfahrens eine Entscheidung im Strafverfahren, da die Ziele des Strafverfahrens *noch* erreicht werden. Die dritte Konstellation (rechter Pfeil, ③) zeigt, wie die Ziele des Strafverfahrens in einem unzulässigen Maß durch den „Störfaktor" Adhäsionsantrag beeinträchtigt werden. In diesem Bereich darf ein Adhäsionsverfahren nicht durchgeführt werden.

Zwischen den Zielsetzungen des Strafverfahrens und denen des Adhäsionsverfahrens besteht eine Wechselwirkung. Auf der einen Seite muss das Strafverfahren die Ziele des Adhäsionsverfahrens in sich aufnehmen. Grundsätzlich muss die Entscheidung über die zivilrechtlichen Ansprüche im Strafverfahren möglich sein, da anderenfalls die §§ 403 ff. StPO völlig ins Leere liefen. Auf der anderen Seite wiederum können die Ziele des Adhäsionsverfahrens nicht „um jeden Preis" verwirklicht werden. Das adhäsionsrechtliche Ziel der Prozessökonomie gilt beispielsweise nicht umfassend, sondern nur soweit wie etwa dem strafverfahrensrechtlichen Beschleunigungsgrundsatz noch genüge getan werden kann. Das Ziel des Opferschutzes gilt ebenfalls nicht umfassend, sondern nur soweit etwa der Grundsatz des rechtlichen Gehörs für den Beschuldigten noch erfüllt werden kann. Im Extremfall treten die Ziele des Adhäsionsverfahrens völlig hinter denen des Strafverfahrens zurück. Das Verhältnis der Zielsetzungen von Adhäsionsverfahren und Strafverfahren ist dabei nicht starr, sondern ändert sich je nach Fallgestaltung. Diese Wechselwirkung findet sich in der rechtlichen Ausgestaltung der §§ 403 ff. StPO wieder, wenn beispielsweise dem Gericht ermöglicht wird, von einer Entscheidung über den Antrag abzusehen, sobald eine erhebliche Verfahrensverzögerung zu befürchten ist (§ 406 Abs. 1 S. 5 StPO) oder wenn dem Antragsteller grundsätzlich keine Rechtsmittel gegen Entscheidungen im Adhäsionsverfahren zustehen.

Das Verhältnis der Zielsetzungen von Adhäsions- und Strafverfahren entscheidet darüber, ob die Durchführung des Adhäsionsverfahrens möglich ist, oder ob das Strafverfahren von einer Adhäsionsentscheidung freigehalten werden sollte. Im „Normalfall" des Adhäsionsverfahrens[165] ist die Durchführung eines Adhäsionsverfahrens möglich. In einem Extremfall[166] sieht das anders aus, da ansonsten die Gefahr bestünde, dass die Ziele des Strafverfahrens nicht verwirklicht werden. Hier darf es zu keiner Adhäsionsentscheidung kommen.

---

[165] Als Beispiel diene der Fall einer gefährlichen Körperverletzung (§ 224 Abs. 1 StPO), in der der Verletzte einen Adhäsionsantrag auf Schadensersatz wegen einer zerstörten Uhr im Wert von 50 € sowie Schmerzensgeld in Höhe von 200 € stellt.

[166] Als Beispiel diene der Fall eines „Schneeball-Systems" mit vier Angeklagten, einem Schaden von über 50 Mio. € und zwei Adhäsionsantragstellern (vgl. LG Hildesheim NdsRpfl 2007, 187 ff.).

60 Kap. 1: Einführung und Grundlagen des Adhäsionsverfahrens

Die Schwierigkeit in der rechtlichen Ausgestaltung des Adhäsionsverfahrens und in der Anwendung dieser Vorschriften liegt darin, den Moment festzulegen, in dem die Ziele des Strafverfahrens nicht mehr erreicht werden können. Wann der „Wendepunkt" erreicht ist, also ab welchem Zeitpunkt das Strafverfahren von einem Adhäsionsantrag zu stark belastet wird, ist kaum greifbar zu identifizieren. Die gesetzliche Regelung (§ 406 Abs. 1 S. 4 StPO) legt an dieser Stelle fest, dass dieser Punkt dann erreicht ist, wenn sich der Antrag für die Erledigung im Strafverfahren nicht oder nicht mehr „eignet"[167].

IV. Zusammenfassung

Das Ziel des Adhäsionsverfahrens besteht aus zwei Elementen. Einerseits soll es die Restitutionsbelange des Verletzten (plakativ: „Opferschutz") berücksichtigen und unterstützen. Andererseits dient es der Prozessökonomie („Justizökonomie"). Beide Ziele können jeweils nur im Korsett der Ziele des Strafverfahrens erreicht werden. Weitere denkbare Zwecke, etwa die Erlangung von Rechtsfrieden durch die möglichst endgültige rechtliche Bewältigung der rechtlichen Folgen einer Straftat, sind dem Verfahren nicht immanent. Dabei handelt es sich um Begleiterscheinungen, die durchaus positiv zu werten sind, allerdings nicht primär im Fokus des Verfahrens stehen. Der Opferschutzgedanke ist im Vergleich zum Justizökonomiegedanken stärker ausgeprägt. Es stellt die tragende Säule des Verfahrens dar. Die Zielsetzungen des Adhäsionsverfahrens spielen eine bedeutsame Rolle bei der Auslegung von Zweifelsfragen. Die hier festgestellte Wechselwirkung mit den Zielen des Strafverfahrens, die sich nach dem Kriterium der „Eignung" richtet, spielt besonders dann eine Rolle, wenn das Gericht vor der Frage steht, ab wann es von einer Entscheidung über den Antrag absehen kann.

E. Zur Legitimation des Adhäsionsverfahrens

Mit diesen Zielsetzungen des Adhäsionsverfahrens ist nicht gesagt, dass es das Adhäsionsverfahren auch geben *muss*. Einen zwingenden Grund für die Existenz des Verfahrens gibt es nicht. Vielmehr ist ein rechtsstaatliches Strafverfahren auch ohne diesen Zusatz vorstellbar. Ebenso kann der Verletzte auch den regulären Weg der Zivilklage bestreiten, um einen vollstreckbaren Titel zu erlangen. Es sind vor allem praktische Gründe, die für die Existenz des Verfahrens ins Feld geführt werden können. Mit den Zielsetzungen ist die Hoffnung verbunden, dass aus Gründen des Sachzusammenhangs ein einheitliches Geschehen auch einheitlich und rasch rechtlich bewältigt wird, wenn der Verletzte mangels freiwilligen Wiedergutmachungsbestrebungen des Beschuldigten gezwungen ist, den Rechts-

---

[167] Siehe zur Ausfüllung des unbestimmten Rechtsbegriffs detailliert die Ausführungen unten Kapitel 2: B. III. 4. d) cc).

E. Zur Legitimation des Adhäsionsverfahrens 61

weg zu bestreiten. Weiterhin sollen – insgesamt gesehen – weniger Ressourcen in der Justiz gebunden werden, mögliche divergierende Entscheidungen vermieden werden, und es dem Verletzten idealiter erspart bleiben, einen dem Strafverfahren nachfolgenden Zivilprozess anzustrengen.

I. Nachteile des Adhäsionsverfahrens

1. Überblick

Das Adhäsionsverfahren ist nur dann legitimiert, wenn aus seiner Verbindung mit dem Strafverfahren keine unüberwindlichen Nachteile für den Ablauf des Strafverfahrens erwachsen. In dieser Hinsicht ist das Verfahren ganz verschiedenen Einwänden ausgesetzt. Grundsätzliche Einwände, also solche, die die Behandlung zivilrechtlicher Ansprüche im Strafverfahren gänzlich ausschließen, sind häufig in der Literatur zu finden – jedoch handelt es sich allesamt um Beanstandungen, die aus der Zeit vor dem Jahr 1943 stammen[168]. Seit der Aufnahme des Verfahrens in die StPO stellte niemand mehr die grundsätzliche Legitimation des Adhäsionsverfahrens aus dogmatischen Gründen in Frage. Auch Stimmen, die eine Abschaffung der Adhäsionsmöglichkeit forderten[169], begründen ihre Ansicht niemals mit grundsätzlichen Erwägungen, sondern stets mit der praktischen Bedeutungslosigkeit, Mängeln in der rechtlichen Ausgestaltung und einer gewissen Sinnlosigkeit des Verfahrens für alle Beteiligten[170]. Dementsprechend richten sich Einwände vor allem gegen den weiteren Ausbau des Verfahrens. Derartige Einwände sollen im Folgenden skizziert werden. Es lassen sich dabei zwei Hauptströmungen hinsichtlich der vorgetragenen Bedenken ausmachen, nämlich zum einen aus Sicht des Beschuldigten und zum anderen aus Sicht der Justiz. Ein starkes Adhäsionsverfahren greife zu stark in die verfassungsrechtlich geschützte *Rechtsstellung des Beschuldigten* ein. Zudem stelle es einen *Fremdkörper im Strafverfahren* dar, dessen Anwendungsschwierigkeiten kaum überwunden werden könnten[171].

2. Zu starker Eingriff in die Stellung des Beschuldigten

So wie die Vorteile des Verfahrens hauptsächlich aus Sicht des Verletzten dargestellt werden[172], werden Einwände hauptsächlich aus der Sicht des Beschuldigten vorgetragen. Die Konzentration auf die strafrechtliche Seite des Verfahrens

---

[168] Vgl. die Aufzählung von *Schönke* (1935), S. 148–153.

[169] *Weigend* (1989), S. 526; *Schuschke,* ZRP 1988, 371, 373.

[170] Vgl. *Krey/Wilhelmi* (2007), S. 949 („Holz- statt Königsweg“).

[171] Überlappungen zwischen beiden Gruppen sind indes möglich.

[172] Dabei kann es Vorteile ebenso auf Seiten des Beschuldigten und auch der Justiz geben.

62 Kap. 1: Einführung und Grundlagen des Adhäsionsverfahrens

könne den Beschuldigten dazu verleiten, sich gegenüber dem Entschädigungsverlangen des Antragstellers wohlwollender zu verhalten, als er es vermutlich in einem gesonderten Zivilverfahren täte[173]. Gerade bei unverteidigten Angeklagten, die an sich geständig sind, bestehe die große Gefahr, dass sie entweder angesichts hoher Forderungen doch nicht bereit sind, sich zur Tat zu bekennen, oder aber zwecks Strafmilderung alle gestellten Ansprüche ungeachtet ihrer Berechtigung anerkennen. Weiterhin sei eine „doppelte Verteidigung" erforderlich, die dazu führe, dass der Beschuldigte sich nicht mehr ausschließlich auf seine Verteidigung konzentrieren könne. Eine verstärkte Mitwirkung des Verletzten könne daher die notwendige Ausgewogenheit des Verfahrens zu Lasten des Beschuldigten verringern[174]. Weiterhin bestehe eine nicht ausräumbare Missbrauchsgefahr, da der Antragsteller absichtlich den Weg des Adhäsionsverfahrens wählen könne, indem er selbst über Strafanzeige/-antrag ein Strafverfahren in Gang setzt und einen Adhäsionsantrag stellt, um dem behaupteten Anspruch mehr Nachdruck zu verleihen, auch wenn eine Straftat zweifelhaft ist[175]. Darüber hinaus entschieden nur Zufälligkeiten darüber, ob ein Strafverfahren mit einem Strafurteil endet (dann ist eine Adhäsionsentscheidung möglich) oder doch durch Strafbefehl oder eine Einstellung (dann ist eine Adhäsionsentscheidung nicht möglich), was zu einem beträchtlichen Gleichheitsproblem führe[176]. Nachteilig sei für den Beschuldigten auch, dass das Gericht insbesondere bei einem mehrfach vorbestraften Angeklagten[177] geneigt sein kann, ein höheres Schmerzensgeld als eine zusätzliche verdiente Strafe zu verhängen[178]. Zuletzt bestehe die Hauptproblematik darin, dass der Antragsteller gleichzeitig Zeuge im Strafverfahren, aber eben auch „Partei" im Adhäsionsverfahren ist. Die gesetzgeberische Konzentration auf das Adhäsionsverfahren stelle eine „einseitige Orientierung am Zeitgeist" dar, nämlich ein eindimensionales Abstellen auf den Opferschutz, und vernachlässige schwerwiegende Gegeninteressen (etwa die Überlastung der Revisionsgerichte[179] oder die Beachtung des Beschleunigungsgrundsatzes[180]).

---

[173] So *Eisenberg* (2005), § 32 Rn. 19; *Volckart,* JR 2005, 181, 185; *Kempf,* StV 1987, 215, 218.

[174] *Krey/Wilhelmi* (2007), S. 947; *Hammerstein* (1984), S. L 9.

[175] *Krey* (2006), Rn. 331; *Bommer* (2006), S. 58; *Rieß* (1984), S. C 59. Berichtet wird auch, dass hauptsächlich Polizeibeamte einen Adhäsionsantrag stellen um damit aus einer Straftat noch etwas Geld zugesprochen zu bekommen.

[176] *Freund,* GA 2002, 82, 84, mit dem Vergleich der Stellung von Antragsteller und Kläger im Zivilverfahren.

[177] Im Gegensatz zum Zivilgericht, dem die Vorstrafen normalerweise nicht bekannt sind.

[178] *Prechtel,* ZAP 2005, 399, 406.

[179] BGH JZ 2005, 629, 630; *Krey* (2006), Rn. 66 und 331.

[180] Sehr kritisch *Krey/Wilhelmi* (2007), S. 949, die dem Gesetzgeber vorwerfen, er habe diese Bedenken offensichtlich ausgeblendet, da sie das schöne Bild vom *effektiven* Opferschutz störten. Vielmehr fordern sie die Beschleunigung der Zivilverfahren ohne Überfrachtung des Strafverfahrens mit zivilrechtlichen Fragen. Dennoch findet auch bei

E. Zur Legitimation des Adhäsionsverfahrens

Sinn des Strafverfahrens ist, die Verantwortung des Beschuldigten vor der Rechtsgemeinschaft festzustellen und die erforderlichen Konsequenzen zu ziehen. An dieser Stelle die Bedürfnisse der Verletzten einer Straftat (unter anderem Wiedergutmachung) auszuklammern, erscheint kaum möglich[181]. Dennoch kann eine Beeinträchtigung des Beschuldigten in seiner verfahrensrechtlichen Position nicht gegen das Adhäsionsverfahren gewendet werden. Fraglich ist nämlich nicht, ob Opferschutz im Strafverfahren überhaupt berücksichtigt werden muss, sondern lediglich in welchem Umfang, ohne dass die Stellung des Beschuldigten im Verfahren beeinträchtigt wird.

Die Ermittlung der zivilrechtlichen Ansprüche kann zweifelsfrei dazu führen, dass die Rechtsstellung des Beschuldigten eingeschränkt wird, und zwar auch in einer Form, die nicht mehr den verfassungsrechtlichen Vorgaben entspricht. Aufgabe der rechtlichen Ausgestaltung des Adhäsionsverfahrens muss es daher sein, für diese Problematik einen Ausweg anzubieten. Wenn sich also das Verfahren dauerhaft nur noch um die Erörterung zivilrechtlicher Problemstellungen dreht, oder wenn der Beschuldigte ersichtlich keine Verteidigungshandlungen im Hinblick auf die strafrechtliche Seite unternimmt, sondern nur noch an der Abwehr der zivilrechtlichen Ansprüche interessiert ist, ist ein Punkt erreicht, der die Verbindung von Zivil- und Strafverfahren nicht mehr rechtfertigt. Deswegen gibt es insbesondere die Absehensentscheidung wegen Nichteignung (§ 406 Abs. 1 S. 4 StPO) als „Notausgang" des Verfahrens[182]. Diese Möglichkeit ist auch nicht so strikt gefasst, dass eine Absehensentscheidung erst dann möglich ist, wenn in die Verfahrensstellung des Beschuldigten bereits zu stark eingegriffen wurde. Eine Absehensentscheidung ist bereits bei einer erheblichen Verzögerung möglich[183].

Zu den einzelnen vorgetragenen Gefahren: Befürchtungen, die aus der Erweiterung des Strafverfahrens um die zivilrechtliche Seite eine Gefährdung der Beschuldigtensituation konstruieren, muss mit der geltenden Ausgestaltung des Adhäsionsverfahrens entgegen getreten werden. Zunächst ist der „Vorwurf" der doppelten Verteidigung insoweit zu entkräften, als *derselbe Sachverhalt* sowohl Grundlage der zivilrechtlichen als auch der strafrechtlichen Entscheidung ist. Allenfalls die rechtliche Würdigung sowie der Umfang eines Schmerzensgeldes können weitere Tätigkeiten erforderlich machen. Dies allerdings spricht nicht gegen das Adhäsionsverfahren. Die Möglichkeit einer Absehensentscheidung stellt

---

dieser Kritik keine prinzipielle Ablehnung des Verfahrens statt, wohl aber wird der „Ausbau" im Jahr 2004 als korrekturbedürftig empfunden.

[181] *Lang,* ZRP 1985, 32, 34.

[182] In diese Kategorie fällt letztlich auch die Möglichkeit des Anerkenntnisurteils (§ 406 Abs. 2 StPO) und des Vergleichs (§ 405 StPO). Da hier die Entscheidung maßgeblich auf einem freiwilligen Willensentschluss des Beschuldigten fußt, bedarf es keines Schutzes durch Regelungen der §§ 403 ff. StPO.

[183] Noch strengere Ausgestaltungen bis hin zum Entscheidungszwang sind dabei denkbar.

64   Kap. 1: Einführung und Grundlagen des Adhäsionsverfahrens

hier eine Möglichkeit dar, im Einzelfall auftretende Schwierigkeiten sachgerecht aufzulösen.

Auch das Missbrauchsargument ist nicht geeignet, das Adhäsionsverfahren als illegitim erscheinen zu lassen. Sicherlich kann es Fallkonstellationen geben, in denen es dem Antragsteller nur darum geht, sich zivilrechtlich nutzbare Beweismittel zu verschaffen[184]. Dennoch kann einem potenziellen Missbrauch durchaus begegnet werden, und dies ohne die Daseinsberechtigung des gesamten Verfahrens abzusprechen. Zunächst bestehen mit der Staatsanwaltschaft und vor allem dem Gericht regulierend wirkende Instanzen, die ihrerseits eine Anzeige zu prüfen haben. Vor allem mit der Kostentragungsvorschrift des § 472a Abs. 2 StPO steht ein wirksames Mittel zur Verfügung. Dort kann das Gericht in seiner Ermessensausübung etwaige Missbrauchsmomente berücksichtigen. Im Extremfall kann ein Antragsteller sich auch nach §§ 164, 145d StGB strafbar machen.

Die befürchteten Zufälligkeiten hinsichtlich der Beendigung des Strafverfahrens erscheinen nicht derart gravierend, dass daraus ein das Verfahren störender Nachteil erwachsen würde. Zwar ist aus Sicht des Antragstellers tatsächlich nicht absehbar, ob es zu einem Strafurteil kommt, das für die Adhäsionsentscheidung Voraussetzung ist. Dennoch sind die verschiedenen Beendigungsgründe des Strafverfahrens ihrerseits an Voraussetzungen geknüpft. Die Privilegierung des Antragstellers soll nur bestehen, wenn es zu einem Strafurteil kommt. Letztlich sind sowohl Strafbefehl als auch Einstellungen eher auf Fälle geringer bis mittlerer Kriminalität zugeschnitten. In diesem Bereich ist dem Verletzten ein selbständiger Zivilprozess eher zuzumuten als bei schweren Delikten, bei denen die Opferbedürfnisse (z.B. die Vermeidung einer weiteren Vernehmung zum selben Sachverhalt) eher zum Vorschein kommen. Als unüberwindbarer Nachteil des Adhäsionsverfahrens vermag das Argument nicht gelten.

Problematischer ist die doppelte Stellung des Antragstellers. Zeugenstellung und Amtsermittlungsgrundsatz führen zu einer formalen Besserstellung des Antragstellers im Adhäsionsverfahren im Vergleich zum Zivilprozess[185]. Jedoch muss beachtet werden, dass das Verfahren gerade keine andere Form des Zivilverfahrens ist, sondern eine andere Form der Titelerlangung. Insofern sind derartige Vergleiche zwischen Adhäsionsverfahren und Zivilprozess nicht immer zielführend. Das „Besserstellungsargument" kann daher nicht gegen das Verfahren sprechen. Dennoch ist zuzugeben, dass die gleichzeitige Stellung des Antragstellers als Zeuge und als Partei einer der Hauptproblempunkte der rechtlichen Ausgestaltung darstellt. Die Lösung dieser Problematik kann nur in der Prozess-

---

[184] So bereits die Befürchtung von *Schönke* (1935), S. 152.

[185] Beachtet werden muss aber, dass auch im Zivilprozess die Parteivernehmung angesichts der Glaubwürdigkeitsschwierigkeiten nur subsidiäres Beweismittel ist, vgl. Musielak-*Huber* (2009), § 445 Rn. 8.

E. Zur Legitimation des Adhäsionsverfahrens

führung des Gerichts zu suchen sein. Der Zeugenwert einer Aussage des Antragstellers muss besonders auf ihre Glaubwürdigkeit untersucht werden[186]. Es hat eine „skeptische Beweiswürdigung"[187] zu erfolgen. Nur dann erscheint gewährleistet, dass es zu keinen gravierenden Einschnitten zu Lasten des Beschuldigten kommt.

Verschiedene Umfragen haben ebenfalls ergeben, dass von der Anwendung adhäsionsrechtlicher Regelungen nicht die Gefahr ausgeht, dass in die Stellung des Beschuldigten grundsätzlich in zu starkem Maße eingegriffen wird[188]. Dies kann zumindest als Indiz für den hier festgestellten Befund gelten. Festzuhalten ist, dass allein die Möglichkeit eines Adhäsionsverfahrens die Stellung des Beschuldigten nicht gefährdet. Nicht bestritten wird aber, dass praktische Folgen im konkreten Verfahren dazu führen können, dass die Rechtsstellung des Beschuldigten in einem unzulässigen Maß beeinträchtigt wird[189]. In solchen Konstellationen bietet das geltende Recht dem Gericht zugunsten des Beschuldigten aber ausreichend Möglichkeiten, seinen Schutz zu gewährleisten, indem es von einer Entscheidung über den Adhäsionsantrag absieht.

3. Fremdkörper im Strafverfahren

Weitere als problematisch angesehene Einwände lassen sich unter dem Sammelbegriff „Fremdkörper im Strafverfahren" zusammenfassen und werden primär aus Sicht der Justiz vorgetragen[190]. Die mitunter sehr komplizierten Rechtsfragen bei der Beurteilung zivilrechtlicher Ansprüche in einen mit der StPO und der MRK konformen Strafprozess zu integrieren, sei schlechterdings unmöglich[191]. Wenn das Strafverfahren bereits ohne das Adhäsionsverfahren kaum zu bewältigen sei, was etwa die Diskussion um die Verständigung im Strafverfahren („Deal") belege, sollte es von vornherein von zivilrechtlichen Fragestellungen

---

[186] *Klein* (2007), S. 178, Widmaier-*Kauder* (2006), § 86 Rn. 59; *Loos,* GA 2006, 195, 201.

[187] *Loos,* GA 2006, 195, 201.

[188] Siehe bereits hier das Resultat der Onlineumfrage, wonach lediglich 9% der Teilnehmer davon ausgingen, dass in die Stellung des Beschuldigten durch das Adhäsionsverfahren zu stark eingegriffen wird. Vgl. auch das Ergebnis bei *Spiess* (2008), S. 165, wonach mehr als zwei Drittel der befragten Juristen nicht der Ansicht sind, dass der Beschuldigte durch das Adhäsionsverfahren unangemessen belastet wird.

[189] Als Beispiel kann gelten, dass der Antragsteller und sein Rechtsbeistand ein regelrechtes „Bedrohungsszenario" aufbauen und unzählige Beweisanträge stellen oder mit Vergleichsangeboten taktieren.

[190] *Feigen* (2007), S. 882; AK-*Schöch* (1996), vor § 403 Rn. 7. Vgl. auch *Scholz,* JZ 1972, 725, 727, der den §§ 403 ff. StPO in der damaligen Fassung attestierte, dass das Adhäsionsverfahren im Hinblick auf die Ausgestaltung der Vorschriften nicht effektiv und sinnvoll sei.

[191] *Krey/Wilhelmi* (2007), S. 946.

66 Kap. 1: Einführung und Grundlagen des Adhäsionsverfahrens

freigehalten werden. Die Rolle der Beschuldigten und Antragsteller sei im Vergleich zum Zivilverfahren mit seiner auf Äquivalenz angelegten Parteistellung völlig verschieden[192]. Der eher summarische Charakter vieler Strafverfahren vertrage sich nicht mit den formalen Anforderungen an Schriftlichkeit, Substantiierung von Vortrag und Bestreiten, den daraus folgenden, den Parteien einzuräumenden Fristen, die ein herkömmlicher Zivilprozess mit sich bringe[193]. Die Verschiedenheit des Zivil- und Strafverfahren wird häufig als Nachteil herausgestellt, der die Integration des Adhäsionsverfahrens in das Strafverfahren verhindere[194], wobei beispielhaft auf die unterschiedlichen Kausalitätsbegriffe, einen unterschiedlichen Verschuldensmaßstab sowie auf ganz unterschiedliche Beweisgrundsätze abgestellt wird[195]. Nicht nur die grundsätzlich andere Struktur von Zivil- und Strafverfahren sei problematisch, sondern auch die konkrete Rechtsanwendung stelle das Gericht durchaus vor Probleme. Strafprozessuale Beweisanforderungen und -würdigungen ließen sich schwer mit den zivilrechtlichen Beweislastregeln, dem prima-facie-Beweis, mit der freien Schadensschätzung oder den differenzierten Mitverschuldensabwägungen des Zivilrechts in einem einheitlichen Verfahren vereinbaren[196]. Zuletzt wird befürchtet, dass eine Ausweitung des Adhäsionsverfahrens die ohnehin bereits völlig überlastete Strafjustiz und damit die Fürsorgepflicht des Staates gegenüber den Angehörigen der Strafjustiz missachte[197].

Die Gestaltung eines wirkungsvollen und anerkannten Adhäsionsverfahrens muss eine Vielzahl von strafrechtlichen Konstellationen erfassen. Der „adhäsionsgerechte Prototyp"[198] kann dabei in folgender Konstellation gesehen werden: Ein Einzeltäter schädigt vorsätzlich ein Opfer an der Gesundheit (§ 223 Abs. 1 StGB), bereitet dem Opfer dadurch Schmerzen und beschädigt die Kleidung (§ 303 Abs. 1 StGB). Hier bereitet es dem Strafrichter keinerlei Probleme, aufgrund der Angaben des Verletzten, einer von ihm vorgelegten ärztlichen Bescheinigung und Reinigungsrechnung den Täter zu Schadensersatz und Schmerzensgeld zu verurteilen (§§ 823 Abs. 1 und 823 Abs. 2 jeweils i.V.m. §§ 249 ff. BGB). Die beschriebenen Schwierigkeiten tatsächlicher Art enthält ein solcher Fall nicht. Jedoch wird den Vorschriften der §§ 403 ff. StPO ein weitaus an-

---

[192] *Weigend,* ZStW 96 (1984), 761, 792, der zudem darauf hinweist, dass die Mittellosigkeit des Täters das eigentliche Hauptproblem des Verfahrens sei.

[193] *Freund,* GA 2002, 82, 84.

[194] Vgl. den Hinweis bei *Weigend* (1989), S. 524, wonach Friktionen zwischen Zivil- und Strafverfahren nur nicht in verstärktem Umfang zutage getreten seien, weil das Verfahren so selten angewendet werde.

[195] *Spiess* (2008), S. 126.

[196] *Weigend* (1989), S. 525; *Schöch,* NStZ 1984, 395, 390; *Amelunxen,* ZStW 86 (1974), 457, 461.

[197] *Krey* (2006), Rn. 331.

[198] So die Bezeichnung von *Weigend* (1990), S. 17.

E. Zur Legitimation des Adhäsionsverfahrens

spruchsvolleres Programm auferlegt. Komplikationen sowohl rechtlicher als auch tatsächlicher Art sind in fast beliebiger Anzahl konstruierbar[199]. Jedoch ist die Befürchtung des komplizierten Schadensrechtsfalls nicht das den §§ 403 ff. StPO zugrunde gelegte gesetzliche Leitbild. Vielmehr erscheint die Konzentration auf derartige „Schreckensfälle" außer Acht zu lassen, dass eine Vielzahl einfacher gelagerter Fälle durchaus im Adhäsionsverfahren ohne größere Schwierigkeiten behandelt werden können[200]. Nicht jedes Strafverfahren behandelt schwierige haftungsrechtliche Fragen, erfordert die Anwendung von Vorschriften des Internationalen Privatrechts oder umfasst einen Streitgegenstand in Millionenhöhe. In einer Vielzahl von rechtlich einfachen Fällen überwiegen die Vorteile des Adhäsionsverfahrens die hier dargestellten Nachteile. Dann stellt sich das Verfahren gerade nicht als Fremdkörper dar, sondern ist durchaus sinnvolle Ergänzung der strafprozessualen Möglichkeiten.

Dass das Adhäsionsverfahren das Strafverfahren erweitert, vulgo „belastet", ist zugegebenermaßen ein durchaus problematischer Aspekt und kann als Nachteil des Adhäsionsverfahrens gelten. Die Frage ist jedoch, ob dieser Nachteil unüberwindlich ist. Hiergegen spricht zunächst, dass auch das Strafrecht keinen völlig „zivilrechtsfreien Raum"[201] darstellt. Mitunter muss das Gericht für das Vorliegen strafrechtlicher Tatbestandsvoraussetzungen ebenfalls zivilrechtliche Fragestellungen beantworten[202]. Zudem fordert der Zweck des Strafverfahrens keine strenge und eindeutige Trennung zwischen Strafverfahren auf der einen und Zivilverfahren auf der anderen Seite. Die Abmilderung der überkommenen „Neutralisierung des Opfers" im Strafverfahren ist an vielen Stellen seit Jahrzehnten sichtbar[203]. Gegen das Verfahren als solches vermag der Aspekt des „Fremdkörpers" nicht zu sprechen. Verbleibende Schwierigkeiten in den Griff zu bekommen, ist Aufgabe der konkreten rechtlichen Ausgestaltung des Adhäsionsverfahrens. Hier spielt vor allem das Regulativ der Absehensentscheidung wegen Nichteignung eine entscheidende Rolle.

---

[199] Als Beispiele sollen hier nur dienen: mehrere Täter, von denen jedoch nicht alle angeklagt sind; der Täter hat mehrere Straftaten begangen, einige werden jedoch nach § 154 StPO eingestellt; ein Mitverschulden des Antragstellers.

[200] Siehe auch den Hinweis bei *Jesionek* (2004), S. 262.

[201] So eine Formulierung von *Klein* (2007), S. 188.

[202] Als Beispiel kann die Ermittlung des Begriffes „fremd" in § 242 Abs. 1 StGB oder die Schadensfeststellung bei Einstellungen nach § 153a Abs. 1 S. 2 Nr. 1 StPO dienen. Müssen im Ermittlungsverfahren schwierige Fragen anderer Rechtsgebiete von der Staatsanwaltschaft geklärt werden, kann sie unter den Voraussetzungen des § 154d StPO das Verfahren aussetzen. Damit kann sie verhindern, sich für die Klärung schwieriger Rechtsfragen „einspannen zu lassen" (KK-*Schoreit* (2008), § 154d Rn. 1).

[203] *Wohlers*, MDR 1990, 763, 765.

II. Verhältnis zu anderen Rechtsinstituten der Wiedergutmachung

Es gibt weitere Rechtsinstitute, die darauf gerichtet sind, beim Verletzten die materiellen Folgen einer Straftat wiedergutzumachen. Systematisieren[204] kann man diese danach, ob der Beschuldigte an der Wiedergutmachung mitwirkt oder nicht. Für die erste Gruppe ist insbesondere die Strafzumessungsregel des § 46 Abs. 2 StGB zu nennen. Dort wird ein schadenswiedergutmachendes Nachtatverhalten des Beschuldigten strafmildernd berücksichtigt. Darüber hinaus spielt seit dem Jahr 1994 der Wiedergutmachungsaspekt im Täter-Opfer-Ausgleich nach § 46a StGB, der strafprozessual durch die §§ 155a f. StPO flankiert wird, eine bedeutsame Rolle[205]. Bei erfolgter Schadenswiedergutmachung kommt über § 153b StPO das Absehen von der Klageerhebung oder die Einstellung des Verfahrens in Betracht. Darüber hinaus ist der Sühneversuch nach § 380 StPO zu nennen, wonach bei bestimmten Privatklagedelikten die Privatklage erst zulässig ist, nachdem von einer durch die Landesjustizverwaltung zu bezeichnenden Vergleichsbehörde die Sühne erfolglos versucht worden ist[206]. In der zweiten Gruppe ist zunächst die Schadenswiedergutmachungsauflage nach § 56b Abs. 2 S. 1 Nr. 1 StGB zu nennen[207], die bei der Strafaussetzung zur Bewährung[208] angeordnet werden kann. Weiterhin kommt bei Einstellungen des Verfahrens durch die Staatsanwaltschaft nach § 153a Abs. 1 S. 2 Nr. 1 StPO (durch das Gericht nach § 153a Abs. 2 S. 1 StPO) ebenfalls die Anordnung einer Schadenswiedergutmachungsauflage in Betracht. In diese Kategorie fallen aber auch die Regelungen der Zurückgewinnungshilfe nach § 111g und § 111h StPO, wonach im Interesse des Verletzten die Durchsetzung seiner aus der Tat erwachsenen Ansprüche auch bei vorläufigen Maßnahmen nach §§ 111b ff. StPO[209] erhalten bleiben soll.

---

[204] Von einem „System" der auf Wiedergutmachung gerichteten Rechtsinstitute kann indes kaum gesprochen werden. Vielmehr existieren sie an ganz unterschiedlichen Stellen in ganz verschiedenen Gesetzen und sind auch kaum untereinander abgestimmt. Siehe auch den Überblick bei *Zander,* JuS 2009, 684 ff. Vgl. zu Versuchen, ein einheitliches „Wiedergutmachungsrecht aus einem Guss" zu schaffen: *Schöch* (2001), S. 1048; *Loos,* ZRP 1993, 51, 54; AE-WGM (1992), S. 37 ff.; *Roxin* (1993), S. 310 f. und RuP 1988, 69, 74.

[205] Zum Verhältnis des Adhäsionsverfahrens zum TOA: *Kempfer,* TOA-Infodienst Nr. 39, 2010, 7, 12.

[206] Diese Vergleichsbehörde ist in Baden-Württemberg die Gemeinde (§ 37 S. 1 AGGVG-BW, vgl. im Übrigen §§ 37–41 AGGVG-BW). Für die rechtliche Ausgestaltung in anderen Bundesländern vgl. etwa *Meyer-Goßner* (2010), § 380 Rn. 3. Detailliert zum Sühneverfahren und zum Ablauf der Sühneverhandlung *K. Schroth* (2005), Rn. 391 ff.

[207] Nicht in diese Aufzählung gehört das Opferentschädigungsgesetz. Nach dessen § 1 Abs. 1 OEG können Opfer von Gewalttaten unter bestimmten Voraussetzungen staatliche Leistungen erhalten. Hierbei handelt es sich jedoch um ein Verwaltungsverfahren, das unabhängig von der strafrechtlichen Behandlung eines Vorfalls eingeleitet werden kann. Vgl. ausführlich *Heinz* (2007), Teil A Rn. 17.

[208] Über § 57 Abs. 3 S. 1 StGB auch bei der Strafrestaussetzung zur Bewährung.

E. Zur Legitimation des Adhäsionsverfahrens

Alle diese Rechtsinstitute dienen mehr oder weniger intensiv (zumindest auch) dem Restitutionsinteresse des Verletzten. Dennoch ist allen gemeinsam, dass ihr Anwendungsbereich ausschnittsweise auf bestimmte Fallkonstellationen zugeschnitten ist. Die genannten Institute stehen neben dem Adhäsionsverfahren und vermögen nicht seine Funktion zu übernehmen. Gegenüber den §§ 403 ff. StPO können sie je nach Fallgestaltung Vorteile haben. Beim lediglich titelverschaffenden Adhäsionsverfahren bleibt die Realisierung des Vollstreckungstitels dem Verletzten überlassen. Dagegen ist es ein Vorteil der genannten Möglichkeiten, dass sie auf eine tatsächliche Kompensation beim Verletzten abzielen. Ein weiterer Vorzug besteht darin, dass sie auch anwendbar sein können, wenn keine Adhäsionsentscheidung mehr ergehen kann. Da eine strafzumessungsrelevante Wiedergutmachung bereits vor dem Urteil erfolgen muss, dürfte dann kaum noch ein Bedürfnis für eine Titulierung in einem Adhäsionsverfahren bestehen[210]. Allerdings kommt ein Adhäsionsverfahren auch dann in Betracht, wenn die Voraussetzungen etwa eines Täter-Opfer-Ausgleichs oder einer Schadenswiedergutmachungsauflage nicht vorliegen[211]. Zudem müssen die strafrechtliche Wiedergutmachung und der zivilrechtliche Schadensersatz nicht deckungsgleich sein. Das Adhäsionsverfahren stellt dagegen die einzige Möglichkeit dar, die zivilrechtlichen Folgen einer Straftat als Ganzes zu erfassen. Im Ergebnis decken die einzelnen Möglichkeiten die „Folgenbeseitigung zugunsten des Verletzten" nur punktuell ab. Solange es kein umfassendes strafrechtliches Institut gibt, das die Restitutionsinteressen des Verletzten berücksichtigt, können keine Zweifel an der Existenzberechtigung des Adhäsionsverfahrens bestehen. Es wird in seinem Anwendungsbereich zwar stellenweise von anderen Rechtsinstituten verdrängt. Jedoch besitzt nur dieses eine titelverschaffende Wirkung.

Ein faktisches Äquivalent zum Adhäsionsverfahren könnte eine Bindungswirkung von strafrechtlichen Erkenntnissen im Zivilverfahren sein. Eine solche Bindung hätte einen erheblichen Einfluss auf das Adhäsionsverfahren, da seine Attraktivität für die Gerichte, für Rechtsanwälte und den Verletzten erheblich sinken würde[212]. Der Verletzte müsste einfach den Abschluss eines Strafverfahrens abwarten und könnte dann im Zivilverfahren von den Feststellungen des Strafgerichts profitieren. Nach geltendem Recht ist eine solche Bindungswirkung jedoch

---

[209] Das Institut der Zurückgewinnungshilfe wurde zuletzt im Jahr 2006 umfassend reformiert. Vgl. hierzu die Übersicht bei *Janssen* (2008), Rn. 180 ff. und 364 ff. sowie *Greeve*, NJW 2007, 14. Ausführliche Hinweise finden sich bei *Bohne*, NStZ 2007, 552 sowie *Hees* (2003), S. 21 und 150.

[210] Auch ein günstiges Verhalten gegenüber einem Adhäsionsantrag (z.B. Vergleichsverhandlungen) kann eine indizielle Wirkung für die Strafzumessung haben, da es ein „Bemühen" (§ 46 Abs. 2 StGB) um Schadenswiedergutmachung darstellt.

[211] Dies gilt allerdings auch umgekehrt!

[212] *Völzmann* (2006), S. 188, der insoweit von einem „endgültigen Todesstoß" spricht und eine Entwicklung von „praktischer Bedeutungslosigkeit" des Adhäsionsverfahrens hin zu „völliger Sinnlosigkeit" prophezeit.

70   Kap. 1: Einführung und Grundlagen des Adhäsionsverfahrens

nicht vorgesehen[213]. Das Zivilgericht darf und muss das Strafurteil als Urkundsbeweis nach §§ 415, 417 ff. ZPO verwenden[214]. Die dort getroffenen Feststellungen sind zu würdigen und ihnen muss das Gericht in der Regel – wenn nicht ein gewichtiges Vorbringen einer Partei für andere Tatsachen spricht – auch folgen[215]. Häufig diskutiert wird allerdings, ob de lege ferenda eine derartige Bindungswirkung geschaffen werden und wie sie ausgestaltet werden sollte[216]. Bestrebungen des Gesetzgebers, eine Bindungswirkung einzuführen, haben bislang keinen Erfolg gebracht, da mit ihr eine ganze Reihe von schwierigen Problemen verbunden ist[217]. Für das Adhäsionsverfahren ist festzuhalten, dass eine allenfalls faktisch bestehende „Bindungswirkung", die in der Praxis ein Zivilgericht von einem rechtskräftigen Strafurteil kaum abweichen lässt[218], keinesfalls das Adhäsionsverfahren entbehrlich macht. Dies wäre nur dann anders, wenn eine umfassende Bindungswirkung de lege ferenda gesetzlich vorgesehen würde, was aus jetziger Sicht eher unwahrscheinlich ist.

III. Ergebnis

Die Legitimation des Adhäsionsverfahrens ist darin zu sehen, dass es praktische Vorteile bietet, und zwar aus Sicht der Justiz und besonders aus Sicht des Verletzten. Daneben sind beschriebene Nachteile des Verfahrens, die ihm als Einwände entgegen gehalten werden, nicht unüberwindbar. Auftretende Probleme können durch die rechtliche Ausgestaltung angemessen behandelt werden, etwa indem das Gericht von einer Entscheidung absehen kann[219]. Zuletzt bestehen auch keine Rechtsinstitute, die die Funktion des Adhäsionsverfahrens adäquat ersetzen können. Die Zusammenschau dieser Faktoren ergibt, dass an der grundsätzlichen Legitimation des Verfahrens keine Zweifel bestehen können.

---

[213] Vgl. § 14 Abs. 2 Nr. 1 EGZPO, wonach keine Landesgesetze mehr gelten, die eine Bindung des Zivilrichters an Strafurteile vorsehen.

[214] Zöller-*Gummer* (2009), § 14 EGZPO Rn. 2. Vgl. zur punktuellen Ausnahme des § 411a ZPO, der die Verwertung von Sachverständigengutachten aus anderen Verfahren betrifft *Völzmann* (2006), S. 44–46.

[215] MüKo-*Gruber* (2008), § 14 EGZPO Rn. 4.

[216] Vgl. *Foerster* (2008), S. 375 ff. insbesondere S. 431; *Völzmann* (2006), S. 43 ff.; *Trousil* (2005), S. 157 f.; *Herrmann* (1985), S. 144.

[217] Ein im Gesetzgebungsverfahren zum 1. Justizmodernisierungsgesetz (BGBl. I (2004), S. 2198) erwogener § 415a ZPO-E, der eine allgemeine Beweiskraft strafrechtlicher Urteile im Zivilprozess vorsah, hat sich nicht durchsetzen können. Vgl. hierzu sehr kritisch *Huber*, ZRP 2003, 268, 271 f. sowie *Geipel*, ZRP 2003, 426. Darüber hinaus existierte der Vorschlag eines § 286 Abs. 3 ZPO-E (BR-Drs. 397/03) Vgl. hierzu *G.Vollkommer*, ZIP 2003, 2061. Detailliert zur Entwicklung des Entwurfs *Völzmann* (2006), S. 26–40.

[218] Das Zivilgericht muss erneut eine Beweisaufnahme durchführen (Zöller-*Gummer* (2009), § 14 EGZPO Rn. 2).

[219] Daher stellt *Meier* (2009), S. 349 zu Recht fest, dass das Verfahren keinen Fremdkörper darstelle.

Kapitel 2

Die rechtliche Ausgestaltung
des reformierten Adhäsionsverfahrens

Das nun folgende zweite Kapitel der Arbeit soll die rechtliche Ausgestaltung des Verfahrens fünf Jahre nach den durch das Opferrechtsreformgesetz erfolgten Änderungen ausführlich darstellen. In einem ersten Abschnitt werden die Grundsätze und gesetzgeberischen Grundentscheidungen herausgearbeitet, denen das Adhäsionsverfahren folgt, sowie ihr Verhältnis zu den allgemeinen Prozessrechtsprinzipien beleuchtet. Ein darauf folgender umfangreicher zweiter Abschnitt zeichnet detailliert die Voraussetzungen für ein Adhäsionsverfahren sowie dessen chronologischen Ablauf im Rahmen eines Strafverfahrens nach. Ziel dieses Kapitels ist es, einen Beitrag zur Systematisierung der §§ 403 ff. StPO und zur Auslegung der Voraussetzungen der einzelnen Vorschriften zu leisten. Darüber hinaus sollen Zweifelsfragen im Ablauf des Adhäsionsverfahrens geklärt werden leisten.

A. Die Grundsätze des Verfahrens

Den Bestimmungen der §§ 403 ff. StPO liegt eine Reihe von Prinzipien zu Grunde, die für das Verständnis der Detailregelungen unverzichtbar ist. Dem Charakter derartiger Prinzipien gemäß sind sie nicht immer in voller Intensität umgesetzt. Man kann dabei zwischen „adhäsionsspezifischen" und den „allgemeinen" (Straf-)Verfahrensgrundsätzen unterscheiden[1]. Das Adhäsionsverfahren ist auf die Durchführung einer Hauptverhandlung zugeschnitten, daher entfalten die Grundsätze ihre volle Geltung und Bedeutung hauptsächlich dort.

I. Spezielle adhäsionsrechtliche Grundentscheidungen

Das Adhäsionsverfahren wird nur dann Teil des Strafverfahrens, wenn der Verletzte die Geltendmachung seiner Ansprüche beantragt (*Antragserfordernis*). Das Gericht[2] darf die zivilrechtlichen Ansprüche des Verletzten nicht von Amts wegen titulieren. Einen vollstreckbaren Titel, den ein zusprechendes Adhäsionsur-

---

[1] Gemeinhin wird nur auf allgemeine Grundsätze des Verfahrens abgestellt (vgl. beispielhaft nur Weiner/Ferber-*Weiner* (2008), Rn. 26 ff.). Dem Adhäsionsverfahren liegen aber spezielle gesetzgeberische Grundentscheidungen zugrunde, die eine Auslegung von Zweifelsfragen maßgeblich beeinflussen.

[2] Auch nicht die Staatsanwaltschaft im Ermittlungsverfahren.

72 Kap. 2: Rechtliche Ausgestaltung des reformierten Adhäsionsverfahrens

teil darstellt, kann nur aus dem Strafverfahren resultieren, sobald aufgrund der Initiative des Verletzten im Rahmen des Strafverfahrens die Begründetheit der Ansprüche festgestellt wurden[3].

Das Gericht besitzt nur eine *eingeschränkte Sachentscheidungsbefugnis*. Kommt es zu dem Schluss, dass ein Anspruch aus einem materiell-rechtlichen Grund nicht begründet ist, darf es nicht über ihn entscheiden. Vielmehr muss es in diesen Fällen von einer Entscheidung über den Anspruch absehen (§ 406 Abs. 1 S. 3 Var. 2 StPO). Die Absehensentscheidung ergeht vorab durch Beschluss (§ 406 Abs. 5 S. 2 StPO) oder spätestens im Urteil[4]. Dies beruht auf der gesetzgeberischen Grundentscheidung, dass ein *Straf*gericht einen *zivil*rechtlichen Anspruch nur rechtskräftig zusprechen, nicht aber abweisen kann. Diese für den Verletzten sehr günstige Bestimmung führt dazu, dass er im Strafverfahren „nur gewinnen, nicht aber verlieren"[5] kann. Hintergrund dieser Grundentscheidung ist die Verwirklichung der Ziele des Adhäsionsverfahrens. Das Ziel der Justizökonomie soll dadurch gewahrt bleiben, dass das Strafgericht über den Anspruch nicht entscheiden soll, soweit er unbegründet *erscheint*. Es soll also von vornherein vor aufwändigen weiteren Ermittlungen rechtlicher und tatsächlicher Art bewahrt werden. Hier dürfte im Regelfall die bessere Sachkompetenz des Zivilgerichts „unter dem Strich" justizökonomischer sein. Soweit der Antragsteller bei einer Absehensentscheidung noch den Zivilrechtsweg beschreitet[6], soll das Zivilgericht über den Anspruch entscheiden. Das Ziel des Opferschutzes wird ebenfalls gewahrt, da der Verletzte nicht die negativen Rechtskraftwirkungen einer abweisenden Entscheidung befürchten muss.

Aus diesem Verbot einer negativen Sachentscheidung folgt eine der zentralen Aussagen des Verfahrens. Etwas „versteckt" bestimmt der Gesetzgeber in § 406 Abs. 3 S. 3 StPO, dass der Verletzte den Anspruch anderweitig geltend machen kann, soweit er nicht zuerkannt worden ist. Hat das Gericht die Absehensentscheidung ausgesprochen, endet die Rechtshängigkeit des Verfahrens. Der Verletzte kann den Anspruch anschließend noch auf dem Zivilrechtsweg einklagen[7] oder – auch das beinhaltet „anderweitig" – eine Entscheidung in einer neuerlichen strafrechtlichen Tatsacheninstanz beantragen[8]. Der Verletzte wird bei einer

---

[3] Diskutiert wurde, ob die gewissermaßen automatische Beurteilung von zivilrechtlichen Ansprüchen des Verletzten eine Option für die Reform der §§ 403 ff. StPO darstellen könnte (so genanntes „Zwangsadhäsionsverfahren"), vgl. nur *Brause,* ZRP 1985, 103, 104.

[4] Dann kommt auch im Tenor eine klageabweisende Entscheidung nicht in Betracht (BGH NStZ-RR 2010, 23). Vgl. auch KMR-*Stöckel* (2005), § 406 Rn. 13.

[5] Die Bezeichnung stammt von *Rieß* (1984), S. C 36. Lediglich die Kostenregelung des § 472a StPO kann die Absolutheit dieser Aussage etwas einschränken.

[6] Möglich ist auch, dass er die weitere Rechtsverfolgung einstellt.

[7] *Heger,* JA 2007, 244, 247 spricht insofern davon, dass der Verletzte erneut sein „Glück versuchen" könne.

A. Die Grundsätze des Verfahrens 73

Absehensentscheidung[9] grundsätzlich so gestellt, als ob er niemals einen Adhäsionsantrag gestellt hätte[10].

Grundsätzlich kann eine Adhäsionsentscheidung nur ergehen, wenn im strafrechtlichen Teil des Verfahrens ein Schuldspruch oder die Anordnung einer Maßregel erfolgen, § 406 Abs. 1 S. 1 StPO (so genannte *Akzessorietät zur Verurteilung* oder zur Maßregelanordnung). Sinn dieser Bestimmung ist, dass nur Ansprüche, die „aus der Straftat" entstanden sind, bereits im Strafverfahren beurteilt werden können. Liegt keine im Urteil festgestellte Straftat vor, entfällt auch die Entscheidungsgrundlage für die geltend gemachten Ansprüche. Dahinter steckt die gesetzgeberische Grundentscheidung, dass ein S*traf*gericht davon entlastet werden soll, eine *rein* zivilrechtliche Entscheidung treffen zu müssen. Der Akzessorietätsgedanke gilt nicht nur für das Hauptverfahren, sondern setzt sich auch im Rechtsmittelverfahren fort. § 406a Abs. 3 StPO bestimmt, dass die Adhäsionsentscheidung im Rechtsmittelverfahren aufgehoben werden muss, soweit in der Rechtsmittelinstanz die erstinstanzliche strafrechtliche Entscheidung aufgehoben wird. Dies gilt sogar dann, wenn nur der strafrechtliche Teil der Entscheidung angefochten wurde.

In jüngerer Zeit werden von diesem Akzessorietätsgrundsatz kleinere Ausnahmen zugelassen. Zunächst nur durch Rechtsprechung[11] und Literatur[12], seit dem Opferrechtsreformgesetz auch vom Gesetzgeber. So kann das Gericht mittlerweile in zwei Fallkonstellationen eine Adhäsionsentscheidung treffen, bei denen eine strafrechtliche Entscheidung keine Voraussetzung mehr ist. Nach § 406 Abs. 2 StPO muss das Gericht ein Anerkenntnisurteil aussprechen und nach § 405 Abs. 1 StPO einen Vergleich ins Protokoll aufnehmen. Beide Entscheidungen verschaffen dem Antragsteller einen vollstreckbaren Titel im Strafverfahren, jedoch ohne dass zwingend eine strafrechtliche Verurteilung oder Maßregelanordnung erforderlich ist. Hinter dieser Durchbrechung des Akzessorietätsgedankens steht die Erwägung, dass das Gericht bei einem Anerkenntnis oder einem Vergleich nicht *allein* eine zivilrechtliche Entscheidung trifft, ohne gleichzeitig auch den strafrechtlichen Teil zu behandeln. Hier hängt die Entscheidung maßgeblich von Handlungen des Beschuldigten (beim Vergleich im Zusammenwirken mit dem Antragsteller) ab.

Dem Antragsteller stehen grundsätzlich keine Rechtsbehelfe zu (*Rechtsbehelfsbeschränkung*). Mit dieser Grundentscheidung will der Gesetzgeber verhin-

---

[8] KG NStZ-RR 2007, 280; AnwK-*Krekeler* (2006), § 406 Rn. 5. Dies gilt (unter Zulässigkeitsgesichtspunkten) theoretisch sogar für dasselbe Strafverfahren.

[9] Oder bei der nach § 404 Abs. 4 StPO bis zur Urteilsverkündung möglichen Rücknahme des Antrags durch den Verletzten.

[10] Die Zeit der Rechtshängigkeit hat allerdings Auswirkungen auf den Lauf der Verjährung des Anspruchs.

[11] Vgl. nur BGHSt 37, 263, 264; OLG Stuttgart NJW 1964, 110.

[12] SK-*Velten* (2003), § 404 Rn. 14; KMR-*Stöckel* (2005), § 405 Rn. 1.

74 Kap. 2: Rechtliche Ausgestaltung des reformierten Adhäsionsverfahrens

dern, dass der Antragsteller das Strafverfahren durch die Einlegung von Rechtsbehelfen nur aufgrund seiner zivilrechtlichen Ansprüche verlängert[13]. Dieser
Ausschluss wird damit gerechtfertigt, dass der Antragsteller unter keinen Umständen beschwert sei[14]. Soweit das Gericht dem Antrag stattgibt, ist sein Begehren erfüllt worden, und soweit das Gericht von einer Entscheidung absieht, kann
er sich immer noch an das Zivilgericht wenden[15]. Dieser Grundsatz ist seit
dem Opferrechtsreformgesetz an einer Stelle durchbrochen. Der neu formulierte
§ 406a StPO ermöglicht es dem Antragsteller unter bestimmten (vom Gesetzgeber absichtlich eng gefassten) Voraussetzungen[16], gegen eine Absehensentscheidung wegen Nichteignung sofortige Beschwerde einzulegen. Neben diesem
neu geschaffenen Rechtsbehelf verbleibt es bei dem Grundsatz, dass dem Antragsteller keine Rechtsbehelfe zustehen.

Die letzte gesetzgeberische Vorgabe besteht für das Gericht in der *Pflicht zur
möglichst umfassenden Entscheidung* über die geltend gemachten Ansprüche.
Diese Anforderung ist durch das Opferrechtsreformgesetz nochmals klar zum
Ausdruck gebracht worden[17]. Wenn schon ein Adhäsionsantrag vorliegt, ist das
Gericht auch verpflichtet, eine Adhäsionsentscheidung zu treffen, die soweit
reicht, wie es im konkreten Strafverfahren möglich ist. Nur ausnahmsweise und
unter bestimmten Voraussetzungen kann es von einer Entscheidung absehen und
dies auch nur, wenn nicht zumindest eine Teilentscheidung ergehen kann.

II. Geltung allgemeiner Prozessrechtsmaximen

1. Adhäsionsverfahren als Teil des Strafverfahrens

Das Adhäsionsverfahren ist ein Teil des Strafverfahrens[18]. Seine Durchführung
richtet sich allein nach strafverfahrensrechtlichen Regeln. Eine andere Sichtweise
ist nach dem Konstruktionsmechanismus des Verfahrens auch kaum möglich.

---

[13] Vgl. § 406a Abs. 1 StPO a. F.: „Dem Antragsteller steht … ein Rechtsmittel nicht
zu.“

[14] Siehe Weiner/Ferber-*Ferber/Weiner* (2008), Rn. 201; *Ranft* (2005), Rn. 2488; AK-
Schöch (1996), § 406a Rn. 1.

[15] So die früher ganz h. M. Vgl. nur LR-*Wendisch* (1978), § 406a Rn. 1.

[16] Siehe zum Rechtsbehelf der sofortigen Beschwerde unten Kapitel 2: B. IV. 2. a).

[17] BT-Drs. 15/1976 S. 8 („Entscheidung über den Anspruch soll die Regel, eine Absehensentscheidung die Ausnahme sein"). Vgl. auch Duttge/Dölling/Rössner-*Weiner*
(2008), § 406 StPO Rn. 1.

[18] Inzwischen einhellige Meinung *Meyer-Goßner* (2010), § 404 Rn. 11; *Klein* (2007),
S. 72; *Kindhäuser* (2006), § 26 Rn. 90; *Rieß* (2005), S. 426; *K. Schroth* (2005),
Rn. 349; SK-*Velten* (2003), § 404 Rn. 12; *Klaus* (2000), S. 61; *Scholz,* JZ 1972, 725
(„konnexe Verfahrenseinheit"); *Holst* (1969), S. 100. Eine ausdrückliche Begründung
für diese Ansicht findet sich aber allenfalls andeutungsweise. Anders noch *Schönke*
(1951), S. 352 („Die Grundsätze eines jeden einzelnen Verfahrens bleiben unberührt"),
der das Adhäsionsverfahren als eine spezielle Art eines Zivilprozesses ansah, der nur

A. Die Grundsätze des Verfahrens

Durch einen zulässigen Adhäsionsantrag wird das laufende Strafverfahren um einen Verfahrensgegenstand erweitert. Einen Anhaltspunkt für die Richtigkeit dieser Auffassung liefert bereits der Wortlaut von § 404 Abs. 3 S. 2 StPO, der die Teilnahme des Antragstellers an der Hauptverhandlung regelt. Daraus folgt, dass sich der Antragsteller und mit ihm die Geltendmachung der Ansprüche am Ablauf der Hauptverhandlung mithin am Ablauf des Strafverfahrens orientieren (müssen). Auch wenn der Antrag die Wirkungen einer „Klage im bürgerlichen Rechtsstreit"[19] hat, sind damit prozessuale und materiell-rechtliche Auswirkungen der Rechtshängigkeit gemeint, und nicht die Art und Weise der Durchführung des Verfahrens. Weiterhin spricht auch die systematische Stellung der §§ 403 ff. StPO innerhalb des Fünften Buches der StPO („Beteiligung des Verletzten am Verfahren") dafür. Der Verletzte beteiligt sich danach an einem laufenden Strafverfahren durch die Rechtsinstitute der Privat- oder Nebenklage, mit sonstigen Befugnissen oder eben durch einen Adhäsionsantrag. Würde es zu einem „Zivilverfahren in anderem Gewande" kommen, wäre die systematische Einordnung der Vorschriften völlig verfehlt. Als weiteres Indiz kann gelten, dass die StPO explizit auf Regelungen der ZPO verweist, sollen zivilverfahrensrechtliche Regelungen zur Anwendung gelangen[20]. Zuletzt handelt es sich nicht um beliebige Ansprüche nach § 194 Abs. 1 BGB, sondern um solche, die aus dem Gegenstand des Strafverfahrens erwachsen sind und deswegen mit diesem in unmittelbaren Zusammenhang stehen[21]. Die Ausgestaltung als Teil des Strafprozesses führt neben der Anwendung von strafprozessualen Vorschriften auch zu Geltung der strafprozessualen Verfahrensgrundsätze.

2. Anwendbarkeit strafprozessrechtlicher Grundsätze

Bestimmte Prinzipien gelten mit Unterschieden im Detail sowohl im Zivil- als auch im Strafverfahren. Hierzu gehören die Grundsätze der Mündlichkeit, der Öffentlichkeit und der Unmittelbarkeit. Diese gelten für das Adhäsionsverfahren über die Anwendung der StPO[22]. Da das Gericht aber nach Regeln der StPO prüfen muss, ob der Anspruch besteht oder nicht, läuft die Ermittlung von bestehenden Ansprüchen gänzlich anders ab als im Zivilprozess. Für den Verletzten stellt sich vor allem die Geltung des *Untersuchungsgrundsatzes* als sehr positiv

---

anlässlich eines Strafverfahrens durch ein Strafgericht durchgeführt wird, sich im Übrigen aber nach zivilprozessualen Grundsätzen richte.

[19] § 404 Abs. 2 S. 1 StPO.

[20] Etwa § 404 Abs. 5 StPO (Prozesskostenhilfe); § 406 Abs. 1 S. 1 StPO (Grund- und Teilurteil), Abs. 3 S. 2 (vorläufige Vollstreckbarkeit), Abs. 3 S. 4 (Betragsverfahren), § 406b StPO (Vollstreckung).

[21] *Schmanns* (1987), S. 13; *Schmahl* (1980), S. 58.

[22] Vgl. für das Mündlichkeitsprinzip § 261 StPO und § 128 Abs. 1 ZPO, für das Unmittelbarkeitsprinzip §§ 226 Abs. 1, 250 StPO und § 309 ZPO und für das Öffentlichkeitsprinzip §§ 169 ff. GVG für beide Verfahrensordnungen.

76   Kap. 2: Rechtliche Ausgestaltung des reformierten Adhäsionsverfahrens

dar[23]. Das Gericht hat von Amts wegen alle Umstände zu ermitteln, die für die Beurteilung des Anspruchs von Belang sind. Die Verantwortung für die Ermittlung vollständiger und richtiger Tatsachen obliegt nach § 244 Abs. 2 StPO auch im Hinblick auf den vermögensrechtlichen Anspruch dem Strafrichter[24]. Der aus dem Zivilprozess bekannte Beibringungsgrundsatz gilt für das Adhäsionsverfahren nicht[25]. Er kann die vom Gericht festgestellte Tatsachengrundlage für seinen Anspruch nutzen, ohne insoweit Beweis erbringen oder gar einen Auslagenvorschuss gem. § 379 ZPO leisten zu müssen[26]. Daneben kann der Antragsteller über sein Teilnahmerecht die gerichtliche Beweisaufnahme für ihn günstiger gestalten[27]. Für das Beweisverfahren gelten die Vorschriften der StPO, also ein Strengbeweisverfahren innerhalb des Hauptverfahrens[28]. Geradezu im Gegensatz dazu ist der Zivilprozess von der Verhandlungsmaxime geprägt[29]. Im Adhäsionsverfahren müssten im (wenig realistischen) Extremfall sowohl Antragsteller als auch Beschuldigter zum geltend gemachten Anspruch nichts vortragen. Das Gericht müsste bei einem vorliegenden Adhäsionsantrag dennoch von sich aus die für die Anspruchsbegründung notwendigen Tatsachen ermitteln. Praktisch bedeutsam ist die Konstellation, in welcher der Antragsteller einige Beweismittel vorlegt, allerdings etwa einen Schadensposten nicht beweisen kann. Dann ist das Gericht gefragt, bis zur Grenze des § 406 Abs. 1 S. 4 StPO diese Tatsache aufzuklären.

Bedeutsam für die Beurteilung des Anspruchs ist auch der in §§ 261 f. StPO festgelegte *Grundsatz der freien richterlichen Beweiswürdigung*. Es gibt keine Regeln, die besagen, wann das Gericht für die Anspruchbegründung relevante Tatsachen als bewiesen ansehen kann. Es kommt vielmehr auf die Überzeugung des Gerichts an. Eine Überzeugung liegt dabei dann vor, wenn ein nach der

---

[23] Vgl. hierzu *Roxin/Schünemann* (2009), § 15 Rn. 4. Siehe auch LR-*Hilger* (2009), § 404 Rn. 9; *Meier* (2009), S. 349; *Joachimski/Haumer* (2006), S. 292; *K. Schroth* (2005), Rn. 322; *Schirmer*, DAR 1988, 121, 123. Ungenau Achenbach/Ransiek-*Salvenmoser/Schreier* (2007), XV Rn. 29, die davon ausgehen, dass der Verletzte selbst die Tatsachen beibringen muss. Hiergegen relativierend *Marticke* (1990), S. 69, demzufolge dieser Vorteil erheblich abzuschwächen sei, da auch vor den Zivilgerichten häufig die Akten des Strafprozesses beigezogen würden (vgl. § 291 ZPO: das Gericht kann sich aus allen ihm zugänglichen Quellen unterrichten und darf deshalb Prozessakten auch gegen den Willen der Parteien beiziehen) und der Geschädigte vom Amtsermittlungsgrundsatz daher auch im Zivilprozess mittelbar profitieren würde.

[24] *Plüür/Herbst*, NJ 2005, 153, 153. Daher existiert auch bei Verfahren vor dem Landgericht kein Anwaltszwang (vgl. § 78 ZPO).

[25] Siehe hierzu *Lüke/Ahrens* (2006), Rn. 13 f.

[26] *Sachsen Gessaphe*, ZZP 112 (1999), 3, 12.

[27] § 404 Abs. 3 S. 2 StPO. Zu dessen konkreten Inhalt siehe unten Kapitel 2: B. II. 4. b) aa) (2).

[28] Das Freibeweisverfahren gilt dagegen für die Schuld- und Rechtsfolgenfragen bis zur Eröffnung des Hauptverfahrens (*Beulke* (2010), Rn. 180).

[29] Für die Beschaffung der tatsächlichen Entscheidungsgrundlage sind die Parteien verantwortlich (Musielak-*Musielak* (2009), Einl. Rn. 37).

A. Die Grundsätze des Verfahrens

Lebenserfahrung ausreichendes Maß an Sicherheit besteht, demgegenüber vernünftige Zweifel nicht mehr aufkommen können[30]. Bauen die Anspruchsvoraussetzungen auf einer tragfähigen Beweisgrundlage auf, die eine objektive Wahrscheinlichkeit der Richtigkeit der Beweiswürdigung ergeben[31], kann das Gericht den Anspruch auch so zusprechen (oder ablehnen)[32].

Weiterhin haben auch das *Gebot des fairen Strafverfahrens*[33] und der Grundsatz des gesetzlichen Richters (Art. 101 Abs. 2 GG) eine wichtige Bedeutung im Adhäsionsverfahren. Wichtigste Ausformung des „Fair-Trial-Grundsatzes" ist dabei die richterliche Fürsorgepflicht[34]. Das Gericht ist im Strafverfahren verpflichtet, einen Ausgleich zwischen der Subjektstellung des Beschuldigten und der Durchsetzung der Ziele des Strafverfahrens zu finden. Im Adhäsionsverfahren bedeutet dies, dass auch der Antragsteller in diese Pflicht einbezogen wird. Über konkrete Rechtsfolgen aus diesem „diffusen Prinzip"[35] kann allerdings gestritten werden. Anerkannt ist, dass es dem Gericht auferlegt, den Beschuldigten durch entsprechende Hinweise in die Lage zu versetzen, am Prozessverlauf und damit auch dem Adhäsionsverfahren teilzunehmen zu können[36].

Der *Beschleunigungsgrundsatz,* der aus Art. 2 Abs. 2 i.V.m. Art. 20 Abs. 3 GG hergeleitet wird[37], gilt auch für die Beurteilung des durch den Antrag geltend gemachten Anspruchs. Die weiteren *Grundsätze,* die ihre Bedeutung vor allem für die Tätigkeiten der Staatsanwaltschaft haben (z.B. der Legalitätsgrundsatz), sind dabei für das Adhäsionsverfahren nicht so bedeutsam, da der Gesetzgeber entweder eine Spezialregelung getroffen hat oder für eine sinnvolle Verwirklichung der jeweiligen Maxime kein Raum besteht[38].

Bedeutsam ist, dass einzig der gewohnheitsrechtlich anerkannte Grundsatz *in dubio pro reo*[39] für den Anspruch keine Anwendung findet. Ist eine für eine Anspruchsvoraussetzung erforderliche zu beweisende Tatsache nicht bewiesen, kann das Gericht nicht zugunsten des Beschuldigten davon ausgehen, dass die An-

---

[30] BGH NStZ 1988, 236, 237.

[31] So die Formulierung in BVerfG NJW 2003, 2444, 2445 für den Schuldspruch. Dies muss prinzipiell auf den Anspruch übertragen werden.

[32] Wenn keine vernünftigen Zweifel bestehen (*Haller/Conzen* (2008), Rn. 612).

[33] So genannter Fair-Trial-Grundsatz (hierzu *Beulke* (2010), Rn. 28; *Kühne* (2007), Rn. 286.1).

[34] Art. 6 Abs. 1 S. 1 MRK; BVerfGE 26, 66, 71; *Roxin/Schünemann* (2009), § 11 Rn. 11.

[35] *Volk* (2008), § 18 Rn. 9.

[36] *Meyer-Goßner* (2010), Einl. Rn. 157.

[37] BVerfG NJW 2001, 2707; *Schmitt,* StraFo 2008, 313.

[38] Beispielsweise das Antragserfordernis (§ 404 StPO) im Verhältnis zum Anklage- (§ 151 StPO) und Offizialgrundsatz (§ 152 Abs. 1 StPO) oder die mangelnde Relevanz des Legalitätsgrundsatzes (§ 152 Abs. 2 StPO), da gegenüber einem zivilrechtlichen Anspruch kein „Anfangsverdacht" bestehen kann.

[39] *Volk* (2008), § 18 Rn. 17 ff.

78 Kap. 2: Rechtliche Ausgestaltung des reformierten Adhäsionsverfahrens

spruchsvoraussetzung nicht vorliegt. Vielmehr muss es für die Beurteilung des zivilrechtlichen Anspruchs auch die zivilrechtlichen Beweislastregeln berücksichtigen. Es muss spezielle sich aus den Anspruchsvoraussetzungen ergebende Beweislastregeln oder, wenn es solche nicht gibt, die allgemeine Beweislastregel beachten, wonach diejenige Partei für die Tatsachen beweispflichtig ist, die für sie günstig sind[40]. Würde es von diesen Grundsätzen abweichen und in Zweifelsfällen auf den in dubio pro reo Grundsatz zurückgreifen, würde dies dazu führen, dass im Adhäsionsverfahren und im Zivilprozess gewissermaßen „zweierlei Recht" angewendet würde[41]. Die Geltung strafprozessualer Verfahrensregeln bedeutet aber gerade nicht, dass sich an der Anwendung materiell-zivilrechtlicher Bestimmungen etwas ändert. Ob Anspruchsvoraussetzungen erfüllt sind, oder nicht, ist eine Frage des (Zivil-)Rechts und keine Frage der Wahl des Rechtsweges. Daher ist eine Anwendung dieses Grundsatzes ausgeschlossen.

3. Berücksichtigung zivilprozessrechtlicher Prinzipien

Auch manche zivilverfahrensrechtlichen Regelungen sind im Adhäsionsverfahren relevant. Die Bestimmungen der ZPO erhalten zunächst in den Fällen Bedeutung, in denen die StPO direkt auf sie verweist. Die StPO ist mitunter aber auch lückenhaft, was angesichts ihrer Zielsetzung auch nicht verwundern kann. Besteht eine strafprozessuale Regelungslücke, muss diese durch eine subsidiäre Anwendung zivilprozessrechtlicher Vorschriften und Grundsätze beseitigt werden[42].

Eine wichtige Einschränkung des Untersuchungsgrundsatzes besteht in den Fällen, in denen die Höhe eines Anspruches nicht mit letzter Sicherheit ermittelt werden kann. Würde nach den allgemeinen strafprozessrechtlichen Regeln hier der Untersuchungsgrundsatz zur Geltung kommen, wäre das Gericht zu einer vollen Beweisführung verpflichtet oder würde (was sehr viel wahrscheinlicher erscheint) eine Absehensentscheidung fällen. Auch im Strafverfahren gibt es Konstellationen, in denen das Gericht nicht alle für die Berechnung von Rechtsfolgen nötigen Einzelheiten zu klären braucht[43]. Die ZPO hält in der Regelung des § 287 eine passende Vorschrift bereit. Das Strafgericht kann auf diese zurückgreifen. Dann kann das Gericht die Höhe des Schadens und Ursächlichkeit der Rechtsgutsverletzung schätzen[44]. Dies hat besondere Bedeutung beim

---

[40] BGHZ 53, 254, 250; *Rosenberg/Schwab/Gottwald* (2004), § 117 II 1, 2.

[41] LG Berlin NZV 2006, 389, 390; SK-*Velten* (2003), § 404 Rn. 12.

[42] Weiner/Ferber-*Weiner* (2008), Rn. 26 mit dem Beispiel der §§ 406 Abs. 2 StPO i.V.m. 313b Abs. 1 ZPO (Einzelheiten zur Abfassung eines Anerkenntnisurteils).

[43] So genannte Schätzklauseln erlauben es dem Gericht in dieser Hinsicht vom Untersuchungsgrundsatz abzuweichen. Siehe beispielsweise § 29a Abs. 3 S. 1 OWiG oder § 8 Abs. 3 S. 1 WiStG.

[44] *Meyer-Goßner* (2010), § 244 Rn. 16; *Klein* (2007), S. 75; SK-*Velten* (2003), § 404 Rn. 12; *Klaus* (2000), S. 65; *Betmann,* Kriminalistik 2004, 567, 568. AK-*Schöch* (1996),

A. Die Grundsätze des Verfahrens 79

Schmerzensgeld, da hier eine genaue Bezifferung im Adhäsionsantrag nicht nötig ist[45]. Das Verfahren wäre in erheblichem Maße unpraktisch, würde man auf die Anwendung des § 287 ZPO verzichten, da ein Antragsteller beim Nachweis der Schadenshöhe oft Schwierigkeiten hat.

Die Dispositionsmaxime ist ein prägender Grundsatz des Zivilverfahrens. Danach liegt es allein bei den Parteien, ob sie durch Klageerhebung ein Verfahren einleiten oder nicht. Diese Maxime ist das prozessuale Spiegelbild zum materiell-rechtlichen Grundsatz der Privatautonomie[46]. Auch ein Adhäsionsverfahren wird nur auf einen Antrag hin in die Wege geleitet (§ 404 Abs. 1 S. 1 StPO). Kein anderer Prozessbeteiligter als der Adhäsionskläger kann dafür sorgen, dass im Rahmen des Strafprozesses auch die zivilrechtliche Seite abgehandelt wird. Weil es in der Hand des Antragstellers liegt, das Verfahren einzuleiten, stellt sich die Frage, ob er nach Belieben das Verfahren wieder beenden kann. Die Antwort liefert § 404 Abs. 4 StPO, wonach der Antrag jederzeit bis zur Verkündung des Urteils wieder zurückgenommen werden kann. Ähnliches gilt für die Vergleichsmöglichkeit des § 405 StPO[47].

III. Zusammenfassung

Das Adhäsionsverfahren ist von einer Reihe „adhäsionsspezifischer" gesetzgeberischer Grundentscheidungen geprägt. Für die Beurteilung des geltend gemachten Anspruchs muss das Gericht nach den Regelungen und Verfahrensmaximen der StPO vorgehen. Nur in denjenigen Fällen, in denen diese lückenhaft oder unklar sind, muss es auf zivilverfahrensrechtliche Bestimmungen zurückgreifen. Dies ist somit erst dann möglich, wenn erstens die §§ 403 ff. StPO keine ausdrückliche Vorschrift enthalten, wenn zweitens auch das übrige Strafverfahrensrecht keine Regelung vorsieht, und wenn zuletzt auch strafprozessuale Grundsätze zu keiner Lösung führen.

---

§ 404 Rn. 9. Vgl. zu Details der Schadensermittlung Musielak-*Foerste* (2009), § 287 Rn. 2 ff.

[45] *Klein* (2007), S. 75; *Betmann,* Kriminalistik 2004, 567, 568; *Dallmeyer,* JuS 2005, 327, 329.

[46] *Lüke/Ahrens* (2006), Rn. 6. Vgl. zu Einzelheiten zur Dispositionsmaxime MüKo-ZPO-*Rauscher* (2008), Einl. Rn. 275 ff.; Musielak-*Musielak* (2009), Einl. Rn. 35 f.

[47] Wobei SK-*Velten* (2003), § 404 Rn. 14 zu Recht darauf hinweist, dass der Abschluss eines Vergleichs seinen Ursprung weniger in der Dispositionsmaxime hat als im Grundsatz der Privatautonomie.

B. Der Ablauf des reformierten Adhäsionsverfahrens

Die Reform des Jahres 2004 hat zu einigen Veränderungen bei den Voraussetzungen und im Ablauf des Adhäsionsverfahrens geführt. Den Verfahrensablauf sowie die durch die Reform erfolgten Änderungen darzustellen, ist Aufgabe des folgenden Kapitels. Ziel ist, das geltende Adhäsionsrecht systematisch darzustellen und aus der Reform resultierende Anwendungsschwierigkeiten aufzulösen. Die Zulässigkeitsvoraussetzungen für das Verfahren stehen zu Beginn dieses Kapitels (I.). Da das Adhäsionsverfahren in jedem Verfahrensabschnitt beantragt werden kann, stellt sich die Frage, welche Besonderheiten in Erkenntnis-, Zwischen- und Hauptverfahren auftreten. Hierunter fällt insbesondere die Frage, wie ein Adhäsionsverfahren in den Gang der Hauptverhandlung integriert werden kann (II.). Anschließend wird auf die Entscheidungsmöglichkeiten des Gerichts (III.) sowie die Rechtsmittel (IV.) eingegangen, bevor das Kapitel mit Erörterungen einiger Einzelfragen (V.) abschließt.

I. Allgemeine Zulässigkeitsvoraussetzungen

Zunächst muss das Adhäsionsverfahren zulässig sein. Die Zulässigkeitsvoraussetzungen ergeben sich aus den §§ 403 und 404 Abs. 1 StPO. Da mit dem Adhäsionsverfahren eine Entscheidung mit zivilrechtlichem Inhalt angestrebt wird, überrascht es nicht, dass die Zulässigkeitsvoraussetzungen mit den Sachentscheidungsvoraussetzungen für ein Zivilurteil teilweise übereinstimmen. Jedoch gibt es einige Abweichungen, die der Einbettung des Adhäsionsverfahrens in den Strafprozess geschuldet sind. Ist das Verfahren unzulässig, muss das Gericht von einer Entscheidung nach § 406 Abs. 1 S. 3 StPO absehen.

1. Vorliegen eines Antrags, § 404 StPO

Grundvoraussetzung eines jeden Verfahrens ist ein (Adhäsions-)Antrag. Er stellt eine von Amts wegen, in jedem Verfahrensabschnitt zu prüfende Verfahrensvoraussetzung dar[48]. Neben den formellen Anforderungen, die er erfüllen muss [a)], ist auf den Zeitpunkt der Antragstellung einzugehen [b)] sowie darauf, welche Wirkungen ihm zukommen [c)]. Zuletzt stellt sich die Frage, ob er zurückgenommen werden kann [d)].

---

[48] BGH NStZ 1988, 470.

B. Der Ablauf des reformierten Adhäsionsverfahrens

a) Formelle Anforderungen[49]

aa) Form

Hinsichtlich der formellen Anforderungen verlangt § 404 Abs. 1 S. 1 StPO, dass der Antrag schriftlich oder mündlich zur Niederschrift des Urkundsbeamten abgegeben werden muss. Wird er erst in der Hauptverhandlung gestellt, genügt ebenfalls Mündlichkeit[50]. Hier greift der Gesetzgeber auf die (in formeller Hinsicht[51]) im Zivilverfahren vor Amtsgerichten erleichterte Klageerhebung nach §§ 496, 129a ZPO zurück.

bb) Inhalt

Ein Adhäsionsantrag muss dem gesetzlich vorgeschriebenen Inhalt genügen. Die Vorschrift des § 404 Abs. 1 StPO stellt diesbezüglich keine besonderen Anforderungen an den Inhalt, sondern fordert lediglich, dass er Gegenstand und Grund des Anspruchs bestimmt bezeichnen *muss* und die Beweismittel bezeichnen *soll* (Absatz 1 Satz 2). Über die genauere Ausgestaltung besteht keine Einigkeit.

(1) Meinungsstand

Ob für einen Adhäsionsantrag dieselben Voraussetzungen gelten, wie sie § 253 Abs. 2 ZPO für eine zivilrechtliche Klage aufstellt, wird unterschiedlich beurteilt. Vor allem die in beiden Vorschriften sehr ähnliche Formulierung führt zur *häufig vertretenen Ansicht,* der Adhäsionsantrag sei genau an die in § 253 Abs. 2 ZPO festgeschriebenen Voraussetzungen einer Zivilklage gebunden[52]. Dies hätte zur Konsequenz, dass neben Gegenstand und Grund des Anspruchs stets auch ein bestimmter Antrag erforderlich wäre. Weniger streng, und mit Hinweis auf den eben nicht völlig gleichen Wortlaut, wird *zweitens vertreten,* dass die inhaltlichen Anforderungen an den Adhäsionsantrag nur „im Lichte" des § 253 Abs. 2 ZPO

---

[49] Beispiele für wirksame Anträge finden sich bei: Breyer/Endler/Thurn-*Franz* (2009), § 11 Rn. 94; *Eisenberg* (2008), § 20 Rn. 9; Weiner/Ferber-*Weiner* (2008), Rn. 103; KMR-*Stöckel* (2005), § 403 Rn. 12; *Klein* (2007), S. 285; Hamm/Leipold-*Gillmeister* (2002), XIII D 1; in stark vereinfachter Form bei *Klaus* (2000), S. 231; *K. Schroth* (2005), Rn. 494 f.

[50] Dort ist er gem. § 273 Abs. 1 StPO zu protokollieren.

[51] Wabnitz/Janovsky-*Wagner* (2007), Kap. 28 Rn. 76; AnwK-*Krekeler* (2006), § 404 Rn. 3. Anders *Krumm,* SVR 2007, 41, 42, der feststellt, dass die Form weit unterhalb einer Zivilklage anzusiedeln sei.

[52] So die Rspr. OLG Stuttgart NJW 1978, 2209 und die h. L. *Meyer-Goßner* (2010), § 404 Rn. 3; HK-*Kurth* (2009), § 404 Rn. 2; AK-*Schöch* (1996), § 404 Rn. 3; LR-*Hilger* (2009), § 404 Rn. 1; *Plüür/Herbst,* NJ 2005, 153, 153.

82 Kap. 2: Rechtliche Ausgestaltung des reformierten Adhäsionsverfahrens

festzulegen seien[53]. Der Adhäsionsantrag müsse also nur den wesentlichen Inhalt einer zivilprozessrechtlichen Klageschrift umfassen[54]. Dies würde ebenfalls bedeuten, dass ein bestimmter Antrag erforderlich ist, auch wenn diese Voraussetzung nicht ausdrücklich dem Wortlaut des § 404 Abs. 1 S. 2 StPO zu entnehmen ist. Für eine vereinfachte Form wird *schließlich vereinzelt plädiert*[55]. Die sich im Wortlaut widerspiegelnde bewusste Erleichterung der Voraussetzungen sei vom Gesetzgeber gewollt, um dem Zweck des Verfahrens[56] Geltung zu verschaffen. Zudem spiele die genaue (insbesondere zahlenmäßige) Bestimmung des Klageantrags regelmäßig keine Rolle, nicht für die sachliche Gerichtszuständigkeit (§ 23 GVG), nicht für den Gerichtskostenvorschuss (§ 65 GKG) sowie nicht für die Beschwer beim Rechtsmittel (§ 511a, 546 ZPO). Hiernach genügen auch einfache Aussagen, die eine Geltendmachung zivilrechtlicher Ansprüche nahe legen, für einen in inhaltlicher Hinsicht wirksamen Antrag.

(2) Eigene Stellungnahme

Ausgangspunkt für die Ermittlung der inhaltlichen Anforderungen ist die gesetzliche Formulierung. Die Ansicht, die eine unmittelbare Anwendung von § 253 Abs. 2 ZPO annimmt, kann nicht über den insoweit eindeutigen (unterschiedlichen) Wortlaut hinweghelfen. Einer Auslegung „im Lichte" des § 253 Abs. 2 ZPO kann insoweit zugestimmt werden, als es um die nähere Bestimmung der Rechtsbegriffe „bestimmter Gegenstand" und „bestimmter Grund" geht. Eine stark erleichterte Antragsstellung ist zwar eindeutig vom Zweck der §§ 403 ff. StPO getragen, findet in der gesetzlichen Ausgestaltung jedoch keinerlei Anhaltspunkt. Eine derart vom Wortlaut abweichende Interpretation von Vorschriften kann dann nötig sein, wenn die Gefahr besteht, dass eine wortlautgetreue Anwendung einer Vorschrift der eigentlichen Intention des Gesetzgebers zuwider läuft[57]. Indes ist eine derartige Gefahr hier unter keinen Umständen ersichtlich. Die von § 406 Abs. 1 S. 2 StPO aufgestellten Anforderungen lassen den Zweck des Adhäsionsverfahrens nicht leer laufen. Ein weiterer Aspekt spricht gegen eine Aufweichung der Voraussetzungen. Die Möglichkeit einer relativ leicht vorzunehmenden Tenorierung ist für das sich nicht alltäglich mit

---

[53] OLG Karlsruhe NJW-RR 1997, 508; KMR-*Stöckel* (2005), § 404 Rn. 1 bis 3.

[54] Widmaier-*Kauder* (2006), § 53 Rn. 61, der aber darauf hinweist, dass es in der Praxis in aller Regel genüge, den Anklagesatz zu übernehmen und die für nötig empfundenen Beweismittel zu benennen.

[55] *Klaus* (2000), S. 40; *Rössner/Klaus,* NJ 1996, 288, 292.

[56] Schlagwortartig nochmals: Opferschutz und Justizökonomie.

[57] Erinnert sei an die durch die Rechtsanwendung erfolgte Präzisierung unzureichend formulierter Vorschriften wie beispielsweise den Betrugstatbestand nach § 263 StGB (LK-*Tiedemann* (2005), § 263 Rn. 97 f. m.w.N.) oder (noch markanter) § 252 StPO (Stichwort: „Verwertungs- statt nur Verlesungsverbot", vgl. *Meyer-Goßner* (2010), § 252 Rn. 12 m.w.N.).

84   Kap. 2: Rechtliche Ausgestaltung des reformierten Adhäsionsverfahrens

zu stellen[63]. Allerdings ist die Angabe wenigstens einer Größenordnung sinnvoll, da die Auffassung des Antragstellers für das Gericht eine entscheidende Hilfe bei der Ermittlung eines angemessenen Betrages darstellen kann. Besondere Bedeutung hat diese Ausnahme für Schmerzensgeldansprüche.

Fraglich ist zudem, inwieweit die Beteiligten in formeller Hinsicht benannt werden müssen. Zu weitgehend ist in diesem Zusammenhang die Forderung, dass zu einem wirksamen Antrag auch die Benennung der Beteiligten gehört[64]. Erstens fehlt eine dem § 253 Abs. 2 Nr. 1 ZPO vergleichbare Bestimmung in den §§ 403 ff. StPO. Diese Pflicht kann auch nicht durch Auslegung oder den pauschalen Hinweis auf die Ähnlichkeit zwischen § 404 Abs. 1 S. 2 StPO und § 253 Abs. 2 ZPO hergeleitet werden. Zweitens besteht keinerlei Bedarf für eine derartige formelle Voraussetzung. Ein wirksamer Antrag liegt nämlich nur vor, wenn auch die – sogleich zu erörternden – vom Gericht zu prüfenden Punkte der Antragsberechtigung und der Beschuldigtenstellung gegeben sind. Fehlt es an einem dieser Merkmale, führt dies zu einer Absehensentscheidung wegen eines unzulässigen Antrags. Aus diesem Grund ist die Benennung der Beteiligten im Antrag entbehrlich.

Über den bloßen bestimmten Antrag hinaus empfiehlt es sich, Beweismittel zu benennen oder beizufügen. Zur Geltendmachung von Schmerzensgeldansprüchen benötigt das Gericht Anhaltspunkte, um deren Höhe festsetzen zu können. Da den Antragsteller keine dem Zivilprozess vergleichbare Darlegungs- und Beweislast trifft[65], ist die Angabe von Beweismitteln nicht verpflichtend. Nachdem der Antrag jedoch nur die Beweismittel bezeichnen *soll,* kann deren Fehlen nicht zur Unzulässigkeit führen.

Auffallend ist schließlich: Berücksichtigt man alle von Rechtsprechung und Wissenschaft entwickelten Anforderungen an diese Bestimmtheit, stellt man eine große Ähnlichkeit zum Merkmal eines „bestimmten Antrags" nach § 253 Abs. 2 ZPO fest. Insofern kommen die unterschiedlichen Auslegungen der Vorschrift zu einem weitgehend übereinstimmenden Resultat, wenn auch auf verschiedenem Weg. Hier wird einer wortlautgetreuen Interpretation der Vorrang eingeräumt.

cc) Mängel und deren Behandlung

Da nicht jeder Antrag die Formalien erfüllt, stellt sich die Frage, wie Mängel behandelt werden müssen. Denkbar ist zunächst, einen mangelhaften Antrag stets

---

[63] *Plüür/Herbst* (2010), S. 19 f. Zu Recht geben sie den Hinweis, dass sich der Antragsteller am Ende der Beweisaufnahme erklären muss, ob er sich den Vortrag des Sachverständigen zu Eigen machen wolle.

[64] OLG Karlsruhe NJW-RR 1997, 508; Weiner/Ferber-*Ferber* (2008), Rn. 54.

[65] Stichwort: Geltung des Untersuchungsgrundsatzes, vgl. *Schirmer,* DAR 1988, 121, 123.

B. Der Ablauf des reformierten Adhäsionsverfahrens

zivilrechtlichen Fragen befassende Gericht eine bedeutsame Erleichterung. Einige formelle Anforderungen an die Antragstellung erleichtern daher die Behandlung des Antrags durch das Gericht erheblich. Soweit § 404 Abs. 1 S. 2 StPO von der Bezeichnung eines bestimmten Gegenstandes und eines bestimmten Grundes spricht, ist die Parallele zu § 253 Abs. 2 ZPO offensichtlich. Daher sind die dort entwickelten Auslegungserkenntnisse auf § 406 Abs. 1 S. 2 StPO zu übertragen. Plädiert wird dafür, der zweiten Auslegungsweise den Vorzug einzuräumen, die eine Auslegung „im Lichte" von § 253 Abs. 2 ZPO bevorzugt.

(3) Konkrete Ausgestaltung

Wie muss ein wirksamer Adhäsionsantrag nach der hier vertretenen Auffassung aussehen? Da sich der Antragsteller nicht auf den geltenden Untersuchungsgrundsatz allein berufen soll, legt ihm das Gesetz auf, zumindest Gegenstand und Grund, besser zusätzlich noch Beweismittel für den geltend gemachten Anspruch zu bezeichnen. Erst dies genügt für einen wirksamen Antrag. Der *Gegenstand* beschreibt den Anspruchsinhalt, der sich aus dem Antrag ergeben muss. Der Antrag muss zum Ausdruck bringen, ob der Antragsteller Schadensersatz, Schmerzensgeld oder sonstige Anspruchsinhalte begehrt.

Die Darlegung des *Grundes* des Anspruchs (des konkreten Lebenssachverhaltes) ist bereits deswegen erforderlich, da es dem Gericht ansonsten schwer fallen dürfte, durch einen Vergleich mit der Anklageschrift festzustellen, ob der Anspruch „aus der Straftat erwachsen" ist[58].

Der Gegenstand und Grund des Antrags sind *bestimmt* zu formulieren. Richtschnur ist, dass auf seiner Grundlage die Zwangsvollstreckung durchgeführt werden könnte, wenn er eins zu eins in die Adhäsionsentscheidung übernommen würde[59]. Dies bedeutet zunächst, dass ein Geldbetrag grundsätzlich der Höhe nach beziffert werden muss, wenn dies schon möglich ist[60]. Zwei Ausnahmen hiervon sind einhellig anerkannt, wenn die Höhe nämlich erstens erst im Verfahren durch einen Sachverständigen bestimmt werden muss[61] oder zweitens in das Ermessen des Gerichts gestellt wird[62]. Da ein Adhäsionsantrag bis zum Beginn der Schlussanträge gestellt werden kann, muss es erst recht gestattet sein, bereits vor den Schlussvorträgen einen (noch) unvollständigen, aber zulässigen Antrag

---

[58] *Plüür/Herbst,* NJ 2005, 153, 154; HK-*Kurth* (2009), § 404 Rn. 5.

[59] Weiner/Ferber-*Ferber* (2008), Rn. 52; *Plüür/Herbst,* NJ 2005, 153.

[60] SK-*Velten* (2003), § 404 Rn. 3.

[61] OLG Stuttgart NJW 1978, 2209; *Meier/Dürre,* JZ 2006, 18, 20.

[62] KMR-*Stöckel* (2005), § 404 Rn. 2. Dies wird von Weiner/Ferber-*Ferber* (2008), Rn. 53 mit der Erwägung angezweifelt, dass die Angabe der ungefähren Größenordnung des vorgestellten Anspruchs nicht entbehrlich, sondern für die Feststellung des Streitwertes und die Kostenentscheidung von Bedeutung sei.

B. Der Ablauf des reformierten Adhäsionsverfahrens

als unzulässig zu behandeln. Das andere Extrem besteht in der Unschädlichkeit formeller Fehler. Weder die eine noch die andere Sichtweise wird jedoch vertreten. Einhellig anerkannt ist die Möglichkeit der Heilung, wenn der Antragsteller den Mangel[66] nachträglich behebt. In vielen Fällen wird dem Antragsteller ein solcher Fehler jedoch nicht aufgefallen sein. Man kann sogar so weit gehen, dass die Form- und besonders die Inhaltserfordernisse des § 404 StPO von ihm kaum zu erfüllen sind, wenn er in einem Strafverfahren, wie es am Amtsgericht in der Regel der Fall ist, anwaltlich nicht vertreten ist.

Dann stellt sich die Frage, ob und inwieweit das Gericht auf die Beseitigung des formellen Fehlers hinwirken kann oder sogar muss. Das Gericht muss nicht und darf auch nicht untätig verharren, wenn es mit einem fehlerhaften Antrag konfrontiert wird. Dies anzunehmen hieße, die ordnungsstiftende Funktion von formellen Voraussetzungen zu überdehnen. Auch wenn es Aufgabe des Antragstellers ist, die für seine Rechtsverfolgung erforderlichen Prozesshandlungen selbst wirksam vorzunehmen, kann eine Hinweispflicht des Gerichts in Betracht kommen. Zunächst springt hierbei die – später vertieft behandelte – Hinweispflicht des § 406 Abs. 5 S. 1 StPO ins Auge. Bei einem unzulässigen Antrag kann das Gericht eine Absehensentscheidung treffen, muss zuvor aber die Verfahrensbeteiligten auf diese Absicht hinweisen. Gibt das Gericht also den Hinweis, dass es den Antrag für unzulässig hält, kann der Antragsteller „nachzubessern". Weiterhin wird ein Rückgriff auf die richterliche Fürsorgepflicht[67] vorgeschlagen. Diese wichtigste Ausprägung der Prozessmaxime des „Fair Trial"[68] ist Ursprung aller teilweise normierten, teilweise von der Rechtsprechung entwickelten Hinweispflichten. Denkbar ist darüber hinaus eine Analogie zu § 139 ZPO[69]. Im Zivilverfahren gibt diese Vorschrift dem Gericht die Möglichkeit, durch Hinweise darauf hinzuwirken, dass alle für eine richtige Entscheidung erforderlichen Informationen beigebracht werden[70]. Materiell unterscheiden sich beide Quellen der Hinweispflicht nicht. Voraussetzung für eine Analogie ist neben einer vergleichbaren Interessenlage eine unbeabsichtigte Regelungslücke[71]. Von einer solchen unbeabsichtigten Regelungslücke kann jedoch dann nicht mehr die Rede sein, wenn ein Rückgriff auf Verfahrensprinzipien eine sinnvolle Lückenschlie-

---

[66] In Betracht kommt etwa der Fall, dass der Antragsteller den Anspruchsgegenstand nicht bestimmt genug angibt („Ich möchte Geld!").

[67] Hierzu *Roxin/Schünemann* (2009), § 44 Rn. 26 ff.; *Meyer-Goßner* (2010), Einl. Rn. 155 ff.

[68] Als oberstes Gebot des gesamten Strafverfahrens, vgl. BVerfG NJW 2009, 1469, 1474 („unverzichtbares Element der Rechtsstaatlichkeit des Strafverfahrens"); *Roxin/ Schünemann* (2009), § 11 Rn. 4.

[69] So die h. L. *Ranft* (2005), Rn. 2483; *Plüür/Herbst,* NJ 2005, 153, 154; *Jaeger,* VRR 2005, 287, 289; HK-*Kurth* (2009), § 404 Rn. 5; *Wessing* (1998), S. 31.

[70] Zöller-*Greger* (2009), § 139 Rn. 1; Stein/Jonas-*Leipold* (2005), § 139 Rn. 1 („Grundsatz des aktiven Richters").

[71] *Zippelius* (2005), S. 68.

Kap. 2: Rechtliche Ausgestaltung des reformierten Adhäsionsverfahrens

ßung ermöglicht. Dies ist hier der Fall. Die richterliche Fürsorgepflicht beinhaltet die Pflicht, durch Fragen und Hinweise zu erreichen, dass sachdienliche Anträge gestellt werden[72]. Sie schließt auch ein, bei einem fehlerhaften Adhäsionsantrag vorsichtig darauf hinzuwirken, dass eine Vervollständigung vorgenommen wird. Insofern bedarf es der (grundsätzlich erwägenswerten) Analogie zu § 139 ZPO nicht. Diese Hinweispflicht steht nicht im Ermessen des Gerichts, sondern ist originäre Aufgabe einer rechtsstaatlichen Prozessführung. Insofern *muss* das Gericht einen Hinweis erteilen, wenn eine Aussage des Verletzten erkennen lässt, dass er zivilrechtlichen Ersatz begehrt. In der Hauptverhandlung erfüllt das Gericht seine Pflicht, indem es dem Verletzten unmittelbar Fragen nach Gegenstand und Grund des Anspruchs stellt. Für davor gestellte Anträge muss das Gericht einen mündlichen oder schriftlichen Hinweis geben.

Fällt im Prozessverlauf eine Äußerung eines Zeugen wie: „Ich will aber auch Geld für mein kaputtes Auto" reicht dies nicht für einen wirksamen Adhäsionsantrag aus. Vor dem Hintergrund der richterlichen Fürsorgepflicht ist das Gericht jedoch gehalten, diese Aussage durch weitere Nachfrage zu spezifizieren[73]. Darin darf jedoch keine „Rechtsberatung" liegen. Das Gericht darf dem Verletzten nicht den für ihn günstigsten Antrag in den Mund legen. Stattdessen muss es dessen Aussage aufgreifen, einen möglichen Antragsinhalt ermitteln und dann auf dieser Grundlage eine Formulierung finden. Nicht zulässig ist es, darauf hinzuweisen, dass rechtlich gesehen möglicherweise „noch mehr drin" sei. Bei obiger Aussage des Zeugen z. B. dürfte das Gericht nicht auf eventuell bestehende Schmerzensgeldansprüche hinweisen. Das Gericht bleibt auf das Vorbringen des Verletzten beschränkt, muss aber an dieser Stelle Hilfestellung bei der „Übersetzung" in die juristische Terminologie leisten. Allenfalls der zusätzliche Hinweis, einen Rechtsanwalt aufzusuchen und sich von diesem beraten zu lassen, ist gestattet[74].

Nicht verkannt wird, dass dieser Rückgriff auf die richterliche Fürsorgepflicht auch zur Folge haben kann, dass in der Praxis Strafgerichte auf einen an sich erforderlichen Hinweis verzichten. Dafür mag es ganz unterschiedliche Gründe geben, etwa, dass ohne zusätzliche Hinweise eine Absehensentscheidung sehr schnell ergehen kann. Bedacht werden muss jedoch, dass es hier nur um die Frage geht, welche Anforderungen an einen zulässigen Adhäsionsantrag gestellt werden müssen. Die Alternative eines wesentlich vereinfachten Antrags kann diese Problematik jedoch nicht verhindern. Sie würde die möglicherweise auftretenden Bestimmtheitsprobleme nur auf einen späteren Prozesszeitpunkt verlagern, in dem ähnliche praktische Probleme lauern[75]. In dieser Hinsicht kann

---

[72] *Meyer-Goßner* (2010), Einl. Rn. 157.

[73] Keinesfalls darf es die Aussage des Zeugen in der Art aufnehmen, dass es ihn unter Verneinung der eigenen Zuständigkeit auf den Zivilrechtsweg verweist.

[74] *Plüür/Herbst* (2010), S. 20.

B. Der Ablauf des reformierten Adhäsionsverfahrens

daher nur auf eine sachgerechte Beurteilung der Anträge durch die Gerichte vertraut werden. Die gesetzliche Hinweispflicht des § 406 Abs. 5 S. 1 StPO jedenfalls dürfte die offensichtlichsten Mängel beheben helfen.

b) Zeitpunkt des Antrags

In zeitlicher Hinsicht kann der Antragsteller den Antrag schon mit der Strafanzeige stellen, er kann aber nach § 404 Abs. 1 S. 1 StPO auch bis maximal zu Beginn der Schlussvorträge abwarten[76]. Wirkungen entfaltet der Antrag gem. § 404 Abs. 2 S. 2 StPO aber erst mit dessen Eingang bei Gericht[77]. Daher ist ein problematischer Punkt an einer sehr frühen Antragstellung die Unsicherheit, ob es überhaupt zu einer Anklage kommt[78]. Dies begegnet aber insofern keinen Bedenken, als der Antragsteller auch durch einen dann ins Leere gehenden Antrag keine Nachteile erleidet, insbesondere muss er in diesem Fall keine Kosten befürchten[79]. Eine Antragsstellung erst im Berufungsverfahren ist möglich[80], jedoch praktisch kaum bedeutsam[81]. Im Revisionsverfahren ist die Antragstellung nicht mehr möglich[82].

In taktischer Hinsicht wird häufig eine möglichst frühe Antragstellung angeraten, da sich dann alle Verfahrensbeteiligten rechtzeitig darauf einstellen könnten. Trotz des vom Gesetz vorgesehenen späten Zeitpunkts, ist die Wahrscheinlichkeit

---

[75] Ein unzureichend formulierter Antrag, der nach *Klaus* (2005), S. 40 bereits zulässig sein soll, erhöht jedenfalls die Wahrscheinlichkeit, dass das Gericht von einer Entscheidung über den Antrag absieht.

[76] Damit kann nur der Schlussvortrag des Staatsanwaltes gemeint sein. Sie hat nämlich nach Nr. 174 Abs. 1 RiStBV die Möglichkeit, zum Adhäsionsantrag Stellung zu nehmen. Die Stellungnahme ist dann nicht mehr möglich, wenn die Staatsanwaltschaft bereits ihr Plädoyer gehalten hat.

[77] Daher ist die Staatsanwaltschaft nach Nr. 174 Abs. 2 RiStBV gehalten, den Antrag möglichst schnell dem Gericht zukommen zu lassen. Die Wirksamkeit ist von Amts wegen zu prüfen (BGH NStZ-RR 2005, 380; Brandenburgisches OLG B. v. 17.2.2009 [1 Ss 4/09, 1 Ws 12/09]).

[78] Daher hat *E. Schmidt* (1957), § 404 Rn. 5 noch die Ansicht vertreten, dass der Antrag frühestens mit Anklageerhebung gestellt werden könne. Als Grund führte er an, dass im Ermittlungsverfahren unklar sei, welches Gericht sich mit der Sache zu befassen hat (angesichts der Zuständigkeitsregel des § 24 Abs. 1 Nr. 3 GVG), und ob es überhaupt zu einer Anklage kommt. Mittlerweile ist jedoch einhellig anerkannt, dass ein Antrag in jedem Verfahrensstadium möglich ist, vgl. *Klein* (2007), S. 27. Mit dem Argument, dass in dieser Phase des Verfahrens ein Antrag nicht beim Gericht, sondern der Staatsanwaltschaft gestellt werden müsse, sind die befürchteten Unwägbarkeiten für den Antragsteller zu relativieren; hierzu KK-*Engelhardt* (2008), § 404 Rn. 4.

[79] *Meyer-Goßner* (2010), § 404 Rn. 4. Vgl. auch *Lossen* (2008), S. 127 hinsichtlich der Beratungspflicht eines Rechtsanwalts.

[80] BGHZ 132, 341, 350; selbst dann, wenn in der Erstinstanz von einer Entscheidung abgesehen wurde, KG NStZ-RR 2007, 280.

[81] *Rieß* (2005), S. 429.

[82] Weiner/Ferber-*Ferber* (2008), Rn. 63.

88   Kap. 2: Rechtliche Ausgestaltung des reformierten Adhäsionsverfahrens

einer Absehensentscheidung wegen Verfahrensverzögerung umso höher, je später der Antrag gestellt wurde[83]. Es ist nur schwer vorstellbar, dass ein Gericht bei einem Antrag kurz vor den Schlussvorträgen nochmals in die Beweisaufnahme eintritt. Erreicht werden soll, dass sich die Verfahrensbeteiligten rechtzeitig für diese Verfahrensart entscheiden, dies ankündigen und sich darauf vorbereiten, insbesondere die notwendigen Tatsachengrundlagen überprüfbar vortragen, was bei einem späteren Zeitpunkt problematisch sein kann. Nur ausnahmsweise kann ein spät gestellter Antrag sinnvoll sein. Das mögliche Kostenrisiko des § 472a Abs. 2 StPO kann nämlich in Fällen eines ungewissen Ausgangs des Strafverfahrens dazu führen, zunächst die Beweisaufnahme abzuwarten und den Antrag erst später zu Protokoll zu geben, wenn eine (aus Sicht des Antragstellers) positive Adhäsionsentscheidung wahrscheinlich geworden ist[84].

c) Wirkungen des Antrags

Mit dem Antrag wird im Rahmen des Strafverfahrens das Adhäsionsverfahren in Gang gesetzt. Das Gesetz enthält eine Reihe von Vorschriften, die die Wirkungen des Antrags bestimmen. Die wichtigste findet sich dabei in § 404 Abs. 2 S. 1 StPO: Die Antragstellung hat dieselben Wirkungen wie die Erhebung der Klage im bürgerlichen Rechtsstreit. Im Unterschied zum Zivilprozess treten die Wirkungen des Antrags nicht erst nach Zustellung an den Klagegegner ein (so §§ 253 Abs. 1, 261 Abs. 1 ZPO), sondern nach dem insofern spezielleren § 404 Abs. 2 S. 2 StPO bereits mit Eingang des Antrags bei Gericht.

aa) Wirkungen für den Antragsteller

Die Position des Antragstellers im Strafverfahren hat sich durch den Antrag gewandelt. Er rückt gewissermaßen näher an das Strafverfahren heran als ein „einfacher Verletzter" mit Befugnissen nach §§ 406d ff. StPO. Es entstehen alle aus der Stellung als Antragsteller folgenden Rechtspositionen. Zunächst bestimmt § 404 Abs. 3 S. 1 StPO, dass der Antragsteller von Ort und Zeit der Hauptverhandlung informiert werden muss, wenn der Antrag schon im Ermittlungs- oder Zwischenverfahren gestellt wurde. Weiterhin entsteht auch das Teilnahmerecht des § 404 Abs. 3 S. 2 StPO, das hauptsächlich in der Hauptverhandlung seine Bedeutung entfaltet, jedoch auch schon zuvor Ausprägungen hat[85].

---

[83] Siehe auch *Heghmanns/Scheffler* (2008), VII Rn. 979; *Klein* (2007), S. 28; *Haupt/ Weber* (2003), Rn. 309. Eingehend zu den Problemen, die dieser theoretisch letzte Zeitpunkt birgt *Klaus* (2000), S. 27. Vgl. auch *K. Schroth* (2005), Rn. 341, der darauf hinweist, dass das Rechtsmittel des § 406a Abs. 1 StPO nur besteht, wenn der Antrag vor der Hauptverhandlung gestellt wurde.

[84] Widmaier-*Kauder* (2006), § 53 Rn. 61.

[85] Siehe zu diesen „Vorwirkungen" unten Kapitel 2: B. II. 2. a).

B. Der Ablauf des reformierten Adhäsionsverfahrens

bb) Wirkungen für den Beschuldigten

Auch auf den Beschuldigten hat ein wirksamer Adhäsionsantrag Auswirkungen. Immerhin ist er potenzieller Anspruchsgegner. Zunächst muss er überhaupt vom Antrag Kenntnis erlangen. Das Strafverfahren wird um die zivilrechtliche Seite der zu beurteilenden Tat erweitert. Der Beschuldigte soll sich auf die neue Situation einstellen können. Wird der Antrag erst in der Hauptverhandlung gestellt, erhält er unmittelbar Kenntnis[86]. Wird der Antrag bereits zuvor gestellt, muss er nach § 404 Abs. 1 S. 3 StPO dem Beschuldigten zugestellt werden[87]. Als Ausfluss des Grundsatzes auf rechtliches Gehör wird ihm dadurch die Möglichkeit eröffnet, sich zu äußern[88]. Unterbleibt die Zustellung trotz eines Antrags, wird der Beschuldigte mit dem Adhäsionsantrag erst in der Hauptverhandlung konfrontiert. Dieses Manko kann jedoch nicht zur Unzulässigkeit des gesamten Verfahrens führen, denn die Situation ist in diesem Fall mit derjenigen vergleichbar, in der erst in der Hauptverhandlung ein Antrag gestellt wird. Ein solcher Mangel wird daher spätestens in der Hauptverhandlung durch die mündliche Mitteilung geheilt[89]. Der genaue Zeitpunkt der Zustellung ist vom Gesetz nicht vorgeschrieben. Vor der Zielsetzung der rechtzeitigen Information des Beschuldigten erscheint ein „so früh wie möglich, aber so spät wie nötig" die beste Richtschnur. Denn zu Recht wird auf eine mögliche Gefährdung des Ermittlungserfolges hingewiesen, wenn ein Antrag zugestellt wird, obwohl die strafrechtlichen Ermittlungen noch laufen[90]. Außerdem ist in diesem Stadium des Verfahrens oft noch unklar, ob es überhaupt zu einer Hauptverhandlung kommen wird. Sinnvoll erscheint es daher, dass die Mitteilung eines vor Beginn einer Hauptverhandlung gestellten Adhäsionsantrags mit der Anklageschrift (§ 201 Abs. 1 StPO) verbunden wird.

cc) Wirkungen für das Verfahren

Die Wirkung des Antrags bestimmt § 404 Abs. 2 S. 1 StPO. Er hat dieselben Folgen wie die Erhebung einer Klage vor dem Zivilgericht. Dies ist als bloße Verweisung auf die zivilprozessualen Folgen zu verstehen. Damit ist vor allem

---

[86] Im Falle der Abwesenheit des Beschuldigten muss dessen Information schnellstmöglich gewährleistet werden.

[87] Unterbleibt die Zustellung, ist der Antrag unwirksam, BGH NStZ-RR 2005, 380 und StraFo 2004, 386. Dies muss von Amts wegen geprüft werden (KK-*Engelhardt* (2008), § 404 Rn. 1). Vgl. für das Verfahren der Zustellung und damit verbundene Fragen: §§ 37 Abs. 1 StPO, 166 ff. ZPO.

[88] *Klein* (2007), S. 33.

[89] *Köckerbauer* (1993), S. 94. Vgl. zusätzlich den Hinweis von *Klein* (2007), S. 33, der die Möglichkeit einer Unterbrechung nach § 229 StPO in Betracht zieht, wenn durch eine „Überrumpelung" etwaige Unbilligkeiten für den Angeklagten entstehen.

[90] Weiner/Ferber-*Havliza/Stang* (2008), Rn. 69.

90   Kap. 2: Rechtliche Ausgestaltung des reformierten Adhäsionsverfahrens

die nach §§ 261 ff. ZPO eintretende Rechtshängigkeit gemeint. Diese hat prozessuale sowie materiell-rechtliche Folgen[91]. Da jedoch Gegenstand des Adhäsionsverfahrens „nur" eingeschränkt die zivilrechtlichen Folgen der betreffenden Straftat sind, führt dies auch dazu, dass manche Wirkungen theoretisch zwar eintreten, praktisch aber kaum denkbar sind[92].

Zur bedeutsamsten *prozessualen* Folge zählt das Entstehen einer negativen Prozessvoraussetzung. Während der Rechtshängigkeit kann der Antragsteller die aus der Straftat erwachsenen Ansprüche nicht anderweitig anhängig machen, § 261 Abs. 3 Nr. 1 ZPO[93]. Fraglich ist, ob auch der Beschuldigte von dieser Wirkung betroffen ist, immerhin kann er sich zivilprozessual gesehen nur eingeschränkt verteidigen[94]. Hierfür spricht die klare Verweisung in § 404 Abs. 2 S. 1 StPO. In § 261 Abs. 3 Nr. 1 ZPO ist von „keiner Partei" die Rede, was durch die Verweisung als „weder der Antragsteller noch der Beschuldigte" zu lesen ist. Dem Beschuldigten bleibt hier nur, die Entscheidung des Gerichts über den Adhäsionsantrag abzuwarten.

Aus der Rechtshängigkeit folgen auch bedeutsame *materiell-rechtliche* Wirkungen. Die in der Praxis relevanteste ist die der Verjährungshemmung nach § 204 Abs. 1 S. 1 BGB. Dies kann durchaus Gegenstand taktischer Erwägungen sein, da es für das Entstehen der Rechtshängigkeit gerade nicht auf die Zustellung einer Klage ankommt, sondern der Eingang des Antrags bei Gericht ausreicht[95]. Darüber hinaus ersetzt sie eine zum Verzug erforderliche Mahnung und kann eine verzugauslösende Zahlungsaufforderung darstellen (vgl. §§ 286 Abs. 1 S. 2, Abs. 3 BGB). Weiterhin entsteht der Anspruch auf Prozesszinsen nach §§ 291, 288 BGB. Bedeutsame Auswirkungen liegen auch in bestimmten Haftungsverschärfungen (z. B. §§ 282, 818 Abs. 4, 987 ff. BGB) und in der Unterbrechung bestimmter Ausschlussfristen (z. B. §§ 864, 1002 BGB). Zuletzt bewirkt sie die Pfändbarkeit einiger ansonsten unpfändbarer Ansprüche (§ 852 ZPO).

Einzig der Zeitpunkt ist gegenüber einer „gewöhnlichen" Klage vorgezogen, da es nicht auf die Rechtshängigkeit, sondern nur auf die Anhängigkeit ankommt. Gem. § 404 Abs. 2 S. 2 StPO treten diese Folgen mit Eingang des Antrags bei Gerichts ein. Mit dieser durch das Opferrechtsreformgesetz aufgenommenen Bestimmung hat der Gesetzgeber eine frühere Streitfrage eindeutig ent-

---

[91] KMR-*Stöckel* (2005), § 404 Rn. 6; *Lüke/Ahrens* (2006), Rn. 166.

[92] Etwa § 263 ZPO (Klageänderung), der leicht umgangen werden kann, indem der Antragsteller seinen Antrag zurücknimmt und anschließend (zulässigerweise) verändert nochmals stellt. Auch die so genannte perpetuatio fori (§ 261 Abs. 3 S. 2 ZPO) spielt nur eine untergeordnete Rolle.

[93] Dies ist auch der Grund, warum ein Adhäsionsantrag unzulässig ist, wenn die Ansprüche bereits vor einem Zivilgericht eingeklagt sind.

[94] Etwa da keine Widerklage zugelassen ist (*Burhoff* (2010), Rn. 76).

[95] *Freyschmidt* (2005), Rn. 701. Trotz der Schutzvorschrift des § 167 ZPO kann es zweifelhaft sein, ob die Zustellung rechtzeitig erfolgt.

B. Der Ablauf des reformierten Adhäsionsverfahrens

schieden. Für den Fall, dass der Adhäsionsantrag *vor* der Hauptverhandlung gestellt wurde[96], wurde vertreten, dass die sehr weit reichenden Wirkungen der Rechtshängigkeit erst dann eintreten könnten, wenn der Beschuldigte als Antragsgegner auch von dem Antrag erfahren habe[97]. Dies hat der Gesetzgeber jedoch als zu weit reichende Orientierung an den zivilprozessualen Verfahren verworfen[98]. Zudem bedeutet diese Neuregelung eine erhebliche Erleichterung für den Antragsteller, da er anders als im Zivilprozess nicht den Aufenthaltsort des Beschuldigten selbst ausfindig machen muss[99]. Angesichts der gesetzgeberischen Intention und dem klaren Wortlaut ist eine andere Interpretation nicht mehr angezeigt.

d) Rücknahme des Antrags

§ 404 Abs. 4 StPO bestimmt, dass der Antrag bis zur Urteilsverkündung zurückgenommen werden kann. Die Motive hierfür können vielfältiger Natur sein. Als Beispiel kann etwa eine außergerichtliche Verständigung mit dem Beschuldigten dienen, in der die in Aussicht gestellte Rücknahme als „Lockmittel" taktisch eingesetzt werden kann. Im Zivilprozess bedarf es für eine Klagerücknahme nach Eröffnung der Hauptverhandlung nach § 269 Abs. 1 ZPO der Einwilligung des Beklagten. In den §§ 403 ff. StPO findet sich keine diesbezügliche Bestimmung. Daraus wird oft gefolgert, dass es für eine Antragsrücknahme anders als im Zivilprozess nicht der Einwilligung des Beschuldigten bedürfe[100]. Für eine erforderliche Einwilligung spricht dagegen, dass der Beschuldigte ansonsten im Unklaren gelassen werde, ob er Ansprüche gegen sich im Strafprozess befürchten muss, und der Antragsteller sich „gleichsam" nach Belieben prozessrechtliche Positionen sichern kann[101]. Dieser Ansicht ist jedoch nicht zu folgen. Die Klagerücknahme nach § 269 ZPO hat den Zweck, ein berechtigtes Interesse des Klagegegners zu schützen, wenn er für seine Verteidigung Mühe und Kosten aufgewendet, eventuell auch schon eine vorteilhafte Prozesslage erzielt hat[102]. Dann muss ihm die Position zugebilligt werden, selbst eine Entscheidung über die Klage erzwingen zu können. Im Adhäsionsverfahren kann die Rücknahme des Antrags nicht die gleiche Funktion erfüllen. Es kann nicht durch eine negative

---

[96] Für einen während der Hauptverhandlung gestellten Antrag war und ist völlig unumstritten, dass die Wirkungen mit der mündlichen Antragstellung eintreten, vgl. BT-Drs. 15/1976 S. 15; *Meyer-Goßner* (2010), § 404 Rn. 6. Eine ausführliche Darstellung der verschiedenen Ansichten findet sich bei *Klein* (2007), S. 34 ff.

[97] BGH StraFo 2004, 386; *Pfeiffer* (2005), § 404 Rn. 4.

[98] BT-Drs. 15/1976 S. 15.

[99] *Schork/König,* NJ 2004, 537, 540.

[100] Weiner/Ferber-*Ferber* (2008), Rn. 65; *Glaremin/Becker,* JA 1988, 602, 605; HK-*Kurth* (2009), § 404 Rn. 19.

[101] *Köckerbauer,* NStZ 1994, 305, 307.

[102] Musielak-*Foerste* (2009), § 269 Rn. 9.

92   Kap. 2: Rechtliche Ausgestaltung des reformierten Adhäsionsverfahrens

Sachentscheidung beendet werden. Daher besteht für den Beschuldigten in rechtstechnischer Hinsicht kein Unterschied, ob er seine Zustimmung erteilt oder nicht. Insofern ist sie nicht erforderlich.

Aus dem Fehlen einer § 392 StPO entsprechenden Vorschrift kann abgelesen werden, dass eine solche Rücknahme keine „Sperrwirkung" im Hinblick auf einen erneuten Adhäsionsantrag oder eine eigene Zivilklage entfaltet[103]. Dem (in der Praxis allerdings eher schwer vorstellbaren) Fall, dass ein Antragsteller wiederholt Anträge stellt und zurücknimmt, muss das Gericht in letzter Konsequenz mit einer Ablehnung des Antrags begegnen. In Betracht kommt hier ein Vorgehen nach § 244 Abs. 3 S. 2 Var. 5 StPO analog. Wenn die Prozessverschleppungsabsicht zur Ablehnung eines Beweisantrags führt, muss dies erst recht gelten für einen in der Wirkung auf das Strafverfahren weiterreichenden Adhäsionsantrag. Unterhalb dieser Schwelle muss der Antrag vom Gericht so zur Kenntnis genommen werden, als sei er erstmalig gestellt worden.

e) Ergebnis

Nur durch einen Adhäsionsantrag kann ein Adhäsionsverfahren eingeleitet werden. Er muss in formeller Hinsicht den Erfordernissen einer zivilrechtlichen Klage entsprechen, da § 404 Abs. 1 StPO insoweit § 253 ZPO nachgebildet ist. Bleibt der Antrag hinter diesen Anforderungen zurück, muss das Gericht im Rahmen seiner Fürsorgepflicht die ordnungsgemäße Stellung des Antrags zu bewirken versuchen. In zeitlicher Hinsicht kann der Antrag bis zu Beginn des Schlussvortrags der Staatsanwaltschaft gestellt werden. Der Antrag kann ohne weiteres zurückgenommen werden. Er hat sowohl in prozessualer als auch in materiellrechtlicher Hinsicht dieselben Wirkungen wie eine Zivilklage.

2. Erfasste Ansprüche

Nicht alle denkbaren zivilrechtlichen Anspruchsarten können im Adhäsionsverfahren geltend gemacht werden. § 403 StPO lässt nur vermögensrechtliche Ansprüche zu, die aus der Straftat erwachsen sind.

a) Vermögensrechtliche Ansprüche

Die Beschränkung auf nur vermögensrechtliche Ansprüche soll das Strafgericht von vornherein vor den rechtlichen Schwierigkeiten bei nicht-vermögens-

---

[103] So die einhellige Ansicht. Vgl. nur KG NStZ-RR 2007, 280; KMR-*Stöckel* (2005), § 404 Rn. 19; SK-*Velten* (2003), § 404 Rn. 19. Diese Frage kann auch auftauchen, wenn das Gericht eine Absehensentscheidung nach § 406 Abs. 1 S. 2–4 StPO trifft.

B. Der Ablauf des reformierten Adhäsionsverfahrens

rechtlichen Ansprüchen bewahren, die regelmäßig den im Strafverfahren leistbaren Rahmen sprengen würden. Bei der Bestimmung eines vermögensrechtlichen Anspruchs wird gemeinhin auf die zivilprozessuale Definition abgestellt. Erfasst sind alle Ansprüche, die auf eine vermögenswerte Leistung gerichtet oder aus einem Vermögenswert abgeleitet sind[104]. Als Faustformel für die Qualifizierung als vermögensrechtlicher Anspruch muss ein objektiver Dritter demnach die Frage stellen: Hat der Anspruch für den Antragsteller einen Vermögenswert?

Eine einschränkende Auslegung der vermögensrechtlichen Ansprüche wird ebenfalls vertreten[105]. Sowohl die systematische Stellung im Dritten Abschnitt „Entschädigung des Verletzten" als auch teleologische Erwägungen führten danach zu einer einschränkenden Interpretation. Erfasste Ansprüche könnten nur Anspruchsarten sein, die auch für die Aburteilung im Strafverfahren geeignet seien. Ansonsten wäre ein zu leichtfertiger Umgang mit der Absehensentscheidung wegen Nichteignung (§ 405 S. 2 StPO a. F.) die Folge. Entscheidend sei, ob eine enge Verknüpfung zwischen zivilrechtlicher Haftungsbegründung und Straftat vorhanden ist, oder nicht. Die vorgeschlagene teleologische Reduktion kann aber methodisch nur dann zur Anwendung gelangen, wenn Fälle zwar unter den Gesetzeswortlaut fallen, aber nach Sinn und Zweck in keiner Hinsicht gemeint sein können[106]. Eine derartige „überschießende" Regelung ist jedoch nicht ersichtlich. Ein „leichtfertiger Umgang mit der Absehensentscheidung" erscheint nicht als Problem der Zulassung eines eher weiten Spektrums erfasster Ansprüche, sondern hat andere Ursachen, die in der Konstruktion der Absehensentscheidung zu suchen sind. Vielmehr erfordert der Zweck des Verfahrens, dass nicht nur ein Ausschnitt möglicher Anspruchsarten zugelassen wird. Überhaupt keine Bedenken bestehen dagegen, dass etwa auch ein durch betrügerisches Verhalten (§ 263 Abs. 1 StGB) zustande gekommener Vertrag für nichtig erklärt werden kann (Konstellation eines Feststellungsantrags). Demnach ist eine einschränkende Auslegung abzulehnen.

Was die Anspruchsart angeht, ist die Vorschrift sehr offen gehalten, wobei sich herausgestellt hat, dass Ansprüche auf die Zahlung von Schadensersatz und Schmerzensgeld im Vordergrund stehen und den Hauptanwendungsbereich dar-

---

[104] BGHZ 14, 72, 74 für den insoweit identischen Begriff in der ZPO (etwa in §§ 20, 23, 40, 1030 ZPO); Musielak-*Heinrich* (2009), § 3 Rn. 12; SK-*Velten* (2003), § 403 Rn. 7.

[105] *Klaus* (2000), S. 36 ff., der für eine teleologische Reduktion plädiert. Auch andere Einschränkungsvorschläge wurden geäußert, haben sich aber zu Recht nicht durchsetzen können (etwa *Stransky* (1939), S. 65 (nur Schadensersatz- und Herausgabeansprüche) oder *Schmanns* (1987), S. 139, der sich (zu Recht ablehnend) mit der Frage auseinandersetzt, ob nur Ansprüche aus Vermögensdelikten erfasst sein können).

[106] *Vogel* (1998), S. 134; *Zippelius* (2005), S. 70; *Wank* (2008), S. 126.

94 Kap. 2: Rechtliche Ausgestaltung des reformierten Adhäsionsverfahrens

stellen[107]. Der Ersatz für eine bei einer Sachbeschädigung (§ 303 StGB) zerstörte Sache oder Schmerzensgeld bei einer Körperverletzung (§ 223 StGB) stellen geradezu adhäsionstypische Fallgestaltungen dar. Anerkannt ist die Möglichkeit eines Adhäsionsverfahrens auch bei einer Vielzahl anderer Anspruchsarten[108]. Genannt seien nur Herausgabeansprüche[109], Ansprüche auf Unterlassung oder Widerruf[110] oder Feststellungsansprüche[111]. Das Gesetz selbst lässt in speziell geregelten Fällen weitere Ansprüche zu. Hierzu gehören § 110 UrhG[112] und § 9 Abs. 3 WiStrG[113].

b) Adhäsionszusammenhang

Der vermögensrechtliche Anspruch muss „aus der Straftat erwachsen" sein. Das Merkmal beschreibt zunächst eine Kausalbeziehung zwischen dem Verhalten, das Gegenstand des Strafverfahrens ist, und dem in Rede stehenden Anspruch. Diese Beziehung kann treffend als „Adhäsionszusammenhang" bezeichnet werden. Die Handlung des Angeklagten muss zur Erfüllung eines Straftatbestandes, gleichzeitig aber auch zur Entstehung des vermögensrechtlichen Anspruches führen. Aus diesem Grund genügt eine Ordnungswidrigkeit nicht[114].

---

[107] *Meier/Dürre,* JZ 2006, 18, 20. Besonders, wenn die Ansprüche auf Geldzahlung gerichtet sind, vgl. *Loos,* GA 2006, 195, 206.

[108] Vgl. die detaillierte Darstellung bei *Klein* (2007), S. 55–60.

[109] Hierzu zählen jegliche Arten von Herausgabeansprüchen, von denen in praktischer Hinsicht die dinglichen und die Bereicherungsansprüche am häufigsten sind. Vgl. auch *Hansen/Wolff-Rojczyk,* GRUR 2009, 644, 646 speziell für den urheberrechtlichen Bereich.

[110] Diese besonders in Verfahren wegen Beleidigung auftauchenden Fälle eignen sich ebenfalls für das Adhäsionsverfahren, wenn der Anspruch wesentlich mitbestimmend auf die wirtschaftlichen Belange des Antragstellers einwirkt (*Meyer-Goßner* (2010), § 403 Rn. 10; *Wessing* (1998), S. 22). Auch wenn es in einem solchen Fall um das Rechtsgut „Ehre" des Verletzten geht, kann ein vermögensrechtlicher Charakter vorliegen, etwa wenn durch die Beleidigung die Authentizität und damit die wirtschaftliche Verwertung eines Buches in Frage gestellt ist (BGH NJW 1981, 2062).

[111] Deren vermögensrechtlicher Charakter kann beispielsweise in der Feststellung der Nichtigkeit eines Vertrags oder der Feststellung der Nichtigkeit einer Urkunde gesehen werden. Das nach § 256 ZPO erforderliche Feststellungsinteresse ergibt sich aus dem Interesse des Antragstellers, die Folgen einer Straftat rechtlich zu bewältigen.

[112] AnwK-*Krekeler* (2006), § 403 Rn. 3, *Meyer-Goßner* (2010), § 403 Rn. 10. Die urheberrechtliche Spezialvorschrift ermöglicht im Verfahren wegen Straftaten nach §§ 106, 107 Abs. 1 Nr. 2, 108 bis 108b UrhG, Ansprüche auf Vernichtung oder Überlassung von Vervielfältigungsstücken oder zu deren Herstellung bestimmter Verrichtungen geltend zu machen. Nach demselben Muster „funktionieren" die Ansprüche nach § 25 Abs. 5 S. 3 GebrMG, § 51 Abs. 5 S. 3 GeschmMG, § 143 Abs. 5 S. 3 MarkenG und § 142 Abs. 5 S. 3 PatG.

[113] Dieser Regelung bedarf es, da das Adhäsionsverfahren durch sie auch bei Ordnungswidrigkeiten nach §§ 2 bis 6 WiStrG für anwendbar erklärt wird.

[114] Vgl. auch § 46 Abs. 3 S. 4 OWiG, nach dem die StPO-Vorschriften über die Beteiligung des Verletzten am Verfahren im Ordnungswidrigkeitenverfahren nicht anzuwenden sind.

B. Der Ablauf des reformierten Adhäsionsverfahrens

Eine Beschränkung auf bestimmte Straftaten ist anders als bei der Nebenklage nicht vorgesehen. Die Bandbreite umfasst daher grundsätzlich alle Straftatbestände des StGB und des Nebenstrafrechts[115]. Klar ist dabei, dass ein Adhäsionsverfahren bei vielen Straftatbeständen an anderen Voraussetzungen (etwa einer fehlenden Antragsberechtigung, wenn der Straftatbestand Rechtsgüter der Allgemeinheit schützt – siehe sogleich) scheitern würde. Besonders geeignete Tatbestände sind in den Körperverletzungs- und Beleidigungsdelikten sowie den Sexualdelikten zu erblicken[116].

Der Umfang der durch das Kriterium „erwachsen" ausgesonderten Ansprüche ist dem Gesetz nicht zu entnehmen. Von vornherein werden zivilrechtliche Ansprüche aus einer verschuldensunabhängigen Gefährdungshaftung (etwa §§ 832 ff. BGB, 1 ProdHaftG, 7 StVG usw.) ausgeschieden[117]. Sie können nie aus einer Straftat erwachsen sein.

Weiterhin wird diskutiert, ob „aus der Straftat erwachsen" bedeuten muss, dass der Anspruch gerade auf dem unmittelbar zu sanktionierenden Verhalten beruht. Als Beispielfall kann ein Verfahren wegen fahrlässiger Körperverletzung gelten. Die Frage ist, ob dem Verletzten auch wegen eines gleichzeitig entstandenen Sachschadens Ersatz zugesprochen werden kann (fahrlässige Sachbeschädigung ist straflos)[118]. Eine weite Auffassung bejaht dies mit der Erwägung, ein einheitliches geschichtliches Vorkommnis würde ansonsten rechtlich zerrissen werden[119]. Daher sei mit „Straftat" im Sinne von § 403 StPO eine Tat im prozessualen Sinne gemeint und nicht die konkret angeklagten Straftatbestände. Sofern nach der Beendigung der Beweisaufnahme eine Entscheidung auch über den mittelbaren Anspruch möglich sei, sollte dem Strafgericht auch die Entscheidungskompetenz zustehen[120]. Eine enge Auffassung lässt dagegen nur Ansprüche zu, die aus dem auch den angeklagten Tatbeständen zugrunde liegenden Verhalten resultieren (können)[121]. Die Privilegierung des Antragstellers, nicht auf ein eige-

---

[115] Vgl. auch Bockemühl-*Hohmann* (2009), F3 Rn. 4; *K. Schroth* (2005), Rn. 329, die zu Recht darauf hinweisen, dass bei Vorliegen einer zur Nebenklage berechtigenden Katalogtat neben einem Adhäsionsantrag auch eine Nebenklage eingelegt werden sollte, um stärkere Mitwirkungsrechte im Strafverfahren zu erhalten. Der Adhäsionsantrag allein stellt keine Erhebung einer Nebenklage dar (AHStR-*Janker* (2002), Q Rn. 528). Siehe auch *Bahnson* (2008), S. 52 f.

[116] Vgl. hierzu insbesondere *Fastie* (2008), S. 21 und *Lörsch*, Streit 2007, 152, 157, die aber zu Recht auch darauf hinweist, dass das Verfahren nicht für alle erdenklichen Fallgestaltungen geeignet ist. Eine Antragsstellung ist dann von prozesstaktischen Erwägungen abhängig, etwa ob die zivilrechtlichen Folgen des Schadensbildes für ein Strafverfahren zu komplex sind.

[117] *Burhoff* (2010), Rn. 73.

[118] Beispiel nach *Klein* (2007), S. 61.

[119] *Schirmer*, DAR 1988, 121, 122.

[120] *Wessing* (1998), S. 24; ähnlich auch *K. Schroth* (2005), Rn. 332.

[121] *Köckerbauer* (1993), S. 62.

96 Kap. 2: Rechtliche Ausgestaltung des reformierten Adhäsionsverfahrens

nes Zivilverfahren zurückgreifen zu müssen, erfordere eine Beschränkung auf gerade die Ansprüche, deren Anspruchsgrund (zumindest auch) das Verfahren darstelle, das die angeklagte Strafnorm sanktioniere[122]. Dem Beschuldigten sei eine Konfrontation mit zivilrechtlichen Ansprüchen nur in den Fällen zuzumuten, die zugleich den angeklagten strafrechtlichen Vorwurf in sich trügen.

Die Lösung dieser Frage ist an das Verständnis des Rechtsbegriffs „Straftat" geknüpft, der sowohl die angeklagte Tat meinen kann als auch die Tat im prozessualen Sinne, nämlich den der angeklagten Tat zugrunde liegenden einheitlichen Lebensvorgang. Gegen eine weite Interpretation spricht, dass der die Tat im prozessualen Sinne bestimmende § 264 Abs. 1 StPO von „Tat" und nicht von „Straftat" spricht. Auch an anderen Stellen der Strafprozessordnung meint „Straftat" die konkret angeklagte Tat[123]. Ein Grund, hier einen anderen Auslegungsmaßstab anzulegen, liegt nicht auf der Hand. Mit dem Merkmal „aus der Straftat erwachsen" können nur Ansprüche gemeint sein, deren tatbestandsbegründende Handlung dieselbe ist, die auch den Anknüpfungspunkt für die Anklage darstellt.

Der Beurteilungsmaßstab für dieses Kriterium ist dabei großzügig. Es handelt sich um eine so genannte doppelt relevante Tatsache, die sowohl für die Zulässigkeit des Verfahrens als auch für die Begründetheit des Antrags bedeutsam ist. Für die Zulässigkeit genügt es, dass nicht von vornherein ausgeschlossen ist, dass der geltend gemachte Anspruch durch die strafrechtlich relevante Handlung entstanden ist. Im Zeitpunkt der Antragstellung stehen in den meisten Fällen die tatsächlichen Begebenheiten noch nicht vollständig fest. Eine umfangreiche Prüfungsobliegenheit für das Gericht würde das Strafverfahren unnötig aufblähen. Das tatsächliche Vorliegen des Adhäsionszusammenhangs muss das Gericht spätestens in dem Moment prüfen, in dem es die Beweisaufnahme für den strafrechtlichen Teil für abgeschlossen hält.

c) Ergebnis

Die vermögensrechtlichen Ansprüche können vielfältiger Natur sein. Besonders geeignet erscheinen Schadensersatz- sowie Schmerzensgeldansprüche. Mit dem Merkmal „aus der Straftat erwachsen" sollen zur Vermeidung einer Überdehnung der prozessökonomischen Funktion des Verfahrens alle Ansprüche ausgeschieden werden, die nicht zur Verwirklichung einer Straftat führen können und die nicht auf derselben Handlung beruhen.

---

[122] *Klein* (2007), S. 62.

[123] Vgl. nur (Auswahl) § 7 StPO (Tatort); § 22 Nr. 1 StPO (Ausschluss von Richtern); § 55 Abs. 1 StPO (Auskunftsverweigerungsrecht); § 81c Abs. 1 StPO (Untersuchung anderer Personen); die Kataloge der §§ 100a Abs. 2, 100c Abs. 2 StPO; § 160 Abs. 1 StPO (Ermittlungsverfahren); § 260 Abs. 4 S. 2 StPO (Urteil) und viele mehr.

B. Der Ablauf des reformierten Adhäsionsverfahrens 97

3. Antragsberechtigung

a) *Verletzter*

aa) Meinungsstand

Der Begriff des Verletzten taucht auch in anderen Vorschriften der StPO auf, ist selbst aber nicht gesetzlich definiert[124]. Einhellige Meinung ist, dass er je nach Funktionszusammenhang der ihn beinhaltenden Vorschriften unterschiedlich zu definieren ist[125]. Begründet wird dies mit den verschiedenen Anknüpfungspunkten an die Funktion des Tatbestandsmerkmales „Verletzter". Damit gibt es unbestritten auch einen adhäsionsspezifischen Verletztenbegriff. Der Zweck der auf den Verletzten (oder seinen Erben) eingeschränkten Antragsberechtigung ist darin zu erblicken, dass nur jemand Beteiligter des Strafverfahrens werden soll, dem der Anspruch auch zusteht und nicht nur „irgendwie" von der angeklagten Straftat betroffen ist.

Die am häufigsten anzutreffende Definition lautet, dass Verletzter im Sinne der §§ 403 ff. StPO derjenige sein müsse, der behauptet, aus der Straftat des Beschuldigten unmittelbar einen Anspruch erworben zu haben[126]. Unabhängig vom zivilrechtlichen Anspruch und seltener vertreten ist eine weitere Auffassung, wonach Verletzter nur der durch die Tat/den Schaden individuell betroffene Rechtsgutsträger sei[127]. Ein zusätzliches Kriterium der Unmittelbarkeit sei nicht geeignet, den Kreis der Verletzten zuverlässig zu bestimmen. Es sei zudem weder teleologisch noch aus dem Wortlaut heraus erforderlich[128]. Nur wer ein ideelles Genugtuungsinteresse habe, könne über den „Umweg" des Strafgerichts schon

---

[124] *K. Schroth* (2005), Rn. 116. Siehe etwa nur die Verwendung des Begriffs in § 22 Nr. 2, § 68 Abs. 4, § 81e Abs. 1, § 111e Abs. 3 und 4, § 153a Abs. 1 Nr. 5, § 155a StPO und besonders in § 172 (Klageerzwingungsverfahren), § 374 (Privatklage), § 395 (Nebenklage) sowie §§ 406d–h (Verletztenrechte) StPO. Das BVerfG sieht den Verletztenbegriff des § 403 StPO als identisch mit dem in § 406e StPO an (BVerfG ZIP 2009, 1270). In den §§ 77 ff. StGB ist ebenfalls ein spezifischer Verletztenbegriff vorhanden (siehe hierzu *Fischer* (2011), § 77 Rn. 2, *Lackner/Kühl* (2007), § 77 Rn. 2 und MüKo-StGB-*Mitsch* (2005), § 77 Rn. 4), den vor allem *Köckerbauer* (1993), S. 70 auch für das Adhäsionsverfahren für einschlägig hält.

[125] So schon BGHSt 4, 202, 203; OLG Koblenz NStZ 1988, 89, 90; OLG Karlsruhe NStZ 1994, 50, 51; *Kuhn,* JR 2004, 397, 398; *Weber* (1996), S. 36; *Böttcher,* JR 1987, 133, 134. Im Klageerzwingungsverfahren nach § 172 Abs. 1 S. 1 StPO ist etwa mit dem Verletzten jeder gemeint, der durch die behauptete Tat – ihre tatsächliche Begehung vorausgesetzt – unmittelbar in einem Rechtsgut verletzt ist (*Meyer-Goßner* (2010), § 172 Rn. 9).

[126] Weiner/Ferber-*Ferber* (2008), Rn. 33; LR-*Hilger* (2009), § 403 Rn. 1; AnwK-*Krekeler* (2006), § 403 Rn. 2; AK-*Schöch* (1996), § 403 Rn. 1; HK-*Kurth* (2009), § 403 Rn. 2; *Brodag* (2008), Rn. 227; *Klein* (2007), S. 41; *Meier/Dürre,* JZ 2006, 18, 20; *Stöckel* (2004), S. 832.

[127] SK-*Velten* (2003), § 403 Rn. 2; sowie ihr folgend neuerdings *Hilger,* GA 2007, 287, 290.

[128] *Hilger,* GA 2007, 287, 292.

98 Kap. 2: Rechtliche Ausgestaltung des reformierten Adhäsionsverfahrens

seine materiellen Interessen befriedigen[129]. Eine dritte (engere) Auffassung knüpft die Verletzteneigenschaft an das Schutzgut des verwirklichten Deliktes an: Verletzter ist hiernach derjenige, der eine von der missachteten Strafnorm gerade geschützte Verletzung davongetragen habe[130]. Für eine weitere Interpretation gebe das Gesetz keine Anhaltspunkte. Sie widerspreche der Intention des Verfahrens, das besonders auf Prozessökonomie gerichtet sei. Kennzeichnend für beide zuletzt genannten Ansichten ist, dass sie alle diejenigen Fälle ausscheiden wollen, in denen zwar ein unmittelbarer Anspruch entstanden ist, die Beeinträchtigung jedoch nur mittelbar erfolgte[131]. Daher wäre nach diesen Ansichten ein Anspruch des Ehegatten des Getöteten nach § 844 BGB nicht erfasst.

bb) Eigene Stellungnahme

Einer praxistauglichen Interpretation des (adhäsionsrechtlichen) Verletztenbegriffs muss man sich in mehreren Schritten nähern. Zunächst führt die besondere Konstruktion des Adhäsionsverfahrens dazu, dass auf die Definitionsversuche aus anderen Normen schwerlich zurückgegriffen werden kann[132]. Ein Abstellen auf einen anderen Anknüpfungspunkt als die Inhaberschaft eines Anspruchs (z. B. die Rechtsgutträgerschaft des beeinträchtigten Rechtsgutes wie in § 77 Abs. 1 StGB oder § 172 Abs. 1 StPO[133]) würde dem Mechanismus des Adhäsionsverfahrens nicht gerecht werden, das ja gerade vermögensrechtliche Ansprüche in den Vordergrund stellt. Daher kann in diesem Punkt nur Definitionen gefolgt werden, die an zivilrechtlichen Ansprüchen anknüpfen.

Der Anspruchssteller kann sich mit dem Inhaber des von der angeklagten Straftat geschützten Rechtsgutes decken, muss es aber nicht. Fraglich ist lediglich, ob *jeder* Anspruchssteller antragsberechtigt sein soll, oder ob weitere einschränkende Kriterien beachtet werden müssen. Die denkbar weiteste Auslegung ist es, keine weiteren Anforderungen zu stellen. Dies würde aber die Antragsberechtigung auch auf Personen ausdehnen, die im Zeitpunkt der Antragstellung Anspruchsinhaber sind, es im Zeitpunkt der angeklagten Tathandlung aber noch nicht waren[134]. Eine derartige Interpretation ist abzulehnen. Dadurch würde dem Strafgericht auferlegt, rein zivilrechtliche Vorgänge, die nach der Tat (vgl. § 8

---

[129] SK-*Velten* (2003), § 403 Rn. 2.

[130] *Klaus* (2000), S. 29.

[131] Stichwort: Der nur mittelbar Geschädigte soll nicht erfasst sein.

[132] Vgl. nur für § 172 und § 374 StPO (derjenige, dessen Rechtsgut unmittelbar beeinträchtigt ist, vgl. Graf-*Gorf* (2010), § 172 Rn. 2 sowie Graf-*Valerius* (2010), § 374 Rn. 11) oder für § 77 StGB (derjenige, in dessen Rechtsbereich die Tat unmittelbar eingreift; vgl. Schönke/Schröder-*Sternberg-Lieben* (2006), § 77 Rn. 10) jeweils mit weiteren Nachweisen.

[133] Hierzu *K. Schroth* (2005), Rn. 178.

[134] Hierunter fallen etwa alle Anspruchssteller, die den Anspruch später erworben haben, etwa durch Zession.

B. Der Ablauf des reformierten Adhäsionsverfahrens

StGB) geschehen sind, zu beurteilen. Es ist aber dem Adhäsionsverfahren immanent, dass es aus einem Strafgericht nicht ein Zivilgericht machen darf.

Daher bedarf es augenscheinlich eines Korrektivs. Dies kann nur darin gesehen werden, dass der Anspruch beim Antragsteller bereits *im Zeitpunkt* der Tathandlung, spätestens im Zeitpunkt des Erfolgseintritts zur Entstehung gelangt. Das ist dann der Fall, wenn die für die Strafbarkeit relevante Handlung des Beschuldigten auch zur Anspruchsentstehung in Person des Antragstellers führt. An dieser Stelle mag fraglich erscheinen, was diesen Definitionsansatz von den vorgenannten unterscheidet. Besonders der als herrschend zu bezeichnende Begriff der „unmittelbaren Anspruchsentstehung" scheint zum selben Ergebnis zu führen. Kritisch an diesem Ansatz ist indes gerade die „Unmittelbarkeit". Ausgeschieden werden sollen zu Recht diejenigen Ansprüche, die nicht unmittelbar auf der Straftat beruhen, insbesondere Fälle der Rechtsnachfolge (z. B. Zessionare oder Pfändungsgläubiger)[135]. Die Antragsberechtigung darf jedoch weitere gesetzliche Zulässigkeitsvoraussetzungen des Adhäsionsverfahrens nicht überflüssig werden lassen. Gerade die geforderte „Unmittelbarkeit" birgt die Gefahr, das Merkmal „aus der Straftat erwachsen" vollständig zu verdrängen[136]. Aufgabe der Antragsberechtigung ist es, diejenigen Personen zu erfassen, denen der geltend gemachte Anspruch zusteht. Ob der Anspruch aber tauglich ist, *im Adhäsionsverfahren* geltend gemacht zu werden, muss die Voraussetzung „aus der Straftat erwachsen" ergeben. Verletzter ist demnach jeder Anspruchssteller, der behauptet, im Zeitpunkt der Tathandlung (spätestens des Erfolgseintritts) der angeklagten Tat den im Antrag angegebenen Anspruch erworben zu haben.

cc) Beispiele

Legt man die hiesige Definition zugrunde ergibt sich konkret für die Person des Verletzten, dass er nicht etwa der Rechtsgutsträger sein muss, der durch die Straftat in einem seiner Rechtsgüter beeinträchtigt wurde. Auch nur indirekt Betroffene können Verletzte sein[137], wenn sie behaupten, dass in ihrer Person im Zeitpunkt der Tathandlung ein Anspruch entstanden ist[138]. Eine Beschränkung nur auf natürliche Personen ist nicht vorgesehen, insofern können auch juristi-

---

[135] *Meyer-Goßner* (2010), § 403 Rn. 4.

[136] So auch SK-*Velten* (2003), § 403 Rn. 2, die jedoch andere Schlussfolgerungen zieht.

[137] Vgl. KK-*Engelhardt* (2008), § 403 Rn. 5; *Schäfer* (2007), Rn. 156. Als Beispiele werden genannt: Unterhaltsberechtigte des Totschlagsopfers (wegen ihrer Ansprüche aus § 844 Abs. 2 BGB) oder Dienstberechtigte (wegen ihrer Ansprüche aus § 845 BGB). Aber auch der Pächter einer beschädigten Sache ist erfasst (auch Nießbraucher oder Mieter).

[138] Für den Ehegatten wegen § 844 BGB vgl. bereits LG Gießen NJW 1949, 727 sowie Weiner/Ferber-*Ferber* (2008), Rn. 36; *Hilger*, GA 2007, 287, 288 und KMR-*Stöckel* (2005), § 403 Rn. 1.

100   Kap. 2: Rechtliche Ausgestaltung des reformierten Adhäsionsverfahrens

sche Personen antragsberechtigt sein[139]. Keinen Einfluss auf die Verletzteneigenschaft hat es, ob und gegebenenfalls wie der Antragsteller am Strafverfahren auch in einer anderen Form beteiligt ist. Auch die (nur auf den ersten Blick) kurios erscheinende Konstellation, dass der Mitangeklagte Verletzter sein kann, wird daher hiervon gedeckt[140]. Ob ein Strafantrag gestellt werden musste, ob der Antragsteller gleichzeitig Nebenkläger ist, oder ob er als Privatkläger auftritt: Dies alles ist für die Verletzteneigenschaft unerheblich. Eine Vertretung des Verletzten bei der Geltendmachung ist stets möglich, und zwar sowohl durch einen Rechtsanwalt als auch durch sonstige Personen[141].

Umstritten ist wegen einer fehlenden gesetzlichen Regelung, ob auch ein Insolvenzverwalter wegen eines in die Insolvenzmasse fallenden Anspruchs einen Adhäsionsantrag stellen kann. Relevant wird diese Frage, wenn zum einen der Insolvenzverwalter Ansprüche der Insolvenzmasse gegen einen Dritten, oder wenn der Insolvenzverwalter zum anderen Ansprüche der Gläubiger wegen Verminderung der Insolvenzmasse gegen Dritte geltend machen will. Keine Probleme bereitet der Fall, wenn sich die Straftat erst nach Eröffnung des Insolvenzverfahrens ereignet hat. Dann ist der Insolvenzverwalter antragsberechtigt, da dem an sich weiterhin antragsberechtigten Verletzten die Verfügungsbefugnis (§§ 22 Abs. 1, 80 Abs. 1 InsO) über den Anspruch fehlt[142]. Der Fall, dass sich die Straftat bereits vor Eröffnung des Insolvenzverfahrens ereignete, wird dagegen unterschiedlich beurteilt. Einmal wird auf den Zeitpunkt der anspruchsbegründenden Handlung abgestellt. Eine Antragsberechtigung des Insolvenzverwalters komme nur dann in Betracht, wenn die Schädigung erst nach Eröffnung des Insolvenzverfahrens eintrat, da nur dann der Insolvenzverwalter den Anspruch unmittelbar aus der Straftat erworben habe[143]. Eine andere Interpretation besteht darin, dem Insolvenzverwalter umfassend die Antragsberechtigung zuzusprechen[144]. Sein Antragsrecht ergebe sich daraus, dass er in eigener Parteistellung die Rechte des Schuldners und die der Insolvenzgläubiger an der Masse als Partei kraft Amtes wahrt[145].

---

[139] *Plümpe,* ZInsO 2002, 409, 410. Anders *Rössner/Klaus,* NJ 1996, 288, 291 sowie *Klaus* (2000), S. 32, die davon ausgehen, dass der Verletzte nur jemand sein könne, der auch als Erbe in Betracht kommt. Daher schieden juristische Personen bereits vom Wortlaut her aus.

[140] *Krumm,* SVR 2007, 41, 42. Mögliche praktische Komplikationen ändern an der Verletzteneigenschaft nichts (vgl. LR-*Hilger* (2009), § 403 Rn. 1).

[141] Dies entspricht einhelliger Meinung (vgl. *Klein* (2007), S. 93 f. m.w.N.).

[142] Weiner/Ferber-*Ferber* (2008), Rn. 36.

[143] OLG Frankfurt NStZ 2007, 168; LG Stuttgart NJW 1998, 322, 323; *Meyer-Goßner* (2010), § 403 Rn. 5; AK-*Schöch* (1996), § 403 Rn. 5.

[144] OLG Celle NJW 2007, 3795; SK-*Velten* (2003), § 403 Rn. 4; KMR-*Stöckel* (2005), § 403 Rn. 3; KK-*Engelhardt* (2008), § 403 Rn. 7; Weiner/Ferber-*Ferber* (2008), Rn. 36; *Klein* (2007), S. 49.

[145] OLG Celle NJW 2007, 3795.

B. Der Ablauf des reformierten Adhäsionsverfahrens

Als Verletzter kann der Insolvenzverwalter nicht gelten, da (nach obiger Definition) kein Anspruch in seiner Person entstehen konnte – und das unabhängig vom Zeitpunkt der Insolvenzeröffnung[146]. Für eine Differenzierung nach dem Zeitpunkt der Insolvenzeröffnung besteht nach hier vertretener Ansicht kein Bedürfnis. Da der Insolvenzverwalter in eigenem Namen handelt, macht es überhaupt keinen Unterschied, zu welchem Zeitpunkt der Anspruch zur Entstehung gelangt ist. Gegen erstgenannte Ansicht spricht, dass der Insolvenzverwalter den Anspruch zu keinem Zeitpunkt erwirbt. Er hat nur für seine Geltendmachung zu sorgen. Zwar ist er kein Verletzter, jedoch kann er als Vertreter des Verletzten angesehen werden, dessen Vertretungsmacht nicht wie bei einem Rechtsanwalt aus einem Rechtsgeschäft folgt, sondern durch eine gesetzliche Bestimmung. Für dieses Ergebnis spricht auch die Regelung des § 92 S. 1 InsO, wonach während der Dauer eines Insolvenzverfahrens allein der Insolvenzverwalter einen so genannten Gesamtschaden der Gläubiger geltend machen darf[147]. Hier regelt der Gesetzgeber ausdrücklich, dass der Entstehenszeitpunkt der Ansprüche unerheblich ist. Der Insolvenzverwalter soll auch wegen Ansprüchen tätig werden, die vor Eröffnung des Insolvenzverfahrens entstanden sind. Im Fall eines Adhäsionsantrags sind die Umstände dieselben, was stark gegen eine Orientierung am Zeitpunkt eines Insolvenzantrags spricht. Damit kann ein Insolvenzverwalter wegen seiner besonderen Stellung, die einem Vertreter entspricht, stets einen Adhäsionsantrag stellen.

b) Erbe

Weiterhin erklärt das Gesetz den Erben für antragsberechtigt[148]. Dies ist sinnvoll, da der vermögensrechtliche Anspruch abgesehen von der Gesamtrechtsnachfolge keine Änderung erfährt. Gibt es, wie in den meisten Fällen, mehrere Erben, gelten die bürgerlich-rechtlichen Regeln über die Erbengemeinschaft

---

[146] So auch *Barthelmeß,* wistra 1998, 240; *Hilger,* JR 1998, 84, 85.

[147] Die Regelung ermöglicht es dem Insolvenzverwalter auch Ansprüche geltend zu machen, die nicht Ersatzansprüche der Insolvenzmasse selbst darstellen und für die § 80 InsO gilt. Der Insolvenzverwalter und nicht die Gläubiger sind also zur Rechtsdurchsetzung befugt. Der Gesamtschaden ist ein Schaden, den die Insolvenzgläubiger durch eine Verminderung des zur Insolvenzmasse gehörenden Vermögens *vor oder nach* (!) der Eröffnung des Insolvenzverfahrens erlitten haben (vgl. die Legaldefinition in § 92 S. 1 InsO). Ansprüche aus der Zeit *vor* Eröffnung des Insolvenzverfahrens sind dabei häufig Schadensersatzansprüche aus Pflichtverletzungen der Geschäftsführung, etwa Vermögensverschiebungen in Kenntnis der drohenden Insolvenz (vgl. hierzu Kreft-*Kayser* (2008), § 92 Rn. 14; Schmidt-*Pohlmann* (2007), § 92 Rn. 6).

[148] Unerheblich ist in diesem Zusammenhang, ob das Erbrecht auf gewillkürter oder gesetzlicher Erbfolge beruht. Auch die Erben der Erben sind über den Wortlaut hinaus erfasst (heute einhellige Meinung, vgl. *Meyer-Goßner* (2010), § 403 Rn. 4; zum früheren Streitstand LR-*Wendisch* (1978), § 403 Rn. 3). Wie hoch die praktische Bedeutung der Antragsberechtigung eines Erbens ist, kann nicht ausgewiesen werden, vermutlich dürfte sie nur eine verschwindend geringe Rolle spielen.

102   Kap. 2: Rechtliche Ausgestaltung des reformierten Adhäsionsverfahrens

(§§ 2032 ff. BGB). Dann kann zwar jeder einzelne der Erben den Anspruch geltend machen, jedoch nur in Form einer Leistung an alle[149]. Andere Rechtsnachfolger als Erben sind nach dem klaren Gesetzeswortlaut nicht antragsberechtigt. Dies gilt insbesondere für Sozialversicherungsträger oder für (private) Versicherer[150]. Bei ihnen ist der Anspruch nicht im Zeitpunkt der Tathandlung (spätestens des Erfolgseintritts) entstanden, sondern durch spätere Ereignisse, die im Sozialversicherungsverhältnis oder im Versicherungsvertrag ihren Rechtsgrund haben[151].

c) Nachweis der Antragsberechtigung

Für die Antragsberechtigung genügt es, wenn der Verletzte seine Anspruchsinhaberschaft behauptet[152]. Ein sicherer Nachweis ist für die Zulässigkeit des Adhäsionsverfahrens nicht erforderlich. Um völlig aus der Luft gegriffene Anträge auszuschließen, muss die Behauptung allerdings eine gewisse Substanz haben. Er muss durch den Antrag zum Ausdruck bringen, dass im Tatzeitpunkt bei ihm ein vermögensrechtlicher Anspruch gegen den Beschuldigten entstanden sein kann. Dies geschieht beim Verletzten regelmäßig schon mit der Geltendmachung der Ansprüche.

Beim Erben indes ist fraglich, ob die bloße Behauptung eines Erbrechts ausreichend sein kann. Immerhin ist die Einbeziehung der Erben in den Kreis der Antragsberechtigten nur sinnvoll, wenn deren Berechtigung für das mit dem Antrag befasste Strafgericht nicht schwieriger zu beurteilen ist als beim Verletzten selbst. Dies ist jedoch bei der bloßen Behauptung eines Erbrechts gegeben. Das Strafgericht darf nicht mit der oft weniger rechtlich als tatsächlich problematischen Frage nach der Erbenstellung belastet werden. Der Zweck der Justizökonomie überwiegt den opferschützenden Aspekt, da der Erbe gewissermaßen weiter von der Straftat entfernt positioniert ist als der Verletzte. Insofern stellt sich die Frage, was über die bloße Behauptung hinaus erforderlich ist. Ein Nachweis der Erbenstellung etwa durch einen Erbschein wird jedenfalls ausreichend sein[153]. Dies wird mitunter zwingend gefordert[154]. Indes ist diese Auffassung zu weitgehend. Beschränkt nämlich der Gesetzgeber den Nachweis eines Erbrechts auf

---

[149] *Joecks* (2008), § 403 Rn. 1.

[150] Anderes kann nur gelten, wenn die Versicherer selbst Verletzte sind (etwa in einem Betrugsstrafverfahren). Dann jedoch handelt es sich dann um einen „Normalfall".

[151] Allerdings wird entgegen dem eindeutigen Gesetzeswortlaut regelmäßig diskutiert, ob nicht de lege ferenda ein erweiterter Kreis von Antragsberechtigten zuzulassen sei.

[152] *Klaus* (2000), S. 29.

[153] Näher hierzu *Köckerbauer* (1993), S. 75.

[154] BGH NJW-Spezial 2010, 71. *Meyer-Goßner* (2010), § 403 Rn. 4; SK-*Velten* (2003), § 403 Rn. 4.

B. Der Ablauf des reformierten Adhäsionsverfahrens

den Erbschein, so ist dies wie etwa in § 35 Abs. 1 S. 1 GBO eigens geregelt. In anderen Fällen genügen andere Nachweisformen, wenn sie einen zuverlässigen Anhaltspunkt für ein Erbrecht geben. Wenn das Strafgericht die Antragsberechtigung eines Erben im Adhäsionsverfahren prüfen muss, soll es davor bewahrt werden, umfangreiche Nachforschungen über die materielle Erbenlage anstellen zu müssen. Zumindest die Vorlage eines eröffneten öffentlichen Testaments[155] genügt diesen Anforderungen ebenfalls, so dass dann kein Erbschein erforderlich ist.

d) Ergebnis

Die Antragsberechtigung steht dem Verletzten und seinem Erben zu. Verletzter ist demnach jeder Anspruchssteller, der behauptet, im Zeitpunkt der Tathandlung (spätestens des Erfolgseintritts) der angeklagten Tat den im Antrag angegebenen Anspruch erworben zu haben. Weitergehende Anforderungen werden in ausreichendem Maße durch das Merkmal „aus der Straftat erwachsen" präzisiert.

4. Antragsgegner

Das Gesetz umschreibt die Person des Antragsgegners in § 403 StPO eindeutig: der Beschuldigte. Entscheidend für die Passivlegitimation ist dabei nur die verfahrensrechtliche Stellung des Beschuldigten. Dagegen bleibt dessen zivilrechtliche Haftung außer Betracht[156]. Dies führt dazu, dass etwa ein Anspruch gegen Versicherer nicht im Adhäsionsverfahren geltend gemacht werden kann[157]. Diese sind zwar in gewisser Form von der angeklagten Tat „berührt". Diese zivilrechtliche Problematik ist jedoch so weit vom Strafverfahren entfernt, dass für – aus Sicht des Antragstellers gesehen – das Privileg zweier zusammengezogener Verfahren kein Raum mehr vorhanden ist. Titel gegen andere Personen als den Beschuldigten muss sich der Antragsteller demnach auf dem Zivilrechtsweg beschaffen, wenn dies nach Durchführung eines Adhäsionsverfahrens noch nötig sein sollte. Der Beschuldigte braucht dabei nicht prozessfähig zu sein, die Verhandlungsfähigkeit genügt[158].

Diese Ausführungen betreffen jedoch nur solche Verfahren, in denen der Beschuldigte volljährig, also über 18 Jahre alt ist. Bei Verfahren gegen Jugendliche

---

[155] Vgl. die ausdrückliche Bestimmung des § 35 Abs. 1 S. 2 GBO.

[156] *Köckerbauer,* NStZ 1994, 305, 306; *Wessing* (1998), S. 13; vgl. auch *Eggert,* VersR 1987, 546, 547, der als Beispiele auch den hinter dem Fahrer stehenden Kfz-Halter oder die hinter ihm stehende Kfz-Haftpflichtversicherung nennt.

[157] Etwa aufgrund § 115 VVG (vgl. Breyer/Endler/Thurn-*Franz* (2009), § 11 Rn. 85).

[158] Einhellige Meinung, vgl. SK-*Velten* (2003), § 403 Rn. 6; Weiner/Ferber-*Ferber* (2008), Rn. 42 m.w.N. sowie *Kuhn,* JR 2004, 397, 399, der allerdings zu Recht darauf hinweist, dass für verpflichtende Erklärungen, z.B. den Abschluss eines Vergleichs nach § 405 StPO, Geschäftsfähigkeit oder rechtswirksame Vertretung erforderlich ist.

104   Kap. 2: Rechtliche Ausgestaltung des reformierten Adhäsionsverfahrens

bestimmt § 81 JGG ausdrücklich, dass ein Adhäsionsantrag nicht gestellt werden kann. Ziel des Ausschlusses ist, den Erziehungsauftrag des Jugendstrafrechts nicht zu beeinträchtigen[159]. Befürchtet wird nämlich, dass der Verletzte zu sehr seine eigenen subjektiven Interessen verfolgt, was mit der Konzeption des Jugendstrafrechts grundsätzlich nicht vereinbar sei[160]. Wird trotzdem ein Antrag gestellt, so ist wegen Unzulässigkeit gem. § 406 Abs. 1 S. 3 Var. 1 StPO von einer Entscheidung abzusehen. Eine dennoch ergangene Entscheidung ist als nichtig anzusehen, da sie gegen den klaren Wortlaut des § 81 JGG verstößt[161]. Bei Verfahren gegen Heranwachsenden war bis zum Jahr 2007 ein Adhäsionsverfahren nicht möglich, soweit gegen sie nach § 105 JGG das materielle Jugendstrafrecht zur Anwendung gelangt (§ 109 Abs. 2 JGG a. F.)[162]. Bei der Anwendung des Erwachsenenstrafrechts war ein Adhäsionsantrag ohne weiteres zulässig. Diese Einschränkung hat der Gesetzgeber mit Inkrafttreten des 2. Justizmodernisierungsgesetzes aufgehoben, so dass nunmehr ein Adhäsionsverfahren in einem Strafverfahren gegen Heranwachsende zulässig ist.

5. Zuständigkeit des Gerichtes

Ein Adhäsionsverfahren ist nach § 403 StPO dann möglich, wenn der geltend gemachte Anspruch zur Zuständigkeit der ordentlichen Gerichte gehört. Dies sind alle bürgerlichen Rechtsstreitigkeiten ohne Sonderzuständigkeiten, § 13 GVG. Damit fallen in erster Linie die vermögensrechtlichen Ansprüche, die vor den Arbeitsgerichten geltend gemacht werden, aus dem Anwendungsbereich des Adhäsionsverfahrens heraus[163]. Im Gesetzgebungsverfahren war teilweise vorgesehen, auch solche Ansprüche zuzulassen[164]. Davon wurde jedoch Abstand genommen, da das Arbeitsrecht in starken Maße richterrechtlich geprägt sei, was die Befürchtung aufkommen ließ, die durchschnittliche Verfahrensdauer würde

---

[159] *Brunner/Dölling* (2008), § 81 Rn. 1; *Eisenberg* (2009), § 81 Rn. 4. Dies bedeutet natürlich nicht, dass die Restitutionsinteressen des Verletzten im Jugendstrafverfahren keine Rolle spielen. Im Gegenteil stellt das JGG ein differenziertes Instrumentarium zur Verfügung, das zwar keine titelverschaffende Funktion hat, jedoch auf Wiedergutmachung gerichtet ist (vgl. §§ 45 Abs. 2, 10 Abs. 1 Nr. 7 JGG).

[160] *Schaffstein/Beulke* (2002), S. 274.

[161] *Klein* (2007), S. 51.

[162] Vgl. hierzu die Kritik bei *Goerdeler,* ZJJ 2004, 184, 186, der die Erweiterung auf Heranwachsende kritisch sieht. Zum einen sei zweifelhaft, dass für sie trotz der Möglichkeit zur Schadenswiedergutmachung und zu einem Täter-Opfer-Ausgleich Bedarf bestand. Zum anderen seien die zivilrechtlichen Folgen mitunter einschneidender als die strafrechtlichen, so dass die Schutzposition des Heranwachsenden berührt werde.

[163] § 2 Abs. 1 Nr. 3d ArbGG erklärt die Arbeitsgerichte für alle unerlaubten Handlungen zuständig, die in Zusammenhang mit dem Arbeitsverhältnis stehen. Der Arbeitsgerichtsweg ist ein eigenständiger Rechtsweg (vgl. nur BAG NZA 1992, 954).

[164] BT-Drs. 15/1976 S. 15; *Rieß* (2005), S. 426.

B. Der Ablauf des reformierten Adhäsionsverfahrens 105

zu stark steigen[165]. Diese Beschränkung wird durchaus kritisch gesehen[166], stellt jedoch die derzeit geltende Rechtslage dar.

Die (zivilrechtliche) Zuständigkeit folgt dabei der strafrechtlichen, richtet sich also nach den §§ 24, 74 ff. GVG, 1 ff. StPO[167]. Dies stellt eine Abweichung von der zivilprozessrechtlichen Zuständigkeitsregelung dar. Ist das Gericht unzuständig, muss es von der Entscheidung über den Antrag nach § 406 Abs. 1 S. 3 Var. 1 StPO absehen[168]. Entscheidet das Gericht dennoch, so soll die Entscheidung nach einer schon früh erfolgten Entscheidung des BGH dann nicht nichtig sein, wenn Rechtskraft eingetreten ist[169]. Hinzuzufügen ist, dass diese Folge nur dann gelten kann, wenn die Entscheidung von keinen weiteren Unzulässigkeitsgründen als der fehlenden gerichtlichen Zuständigkeit betroffen ist. Liegt die Zuständigkeit der ordentlichen Gerichte vor, kommt es auf keine weiteren Merkmale an. Insbesondere muss der Antragsteller keine Streitwertgrenze beachten[170]. Erfolgt also die Anklage vor einem Landgericht, findet auch das Adhäsionsverfahren vor dem Landgericht statt. Erfolgt dagegen die Anklage vor einem Amtsgericht, so ist der Antrag nicht etwa deswegen unzulässig, weil etwa ein Schmerzensgeldanspruch mit einer Höhe von z. B. 25.000 € geltend gemacht wird, der an sich in den Zuständigkeitsbereich einer Zivilkammer am Landgericht gehört. Auch hier bleibt es bei der Zuständigkeit des Amtsgerichts[171].

6. Im Strafverfahren

Das Merkmal „im Strafverfahren" bedeutet, dass eine Hauptverhandlung stattfinden muss. Das Adhäsionsverfahren ist gerade darauf angelegt, dass das Gericht über den Anspruch nicht nach Aktenlage entscheidet, sondern über nach seiner „aus dem Inbegriff der Verhandlung geschöpften Überzeugung" (§ 261 StPO). Daher ist es auch unerheblich, ob ein Offizial- oder Privatklageverfahren bestritten wird[172]. Besonders deutlich wird die Ausrichtung auf eine Hauptverhandlung aus den §§ 404 Abs. 1 S. 1, Abs. 3, 405, 406 Abs. 1 S. 1 StPO.

---

[165] *Kuhn*, JR 2004, 397, 399. Vgl. auch BGHSt 3, 210. („Im Anschlußverfahren können vermögensrechtliche Ansprüche nicht geltend gemacht werden, zu deren Entscheidung das Arbeitsgericht ausschließlich zuständig ist.")

[166] *Rieß* (1984), S. C 103; *Stöckel* (2004), S. 843.

[167] *Kramer* (2004), Rn. 318.

[168] So auch *Klein* (2007), S. 65.

[169] BGHSt 3, 210, 212; so auch Weiner/Ferber-*Ferber* (2008), Rn. 47; KMR-*Stöckel* (2005), § 403 Rn. 10.

[170] *Eisenberg* (2008), § 20 Rn. 1. Vgl. ausführlich zur Darstellung dieser erst durch das Opferschutzgesetz im Jahr 1986 eingeführten Änderung: *Brokamp* (1990), S. 161 ff.

[171] Zu beachten ist, dass dies nur streitwertunabhängig gilt. Bei der ausschließlichen (aber seltenen) Zuständigkeit der Landgerichte nach § 71 Abs. 2 GVG ist ein Adhäsionsantrag vor dem Amtsgericht nicht möglich (HK-*Kurth* (2009), § 403 Rn. 12; KMR-*Stöckel* (2005), § 403 Rn. 11).

[172] AHStR-*Janker* (2002), Kap. Q Rn. 527.

106   Kap. 2: Rechtliche Ausgestaltung des reformierten Adhäsionsverfahrens

Auch im beschleunigten Verfahren nach den §§ 417 ff. StPO kommt es zu einer Hauptverhandlung, womit gegen eine Anwendung des Adhäsionsverfahrens bei dieser Verfahrensart an sich nichts einzuwenden ist. Dennoch scheint ein fruchtbares Zusammenspiel zwischen Adhäsions- und beschleunigtem Verfahren kaum denkbar. Das beschleunigte Verfahren dient zur raschen Aburteilung minderschwerer Straftaten und damit insbesondere der Entlastung von Staatsanwaltschaften und Gerichten[173]. § 417 StPO setzt voraus, dass ein einfacher Sachverhalt sowie eine klare Beweislage vorliegen, welche eine sofortige Hauptverhandlung ermöglichen[174]. Soll auch ein vermögensrechtlicher Anspruch mitentschieden werden, besteht die Gefahr, dass die Ziele des beschleunigten Verfahrens nicht mehr verwirklicht werden könnten. Beide Verfahren werden durch einen Antrag eingeleitet, über den das Strafgericht entscheiden muss. Nur in Fällen, in denen auch der vermögensrechtliche Anspruch von vornherein nach Grund und Höhe feststeht, kann ein Adhäsionsurteil auch im beschleunigten Verfahren ergehen. In anderen Fällen ist die Strafsache entweder für das beschleunigte Verfahren (§ 419 Abs. 1 S. 1 StPO)[175] oder für ein Adhäsionsverfahren ungeeignet (§ 406 Abs. 1 S. 4 StPO), je nach Fallgestaltung auch für beide. Eine Entscheidung hierüber steht im Ermessen des Gerichts. Ein „Rangverhältnis" zwischen beiden Verfahren ist nicht erkennbar. Beide Verfahren liegen dem Gesetzgeber aus prozessökonomischen Gründen „am Herzen"[176]. Den jeweiligen Antrag ordnungsgemäß zu bescheiden, ist in die Hände der Strafgerichte gelegt. Ohnehin dürften die Fälle, in denen beide Verfahren beantragt werden, in der Praxis eher eine seltene Ausnahme darstellen.

Im Strafbefehlsverfahren kommt es zu keiner Hauptverhandlung. Daher ist ganz herrschende Ansicht, dass ein Adhäsionsantrag hier nicht zulässig ist[177], sondern erst dann, wenn es entweder nach eingelegtem Einspruch oder nach § 408 Abs. 3 S. 2 StPO zu einer Hauptverhandlung kommt[178]. Dass de lege lata auch im Strafbefehlsverfahren ein Antrag möglich sei, wird nur ganz vereinzelt

---

[173] *Pfeiffer* (2005), vor § 417 Rn. 1. Vgl. zu den praktischen Problemen, welche das Verfahren betreffen *Roxin/Schünemann* (2009), § 61 Rn. 1 sowie *Ranft,* Jura 2003, 382, 383.

[174] Eingehend zu diesem Erfordernis OLG Düsseldorf NStZ 1997, 613.

[175] Das Gericht lehnt dann den Antrag ab und beschließt die Eröffnung des Hauptverfahrens (dann im „regulären" Verlauf).

[176] Vgl. für das beschleunigte Verfahren BT-Drs. 12/6853 S. 34 („stärkere Nutzung dieser Verfahrensart") und für das Adhäsionsverfahren BT-Drs. 15/1976 S. 8 („Belebung des Verfahrens").

[177] BGH NJW 1982, 1047, 1048; *Meyer-Goßner* (2010), § 403 Rn. 12; KMR-*Stöckel* (2005), § 403 Rn. 13; *Pfeiffer* (2005), § 403 Rn. 5; SK-*Velten* (2003), § 403 Rn. 9; LR-*Hilger* (2009), § 403 Rn. 20; AK-*Schöch* (1996), § 403 Rn. 47; *Klein* (2007), S. 69; *Loos,* GA 2006, 195, 197; *Rieß* (2005), S. 433.

[178] *Stöckel* (2004), S. 834.

B. Der Ablauf des reformierten Adhäsionsverfahrens 107

behauptet[179]. Hiergegen spricht neben dem eindeutigen Wortlaut der §§ 404 Abs. 1 S. 1, Abs. 3, 405, 406 Abs. 1 S. 1 StPO, die Erwägung, dass der Gesetzgeber im Opferrechtsreformgesetz keine Änderung vorgenommen hat, obwohl ihm die Unanwendbarkeit im Strafverfahren bekannt war[180].

7. Zivilverfahrensrechtliche Voraussetzungen

a) Allgemeines

Neben den Voraussetzungen der §§ 403, 404 StPO müssen weitere Voraussetzungen erfüllt sein, damit der Antrag zulässig ist. Diese folgen nicht aus der StPO, sondern aus dem Zivilprozessrecht. Der Grund hierfür liegt in der Erwägung, dass eine unzulässige Zivilklage nicht über den „Umweg" eines Adhäsionsverfahrens zulässig werden kann. Ansonsten könnten die vom Gesetzgeber geforderten Anforderungen an die zivilprozessuale Verfolgung von Ansprüchen leicht umgangen werden. Ziel des Adhäsionsverfahrens ist es nicht, einer unzulässigen Klage zur Zulässigkeit zu verhelfen. Auch hier spiegelt sich der Mechanismus des Verfahrens wieder, dass sich die Voraussetzungen grundsätzlich nach dem Strafverfahrensrecht richten. Nur wenn das Zivilverfahrensrecht eine Sachurteilsvoraussetzung aufstellt, die keine strafprozessrechtliche Entsprechung hat, muss ergänzend auf das Zivilverfahrensrecht zurückgegriffen werden. Die Geltung zivilverfahrensrechtlicher Voraussetzungen ist grundsätzlich umfassend. Dies hat zur Folge, dass das Strafgericht grundsätzlich auch alle Voraussetzungen zu überprüfen hat. Mit Rücksicht auf den insofern eher geringen Kenntnisstand der Strafgerichte sind die Prüfungspflichten jedoch in der Weise abgemildert, als in den §§ 403, 404 StPO die wichtigsten Voraussetzungen in spezieller Form geregelt sind und als einige Voraussetzungen gar nicht zur Anwendung gelangen. Wichtigstes Beispiel für letzteres ist die Befreiung einer Prüfung, ob eine obligatorische Güteverhandlung nach § 15a EGZPO durchgeführt werden muss, wenn sie durch Landesrecht eingerichtet wurde[181].

---

[179] *Sommerfeld/Guhra,* NStZ 2004, 420, 424; *Kuhn,* JR 2005, 397, 400. Die grammatikalische Begründung für die Unanwendbarkeit müsse hinter teleologischen Erwägungen zurücktreten.

[180] *Rieß* (2005), S. 433.

[181] Dies ergibt sich zum einen aus den (Schlichtungs-)Gesetzen der Länder, etwa in Hessen (§ 1 Abs. 2 Nr. 8 HessSchlG). Das obligatorische Güteverfahren ist derzeit in acht Bundesländern vorgesehen, vgl. die Übersicht bei MüKo-ZPO-*Gruber* (2008), § 15a EGZPO Rn. 2. Selbst wenn – wie im SchlG BW – eine derartige explizite Bestimmung fehlt, wird davon auszugehen sein, dass das Güteverfahren keine Voraussetzung sein kann. Insofern ist eine Nichtanwendungsvorschrift (etwa § 1 Abs. 2 SchlG BW) analog anzuwenden. Dafür spricht, dass ansonsten die Ziele des Adhäsionsverfahrens nicht mehr verwirklicht werden könnten, würde das Strafgericht angehalten, eine obligatorische Güteverhandlung durchzuführen.

108   Kap. 2: Rechtliche Ausgestaltung des reformierten Adhäsionsverfahrens

b) Beispiele

Von den vielen Voraussetzungen, die sich in gerichts-, partei- und streitgegenstandsbezogene Voraussetzungen einteilen lassen[182], seien die Folgenden hervorgehoben. Geltung beanspruchen jedoch (zumindest theoretisch) auch die übrigen Voraussetzungen ohne Äquivalent im Strafprozessrecht[183].

Für die Beurteilung der Prozessfähigkeit gelten die Bestimmungen der §§ 51 ff. ZPO. Ist der Antragsteller nicht prozessfähig, muss sein gesetzlicher Vertreter für ihn den Antrag stellen[184]. Einen Anwaltszwang nach § 78 ZPO gibt es im Adhäsionsverfahren nicht[185]. Dies gilt nur dann nicht mehr, wenn das Verfahren gegebenenfalls auf dem Zivilrechtsweg weitergeführt werden muss, etwa weil das Gericht von der Entscheidung über den Antrag abgesehen hat.

Weiterhin darf über die geltend gemachten Ansprüche noch nicht anderweitig entschieden worden sein. Sinn dieses Zulässigkeitsausschlusses ist, dass wegen der Gefahr divergierender Entscheidungen und der empfindlichen Störung des Rechtsfriedens keine erneute Entscheidung in derselben Sache ergehen soll[186]. Dies muss auch im Adhäsionsverfahren gelten, da ansonsten bereits entschiedene Ansprüche nochmals zur Entscheidung gebracht werden könnten, was den in der Prozessökonomie bestehenden Zweck des Adhäsionsverfahrens konterkarieren würde.

Der geltend gemachte Anspruch darf schließlich noch nicht anderweitig rechtshängig sein. Die Regelung des § 261 Abs. 3 Nr. 1 ZPO gilt insofern auch für Adhäsionsanträge. Ebenso wie ein gestellter Antrag durch dieselbe Wirkung wie eine (zivilprozessuale) Klageerhebung eine weitere Klage im Zeitraum der Rechtshängigkeit ausschließt, gilt dies auch umgekehrt. Wird der Anspruch bereits vor einem Zivilgericht eingeklagt, so entfällt das Bedürfnis, mit dem Adhäsionsverfahren einen Zivilprozess zu vermeiden. Insofern kann ein Adhäsionsantrag in dieser Situation seiner eigenen Zielrichtung nicht gerecht werden. Hat der Antragsteller über den streitgegenständlichen vermögensrechtlichen Anspruch ein Mahnverfahren (§§ 688 ff. ZPO) eingeleitet, hindert erst die alsbaldige Abgabe der Streitsache nach der rechtzeitigen Erhebung eines Widerspruchs nach § 696 Abs. 3 S. 1 ZPO die Zulässigkeit eines Adhäsionsverfahrens[187].

---

[182] Vgl. hierzu nur *Lüke/Ahrens* (2006), Rn. 150 sowie die Aufstellung bei Saenger-*Saenger* (2007), vor §§ 253–494a Rn. 14–35.

[183] Etwa verzichtbare Rügen, bei denen eine Unzulässigkeit daraus resultiert, dass sie eigens eingewandt werden (wie beispielsweise das Bestehen einer Schiedsvereinbarung nach § 1032 Abs. 1 ZPO).

[184] AnwK-*Krekeler* (2006), § 403 Rn. 2; *Joachimski/Haumer* (2006), S. 292.

[185] LR-*Hilger* (2009), § 403 Rn. 15.

[186] So genannte materielle Rechtskraftwirkung (vgl. nur *Schwab* (2007), Rn. 352). Zu den mitunter schwierigen Fragen, die diese Wirkung aufwirft *Lüke/Ahrens* (2006), Rn. 354 ff.

B. Der Ablauf des reformierten Adhäsionsverfahrens 109

8. Ergebnis

Die Zulässigkeitsvoraussetzungen des Adhäsionsverfahrens folgen vor allem aus den §§ 403 f. StPO. Sie sind den Sachurteilsvoraussetzungen einer zivilrechtlichen Klage nachempfunden. Antragsberechtigt ist der Verletzte, worunter jeder, der behauptet im Zeitpunkt der Tathandlung den im Antrag angegebenen Anspruch erworben zu haben, zu verstehen ist (adhäsionsspezifischer Verletztenbegriff), sowie sein Erbe.

II. Die Besonderheiten in den einzelnen Verfahrensabschnitten

1. Überblick

In den einzelnen Verfahrensabschnitten hat ein Adhäsionsantrag ganz unterschiedliche Auswirkungen auf den Ablauf[188]. Grundsätzlich gilt, dass die rechtliche Ausgestaltung der §§ 403 ff. StPO für eine Hauptverhandlung ausgelegt ist. Die den Antragsteller im Vergleich zum Zivilverfahren privilegierenden Umstände des Strafverfahrens[189] sollen ihm nur dann zugute kommen, wenn es in einer Hauptverhandlung zu einer umfassenden Aufarbeitung der angeklagten Geschehnisse kommt. Zudem entfaltet der Adhäsionsantrag seine einer Zivilklage vergleichbaren Wirkungen erst mit Eingang des Antrags bei Gericht. Eigene mit dem Antrag zusammenhängende Befugnisse können daher überhaupt erst ab diesem Zeitpunkt entstehen. Daher ist dieser Verfahrensabschnitt auch derjenige, auf den das Adhäsionsverfahren den größten Einfluss hat. Die Wirkung des Adhäsionsverfahrens auf den Ablauf des Strafverfahrens im Ermittlungs- und Zwischenverfahren kann nur dazu dienen, dass alle Verfahrensbeteiligten optimal auf die in der Hauptverhandlung erfolgende Erörterung zivilrechtlicher Ansprüche eingestellt sind. Dies kann treffend als „Vorwirkung" bezeichnet werden. Außer Frage steht, dass der Antragsteller, so er (wie in der überwiegenden Zahl der Fälle[190]) auch als „Verletzter" im Sinne der §§ 406d ff. StPO zu qualifizieren ist, die allgemeinen Verletztenrechte geltend machen kann. Diese stehen jedoch nicht in einem unmittelbaren Zusammenhang mit dem Adhäsionsantrag. Die hier zu

---

[187] Dann wird für den Zeitpunkt der Rechtshängigkeit auf die Zustellung des Mahnbescheides abgestellt. Für den Fall, dass die Voraussetzungen des Abs. 3 nicht vorliegen, vgl. Musielak-*Voit* (2009), § 696 Rn. 4.

[188] Auch das Rechtsmittelverfahren kann als Abschnitt des Strafverfahrens gelten. Welche Besonderheiten durch das Adhäsionsverfahren entstehen, soll aus Zweckmäßigkeitserwägungen erst *nach* der Darstellung der Entscheidungsmöglichkeiten durch das Gericht dargestellt werden.

[189] Vor allem die Geltung des Amtsermittlungsgrundsatzes.

[190] Zum Verletztenbegriff der §§ 406d ff. StPO, der deckungsgleich mit demjenigen des Klageerzwingungsverfahren nach § 172 StPO ist *Meyer-Goßner* (2010), Vor § 406d Rn. 2 und insbesondere *Hilger,* GA 2007, 287 ff.

110   Kap. 2: Rechtliche Ausgestaltung des reformierten Adhäsionsverfahrens

beantwortende Frage erschöpft sich darin, zu überprüfen, auf welche Weise die Behandlung zivilrechtlicher Ansprüche im Strafverfahren das Strafverfahren beeinflusst. In diesem Kapitel sollen daher zunächst die aus dem Adhäsionsverfahren folgenden Besonderheiten auf den Ablauf des Strafverfahrens im Ermittlungs- (2.), Zwischen- (3.) und Hauptverfahren (4.) vorgestellt werden. Zudem wird anschließend auf die Stellung der einzelnen Beteiligten in jedem der Verfahrensabschnitte eingegangen.

2. Ermittlungsverfahren

a) Einfluss der §§ 403 ff. StPO auf den Verfahrensablauf

aa) Information des Verletzten, § 406h S. 1 Nr. 2 StPO

Der Verletzte muss von seinen Rechten auch Kenntnis haben, um sie ausüben zu können. Die Möglichkeit eines Adhäsionsantrags ist dabei keine Option, die ein durchschnittlich rechtlich interessierter Bürger ohne weiteres kennt. Selbst Juristen ist sie bisweilen völlig fremd[191]. Diesen Umstand kennt auch der Gesetzgeber, weswegen er ab dem Jahr 1975 eine Mitteilungsobliegenheit in § 403 Abs. 2 StPO a.F. vorsah, die bis zum Opferrechtsreformgesetz galt. Danach sollte der Verletzte oder sein Erbe frühzeitig auf die Möglichkeit hingewiesen werden, seinen Anspruch auch im Strafverfahren geltend machen zu können. Die Ausgestaltung der Norm als „Soll-Vorschrift" führte dazu, dass in der Praxis der Hinweis regelmäßig unterblieb[192]. Flankiert wurde die Vorschrift von der Verwaltungsvorschrift Nr. 173 RiStBV, die den Inhalt des Hinweises genauer regelte[193]. Durch das Opferrechtsreformgesetz wurde die Hinweispflicht umgestaltet. Zunächst in § 406h Abs. 2 StPO, nunmehr durch das Zweite Opferrechtsreformgesetz in § 406h S. 1 Nr. 2 StPO ist geregelt, dass der Verletzte oder sein Erbe in der Regel und so früh wie möglich darauf hinzuweisen sind, dass und in welcher Weise sie einen aus der Straftat erwachsenen vermögensrechtlichen Anspruch geltend machen können[194]. Von einem Hinweis darf nur abgesehen wer-

---

[191] *Spiess* (2008), S. 171.

[192] *Scholz*, JZ 1972, 725, 726; *Köckerbauer* (1993), S. 101.

[193] Eine frühere Fassung von Nr. 173 RiStBV sah vor, dass der Hinweis nur in „geeigneten Fällen" erfolgen sollte. Laut Nr. 172 RiStBV a.F. war ein Fall dann nicht geeignet, wenn das Strafverfahren durch die Behandlung von Entschädigungsansprüchen verzögert würde. Da eine Verzögerung durch die Erweiterung des Prozessstoffes immer eintritt, war es der Staatsanwaltschaft fast immer auch möglich, vom Hinweis abzusehen.

[194] Die Anforderung wurde also verschärft. Vertreten wurde auch, dass bereits nach „richtig verstandener Altfassung" (*Klein* (2007), S. 239) eine primär die Staatsanwaltschaft treffende Pflicht zum Hinweis bestand (vgl. nur LR-*Hilger* (2009), § 403 Rn. 23). Ein Ermessen wurde ganz überwiegend abgelehnt (HK-*Kurth* (2001), § 403 Rn. 16; *Köckerbauer* (1993), S. 102; a.A. *Klaus* (2000), S. 36, der der Staatsanwalt-

B. Der Ablauf des reformierten Adhäsionsverfahrens

den, wenn ein Adhäsionsverfahren von vornherein völlig ungeeignet ist[195]. Eine ausnahmslose Hinweispflicht besteht damit nicht. Ein solche hat der Gesetzgeber aus praktischen Erwägungen heraus abgelehnt[196]. Daher hat er die Beschränkung „in der Regel" aufgenommen.

Welchen Inhalt der Hinweis an den Verletzten haben soll, wird von der (unverändert gebliebenen) Vorschrift Nr. 173 RiStBV konkretisiert. Am wichtigsten ist der grundsätzliche Hinweis auf das Adhäsionsverfahren. Darüber hinaus werden aufgezählt: Möglichkeit der Prozesskostenhilfe; Form und Inhalt des Adhäsionsantrags; Rat, den Antrag möglichst frühzeitig zu stellen; Hinweis auf Entscheidungsmöglichkeiten des Gerichts; Hinweis darauf, dass die weitere Verfolgung auf dem Zivilrechtsweg nicht ausgeschlossen ist. In der Praxis geschieht die Information in aller Regel über Hinweisblätter, wobei es hier keine bundeseinheitliche Vorgehensweise gibt. Die Informationspflicht betrifft sowohl die Staatsanwaltschaft als auch das Strafgericht, wenn es bei Bearbeitung der Akte feststellt, dass sie bislang unterblieben ist[197]. Da die Information „so früh wie möglich" erfolgen muss, hat sie in den meisten Fällen bereits im Ermittlungsverfahren zu erfolgen.

Unterbleibt der Hinweis, sieht das Gesetz keine Konsequenzen für den Ablauf des Strafverfahrens vor[198]. Eine Wiedereinsetzung in den vorigen Stand kann nicht verlangt werden[199]. Allenfalls theoretisch denkbar sind Amtshaftungsansprüche wegen einer Verletzung der Informationspflicht. Allerdings ist nur schwer vorstellbar, dass allein wegen der versäumten Hinweispflicht etwa ein Schadensersatzanspruch nach § 839 BGB i.V.m. Art. 34 GG entstehen kann.

bb) Auswirkungen des Antrags auf das Ermittlungsverfahren

Die Wirkungen des Adhäsionsantrags treten (erst) mit Eingang beim Strafgericht ein (§ 404 Abs. 2 S. 2 StPO). Daher ist die Staatsanwaltschaft nach Nr. 174

---

schaft eine „verantwortungsvolle Vorauswahl" zubilligte, damit mögliche Erwartungen beim Verletzten nicht enttäuscht werden, etwa im Falle eines Strafbefehls).

[195] *Klein* (2007), S. 40.

[196] BT-Drs. 15/1976 S. 18 mit dem Beispiel eines Massenverfahrens mit Hunderten betrugsgeschädigter Anleger.

[197] *Krumm,* SVR 2007, 41, 42. Insofern bietet sich ein Aktenvermerk über die erfolgte Information an.

[198] Vgl. auch BVerfG B. v. 9.10.2007 (2 BvR 1671/07 abrufbar unter www.bverfg. de), wonach die Verletzung der Informationspflicht des § 406h StPO keine Verletzung des grundrechtsgleichen Rechts auf rechtliches Gehör des Verletzten einer Straftat darstellt. Zustimmend auch *Wenske,* NStZ 2008, 434, 435 („strafprozessuale wie verfassungsrechtliche Selbstverständlichkeit").

[199] *Meyer-Goßner* (2010), § 406h Rn. 7; *Rieß/Hilger,* NStZ 1987, 145, 156. In der Praxis wird die Information des Verletzten als ausreichend angesehen, *Wenske,* NStZ 2008, 434, 437 („mittlerweile praktischer Regelfall").

112 Kap. 2: Rechtliche Ausgestaltung des reformierten Adhäsionsverfahrens

Abs. 2 RiStBV gehalten, den Antrag unverzüglich dem Gericht zuzuleiten, auch wenn die Ermittlungen noch nicht abgeschlossen sind.

Gem. § 404 Abs. 1 S. 3 StPO *muss* der Antrag dem Beschuldigten zugestellt werden. Dies folgt aus dem Wortlaut („... wird ... zugestellt"). *Nach* Anklage-erhebung (im Stadium des Zwischenverfahrens) ist diese Pflicht unproblema-tisch. Dies gilt jedoch nicht ohne weiteres für die Zeit *vor* Anklageerhebung. Hier könnte die Zustellung des Antrags ermittlungstaktischen Erwägungen zuwi-der laufen, da der Beschuldigte oft von einem gegen ihn laufenden Ermittlungs-verfahren noch nichts weiß und auch der Abschluss des Ermittlungsverfahrens unklar sein kann[200]. Vorgeschlagen wird, dass ein Antrag erst nach erhobener Anklage mit dieser gemeinsam zugestellt wird. Die Rechtshängigkeit sei bereits durch den Eingangsstempel des Gerichts ausreichend dokumentiert[201].

Dem kann so nicht gefolgt werden. Vom Wortlaut gedeckt ist diese Lösung nicht. Daher muss grundsätzlich von einer Zustellungspflicht auch *vor* Anklage-erhebung ausgegangen werden. Allerdings können die beschriebenen Probleme tatsächlich eine Zustellung kontraproduktiv werden lassen. Zweck der Vorschrift ist, dass sich der Beschuldigte auch auf den auf ihn zukommenden zivilrecht-lichen Teil des Strafverfahrens einstellen kann, damit ein „Überrumpelungsef-fekt" vermieden wird[202]. Aber auch nach Zustellung des Antrags mit der An-klage hat der Beschuldigte noch Gelegenheit, sich auf das (gesamte) Verfahren einzustellen[203]. Insofern würde eine spätere Zustellung nicht mit dem Schutz-zweck des § 404 Abs. 1 S. 3 StPO kollidieren. Daher kann folgende Auslegung der Vorschrift am ehesten gerecht werden: Eine zeitnahe Zustellung ist grund-sätzlich verpflichtend, in Ausnahmefällen (Gefährdung des Ermittlungserfolges; absehbare Unzulässigkeit des Antrags) kann bis zu einer etwaigen Anklageerhe-bung gewartet werden.

Ist eine Zustellung unterblieben, kann sie grundsätzlich in der Hauptverhand-lung durch mündliche Mitteilung geheilt werden[204]. Weitere Auswirkungen auf den Gang des Ermittlungsverfahrens hat der Adhäsionsantrag nicht[205].

b) Die Rechtsstellung der Beteiligten

Die Stellung des *Beschuldigten* im Ermittlungsverfahren unterscheidet sich nicht von einem Strafverfahren ohne Adhäsionsantrag. Er hat – abgesehen vom

---

[200] So Weiner/Ferber-*Havliza/Stang* (2008), Rn. 69.

[201] Weiner/Ferber-*Havliza/Stang* (2008), Rn. 70.

[202] Dies stellt eine Konkretisierung des Fair-Trial-Grundsatzes dar.

[203] Vgl. § 201 Abs. 1 StPO.

[204] *Klein* (2007), S. 33, der allerdings zu Recht auch auf die dann bestehende höhere Gefahr einer Absehensentscheidung hinweist.

[205] *Bohne,* Kriminalistik 2005, 166, 171.

B. Der Ablauf des reformierten Adhäsionsverfahrens

Recht, Kenntnis des Adhäsionsantrags zu erlangen – nicht mehr, aber auch nicht weniger Befugnisse. Durch den Adhäsionsantrag erhält auch der *Antragsteller* keine weiteren Befugnisse im Ermittlungsverfahren[206].

Die *Staatsanwaltschaft* besitzt keine von der StPO zugewiesene Funktion im Adhäsionsverfahren[207]. Dies bedeutet dagegen nicht automatisch, dass sie am Adhäsionsverfahren in keiner Form beteiligt ist[208]. Das Adhäsionsverfahren ist originärer Teil des Strafverfahrens. Aufgabe der Staatsanwaltschaft ist es, die Voraussetzungen für die Ausübung der Rechtsprechung zu schaffen und die rechtsprechende Tätigkeit der Gerichte zu fördern[209]. Daher ist klar, dass die Staatsanwaltschaft nicht „tatenlos" der Entwicklung des Adhäsionsverfahrens zuschaut. Sie muss dafür Sorge tragen, dass das Strafverfahren (inklusive Adhäsionsverfahren) den Bestimmungen gemäß abläuft[210]. An verschiedenen Stellen kann es daher Aufgabe der Staatsanwaltschaft sein, sich mit Fragen des Adhäsionsverfahrens zu befassen und dann im jeweiligen Fall auch auf eine möglichst rasche Verfahrenserledigung zu drängen[211]. Ein Indiz für die Befugnisse der Staatsanwaltschaft liefert die Verwaltungsvorschrift Nr. 174 RiStBV, welche „die Stellung der Staatsanwaltschaft im Entschädigungsverfahren" zum Gegenstand hat. Während des Ermittlungsverfahrens muss der Staatsanwalt überprüfen, ob der Verletzte entsprechend § 406h StPO belehrt wurde[212]. Wurde ein Antrag gestellt, ist die Staatsanwaltschaft verpflichtet, den Antrag dem Gericht beschleunigt zuzuleiten, da bei außerhalb der Hauptverhandlung gestellten Anträgen deren Wirkungen erst bei Eingang beim Gericht eintreten[213]. Bei der Entscheidung über den Abschluss der Ermittlungen muss die Staatsanwaltschaft berücksichtigen, dass der vorliegende Antrag nur dann weiter wirksam bleibt, wenn es letztlich auch zur Eröffnung der Hauptverhandlung kommt. Von einer rechtlich gebotenen Verfahrenseinstellung kann der Antrag die Staatsanwaltschaft nicht abhalten. Entscheidet sich der Dezernent für die Einstellung des Verfahrens nach § 170 Abs. 2 StPO oder §§ 153 ff. StPO oder die Beantragung eines Strafbefehls, sollte

---

[206] Hinzuweisen ist aber auf den (allgemeinen) Auskunftsanspruch nach § 406e Abs. 5 StPO sowie auf ein Akteneinsichtsrecht über einen Rechtsanwalt nach § 406e Abs. 1–4 StPO (hierzu *Kiethe,* wistra 2006, 50 ff.).

[207] Daher ist es auch nicht ganz korrekt von einer „Vergütung mit Hilfe des Staatsanwaltes" zu sprechen (vgl. *Liepe,* BauR 2001, 157).

[208] Ganz h.M. Weiner/Ferber-*Wolf* (2008), Rn. 270; *Plüür/Herbst,* NJ 2008, 14; LR-*Wendisch* (1989), sowie -*Hilger* (2001), § 404 Rn. 10; *Stöckel* (2004), S. 837.

[209] *Meyer-Goßner* (2010), Vor § 141 GVG Rn. 3.

[210] *Plüür/Herbst,* NJ 2008, 14, 15; Weiner/Ferber-*Wolf* (2008), Rn. 270.

[211] Weiner/Ferber-*Wolf* (2008), Rn. 264, der zu Recht darauf hinweist, dass der im Opferrechtsreformgesetz sichtbare gesetzgeberische Wille auch für die Staatsanwaltschaft Geltung beansprucht.

[212] *Plüür/Herbst,* NJ 2008, 14, 15. Ist aus den Unterlagen nicht ersichtlich, ob die Information stattfand, muss er sie unverzüglich nachholen.

[213] § 404 Abs. 2 S. 2 StPO. Dies gilt auch, wenn der Antrag bereits nach Abschluss der Ermittlungen noch gegenüber der Staatsanwaltschaft gestellt wurde.

114   Kap. 2: Rechtliche Ausgestaltung des reformierten Adhäsionsverfahrens

er den Verletzten darüber informieren, dass sein Antrag keine Wirkungen mehr entfaltet und er sich zur Durchsetzung seiner Ansprüche an das Zivilgericht wenden muss[214]. Bei einer Einstellung aus Opportunitätsgründen sind die (durch den Antrag manifestierten) Belange des Verletzten jedoch zu berücksichtigen, da sie das öffentliche Interesse an der Strafverfolgung beeinflussen können[215]. Erhebt die Staatsanwaltschaft Anklage, sollte sie das Gericht auf den Adhäsionsantrag und auf die Notwendigkeit seiner förmlichen Zustellung an den Beschuldigten hinweisen[216]. Genauso könnte sie den Richter informieren, dass der Antrag womöglich offensichtlich unbegründet ist, was zu einer schnellen und damit das Strafverfahren entlastenden Absehensentscheidung führen kann[217].

Im Ergebnis spielt das Adhäsionsverfahren im Ermittlungsverfahren nur eine ganz untergeordnete Rolle. Es ist nicht mit einer Aufwertung der Rechtsstellung von Beschuldigten und Antragsteller verbunden. Nur muss die Staatsanwaltschaft bei ihren Dispositionen berücksichtigen, dass ein Antrag gestellt wurde. Dies reicht allerdings nicht soweit, dass sie aus eigenem Antrieb heraus für die Durchsetzung der Ansprüche sorgen soll[218].

3. Zwischenverfahren

a) Einfluss der §§ 403 ff. StPO auf den Verfahrensablauf

Mit dem Zwischenverfahren entscheidet das Gericht anhand der öffentlichen Anklage und der Akten (vgl. § 199 Abs. 2 StPO) über die Eröffnung des Hauptverfahrens. Im Hinblick auf das Adhäsionsverfahren muss das Gericht prüfen, ob sich ein Adhäsionsantrag in der Akte befindet. Liegt kein Antrag vor, muss es weiter prüfen, ob der Verletzte bereits nach § 406h S. 1 Nr. 2 StPO i.V.m. Nr. 4d RiStBV informiert worden ist (Aktenvermerk) und eine Information gegebenenfalls nachholen. Liegt ein Antrag vor, muss das Gericht zunächst keine weiteren Schritte unternehmen. Dem Beschuldigten ist der Antrag nach § 404 Abs. 1 S. 3

---

[214] *Plüür/Herbst,* NJ 2008, 14, 15. Dies ist allerdings nicht verpflichtend, dennoch aber sehr wünschenswert. Zudem weisen sie daraufhin, dass dem Wiedergutmachungsinteresse des Antragstellers auch dann genüge getan werde, wenn die Staatsanwaltschaft eine Wiedergutmachungsauflage nach § 153a Abs. 1 S. 2 Nr. 1 (ggf. auch im Strafbefehl nach § 407 Abs. 2 S. 2) StPO erwägt. Beachte auch die allgemeine Vorschrift des § 35 StPO, der die Bekanntmachung von Entscheidungen zum Gegenstand hat.

[215] Weiner/Ferber-*Wolf* (2008), Rn. 279. Kritisch zum Begriff des öffentlichen Interesses an dieser Stelle *Roxin/Schünemann* (2009), § 14 Rn. 14.

[216] *Plüür/Herbst* (2010), S. 6. Unterbleibt die Zustellung, ist der Antrag zunächst unwirksam (BGH NStZ-RR 2005, 380).

[217] Dazu besteht allerdings keine Pflicht (daher treffend von *Plüür/Herbst,* NJ 2008, 14, 15 als „Serviceleistung" bezeichnet).

[218] In diese Richtung Weiner/Ferber-*Wolf* (2008), Rn. 277.

B. Der Ablauf des reformierten Adhäsionsverfahrens

StPO zuzustellen. Das Gericht kann aber auch bereits in diesem Stadium eine Absehensentscheidung treffen, wenn die Voraussetzungen hierfür vorliegen.

Der Adhäsionsantrag hat grundsätzlich keinen Einfluss auf den Eröffnungsbeschluss des Gerichts. Er hindert etwa das Gericht nicht, das Verfahren nach § 153a Abs. 2 StPO einzustellen. Der Antrag entfaltet jedoch insofern Wirkung, als das Gericht ihn in seiner Ermessensentscheidung berücksichtigen muss. In der Zeit, in der die Frist des § 153a Abs. 1 S. 3 StPO noch läuft, ist der Antrag gleichsam „schwebend unwirksam". Er wird ohne weiteres Zutun des Verletzten erneut wirksam, wenn das Verfahren wieder aufgenommen wird.

b) Die Rechtsstellung der Beteiligten

Die Rechtsstellung des *Beschuldigten* wird wie auch im Ermittlungsverfahren durch einen gestellten Adhäsionsantrag in keiner Form verändert. Auch der *Antragsteller* ist in diesem Verfahrensstadium nicht beteiligt. Auch wenn das Gericht nach § 202 StPO weitere Beweiserhebungen anordnet, bleibt er außen vor. Wiederum gelten „nur" die allgemeinen Verletztenrechte der §§ 406d ff. StPO[219]. Einzig vom Termin der Hauptverhandlung muss der Antragsteller nach § 404 Abs. 3 S. 1 StPO benachrichtigt werden. Hat er Terminsverlegungswünsche und stellt einen diesbezüglichen Antrag, muss das Gericht diesen nicht nachkommen. Auch dem ansonsten mit größeren Befugnissen ausgestatteten Nebenkläger wird dies durch die ausdrückliche Regelung in § 398 Abs. 2 StPO verwehrt. Die *Staatanwaltschaft* hat im Zwischenverfahren keine gegenüber dem „normalen" Strafverfahren erweiterte Stellung.

4. Hauptverfahren

a) Einfluss der §§ 403 ff. StPO auf den Verfahrensablauf

aa) Meinungsbild der Literatur zum Ablauf des Verfahrens

Aus den in der Hauptverhandlung gewonnenen Erkenntnissen heraus muss das Gericht über den Adhäsionsantrag entscheiden. In der Hauptverhandlung hat das Adhäsionsverfahren die größte Auswirkung auf das Strafverfahren, was besonders in der Ausgestaltung einzelner Rechte der Beteiligten liegt. Hier soll zunächst der Ablauf der Hauptverhandlung mit einem vorliegenden Adhäsionsantrag erörtert werden und erst im Anschluss die detaillierte Ausgestaltung der Rechtsstellung der Beteiligten. Der Wortlaut und die Reihenfolge der Vorschrif-

---

[219] Hier dürfte das Hauptaugenmerk wiederum auf dem Akteneinsichtsrecht des § 406e Abs. 1–4 StPO liegen. Vgl. *K. Schroth* (2005), Rn. 343; HK-*Kurth* (2009), § 404 Rn. 15; *Otto,* GA 1989, 289, 304.

116   Kap. 2: Rechtliche Ausgestaltung des reformierten Adhäsionsverfahrens

ten (§ 404 StPO: Antrag, § 405 StPO: Vergleich, § 406 StPO: Entscheidung) lassen vollkommen offen, auf welchem Weg das Strafgericht zu einer Entscheidung über einen Adhäsionsantrag gelangen kann. Daher kann als Anknüpfungspunkt nur die allgemeine Vorschrift des § 238 StPO dienen. Hiernach obliegt die Leitung der Verhandlung, worunter alle Maßnahmen zur Durchführung der Hauptverhandlung zu verstehen sind[220], dem Gericht. Über das Adhäsionsverfahren finden sich im Gesetz keine weiteren Ausführungen. Daher ist nach dem gesetzlichen Leitbild das Gericht im Rahmen dieser Verhandlungsleitungskompetenz in der Entscheidung, wie es den Antrag behandelt, im Grunde völlig frei. Die Entscheidung wie das Verfahren am effektivsten gestaltet werden soll, muss daher der den Prozess leitende Richter vornehmen. In der Literatur finden sich nur an wenigen Stellen Erläuterungen, die konkret den Gang der Hauptverhandlung betreffen[221]. In den meisten Fällen erschöpft sich die Darstellung im Hinweis darauf, dass das weitere Verfahren sich nach den Regeln der StPO richte[222]. Innerhalb des von § 243 StPO (Gang der Hauptverhandlung) und § 258 Abs. 2 StPO (Schlussvorträge, letztes Wort) gezogenen Rahmens liegt die Behandlung des Antrags allein im Ermessen des Gerichts[223]. Häufig wird an dieser Stelle darauf hingewiesen, dass der Amtsermittlungsgrundsatz gelte, was Antragsteller und Beschuldigten (die „Parteien") von der Beibringungspflicht entbinde[224]. Diese (Teil-)Aspekte stellen zutreffend die geltende Rechtslage dar, geben jedoch kein geschlossenes Gesamtbild einer Hauptverhandlung mit vorliegendem Adhäsionsantrag.

bb) Eigene Darstellung

Ausgangspunkt aller Überlegungen ist der Ablauf eines Strafverfahrens ohne den gestellten Adhäsionsantrag. Muss das Gericht über einen solchen entscheiden, führt dies nicht dazu, dass der Antrag den Ablauf des Verfahrens völlig auf den Kopf stellt, sondern zunächst nur dazu, dass das Strafgericht eine weitere Entscheidung zu treffen hat. Wie das Gericht diesen weiteren Entscheidungsprozess zu gestalten hat, liegt der gesetzgeberischen Grundentscheidung zufolge in seinem eigenen Ermessen. Zu beachten hat es dabei die §§ 238, 243, 258 StPO, sowie die (speziellen) Grundsätze des Adhäsionsverfahrens und die (allgemeinen) Prozessmaximen des Strafverfahrens.

---

[220] *Meyer-Goßner* (2010), § 238 Rn. 5.

[221] KMR-*Stöckel* (2005), § 404 Rn. 11, der kurz die Geltung des § 244 StPO, die fehlende Rügepräklusion der §§ 296, 282 ZPO sowie die eingeschränkte Geltung der Dispositionsmaxime darstellt. SK-*Velten* (2003), § 404 Rn. 12 und Weiner/Ferber-*Ferber* (2008), Rn. 84 ff. geben punktuell Hinweise auf den Ablauf.

[222] AK-*Schöch* (1996), § 404 Rn. 9; HK-*Kurth* (2009), § 404 Rn. 13; KMR-*Stöckel* (2005), § 404 Rn. 11; *Joecks* (2008), § 404 Rn. 5; AnwK-*Krekeler* (2006), § 404 Rn. 7.

[223] Weiner/Ferber-*Ferber* (2008), Rn. 85.

[224] KMR-*Stöckel* (2005), § 404 Rn. 12; HK-*Kurth* (2009), § 404 Rn. 14.

B. Der Ablauf des reformierten Adhäsionsverfahrens 117

Die vom Gesetzgeber offensichtlich erwünschte Freiheit des Gerichts kann jedoch auch erhebliche Probleme bereiten, insbesondere, wenn das Gericht (wie es oft der Fall sein wird) selten mit Adhäsionsanträgen befasst ist. Zudem sind den prozesslenkenden Handlungen des Vorsitzenden auch einige Grenzen gesetzt, wie im Folgenden zu zeigen sein wird.

Zunächst ist fraglich, in welchem *Zeitpunkt* das Gericht *die Zulässigkeit des Adhäsionsantrags* prüfen muss. Vertretbar erscheint, es dem Gericht freizustellen, wann es über die Zulässigkeit des Antrags und die Eignung zur Erledigung gerade im anhängigen Strafverfahren entscheidet. Beantworten kann man diese Frage nur, wenn man die Auswirkungen betrachtet, die ein Adhäsionsantrag auf das Strafverfahren hat. Mit der Antragstellung entstehen die Beteiligtenrechte, etwa das Teilnahmerecht des Antragstellers (§ 404 Abs. 3 S. 1 StPO). Diese Rechte können ihm jedoch nur dann zustehen, wenn sein Antrag auch zulässig ist und sich zudem zur Entscheidung im Strafverfahren eignet[225]. Anderenfalls wäre die Folge, dass eine Person Beteiligter an der Hauptverhandlung ist, die überhaupt nicht beteiligt sein dürfte. Dies ist nachteilig für den Beschuldigten. Hat der Antragsteller bis dahin aber beispielsweise oft und in sehr direkter Art von seinem Fragerecht Gebrauch gemacht, kann er den Angeklagten in Bedrängnis gebracht haben. Die Fakten stehen auch dann im Raum, wenn das Gericht von einem Adhäsionsurteil absieht. Es bedarf nicht viel Vorstellungskraft, sich auszumalen, wie sich dies auf den strafrechtlichen Teil des Verfahrens auswirken kann. Vor allem in Verfahren, die sich über mehrere Verhandlungstage hinziehen, besteht diese Gefahr. Findet die Prüfung des Adhäsionsantrags erst nach einigen Verhandlungstagen statt und ergibt die Prüfung die Unzulässigkeit oder die Ungeeignetheit, ist die schutzwürdige Verfahrensstellung des Angeklagten beeinträchtigt. Daher muss das Gericht sogleich über die Zulässigkeit und die Geeignetheit des Adhäsionsantrags entscheiden und kann die Beantwortung dieser Frage nicht nach seinem Ermessen hinauszögern. Den Antrag sollte der Vorsitzende frühestens nach der Verlesung des Anklagesatzes (§ 243 Abs. 3 S. 2 StPO) erwähnen, da der zu verhandelnde Sachverhalt vorher noch gar nicht in die Hauptverhandlung eingeführt ist. Liegt in diesem Zeitpunkt bereits ein Adhäsionsantrag vor, sollte das Gericht zwischen der Verlesung und der sich anschließenden Belehrung des Beschuldigten feststellen, dass ein zulässiger Adhäsionsantrag gestellt wurde, der sich nach den zu diesem Zeitpunkt vorliegenden Erkenntnissen auch zur Behandlung im Strafverfahren eignet.

Offen ist an dieser Stelle, was mit denjenigen Informationen zu geschehen hat, die in der Zeit erlangt wurden, als der vermeintliche Antragsteller unberechtigterweise Verfahrensbeteiligter gewesen ist. Keine Probleme entstehen, wenn er auf den bisherigen Gang der Verhandlung keinen Einfluss hatte. Anders liegt der Fall

---

[225] So auch *Feigen* (2007), S. 888.

118   Kap. 2: Rechtliche Ausgestaltung des reformierten Adhäsionsverfahrens

jedoch dann, wenn er aktiv den Verhandlungsverlauf durch Wahrnehmung seiner Rechte beeinflusst hat. Dann stellt sich vor allem aus Sicht des Beschuldigten die Frage, ob der unter Teilnahme des Antragstellers (oder seines Vertreters) stattgefundene Termin wiederholt werden muss, und ob die durch Teilnahme gewonnenen Erkenntnisse verwertet werden dürfen. Als Lösung wird hier vorgeschlagen, dass die Einflussnahme eines „unberechtigten" Antragstellers immer dann keine Auswirkung haben kann, wenn er diese Einflussnahme auch in Ausübung seiner Zeugenstellung hätte bewirken können. Dann nämlich besteht für den Beschuldigten kein Nachteil. Die Testfrage muss demnach lauten: Hat der unberechtigte Antragsteller in einer Art zum Ablauf der Hauptverhandlung beigetragen, wie er es auch als Zeuge hätte tun können? In diese Kategorie fallen alle Aussagen zur Sache. In den übrigen Fällen, wenn z.B. ein Beweisantrag gestellt wurde, stellt sich zunächst die Frage nach der *Wiederholung* der Hauptverhandlung. Eine § 29 Abs. 2 S. 2 StPO vergleichbare Regelung (Wiederholung einer Hauptverhandlung nach begründetem Richterablehnungsgesuch) fehlt für das Adhäsionsverfahren. Eine Analogie kommt aber nur in Betracht, wenn eine vergleichbare Interessenlage besteht[226]. Dies ist aber nicht der Fall. Die Vorschriften der Ausschließung oder Ablehnung eines Richters wollen dem Beschuldigten das Recht auf den gesetzlichen Richter (Art. 101 Abs. 1 S. 2 GG) wahren, indem sie ermöglichen, dass die gebotene Unvoreingenommenheit des Gerichts aufrecht erhalten bleibt[227]. Gegenüber dem Antragsteller im Adhäsionsverfahren besteht kein derartiges Recht auf einen „berechtigten Antragsteller". Eine Wiederholung der Hauptverhandlung kommt daher nicht in Betracht.

Anders kann die *Verwertbarkeit* der durch die Mitwirkung des Antragstellers erhaltenen Erkenntnisse zu beurteilen sein. Auch diesbezüglich schweigt das Gesetz. Einen Anhaltspunkt liefert § 74 StPO, der die Ablehnung eines Sachverständigen regelt. Ist der Ablehnungsantrag erfolgreich, ist anerkannt, dass ein bereits erstattetes Gutachten nicht verwertet werden darf[228]. Die Mitwirkung in der Funktion des Sachverständigen ist unter keinen Umständen denkbar. Der Sachverständige kann aber anschließend als Zeuge oder sachverständiger Zeuge über Tatsachen gehört werden, die Gegenstand seiner Wahrnehmung gewesen sind[229]. Diese Konstellation ist der des „unberechtigt agierenden Antragstellers" vergleichbar. Zwar kommt dem Antragsteller eine andere prozessuale Stellung zu als dem Sachverständigen. Während ersterer durch seine Beteiligung die Geltendmachung zivilrechtlicher Ansprüche verfolgt, dient letzterer durch seine Sachkunde als „Gehilfe des Gerichts"[230]. Im Gegensatz zum Antragsteller unterstützt der Sachverständige das Gericht. Aus Sicht des Beschuldigten indes stellt

---

[226] *Zippelius* (2005), S. 64.
[227] *Meyer-Goßner* (2010), vor § 22 Rn. 1.
[228] BGH NJW 2005, 445, 447; *Meyer-Goßner* (2010), § 74 Rn. 19.
[229] *Schirmer,* DAR 1988, 121, 123.

B. Der Ablauf des reformierten Adhäsionsverfahrens

sich die Situation ähnlich dar. Dies spricht meines Erachtens dafür, beide Konstellationen gleich zu behandeln. Daher können Erkenntnisse, die der unberechtigterweise beteiligte Antragsteller zum Sachverhalt beigetragen hat (zunächst) nicht verwertet werden. Einer nachträglichen Einvernahme als Zeuge steht jedoch nichts im Weg.

Bei der Vernehmung des Beschuldigten (§ 243 Abs. 4 StPO) erscheint es sinnvoll, ihn bereits hinsichtlich des Adhäsionsantrags zu befragen. Aber auch, wenn das Gericht sich entscheidet, zunächst den strafrechtlich relevanten Sachverhalt zu ermitteln und erst anschließend auf den Adhäsionsantrag einzugehen, liegt dies im Rahmen der richterlichen Prozessgestaltung. Im *Verlauf der Beweisaufnahme* steht es im Ermessen des Gerichts, zu welchem Zeitpunkt es auch über die den Adhäsionsantrag betreffenden Tatsachen Beweis erhebt. Hinsichtlich des Antrags gilt ausschließlich das Strengbeweisverfahren, also die gesetzlichen Beweismittel der StPO[231]. Die Verantwortung für die Richtigkeit und Vollständigkeit der Tatsachenermittlung obliegt auch für den zivilrechtlichen Anspruch dem Gericht[232]. Häufig sind über die Strafsache hinausgehende Beweiserhebungen völlig entbehrlich[233]. Während der Beweisaufnahme muss es den Antragsteller und den Beschuldigten zum Adhäsionsantrag anhören[234]. Diese Anhörung ist notwendige Bedingung für jede Adhäsionsentscheidung. Eine eigenständige Beweisaufnahme nur über den zivilrechtlichen Anspruch ist grundsätzlich zulässig[235]. Das Gericht muss sie sogar erwägen, da es eine Absehensentscheidung nur treffen kann, wenn eine zusprechende Adhäsionsentscheidung (auch nur zum Teil oder dem Grunde nach) oder ein Vergleich nicht möglich ist[236]. Oft enthält ein Adhäsionsantrag bereits Beweismittel[237]. Auch eine Unterbrechung der Hauptverhandlung kann in Betracht kommen. Hier wird allerdings gefordert, diese Möglichkeit eher restriktiv zu handhaben[238].

Stets im Blick behalten muss das Gericht, dass das Adhäsionsverfahren auch mit einem *Vergleich* zwischen Antragsteller und Beschuldigtem abgeschlossen werden kann (§ 405 StPO). Da der Sachverhalt häufig zu Beginn der Beweisauf-

---

[230] So bereits früh BGH NJW 1956, 1526. *Pfeiffer* (2005), Vor §§ 72–93 Rn. 1 weist aber zu Recht darauf hin, dass die Stellung des Sachverständigen durch die Komplexität der relevanten Fragen über eine bloße Gehilfenstellung hinausgeht.

[231] AK-*Schöch* (1996), § 404 Rn. 9.

[232] *Schirmer,* DAR 1988, 121, 123.

[233] Dies gilt besonders für den Anspruchsgrund (vgl. § 406 Abs. 2 HS 1 StPO).

[234] Vgl. etwa § 406 Abs. 5 StPO, wonach bei einer Absehensentscheidung ein Hinweis des Gerichts erfolgen muss. Bei einem Vergleich (§ 405 StPO) versteht sich dies von selbst.

[235] *Ranft* (2005), Rn. 2484.

[236] Zur Konzeption der gerichtlichen Entscheidungsmöglichkeiten im Adhäsionsverfahren siehe unten Kapitel 2: B. III.

[237] Vgl. § 404 Abs. 1 S. 2 StPO.

[238] *Knauer/Wolf,* NJW 2004, 2932, 2934; KK-*Gmel* (2008), § 229 Rn. 3.

120   Kap. 2: Rechtliche Ausgestaltung des reformierten Adhäsionsverfahrens

nahme noch nicht vollständig feststeht, dürfte sich die Erörterung des Vergleichs zu einem späteren Zeitpunkt eher anbieten. Das Gericht soll diese Erledigungsmöglichkeit im konkreten Fall bewusst einsetzen und Vergleichsmöglichkeiten ausloten. Eine vorgreifende Wirkung auf die Beweiswürdigung im Strafverfahren haben ein Vergleich oder auch nur die Vergleichsgespräche nicht. Dies ausdrücklich klarzustellen, ist bei Zweifeln des Beschuldigten Aufgabe des Gerichtes[239].

Grundlage für eine Entscheidung über den Adhäsionsantrag sind die nach dem Ergebnis der Beweisaufnahme in der Hauptverhandlung „für erwiesen erachteten Tatsachen" (§ 267 Abs. 1 StPO). Diese sind für das Gericht maßgeblich. In der – wie auch immer ausfallenden – Entscheidung muss das Gericht darlegen, warum diese Tatsachen die anspruchsbegründenden Voraussetzungen ausfüllen, oder warum von einer Entscheidung über den Antrag abgesehen wird[240]. Fraglich ist, ob es dabei an den Adhäsionsantrag gebunden ist, oder ob es darüber hinaus gehend auch weitere Ansprüche zusprechen darf. Eine dem § 308 Abs. 1 ZPO entsprechende Vorschrift, die als Ausdruck der das Zivilverfahren beherrschenden Dispositionsmaxime den Grundsatz „ne ultra petita" festschreibt, gibt es in der StPO naturgemäß nicht. Dennoch spricht alles dafür, dass auch das Strafgericht im Adhäsionsverfahren in seiner Entscheidung nicht über den Adhäsionsantrag hinausgehen darf. Zunächst ist die Orientierung der formellen Antragsvoraussetzungen an denjenigen der zivilverfahrensrechtlichen Klage ein Indiz dafür, dass auch im Adhäsionsverfahren der Antragsteller vorgeben soll, worüber gestritten wird. Würde das Gericht alle in der angeklagten Straftat resultierenden Ansprüche zusprechen, liefe dies auf ein im Hinblick auf die zivilrechtliche Seite (nicht vorgesehenes) amtswegiges Verfahren hinaus. In dogmatischer Hinsicht überzeugend ist das Argument, dass das Adhäsionsverfahren grundsätzlich nach der StPO abläuft. Nur wenn weder aus den strafverfahrensrechtlichen Bestimmungen noch aus den Prozessmaximen für die Lösung einer Auslegungsfrage Anhaltspunkte zu entnehmen sind, muss subsidiär auf zivilverfahrensrechtliche Bestimmungen zurückgegriffen werden, soweit diese den Zwecken des Strafverfahrens nicht widersprechen. Die §§ 403 ff. StPO schweigen zu dieser Frage völlig. Daher ist die Geltung von § 308 Abs. 1 ZPO angezeigt. Hiergegen sprechen auch nicht die Zwecke des Strafverfahrens. Im Gegenteil: Kann sich das Gericht auf die aus dem Adhäsionsantrag ersichtliche, vom Antragsteller erstrebte Rechtsfolge beschränken, führt dies dazu, dass das Strafverfahren weniger mit der Behandlung zivilrechtlicher Fragen befasst wird als bei einer umfassenden Prüfungspflicht. Diese im Einzelfall für den Verletzten nachteilige Folge wird durch die Geltung der richterlichen Fürsorgepflicht (und daraus resultierender Hinweismöglichkeiten für das Gericht) abgemildert. Die §§ 403 ff. StPO sollen es dem Verletzten ermöglichen, in einem geordneten Verfahren bereits im Strafverfahren

---

[239] Weiner/Ferber-*Havliza/Stang* (2008), Rn. 108.
[240] *Plüür/Herbst,* NJ 2005, 153.

B. Der Ablauf des reformierten Adhäsionsverfahrens

einen Titel gegen den Beschuldigten zu erlangen, nicht aber soll das Gericht gewissermaßen auf Seiten des Antragstellers alle denkbaren Ansprüche titulieren[241].

Dem Strafgericht steht für seine Entscheidung die *Erleichterung des § 287 ZPO* zur Verfügung, wonach es unter bestimmten Voraussetzungen Kausalität und Umfang eines eingetretenen Schadens nach freiem Ermessen bestimmen kann[242]. Hierin liegt eine Befreiung von der das Gericht nach § 244 Abs. 2 StPO treffenden umfassenden Amtsaufklärungspflicht. Das Ermessen bedeutet aber nicht, dass dem Gericht ermöglicht wird, ohne konkrete Anhaltspunkte die Höhe des Schadens zu bestimmen. Das Ermessen darf „nicht in der Luft schweben"[243]. Das Gericht muss sich an die Erkenntnisse der Beweisaufnahme halten, darf sich weiterhin nicht auf eine Sachkunde stützen, die es nicht selbst haben kann und muss zuletzt die wesentlichen Bemessungsfaktoren einhalten[244]. Vielmehr soll ausgeschlossen werden, dass von einer Entscheidung über den Antrag nur deswegen abgesehen werden muss, weil das Gericht nicht in der Lage ist, den vollen Beweis über einen Schaden zu erbringen. Da § 287 ZPO im Zivilverfahren vor allem dem Geschädigten und nicht dem Gericht helfen soll, erscheint seine praktische Bedeutung angesichts der Geltung des Amtsermittlungsgrundsatzes für das Adhäsionsverfahren nicht so groß. Im Zusammenhang mit der Schadensschätzung wird auf die Problematik für einen sich mit völligem Schweigen verteidigenden Beschuldigten hingewiesen[245], der sich angesichts der Risiken einer Schadensschätzung möglicherweise erst zu Aussagen hinreißen lässt. Damit stehe er nicht mehr unter dem Schutz des Beweisverwertungsverbots des vollständigen Schweigens[246]. *Loos* empfiehlt in diesen Fällen eine Absehensentscheidung[247]. Diese wird in vielen Fällen unausweichlich sein, darf jedoch nicht automatisch erfolgen. Vielmehr kann das Gericht nur von der Entscheidung absehen, wenn es die dafür erforderlichen Voraussetzungen für gegeben hält.

cc) Zusammenfassung

Zusammenfassend lässt sich für den Ablauf eines Adhäsionsverfahrens in der Hauptverhandlung festhalten:

---

[241] Im Ergebnis wie hier, aber mit einer Analogie zu § 139 ZPO *Klein* (2007), S. 78.

[242] Ganz h.M. *Meyer-Goßner* (2010), § 404 Rn. 11; SK-*Velten* (2003), § 404 Rn. 3; *Dallmeyer,* JuS 2005, 327, 329; Wabnitz/Janovsky-*Wagner* (2007), Kap. 28 Rn. 76.

[243] BGH NJW 1997, 1640, 1641.

[244] Vgl. zu den genauen Anforderungen und die insoweit auf das Adhäsionsverfahren übertragbaren Grundsätze bei Musielak-*Foerste* (2009), § 287 Rn. 6–9.

[245] *Loos,* GA 2006, 195, 206 f.

[246] Ein teilweises Schweigen darf nach h.M. als Beweisanzeichen gegen den Beschuldigten verwertet werden (BGHSt 32, 140, 145). Vgl. die Nachweise bei *Meyer-Goßner* (2010), § 261 Rn. 17.

[247] *Loos,* GA 2006, 195, 207.

122   Kap. 2: Rechtliche Ausgestaltung des reformierten Adhäsionsverfahrens

Die Zulässigkeit und die Geeignetheit des Antrags müssen sogleich nach Antragsstellung geprüft werden. Liegt schon vor Beginn der Hauptverhandlung ein Antrag vor, muss diese Prüfung spätestens nach der Verlesung des Anklagesatzes erfolgen. Empfehlenswert ist die Feststellung, dass ein zulässiger Adhäsionsantrag gestellt wurde, der sich nach den zu diesem Zeitpunkt vorliegenden Erkenntnissen auch zur Behandlung im Strafverfahren eignet.

Im Rahmen der Beweisaufnahme ist das Gericht völlig frei darin, wie es den Adhäsionsantrag behandeln will. Es kann sich von Zweckmäßigkeitserwägungen im konkreten Fall leiten lassen. Häufig wird sich anbieten, dass das Gericht nach Abschluss der strafrechtlichen Beweisaufnahme sowohl dem Antragsteller als auch dem Beschuldigten die Möglichkeit gibt, sich zur zivilrechtlichen Seite zu äußern. An dieser Stelle kann es auch die Vergleichsbereitschaft der Beteiligten ausloten.

Im Verlauf der Hauptverhandlung muss das Gericht die Zulässigkeitsvoraussetzungen des Antrags sowie seine Eignung im Blick behalten. Ergeben sich neue Anhaltspunkten für Zweifel an der Eignung muss es nach § 406 Abs. 5 StPO vorgehen.

b) Die Rechtsstellung der Beteiligten

aa) Stellung des Antragstellers

(1) Konzeption der Rechtsstellung des Antragstellers

Völlig anerkannt ist, dass dem Antragsteller in der Hauptverhandlung eine aktive Rechtsstellung eingeräumt werden muss[248]. Dies folgt aus dem verfassungsrechtlichen Anspruch auf rechtliches Gehör, Art. 103 Abs. 1 GG. Hiernach hat jeder, dem durch eine formell ausgestaltete Verfahrensbeteiligung eine prozessuale Rolle zugewiesen wird, einen Anspruch darauf, dass er vor Entscheidungen, die seine Rechte betreffen, zu Wort kommen muss, um Einfluss auf das Verfahren nehmen zu können[249]. Das Recht auf rechtliches Gehör enthält jedoch keine in allen Einzelheiten bestimmten Vorgaben, sondern muss durch den Gesetzgeber für die bestimmten Verfahrenskonstellationen konkretisiert werden. Dabei kann er bei der Ausgestaltung zwischen möglichen Alternativen wählen. Daher hat der Gesetzgeber einen großen Entscheidungsspielraum, wie er die Rechtsposition des Antragstellers ausgestaltet. Auf der einen Seite kann er dem Antragsteller eine starke Stellung im Verfahren zukommen lassen. Er kann ihm

---

[248] Bockemühl-*Hohmann* (2009), F3 Rn. 18; SK-*Velten* (2003), § 404 Rn. 8; *K. Schroth* (2005), Rn. 344; *Walther,* StraFo 2005, 452, 454; *Gräfin von Galen,* BRAK-Mitt. 2002, 110, 114; *Würtenberger* (1956), S. 200. Auf die Rechtsstellung des Antragstellers hatte das Opferrechtsreformgesetz keinen Einfluss.

[249] BVerfGE 89, 28, 34.

B. Der Ablauf des reformierten Adhäsionsverfahrens 123

die Geltendmachung einer Vielzahl von Rechten ermöglichen (Informationsrechte, verschiedene Antragsrechte, Stellungnahmerechte, Fragerechte). Auf die Spitze getrieben, erscheint denkbar, dass der Antragsteller nicht nur auf die zivilrechtliche Seite, sondern sogar auf den strafrechtlichen Verfahrensteil Einfluss nehmen kann. Auf der anderen Seite kann er die Position des Antragstellers auch als reine „Beobachterposition" ausgestalten, in der er nicht mehr als ein Zeuge ist. Nähme er an, dass die im Antrag übermittelten Informationen und eine auch die Verletzteninteressen berücksichtigende Prozessführung des Gerichts ausreichten, um über die zivilrechtlichen Ansprüche zu entscheiden, würde es keiner erweiterten Rechte bedürfen. Zwischen diesen Polen kommt eine Vielzahl von verschiedenen Möglichkeiten in Betracht. Die Extremposition einer sehr starken Rechtsstellung des Antragstellers ist dabei wegen ihres größeren Einflusses auf das Strafverfahren und der damit verbundenen stärkeren Beeinträchtigung des Beschuldigten verfassungsrechtlich problematischer als die andere Extremposition der sehr schwachen Rechtsstellung. Insbesondere ein Einfluss des Antragstellers auf die strafrechtliche Beurteilung ist von vornherein abzulehnen. Das Wesen des Strafverfahrens besteht darin, an den Zielen des Strafverfahrens ausgerichtet zu beurteilen, ob ein Beschuldigter tatsächlich einer Straftat schuldig ist. Der Strafprozess ist staatlich geprägt. Dies liegt daran, dass nicht nur der zur Lösung anstehende Konflikt zwischen Täter und Opfer bewältigt werden muss, sondern darüber hinaus auch die Bewährung der Rechtsordnung sowie der Schutz künftiger potenzieller Opfer gewährleistet werden soll[250]. Daher obliegt es auch dem Gesetzgeber zu entscheiden, wie ein Strafverfahren konkret ausgestaltet zu sein hat, und welche Personen in welcher Rolle beteiligt sein sollen. Verletzte sind dabei keine Hauptbeteiligte[251], sondern Nebenbeteiligte, also Personen, die sich im allgemeinen Interesse oder zur Abwehr eigener Rechtsnachteile am Verfahren beteiligen dürfen[252]. Sie können, müssen jedoch in der Regel nicht an der Entscheidung über die Strafbarkeit des Beschuldigten mitwirken. Der Beschuldigte hat einen Anspruch darauf, dass sich das vom Staat eingerichtete Strafverfahren auf die rechtsstaatliche Entscheidung über die ihm vorgeworfene Anklage konzentriert. Dies wäre jedoch dann nicht mehr der Fall, wenn das (naturgemäß weniger als Zivilgerichte mit der Materie befasste) Strafgericht ausschließlich über zivilrechtliche Ansprüche entscheidet. Daher kann die Rechtsstellung des Antragstellers niemals so stark ausgeprägt sein, dass der Fokus auf die vom Strafverfahren bezweckte Ermittlung der Schuld zugunsten zivilrechtlicher Ansprüche aus dem Blick gerät.

Auf der anderen Seite wäre eine schwache Verfahrensstellung zulässig. Dann bestünde kein über die Verpflichtung des Gerichts, über den Antrag zu entschei-

---

[250] *Kintzi*, DRiZ 1998, 65, 66.

[251] Wie Beschuldigter, sein Verteidiger oder Beistand, Staatsanwaltschaft aber auch Neben- und Privatkläger.

[252] Vgl. zu dieser Unterscheidung *Meyer-Goßner* (2010), Einl. Rn. 73.

124   Kap. 2: Rechtliche Ausgestaltung des reformierten Adhäsionsverfahrens

den, hinausgehender Einfluss des Adhäsionsverfahrens auf das Strafverfahren. Dies kann unter keinen Umständen bedenklich sein[253]. Dagegen würde eine schwache Stellung auch dazu führen, dass die mit dem Adhäsionsverfahren verfolgten Ziele schwieriger oder gar nicht erreicht werden können. Es fördert weder die Prozessökonomie noch den Opferschutz, wenn gänzlich ohne Beteiligung des Antragstellers über dessen Ansprüche entschieden wird.

Gewählt werden muss daher eine Rechtsstellung, die zwischen beiden Extrempositionen angesiedelt ist und die sowohl den Zwecken des Strafverfahrens als auch den Zielen des Adhäsionsverfahrens gerecht wird. Die Ausgestaltung der Rechtsstellung des Antragstellers kann deswegen auch als „Lackmustest" für das Adhäsionsverfahren gelten. Davon unabhängig sind die allgemeinen Verletztenrechte zu beachten. Sind diese so ausgestaltet, dass der Verletzte bereits eine starke Rechtsstellung innehat, besteht möglicherweise für eine noch weitergehende Gewährung von weiteren Befugnissen im Adhäsionsverfahren ein geringeres Bedürfnis.

Diese Überlegungen führen zu dem die Rechtsstellung des Antragstellers umfassenden Rahmen. Zunächst darf ihm kein direkter und aktiver Einfluss auf die strafrechtliche Seite des Prozesses zustehen[254]. Bei anderen Rechtsinstituten als dem Adhäsionsverfahren kann das anders und zulässig sein (Nebenklage, Privatklage). Diese verfolgen allerdings auch andere Zielrichtungen. Geht es allein um die Geltendmachung zivilrechtlicher Ansprüche im Strafverfahren, darf vom Anspruch auf rechtliches Gehör auch nur die zivilrechtliche Seite umfasst sein. Eine weitergehende Einflussmöglichkeit wird vom Schutzbereich nicht mehr getragen. Hiergegen spricht auch nicht, dass mit der Straftat ja gerade eine Voraussetzung für den zivilrechtlichen Anspruch ermittelt werden soll, eine Mitwirkung auch auf der strafrechtlichen Seite daher wenigstens mittelbar nötig ist. Anknüpfungspunkt für das Adhäsionsverfahren ist eben nicht die Straftat, sondern die Handlung des Beschuldigten, die gleichzeitig zur Verwirklichung eines Straftatbestandes und der Entstehung eines zivilrechtlichen Anspruches geführt hat. Weiterhin gilt es zu bedenken, dass die Positionen von Beschuldigtem und Verletztem nahezu austauschbar sein können, etwa wenn im Extremfall eine vom Beschuldigten behauptete, aber von der Staatsanwaltschaft nicht ernst genommene Notwehrsituation entscheidungsrelevant ist[255]. Dem Beschuldigten kann an Verletztenrechten nur zugemutet werden, was einem Unschuldigen als Sonderopfer gerade noch auferlegt werden kann[256].

---

[253] Die Gewährleistung effektiven Rechtschutzes (Art. 19 Abs. 4 GG, vgl. *Michael/ Morlok* (2010), Rn. 878 f.) wäre durch die Möglichkeit des Zivilrechtsweges gewahrt.

[254] So schon *Schönke* (1935), S. 157, allerdings weitergehend für alle Verletzten; *Würtenberger* (1956), S. 201.

[255] Zu diesem Gedanken *Rieß* (1984), S. C 53.

[256] *Rieß* (1980), S. 194.

B. Der Ablauf des reformierten Adhäsionsverfahrens 125

Zuletzt muss stets gegenwärtig bleiben, dass der Antragsteller bis zu einer rechtskräftigen Verurteilung des Beschuldigten im konkreten Strafverfahren nur ein „potenzieller" Verletzter ist[257]. Dies muss dazu führen, dass man ihm nicht undifferenziert Rechte zugestehen kann, die vom Zweck des Strafverfahrens nicht mehr gedeckt sind[258]. Dennoch muss die Ausgestaltung der Rechtsstellung dem Antragsteller die Gelegenheit geben, sich wirksam dagegen zu wehren, dass sich der Beschuldigte auf seine Kosten entlastet, oder dass andere Verfahrensbeteiligte ihn ungerechtfertigt angreifen. Zudem muss er so ausgestattet sein, dass er seinen Antrag aktiv zur Geltung bringen kann[259]. Im Ergebnis muss ein sinnvoller Kompromiss gefunden werden zwischen der möglichst ökonomischen Behandlung des zivilrechtlichen Anspruchs im Rahmen des Strafverfahrens einerseits und den Interessen des Antragstellers und des Beschuldigten andererseits.

Das gesetzgeberische Konzept der §§ 403 ff. StPO versucht, diese Vorgaben umzusetzen. Der Gesetzgeber hat sich dagegen entschieden, die Rechtsstellung des Antragstellers detailliert zu regeln, wie er dies etwa in § 385 StPO für den Privat- und in den §§ 397 f. StPO für den Nebenkläger getan hat. Die unbefangene Gesetzeslektüre ergibt als einziges Recht für den Antragsteller das Teilnahmerecht an der Hauptverhandlung, § 404 Abs. 3 S. 2 StPO. Daher hat er grundsätzlich nicht dieselbe Stellung wie ein Nebenkläger[260]. Weitere Rechte werden nicht genannt, aber auch nicht ausdrücklich ausgeschlossen. Dieses Schweigen des Gesetzes kann daher bewusst gewählt sein, oder es kann sich um eine planwidrige Regelungslücke handeln, die sinnvoll ausgefüllt werden muss. Dies müssen die folgenden Erörterungen ergeben.

(2) Recht zur Teilnahme an der Hauptverhandlung, § 404 Abs. 3 S. 2 StPO

(a) Inhalt des Teilnahmerechts

Die einzige Vorschrift, die über die Rechtsstellung des Antragstellers Auskunft gibt, ist § 404 Abs. 3 S. 2 StPO, die ein für den Antragsteller und einen ausgewählten Kreis ihm nahe stehender Personen ein Teilnahmerecht an der Hauptver-

---

[257] *Kintzi*, DRiZ 1998, 65, 67 spricht insofern von einer „Opfervermutung". Vgl. zum „vorsichtigen" Umgang mit diesem Begriff *Weigend* (1989), S. 424 und *Kilchling*, NStZ 2002, 57, die zu Recht feststellen, dass auch ein zunächst nur „vermeintlich" Verletzter nicht einfach als Nicht-Verletzter bezeichnet und behandelt werden kann.

[258] *Jäger* (1996), S. 166.

[259] *Weigend* (1989), S. 20.

[260] *Schork*, Jura 2003, 304, 308; *Sachsen Gessaphe*, ZZP 112 (1999), 3, 6; *Eser* (1989), S. 731. Am Rande sei angemerkt, dass aus dem Zusammenspiel zwischen Nebenklage und Adhäsionsverfahren folgt, dass der Antragsteller, von §§ 406e Abs. 1 S. 2 und 406g StPO profitieren kann, wenn er nebenklagebefugt ist. Legt er Nebenklage ein, gelten zusätzlich die §§ 397 ff. StPO.

126 Kap. 2: Rechtliche Ausgestaltung des reformierten Adhäsionsverfahrens

handlung normiert[261]. Unklar ist, worin genau dieses Teilnahmerecht besteht. Teilnahme bedeutet zumindest Anwesenheit. Auch wenn die Öffentlichkeit nach §§ 171a ff. GVG ausgeschlossen wird, kann der Antragsteller im Verfahren weiterhin anwesend sein. Fraglich ist, ob sich die Teilnahme allein darin erschöpft. Der Wortlaut ist eher zurückhaltend formuliert. Er lässt sowohl die passive Teilnahme zu als auch ein aktiveres Eingreifen in den Prozessverlauf. Der Vergleich mit § 397 Abs. 1 S. 1 StPO, der dem Nebenkläger ausdrücklich ein Anwesenheitsrecht verschafft, spricht dafür, dass Teilnahme mehr bedeuten muss als Anwesenheit. Der Sinn und Zweck des Teilnahmerechts spricht für über die bloße Anwesenheit des Antragstellers hinausgehende Befugnisse. Ein Teilnahmerecht gibt nur dann Sinn, wenn es dem Antragsteller auch möglich ist, zu seinem Antrag Stellung zu nehmen. Über den Antrag muss das Gericht auch entscheiden, wenn der Antragsteller abwesend ist. Würden sich seine Rechte in einer bloßen Anwesenheit erschöpfen, bedürfte es auch keiner Regelung, die ausdrücklich ein Teilnahmerecht vorsieht. Zudem kann davon ausgegangen werden, dass dies auch die Linie des Gesetzgebers ist. Bereits im Jahr 1956 hat der Bundesgerichtshof entschieden, dass aus dem Teilnahmerecht weitere Rechte folgen können[262]. Weder in den beiden großen Reformwerken[263], noch durch einzelne Initiativen hat der Gesetzgeber zu erkennen gegeben, dass diese gerichtliche Auslegung seinen Intentionen zuwider läuft. Durch das Teilnahmerecht soll der Antragsteller in die Lage versetzt werden, seine zivilrechtliche Position sachgerecht geltend machen zu können. Dazu muss er grundsätzlich zumindest Stellung zum Antrag nehmen können. Zu Recht ist daher davon auszugehen, dass das Teilnahmerecht mehr als ein bloßes Anwesenheitsrecht darstellt[264].

„Teilnahme" bedeutet allerdings nicht *stetige* Anwesenheit. Problematisch ist sie nämlich, wenn der Adhäsionskläger – wie in den meisten Fällen – gleichzeitig Zeuge ist. An dieser Stelle gerät das Teilnahmerecht in Konflikt mit § 58 Abs. 1 S. 1 StPO, wonach Zeugen aus Gründen ihrer Unbefangenheit[265] bis zu ihrer Aussage den Sitzungssaal verlassen müssen[266]. Als Lösungsmöglichkeiten

---

[261] Das Recht auf Benachrichtigung über Ort und Zeit der Hauptverhandlung, § 404 Abs. 3 S. 1 StPO aus Ermittlungs- und Zwischenverfahren soll die Geltendmachung des Teilnahmerechts gewährleisten.

[262] BGH NJW 1956, 1767 („Natur der Sache"), seitdem ständige Rechtsprechung.

[263] In den Begründungen und sonstigen Materialien zum Opferschutzgesetz (1986), und zum Opferrechtsreformgesetz (2004), finden sich keinerlei Anhaltspunkte für Zweifel an der Rechtsprechungslinie.

[264] Auch den Prozesszielen des Strafverfahrens dient die Einbeziehung des Verletzten. Etwa wird der Zweck „Wahrheit" unterstützt, wenn er als „Beweisperson" herangezogen wird. Darüber hinaus dient es dem Zweck „Rechtsfrieden", wenn auch seine eigenen Interessen während des Verfahrensverlaufs berücksichtigt werden (vgl. *Rieß* (1984), S. 52).

[265] BGHSt 3, 386, 388.

[266] Vgl. ausführlich zu dieser Problematik *Klein* (2007), S. 80–83.

B. Der Ablauf des reformierten Adhäsionsverfahrens

werden vorgeschlagen, dass § 58 Abs. 1 StPO hinter § 404 Abs. 3 S. 2 StPO zurücktrete[267], dass umgekehrt § 404 Abs. 3 S. 2 StPO hinter § 58 Abs. 1 StPO zurücktrete[268], oder dass ein Ausgleich zwischen beiden Regelungen dergestalt erreicht werden könne, dass das Gericht den Antragsteller gleich als ersten Zeugen vernehmen solle[269]. Dass eine der beiden genannten Normen gegenüber der anderen vorrangig sein soll, ist dem Gesetz nicht zu entnehmen. Derartige Vorschläge haben ihren Grund darin, dass entweder dem (§ 58 Abs. 1 StPO zugrunde liegenden) Schutz der Wahrheitsfindung oder dem (§ 404 Abs. 3 S. 2 StPO zugrunde liegenden) Schutz des Anspruchs auf rechtliches Gehör der Vorrang eingeräumt wird. Indes ist eine Rangordnung zwischen beiden Prinzipien kaum auszumachen[270]. Tendenziell ist dem Teilnahmerecht jedoch der Vorrang einzuräumen. Hierfür spricht nicht nur, dass der aus Art. 103 Abs. 1 StPO folgende Minimalumfang des Anspruchs auf rechtliches Gehör[271] des Antragstellers bei einer (unfreiwilligen) Abwesenheit nicht gewahrt würde, sondern auch, dass durch die Prozessordnung nicht gewährleistet ist, dass der Antragsteller durch das Gericht über Vorgänge in seiner Abwesenheit informiert wird[272]. Die praktikabelste Lösung ist in der Tat, dass der Antragsteller als erster Zeuge vernommen wird, da in diesen Fällen beiden Vorschriften genüge getan wird. Bei mehreren Antragstellern muss das Gericht entscheiden, welchen Antragsteller es zuerst vernimmt. Der oder die anderen werden anschließend vernommen.

Hinzu kommt ein Konflikt mit der Vorschrift des § 243 Abs. 2 StPO, wonach Zeugen den Sitzungssaal vor der Vernehmung des Angeklagten verlassen müssen. Auch hier stellt sich die Frage nach einem Ausgleich. Eine verhältnismäßig einfach zu praktizierende Lösung wie bei § 58 Abs. 1 StPO gibt es nicht. Für die Auflösung des Konfliktes ist die Gewichtung des Teilnahmerechts sowie das Normverständnis des § 243 Abs. 2 StPO entscheidend. Letzterer wird als reine Ordnungsvorschrift angesehen[273]. Eine vergleichbare Regelung zu § 397 Abs. 1

---

[267] *Meyer-Goßner* (2010), § 58 Rn. 3; KMR-*Stöckel* (2005), § 404 Rn. 8; HK-*Kurth* (2009), § 404 Rn. 11; *K. Schroth* (2005), Rn. 344; KK-*Engelhardt* (2008), § 404 Rn. 9; Breyer/Endler/Thurn-*Franz* (2009), § 11 Rn. 88; *Prechtel,* ZAP 2005, 399, 400; *Schmanns* (1987), S. 44.

[268] *Henkel* (1968), S. 415; *Meier/Dürre,* JZ 2006, 18, 21.

[269] LR-*Hilger* (2009), § 404 Rn. 12; AK-*Schöch* (1996), § 404 Rn. 48; *Klein* (2007), S. 83; Weiner/Ferber-*Ferber* (2008), Rn. 86; *Schmanns* (1987), S. 45. Zur parallel laufenden Praxis bei der Nebenklage Graf-*Weiner* (2010), § 397 Rn. 2.

[270] Einerseits wird der Anspruch auf rechtliches Gehör als „prozessuales Urrecht" bezeichnet (BVerfGE 55, 1, 6), andererseits ist Ziel des Strafverfahrens, die (materielle) Wahrheit herauszufinden, vgl. *Volk* (2008), § 3 Rn. 1.

[271] Nämlich das Recht auf Information, auf Stellungnahme und auf Berücksichtigung der Stellungnahme (BVerfGE 101, 106, 129).

[272] Vgl. die zugunsten des Beschuldigten bestehende Bestimmung des § 247 S. 4 StPO.

[273] KK-*Schneider* (2008), § 243 Rn. 14; LR-*Gollwitzer* (2001), § 243 Rn. 15; *Klein* (2007), S. 83.

128 Kap. 2: Rechtliche Ausgestaltung des reformierten Adhäsionsverfahrens

S. 1 StPO, der dem Nebenkläger ein Anwesenheitsrecht gibt, findet man für den Antragsteller nicht[274]. Dass der Nebenkläger alle Informationen aus der Hauptverhandlung erhält, wird vom Gesetzgeber als sehr bedeutsam angesehen. Ein Vergleich mit der Stellung des Nebenklägers unter diesem Aspekt ergibt, dass auch der Antragsteller anwesend sein darf. Er hat keine andere Möglichkeit, die notwendige Kenntnis von der Vernehmung des Angeklagten zu erhalten, in der immerhin der auch den geltend gemachten Ansprüchen zugrunde liegende Sachverhalt aufgeklärt werden soll. Auch bedarf es keiner eigenen Ausnahmevorschrift, da die Teilnahme weiter reicht als die Anwesenheit, wie sie § 397 StPO vorsieht. Um die Unbefangenheit der Zeugenaussage wenigstens zum großen Teil erhalten zu können, wird empfohlen, dass das Gericht den Antragsteller darauf hinweist, dass der Beweiswert seiner Zeugenaussage möglicherweise dadurch beeinträchtigt sein könnte, dass er während der Aussage des Beschuldigten anwesend war[275]. Weiterhin wird empfohlen, dass der Antragsteller freiwillig für die Zeit der Vernehmung auf sein Teilnahmerecht verzichten solle, insbesondere wenn er anwaltlich vertreten sei[276]. Diese Empfehlungen umgehen den Konflikt, daher können sie durchaus in taktische Erwägungen einzubeziehen sein. Hier wird dafür plädiert, im Teilnahmerecht nach § 404 Abs. 3 S. 2 StPO eine Spezialregelung gegenüber § 243 Abs. 2 S. 1 StPO zu erblicken. Aus dem Teilnahmerecht folgt also ein Anwesenheitsrecht für die Zeit der Vernehmung des Beschuldigten.

Weiterhin bedeutet Teilnahmerecht nicht auch Teilnahmepflicht. Das Strafverfahren wird unabhängig von An- oder Abwesenheit des Antragstellers durchgeführt und über den Adhäsionsantrag wird auch entschieden. Die Vertretung durch einen Rechtsanwalt oder eine andere geeignete Person, etwa einem rechtskundigen Bekannten, ist möglich[277].

Über das Teilnahmerecht hinausgehende Befugnisse sieht das Gesetz nicht vor. Hauptgrund der rudimentären Regelung ist, dass das Verfahren möglichst nicht durch die Wahrnehmung von Verfahrensrechten durch den Antragsteller in die Länge gezogen werden soll[278]. Dennoch kann die Rechtsstellung des Antragstellers nicht allein mit einem Blick auf ein möglichst ökonomisches Strafverfahren bestimmt werden. Würde es allein darum gehen, so müsste bereits die rechtspolitische Grundentscheidung gegen das Adhäsionsverfahren ausfallen, also gegen ein – aus Sicht des Verletzten – prozessuales Angebot des Gesetzgebers. Insofern

---

[274] Auch andere Verfahrensbeteiligte haben (trotz Zeugenstellung) ein Anwesenheitsrecht. Vgl. die Aufzählung bei *Meyer-Goßner* (2010), § 243 Rn. 8 (u. a. Sitzungsstaatsanwalt, Verteidiger, Nebenkläger, nebenklageberechtigter Verletzter, Beistand).

[275] Weiner/Ferber-*Ferber* (2008), Rn. 86.

[276] *Prechtel*, ZAP 2005, 399, 400.

[277] Weiner/Ferber-*Ferber* (2008), Rn. 86 mit dem Hinweis auf § 157 ZPO und § 138 Abs. 2 StPO.

[278] So schon *Schönke*, DRZ 1949, 121, 123.

B. Der Ablauf des reformierten Adhäsionsverfahrens 129

darf sich der Beschleunigungsgrundsatz nicht selbst im Weg stehen[279]. Zudem ist klar, dass die Teilnahme für den Antragsteller mehr beinhalten muss, als die Stellung eines Zeugen, da es ansonsten einer eigenen Regelung überhaupt nicht – nicht einmal deklaratorischer Art – bedurft hätte[280].

(b) Von Rechtsprechung und Literatur entwickelte weitere Rechte

In der bereits erwähnten Entscheidung des Bundesgerichtshofs[281] wurde anerkannt, dass sich eine Teilnahme nicht in bloßer Anwesenheit erschöpfen kann. Mit der Wandlung der Verfahrensziele des Adhäsionsverfahrens hat sich auch die Beantwortung der Frage gewandelt, wie die Rechtsstellung des Antragstellers ausgestaltet ist[282]. Die das Verfahren verzögernde Geltendmachung von Rechten durch den Antragsteller ist vom Ziel des Opferschutzes umfasst und wird daher eher hingenommen. Die einzelnen in Rede stehenden Rechte kann man der Übersichtlichkeit halber in das Recht auf „Unterstützung", auf „Stellungnahme" und auf „Einflussnahme auf das Verfahren" unterteilen.

(aa) Recht auf Unterstützung

Der Antragsteller kann in der Hauptverhandlung im *Beistand eines ihn beratenden Rechtsanwaltes* auftreten[283]. Dieses „Recht auf Unterstützung" folgt daraus, dass bereits im Jahr 1950 die Vorschrift des § 404 Abs. 3 S. 3 StPO a. F., nach dem kein Rechtsbeistand erlaubt war, gestrichen wurde[284]. Dagegen besteht kein Anwaltszwang, übrigens auch nicht vor dem Land- oder Oberlandesgericht. Unter das Recht auf Unterstützung fällt im Übrigen, dass auch der Antragsteller Adressat der richterlichen Fürsorgepflicht ist.

(bb) Recht auf Stellungnahme

Der Antragsteller hat ein *Anhörungsrecht*. Dieses folgt unmittelbar aus dem Teilnahmerecht. Ein den Prozess lediglich passiv verfolgender Antragsteller würde sich in seiner Stellung nur unwesentlich von einem bloßen Zuschauer unterscheiden. Daher muss der Antragsteller sich zu seinem Adhäsionsantrag äußern dürfen. Wie dies in der Praxis ausgestaltet werden kann, ist wiederum der

---

[279] *Köckerbauer,* NStZ 1994, 305, 307; *Dölling* (2007), S. 83.

[280] Vgl. in diesem Zusammenhang bereits *Gleispach* (1938), S. 204 („nicht nur stummer Zuhörer").

[281] BGH NJW 1956, 1767 f.

[282] Diese Wandlung wurde begünstigt durch zahlreiche Stellungnahmen und Forderungen in der Literatur (vgl. etwa *Holst* (1969), S. 119).

[283] *Burhoff* (2010), Rn. 75.

[284] Hierzu *Würtenberger* (1956), S. 199.

130   Kap. 2: Rechtliche Ausgestaltung des reformierten Adhäsionsverfahrens

Prozessführung des Gerichts überlassen. Zweckmäßig erscheint es, dem Antragsteller nach jeder für den Anspruch erheblichen Beweisführung die Gelegenheit zu einer Stellungnahme zu geben[285]. Als wesentliche Förmlichkeit ist sie in das Sitzungsprotokoll aufzunehmen[286]. Das Anhörungsrecht besteht nicht nur in einem Anspruch darauf, dass sich das Gericht eine Stellungnahme des Antragstellers einholt. Es muss vielmehr auch Wortmeldungen zulassen, wenn sie nach Ansicht des Gerichts in den Prozessverlauf passen, spätestens jedoch zum Abschluss der Beweisaufnahme. Fraglich ist, ob das aus dem Teilnahmerecht folgende Anhörungsrecht auch die Möglichkeit eines Schlussvortrags beinhaltet[287]. Dies ist abzulehnen. Dabei ist nicht das formalistische Argument entscheidend, dass § 258 Abs. 1 StPO oder die §§ 403 ff. StPO die Gelegenheit zum Schlussvortrag nicht vorsehen[288]. Relevant ist die Frage, ob dies für die aus dem Anspruch auf rechtliches Gehör folgende Teilnahme des Antragstellers notwendig ist. Aus Sicht des Beschuldigten ist es ein originärer Ausfluss seines Anspruchs auf rechtliches Gehör, dass er nach Schluss der Beweisaufnahme zu dem gesamten Prozessstoff zusammenfassend Stellung nehmen kann[289]. Damit sollen er und die anderen von § 258 Abs. 1 StPO erfassten Beteiligten die Gelegenheit erhalten, auf die Gesamtwürdigung aller Tatsachen und Beweise sowie die rechtliche Wertung des Gerichts im Ganzen nochmals Einfluss zu nehmen. Diese zusammenfassende Würdigung bedarf es für den Antragsteller nicht. Er könnte ohnehin nur zum zivilrechtlichen Teil etwas sagen. Sein „Schlussvortrag" hätte in diesem Sinne überhaupt nicht das Gepräge eines Schlussvortrags, sondern wäre gewissermaßen ein Einzelstatement zum geltend gemachten Anspruch. Das „Recht auf Stellungnahme" umfasst also das Recht der Anhörung, nicht aber eines Schlussvortrags[290]. Es bezieht sich allerdings nur auf diejenigen Umstände, die auch die zivilrechtliche Seite betreffen. Das Gericht muss den Antragsteller darauf hinweisen, falls es das Gefühl hat, die Aussage des Antragstellers führt von Erörterungen zum Anspruch weg.

---

[285] Duttge/Dölling/Rössner-*Weiner* (2008), § 404 StPO Rn. 6; *Klein* (2007), S. 84; Wabnitz/Janovsky-*Wagner* (2007), Kap. 28 Rn. 83.

[286] LR-*Hilger* (2009), § 404 Rn. 14. Ausdrücklich hat dies der BGH im umgekehrten Fall der Anhörung des Beschuldigten entschieden (BGHSt 37, 260 = NJW 1991, 1243–1244).

[287] So AnwK-*Krekeler* (2006), § 404 Rn. 7; *Pfeiffer* (2005), § 404 Rn. 5; *Dahs* (2005), Rn. 1036; Weiner/Ferber-*Ferber* (2008), Rn. 86; *Klein* (2007), S. 84 sowie bereits *Würtenberger* (1956), S. 202; *Schönke* (1935), S. 172.

[288] Dies könnte allen hier angesprochenen Rechtsstellungen entgegen gehalten werden.

[289] BVerfGE 54, 140, 145; Graf-*Eschelbach* (2010), § 258 Einl.

[290] Anders aber *Eisenberg* (2008), § 20 Rn. 4, der dem Antragsteller ein „Recht auf Halten eines Plädoyers" zubilligt.

B. Der Ablauf des reformierten Adhäsionsverfahrens

(cc) Recht auf Einflussnahme

Eine große Auswirkung auf den Ablauf des Strafverfahrens hat es, wenn dem Antragsteller auch „Rechte zur Einflussnahme" zustehen. Vor allem bedeutsam ist hierbei das Recht, Anträge hinsichtlich Rechtsfolgen aller Art zu stellen. Genannt wird etwa ein Antrag auf *Terminverlegung*. Diese sind möglich, aber nicht sehr erfolgversprechend[291]. Selbst wenn das Gericht solche Anträge ablehnt, ist der Antragsteller letztlich kaum beschwert. Über seinen Antrag kann auch in seiner Abwesenheit entschieden werden.

Unter diese Kategorie fällt auch die Frage, in welchem Umfang der Antragsteller *Beweisanträge* stellen kann. Nicht immer kann er vom Gericht erwarten, dass es in seiner Prozessführung seinen Erwartungen vollständig entspricht. Eine Stellungnahme zu den vom Gericht, der Staatsanwaltschaft oder des Beschuldigten selbst initiierten Beweisergebnissen kann unbefriedigend sein. Daher ist unbestrittene Ansicht, dass der Antragsteller das Recht besitzt, auch Beweisanträge zu stellen[292]. Auch wenn eine ausdrückliche Normierung dieses Rechtes in den §§ 403 ff. StPO nicht anzutreffen ist, kann dies aus § 244 Abs. 2 StPO gefolgert werden[293]. Eine Einschränkung nur auf bestimmte Prozessbeteiligte ergibt sich aus dessen Wortlaut nicht. Dies führt dazu, dass grundsätzlich alle Regelungen des § 244 StPO Anwendung finden[294]. Der Antragsteller hat an der Straftat nur insoweit Interesse, als die ihr zugrunde liegenden Handlungen Einfluss auf die Anspruchsbegründung haben. Diese besondere Stellung muss auch eine besondere Ausgestaltung des Beweisantragsrechtes nach sich ziehen. Der Beweisantrag muss demnach eine Relevanz für den zivilrechtlichen Anspruch haben und darf nicht allein für die strafrechtliche Beurteilung von Schuld und Strafe eine Rolle spielen[295]. Anderenfalls muss sie das Gericht nach § 244 Abs. 3 StPO ablehnen, da insofern eine Beweiserhebung unzulässig ist. Auch weitere Formen der Einflussnahme auf die Beweisaufnahme, nämlich Beweisermittlungsantrag und Beweisanregung, kann der Antragsteller ausüben[296]. Wiederum gilt jedoch die Beschränkung, dass eine Relevanz für den zivilrechtlichen Anspruch bestehen muss.

Darüber hinaus ist fraglich, ob der Antragsteller direkt nach § 240 Abs. 2 StPO *Fragen* an den Angeklagten oder sonstige Beweispersonen stellen kann,

---

[291] *Plüür/Herbst,* NJ 2005, 153, 154.

[292] Ganz h.M. So schon BGH NJW 1956, 1767. *Meyer-Goßner* (2010), § 244 Rn. 30; SK-*Velten* (2005), § 404 Rn. 10; Weiner/Ferber-*Ferber* (2008), Rn. 87; *Schmanns* (1987), S. 45; *Wessing* (1998), S. 35.

[293] KK-*Herdegen* (2008), § 244 Rn. 51.

[294] *Klein* (2007), S. 85.

[295] *Köckerbauer* (1993), S. 107.

[296] *Klein* (2007), S. 86. Vgl. zur Unterscheidung Beweisantrag/Beweisermittlungsantrag/Beweisanregung *Hamm/Hassemer/Pauly* (2006), Rn. 45.

132 Kap. 2: Rechtliche Ausgestaltung des reformierten Adhäsionsverfahrens

wenn Unklarheiten oder Widersprüche bei der Beweisgewinnung aufgetreten sind[297]. Das Gericht kann Zwischenfragen gestatten[298]. Der Antragsteller ist weder in § 240 Abs. 2 StPO noch in anderen Vorschriften, wie in § 397 Abs. 1 S. 3 StPO genannt[299]. Daher stellt sich auch hier nur die Frage, ob das Fragerecht Ausfluss des dem Antragsteller zustehenden Teilnahmerechts ist, oder ob der Antragsteller auf die Gestattung durch das Gericht angewiesen ist. Im Unterschied zum Schlussvortrag erscheint das Fragerecht Bestandteil der Teilnahme und dadurch des Anspruchs auf rechtliches Gehör zu sein. Für den Antragsteller ist es wichtig, durch eigene Nachfragen die für die Anspruchsbegründung erforderlichen Tatsachen zu ermitteln. Dies kann nicht von einer Gestattung des Gerichtes abhängen. Auch hier besteht jedoch eine inhaltliche Begrenzung dahingehend, dass nur nach Umständen gefragt werden kann, die für die zivilrechtliche Seite relevant sind. Dem Antragsteller ist auch ein *Beanstandungsrecht* nach § 238 Abs. 2 StPO als Verfahrensbeteiligter zuzugestehen[300]. Dieses steht allen an der Verhandlung Beteiligten zu, die durch die gerügte Maßnahme des Gerichts in eigenen prozessualen Belangen betroffen sind[301].

Ein geradezu als „klassisch" zu bezeichnender Streit entbrannte über die Frage, ob dem Antragsteller auch das *Recht zur Richterablehnung* zusteht oder nicht. Da die Befugnis nicht gesetzlich ausdrücklich vorgesehen ist, kann sie nur über das Teilnahmerecht des § 404 Abs. 3 S. 2 StPO begründet werden. Eine große Fraktion in der Literatur verneint das Recht auf Richterablehnung[302], eine praktisch ebenso großer Teil bejaht es[303]. Neuerdings hatte diese Frage sogar das BVerfG zu entscheiden, das ein Ablehnungsrecht bejahte[304]. Der Wortlaut des § 24 Abs. 3 S. 1 StPO scheint insoweit eindeutig: Das Antragsrecht steht der Staatsanwaltschaft, dem Privatkläger und dem Beschuldigten, über § 397 StPO auch dem Nebenkläger, nicht aber dem Antragsteller zu. Dieses Wortlautargument ist jedoch dann nicht stichhaltig, wenn die Befugnis bereits aus dem Teil-

---

[297] So bejahend die überwiegende Meinung Volk-*Kempf* (2006), § 10 Rn. 142; *Plüür/ Herbst,* NJ 2005, 153, 155; *Klein* (2007), S. 87.

[298] KK-*Schneider* (2008), § 240 Rn. 4.

[299] Für den Beistand eines dem nebenklageberechtigten Verletzten bestellten Rechtsanwalts (§ 406g StPO) gilt das Fragerecht ausdrücklich nur auf Gestattung des Gerichts (BGH NStZ 2005, 222). Weiterführend *Ventzke,* NStZ 2005, 396, 397.

[300] *Meyer-Goßner* (2010), § 404 Rn. 9; AK-*Schöch* (1996), § 404 Rn. 17; *Klaus* (2000), S. 73; *Rieß* (1984), S. C 36.

[301] KK-*Schneider* (2008), § 238 Rn. 16; *Klein* (2007), S. 87.

[302] *Meyer-Goßner* (2010), § 24 Rn. 20; KMR-*Stöckel* (2005), § 404 Rn. 9; SK-*Velten* (2003), § 404 Rn. 10; HK-*Kurth* (2009), § 404 Rn. 15; LR-*Hilger* (2009), § 404 Rn. 11; *Schmanns* (1987), S. 47; *Hamm,* NJW 1974, 682, 683.

[303] KK-*Engelhardt* (2008), § 404 Rn. 11; *Klein* (2007), S. 90; *Prechtel,* ZAP 2005, 399, 402; *Klaus* (2000), S. 75; *Köckerbauer* (1993), S. 109; *Teplitzky,* MDR 1970, 106.

[304] BVerfG NJW 2007, 1670–1672.

B. Der Ablauf des reformierten Adhäsionsverfahrens

nahmerecht folgen kann[305]. Ausgangspunkt ist, ob der für den Antragsteller durch sein Teilnahmerecht verwirklichte Anspruch auf rechtliches Gehör auch umfasst, gegen einen möglicherweise befangenen Richter einen Antrag auf Ablehnung nach § 24 StPO zu stellen. Ein Ablehnungsrecht des Beschuldigten gegen den Richter ist vom Gesetzgeber vorgesehen[306]. Eines des Antragstellers hat er offenkundig nicht erwogen.

Gegen die Zulassung eines Antragsrechts wurde neben dem Wortlaut von § 24 Abs. 3 S. 1 StPO angeführt, dass kein praktisches Bedürfnis für ein solches Recht erkennbar sei, da dem Adhäsionskläger auch bei einem befangenem Richter nach § 406 Abs. 3 S. 3 StPO stets der Weg zum Zivilgericht offen stehe. Zudem bestehe die Gefahr, dass ein Antragsteller den Strafprozess platzen lassen könne, obwohl keine Parteilichkeit des abgelehnten Richters in Bezug auf die Strafsache feststellbar ist[307].

Für die Zulassung werden im Wesentlichen ein verfassungsrechtliches und ein adhäsionsrechtliches Argument angeführt. Zunächst fordere Art. 101 Abs. 1 S. 2 GG (Recht auf den gesetzlichen Richter), dass niemand seinem gesetzlichen Richter entzogen werden dürfe[308]. Darunter sei nicht nur zu verstehen, dass eine abstrakt-generelle Zuständigkeitsordnung zu schaffen ist, die für jeden denkbaren Streitfall im Voraus den Richter bezeichnet, der für die Entscheidung zuständig ist[309]. Vielmehr bestehe der materielle Gehalt des Rechtes auf den gesetzlichen Richter darin, dass der Rechtsuchende im Einzelfall vor einem Richter steht, der unabhängig und unparteilich ist und der die Gewähr für Neutralität und Distanz gegenüber den Verfahrensbeteiligten bietet[310]. Daher müsse es möglich sein, einen Richter, der diesen Vorgaben nicht entspricht, von der Ausübung seines Amtes auszuschließen. Hierfür dienten in den Prozessordnungen die Vorschriften über die Ablehnung des Richters[311]. Der Antragsteller sei Beteiligter im Strafverfahren. Das Adhäsionsverfahren diene neben der Prozessökonomie gerade auch den (Kompensations-)Interessen des Antragstellers. In diesem Sinn sei er „als

---

[305] Das BVerfG erwägt eine verfassungskonforme Auslegung des § 24 Abs. 3 S. 1 StPO.

[306] Vgl. BT-Drs. 15/1976, S. 15 bei einem die Sach- und Rechtslage einseitig grob verkennenden Vergleichsvorschlag (§ 405 Abs. 1 S. 2 StPO) des Gerichts.

[307] *Klaus* (2000), S. 74.

[308] Vgl. ausführlich zum Recht auf den gesetzlichen Richter im Strafverfahren *Sowada* (2002), S. 136 ff. und im Hinblick auf den Antragsteller im Adhäsionsverfahren insbesondere S. 159.

[309] Sachs-*Degenhart* (2008), Art. 101 Rn. 5; Epping/Hillgruber-*Morgenthaler* (2010), Art. 101 Rn. 19.

[310] Ganz h. M. BVerfGE 10, 200, 213; 21, 139, 145; 82, 286, 298; 89, 28, 36; Epping/Hillgruber-*Morgenthaler* (2010), Art. 101 Rn. 20; *Michael/Morlok* (2010), Rn. 869; *Hufen* (2009), § 21 Rn. 34.

[311] § 42 ZPO; § 24 StPO; § 60 Abs. 1 SGG; § 54 Abs. 1 VwGO; § 51 Abs. 1 FGO; § 46 ArbGG.

134 Kap. 2: Rechtliche Ausgestaltung des reformierten Adhäsionsverfahrens

Rechtsuchender im Sinne der verfassungsgerichtlichen Rechtsprechung anzuse-hen"[312]. Dadurch müsse auch ihm die Möglichkeit zustehen, seinen Anspruch auf den gesetzlichen, unbefangenen Richter durchzusetzen[313].

Das adhäsionsverfahrensrechtliche Argument besteht in der Wirkung des Ad-häsionsantrags. Nach § 404 Abs. 2 S. 1 StPO treten mit Eingang des Antrags bei Gericht die Wirkungen der Klageerhebung im bürgerlichen Rechtsstreit ein. Im Zivilverfahren eröffnet § 42 ZPO die Möglichkeit, nach Klageerhebung ein Ab-lehnungsgesuch wegen Besorgnis der Befangenheit zu stellen. Da § 404 Abs. 2 S. 1 StPO als Rechtsfolgenverweisung ausgestaltet sei, müsse dem Antragsteller also auch das Ablehnungsrecht zustehen[314].

Dadurch dass er durch seinen Adhäsionsantrag zum Verfahrensbeteiligten „auf-rückt"[315], fällt auch der Antragsteller unter den Schutzbereich des Art. 101 Abs. 1 S. 2 GG. Dieser Schutz umfasst das Recht auf einen unparteiischen Rich-ter. Das grundrechtsgleiche Recht wird vorbehaltlos gewährleistet. Schranken können sich dementsprechend lediglich aus kollidierenden Verfassungspositionen ergeben. Allenfalls kommt hier der Aspekt zum tragen, dass ein Ablehnungsan-trag das Strafverfahren verzögere, somit die Position „Funktionstüchtigkeit der Strafrechtspflege" betroffen sei. Indes erscheint die Gefahr, dass der reguläre Ab-lauf des Strafverfahrens in unzulässigem Maße beeinträchtigt wird, eher gering. Es kann keinen Zweifel daran geben, dass der Antragsteller nicht nur dann sein Recht auf den gesetzlichen Richter verwirklichen können soll, wenn er statt eines Adhäsionsantrags ein Zivilverfahren anstrengt. Er kann vielmehr aus beiden gleichberechtigt nebeneinander stehenden Möglichkeiten die für seine individu-elle Situation geeignete auswählen. Bei beiden Verfahren müssen seine verfas-sungsrechtlichen Positionen beachtet werden. Das Recht zur Richterablehnung steht dem Antragsteller daher zu.

Fraglich ist, wie die aus dem Verfassungsrecht abzuleitende Ablehnungsbefug-nis dogmatisch umzusetzen ist[316]. Es bietet sich an, in verfassungskonformer Auslegung § 24 Abs. 3 S. 1 StPO um die Berechtigung des Antragstellers zu er-

---

[312] BVerfG NJW 2007, 1670, 1671. Detailliert zur verfassungsrechtlichen Frage *Klein* (2007), S. 89 f. Siehe auch *Burhoff,* ZAP 2007, 477, 482; *Plüür/Herbst,* NJ 2005, 153, 155.

[313] *Bahnson* (2008), S. 138; *Köckerbauer* (1993), S. 196. Der gesetzliche Richter kann nur ein unparteiischer Richter sein, BVerfGE 21, 139, 145.

[314] BVerfG NJW 2007, 1670, 1672.

[315] Wenn auch nur als „Nebenbeteiligter" (vgl. die Untergliederung nach Haupt- und Nebenbeteiligten bei *Meyer-Goßner* (2010), Einl. Rn. 73).

[316] Aus den so genannten Justizgrundrechten können nur ganz ausnahmsweise un-mittelbare Befugnisse abgeleitet werden. Zuvor müssen die bestehenden Verfahrens-vorschriften verfassungskonform ausgelegt werden (Epping/Hillgruber-*Radtke* (2010), Art. 103 Rn. 6).

B. Der Ablauf des reformierten Adhäsionsverfahrens 135

weitern[317]. Hier wird jedoch eine verfassungskonforme Auslegung des Teilnahmerechts aus § 404 Abs. 3 S. 2 StPO vorgeschlagen. Die Teilnahme beinhaltet gerade, dass die Mitwirkung des Antragstellers unter der Beachtung seiner verfassungsrechtlichen Positionen gewährleistet sein muss. Über sein Ablehnungsgesuch ist dann nach den für den Strafprozess geltenden Vorschriften der §§ 22 ff. StPO zu entscheiden[318]. Die Besorgnis der Befangenheit darf allerdings *nicht* auf Gründen beruhen, die ihre Wurzel allein im strafrechtlichen Teil des Verfahrens hat. Dadurch wird auch die Gefahr gebannt, dass der Ablehnungsantrag als „prozesstaktisches Mittel" vom Antragsteller verwendet wird. Als Beispiel für eine Befangenheit kann dienen, wenn das Gericht sich zu Unrecht weigert, das Adhäsionsverfahren durchzuführen[319].

Auch die aus § 74 StPO folgende Befugnis, einen *Sachverständigen abzulehnen,* ist für den Antragsteller nicht eigens bestimmt. Der Sachverständige ist ein persönliches Beweismittel, der dem Gericht zunächst nicht oder nicht vollständig vorhandene Sachkunde vermittelt. Dadurch besteht die Gefahr, dass die Meinung des Gerichts erheblich von den Ausführungen des Sachverständigen abhängen kann. Die Situation stellt sich aus Sicht des Antragstellers ganz ähnlich dar, wie bei der Besorgnis der Befangenheit eines Richters. Er darf grundsätzlich davon ausgehen, dass das Adhäsionsverfahren das einzige Verfahren bleibt, das er für seine Rechtsverfolgung anstrengen muss. Dann muss er auch einen Einfluss darauf nehmen können, dass nicht ein möglicherweise befangener Sachverständiger meinungsbildend auf das Gericht einwirkt. Hierfür spricht auch das Argument aus § 404 Abs. 2 S. 1 StPO. Da im Zivilverfahren ein Sachverständiger abgelehnt werden kann, ist von der Rechtsfolgenverweisung des § 404 Abs. 2 S. 1 StPO auch das Ablehnungsrecht eines Sachverständigen gedeckt.

(3) Grenzen der Rechte des Antragstellers

Eine Grenze der Rechtsstellung des Antragstellers ist dort zu ziehen, wo auch der Nebenkläger keine Befugnisse mehr hat[320]. Der Nebenkläger ist durch seine Stellung in Bezug auf die strafrechtliche Verurteilung gekennzeichnet. Insofern können die Befugnisse des Antragstellers nicht weiter reichen als die des Nebenklägers, da ihm ja keine Befugnisse allein hinsichtlich des strafrechtlichen Teils zukommen. Daher kann er etwa keine Anträge auf Vereidigung eines Sachverständigen (§ 79 Abs. 1 S. 2 StPO), keinen Antrag nach § 273 Abs. 3 StPO, kei-

---

[317] So BVerfG NJW 2007, 1670, 1672; *Klein* (2007), S. 91. Vgl. OLG Karlsruhe NJW 1973, 1658, der für den Antragsteller im Klageerzwingungsverfahren ausgeführt hat, dass die Aufzählung in § 24 Abs. 2 S. 1 StPO keinesfalls abschließend sei.

[318] BVerfG NJW 2007, 1670, 1672.

[319] *Haller/Conzen* (2008), Rn. 305.

[320] *Burhoff* (2010), Rn. 77; Bockemühl-*Hohmann* (2009), F3 Rn. 19; *K. Schroth* (2005), Rn. 348.

136 Kap. 2: Rechtliche Ausgestaltung des reformierten Adhäsionsverfahrens

nen Antrag auf Aussetzung der Hauptverhandlung (§ 246 Abs. 2, 265 Abs. 4 StPO) stellen und keinen Widerspruch gem. § 249 Abs. 2 StPO erheben[321].

(4) Besonderheiten bei einer Abwesenheit des Antragstellers
   in der Hauptverhandlung

§ 404 Abs. 2 S. 2 StPO normiert ein Teilnahmerecht, keine Pflicht. Daher stellt sich die Frage nach der Rechtsstellung des Antragstellers, wenn er nicht zur Hauptverhandlung erscheint. Unterschieden werden müssen die Fälle, in denen der Antragsteller aus freien Stücken heraus abwesend ist, und die, in denen das Fernbleiben unfreiwillig erfolgt[322].

Einfach gelagert ist ein *freiwilliges* Fernbleiben von der Hauptverhandlung. Dieses führt zu einem zulässigen Verzicht des Antragstellers auf sein Teilnahmerecht. Darüber hinaus gibt der Antragsteller zu erkennen, dass er auch von den weiteren ihm zustehenden Rechten nicht Gebrauch machen möchte[323]. Dennoch gilt: Die Anwesenheit des Antragstellers ist keine Voraussetzung für die Entscheidung über den Adhäsionsantrag. Schwieriger gestaltet sich die Beurteilung der Frage, ob das Fernbleiben tatsächlich freiwillig ist. In den wenigsten Fällen erklärt der Antragsteller vorher, ob er oder ein Vertreter zur Hauptverhandlung erscheinen will. Hier wird zu Recht empfohlen, dass das Gericht zunächst versuchen soll, den Antragsteller zu erreichen[324]. Bleibt die Kontaktaufnahme erfolglos, gilt bei der (aus einem Aktenvermerk) ersichtlichen erfolgten Information des Antragstellers eine Vermutung für die Freiwilligkeit.

Schwieriger sind die Fälle der *unfreiwilligen* Abwesenheit zu behandeln. Zwar kann das Gericht über den Antrag entscheiden. Jedoch würden dann die prozessualen Rechte des Verfahrensbeteiligten beschnitten. Gründe für die Abwesenheit können ganz unterschiedlich sein, etwa wenn der Verletzte nie über den Termin der Hauptverhandlung informiert wurde[325]. Bei sich abzeichnender, dem Antrag in vollem Umfang stattgebender Entscheidung ist der Antragsteller nicht beschwert. Anders sieht es in Fällen aus, in denen das Gericht eine Absehensentscheidung erwägt. Man könnte diese Problematik immer zuungunsten des Antragstellers mit der Erwägung auflösen, dass ihm ja stets noch der Weg zu den Zivilgerichten offen stehe. Eine andere von *Plüür/Herbst* vorgeschlagene Lösung verdient den Vorzug. Das Gericht solle demnach zwischen einer Unterbrechung

---

[321] Vgl. die Aufzählungen bei *Meyer-Goßner* (2010), § 397 Rn. 11 und Graf-*Weiner* (2010), § 397 Rn. 9.

[322] Unterscheidung nach *Plüür/Herbst,* NJ 2005, 153, 155.

[323] *Plüür/Herbst,* NJ 2005, 153, 155.

[324] Der Hauptfall ist die telefonische Kontaktaufnahme. Der Versuch soll im Protokoll vermerkt werden.

[325] *Plüür/Herbst,* NJ 2005, 153, 155 führen als Beispiel den unerwarteten Übergang eines Haftprüfungstermins in die Hauptverhandlung an.

B. Der Ablauf des reformierten Adhäsionsverfahrens

der Hauptverhandlung und einer Absehensentscheidung abwägen. Kriterien für die Abwägung seien dabei der Grund des Fernbleibens, die Bedeutung des Adhäsionsantrags für den Antragsteller (hoher Streitwert, Genugtuungsfunktion bei Schmerzensgeld, Kosten bei Erhebung der Klage vor dem Zivilgericht) und die Bedeutung einer Verzögerung für den Beschuldigten (Haft). Nur wenn eine Unterbrechung unverhältnismäßig sei, könne das Gericht von der Entscheidung absehen[326]. Diese Lösung wird auch hier bevorzugt. Freilich dürfte die Abwägung in der Regel zuungunsten des Antragstellers ausfallen. Zumindest ein „Absehensautomatismus" wird jedoch vermieden.

(5) Eigene Stellungnahme und Ergebnis

Die Rechtsstellung des Antragstellers in der Hauptverhandlung hat ihre Grundlage im verfassungsrechtlichen Anspruch auf rechtliches Gehör des Art. 103 Abs. 1 GG. Wie der Gesetzgeber die Stellung ausgestaltet, liegt weitgehend in seinem Ermessen. Beachten muss er lediglich den Rahmen, den ihm das Grundgesetz im Hinblick auf ein verfassungsmäßiges Strafverfahren vorgibt. Ausgeschlossen ist, dass er dem Antragsteller eine sehr starke Rechtsstellung gibt, die – nimmt der Antragsteller die Rechte auch wahr – zu einer Veränderung des Strafverfahrens führen würde. Innerhalb dieses Rahmens sind ganz verschiedene Ausgestaltungen denkbar.

In den §§ 403 ff. StPO wird dem Antragsteller ermöglicht, an der Hauptverhandlung „teilzunehmen". Dieses Teilnahmerecht lässt gesetzlich völlig offen, welche einzelnen Rechte es beinhalten kann. Grundlage jedes Rechtes ist, dass der Antragsteller nur im Hinblick auf den Adhäsionsantrag, niemals im Hinblick auf den strafrechtlichen Teil des Verfahrens tätig werden kann. Rechtsprechung und Literatur anerkennen Befugnisse im Strafverfahren aus dem Teilnahmerecht im Hinblick auf Unterstützung (Rechtsbeistand; richterliche Fürsorge), Stellungnahme (Anhörung) und Einflussnahme (Recht, Anträge zu stellen; Frage- und Beanstandungsrecht).

Problematisch an dieser Situation ist, dass die Rechtsstellung nicht unmittelbar aus dem Gesetz folgt. In der konkreten Prozesssituation, in der der Antragsteller einen bestimmten Beweisantrag stellt, der Beschuldigte und sein Verteidiger hiergegen energisch protestieren und es daraufhin dem Gericht überlassen bleibt, ob es den Antrag zulassen soll oder nicht, ist eine derart offen gehaltene Rechtsstellung des Antragstellers eher ein Hindernis. Dem Gericht wird überlassen, richtig zu bewerten, ob der Antragsteller ein Recht ausüben darf oder nicht, was angesichts der dürren Vorschriftenlage mitunter schwierig sein kann. Aus Sicht des Gerichts ist es daher nur zu verständlich, dass es den Antragsteller am meisten

---

[326] *Plüür/Herbst,* NJ 2005, 153, 155 und ihnen folgend Weiner/Ferber-*Ferber* (2008), Rn. 89.

138 Kap. 2: Rechtliche Ausgestaltung des reformierten Adhäsionsverfahrens

schätzt, der sich bis auf eine Stellungnahme am besten völlig still verhält. Hier wäre eine dem § 397 Abs. 1 S. 3 StPO nachgebildete Vorschrift wünschenswert[327]. Wenn sie die durch Rechtsprechung und Literatur jedenfalls anerkannten Rechte der Stellungnahme und der Beweisantragstellung, der Frage- und Beanstandungsrechte aufnehmen würde[328], würde dies dem Rechtsanwender, der nur selten mit Fragen des Adhäsionsrechts konfrontiert ist, eine wertvolle Orientierungshilfe an die Hand geben. Die hier vorgestellten Rechte können zwar durch Auslegung des Begriffs der „Teilnahme" abgeleitet werden. Indes ist diese Auslegung nicht zwangsläufig. Die Haltung des Gesetzgebers ist diesbezüglich unklar. Dieser Aspekt spricht ebenfalls für die Schaffung einer die Rechtsstellung des Antragstellers regelnden Vorschrift[329].

Im Ergebnis stehen dem Antragsteller in der Hauptverhandlung etwas weniger Befugnisse als dem Nebenkläger zu. Mitunter wird die Stellung sogar als schwach bezeichnet[330]. Hier wird vertreten, dass der rechtliche Umfang der Befugnisse des Antragstellers angemessen ist. Vielmehr entscheidend ist, dass der Antragsteller auch um die ihm zustehenden Möglichkeiten weiß, und dass er sie mit Bedacht einsetzt. Dann kann er im Strafverfahren effizient auf eine Adhäsionsentscheidung hinwirken, so dass seine Rechtsstellung alles andere als „schwach" ist.

bb) Stellung des Beschuldigten

Der Beschuldigte hat in der Hauptverhandlung keine speziell aus den §§ 403 ff. StPO folgenden Befugnisse. Vielmehr gilt seine (straf-)verfahrensrechtliche Stellung umfassend auch gegenüber der Abwehr der im Adhäsionsantrag geltend gemachten Ansprüche. Daher ist er immer auch hinsichtlich des geltend gemachten Anspruchs zu befragen, um dem ihm zustehenden Anspruch auf rechtliches Gehör zu genügen[331]. Diese Grundannahme bedarf einiger erläuternder Ausführungen, da sich auch der Beschuldigte mit der Erweiterung des Strafverfahrens auf neue Gegebenheiten einstellen muss.

---

[327] Diese wurde in der vorliegenden Form bereits durch das Opferschutzgesetz im Jahr 1986 eingeführt.

[328] Insoweit wäre sie nur deklaratorischer Art.

[329] Dieser Befund gilt auch dann, wenn man eher die Linie verfolgt, dass ein Zuviel an Vorschriften wiederum kontraproduktiv ist.

[330] *Wessing* (1998), S. 34. Daher kann es für den Antragsteller (respektive den ihn beratenden Rechtsanwalt) erwägenswert sein, den Adhäsionsantrag mit einer stärkere Mitwirkungsrechte ermöglichenden Nebenklage zu kombinieren, was grundsätzlich möglich ist, wenn die Voraussetzungen der §§ 395 ff. StPO gegeben sind, vgl. *Burhoff* (2010), Rn. 74.

[331] BGH NJW 1991, 1243. Daher besteht auch die Zustellpflicht bei außerhalb der Hauptverhandlung gestellten Anträgen nach § 404 Abs. 1 S. 3 StPO.

B. Der Ablauf des reformierten Adhäsionsverfahrens 139

Betrachtet man allein die Abwehr der vom Antragsteller geltend gemachten Ansprüche, wird schnell klar, dass sich die Situation des Beschuldigten im Adhäsionsverfahren grundsätzlich von derjenigen in einem Zivilprozess unterscheidet. Dies liegt daran, dass das Gericht das Verfahren maßgeblich prägt. Dadurch sind einerseits die prozessualen Abläufe strenger als im Zivilverfahren. Beispielsweise stehen ihm nur begrenzte Verteidigungsmittel zu, da er etwa keine Widerklage erheben kann[332]. Weiterhin gilt die dort angestrebte prozessuale Waffengleichheit[333] zwischen Kläger und Beklagten im Adhäsionsverfahren angesichts der Einbettung in das Strafverfahren nicht. Zudem gilt eine verkürzte Einlassungsfrist[334]. Andererseits ist das Strafverfahren auch weniger streng. So unterliegt der Beschuldigte nicht der zivilprozessualen Wahrheitspflicht aus § 138 Abs. 1 ZPO[335]. Auch im Adhäsionsverfahren kann er grundsätzlich alle Einreden gegen den Anspruch geltend machen[336]. Das Gericht muss dann auch über deren Voraussetzungen entscheiden.

Bei einer Beiordnung als Pflichtverteidiger (§ 141 StPO) stellt sich die Frage, ob sie daneben die Befugnis zur Vertretung des Beschuldigten im Adhäsionsverfahren umfasst, oder ob es hierfür einer zusätzlichen Bestellung bedarf[337]. Auswirkung hat dies vor allem im Gebührenrecht, nämlich bei der Frage, ob die dem Pflichtverteidiger aus der Staatskasse zu zahlende Vergütung um die Gebühr für das Adhäsionsverfahren erhöht werden muss. Diese Frage ist sehr umstritten. Nach einer Ansicht erstreckt sich eine Beiordnung auf das komplette Strafverfahren und dadurch auch auf das Adhäsionsverfahren[338]. Das Adhäsionsverfahren sei Teil des Strafverfahrens, in dem sich der Beschuldigte insgesamt zu verteidigen habe, so dass eine Trennung der Tätigkeit des Verteidigers hinsichtlich der Verteidigung gegen den Strafvorwurf und hinsichtlich der Verteidigung gegen den Adhäsionsanspruch praktisch kaum möglich sei. Der Gesetzgeber hätte für

---

[332] *Burhoff* (2010), Rn. 76; SK-*Velten* (2003), § 404 Rn. 17; *Plümpe,* ZInsO 2002, 409, 412, der zu Recht darauf hinweist, dass dem Adhäsionsverfahren nur eine Angriffsrichtung „Verletzter gegen Beschuldigter" immanent sei, aber auch schon *Schönke* (1951), S. 358. A.A. nur *Spiess* (2008), S. 285.

[333] Hierzu *M. Vollkommer* (1990), S. 503; *Schmahl* (1980), S. 67.

[334] § 217 Abs. 1 StPO (eine Woche) statt § 274 Abs. 3 ZPO (zwei Wochen).

[335] Musielak-*Stadler* (2009), § 138 Rn. 8; *Schmanns* (1987), S. 38. Dies ist aber dadurch abgemildert, dass gegebenenfalls eine Schadensersatzpflicht nach § 826 BGB oder § 823 Abs. 2 BGB i.V.m. § 263 StGB entsteht.

[336] Etwa die Prozessaufrechnung, Verjährung und viele mehr (*Wessing* (1998), S. 41).

[337] Diese Frage hat der BGH ausdrücklich offen gelassen (BGH NJW 2001, 2486, 2487). Vgl. zur spiegelbildlichen Problematik auf Seiten des Antragstellers, nämlich ob die Beiordnung eines Nebenklägervertreters (§ 397a StPO) gleichzeitig die Vertretung im Adhäsionsverfahren umfasst, die Erörterung in Kapitel 2: B. II. 4. c) cc).

[338] OLG Dresden AGS 2007, 404; OLG Hamburg NStZ-RR 2006, 347, 349; OLG Köln StraFo 2005, 394; OLG Hamm StraFo 2001, 361; OLG Schleswig, NStZ 1998, 101, 102; *Meyer-Goßner* (2010), § 140 Rn. 5; KK-*Laufhütte* (2008), § 140 Rn. 4; SK-*Wohlers* (2003), § 141 Rn. 20; HK-*Julius* (2009), § 141 Rn. 11; Weiner/Ferber-*Ferber* (2008), Rn. 44.

140   Kap. 2: Rechtliche Ausgestaltung des reformierten Adhäsionsverfahrens

das Adhäsionsverfahren eine zusätzliche Bestimmung schaffen müssen, wäre er anderer Ansicht.

Nach der entgegengesetzten (vor allem in jüngerer Zeit von verschiedenen Obergerichten vertretenen) Ansicht umfasst die Pflichtverteidigerbestellung nicht ohne weiteres auch die Vertretung im Adhäsionsverfahren[339]. Entscheidend sei hierfür die Regelung des § 404 Abs. 5 StPO. Durch diese sei ausdrücklich festgelegt, dass die Beiordnung eines Pflichtverteidigers nur dann auch für das Adhäsionsverfahren erfolgen könne, wenn der Antragsteller zuvor einen Antrag auf Prozesskostenhilfe gestellt habe. Der Gesetzgeber habe sich nämlich entschieden, dass eine Beiordnung nur bei einer zusätzlichen Prüfung der Erfolgsaussichten eines Prozesskostenhilfeantrags stattfindet[340]. Ein Anwendungsbereich bliebe dieser Vorschrift nur dann, wenn weder dem Verletzten noch dem Beschuldigten ein Anwalt beigeordnet worden ist. Ein derart eingeschränkter Anwendungsbereich sei mit § 404 Abs. 5 S. 2 StPO, wonach dem Beschuldigten, der bereits einen Verteidiger hat, dieser beigeordnet werden soll, nicht in Einklang zu bringen[341]. Zudem zähle das Adhäsionsverfahren nicht zu den Prozessabschnitten, die den staatlichen Strafanspruch realisieren, sondern sei ein Annex, der das Adhäsionsverfahren in das Strafverfahren allein aus rechtsökonomischen Gründen integriere, was dagegen spreche, das Verfahren für die Frage der Reichweite der Beiordnung des Pflichtverteidigers auch dem übrigen Strafverfahren gleichzustellen[342]. Zuletzt wird vorgebracht, dass bei teleologischer Betrachtung im Sinne der Prozessgerechtigkeit zu verlangen sei, dass im Adhäsionsverfahren für den Angeklagten und den Nebenkläger hinsichtlich der Beiordnung eines Rechtsanwalts die gleichen Voraussetzungen gelten müssten[343].

Der ersten Auffassung ist zu folgen. Wird die Mitwirkung eines Verteidigers für notwendig erachtet, umfasst sie das gesamte Strafverfahren[344]. Zu Unrecht gehen die OLG Zweibrücken[345] und Stuttgart[346] davon aus, dass das Adhäsionsverfahren nur ein Annex sei. Vielmehr wird das Strafverfahren um einen Entscheidungsgegenstand erweitert. Dieser Fall ist für die Tätigkeit eines Rechtsan-

---

[339] OLG Hamburg VRS 119 (2010) 225; OLG Oldenburg AGS 2010, 427, 428; OLG Stuttgart AGS 2009, 387, 388; OLG Celle NStZ-RR 2008, 190, 192; OLG München StV 2004, 38; OLG Saarbrücken StV 2000, 433; Weiner/Ferber-*Schneckenberger* (2008), Rn. 232.

[340] Nach § 114 Abs. 1 ZPO kann Prozesskostenhilfe unter anderem nur dann bewilligt werden, wenn die Rechtsverfolgung hinreichende Aussicht auf Erfolg bietet, vgl. auch unten S. 145.

[341] OLG Oldenburg AGS 2010, 427, 428; OLG München StV 2004, 38.

[342] OLG Zweibrücken JurBüro 2006, 643, 644.

[343] Brandenburgisches OLG AGS 2009, 69, 71.

[344] Graf-*Wessing* (2010), § 140 Rn. 1.

[345] OLG Zweibrücken, JurBüro 2006, 643, 644, ihm folgend OLG Bamberg NStZ-RR 2009, 114.

[346] OLG Stuttgart AGS 2009, 387, 388.

B. Der Ablauf des reformierten Adhäsionsverfahrens 141

waltes mit allen Konstellationen vergleichbar, in denen ebenfalls ein Antrag zur Erweiterung des Strafverfahrens, etwa ein Antrag auf Richterablehnung, gestellt wird. Bereits dies spricht dafür, dass das Adhäsionsverfahren als Teil des Strafverfahrens ebenfalls von der Bestellung eines Pflichtverteidigers umfasst ist. Entscheidend erscheint, dass das Argument des § 404 Abs. 5 StPO zu entkräften ist. Aus der Formulierung dieser Soll-Vorschrift kann gerade nicht abgelesen werden, dass ein möglichst weiter Anwendungsbereich Ziel der Bestimmung ist. Dem Wortlaut ist nicht zu entnehmen, dass die Beiordnung im Adhäsionsverfahren gemäß § 404 Abs. 5 StPO nur unter den Voraussetzungen des § 114 ff. ZPO erfolgen soll[347]. Vielmehr geht die Regelung des § 140 StPO dem des § 404 Abs. 5 StPO vor. Auch der teleologische Vergleich mit der Rechtslage beim Nebenklägervertreter (§ 397a StPO) verfängt nicht. Ein dort befürchtetes, die Staatskasse belastendes Missbrauchsrisiko durch Geltendmachung unbegründeter oder überhöhter Adhäsionsansprüche besteht beim Pflichtverteidiger gerade nicht. Der Beschuldigte kann es sich nicht aussuchen, ob und welche Ansprüche gegen ihn geltend gemacht werden. Damit umfasst die Beiordnung als Pflichtverteidiger auch die Befugnis zur Vertretung des Beschuldigten im Adhäsionsverfahren[348]. Angesichts der bestehenden rechtlichen Unsicherheit erscheint es dennoch sinnvoll und geradezu geboten, dass der Pflichtverteidiger bei Vorliegen eines Adhäsionsantrags eine Erweiterung seiner Bestellung beantragt[349].

Zuletzt ist fraglich, wie zu verfahren ist, wenn der Antragsteller anwaltlich vertreten ist, der Beschuldigte in der Hauptverhandlung jedoch ohne eigenen Rechtsanwalt erscheint. Nach § 140 Abs. 2 S. 1 StPO muss das Gericht vor dem Hintergrund des Fair-Trial Grundsatzes erwägen, ob es von Amts wegen eine notwendige Verteidigung annimmt („kompensierende Pflichtverteidigung"[350]). Dass dem geständigen Beschuldigten in der Hauptverhandlung ein Anwalt beigeordnet werden muss, nur weil das Opfer anwaltlich vertreten ist, so dass es nur wegen des Adhäsionsverfahrens zur Vertagung kommen muss, ist dabei nur schwer zu akzeptieren. Bei Schmerzensgeldforderungen wird dies aber oft unumgänglich sein. Ein Ausweg kann nur darin liegen, dass das Gericht von seiner Fürsorgepflicht verstärkt Gebrauch macht. Gegenüber möglichen Befangenheitsanträgen des Antragstellers ist dann bei der Beurteilung, ob die Besorgnis der Befangen-

---

[347] So aber OLG Bamberg B. v. 22.10.2008 (1 Ws 576/08) Rn. 15 und Brandenburgisches OLG AGS 2009, 69, 71. Wie hier auch Mayer/Kroiß-*Kroiß* (2008), Nrn. 4141–4147 VV Rn. 20.

[348] Für den Gebührenanspruch des Verteidigers auch OLG Celle StraFo 2005, 41, wonach ein Pflichtverteidiger bei notwendiger Verteidigung, der für den Beschuldigten auch im Adhäsionsverfahren tätig wird, auch ohne Beiordnung nach § 404 Abs. 5 StPO gegen seinen Auftraggeber einen Vergütungsanspruch habe.

[349] So zu Recht der Vorschlag von *Burhoff*, RVGreport 2008, 249, 250.

[350] LR-*Lüderssen/Jahn* (2007), § 140 Rn. 101 mit dem Hinweis auf die ähnliche Konstellation, in der mehrere Angeklagte sich gegenseitig der Tat beschuldigen und nur einer auf die Unterstützung eines Verteidigers vertraut.

142 Kap. 2: Rechtliche Ausgestaltung des reformierten Adhäsionsverfahrens

heit nach § 24 Abs. 1 StPO anzunehmen ist, diese besondere Konstellation zu berücksichtigen.

cc) Stellung der Staatsanwaltschaft

Hinsichtlich der Stellung der Staatsanwaltschaft in der Hauptverhandlung gibt es keine Vorschriften. Allein die RiStBV enthalten rudimentäre Regelungen. Grundsätzlich ist festzuhalten, dass der Staatsanwaltschaft eine sehr begrenzte Funktion im Adhäsionsverfahren zukommt. Nr. 174 RiStBV stellt das Gebot auf, Stellung zu nehmen, wenn es auch für die strafrechtliche Seite relevant ist. Dies ist dann der Fall, wenn die Tat strafrechtlich gewürdigt werden oder einer Verfahrensverzögerung vorgebeugt werden muss. Diese zurückhaltende Einräumung von Rechten liegt daran, dass die Staatsanwaltschaft nicht im gleichen Maße betroffen ist wie das Gericht, da es im Adhäsionsverfahren nicht um die Verwirklichung des materiellen Strafrechts geht[351]. Letztlich erschöpft sich die Aufgabe der Staatsanwaltschaft darin, die zum Antrag erfolgenden Ausführungen von Beschuldigten und Antragsteller zu verfolgen und auf ihre Relevanz für die Beurteilung des strafrechtlich relevanten Sachverhaltes zu überprüfen. Die in den RiStBV genannte Pflicht, Verfahrensverzögerungen vorzubeugen, muss sie allerdings zurückhaltend wahrnehmen, da die Erörterung der zivilrechtlichen Fragen stets verfahrensverzögernd wirkt, und bis zum vom § 406 Abs. 1 S. 5 StPO gezogenen Rahmen hinzunehmen ist[352].

Die Aufgabe der Staatsanwaltschaft besteht darin, darauf zu achten, dass die Prozessordnung richtig gehandhabt wird[353]. Die RiStBV sind im Zuge des Opferrechtsreformgesetzes nicht angepasst worden[354]. Über die Handlungsanweisung der RiStBV hinaus muss es demnach der Staatsanwaltschaft obliegen, auf die Einhaltung der §§ 403 ff. StPO Acht zu geben. Daher muss sie im Blick behalten, dass die „berechtigten Belange des Antragstellers" (§ 406 Abs. 1 S. 4 StPO) bei einer Absehensentscheidung Berücksichtigung finden. Für seinen eigenen Schlussvortrag muss die Staatsanwaltschaft die den Adhäsionsantrag betreffenden Aussagen beachten[355]. Soweit nämlich der Beschuldigte den Adhäsionsantrag anerkennt (§ 406 Abs. 2 StPO) oder sich auf einen Vergleich mit dem Antragsteller einigt (§ 405 StPO) stellt dies ein „Bemühen dar, einen Ausgleich mit dem Verletzten zu erreichen", wie es die §§ 46 f. StGB verlangen.

---

[351] *Loos,* GA 2006, 195, 198; *Stöckel* (2004), S. 837.

[352] Weiner/Ferber-*Wolf* (2008), Rn. 282 weist zu Recht darauf hin, dass besonders bei Haftsachen jeder Verfahrensverzögerung entgegengewirkt werden muss.

[353] KK-*Pfeiffer/Hannich* (2008), Einl. Rn. 63; *Meyer-Goßner* (2010), vor § 141 GVG Rn. 3; *Roxin/Schünemann* (2009), § 9 Rn. 2; *Kretschmer,* Jura 2004, 452, 453.

[354] Weiner/Ferber-*Wolf* (2008), Rn. 270.

[355] *Plüür/Herbst,* NJ 2008, 14, 16.

B. Der Ablauf des reformierten Adhäsionsverfahrens 143

Die Rolle der Staatsanwaltschaft muss sich darauf beschränken, einen ordnungsgemäßen Ablauf des Adhäsionsverfahrens zu gewährleisten. Inhaltliche Ausführungen zum Adhäsionsverfahren, etwa um dem Gericht die Rechtsfindung zu erleichtern[356], wären zu weitgehend.

dd) Stellung der übrigen Personen

Mit den bislang genannten Beteiligten muss es nicht in jedem Verfahren sein Bewenden haben, wie die Lektüre des § 403 Abs. 3 S. 2 StPO zeigt. Auch dem gesetzlichen Vertreter, Ehegatten oder Lebenspartner nach dem LPartG steht ein Teilnahmerecht an der Hauptverhandlung zu. Es fragt sich, ob dieses Teilnahmerecht genauso auszulegen ist, wie beim Antragsteller selbst. Dem kann allerdings nicht so sein. Quelle der aus dem Teilnahmerecht folgenden Befugnisse für den Antragsteller ist dessen Anspruch auf rechtliches Gehör. Dieses grundrechtsgleiche Recht beeinflusst die Auslegung des Teilnahmebegriffs in der Hinsicht, dass dem Antragsteller eine Reihe von Rechten zugestanden werden müssen. Bei gesetzlichen Vertretern gilt dies genauso. Sie handeln kraft gesetzlichen Auftrags für den Verletzten und nehmen in vollen Umfang seine Rechte wahr. Aus Verfahrenssicht rückt der Vertreter in die Stellung des Verletzten ein. Hier ist der Teilnahmebegriff auf dieselbe Weise auszulegen wie beim Verletzten.

Ehegatten respektive Lebenspartner können indes keine Rechte aus dem Anspruch auf rechtliches Gehör herleiten. Sie sind allenfalls mittelbar vom Strafverfahren betroffen, rücken aber nicht in die (formelle) Stellung eines Verfahrensbeteiligten auf. Auch für sie gilt, dass die „Teilnahme" vom Wortsinn her über eine bloße Anwesenheit hinausgeht. Wegen der nur mittelbaren Betroffenheit muss die Auslegung des Teilnahmebegriffs im Vergleich zum Verletzten zu einer weniger starken Rechtsstellung führen. Daher ist ihnen lediglich ein Stellungnahmerecht zuzubilligen[357].

c) Prozesskostenhilfe, § 404 Abs. 5 StPO

aa) Überblick

Der durch das Opferschutzgesetz aus dem Jahr 1986 eingeführte § 404 Abs. 5 StPO gibt für den Antragsteller sowie den Beschuldigten die Möglichkeit, nach den §§ 114 ff. ZPO Prozesskostenhilfe zu beantragen. Die zivilverfahrensrechtlichen Bestimmungen gelten durch diese gesetzliche Verweisung direkt und nicht

---

[356] So aber *Klaus* (2000), S. 81.

[357] *Klaus* (2000), S. 80, der zu Recht empfiehlt, dieses aus überkommenen Gesellschaftsauffassungen resultierende Recht zu streichen.

144   Kap. 2: Rechtliche Ausgestaltung des reformierten Adhäsionsverfahrens

nur subsidiär[358]. Satz 1 eröffnet die Möglichkeit zur Prozesskostenhilfe, sobald die Klage erhoben wurde. Satz 2 passt die die Beiordnung eines Rechtsanwaltes regelnde Vorschrift des § 121 Abs. 2 ZPO an die Bedürfnisse im Strafverfahren an. In Satz 3 wird das mit der Sache befasste Strafgericht als zuständiges Gericht bestimmt und im Unterschied zum Prozesskostenhilfeverfahren der ZPO (§ 127 Abs. 2 bis 4 ZPO) ein Rechtsmittel gegen die Prozesskostenhilfeentscheidung ausgeschlossen[359]. Im Folgenden sollen die §§ 114 ff. ZPO in ihrem Einfluss auf das Strafverfahren überblickartig dargestellt werden[360].

bb) Voraussetzungen und Verfahren

Die Bewilligung von Prozesskostenhilfe ist zunächst formell von einem Antrag des Antragstellers oder des Beschuldigten abhängig. In materieller Hinsicht kann Prozesskostenhilfe nur gewährt werden, wenn die beabsichtigte Rechtsverfolgung eine hinreichende Erfolgsaussicht hat und nicht mutwillig erscheint sowie Bedürftigkeit vorliegt (§ 114 S. 1 ZPO)[361]. Der *Antrag* kann erst im Hauptverfahren gestellt werden. Dadurch soll dem entscheidenden Gericht ermöglicht werden, die für die Entscheidung notwendige Erfolgsaussicht angemessener prüfen zu können[362]. Die Antragstellung ist in § 117 ZPO geregelt[363]. Der Prozesskostenhilfeantragsteller muss auch im Adhäsionsverfahren *bedürftig* sein. Gegenüber dem Zivilverfahren gelten an dieser Stelle keine Besonderheiten. Der Prozesskostenhilfeantragsteller muss in der in § 115 ZPO bestimmten Weise sein Einkommen und Vermögen einsetzen. Die Ermittlung erfolgt anhand der Angaben im Antrag, für den auch amtliche Vordrucke existieren. Das Gericht muss die *Erfolgsaussicht* der beabsichtigten Rechtsverfolgung einschätzen. Beim Antragsteller muss zumindest der Adhäsionsantrag zulässig sein. Im Zeitpunkt der Antragstellung müssen die im Adhäsionsantrag genannten Tatsachen dazu führen, dass die geltend gemachten Ansprüche schlüssig sind[364]. Dies ist dann der Fall, wenn der geltend gemachte Anspruch zumindest dem Grund nach zu bejahen ist, wenn der im Antrag und in der (hilfsweise heranzuziehenden) Anklageschrift mitgeteilte Sachverhalt als gegeben unterstellt werden[365]. Beim Beschuldigten

---

[358] *D. Meyer,* JurBüro 1990, 1105. Zur praktischen Durchführung des Prozesskostenhilfeverfahrens vgl. Weiner/Ferber-*Schneckenberger* (2008), Rn. 218–233.

[359] Nach OLG Stuttgart NStZ-RR 2007, 254 ist aber gegebenenfalls eine Erinnerung nach § 11 Abs. 2 RPflG statthaft.

[360] Vgl. für weitergehende Informationen die Darstellungen bei *Schoreit/Groß* (2008), S. 283 ff. und *Kalthoener/Büttner/Wrobel-Sachs* (2009), S. 12 ff.

[361] Insofern klarstellend BGH NStZ-RR 2000, 40.

[362] Vgl. BT-Drs. 10/5305 S. 16.

[363] Formelle Voraussetzungen, Substantiierung der zivilrechtlichen Angaben, Angaben zu den Vermögensverhältnissen.

[364] MüKo-ZPO-*Motzer* (2008), § 114 Rn. 62; Zöller-*Philippi* (2009), § 114 Rn. 23a.

B. Der Ablauf des reformierten Adhäsionsverfahrens

muss das Gericht einen anderen Prüfungsmaßstab anlegen. Hier genügt für eine hinreichende Erfolgsaussicht, dass der Beschuldigte hinreichend substantiiert die anspruchsbegründenden Tatsachen bestreitet oder die tatsächlichen Voraussetzungen einer Einwendung angibt. Problematisch ist dies, wenn der Beschuldigte sich entschlossen hat, nichts zu sagen, was im Hinblick auf die strafrechtliche Verteidigung eine zulässige Strategie darstellt. Hier wird vorgeschlagen, dass der Beschuldigte nicht besser als in einem Zivilverfahren stehen dürfe, ihm deswegen eine Aussage etwa zur Schadenshöhe abzuverlangen sei[366]. Da die den Adhäsionsantrag betreffenden Aussagen für die strafrechtliche Beurteilung zunächst keine Rolle spielen dürfen, kollidiert es nicht mit der gewählten Strategie des Schweigens, wenn sich der Beschuldigte zur zivilrechtlichen Seite einlässt. Es liegt jedenfalls keine (für ihn negative) Konstellation des „teilweisen Schweigens" vor.

Für die Ermittlung von *Mutwille* muss das hypothetische prozessuale Verhalten einer vermögenden Partei in derselben Situation betrachtet werden[367]. Aus Sicht des Antragstellers ist entscheidend, ob ein verständiger nicht bedürftiger Antragsteller einen Adhäsionsantrag stellen würde. Für den Beschuldigten dagegen ist ein mutwilliger Antrag dann anzunehmen, soweit ein vermögender Beschuldigter in seiner Position auf eine Rechtsverteidigung verzichten würde.

Die *Ausgestaltung des Verfahrens* regelt § 118 ZPO. Sie erfährt auch im Strafverfahren keinerlei Änderungen. Das Gericht muss sich zeitnah mit dem Prozesskostenhilfeantrag befassen. Unter bestimmten Voraussetzungen kann es weitere Erhebungen durchführen.

cc) Entscheidung

Das Gericht entscheidet über die Bewilligung oder die Verweigerung der Prozesskostenhilfe. Es können sowohl Antragsteller als auch Beschuldigtem gleichzeitig Prozesskostenhilfe bewilligt werden[368]. Die Entscheidung kann im weiteren Prozessverlauf noch sich eventuell ändernden Verhältnissen angepasst werden[369].

Im Adhäsionsrecht mussten sich die Gerichte besonders mit Fragen beschäftigen, die mit der von § 121 ZPO vorgesehenen Beiordnung eines Rechtsanwalts zusammenhängen. Ist eine Vertretung durch einen Rechtsanwalt vorgeschrieben,

---

[365] Weiner/Ferber-*Schneckenberger* (2008), Rn. 229 will an dieser Stelle ein etwaiges Mitverschulden des Antragstellers berücksichtigen.

[366] *Plüür/Herbst* (2010), S. 31. Gegebenenfalls müsse man die Entscheidung über den Prozesskostenhilfeantrag erst später treffen.

[367] OLG Rostock AGS 2010, 450; MüKo-ZPO-*Motzer* (2008), § 114 Rn. 85.

[368] Zöller-*Philippi* (2009), § 114 Rn. 27; *Zimmermann* (2008), § 114 Rn. 5.

[369] Vgl. § 120 Abs. 3 und 4 ZPO.

146 Kap. 2: Rechtliche Ausgestaltung des reformierten Adhäsionsverfahrens

wird dem Hilfsbedürftigen auch ein Rechtsanwalt seiner Wahl beigeordnet[370]. Ist die Vertretung nicht vorgeschrieben, kann der Hilfsbedürftige beantragen, dass ihm ein Rechtsanwalt beigeordnet wird. § 121 Abs. 2 ZPO stellt hierfür die vom Gericht zu überprüfende Voraussetzung auf, dass entweder ein Rechtsanwalt erforderlich erscheinen oder der Gegner anwaltlich vertreten sein muss. Bereits nach dieser (allgemeinen) Vorschrift dürfte die Beiordnung sowohl für den Antragsteller als auch für den Beschuldigten häufig vorkommen. Wann ein Rechtsanwalt erforderlich erscheint, ergibt eine Betrachtung im Einzelfall anhand verschiedener Indizien, z.B. bei Schwierigkeit der Rechtslage[371]. Zudem wird der Beschuldigte in vielen Fällen durch einen Verteidiger unterstützt[372]. Diese Anforderungen werden von § 404 Abs. 5 S. 2 StPO zusätzlich etwas verengt. Bei einem erfolgreichen Prozesskostenhilfeantrag des Beschuldigten soll ihm sein Verteidiger beigeordnet werden und dem Antragsteller dessen Beistand nach § 406f StPO. Dies soll dazu dienen, die im Verfahren auftretenden Rechtsanwälte zahlenmäßig möglichst gering zu halten[373].

Komplexer wird dies, wenn der Antragsteller gleichzeitig noch Nebenkläger ist und ihm unter den Voraussetzungen des § 397a StPO ein Rechtsbeistand bestellt wurde. Fraglich ist, ob in diesen Fällen gleichzeitig eine Bestellung auch für das Adhäsionsverfahren vorliegt[374]. Dies wird allgemein verneint[375]. Wurde dem Nebenkläger ein Rechtsbeistand beigeordnet, bedeutet dies nicht, dass er automatisch auch im Adhäsionsverfahren beigeordnet ist. Hierfür ist vielmehr eine erneute Beiordnung erforderlich. Die Staatskasse soll nicht mit Gebührenansprüchen belastet werden, die durch das Einklagen nicht bestehender oder überhöhter Ersatzansprüche im Adhäsionsverfahren entstehen, was die Geltung von § 114 ZPO im Adhäsionsverfahren belegt[376]. Dem könnte aber nicht mehr vorgebeugt werden, wenn der dem Nebenkläger nach § 397a Abs. 1 StPO bestellte anwaltliche Beistand ohne weitere gerichtliche Prüfung auch im Adhäsionsverfahren für den Nebenkläger auftreten und für diesen jegliche Forderungen ohne Rücksicht auf deren Erfolgsaussicht geltend machen könnte sowie hierfür anschließend

---

[370] Der auch im Adhäsionsverfahren geltende Grundsatz des § 121 Abs. 1 ZPO.

[371] „Sachliches und persönliches Bedürfnis nach anwaltlicher Unterstützung" (OLG Zweibrücken FamRZ 1986, 287). Siehe zu weiteren Indizien Zöller-*Philippi* (2009), § 121 Rn. 4–8a; Stein/Jonas-*Bork* (2004), § 121 Rn. 11.

[372] Dies ist jedoch nur dann relevant, wenn der Verteidiger auch hinsichtlich des Adhäsionsantrags tätig wird (KMR-*Stöckel* (2005), § 404 Rn. 22). Dass ein Verteidiger einen Adhäsionsantrag jedoch „gänzlich ausblendet", erscheint eher unwahrscheinlich.

[373] KMR-*Stöckel* (2005), § 404 Rn. 22.

[374] Respektive, ob der beigeordnete Rechtsanwalt auch aus dem Tätigwerden im Adhäsionsverfahren Gebühren abrechnen kann.

[375] BGH NJW 2010, 455, 456; BGH NJW 2001, 2486; OLG Hamm NStZ-RR 2001, 351; Weiner/Ferber-*Schneckenberger* (2008), Rn. 232.

[376] So die Argumentation von BGH NJW 2001, 2486; OLG Hamm NStZ-RR 2001, 351.

B. Der Ablauf des reformierten Adhäsionsverfahrens 147

nach den Maßstäben des § 49 RVG entschädigt würde[377]. Die gewissermaßen spiegelbildliche Situation bei der notwendigen Verteidigung[378] ist nicht mit der Bestellung eines Rechtsanwalts als Nebenklägerbeistand vergleichbar, da die Nebenklage auf den strafrechtlichen Teil des Verfahrens beschränkt bleibt. Auch wenn die Entscheidungen zur vom RVG abgelösten BRAGO erlassen wurden, gelten sie auch für die Rechtslage nach dem RVG, da insofern vom Gesetzgeber keine Änderungen herbeigeführt werden sollten[379]. Daher muss der dem Nebenkläger beigeordnete Rechtsanwalt beantragen, dass er dem Antragsteller im Rahmen einer Prozesskostenhilfeentscheidung eigens beigeordnet wird.

III. Die Entscheidung des Gerichts über den Adhäsionsantrag

1. Überblick

Das Adhäsionsverfahren endet entweder durch eine Handlung des Verletzten selbst, indem er die Rechtshängigkeit durch die Rücknahme seines Antrags aufhebt, oder durch eine gerichtliche Entscheidung über den Adhäsionsantrag. Drei in den §§ 405 und 406 StPO geregelte gerichtliche Entscheidungsarten sind dabei möglich. Das Gericht kann von der Entscheidung über den Antrag absehen (Absehensentscheidung), es kann einen Vergleich zwischen Antragsteller und Beschuldigten in das Protokoll aufnehmen (Vergleich) oder es kann die im Antrag geltend gemachten Ansprüche ganz oder teilweise zusprechen (Urteil). Weitere Entscheidungsformen sind nicht möglich[380]. Auch eine (denkbare) gewissermaßen „automatische" Beendigung des Adhäsionsverfahrens, etwa wenn das Strafverfahren nach den §§ 153 Abs. 2, 153a Abs. 2 oder 154 Abs. 2 StPO eingestellt wurde, gibt es nicht[381]. Die gesetzliche Systematik besteht darin, dass die Absehensentscheidung eine „Auffangentscheidungsform" darstellt. Anders gewendet: Eine Absehensentscheidung muss das Gericht immer dann beschließen, soweit es kein Urteil gefällt hat und auch kein Vergleich in das Protokoll aufgenommen wurde. Dies folgt aus der adhäsionsspezifischen Grundentscheidung zur Pflicht einer möglichst umfassenden Entscheidung. Diese drei Entscheidungsmöglichkeiten lassen sich beliebig kombinieren. Keine Entscheidungsform schließt die

---

[377] BGH NJW 2001, 2486, 2488.

[378] Siehe oben Kapitel 2: B. II. 4. b) aa) (5).

[379] *Burhoff,* RVGreport 2008, 249.

[380] Eine „negative Sachentscheidung" kommt nicht in Betracht (siehe die Ausführungen in Kapitel 2: A. I.), genauso wenig wie eine „Abweisung" des Antrags (so ein Beispiel von Weiner/Ferber-*Ferber* (2008), Rn. 30 und *Meyer-Goßner/Appl* (2008), Rn. 158a).

[381] *Glaremin/Becker,* JA 1988, 602, 604, mit dem zutreffenden Hinweis, dass der Gesetzgeber eine derartige Beendigungsmöglichkeit in der Kostenvorschrift des § 472a StPO hätte aufnehmen müssen.

andere aus, lediglich die Subsidiarität der Absehensentscheidung ist zu beachten. Es ist daher möglich, dass das Gericht bei einem Antrag auf Schadensersatz und Schmerzensgeld beispielsweise einen Schadensersatzanspruch im Urteil zuerkennt, bei einem Herausgabeanspruch ein Teilurteil erlässt, hinsichtlich des Schmerzensgeldanspruchs nur dem Grund nach und im übrigen von einer Entscheidung absieht. Neben all diesen Entscheidungen könnte das Gericht auch noch einen Vergleich in das Protokoll aufnehmen. Im Folgenden werden zunächst die genannten drei Entscheidungsvarianten vorgestellt (2. bis 4.). Anschließend wird die Wirkung der gerichtlichen Entscheidung aufgezeigt (5.), bevor zuletzt auf die erforderlichen Nebenentscheidungen eingegangen wird (6.).

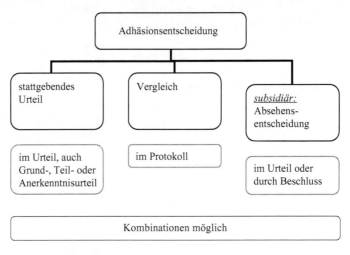

Quelle: Eigene Darstellung.

Abbildung 4: Entscheidungsmöglichkeiten des Gerichts

2. Stattgebendes Urteil

Hält das Gericht den geltend gemachten Anspruch für begründet, dann gibt es dem Antrag im (Straf-)Urteil statt, § 406 Abs. 1 S. 1 StPO („positive Sachentscheidung")[382]. Zu unterscheiden sind die beiden möglichen Urteilsvarianten der streitigen Entscheidung sowie (seit dem Opferrechtsreformgesetz) des Anerkenntnisurteils.

---

[382] Ein einfacher den Anspruch zuerkennender Beschluss genügt nicht.

B. Der Ablauf des reformierten Adhäsionsverfahrens   149

a) Streitige Entscheidung

aa) Allgemeine Voraussetzungen

Eine streitige Entscheidung kann nur ergehen, wenn der Beschuldigte wegen einer *Straftat* schuldig gesprochen oder gegen ihn eine Maßregel der Besserung oder Sicherung[383] angeordnet wurde. Dies ist die wichtigste Ausprägung des Akzessorietätsgrundsatzes[384]. Dies bedeutet, dass ein Adhäsionsurteil beispielsweise dann nicht ergehen kann, wenn der Beschuldigte freigesprochen wurde[385]. „Schuldig gesprochen" bedeutet dabei nicht, dass eine Strafe verhängt wird[386]. Ein Adhäsionsurteil ist auch dann möglich, wenn das Gericht von einer Strafe absehen kann, wie beispielsweise in den Fällen der §§ 60 und 199 StGB.

Zweitens muss der *Anspruch* auch begründet sein. Die Beweisaufnahme muss also ergeben haben, dass die zivilrechtlichen Anspruchsvoraussetzungen vorliegen, der Anspruch demnach spruchreif ist[387].

Drittens muss der *Adhäsionszusammenhang* tatsächlich bestehen. Beide Zielrichtungen des Adhäsionsverfahrens[388] würden leer laufen, wenn dem Antragsteller ein Anspruch zuerkannt wird, der nicht „aus der Straftat erwachsen" ist. Wichtige Voraussetzung für die Entscheidung ist, dass der Angeklagte gerade wegen derjenigen Straftat schuldig gesprochen wurde, aus der auch der vermögensrechtliche Anspruch hergeleitet wird[389]. Verhindert werden soll, dass Ansprüche des Antragstellers gegen den Beschuldigten nur „anlässlich" des Strafverfahrens beurteilt werden[390]. Wird der Anspruch auf § 823 Abs. 2 BGB gestützt, ist der Zusammenhang in den meisten Fällen automatisch erfüllt[391].

---

[383] So beispielsweise eine Fallkonstellation bei LG Berlin NZV 2006, 389, 390.

[384] Siehe oben Kapitel 2: A. I.

[385] Auch nicht, wenn der Anspruch an sich spruchreif wäre (denkbar in Konstellationen, in denen (nur) fahrlässiges Handeln keinen Straftatbestand erfüllt, aber dennoch zu einem zivilrechtlichen Anspruch führt).

[386] LR-*Hilger* (2009), § 406 Rn. 19; *Klein* (2007), S. 99.

[387] Ggf. muss in der Adhäsionsentscheidung der Ausspruch der Verpflichtung des Angeklagten zur Leistung von Ersatz für materielle und immaterielle Schäden sowie Schmerzensgeld dem Grunde nach unter den im Hinblick auf § 116 SGB X bzw. § 86 VVG erforderlichen Vorbehalt gestellt werden, dass eine Ersatzpflicht nur insoweit besteht, als der Anspruch des Nebenklägers nicht auf Sozialversicherungsträger oder andere Versicherer übergegangen ist (BGH StraFo 2010, 117).

[388] Stichworte sind: „Justizökonomie" und „Opferschutz" (siehe Kapitel 1: D. IV.).

[389] So bereits vor dem Opferrechtsreformgesetz BGH wistra 2003, 113, 114. Dies ist jetzt durch die Formulierung „wegen dieser Straftat" in § 406 Abs. 1 S. 1 StPO klargestellt worden.

[390] Darin mag ebenfalls ein prozessökonomischer Aspekt liegen. Dieses Vorgehen würde aber völlig den Mechanismus des Adhäsionsverfahrens ignorieren. Ausgangspunkt für die Adhäsionsentscheidung ist die (angeklagte) Straftat und das Strafverfahren. Anders formuliert soll sich das Gericht dem Anspruch vom Strafverfahren aus nähern und nicht umgekehrt, also dem Strafverfahren vom Anspruch aus.

150 Kap. 2: Rechtliche Ausgestaltung des reformierten Adhäsionsverfahrens

bb) Entscheidungsformen

Neben dem voll stattgebenden Urteil kann das Gericht auch lediglich ein Grund- oder ein Teilurteil nach den §§ 304 oder 301 ZPO fällen. Diese Möglichkeiten kann es auch kombinieren. Beachten muss das Gericht lediglich, dass es für den nicht stattgebenden Teil eine Absehensentscheidung trifft. Daraus kann eine beachtliche Anzahl von Entscheidungsmöglichkeiten resultieren.

Im für den Antragsteller günstigsten Fall trifft das Gericht eine *vollständige Entscheidung* über den im Adhäsionsantrag geltend gemachten Anspruch. Hier muss das Gericht keine Besonderheiten beachten. Selten sind Fallkonstellationen jedoch so eindeutig, dass das Gericht die Ansprüche so zuerkennen kann, wie sie im Adhäsionsantrag umrissen wurden. Aus den unterschiedlichsten Ursachen, etwa wenn der Beschuldigte während des Prozessverlaufs eine Einwendung vorbringt, kann der Erlass eines den Anspruch vollständig zuerkennenden Adhäsionsurteils nicht (mehr) möglich sein. In diesen Fällen bleibt die Möglichkeit eines Grund- oder Teilurteils[392].

Die Entscheidung kann sich auf den *Grund* des geltend gemachten Anspruchs beschränken, § 406 Abs. 1 S. 2 StPO. Die Anspruchshöhe wird dann in einem weiteren Verfahren festgesetzt. Damit ermöglicht das Gesetz dem Gericht auch Sachverhalte zu beurteilen, in denen es den haftungsbegründenden und -ausfüllenden Tatbestand unkompliziert bestimmen kann, die Beurteilung der konkreten Anspruchshöhe jedoch Schwierigkeiten bereitet.

Die Möglichkeit eines Grundurteils birgt einige Vorteile. Einmal kann ein weiterer Prozess erspart bleiben, wenn dem Beschuldigten vor Augen geführt wird, dass er in die Pflicht genommen wird. Zudem ist nicht unwahrscheinlich, dass durch ein Grundurteil auch die Vergleichsbereitschaft der Beteiligten gefördert wird[393]. Für das Gericht besteht der Vorteil darin, dass es ein Grundurteil erlassen kann, ohne spezielle zivilrechtliche Kenntnisse zur Ermittlung der Anspruchshöhe zu benötigen. Vor allem bei Schmerzensgeldansprüchen gehen in aller Regel die Anspruchsvoraussetzungen nicht über das im Strafverfahren ohnehin aufzuklärende Maß hinaus[394]. Damit kann ein solches Urteil in der Regel ohne Mehrarbeit ergehen. Vorteilhaft ist das Grundurteil bei Schmerzensgeld-

---

[391] Er geht dann vollständig in der Prüfung der Schutzgesetzverletzung auf, vgl. *Schwarz/Wandt* (2009), § 17 Rn. 2.

[392] Vor Erlass des Opferschutzgesetzes im Jahr 1986 musste das Gericht in diesen Konstellationen von einer Entscheidung absehen. Die „Entscheidungspalette" wurde also erweitert. Musterentscheidungen finden sich bei Weiner/Ferber-*Schneckenberger* (2008), Rn. 157.

[393] Zu dieser Zielrichtung Musielak-*Musielak* (2009), § 304 Rn. 2. Nachteilig steht dem eine Verlängerung der Gesamtprozessdauer gegenüber.

[394] *Hirsch* (1989), S. 717.

B. Der Ablauf des reformierten Adhäsionsverfahrens

ansprüchen auch, weil Strafverfahren in den meisten Fällen relativ zeitnah nach einer Tat stattfinden. Da etwa bei Körperverletzungen die ärztliche Behandlung des Antragstellers noch laufen kann, ist in diesen Fällen die Bezifferung des Schmerzensgeldes (noch) nicht eindeutig möglich. Die in der Hauptverhandlung gewonnene Kenntnis über das Tatgeschehen erlaubt in der Regel bereits die Beurteilung der Voraussetzungen des geltend gemachten Anspruchs.

Wie das Grundurteil ausgestaltet werden muss, kann nur mit Rückgriff auf das Zivilverfahrensrecht ermittelt werden. Die StPO enthält an dieser Stelle keine weiteren Vorschriften. Zum Grund des Anspruchs gehören alle Anspruchsvoraussetzungen, aber auch alle Einwendungen[395]. Voraussetzungen sind, dass Grund und Betrag zwischen Antragsteller und Beschuldigten streitig sind, und dass Entscheidungsreife hinsichtlich des Grundes, nicht aber des Betrags vorliegt[396]. Weiterhin muss der Anspruch auf Zahlung eines bezifferten Geldbetrags gerichtet sein[397]. Zudem spielt das Kriterium der „Teilbarkeit" eine Rolle. Damit ist gemeint, dass ein Grundurteil dann nicht ergehen kann, wenn die Tatsachen für Grund und Höhe annähernd dieselben sind oder in einem so engen Zusammenhang stehen, dass die Herausnahme einer Grundentscheidung unzweckmäßig und verwirrend wäre[398]. Hinsichtlich der Höhe des Anspruchs muss ein Absehensgrund nach § 406 Abs. 1 S. 2 bis 4 StPO vorliegen. Zwingend ist der Erlass eines Grundurteils indes nicht. Wenn das Gericht davon ausgeht, dass sich der Antrag für ein Grundurteil nicht eignet, kann es von einer Entscheidung absehen[399]. Dies bedeutet dann aber, dass insgesamt ein Absehensgrund nach § 406 Abs. 1 S. 2 bis 4 StPO vorliegen muss[400].

Für den Ablauf des weiteren Verfahrens (Betragsverfahren) trifft § 406 Abs. 3 S. 4 StPO folgende Regelung: Die Verhandlung über den Betrag findet vor dem zuständigen Zivilgericht statt und nicht in der Rechtsmittelinstanz des Strafverfahrens. Dieses ist nach §§ 406 Abs. 1 S. 2 a. E. StPO, 318 ZPO an die Entscheidung des Strafgerichts gebunden.

Nicht nur ein Grund- sondern auch ein *Teilurteil* kann das Gericht fällen. Mangels einer weiterführenden Vorschrift in der StPO ist auch für das Teilurteil auf

---

[395] BGH NJW-RR 1993, 91.

[396] Weiner/Ferber-*Schneckenberger* (2008), Rn. 155 mit Hinweis auf die einschlägige ZPO-Kommentarliteratur.

[397] BGH NJW 2000, 1572: erfasst sind aber auch Ansprüche, die auf Leistung anderer vertretbarer, der Höhe nach summenmäßig bestimmter Sachen gerichtet sind. Nicht erfasst sind dagegen unbezifferte Feststellungsanträge (siehe zu diesem Spezialproblem ausführlich Weiner/Ferber-*Schneckenberger* (2008), Rn. 160 mit dem Hinweis auf die Möglichkeit eines Teilurteils).

[398] BGH VersR 1979, 25; 1992, 1087.

[399] BGH JR 2003, 257 mit Anm. *Groß,* JR 2003, 258, 259; *Kropp,* JA 2002, 330, 333, fordert sogar den zwingenden Erlass eines Grundurteils.

[400] *Klein* (2007), S. 121.

152   Kap. 2: Rechtliche Ausgestaltung des reformierten Adhäsionsverfahrens

die einschlägigen Bestimmungen der ZPO zurückzugreifen, insbesondere auf § 301 ZPO. Bedeutung erlangt diese Möglichkeit für das Gericht, sobald einer von mehreren geltend gemachten Ansprüchen[401] oder ein einheitlicher Anspruch teilweise entscheidungsreif ist[402].

cc) Form und Inhalt des Urteils

Das Adhäsionsurteil muss einer bestimmten Form genügen sowie einen bestimmten Inhalt haben. Dies folgt aus dem Umstand, dass ein zuerkennendes Urteil eine vollstreckbare Entscheidung nach § 704 Abs. 1 ZPO darstellt. Ein (formeller) Mangel des Urteils kann die fehlende Vollstreckbarkeit nach sich ziehen, etwa wenn die Bezeichnung des Antragstellers unvollständig ist.

Die Entscheidung ergeht im Strafurteil[403]. Grundsätzlich gelten auch für Form und Inhalt der Adhäsionsentscheidung strafprozessuale Vorschriften. Das Rubrum muss den Antragsteller genau benennen[404]. Der Urteilstenor muss die vom Beschuldigten zu erbringende Leistung genau bezeichnen[405]. Eines Tatbestands bedarf es nicht. Da der Anspruch „aus der Straftat erwachsen" ist, kann diesbezüglich auf den strafprozessual ermittelten Sachverhalt zurückgegriffen werden[406]. Nicht entbehrlich kann allerdings eine Urteilsbegründung sein. Hierfür spricht neben dem Wortlaut des § 406 Abs. 4 StPO vor allem die Tatsache, dass die Entscheidung den Beschuldigten belastet[407]. Fehlt die Begründung, liegt ein

---

[401] Wenn der Antragsteller beispielsweise den aufgrund eines betrügerisch zustande gekommenen Vertrags geleisteten Kaufpreis und die Rückzahlung eines Darlehens verlangt. Ist der Kaufpreis-, nicht aber der Darlehensanspruch entscheidungsreif, bietet sich ein Teilurteil an.

[402] Wenn der Antragsteller beispielsweise Schadensersatz wegen seines bei einer Sachbeschädigung beschädigten Fahrzeugs und dabei Wertminderung des Fahrzeugs sowie Nutzungsausfall geltend macht. Kann der Nutzungsausfall anhand eines üblichen Tabellenwertes relativ einfach bestimmt werden, nicht aber die gegebenenfalls ein Sachverständigengutachten erfordernde Wertminderung, bietet sich hinsichtlich des Nutzungsausfalls ein Teilurteil an.

[403] Vgl. den Hinweis bei *Prechtel,* ZAP 2005, 399, 401, dass die Urteile nicht selten direkt am Schluss der Verhandlung verkündet werden. Diese kurze Überlegungszeit kann bei zivilrechtlichen Ansprüchen nicht ausreichend sein. Auch im Strafverfahren ist aber ein eigener Verkündungstermin möglich (§ 268 Abs. 3 S. 2 StPO).

[404] LR-*Hilger* (2009), § 406 Rn. 4; *Joachimski/Haumer* (2006), S. 292; HK-*Kurth* (2009), § 406 Rn. 2; *Glaremin/Becker,* JA 1988, 602, 603 (mit vollständigem Namen und Anschrift). Vgl. zum Verfahren bei Geheimhaltungsinteresse Weiner/Ferber-*Schneckenberger* (2008), Rn. 151.

[405] Diesbezüglich gelten keine Unterschiede zum Zivilprozessrecht, SK-*Velten* (2003), § 406 Rn. 2; KMR-*Stöckel* (2005), § 406 Rn. 3. Bei Feststellungsanträgen muss die Feststellung genau erfolgen.

[406] Vgl. § 267 Abs. 1 S. 1 StPO. Hier hatte das Opferrechtsreformgesetz keinen Einfluss auf die Rechtslage; vgl. *Klein* (2007), S. 123; LR-*Hilger* (2009), § 406 Rn. 4.

[407] *Stöckel* (2004), S. 839.

B. Der Ablauf des reformierten Adhäsionsverfahrens 153

Revisionsgrund nach § 338 Nr. 7 StPO vor[408]. Aus dem Charakter des Verfahrens als originärer Teil des Strafprozesses folgt, dass sich die Begründung der Adhäsionsentscheidung *nicht* nach den zivilprozessualen Vorschriften über die Feststellung der entscheidungserheblichen Tatsachen richtet[409]. Nach § 267 Abs. 1 S. 1 StPO müssen die Gründe die Tatsachen erkennen lassen, die das Gericht als erwiesen erachtet[410].

Das Urteil muss erstens erkennen lassen, warum die strafprozessual ermittelten Tatsachen die Anspruchsvoraussetzungen erfüllen. Dabei kann eine aus einem Satz bestehende, pauschal formelhafte Erwägung den Anforderungen an diese Begründungspflicht nicht genügen. Dennoch sind die Begründungspflichten in ihrem Anforderungsgrad unterhalb derjenigen des Zivilverfahrens anzusiedeln[411]. Eingehen muss das Gericht auf die zivilrechtlichen Anspruchsvoraussetzungen, soweit sie über die strafrechtliche Subsumtion hinausgehen, und auf die vom Beschuldigten im Verfahrensverlauf vorgebrachten Einwendungen[412]. Zweitens muss das Gericht die Feststellung in das Urteil aufnehmen, dass der Adhäsionszusammenhang vorliegt, also dass die strafbare Handlung Teil der Anspruchsbegründung ist. Insbesondere bei Schmerzensgeldansprüchen sind diese Anforderungen nicht leicht umzusetzen[413].

b) Anerkenntnisurteil

aa) Rechtsentwicklung

Neben der streitigen Adhäsionsentscheidung kann ein Verfahren auch durch ein Anerkenntnisurteil enden, § 406 Abs. 2 StPO. Die Möglichkeit des Aner-

---

[408] BGH NStZ 1988, 237. Zur Frage, ob in der Begründung auch die relevanten zivilrechtlichen Vorschriften aufgeführt sein müssen vgl. *Klein* (2007), S. 124. Empfehlenswert ist dies jedenfalls.

[409] *Plüür/Herbst,* NJ 2005, 153. Eine Unterteilung in streitiges und unstreitiges Vorbringen findet nicht statt, da § 138 ZPO keine Geltung beansprucht. Dieser Aspekt ist in der Praxis manchmal nicht geläufig. So – an dieser Stelle nur im Vorgriff auf spätere Erläuterungen – die Aussagen einiger Teilnehmer der in Kapitel 3 dargestellten Umfrage. Mehrmals wurde als großes Manko geäußert, dass die „zivilrechtlichen Begründungserfordernisse auf Nur-Strafrichter (ohne zivilrichterliche Erfahrung) abschreckend wirkten".

[410] BGH NStZ 1988, 237 stellt die Anforderung auf, dass die Entscheidung alle für eine revisionsrechtliche Überprüfung erforderlichen Anforderungen enthalten muss.

[411] BGH NStZ-RR 2010, 344. Vgl. zu den Anforderungen der Begründung § 313 Abs. 1 Nr. 6 ZPO mit den Ausnahmen der §§ 313a f. ZPO sowie Zöller-*Vollkommer* (2009), § 313 Rn. 19 ff. und eingehend *Kischel* (2003), S. 347 ff.; für die Einrede der Verjährung BGH, B. v. 19.10.2010 (4 StR 295/10).

[412] Detailliert zu ausgewählten Anspruchsgrundlagen (beispielsweise Schmerzensgeldansprüchen i.V.m. § 253 Abs. 2 BGB oder § 823 Abs. 2 BGB) siehe Weiner/Ferber-*Schneckenberger* (2008), Rn. 171 bis 178.

[413] Vgl. hierzu die ausführlichen Hinweise bei LR-*Hilger* (2009), § 406 Rn. 6 f.

154   Kap. 2: Rechtliche Ausgestaltung des reformierten Adhäsionsverfahrens

kenntnisses hat der Gesetzgeber erst durch das Opferrechtsreformgesetz einge-führt[414]. Diese Gesetzesänderung mutet nahezu „sensationell" an, war doch vor der Gesetzesnovelle fast einhellige Ansicht, dass im Adhäsionsverfahren kein Anerkenntnisurteil ergehen kann[415]. Zwei Gründe wurden für diese Ansicht an-geführt. Ein Anerkenntnis, mit dem der Beschuldigte erklärt, das Begehren des Antragstellers sei zu Recht erhoben, sei als typischer Ausfluss der zivilprozessua-len Dispositionsmaxime für das Adhäsionsverfahren nicht geeignet[416]. Im Übri-gen müsse vermieden werden, dass sich ein Angeklagter, um keine Zweifel an seiner Einsicht, Reue und seinem Wiedergutmachungswillen aufkommen zu las-sen, gedrängt sehen könnte, einen im Adhäsionsverfahren verfolgten Anspruch unbedingt anzuerkennen[417]. Nach alter Rechtslage fand ein „Anerkenntnis" des Beschuldigten lediglich im Rahmen der Beweiswürdigung Beachtung.

Über diese einhellige Meinung hat sich der Gesetzgeber bei Erlass des Opfer-rechtsreformgesetzes hinweg gesetzt[418]. Angesichts der eindeutigen Gesetzeslage kann die hergebrachte Linie der Rechtsprechung keine Gültigkeit mehr beanspru-chen[419]. Die von der Rechtsprechung vorgetragenen Argumente, die vor dem Op-ferrechtsreformgesetz gegen die Zulässigkeit eines Anerkenntnisses gesprochen haben, sind jedoch auch durch die insofern sehr eindeutige Aussage des § 406 Abs. 2 StPO nicht einfach „weggewischt" worden. Daher stellt sich die Frage, wie ihnen nach der neuen Rechtslage begegnet werden muss.

---

[414] Das prozessuale Spiegelbild des Anerkenntnisurteils, nämlich der Verzicht nach § 306 ZPO, ist im Adhäsionsverfahren unstatthaft. Trotz mangelnder gesetzlicher Rege-lung ist dies einhellig anerkannt. Der Grund dafür ist einer der adhäsionsrechtlichen Grundsätze, nämlich dass es zu keiner negativen Sachentscheidung kommen darf (vgl. genauer *Klein* (2007), S. 133 f.). Erklärt der Antragsteller dennoch einen Verzicht, kommt eine Absehensentscheidung in Betracht, wenn dadurch der Anspruch unbegrün-det erscheint (KMR-*Stöckel* (2005), § 404 Rn. 19).

[415] So die Ansicht der Rechtsprechung BGHSt 37, 263 (Leitsatz: „Es ist unzulässig, im Adhäsionsverfahren ein Anerkenntnisurteil zu erlassen." Dies wurde bestätigt durch BGH StV 1996, 263) sowie bereits OLG Neustadt NJW 1952, 718. Aus der Literatur *Meyer-Goßner* (2004), § 404 Rn. 10; *Pfeiffer* (2002), § 404 Rn. 6; HK-*Kurth* (2009), § 404 Rn. 14; *Wendisch,* JR 1991, 297, 298. Eine vermittelnde Ansicht vertrat *Weber* (1996), S. 86, der sich für eine (Teil-)Zulässigkeit eines Anerkenntnisses nur der Höhe nach aussprach. Von einer Zulässigkeit gingen nur vereinzelte Stimmen aus (etwa *D. Meyer,* JurBüro 1991, 1153, 1156; *Pasker,* NStZ 1991, 503 oder *Köckerbauer,* NStZ 1994, 305, 308).

[416] BGHSt 37, 263.

[417] BGH StV 1996, 263.

[418] Zu Recht der Hinweis bei *Schork/König,* NJ 2004, 537, 541, dass er daran auch nicht gehindert war. Allerdings ist der Gesetzesbegründung, abgesehen von einem Hin-weis auf § 405 StPO n. F., keine genauere Begründung zu entnehmen.

[419] Daher konsequent der Hinweis bei BGH StraFo 2005, 381 („im Adhäsionsverfah-ren [ist; d. Verf.] ein Anerkenntnisurteil zulässig"). Offenkundig ein Versehen ist der gegenteilige Hinweis bei *Pfeiffer* (2005), § 404 Rn. 6.

B. Der Ablauf des reformierten Adhäsionsverfahrens 155

Zunächst wurde bemängelt, dass die ausgedehnte Geltung der Dispositionsmaxime im Strafverfahren, die bis auf das Antragserfordernis im Strafverfahren keinen Raum hat, ein „schwerwiegender Bruch mit bewährten und tradierten Grundsätzen des Strafverfahrensrechts mit der Gefahr erheblicher Folgeprobleme" sei[420]. Diese Ansicht kann nicht geteilt werden. Dadurch, dass sich der Gesetzgeber für die Möglichkeit eines Adhäsionsverfahrens entschieden hat, bleibt ihm die genauere Ausgestaltung des Verfahrens überlassen. Allein die Aufnahme des Anerkenntnisses betrifft dabei das Strafverfahren als solches jedoch nicht. Bedeutsamer ist die vom BGH vorgetragene Befürchtung einer die Stellung des Beschuldigten beeinträchtigenden Drucksituation. Dennoch erscheint das Vorgehen des Gesetzgebers gerechtfertigt[421]. Eine vergleichbare Drucksituation ist auch anderen Rechtsinstituten immanent, wie etwa bei Ausgleichsgesprächen im Rahmen eines Täter-Opfer-Ausgleichs (§ 46a StGB). Auch wenn diese Gespräche scheitern, können Äußerungen, die während des Ausgleichsverfahrens gefallen sind, im Strafverfahren weiter verwertet werden. Dass prozesstaktische Überlegungen hinsichtlich der zivilrechtlichen Seite beim Beschuldigten eine Rolle spielen, kann durch gesetzliche Regelungen nicht vermieden werden, ansonsten müssten alle Schadenswiedergutmachungstätigkeiten des Beschuldigten für eine strafrechtliche Entscheidung außer Betracht bleiben. Die Stellung des Beschuldigten kann durch das Gericht angemessen gewahrt bleiben, wenn es im Rahmen seiner Fürsorgepflicht aus einem Anerkenntnis nicht unbesehen ein Anerkenntnisurteil folgen lässt, sondern zunächst kritisch fragt, ob das Anerkenntnis plausibel ist. Die gegen ein Anerkenntnis sprechenden Argumente sind nicht so schwerwiegend, dass sie gegen die grundsätzliche Zulässigkeit des Anerkenntnisses sprächen. Demgegenüber steht die aus Sicht des Antragstellers positive Erweiterung der prozessualen Gestaltungselemente. Außerdem ist ebenfalls nicht ausgeschlossen, dass die Möglichkeit des Anerkenntnisses unter Umständen auch dem Beschuldigten und seinem mitunter durchaus vorhandenen „Gesamtbereinigungsinteresse" dienlich sein kann[422]. Der gesetzgeberische Beurteilungsspielraum ist durch die Einführung des Anerkenntnisurteils jedenfalls nicht überschritten.

bb) Ausgestaltung des Anerkenntnisses

Die StPO enthält neben der kurzen Grundbestimmung wiederum keine näheren Anweisungen, wie das Strafgericht bei einem vorliegenden Anerkenntnis zu verfahren hat. Daher ist den Grundsätzen des Adhäsionsverfahrens zufolge

---

[420] *Neuhaus,* StV 2004, 620, 626.

[421] Zustimmend auch *Klein* (2008), S. 250 und *Spiess* (2008), S. 78.

[422] *Loos,* GA 2006, 195, 203. Wobei vieles dafür spricht, dass in derartigen Konstellationen das Strafverfahren anders abgeschlossen wird als mit einem Urteil, und das deswegen für die Adhäsionsentscheidung ebenfalls kein Raum besteht.

156   Kap. 2: Rechtliche Ausgestaltung des reformierten Adhäsionsverfahrens

(mangels allgemeiner strafprozessualer „Anerkenntnisgrundsätze") auf die Bestimmungen der ZPO – insbesondere auf § 307 – zurückzugreifen. Diese gelten grundsätzlich umfassend[423].

Das Strafgericht muss zunächst das Anerkenntnis als solches identifizieren. Dafür muss eindeutig der Wille des Beschuldigten erkennbar sein, den vom Antragsteller gegen ihn erhobenen Anspruch für begründet zu erklären und sich diesem Anspruch zu unterwerfen[424]. Dabei hat das Anerkenntnis nicht den Gehalt eines Geständnisses, sondern nimmt dem Gericht lediglich die Prüfung des vermögensrechtlichen Anspruches ab[425]. Wann der Beschuldigte im Prozessverlauf das Anerkenntnis ausspricht, ist unerheblich. Erfolgt dies zu einem frühen Zeitpunkt (was allerdings als eher theoretische Konstellation erscheint), dann muss das Strafgericht dies in das Protokoll aufnehmen. Wie im Zivilverfahren kann der Beschuldigte ein Anerkenntnis nicht wieder zurücknehmen[426]. Inhaltlich muss die vom Beschuldigten anerkannte Rechtsfolge mit dem zwingenden Recht vereinbar sein.

Grundsätzlich wird das Anerkenntnis auch im Strafurteil festgehalten. Kein Grund ist ersichtlich, warum das Anerkenntnisurteil als selbständige Entscheidung ergehen sollte[427].

cc) Probleme des Anerkenntnisses im Strafverfahren

Nach der gesetzgeberischen Zulassung des Anerkenntnisurteils im Adhäsionsverfahren sind es vor allem zwei Fragestellungen, deren Behandlung gesetzlich nicht geregelt ist.

Die erste Unklarheit betrifft das Verhältnis von § 406 Abs. 1 S. 1 StPO zu § 406 Abs. 1 S. 3 StPO, nämlich ob § 406 Abs. 2 StPO auch dann gelten kann, wenn das Gericht den Beschuldigten nicht schuldig gesprochen und auch keine Maßregel angeordnet hat, so wie es § 406 Abs. 1 S. 1 StPO vorsieht. Das Problem kann etwa eine Rolle spielen, wenn es zu einem Freispruch kommt, dennoch

---

[423] Zweifelnd *Hilger,* GA 2005, 478, 485, der auf eine insofern unklare Gesetzeslage hinweist.

[424] Musielak-*Musielak* (2009), § 307 Rn. 3.

[425] Weiner/Ferber-*Ferber* (2008), Rn. 165. Im Zivilprozess (§§ 288 ff. ZPO) nimmt das Geständnis lediglich die Prüfung der Wahrheit einer Behauptung ab. Die eingeräumten Tatsachen bedürfen dann keines Beweises mehr, müssen aber noch nicht zur Anspruchsentstehung führen.

[426] Die Bindung besteht fort, auch wenn nicht sofort ein Anerkenntnisurteil erlassen wird (siehe BGH NJW 1993, 1717).

[427] Anders *Klein* (2007), S. 251, der in einer sehr opferfreundlichen Auslegung eine eigenständige Anerkenntnisentscheidung zulassen will, wenn der Angeklagte sofort anerkennt und die strafrechtliche Entscheidung ersichtlich nicht zeitnah gefällt werden kann.

B. Der Ablauf des reformierten Adhäsionsverfahrens 157

ein verwertbares Anerkenntnis des Beschuldigten vorliegt[428]. Oft wird die strafrechtliche Verurteilung als vorrangig angesehen. Dies würde bedeuten, dass ein Anerkenntnisurteil nie ergehen kann, wenn es nicht auch zu einer strafrechtlichen Verurteilung oder Maßregelanordnung kommt, und wenn eine Konstellation vorliegt, in der an sich eine Absehensentscheidung ergehen müsste. Überwiegend wird davon ausgegangen, dass in diesen Fällen wegen der Akzessorietät der Adhäsionsentscheidung kein Anerkenntnisurteil ergehen könne. Eine stattgebende Entscheidung sei nach § 406 Abs. 1 S. 1 StPO nur möglich, soweit der Beschuldigte auch wegen einer Straftat schuldig gesprochen werde[429]. Dagegen wird eingewandt, dass das Anerkenntnis eine Möglichkeit schaffe, schnell und vor allem einvernehmlich einen Titel für den Antragsteller zu schaffen[430]. Zudem setze § 406 Abs. 1 S. 1 StPO eine Begründetheitsprüfung des Anspruchs voraus, die bei einem Anerkenntnis dem Gericht gerade abgenommen werden soll[431]. Daher sei auch in diesen Fällen gemäß dem Anerkenntnis zu verurteilen.

Besteht ein Anerkenntnis, so muss das Gericht ein Anerkenntnisurteil erlassen. Der Akzessorietätsgrundsatz ist durch diese gesetzgeberische Entscheidung ausnahmsweise durchbrochen. Hintergrund ist, dass das Strafgericht in diesem Fall eine Entscheidung trifft, die maßgeblich vom Verhalten des Beschuldigten abhängt. Es trifft dagegen keine Entscheidung, die von der angeklagten Straftat völlig losgelöst ist. Daher kommt dem Akzessorietätsgrundsatz beim Anerkenntnis keine Bedeutung zu. Als reine Prozesshandlung stellt das Anerkenntnis einen einseitigen Dispositionsakt über den Adhäsionsantrag dar. Das Gericht muss allein die Wirksamkeitsanforderungen an das Anerkenntnis überprüfen und anschließend, so die zwingende Folge des § 406 Abs. 2 StPO, dem Anerkenntnis gemäß verurteilen. Darin ist keine „zu sehr zivilprozessual geprägte Argumentation"[432] zu sehen. Daher ist § 406 Abs. 2 StPO als Spezialregelung zu § 406 Abs. 1 S. 1 und 3 StPO anzusehen. Deswegen kann ein Anerkenntnisurteil auch dann ergehen, wenn das Strafverfahren auf andere Weise als durch ein Strafurteil beendet wird, also etwa durch Einstellung oder durch einen Freispruch.

Ferner ist unklar, wie zu verfahren ist, wenn eine neue Beweislage im Prozessverlauf ergibt, dass das Anerkenntnis falsch war. Da das Anerkenntnis den Beschuldigten bindet, hat auch eine neue Beweislage an sich keine Auswirkungen auf das vom Gericht zu treffende Anerkenntnisurteil. Es müsste im Strafurteil

---

[428] Hierbei handelt es sich allerdings um eher theoretische Fallkonstellationen.

[429] *Hilger* (2008), S. 584; *Bahnson* (2008), S. 99; *Meyer-Goßner* (2010), § 406 Rn. 4; *Joecks* (2008), § 406 Rn. 5.

[430] *Krumm,* SVR 2007, 41, 44.

[431] Weiner/Ferber-*Ferber* (2008), Rn. 167; *Heger,* JA 2007, 244, 247.

[432] So LR-*Hilger* (2009), § 406 Rn. 33 sowie *ders.* (2008), S. 583, der befürchtet, die Auffassung, § 406 Abs. 2 StPO sei als lex specialis zu § 406 Abs. 1 S. 1 StPO anzusehen, würde zu widersprüchlichen Entscheidungen führen. Diese Gefahr erscheint jedoch verschwindend gering zu sein.

158   Kap. 2: Rechtliche Ausgestaltung des reformierten Adhäsionsverfahrens

dem erwiesenermaßen falschen Anerkenntnis gemäß verurteilen. Nach einer Ansicht darf diese Konsequenz nicht eintreten. Da auch im Anerkenntnisurteil die vorläufige Vollstreckbarkeit angeordnet werde, könne dem Beschuldigten nicht auferlegt werden, gegen das Anerkenntnisurteil nach § 406a Abs. 2 StPO Rechtsmittel einzulegen. Stattdessen sei eine analoge Anwendung von § 406a Abs. 3 StPO vorzugswürdig[433]. Resultat sei, dass das Strafgericht (und auch der Beschuldigte) an das ausgesprochene Anerkenntnis nicht mehr gebunden seien.

Eine analoge Anwendung von § 406a Abs. 3 StPO ist indes nur dann erforderlich, wenn eine planwidrige Regelungslücke zu identifizieren ist. Dass der Beschuldigte gegen ein einmal in der Welt befindliches Anerkenntnisurteil ein Rechtsmittel einlegen muss, erscheint dagegen eine sachgerechte Lösung zu sein. Das Anerkenntnis ergeht nicht als eigenständiger Beschluss während des Prozessverlaufs. Vielmehr muss das Gericht erst zum Abschluss des Verfahrens mit der strafrechtlichen Entscheidung auch über den Adhäsionsantrag entscheiden. Ein während des Prozessverlaufs abgegebenes falsches Anerkenntnis stellt dann jedoch kein Anerkenntnis nach § 406 Abs. 2 StPO dar, da es sich nicht mehr um eine eindeutige Erklärung handelt, mit der der Beschuldigte den vom Antragsteller gegen ihn erhobenen Anspruch für begründet erklären und sich diesem Anspruch unterwerfen will. Daher muss die Prüfung des Gerichts ergeben, dass die Aussage des Beschuldigten nicht als Anerkenntnis zu identifizieren ist. Auf eine Analogie zu § 406a Abs. 3 StPO muss dann nicht mehr zurückgegriffen werden. Ein falsches Anerkenntnis darf das Gericht nicht in der Adhäsionsentscheidung berücksichtigen.

3. Vergleich, § 405 StPO

a) Überblick

Der Gesetzgeber hat durch das Opferrechtsreformgesetz im völlig neu gefassten § 405 StPO den Prozessvergleich als Möglichkeit aufgenommen, das Adhäsionsverfahren abzuschließen[434]. Diese Rechtsänderung wird positiv gesehen[435]. Das Adhäsionsverfahren mit einem Vergleich zu beenden, ist nur im Hauptver-

---

[433] *Neuhaus,* StV 2004, 620, 626.

[434] Bereits nach der früheren Rechtslage wurde es für zulässig erachtet, dass der Antragsteller und der Angeklagte auf dem Vergleichsweg das Adhäsionsverfahren zu einem Abschluss bringen (vgl. BGHSt 37, 263, 264; OLG Stuttgart NJW 1964, 110; *Pecher,* NJW 1981, 2170, 2171; *Schmanns* (1989), S. 59; *D. Meyer,* JurBüro 1984, 1121, 1122; eher zweifelnd HK-*Kurth* (2009), § 404 Rn. 17. Auf den Abschluss eines Vergleichs bestand allerdings – damals wie heute – kein Anspruch (AnwK-*Krekeler* (2006), § 405 Rn. 1; *Neuhaus,* StV 2004, 620, 626). Zudem mussten die Vergleichsverhandlungen außerhalb der Hauptverhandlung geführt werden (*K. Schroth* (2005), Rn. 350). Anders *Freund,* GA 2002, 82, 86, der aber in diesem Sinne eine Änderung des § 794 ZPO als wünschenswert empfand. Anders noch *Schönke* (1951), S. 363, der argumentierte, der Beschuldigte sei in einer Zwangssituation und Vergleichsverhandlungen würden

B. Der Ablauf des reformierten Adhäsionsverfahrens

fahren möglich[436]. Ein außergerichtlicher Vergleich ist durch diese Möglichkeit dennoch nicht ausgeschlossen. Vielmehr müsste das Gericht hinsichtlich des Adhäsionsantrags eine Absehensentscheidung wegen Unbegründetheit treffen, wenn sich Antragsteller und Beschuldigter außergerichtlich einigen[437]. § 405 StPO lässt den Vergleich zu, stellt aber keine ausführliche Regelung dar. Weitergehende Probleme sollen dem Gesetzgeber zufolge durch die Anwendung der „allgemeinen Vorschriften" in den Griff bekommen werden[438]. Die zivilverfahrensrechtlichen Bestimmungen können – entsprechend den Grundsätzen des Adhäsionsverfahrens – nur in der Art angewendet werden, dass sie die Besonderheiten des Strafverfahrens hinreichend berücksichtigen.

Charakteristisch für einen Vergleich ist dessen „Doppelnatur"[439]. Er ist zugleich ein materiell-rechtlicher Vertrag (§ 779 BGB) aber auch Prozesshandlung, weil durch ihn ein Verfahren ohne Urteil zum Abschluss kommt. Diese Eigenschaft kommt auch einem Vergleich im Adhäsionsverfahren zu.

b) Vorteile

Je nach Verfahrenskonstellation kann es für den Antragsteller aber auch für den Beschuldigten günstig sein, einen Vergleich abzuschließen. Wichtiger Vorteil für den Antragsteller ist, dass er schnell und vor allem günstig zu einem vollstreckungsfähigen Titel gelangt. Zudem werden sein Prozess- sowie sein Kostenrisiko verringert. Aber auch für den Beschuldigten kann ein Vergleich seinen Reiz haben. Immerhin kann die Bereitschaft, sich zu vergleichen, im Rahmen der Strafzumessung (§§ 46 ff. StGB) ein Strafmilderungskriterium darstellen. Als weitere „Annehmlichkeiten" sind auch beim Beschuldigten das minimierte Kostenrisiko zu nennen, sowie das in tatsächlicher Hinsicht bedeutsame, durchaus wahrscheinliche Nachgeben des Antragstellers in der Anspruchshöhe. Zuletzt bietet ein Vergleich Möglichkeiten, die Art der Wiedergutmachung an persön-

---

sich vielfach nicht „mit dem besonderen Ernst einer Hauptverhandlung in Strafsachen" vertragen.

[435] Vgl. etwa *Rieß* (2005), S. 435, der die Vergleichsmöglichkeit als sinnvolle Ergänzung des den Täter-Opfer-Ausgleich befördernden neuen § 155a StPO ansieht, sowie *Klein* (2008), S. 248. Leichte Kritik unter dogmatischen Gesichtpunkt LR-*Hilger* (2009), § 405 Rn. 2.

[436] Vgl. den Wortlaut („Protokoll"). Die Möglichkeit, einen („Adhäsions-")Vergleich bereits vor Eröffnung des Hauptverfahrens zu schließen (so noch BT-Drs. 15/1976 S. 15 f.), wurde auf entsprechenden Antrag der Länder im Vermittlungsausschuss gestrichen. Vgl. auch KMR-*Stöckel* (2005), § 405 Rn. 1; *Ferber,* NJW 2004, 2562, 2564.

[437] Dann ergeht allerdings auch eine Kostenentscheidung nach § 472a Abs. 2 StPO. Ein außergerichtlicher Vergleich dürfte daher nur im Ermittlungsverfahren eine praktische Rolle spielen.

[438] BT-Drs. 15/1976 S. 16.

[439] Ganz überwiegende Meinung, vergleiche zuletzt BGH NJW 2005, 3576, 3577 sowie Musielak-*Lackmann* (2009), § 794 Rn. 3; Zöller-*Stöber* (2009), § 794 Rn. 3.

160 Kap. 2: Rechtliche Ausgestaltung des reformierten Adhäsionsverfahrens

liche Gegebenheiten anzupassen, die nicht bestünden, wenn der Antragsteller im Wege der Zwangsvollstreckung gegen den Beschuldigten vorgeht[440]. Zuletzt bietet ein Vergleich noch am ehesten die Gewähr, dass sich beide Vergleichsparteien auch an die Verabredung halten. Bei Erfolg stellt dies einen wesentlichen Teil zu einer gelungenen Aufarbeitung der Straftatfolgen und damit zur Erreichung von Rechtsfrieden dar.

c) *Voraussetzungen*

aa) Antragserfordernis

In formeller Hinsicht ist ein Antrag des Antragstellers sowie des Beschuldigten erforderlich, dass das Gericht einen Vergleich über die den Streitgegenstand darstellenden Ansprüche in das Protokoll aufnehmen soll.

Gemeinsam können Antragsteller und Beschuldigter dem Gericht auch auferlegen, einen Vergleichsvorschlag zu unterbreiten, der dann Grundlage weiterer Vergleichsverhandlungen zwischen Antragsteller und Beschuldigtem ist (§ 405 Abs. 1 S. 2 StPO). Einen solchen Vergleichsvorschlag „soll" es unterbreiten, kann also nur ausnahmsweise das übereinstimmende Begehren von Antragsteller und Verletzten abweisen[441]. Ein solcher vom Gericht stammender Vergleichsvorschlag kann zur Folge haben, dass ihm von einem der Beteiligten Befangenheit vorgeworfen wird[442]. Nach der Gesetzesbegründung könne hiervon allerdings nur dann ausgegangen werden, wenn der Vergleichsvorschlag einen die Rechtslage grob verkennenden Inhalt habe oder „Begleitumstände (wie eine unsachgemäße Begründung des Vorschlags) im Einzelfall Misstrauen gegen die Unparteilichkeit des Richters begründen können"[443]. Der von Rechtsprechung und Literatur gesteckte Rahmen zur Befangenheit nach § 24 Abs. 1 StPO findet auch hier Anwendung[444]. Daher kann Befangenheit bei einem Vergleichsvorschlag nur angenommen werden, wenn der Ablehnende bei verständiger Würdigung und belegt von objektivierenden Umständen des ihm bekannten Sachverhalts Grund zur Annahme hat, der Richter nehme ihm gegenüber eine innere Haltung ein, die seine erforderliche Neutralität, Distanz und Unparteilichkeit störend beeinflussen kann[445].

---

[440] Vgl. *Plüür/Herbst,* NJ 2005, 153, 156, die als Beispiel die Vereinbarung einer Ratenzahlung nennen.

[441] Die Gründe hierfür müssen im Protokoll festgehalten werden.

[442] Daher wird diese Neuregelung auch kritisiert. Vgl. KMR-*Stöckel* (2005), § 405 Rn. 2 („Einfallstor für Befangenheitsanträge enttäuschter Angeklagter").

[443] BT-Drs. 15/1976 S. 15 und nochmals dezidiert zu befürchteten Befangenheitsanträgen BT-Drs. 15/2536 S. 11.

[444] Hierzu auch Weiner/Ferber-*Havliza/Stang* (2008), Rn. 110.

[445] So die allgemeine Meinung BVerfGE 21, 139, 146; BGHSt 45, 353; KK-*Fischer* (2008), § 24 Rn. 3.

B. Der Ablauf des reformierten Adhäsionsverfahrens 161

bb) Vergleichsgegenstand: Aus der Straftat erwachsene Ansprüche

Der Vergleichsgegenstand ist im Vergleich zu den im Adhäsionsantrag zulässigen Ansprüchen erweitert, da alle aus der Straftat erwachsenen Ansprüche und nicht nur vermögensrechtliche einem Vergleich zugänglich sind. Auf diese Weise soll der „Schlussstrichfunktion" des Vergleichs umfassend Rechnung getragen werden. Beispielsweise kann auch ein Anspruch auf Abgabe einer Erklärung in den Vergleich einfließen[446]. Für eine gütliche Beilegung des Rechtsstreits besteht demnach ein vergrößerter Spielraum[447]. Mit Straftat ist die Tat nach § 264 StPO gemeint. Die Beschränkung der rechtlichen Bewertung nach § 154a StPO oder eine Beschränkung des Prozessstoffes nach § 154 StPO können den Abschluss eines Vergleichs nicht hindern[448].

cc) Inhalt eines Vergleichs

Inhaltlich kann in einem Vergleich grundsätzlich alles vereinbart werden, was mit der Regulierung der aus der Straftat erwachsenen Ansprüche zu tun hat. In den meisten Fällen geht ein Vergleich mit einem Nachgeben auf beiden Seiten einher. Daher sollte die Vergleichsvereinbarung auch eine Regelung enthalten, die bestimmt, wie mit dem hinter dem beantragten Teil zurückbleibenden Ansprüchen zu verfahren ist. Ansonsten bleibt zum einen bis zu einer gerichtlichen Entscheidung die Rechtshängigkeit erhalten und zum anderen droht ein weiterer Zivilprozess. Hier empfehlen sich *Abgeltungsklauseln,* nach denen durch den Vergleich alle aus der Straftat erwachsenen Ansprüche erledigt sind[449]. Auch die sind einem Vergleich zugänglich und stellen dann eine Sonderregelung zur Bestimmung des § 472a StPO dar. Ein *Widerrufsvergleich* schließlich ist im Zivilverfahren sehr häufig, da nicht immer die Parteien selbst im Verfahren anwesend sind, sondern allein deren Prozessvertreter[450]. Eine solche Widerrufsvereinbarung kann grundsätzlich auch in den Adhäsionsvergleich aufgenommen werden. Allerdings muss ein tatsächlich erklärter Widerruf andere Folgen als im Zivilverfahren haben[451]. Während dort das Verfahren so behandelt wird, als hätte es den Vergleich nie gegeben, kann dies im Strafverfahren nicht der Fall sein. Der Straf-

---

[446] Selbst die Auflassung eines Grundstücks kann Teil des Vergleichs sein, da auch das Strafgericht eine „zuständige Stelle" nach § 925 BGB ist (vgl. Hügel-*Hügel* (2010), § 20 Rn. 45; *Bauer/Oefele* (2006), § 20 Rn. 199).

[447] BT-Drs. 15/1976 S. 15; zustimmend auch AnwK-*Krekeler* (2006), § 405 Rn. 2.

[448] So ausdrücklich BT-Drs. 15/1976 S. 15.

[449] Vgl. einen Formulierungsvorschlag bei Weiner/Ferber-*Havliza/Stang* (2008), Rn. 122 f. (auch zur spiegelbildlichen Situation, in der die Geltendmachung bestimmter Ansprüche noch erhalten werden soll).

[450] Zöller-*Stöber* (2009), § 794 Rn. 10.

[451] Materiell-rechtlich ist auf die verjährungshemmende Wirkung nach § 203 BGB hinzuweisen.

162   Kap. 2: Rechtliche Ausgestaltung des reformierten Adhäsionsverfahrens

prozess wird meistens bereits abgeschlossen sein. Nur in den (wohl nur theoretisch denkbaren) Fällen eines schnell ausgesprochenen Widerrufs, lebt der Adhäsionsantrag wieder auf. Ansonsten kann der bereits abgeschlossene Strafprozess nicht „rückabgewickelt" werden[452], der (wiederauflebende) Adhäsionsantrag ist vielmehr unzulässig, weil er dann nicht mehr „im Strafverfahren" geltend gemacht wird. Sowohl der Antragsteller als auch der Beschuldigte können sich den Widerruf vorbehalten. Allerdings muss auch das Gericht eine Widerrufsklausel beachten. Wenn es die Vergleichsbereitschaft und den Aspekt der Schadenswiedergutmachung in die Strafzumessung einfließen lässt, nach der Verurteilung vom Beschuldigten jedoch der Widerruf erklärt wird, kann das Strafurteil möglicherweise nicht mehr tat- und schuldangemessen sein. Vorgeschlagen wird, dass das Gericht entweder den Vergleich nicht strafmildernd berücksichtigen oder den Strafprozess nach dem Widerruf oder spätestens nach der Widerrufsfrist fortsetzen solle[453]. Richtig erscheint, dass das Gericht in diesen Fällen die Vergleichbereitschaft in die Überlegungen einbezieht, aber geringer wertet. Je nach Fallgestaltung (Schadenshöhe, Vergleichsbereitschaft) kann dies dazu führen, dass nicht dieselbe wohlwollende Strafzumessung in Betracht kommen kann. Aus diesen Gründen ist eine Widerrufsklausel möglich, häufig aber ungeeignet[454].

d) Geeignete Verfahrenssituationen

Besonders geeignet erscheint ein Vergleich, wenn es zu einer Einstellung des Verfahrens nach § 153a Abs. 2 StPO kommen soll, bei der der Beschuldigte mitwirken muss. Die dort in Betracht kommende Auflage zur Wiedergutmachung muss nicht zur vollen Schadenswiedergutmachung im Sinne einer zivilrechtlichen Erfüllung führen, sondern kann auch darin liegen, dass ein Vergleich abgeschlossen wird[455]. Dann besteht der Vorteil für den Beschuldigten darin, dass die Auflage schon mit Aufnahme des Vergleichs in das Protokoll erfüllt wird und dadurch das Verfahren sofort eingestellt werden kann. Bei Antragsdelikten kann der Abschluss eines Vergleichs dazu führen, dass der Antragsteller den Strafantrag zurücknimmt. Ein Vergleich kann auch dann erfolgen, wenn keine strafrechtliche Verurteilung erfolgt. Hierfür sprechen neben der systematischen Stellung des § 405 StPO und dem Willen des Gesetzgebers[456] auch die Zweckrichtung der Vorschrift. Eine einvernehmliche Bereinigung der zivilrechtlichen Folgen soll auch dann möglich sein, wenn keine strafrechtliche Entscheidung ergeht. Der Akzessorietätsgrundsatz schützt allein den Beschuldigten. Da er bei einem Ver-

---

[452] So zu Recht *Plüür/Herbst* (2010), S. 75.

[453] *Plüür/Herbst* (2010), S. 76 mit Hinweis auf § 229 StPO.

[454] *Prechtel,* ZAP 2005, 399, 406, sowie angesichts der ungewissen „Schwebezeit" Weiner/Ferber-*Havliza/Stang* (2008), Rn. 125 und *Bahnson* (2008), S. 86.

[455] KK-*Schoreit* (2008), § 153a Rn. 16; *K. Schroth* (2005), Rn. 350.

[456] BT-Drs. 15/1976 S. 15.

B. Der Ablauf des reformierten Adhäsionsverfahrens

gleich maßgeblich beteiligt ist, bedarf es keiner Akzessorietät zur strafrechtlichen Entscheidung mehr.

Einen Vergleich kann das Gericht als Beendigungsmöglichkeit für das Adhäsionsverfahren auch in Fällen heranziehen, in denen sich zunächst keine Vergleichsmöglichkeit bietet[457]. Hier können sich Situationen ergeben, in denen sich die Positionen annähern. Denkbar ist, dass der Beschuldigte nicht mehr alles bestreitet (oder dies nicht mehr kann), und dass der Antragsteller eher mit einem Vergleich zufrieden ist, statt weiterhin Energie auf seine Rechtsverfolgung zu verwenden.

e) Rechtsfolge

aa) Bei wirksamem Vergleich

Die Wirkung eines wirksamen Vergleichs auf den rechtshängigen Adhäsionsantrag ist wiederum gesetzlich nicht geregelt, so dass auf die gleichartig gelagerte Situation im Zivilprozess zurückgegriffen werden kann. Der Antrag hat sich erledigt und ist damit als gegenstandslos anzusehen[458]. Die Aufnahme des Vergleichs in das Protokoll beendet das Adhäsionsverfahren[459]. Die Rechtshängigkeit endet. Der protokollierte Vergleich ist ein wirksamer Vollstreckungstitel nach § 794 Abs. 1 Nr. 1 ZPO[460].

bb) Bei unwirksamem Vergleich

Ein Vergleich kann auch unwirksam sein. § 405 Abs. 2 StPO regelt die Zuständigkeit für die Entscheidung über Einwendungen gegen die Rechtswirksamkeit des Vergleichs[461]. Die Erörterung dieser Fragen bleibt den Zivilgerichten

---

[457] *Freund,* GA 2002, 82, 85 mit folgenden Beispielen: Der Beschuldigte kann sich noch nicht kooperativ zeigen, ohne seine Stellung zu gefährden. Die Forderung mag noch zu hoch sein.

[458] *Plüür/Herbst,* NJ 2005, 153, 156.

[459] Eine Absehensentscheidung ist nicht erforderlich. Hinzuweisen ist darauf, dass nur ein gerichtlicher Vergleich diese Wirkung hat, und nicht, wenn sich die Parteien außerhalb des Strafverfahrens einigen. Eine solche Einigung ist natürlich ebenfalls zu begrüßen und erscheint zudem sinnvoller als ein vollständig durchgeführtes Adhäsionsverfahren. Das Strafgericht kann außergerichtliche Einigungsbemühungen vor allem im Rahmen der Strafzumessung berücksichtigen, muss aber im Adhäsionsverfahren eine Absehensentscheidung wegen Unbegründetheit aussprechen (§ 406 Abs. 1 S. 3 Var. 2 StPO).

[460] Die Hoffnung, dass eine Vollstreckung durch freiwillige Vergleichserfüllung vermieden werden kann, besteht dabei. Vgl. zur „technischen Seite" die Handlungsempfehlung bei *Plüür/Herbst,* NJ 2005, 153, 156: (1) Diktat des Vergleichstextes in das Protokoll (2) Verlesen durch Protokollführer (3) Genehmigung durch Antragsteller und Beschuldigten (4) Aufnahme der Genehmigungserklärung in das Protokoll.

[461] AnwK-*Krekeler* (2006), § 405 Rn. 4.

164 Kap. 2: Rechtliche Ausgestaltung des reformierten Adhäsionsverfahrens

vorbehalten. Dies soll die Strafgerichte davor bewahren, sich allein mit zivilrechtlichen Fragestellungen befassen zu müssen[462]. Sie sollen gewissermaßen lediglich eine protokollierende und gegebenenfalls einen Vergleichsvorschlag unterbreitende Stelle darstellen. Allein Unklarheiten, die die Protokollierung betreffen, können (und sollen) vom Strafgericht bereinigt werden[463]. Hier gilt die Protokollberichtigung nach § 271 StPO. Anerkanntermaßen betrifft die Bestimmung des § 405 Abs. 2 StPO die örtliche Zuständigkeit und stellt damit eine Spezialregelung zu den Gerichtsstandsregelungen des Zivilprozessrechts dar. Fraglich ist, ob sie auch die sachliche Zuständigkeit erfasst[464]. Beantwortet werden muss damit die Frage, ob die Streitwertgrenzen für das Zivilverfahren (wieder) eine Rolle spielen sollen oder nicht. Die Formulierung des § 405 Abs. 2 StPO unterscheidet sich von § 406 Abs. 3 S. 4 StPO („zuständiges Zivilgericht"), gleicht aber § 406b S. 2 StPO. Erstgenannter Unterschied soll dafür sprechen, dass es auf die sachliche Zuständigkeit nicht ankommen kann[465]. Der Vergleich mit § 406b S. 2 StPO soll dafür sprechen, dass allein die örtliche Zuständigkeit geregelt wird, da anderenfalls auch im Fall des § 406b S. 2 StPO in die vollstreckungsrechtlichen Zuständigkeiten eingegriffen werde, was „systemwidrig" sei[466]. Richtig erscheint, dass allein die örtliche Zuständigkeit geregelt wird. Der Wortlaut des § 405 Abs. 2 StPO vermag die erste Ansicht nicht zu stützen. Gerade weil § 405 Abs. 2 StPO nicht vom „zuständigen Gericht" spricht, sondern lediglich eine „räumliche Angabe" vorgibt, spricht dies dafür, dass die sachliche Zuständigkeit nach dem GVG zu ermitteln ist, und damit in den meisten Fällen der Streitwert die entscheidende Rolle spielt.

Die Doppelnatur des Vergleichs führt dazu, dass ein materiell-rechtlich nichtiger[467] Vergleich auch keine Prozesswirkungen entfalten kann. Im Zivilverfahren wird der Prozess fortgesetzt[468]. Im Strafverfahren ist dies nicht ohne weiteres möglich. Wie bei einem Widerruf, ist auch bei Anfechtung oder anderen sich erst später herausstellenden Unwirksamkeitsgründen das Strafverfahren regelmäßig bereits beendet[469]. Für die Behandlung der Ansprüche kann die Lösung nur in einer „Entkopplung" vom Strafverfahren liegen. Es bleibt die Möglichkeit des

---

[462] Eine andere Auffassung, die sich im Gesetzgebungsverfahren jedoch nicht durchsetzen konnte, wollte das Strafgericht mit der Aufgabe befassen. Als entscheidende Erwägung wurde erachtet, dass das Gericht bereits mit dem Sachverhalt vertraut sei (BT-Drs. 15/1976 S. 16).

[463] BT-Drs. 15/1976 S. 16; *Ferber,* NJW 2004, 2562, 2565.

[464] Bejahend: *Plüür/Herbst* (2010), S. 77; verneinend: Weiner/Ferber-*Havliza/Stang* (2008), Rn. 126.

[465] So *Plüür/Herbst* (2007), S. 47.

[466] So Weiner/Ferber-*Havliza/Stang* (2008), Rn. 126.

[467] In Betracht kommen alle Unwirksamkeitsgründe. Relevant kann etwa eine Anfechtung wegen arglistiger Täuschung (§ 123 Abs. 1 BGB) sein.

[468] BGHZ 28, 171. Es kommt nicht zu einem neuen Verfahren.

[469] LR-*Hilger* (2009), § 405 Rn. 12.

B. Der Ablauf des reformierten Adhäsionsverfahrens 165

Zivilrechtswegs[470]. Schwieriger zu beurteilen ist die Frage nach dem Strafverfahren. Hatte der (später unwirksame) Vergleich Einfluss auf eine strafrechtliche Entscheidung[471], kann dieser Einfluss nachträglich kaum mehr verändert werden. Bei Auflagen kann das Gericht zwar noch nachträgliche Änderungen vornehmen. Erfolgte der Einfluss des Vergleichs bei der Strafzumessung, ist diese Möglichkeit nicht eröffnet. § 46 StGB gewährt keine Möglichkeit, eine Strafe nachträglich abzuändern. Hier bleibt nach gegenwärtiger Rechtslage nur die Möglichkeit, die Entscheidung hinzunehmen. In einem solchen Fall hätte der Beschuldigte als einziger von einem Vergleich profitiert. Abgemildert werden kann die Gefahr eines nichtigen Vergleichs nur durch eine sorgfältig abgeschlossene Vergleichsvereinbarung.

f) Einbettung der Vergleichsverhandlungen in das Strafverfahren

Der Abschluss eines Vergleichs eröffnet dem Angeklagten und dem Antragsteller (respektive deren Rechtsbeiständen) neue Möglichkeiten, mittelbar auch auf den Ausgang des Strafverfahrens Einfluss zu nehmen. Die rechtlichen Gestaltungsmöglichkeiten sind vielfältig. Im Vordergrund steht die einvernehmliche Bewältigung zivilrechtlicher Konflikte. Zwar kann von Strafgerichten nicht erwartet werden, dass sie eine ähnliche „Vergleichserfahrung" wie die Zivilgerichte haben. Dennoch können sie die Vergleichbereitschaft bei den Beteiligten ausloten und Vergleichsverhandlungen gegebenenfalls bis zu einer Unterbreitung eines Vergleichsvorschlages moderieren. Für Vergleichsverhandlungen im Strafverfahren gilt, dass sie sich nicht so lang hinziehen dürfen, dass das eigentliche Strafverfahren in den Hintergrund gerät. Diese individuellen Interpretationen sehr zugängliche Formulierung kann dergestalt konkretisiert werden, dass das Gericht mindestens einen Vergleichsvorschlag eines Beteiligten, die Erwiderung, eine wahrscheinliche Replik und eine mögliche Duplik zulassen muss. Dies folgt daraus, dass unterhalb dieser Schwelle sinnvolle Vergleichsverhandlungen kaum möglich sind. Würde weniger zugelassen werden, würde die grundsätzliche Zulässigkeit des Vergleichs ins Leere laufen. Nach der Duplik muss das Gericht entscheiden, ob die Vergleichsverhandlungen erfolgversprechend sind, ob es einen Antrag auf Unterbreitung eines Vergleichsangebotes anregt, oder ob es das Adhäsionsverfahren im Urteil oder durch eine Absehensentscheidung beendet.

Die Vergleichsbestimmungen können unter Umständen auf die strafrechtliche Entscheidung Einfluss haben. Wird etwa in den Vergleich eine Bestimmung aufgenommen, bei der für den Fall einer Strafaussetzung zur Bewährung eine (hohe)

---

[470] Möglich ist auch ein erneuter Adhäsionsantrag in einer Berufungsverhandlung (KG NStZ-RR 2007, 280) über die in der Erstinstanz verhandelte Straftat.

[471] Möglich sind: Strafzumessung (§ 46 Abs. 1 S. 1 StGB); Schadenswiedergutmachungsauflage bei Bewährungsstrafe (§ 56b Abs. 2 S. 1 Nr. 1 StGB); Schadenswiedergutmachungsauflage bei Verfahrenseinstellung (§ 153a Abs. 1 S. 2 Nr. 1 StPO StPO).

166 Kap. 2: Rechtliche Ausgestaltung des reformierten Adhäsionsverfahrens

Entschädigungszahlung vereinbart wird[472], könnte das Gericht gehalten sein, den dem Verletzten günstigen Vergleich auch bei der Bestimmung des Strafurteils zu beachten. Im Beispielsfall würde dies bedeuten, dass das Gericht sich schwer damit tun könnte, dem Verletzten das Vergleichsergebnis zu entziehen, indem es auf eine Freiheitsstrafe ohne Bewährung entscheidet. Dies stellt jedoch keine Problemstellung dar, die unbedingt vermieden werden müsste.

4. Absehensentscheidung

a) Grundlagen und Systematik

Die Absehensentscheidung kommt als dritte gerichtliche Entscheidungsmöglichkeit immer dann in Betracht, soweit kein Urteil ergeht und wenn kein Vergleich zwischen Antragsteller und Beschuldigten in das Protokoll aufgenommen wurde. Regelungen über die Absehensentscheidung finden sich – wenig übersichtlich – in den §§ 406 Abs. 1 S. 3 bis 6, Abs. 5 StPO.

Will und kann das Gericht dem Antrag aus bestimmten Gründen nicht entsprechen, muss es von einer Entscheidung absehen. Das Gericht stellt nur fest, dass es in sachlicher Hinsicht keine Entscheidung über zivilrechtliche Ansprüche im Strafverfahren trifft. Diese Feststellung enthält keinerlei Informationen über die materiell-(zivil)rechtliche Rechtslage[473]. Stets hat der Antragsteller die Möglichkeit, seinen (potenziellen) Anspruch vor dem Zivilgericht oder auch durch einen weiteren Adhäsionsantrag[474] anderweitig geltend zu machen, so die für das gesamte Verfahren zentrale Aussage des § 406 Abs. 3 S. 3 StPO.

Der Grund für diese Konstruktion ist die gesetzgeberische Umsetzung des Grundsatzes, dass ein Strafgericht keine negative (zivilrechtliche) Sachentscheidung treffen soll. Verhindert werden soll, dass das Gericht eine umfangreiche, das Strafverfahren geradezu in eine zivilverfahrensrechtliche Verhandlung umwandelnde, Beurteilung vornehmen muss[475]. Das Gesetz ermöglicht dem Gericht daher eine Art „Notausgang" aus dem Adhäsionsverfahren.

---

[472] Fallbeispiel nach AnwK-*Krekeler* (2006), § 405 Rn. 6. Vgl. auch *Schork/König*, NJ 2004, 537, 541, die in solchen Fällen neue taktische Überlegungen anraten, in denen sich Angeklagter, Verteidiger und Geschädigter verbünden.

[473] Dass der Beschluss nach § 34 StPO begründet werden muss, ändert an dieser Einschätzung nichts. Der Begründung kommt keine rechtliche Relevanz zu. Durch sie wird dem Betroffenen ermöglicht, zu prüfen, ob und wie er sich gegen etwaige zu seinem Nachteil angenommene Tatsachen wenden und somit das Rechtsmittel gehörig begründen kann (OLG Oldenburg NJW 1971, 1098).

[474] Ein erneuter Adhäsionsantrag spielt in der Praxis keine Rolle. Theoretisch möglich ist die erneute Antragstellung im selben Strafverfahren oder in einem Berufungsverfahren.

[475] Müsste das Gericht auf die Beurteilung der zivilrechtlichen Ansprüche derart viel Energie verwenden, dass das Strafverfahren zumindest für eine gewisse Zeit in den Hin-

Eine Absehensentscheidung ist in drei Fällen vorgesehen. Nach § 406 Abs. 1 S. 3 StPO sieht das Gericht von einer Entscheidung ab, wenn der Antrag unzulässig ist (Var. 1; 1. Konstellation) oder soweit er unbegründet erscheint (Var. 2.; 2. Konstellation), nach § 406 Abs. 1 S. 4 StPO darüber hinaus, wenn sich der Antrag zur Erledigung im Strafverfahren nicht eignet (3. Konstellation). Vom Gesetz als selbstverständlich erachtet werden die Fälle, in denen keine Verurteilung oder keine Anordnung einer Maßregel erfolgt. Hier bleibt dem Gericht ebenfalls nur übrig, eine Absehensentscheidung zu fällen (4. Konstellation)[476]. Insgesamt lassen sich demnach vier Konstellationen unterscheiden, auf die im Folgenden näher eingegangen wird[477]. Das Kapitel abschließen werden formelle mit der Absehensentscheidung zusammenhängende Hinweise.

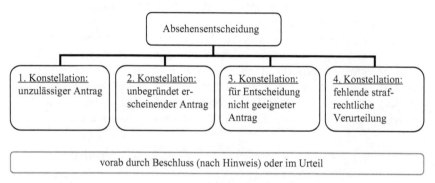

Quelle: Eigene Darstellung.

Abbildung 5: Möglichkeiten der Absehensentscheidung

b) § 406 Abs. 1 S. 3 Var. 1 StPO: Unzulässiger Adhäsionsantrag (1. Konstellation)

Das Gericht kann von einer Entscheidung über den Antrag absehen, wenn er unzulässig ist. Dies beurteilt sich nach den allgemeinen Prozessvoraussetzungen und nach dem Vorliegen der besonderen Anforderungen, die von den §§ 403 ff. StPO aufgestellt werden[478]. Vom Vorliegen der die Zulässigkeit des Adhäsionsantrags hindernden Tatsachen muss das Gericht (ganz im Gegensatz zur zweiten

---

tergrund rückt, wäre auch die Anwendung strafprozessualer Grundsätze nicht mehr gerechtfertigt. Das Adhäsionsverfahren ändert an der grundsätzlichen Trennung der verschiedenen Rechtswege jedoch nichts.

[476] Die Aufnahme eines Vergleichs in das Protokoll ist ebenfalls möglich.

[477] In der Praxis hat die Absehensentscheidung wegen Nichteignung die größte Bedeutung, was sich auch in der folgenden Darstellung widerspiegelt.

[478] Siehe hierzu Kapitel 2: B. I. Ein Beispiel ist die fehlende deutsche Gerichtsbarkeit (so schon BGHSt 3, 210).

168   Kap. 2: Rechtliche Ausgestaltung des reformierten Adhäsionsverfahrens

Konstellation) überzeugt sein. Auch wenn der Antrag erst im Verfahrensverlauf unzulässig wird, muss das Gericht von der Entscheidung absehen.

c) § 406 Abs. 1 S. 3 Var. 2 StPO: Unbegründet erscheinender Antrag (2. Konstellation)

Auch wenn der Antrag unbegründet erscheint, erfolgt eine Absehensentscheidung. Unbegründet ist der Antrag, soweit die in ihm geltend gemachten Ansprüche aus materiell-rechtlichen Gründen nicht bestehen[479]. Entscheidend ist dabei nicht, dass der Antrag tatsächlich unbegründet ist, sondern er muss unbegründet erscheinen. Damit soll verhindert werden, dass das Gericht verpflichtet ist, rein zivilrechtliche Fragen prüfen zu müssen, nur um eine Absehensentscheidung treffen zu können. Dieser Schein ist dann gegeben, wenn das Gericht Zweifel am Vorliegen der tatsächlichen oder rechtlichen Voraussetzungen hegt[480]. Jede Art von Zweifeln genügen zu lassen erscheint dagegen als zu weitgehend. Daher muss eine gewisse Erheblichkeit der Zweifel erreicht werden[481]. Hierfür spricht, dass das Gericht grundsätzlich die zivilrechtlichen Ansprüche mitentscheiden soll. Dem würde es zuwider laufen, wenn die Absehensentscheidung bereits bei geringen Zweifeln an der Begründetheit des Anspruchs erfolgen könnte.

d) § 406 Abs. 1 S. 4 bis 6 StPO: Nichteignung (3. Konstellation)

aa) Überblick und Zweck der Regelung

Die in der Praxis bedeutendste Konstellation regelt § 406 Abs. 1 S. 4 bis 6 StPO. Das Gericht kann von einer Entscheidung über den Adhäsionsantrag absehen, wenn sich der Antrag auch unter Berücksichtigung der berechtigten Belange des Antragstellers zur Erledigung im Strafverfahren nicht eignet. Durch diese Absehensmöglichkeit soll verhindert werden, dass das Adhäsionsverfahren die Ziele des Strafverfahrens vollständig in der Hintergrund geraten lässt.

---

[479] „Erscheint" bedeutet nicht „ist". Dies ist etwa dann der Fall, wenn ein geltend gemachter Schaden nicht nachgewiesen werden kann. *Meyer-Goßner* (2010), § 406 Rn. 11 und KMR-*Stöckel* (2005), § 406 Rn. 13 fassen hierunter auch die Fälle, in denen es an der strafrechtlichen Verurteilung oder Anordnung einer Maßregel fehlt. Mit dem zivilrechtlichen Anspruch und seiner Begründetheit hat dies jedoch nichts zu tun. Am ehesten könnte erwogen werden, dass dann eine Absehensentscheidung wegen Nichteignung erfolgt. Hier wird davon ausgegangen, dass diesbezüglich keine eigenständige Regelung erforderlich ist, sondern es sich um eine vierte Kategorie handelt.

[480] *Klein* (2007), S. 102.

[481] So auch *Krumm*, SVR 2007, 41, 43, der zu Recht fordert, dass das Gericht in der Absehensentscheidung darlegen solle, welche Gründe maßgeblich zu den Zweifeln geführt haben.

B. Der Ablauf des reformierten Adhäsionsverfahrens

Diese Bestimmung und besonders ihre Vorgängerin in § 405 S. 2 StPO werden wegen ihrer weiten Fassung und ihrer exzessiven Anwendung durch die Gerichte als Hauptgrund dafür verantwortlich gemacht, dass das Adhäsionsverfahren in der deutschen Strafverfahrenslandschaft nicht allzu sehr Fuß fassen konnte[482]. § 405 S. 2 StPO a. F. ermöglichte eine Absehensentscheidung dann, wenn sich „der Antrag zur Erledigung im Strafverfahren nicht eignet, insbesondere wenn seine Prüfung das Verfahren verzögern würde". Nunmehr wurden die Voraussetzungen durch die Einführung einer neuen Wendung („Berücksichtigung der berechtigten Belange des Antragstellers") sowie der Unanwendbarkeit bei Schadensersatzansprüchen verschärft[483]. Damit wollte der Gesetzgeber klarstellen, dass die Absehensentscheidung nunmehr eine Ausnahme ist. Regelfall soll sein, dass grundsätzlich eine Entscheidung über den Anspruch zu treffen ist[484]. Die Verschärfung der Absehensentscheidung wegen Nichteignung wird unterschiedlich bewertet[485].

Systematisch stellt in § 406 Abs. 1 StPO Satz 4 die Grundregel der Absehensentscheidung auf. Satz 5 nennt einen gesetzlich vorgesehenen Fall der Nichteignung und Satz 6 schränkt den Anwendungsbereich ein.

bb) Anwendbarkeit

(1) Schmerzensgeldansprüche

Die Grundregel des § 406 Abs. 1 S. 4 StPO ist dann nicht anwendbar, wenn der Antragsteller einen Anspruch auf Schmerzensgeld geltend macht. Denn nach § 406 Abs. 1 S. 6 StPO kann das Gericht „nur nach Satz 3" von einer Entscheidung absehen. Daher kann es allein bei einem unzulässigen oder unbegründet erscheinenden Antrag eine Entscheidung über den Schmerzensgeldanspruch vermeiden. Hier wird vom Gesetzgeber das Interesse des Verletzten besonders stark

---

[482] Vgl. nur Bockemühl-*Hohmann* (2009), F3 Rn. 3; Widmaier-*Kauder* (2006), § 53 Rn. 63; *Pfeiffer* (2005), Vor § 403 Rn. 2 und *Stöckel*, JA 1998, 599, 606; sowie *Foerster* (2008), S. 414 („nach Möglichkeit umschifft"); SK-*Velten* (2003), § 405 Rn. 1 („maßgeblicher Grund für die praktische Bedeutungslosigkeit"); *K. Schroth* (2005), Rn. 363 („Hauptschwachstelle"); *Granderath*, NStZ 1984, 399, 400 („Schwachstelle des Verfahrens"); *Rieß* (2005), S. 435 („Achillesverse"), *Weigend* (1990), S. 14 („wachsweiche Regelung"); *Köckerbauer* (1993), S. 143 („faktisches Damoklesschwert"). Ähnliche Einschätzungen finden sich auch schon bei *Amelunxen,* ZStW 86 (1974), 457, 462 und *Jung,* ZStW 93 (1981), 1147, 1159.

[483] Zur „Verschärfung" gehören zudem die formellen Pflichten des § 406 Abs. 5 StPO.

[484] KMR-*Stöckel* (2005), § 406 Rn. 14; *Joecks* (2008), vor § 403 Rn. 2.

[485] Vgl. etwa die positive Einschätzung bei *Klein* (2007), S. 262; *Betmann,* Kriminalistik 2004, 567, 569 eher zweifelnd *Rieß* (2005), S. 435.

170　Kap. 2: Rechtliche Ausgestaltung des reformierten Adhäsionsverfahrens

gewichtet. Sinn der Einschränkung ist, dass es im Bereich der Schmerzensgeldansprüche auf jeden Fall zu einer positiven Adhäsionsentscheidung kommt[486].

Eine unbefangene Lektüre des Satzes 6 könnte dazu führen, dass es eine
Pflicht zu einer vollständigen Endurteilsentscheidung des Gerichts bei Schmerzensgeldansprüchen gibt. Jedoch beansprucht auch Satz 2 Geltung, wonach sich
das Gericht auf den Grund oder einen Teil des geltend gemachten Anspruchs beschränken kann[487]. Dies folgt bereits aus Wortlaut und Zweck des § 406 Abs. 1
StPO. Die von den Sätzen 3 bis 6 umschriebenen Absehensgründe sollen ersichtlich nur den Fall betreffen, dass das Strafgericht von einer Entscheidung im Ganzen absieht. Dies soll jedoch nur die Ausnahme sein. Wenn schon ein Antrag
gestellt wurde, dann soll – pointiert formuliert – „wenigstens ein bisschen, aber
doch so viel wie möglich" entschieden werden. Grund- oder Teilurteile können
demnach ebenfalls ergehen[488].

(2) Kritik und Bewertung

Diese Neuerung ist scharfer Kritik ausgesetzt. Der Strafrichter sei auf diese
Weise zur Entscheidung selbst schwierigster Zivilrechtsfragen gezwungen[489]. Genannt werden einige Gefahren, die der „Entscheidungszwang" mit sich bringt.
Etwa werden Fälle beschrieben, in denen sich der Beschuldigte mit erheblichen
Einwendungen (z. B. durch Aufrechnung) zur Wehr setzt, die das Gericht dann
berücksichtigen müsse[490], oder in denen schwierige kollisionsrechtliche Probleme eine Rolle spielen[491]. Auch die Möglichkeit, Grund- oder Teilurteile zu erlassen, ändere daran wenig, wirkten sich anspruchsvolle zivilrechtliche Fragen
doch bereits bei der Beurteilung des Anspruchsgrundes aus. In extremen Fällen
sei kein Rückgriff auf eine noch so erhebliche Verzögerung möglich[492]. Allein
diese Entscheidungspflicht sei bereits ein Grund, dem Verletzten dringend davon
abzuraten, überhaupt einen Adhäsionsantrag zu stellen[493].

---

[486] Diese weitreichende Regelung wurde erst sehr spät im Gesetzgebungsverfahren
durch den Vermittlungsausschuss vorgeschlagen, BT-Drs. 15/3062 S. 2. Aus den Materialien ist allerdings nicht mehr ersichtlich, warum diese Änderung in „letzter Sekunde"
noch eingefügt wurde. Weitergehende Vorschläge, die eine Absehensentscheidung auch
bei bestimmten Nebenklagedelikten gänzlich abschaffen wollten (siehe BT-Drs. 13/
6899 S. 11 und BT-Drs. 15/814 S. 9) haben keine Mehrheit gefunden.

[487] Dies problematisierend (angesichts der an dieser Stelle eindeutigen Rechtslage zu
Unrecht in aller Ausführlichkeit) *Klein* (2007), S. 260 ff. Vgl. auch Duttge/Dölling/
Rössner-*Weiner* (2008), § 406 StPO Rn. 11; *Loos,* GA 2006, 195, 209 f.

[488] Hinsichtlich der Anspruchshöhe muss eine Absehensentscheidung wegen Nichteignung ergehen.

[489] *Krey/Wilhelmi* (2007), S. 949.

[490] *Plüür/Herbst,* NJ 2005, 153, 156.

[491] *Wilhelmi,* IPRax 2005, 236, 238.

[492] *Krey/Wilhelmi* (2007), S. 950 („evident sachwidrig und verfassungsrechtlich bedenklich").

B. Der Ablauf des reformierten Adhäsionsverfahrens 171

Im Strafverfahren liegt der Schwerpunkt auf der Feststellung der Schuldfrage, ohne dass über alle Tatsachen, welche die Folgen der Tat betreffen, bis in das letzte Detail Beweis erhoben wird. Ist der Täter geständig, wird häufig nicht einmal mehr der Verletzte gehört, sofern sich das Gericht nicht über den Akteninhalt hinausgehende Erkenntnisse verspricht. Dadurch wird auch nicht immer geklärt, ob immer wieder auftretende einzelne gesundheitliche Probleme des Opfers tatsächlich auf der Tat beruhen[494]. Bereits dieser Umstand mildert die vorgetragenen Bedenken erheblich. Weiterhin erscheint es kaum vorstellbar, dass eine einen Schmerzensgeldanspruch begründende Tatsache nicht zugleich strafzumessungsrelevant ist[495]. Auch Kritiker der Neuregelung verweisen lediglich auf die abstrakte Möglichkeit einer Kollision mit dem Beschleunigungsgrundsatz[496]. Gerade im Bereich der §§ 223 ff. StGB ist der Entscheidungszwang sinnvoll. Die Frage, ob ein Schmerzensgeld zuerkannt werden muss, hängt im Wesentlichen vom Tatnachweis ab. Ist sich der Strafrichter dann bei der Höhe unsicher, kann er immer noch ein Grundurteil erlassen. Ein solches Schmerzensgeld(grund)urteil belastet das strafrechtliche Verfahren dann nicht mehr in einer Art, die zu einer Absehensentscheidung führen muss. Insoweit ist die Regelung des § 406 Abs. 1 Satz 6 StPO zielführend[497].

Abschließend zu klären bleibt das Vorgehen, wenn der Entscheidungszwang bei Schmerzensgeldansprüchen zu einer Situation führt, in der an sich eine Absehensentscheidung möglich wäre. Als Beispiel können Schmerzensgeldansprüche dienen, in denen Fragen aus dem Internationalen Privatrecht eine Rolle spielen. Vorgeschlagen wird, von vornherein bestimmte Konstellationen vom Geltungsbereich der Vorschrift auszunehmen[498]. Derartige einschränkende Lösungsmöglichkeiten erscheinen jedoch nicht erforderlich. Das Gericht muss in den betreffenden Grenzfällen besonders sorgfältig prüfen, ob nicht wenigstens Teilentscheidungen oder ein Vergleich in Frage kommen. Sobald bereits ein kleiner Teil des Anspruchs entschieden werden kann, sind die Regelungen über die Absehensentscheidung auch bei Schmerzensgeldansprüchen wieder anwendbar.

---

[493] *Jaeger,* VersR 2003, 1372, 1376, der die Gefahr beschreibt, dass ein angemessenes Schmerzensgeld angesichts des Zeit- und Entscheidungsdruckes nicht möglich sei. Diese wird jedoch durch die Möglichkeit eines Grundurteils nahezu ausgeschlossen.

[494] Dies kann in der Regel nur durch ärztliche Gutachten aufgeklärt werden. Dies gilt erst recht, wenn das Opfer z. B. in der Hauptverhandlung erstmals darüber klagt, seit der Tat depressiv geworden zu sein.

[495] Vgl. auch KMR-*Stöckel* (2005), § 406 Rn. 2.

[496] *Krey/Wilhelmi* (2007), S. 950.

[497] Für die Möglichkeit einer teleologischen Reduktion der Vorschrift in Extremfällen *Wilhelmi,* IPRax 2005, 236, 238. Problematisch bleibt dann jedoch aus Sicht des Antragstellers, dass er um ein zivilrechtliches Betragsverfahren oft nicht herumkommen dürfte. Dagegen lässt sich der Gedanke anführen, dass allein das Bestehen eines Grundurteils zu einer höheren Bereitschaft seitens des Beschuldigten führt, eine angemessene Schmerzensgeldzahlung zu leisten.

[498] *Krey/Wilhelmi* (2007), S. 952.

172   Kap. 2: Rechtliche Ausgestaltung des reformierten Adhäsionsverfahrens

(3) Ergebnis

Werden im Antrag Schadensersatzansprüche geltend gemacht, kann das Gericht von einer Entscheidung über den Antrag nicht absehen, weil er sich nicht zur Erledigung im Strafverfahren eignet. Die Vorschrift des § 406 Abs. 1 S. 4 StPO ist dann nicht anwendbar.

cc) Der Begriff der Nichteignung

(1) Ermittlung der Nichteignung

(a) Meinungsstand

Unklar ist seit ehedem, unter welchen Voraussetzungen sich ein Adhäsionsantrag zur Erledigung im Strafverfahren nicht eignet. Eine klare Definition ist nicht erfolgt. Bisher war eine sehr großzügige Auslegung durch die Gerichte zu beobachten. Die Nichteignung ist ein unbestimmter Rechtsbegriff, welcher der Konkretisierung bedarf. Dies kann nur durch Auslegung zu erreichen sein. Wichtigster Anhaltspunkt ist dabei die Betrachtung anhand des Sinn und Zwecks der §§ 403 ff. StPO.

Zur Ausfüllung des unbestimmten Rechtsbegriffs der Nichteignung werden vielfältige Vorschläge unterbreitet. In der *Rechtsprechung* finden sich nur vereinzelt Definitionsansätze. Dort wird der Begriff mit Hilfe einer Negativabgrenzung näher bestimmt[499]. Eine ständige Rechtsprechung wie zu anderen unbestimmten Rechtsbegriffen gibt es angesichts der recht geringen Zahl an veröffentlichten Urteilen nicht[500]. Nach neuerer Rechtsprechung eignet sich ein Antrag nicht, wenn eine Interessenabwägung zuungunsten des Antragstellers ausfalle. Zu betrachten seien das Interesse des Verletzten, seine Ansprüche in einem Adhäsionsverfahren durchzusetzen, das Interesse des Staates, seinen Strafanspruch möglichst effektiv zu verfolgen sowie das Interesse des Beschuldigten an einem fairen und schnellen Verfahrensfortgang[501].

Etwas häufiger finden sich konkrete Definitionsvorschläge in der *Literatur*. Eine Ansicht nimmt eine Nichteignung an, wenn der Antrag die Gefahr begründe, dass das eigentliche Ziel des Strafverfahrens nicht erreicht werden könne[502]. Das entscheidende Kriterium für die Ermittlung dieser Gefahr seien

---

[499] Vgl. etwa BGH wistra 2003, 151 („auch dann nicht geeignet, wenn schwierige bürgerlich-rechtliche Rechtsfragen entschieden werden müssten").

[500] Etwa bei „öffentliches Interesse" bei § 153 Abs. 1 S. 1 StPO, „Zuverlässigkeit" nach § 35 Abs. 1 GewO oder „erhebliche Belästigung" nach § 5 Abs. 1 BImSchG.

[501] OLG Hamburg NStZ-RR 2006, 347. Den Opferinteressen komme dabei ein hohes, aber nicht von vornherein überwiegendes Gewicht zu.

[502] SK-*Velten* (2003), § 405 Rn. 7 mit verschiedenen Deutungsmöglichkeiten des Begriffs: (1) Vereitelung oder Störung der Zwecke des Strafverfahrens; (2) im Vergleich

B. Der Ablauf des reformierten Adhäsionsverfahrens

Grund und Folge einer durch den Antrag erfolgten Verfahrensverzögerung. In diese Richtung geht auch ein weiterer Definitionsvorschlag. Hiernach liege Nichteignung vor, wenn das Gericht aufgrund des Umfangs und der rechtlichen Schwierigkeit des Adhäsionsverfahrens so beansprucht wird, dass es zu seiner eigentlichen Aufgabe (Verfolgung des staatlichen Strafanspruchs) nicht mehr komme[503]. Einer weiteren Ansicht zufolge kann eine Definition nicht gelingen, sondern der Begriff der Nichteignung müsse durch eine Kategorisierung in konkrete rechtliche und tatsächliche Nichteignungsgründe für die Praxis handhabbar gemacht werden[504]. Häufig zu beobachten ist, dass die Nichteignung mit dem in § 406 Abs. 1 S. 5 StPO gesetzlich geregelten Fall der Verfahrensverzögerung gleichgesetzt wird[505].

(b) Stellungnahme

Eine genaue Definition ist angesichts der vielgestaltigen Sachverhalte kaum vorstellbar. Gegen eine Gleichsetzung von Nichteignung und Verfahrensverzögerung spricht der Gesetzeswortlaut. Der erläuternde Satz 5 hätte dann keine eigenständige Bedeutung mehr. Vielmehr ist davon auszugehen, dass der Begriff der Nichteignung zunächst losgelöst von einer Verfahrensverzögerung beurteilt werden muss[506]. Dass der Gesetzgeber die Verzögerung als Beispiel nochmals eigens aufgeführt hat, ist durchaus sinnvoll. Das dem Gericht überlassene Ermessen wird in Fällen der erheblichen Verfahrensverzögerung von Gesetzes wegen auf Null reduziert. In anderen Fallkonstellationen verbleibt es dagegen bei dem von der Vorschrift vorgesehenen Ermessen. Insofern ist die gesetzgeberische Lösung stimmig.

Der Gesetzgeber hat sich bewusst für den unbestimmten Begriff der Nichteignung entschieden, um der Vielfalt an denkbaren Konstellationen angemessen Herr zu werden. Die sprachliche Unschärfe eines unbestimmten Rechtsbegriffes führt dazu, dass es keine allgemeingültige Formel geben kann[507]. Dennoch gibt es eine Reihe auslegungsbestimmender Aspekte für die Ermittlung der Nichteignung. Zunächst kann eine Nichteignung für diejenigen Adhäsionsanträge ausgeschlossen werden, in denen zumindest eine Teilentscheidung ergehen kann. Nach dem Grundsatz der umfassenden Entscheidung kann nur eine Absehensentschei-

---

zu einem Zivilprozess keine angemessene Entscheidung; (3) die Entscheidung werde nicht unter optimalen Einsatz von Ressourcen erreicht.

[503] *Plüür/Herbst,* NJ 2008, 14, 15.

[504] *Brokamp* (1990), S. 182.

[505] So etwa KK-*Engelhardt* (2008), § 406 Rn. 1a; *Pfeiffer* (2005), § 406 Rn. 6; *Joecks* (2008), § 406 Rn. 9; HK-*Kurth* (2009), § 406 Rn. 9.

[506] Eindeutiger Ausgangspunkt ist, dass eine erhebliche Verfahrensverzögerung zu einer Nichteignung führt.

[507] Vgl. hierzu besonders *Geiger,* SVR 2009, 41, 43 f.

174   Kap. 2: Rechtliche Ausgestaltung des reformierten Adhäsionsverfahrens

dung wegen Nichteignung ergehen, soweit der Adhäsionsantrag nach der Beweisaufnahme nicht entscheidungsreif ist. Für den übrigen Teil kann die Nichteignung nach einem „zweckorientierten Ansatz" ermittelt werden. Dieser liegt als abstrakter Gedanke auch den im Meinungsstand dargestellten Ansichten zugrunde. Ein Adhäsionsantrag ist danach für eine Entscheidung im Strafverfahren nicht geeignet, soweit nach dem Gesamteindruck des bisherigen Verfahrensablaufs eine Adhäsionsentscheidung keine Gewähr dafür bietet, dass die Zwecke des Adhäsionsverfahrens erfüllt werden, weil es die Ziele des Strafverfahrens vereiteln würde.

Die Entscheidung über den Adhäsionsantrag muss die beiden Zwecke des Adhäsionsverfahrens zumindest fördern. Dabei genügt es, dass sie die Wahrscheinlichkeit erhöht, dass Justizökonomie und Opferschutz teilweise erreicht werden. Der Definitionsvorschlag bezieht auch die Ziele des Strafverfahrens ein. Würde eine Durchsetzung der Ziele des Adhäsionsverfahrens „um jeden Preis" angestrebt, kann das Strafverfahren seinerseits seine Ziele verfehlen. In diesem Fall bestünde auch für eine Adhäsionsentscheidung keine Grundlage mehr und das Adhäsionsverfahren wäre weder jusitizökonomisch noch opferschützend.

Bei der Feststellung der Nichteignung geht es nicht um einen positiven Eignungsnachweis, sondern um die Frage, ab welchem „Wendepunkt" auf Grund konkreter Umstände des Einzelfalls ein Adhäsionsurteil nicht mehr möglich ist. Eine Orientierung an den beiden Zielrichtungen des Verfahrens ist hierfür die einzige Möglichkeit, den Begriff der Nichteignung näher zu umreißen. Nicht geeignet sind alle Anträge, deren Entscheidung sowohl dem „Ziel der Justizökonomie" als auch dem „Ziel des Opferschutzes" zuwiderlaufen. In diese Kategorie fällt beispielsweise die Fallgestaltung, in der das Strafgericht schwierige haftungsrechtliche Fragen (etwa in einem Betrugsverfahren wegen zivilrechtlicher Schäden mit Haftungsgrundlagen im Kapitalmarktrecht) behandeln müsste. Hier besteht bereits die Gefahr der erheblichen Verfahrensverzögerung (Satz 5), aber zudem ist das Ziel der Prozessökonomie kaum erreichbar, da ein sachkundiges Zivilgericht die Ansprüche besser beurteilen kann. Auch unter Opferschutzgesichtspunkten ist fraglich, ob dem Antragsteller damit gedient ist, dass sein Antrag von einem Gericht entschieden wird, das sich viel umfassender als ein Zivilgericht vor seiner Entscheidung in eine Rechtsmaterie einarbeiten muss.

Wird nur ein Ziel des Adhäsionsverfahrens beeinträchtigt, etwa in Fällen, in denen die Hauptverhandlung wegen einer nur zivilrechtlich relevanten Beweisaufnahme unterbrochen wird[508], kann eine Nichteignung nicht per se angenommen werden. Das Gericht muss in diesen Fällen eine Interessenabwägung durchführen[509], die die Stellung von Beschuldigtem, Antragsteller und der Strafrechts-

---

[508] Hier wird der Zweck des Opferschutzes gewahrt, der Zweck der Justizökonomie indes beeinträchtigt.

[509] Auf diese Weise verfährt mustergültig OLG Hamburg NStZ-RR 2006, 347.

B. Der Ablauf des reformierten Adhäsionsverfahrens   175

pflege beinhaltet. Kriterien können dabei der Umfang der geltend gemachten Ansprüche, der bisherige Verfahrensverlauf, die Schwere der angeklagten Straftaten oder ähnliche Faktoren sein.

Wird kein Zweck des Adhäsionsverfahrens beeinträchtigt, ist der Antrag auch für eine Entscheidung im Strafverfahren geeignet.

(c) Ergebnis

Die Entscheidung über die Nichteignung ist eine des Einzelfalls[510]. Für die Ermittlung der Nichteignung wird unter Zuhilfenahme des „zweckorientierten Ansatzes" folgender Dreischritt vorgeschlagen:

- Würde eine weitere Prüfung des Antrags den Fortgang des Strafverfahrens erheblich verzögern?[511]

- Würde auch die Entscheidung durch Grund- oder Teilurteil den Fortgang des Strafverfahrens erheblich verzögern?[512]

- Können nach dem Gesamteindruck des bisherigen Verfahrensverlaufs die Ziele des Adhäsionsverfahrens (Justizökonomie und Opferschutz) nicht (mehr) realisiert werden, weil es die Ziele des Strafverfahrens vereiteln würde?[513]

Nur wenn alle Fragen nacheinander mit „ja" beantwortet werden müssen, kann das Strafgericht eine Nichteignung annehmen.

(2) Indizien für die Nichteignung

Verschiedene Indizien sprechen für eine Nichteignung. Sie können sich teilweise auch überschneiden[514]. Je mehr solcher Indizien im Einzelfall vorliegen, desto wahrscheinlicher wird es, eine Nichteignung anzunehmen. Gesetzlich vorgesehen ist allein eine erhebliche Verfahrensverzögerung. Dass der Gesetzgeber nur die Verfahrensverzögerung aufgeführt hat, ist letztlich nicht problematisch, denn einen Fall der Nichteignung zu finden, der nicht gleichzeitig mit einer Verfahrensverzögerung einhergeht, ist schwierig. Weitere Indizien werden nach der Verfahrensverzögerung vorgestellt.

---

[510] Darin besteht auch geradezu die Funktion unbestimmter Rechtsbegriffe, vgl. nur *Wolff/Bachof/Stober/Kluth* (2007), § 31 Rn. 13.

[511] Quelle ist die gesetzliche Forderung in § 406 Abs. 1 S. 5 StPO.

[512] Quelle ist der Grundsatz der umfassenden Entscheidung.

[513] Quelle ist die hier vorgeschlagene Konkretisierung der Nichteignung.

[514] LG Hildesheim NdsRpfl 2007, 187, 188 f.

176   Kap. 2: Rechtliche Ausgestaltung des reformierten Adhäsionsverfahrens

(a) Erhebliche Verfahrensverzögerung

Als einzigen gesetzlichen Beispielsfall nennt § 406 Abs. 1 S. 5 StPO die erhebliche Verfahrensverzögerung[515]. Dieser Fall ist im Zusammenhang mit dem strafrechtlichen Beschleunigungsgebot zu sehen[516]. Auf der Hand liegt, dass bei einem umfangreichen Adhäsionsverfahren eine Konfliktsituation entstehen kann, wenn das Strafverfahren durch die Behandlung nur zivilrechtlicher Fragen in die Länge gezogen wird. In entgegengesetzter Richtung kann nicht jede auch noch so kleine Verzögerung einen Konflikt mit dem Beschleunigungsgebot hervorrufen, da jede „Belastung" mit weiteren Fragen zwangsläufig eine Verzögerung des Verfahrens nach sich ziehen muss. Bereits nach alter Rechtslage war anerkannt, dass nicht jede Verfahrensverzögerung zu einer Absehensentscheidung führen kann, sondern nur eine wesentliche[517]. Dies aufgreifend hat das Opferrechtsreformgesetz das Tatbestandsmerkmal „erheblich" eingefügt[518], ein weit gehaltener unbestimmter Rechtsbegriff. Dennoch deutet er an, dass eine gewisse Schwelle überschritten sein muss.

Erheblich ist die Verzögerung nicht schon dann, wenn die notwendige zusätzliche Beweisaufnahme sofort durchführbar ist und eine bereits für den Strafausspruch notwendige Beweisaufnahme lediglich verlängert wird[519]. Für die Beurteilung der Erheblichkeit kommt es entscheidend auf einen Vergleich der Dauer des Strafverfahrens mit und ohne den Adhäsionsantrag an. Dauert die Verhandlung nur eine Stunde, kann eine Verlängerung um eine weitere Stunde vertretbar sein, nicht aber, wenn ein neuer Verhandlungstermin anberaumt werden muss. Ein neuer Verhandlungstermin kann dagegen noch nicht erheblich sein, wenn es von vornherein um eine mehrtägige Verhandlung geht[520].

---

[515] Der beispielhafte Charakter folgt aus dem Merkmal „insbesondere". Auch die Vorgängervorschrift des § 405 S. 2 StPO a. F. sah diesen Beispielfall vor.

[516] Vgl. hierzu *Beulke* (2010), Rn. 26; *Roxin/Schünemann* (2009), § 16 Rn. 3. Das Gebot verlangt die rasche Erledigung des Strafverfahrens, so dass der Beschuldigte so schnell wie möglich Klarheit über den Schuldvorwurf erlangt.

[517] Diese Erweiterung hat in § 405 S. 2 StPO a. F. noch gefehlt, so dass eine rege Diskussion geführt wurde, wann denn eine Verzögerung des Strafverfahrens durch die Mitbehandlung zivilrechtlicher Fragestellungen zu einer Nichteignung des Adhäsionsantrags führen sollte. Für eine einschränkende Auslegung LR-*Wendisch* (1978), Vor § 403 Rn. 18. Umfangreiche Nachweise hierzu finden sich bei *Klein* (2007), S. 106 f. Anerkannt war jedenfalls damals schon, dass nicht jede Verzögerung sondern nur eine „wesentliche" dazu führt, dass das Gericht eine Absehensentscheidung wegen Nichteignung treffen konnte (*Jescheck,* JZ 1958, 591, 595; *Wohlers,* MDR 1990, 763, 764; AK-*Schöch* (1996), § 405 Rn. 6).

[518] Zu Unrecht wird diese Neuregelung teilweise als nicht gelungen angesehen (so etwa *Heghmanns/Scheffler* (2008), VII Rn. 969: „immer noch wachsweiche Regelung" [im Anschluss an *Weigend* (1990), S. 14]).

[519] *Schmanns* (1987), S. 65.

B. Der Ablauf des reformierten Adhäsionsverfahrens

Eine abstrakte stets gültige Abgrenzungsregel ist nicht vorstellbar, denn die maßgeblichen Kriterien für die Erheblichkeit einer Verzögerung können vielfältiger Natur sein. Eine Rolle spielt der Zeitpunkt der Antragstellung[521]. Auch wenn das Gesetz eine Antragstellung bis zum Beginn der Schlussvorträge zulässt (§ 404 Abs. 1 S. 1 a. E. StPO) ist klar, dass einem unmittelbar vor diesem Zeitpunkt gestellten Antrag im Hinblick auf die Nichteignung besonderes Augenmerk zuteil wird. Eine erhebliche Verzögerung kann das Gericht auch dann nicht annehmen, solange es selbst für eine Verzögerung gesorgt hat. Ein Beispiel sind Vergleichsgespräche zwischen Beschuldigtem und Antragsteller. Regt diese das Gericht an, kann es, wenn sich die Gespräche ergebnislos hinziehen, nicht ohne weitere Gründe von einer erheblichen Verzögerung ausgehen. Vielmehr muss es hier die Vergleichsgespräche abbrechen. Zuletzt können umfangreiche Beweisanträge dazu führen, eine Erheblichkeit anzunehmen[522]. In komplexen Haftsachen[523] wird von einer Entscheidung über Adhäsionsanträge abzusehen sein, weil schon eine geringe Verzögerung des Verfahrens durch die Befassung mit Adhäsionsanträgen dem verfassungsrechtlichen Gebot der beschleunigten Bearbeitung von Haftsachen widerspricht[524].

(b) Gesetzlich nicht geregelte Indizien

Oft wird für die Nichteignung eine *außergewöhnliche Anspruchshöhe* des geltend gemachten Anspruchs angeführt[525]. Eine Nichteignung wird dann angenommen, wenn sich der Beschuldigte durch den in so außergewöhnlicher Höhe geltend gemachten Anspruch in seiner Existenz bedroht fühlt. Stehe einer zu erwartenden geringen Strafsanktion (besonders relevant bei Geldstrafen) eine

---

[520] *Klein* (2007), S. 108 stellt hierzu folgende „Faustregel" auf: je umfangreicher die Hauptverhandlung ist und je früher die Antragstellung erfolgt, desto mehr Verzögerung ist vertretbar und desto weniger rechtfertigt sich eine Absehensentscheidung.

[521] *Prechtel,* ZAP 2005, 399, 401. Vgl. im Übrigen AnwK-*Krekeler* (2006), § 404 Rn. 14 und *Burhoff* (2010), Rn. 74, der darauf hinweist, dass die Neigung von Gerichten, von einer Entscheidung über den Antrag abzusehen, größer sein dürfte, wenn sie damit in der Hauptverhandlung überrascht werden.

[522] *Klaus* (2000), S. 62.

[523] So der Fall des LG Hildesheim NdsRpfl 2007, 187, 188. Ebenso OLG Celle StV 2007, 293 sowie OLG Oldenburg StraFo 2009, 75, 76.

[524] In Anlehnung an die vorgestellte Definition führt die Wechselwirkung der Ziele des Strafverfahrens mit denen des Adhäsionsverfahrens in diesem Fall dazu, dass erstere ein solches Übergewicht bekommen, dass die Ziele des Adhäsionsverfahrens nicht mehr erreicht werden können.

[525] Der „Paradefall", auf den an dieser Stelle stets verwiesen wird, ist LG Mainz StV 1997, 627 (Geltendmachung von 50.000 € Schmerzensgeld sowie Feststellung auf Ersatz künftiger Schäden). Spektakulär auch OLG Hamburg NStZ-RR 2006, 347 (Fall Falk), wo ein Adhäsionsantrag in Höhe von 760 Mio. € gestellt wurde (was eine Absehensentscheidung wegen Nichteignung zur Folge hatte).

178 Kap. 2: Rechtliche Ausgestaltung des reformierten Adhäsionsverfahrens

erhebliche, wenn nicht gar existenzbedrohende zivilrechtliche Forderung gegenüber, könne dies dazu führen, dass das Interesse des Angeklagten ausschließlich auf die Abwehr des Anspruchs konzentriert wird[526]. Das Strafverfahren würde dann zu einem „unbedeutenden Annex" verkommen[527]. In diesen Fällen komme es für die Frage der Nichteignung auf eine erhebliche Verzögerung des Strafverfahrens nicht mehr an[528].

Diese Gefahr kann tatsächlich bestehen. Fraglich ist allerdings, bei welcher Anspruchshöhe eine Grenze zu ziehen ist. Eine Sichtweise orientiert sich an den amtsgerichtlichen Streitwertgrenzen[529]. Diese wurden aber bereits durch das Opferschutzgesetz im Jahr 1987 abgeschafft, weshalb auf sie nicht zurückgegriffen werden kann[530]. Vielmehr ist auch hier im Einzelfall zu entscheiden. Das Gericht kann bei einer außergewöhnlichen Anspruchshöhe eine Absehensentscheidung erwägen. Entscheidend kann etwa sein, ob der Beschuldigte anwaltlich vertreten ist, in welchen wirtschaftlichen Verhältnissen er lebt oder auch andere Aspekte (Berufsbild; Vorstrafen). Zunächst sollte das Gericht das Verhältnis zwischen Anspruchshöhe und zu erwartender staatlicher Sanktion betrachten. Je höher die zivilrechtliche Belastung im Vergleich zur strafrechtlichen Sanktion für den Beschuldigten ausfällt, desto eher steht zu erwarten, dass er seine Energie allein in die Abwehr des zivilrechtlichen Anspruchs steckt[531]. Ein erhöhter Verteidigungsaufwand nur gegen den geltend gemachten Anspruch (Geltendmachung von Einwendungen, Stellung von Beweisanträgen) des Beschuldigten kann ebenfalls ein Indiz sein. Angeben muss das Gericht aber stets, auf welchen Gründen die Annahme der Nichteignung beruht.

Nach einem weiteren Ansatz soll eine Nichteignung dann angenommen werden können, wenn die notwendige Beweisaufnahme dazu führt, dass das Schwergewicht des Strafverfahrens nicht mehr auf der Beurteilung der strafrechtlichen Seite liegt, sondern seinen Charakter hin zu einem verkappten Zivilprozess ändert (*„Kriterium der Gewichtsverlagerung"*)[532]. Mittelpunkt des Verfahrens müsse die Aburteilung des Beschuldigten sein und nicht die Behandlung zivil-

---

[526] LG Mainz StV 1997, 627, ebenso LG Hildesheim NdsRpfl 2007, 187, 188.

[527] *Wohlers,* MDR 1990, 763, 766.

[528] KMR-*Stöckel* (2005), § 406 Rn. 20; LR-*Hilger* (2009), § 406 Rn. 21; HK-*Kurth* (2009), § 406 Rn. 10.

[529] AK-*Schöch* (1996), § 405 Rn. 7 (erheblich über den amtsgerichtlichen Streitwertgrenzen); hierzu *Schlüchter* (1983), Rn. 81.

[530] So auch *Klein* (2007), S. 111; Wabnitz/Janovsky-*Wagner* (2007), Kap. 28 Rn. 76.

[531] Vgl. hierzu LG Wuppertal NStZ-RR 2003, 179 (Adhäsionsantrag über 27 Mio. €). Hier komme der Verteidigung im Strafverfahren angesichts drohender empfindlicher Freiheitsstrafen weiterhin eine besondere Bedeutung zu (allerdings aufgehoben durch BGH NJW 2006, 2864, 2868 [„Wuppertaler Korruptionsskandal"]).

[532] Vgl. *Holst* (1969), S. 133; *Schmanns* (1987), S. 66 sowie *Wohlers,* MDR 1990, 763, 765, der fordert, dass dem Strafverfahren die ihm zugedachte Bedeutung für den Angeklagten und die Allgemeinheit erhalten bleiben müsse.

B. Der Ablauf des reformierten Adhäsionsverfahrens

rechtlicher Fragen[533]. Wenn das eigentliche strafrechtliche Verfahrensziel gefährdet oder beeinträchtigt werde, müsse von einer Entscheidung abgesehen werden[534]. Diese Gewichtsverlagerung solle dabei noch nicht vorliegen, wenn das Gericht Klarheit über die strafrechtliche Seite erlangt hat, (noch) nicht aber über die zivilrechtliche[535].

Hinter diesem Gedanken kommt ebenfalls der hier vertretene Zweckansatz zum Vorschein. Das Gericht muss überprüfen, ob die Ziele des Adhäsionsverfahrens noch erreichbar sind. Das Ziel der Prozessökonomie wird dann verfehlt, wenn das Strafverfahren gerade nicht mehr Hauptgegenstand des Verfahrens ist. Beispielhaft hierfür ist ein Adhäsionsantrag der 320 Seiten mit mehreren Hundert Anlagen umfasst[536]. Die Stellungnahmen des Beschuldigten sowie mögliche weitere Repliken des Antragstellers würden bei einem derartigen Umfang dazu führen, dass das Strafverfahren zu einem erheblichen Teil nur noch als Zivilverfahren angesehen werden kann. Ähnliches gilt, wenn über das Vermögen des Beschuldigten während des Strafverfahrens ein Insolvenzeröffnungsverfahren eingeleitet worden ist, da das Strafgericht in diesen Fällen die insolvenzrechtlichen Besonderheiten berücksichtigen müsste.

Von einer Nichteignung soll auch dann ausgegangen werden können, wenn in einem Verfahren eine für einen geregelten Prozessverlauf *unüberschaubare Vielzahl an Adhäsionsanträgen* gestellt wird. Die das Verfahren belastenden logistischen Probleme würden dann zu einer Nichteignung führen[537]. Als Beispielsfälle können Betrugsverfahren mit 42 Geschädigten oder Graffitifälle mit vielen Sachbeschädigungsopfern dienen[538].

Auch eine Vielzahl an Anträgen kann nach obiger Definition tatsächlich zur Nichteignung und damit zur Absehensentscheidung führen. Betroffen ist in derartigen Fällen vor allem der Verfahrenszweck der Justizökonomie. Je nach Fallgestaltung kann auch die opferschützende Zielrichtung des Verfahrens konterkariert werden. Dies kann jedoch nicht von vornherein und automatisch als Kriterium anerkannt werden, sondern muss – wie die anderen Kriterien auch – im Einzelfall vorliegen (und vom Gericht begründet werden).

---

[533] So schon *Schönke,* DR 1943, 721, 727, sowie *Bohne,* Kriminalistik 2005, 166.

[534] *Wohlers,* MDR 1990, 763, 765 sowie SK-*Velten* (2003), § 405 Rn. 9, nach der die Wirkung von Strafen möglicherweise geschwächt werden, wenn das Strafverfahren bloßes Annex eines Zivilverfahren werde.

[535] *Schönke* (1951), S. 354.

[536] So die Konstellation bei LG Hamburg B. v. 6.6.2005 (620 KLs 5/04 – 5500 Js 97/03).

[537] Duttge/Dölling/Rössner-*Weiner* (2008), § 404 StPO Rn. 10; *Plüür/Herbst,* NJ 2005, 153, 156.

[538] BGH wistra 2010, 272; *Plüür/Herbst,* NJ 2008, 14, 15 mit der berechtigten Frage, wo die Geschädigten Platz fänden und wie das Verfahren ausgestaltet werden solle, würden alle Antragsteller von ihren Rechten Gebrauch machen („Fünfzig Schlussvorträge?").

180 Kap. 2: Rechtliche Ausgestaltung des reformierten Adhäsionsverfahrens

Die Nichteignung kann auch dann vorliegen, wenn die *Verteidigungsposition des Beschuldigten erheblich verkürzt* wird. Würde die Behandlung des Adhäsionsantrags dazu führen, dass der Beschuldigte sich nicht substantiiert gegen den Anspruch verteidigen kann, z.B. weil er seine Verteidigungsstrategie des Schweigens ansonsten gefährdete, könne im Kriterium der Nichteignung ein Korrektiv liegen[539]. Auch der entgegengesetzte Fall, in dem ein geständiger Beschuldigter sich gegenüber dem Anspruch überobligationsmäßig verhält, um von einer milderen Strafe zu profitieren, könne so erfasst werden.

Genau in derartigen Fällen kann die Zielsetzung der Justizökonomie nicht erreicht werden, was grundsätzlich zu einer Nichteignung führt. Schwieriger ist zu ermitteln, ab welchem Zeitpunkt die Verteidigungsposition tatsächlich verkürzt ist. Das Gericht dürfte Probleme haben, ohne Mitwirkung des Beschuldigten zu ermitteln, inwieweit der Adhäsionsantrag und die mit ihm verbundenen Erörterungen während des Verfahrens die Verteidigungsposition negativ beeinträchtigen. Daher scheint nur in Ausnahmefällen eine solche Konstellation möglich zu sein. Kriterien für eine verkürzte Verteidigungsposition können dabei sein, dass der Beschuldigte (formal) ausdrücklich zu erkennen gibt, dass er seine Verteidigungsmöglichkeiten beeinträchtigt sieht, oder dass Umstände aus dem Verfahren dies nahe legen, beispielsweise wenn der Beschuldigte offensichtliche Einwendungen nicht erhebt, weil er auf eine wohlwollende Behandlung des Gerichtes in strafrechtlicher Hinsicht spekuliert. Festzuhalten ist, dass die Verkürzung der Rechtsstellung des Beschuldigten nur in Ausnahmefällen ein Indiz für die Nichteignung sein kann.

Müsste die *Hauptverhandlung* wegen einer angemessenen Beurteilung des Adhäsionsantrags nach § 229 StPO *unterbrochen* werden, wird gelegentlich davon ausgegangen, dass die Behandlung des Antrags nicht geeignet sei[540]. Hier kann auf die Überlegungen aus dem Beispiel der erheblichen Verfahrensverzögerung zurückgegriffen werden. Eine schwerer wiegende Verzögerung als die Unterbrechung der Hauptverhandlung ist nicht vorstellbar. Dennoch besteht auch hier kein Automatismus[541]. Vielmehr kann eine Unterbrechung der Hauptverhandlung bei einem ohnehin auf mehrere Verhandlungstage angesetzten Verfahren noch vertretbar erscheinen, was bei einem kurzen Verfahren anders zu beurteilen sein kann.

Ein weiteres relevantes Indiz kann die *Schwierigkeit zivilrechtlicher Rechtsfragen* darstellen. Dies hat der BGH etwa bei Sachverhalten mit Bezügen zum Inter-

---

[539] *Rieß* (2005), S. 434, der allerdings befürchtet, dass angesichts der Verengung des Eignungsmerkmals und der gänzlichen Versagung bei Schmerzensgeldansprüchen wenig dafür spreche, dass sich diese Interpretation des Eignungsmerkmals durchsetzen werde. Ähnlich SK-*Velten* (2003), § 405 Rn. 7.

[540] *Joecks* (2008), § 406 Rn. 9; *Stöckel* (2004), S. 839, wenn im neuen Termin nur über zivilrechtliche Fragen verhandelt werde.

[541] SK-*Velten* (2003), § 405 Rn. 9 weist auf den Einzelfallcharakter hin.

B. Der Ablauf des reformierten Adhäsionsverfahrens 181

nationalen Privatrecht angenommen[542]. Auch Verfahren, die haftungsrechtlich anspruchsvoll sind, seien nicht geeignet[543]. Weiterhin werden Adhäsionsanträge in Strafverfahren wegen Börsendelikten genannt[544]. Muss das Gericht schwierige Rechtsfragen behandeln, wirkt sich dies durch einen erhöhten Rechercheaufwand vor allem auf die Verfahrensdauer aus. Auch unterhalb der Erheblichkeitsschwelle des § 406 Abs. 1 S. 5 StPO können schwierige Rechtsfragen ein Indiz für eine Nichteignung darstellen. Dann sind sowohl das Verfahrensziel der Prozessökonomie als auch das des Opferschutzes betroffen. Dass ein gewisser Grad der Unberechenbarkeit Einzug in das Verfahren hält, da unklar ist, wann ein Gericht eine Rechtsfrage für schwierig erachtet, wird mitunter kritisch gesehen[545]. Ausgangspunkt ist, dass nicht jedes anspruchsvolle Verfahren schon ungeeignet sein kann[546]. Das Gericht darf nicht von vornherein mit dem Hinweis auf den Schwierigkeitsgrad der Rechtsfrage eine Nichteignung annehmen[547]. Aus einer schwierigen Rechtsfrage können allerdings Umstände folgen, die ihrerseits zur Nichteignung führen können. Hierzu zählen etwa die Einarbeitungszeit des Gerichts, die Häufung zivilrechtlicher Fragestellungen, das Erfordernis zusätzlicher Beweisaufnahmen, die Behandlung zivilrechtlicher Probleme, die unter keinen Umständen eine Auswirkung auf die strafrechtliche Seite haben, oder vergleichbare Aspekte. Liegen derartige Begleitaspekte vor, kann eine Absehensentscheidung wegen Nichteignung möglich sein.

Vorgeschlagen wird, dass auch Anträge, die *Rechtsfragen von grundsätzlicher Bedeutung* zum Gegenstand haben, bei einem sachnäheren Gericht besser aufgehoben sind[548]. Daher soll in diesen Fällen von einer gleichzeitigen Aburteilung der Ansprüche im Strafverfahren abgesehen werden. Ausgehend von der hier vertretenen Auslegung des Merkmals der Nichteignung ist in dieser Konstellation das Ziel der Justizökonomie betroffen. Bei Sachverhalten, deren Entscheidung „Mustercharakter" für vergleichbare Fallgestaltungen haben kann, erscheint die

---

[542] BGH wistra 2003, 151 (Teile der Rechtsfrage müssen nach ausländischem Recht beurteilt werden; zustimmend *Wilhelmi,* IPRax 2005, 236, 238 und *Ranft* (2005), Rn. 2479); BGH StV 2004, 61 (IPR Sachverhalt und Rechtsfragen einer Zession).

[543] BGH bei Becker NStZ-RR 2004, 225, 229 für die Berechnung von Schmerzensgeldrenten. Die Möglichkeit eines Grundurteils hat diese Entscheidung allerdings noch außer Acht gelassen. Zustimmend *Stern* (2005), Rn. 1909. Vgl. auch OLG Oldenburg StraFo 2009, 75, 76, wo ein etwaiges Mitverschulden des Antragstellers von der Beiziehung von Akten diverser litauischer Ermittlungsverfahren abhängig war.

[544] Park-*Sorgenfrei* (2008), Kap. 4 Rn. 248 für die §§ 20a, 38, 39 WpHG.

[545] Vgl. *Jaeger,* ZGS 2003, 329, 330, den dieser Umstand sogar zu folgender Warnung veranlasst: „Finger weg vom Adhäsionsverfahren!"

[546] SK-*Velten* (2003), § 405 Rn. 9.

[547] *Feigen* (2007), S. 897; *Klein* (2007), S. 110 mit dem zutreffenden Hinweis, dass allein die wechselnde Geschäftsverteilung ein Grund dafür ist, dass ein Gericht vor der Behandlung zivilrechtlicher Fragestellungen nicht von vornherein geschützt ist.

[548] *Brokamp* (1990), S. 182. Zum Begriff vgl. BVerfGE 49, 156, 160.

182   Kap. 2: Rechtliche Ausgestaltung des reformierten Adhäsionsverfahrens

Entscheidung durch ein sachnäheres Zivilgericht tatsächlich besser geeignet. Denn eine gleichzeitige Entscheidung von straf- und zivilrechtlichen Folgen der Straftat wäre dann nicht in gleichem Maße prozessökonomisch, wie getrennte Entscheidungen verschiedener Gerichte. Reine Praktikabilitätserwägungen können indes nicht zur Annahme der Nichteignung führen. Daher kann dieses Kriterium nur in Ausnahmefällen relevant werden.

Auch das *Ausbleiben des Antragstellers im Hauptverhandlungstermin* soll nach einer Ansicht zur Nichteignung führen[549]. Dieser pauschale Hinweis wird der Bedeutung einer Absehensentscheidung aber nicht gerecht. Da es eine Anwesenheitspflicht des Antragstellers in der Hauptverhandlung nicht gibt, muss das Gericht auch in Abwesenheit des Antragstellers über den Antrag entscheiden. Die Abwesenheit ist unter keinen Umständen ein Indiz für eine Nichteignung. Nachteilig für den Antragsteller ist das Ausbleiben nur dadurch, dass es ihm verwehrt bleibt, auf die Entscheidung über seinen Antrag einzuwirken. Beachtet werden muss weiterhin, dass das Ausbleiben verschuldet oder unverschuldet sein kann, was vom Gericht berücksichtigt werden muss[550]. Hatte der Antragsteller seine Abwesenheit nicht zu verschulden, kann das Gericht nur bei eindeutigen Fällen ohne weiteres eine Nichteignung annehmen. Ansonsten ist es angesichts der prozessrechtlichen Stellung des Antragstellers eventuell sogar gehalten, die Hauptverhandlung zu unterbrechen. Nur wenn der Beschuldigte geständig ist, das Strafverfahren dadurch schnell abgeschlossen werden kann, die Entscheidung über den Adhäsionsantrag dagegen eine weitere Beweisaufnahme nach sich ziehen würde, erscheint eine Absehensentscheidung wegen Nichteignung möglich[551].

(c) Zusammenfassung

Die dargestellten Indizien können zu einer Nichteignung führen. Entweder sie haben eine erhebliche Verfahrensverzögerung zur Folge. Dann ist bereits § 406 Abs. 1 S. 5 StPO einschlägig. Oder sie haben keine erhebliche Verzögerung zur Folge, wirken aber auf andere Weise „negativ" auf das Strafverfahren. Dann kann das Gericht ebenfalls eine Absehensentscheidung treffen. Wichtige Beispiele hierfür sind die Verkürzung der Rechtspositionen des Beschuldigten, eine außergewöhnliche Anspruchshöhe sowie eine Vielzahl an Adhäsionsanträgen.

---

[549] HK-*Kurth* (2009), § 406 Rn. 9, jedoch ohne nähere Begründung.

[550] Beispiele: Der Antragsteller gibt dem Gericht bekannt, dass er kein Interesse an einer Anwesenheit in der Hauptverhandlung habe (verschuldet). Der Antragsteller hat vom Termin der Hauptverhandlung keine Kenntnis erlangt (unverschuldet).

[551] Beispiel nach *Plüür/Herbst,* NJ 2008, 14, 16.

B. Der Ablauf des reformierten Adhäsionsverfahrens 183

(3) Ergebnis

Wegen des Grundsatzes der umfassenden Entscheidung muss der Begriff der Nichteignung eng ausgelegt werden. Zudem kommt er nur dann zum tragen, soweit nicht einmal eine Teilentscheidung über den Adhäsionsantrag möglich ist und keine erhebliche Verfahrensverzögerung zu befürchten ist. Ein Adhäsionsantrag ist im Übrigen für eine Entscheidung im Strafverfahren nicht geeignet, soweit nach dem Gesamteindruck des bisherigen Verfahrensablaufs eine Adhäsionsentscheidung keine Gewähr dafür bietet, dass die Zwecke des Adhäsionsverfahrens erfüllt werden, weil es die Ziele des Strafverfahrens vereiltelt würde. Einige Indizien können für die Nichteignung sprechen.

dd) Berücksichtigung der berechtigten Interessen
des Antragstellers

Ist das Gericht der Auffassung, dass der Antrag zur Erledigung im Strafverfahren nicht geeignet ist, kann es allein deswegen noch keine Absehensentscheidung treffen. Vielmehr muss es seit dem Jahr 2004 zusätzlich noch die „berechtigten Interessen des Antragstellers" berücsichtigen. Rechtsprechung gibt es zu diesem Punkt noch keine. Fraglich ist, ob die Wendung ein eigenständiges Tatbestandsmerkmal darstellt, ob ihr lediglich deklaratorische Wirkung zukommt oder ob sie eine ermessensleitende Wirkung für die Rechtsfolge hat. Für ein Tatbestandsmerkmal spricht der Wortlaut der Vorschrift, der beide Wendungen – die Nichteignung und die Interessenberücksichtigung – gleichberechtigt nebeneinander aufführt. Gegen die Tatbestandswirkung spricht zunächst die Gesetzesbegründung[552]. Auch nach hier vertretener Ansicht, nach welcher der Begriff der Nichteignung anhand einer Zielorientierung zu bestimmen ist, finden die „berechtigten Interessen des Antragstellers" bereits dort Berücsichtigung. Das Verfahrensziel „Opferschutz" ist Teil der berechtigten Interessen. Insbesondere das Interesse an einer abschließenden rechtlichen Regulierung des Konfliktes, der dem im Strafverfahren angeklagten Sachverhalt zugrunde liegt, ist damit gemeint[553]. Entstehen Verzögerungen nur daraus, dass es dem Antragsteller überhaupt ermöglicht wird, seinen Anspruch im Strafverfahren geltend zu machen, dann kann keine Nichteignung angenommen werden[554].

Es handelt sich demnach nur um eine deklaratorische Bestimmung, die die geltende Rechtslage paraphrasiert und akzentuiert. Der Wert der Bestimmung

---

[552] BT-Drs. 15/1976 S. 16 („Die berechtigten Belange des Antragstellers werden bei der Prüfung, ob sich der Antrag zur Erledigung im Strafverfahren eignet, ausdrücklich in die Abwägung mit einbezogen").

[553] *Schork/König,* NJ 2004, 537, 540.

[554] SK-*Velten* (2003), § 405 Rn. 9, die in diesen Fällen bereits das Vorliegen einer Nichteignung verneint.

184 Kap. 2: Rechtliche Ausgestaltung des reformierten Adhäsionsverfahrens

liegt darin, dass der Rechtsanwender die Bedeutung des Verfahrensziels „Opferschutz" für die Auslegung des Nichteignungsbegriffs leichter erkennt[555].

ee) Rechtsfolge

Im Gegensatz zur Vorgängervorschrift § 405 S. 2 StPO a.F. ist § 406 Abs. 1 S. 4 StPO als Ermessensnorm ausgestaltet[556]. Das Gericht kann daher nach eigenem Ermessen entscheiden, ob es eine Absehensentscheidung wegen Nichteignung trifft[557]. In den Gesetzgebungsmaterialien finden sich keinerlei Anhaltspunkte, warum die gesetzliche Bestimmung derartig geändert wurde. Indes wäre es durchaus stimmig, wenn dem Gericht auch bei Vorliegen der Voraussetzungen ein Ermessen eingeräumt wird, da die Stärkung des Adhäsionsverfahrens Ziel der Reform gewesen ist.

Demzufolge werden gegen diese Auslegung Bedenken geäußert. Weder unter dem Gesichtspunkt einer etwaigen Schwäche der Altregelung, noch aus einer Verbesserung der Verletztenstellung heraus könne die Einräumung eines gerichtlichen Ermessens sinnvoll begründet werden, zumal auch die Gesetzesbegründung keine Anhaltspunkte liefere[558]. Als Begründung wird angeführt, dass die Annahme eines Ermessens sowohl die Interessen des Beschuldigten als auch des Antragstellers durch die ihm innewohnende Unsicherheit gefährde. Eine Adhäsionsentscheidung dürfe gerade nicht ergehen, wenn der Antrag ungeeignet sei. Daher sei ein Ermessen abzulehnen[559].

Diese Ansicht lässt den Gesetzeswortlaut allerdings außer Acht. Zudem wird befürchtet, dass das Gericht eine Adhäsionsentscheidung „durchboxt", obwohl der Antrag für eine Entscheidung im Strafverfahren nicht geeignet ist. Diese Gefahr ist jedoch allenfalls theoretisch vorhanden. Alle Praxiserfahrungen lehren, dass es nahezu keinen einzigen Fall geben wird, in denen ein Adhäsionsverfahren trotz Nichteignung durchgeführt wird. Dogmatisch kann das Ergebnis dergestalt

---

[555] Kritisch *Rieß* (2005), S. 436, der darauf hinweist, dass die berechtigten Interessen des Antragstellers ausdrücklich genannt sind, nicht aber die mindestens ebenso bedeutsamen berechtigten Interessen des Beschuldigten.

[556] In § 405 S. 2 StPO a.F. hieß es: „Es [das Gericht, d. Verf.] sieht von der Entscheidung … ab …". Interessanterweise wurde trotz dieses eindeutigen Wortlautes (und einschlägiger Rechtsprechung, etwa BGH wistra 2003, 151, der von einer Pflicht zur Absehensentscheidung ausgeht, wenn deren Voraussetzungen vorliegen) häufig vertreten, dass das Gericht über die Nichteignung nach pflichtgemäßen Ermessen entscheiden konnte (vgl. *Meyer-Goßner* (2004), § 405 Rn. 4; *LR-Wendisch* (2001), § 405 Rn. 8; *HK-Kurth* (2009), § 406 Rn. 8 [ohne Begründung]; *Loos,* GA 2006, 195, 196 sowie die Darstellung bei *Klein* (2007), S. 104 m.w.N.).

[557] Bei den anderen Möglichkeiten der Absehensentscheidung hat das Gericht keinen Ermessenspielraum.

[558] *Klein* (2007), S. 258, der ein Redaktionsversehen erwägt.

[559] *Rieß* (2005), S. 436; *Klein* (2007), S. 258 empfiehlt sogar entgegen dem Wortlaut von einer verpflichtenden Entscheidung auszugehen.

B. Der Ablauf des reformierten Adhäsionsverfahrens

begründet werden, indem man in der Regel eine „Ermessensreduzierung auf Null"[560] annimmt. Wenn ein Fall der Nichteignung vorliegt, kann das Ermessen so stark eingeengt sein, dass nur noch *eine* Entscheidung, nämlich die Absehensentscheidung rechtsfehlerfrei ist. In der Praxis dürfte dies dazu führen, dass faktisch von einer Pflichtentscheidung auszugehen ist.

e) § 406 Abs. 1 S. 1 StPO: Keine Verurteilung oder Anordnung einer Maßregel (4. Konstellation)

Nach § 406 Abs. 1 S. 1 StPO kann das Gericht dem Antrag nur stattgeben, wenn der Angeklagte wegen einer Straftat schuldig gesprochen oder gegen ihn eine Maßregel angeordnet wird. Entscheidend ist, dass sich der Schuldspruch oder die Maßregelanordnung auf die Straftat bezieht, aus der der geltend gemachte Anspruch hervorgegangen sein soll[561]. Vor der Reform legte § 405 S. 1 StPO a. F. noch ausdrücklich fest, dass das Gericht von einer Entscheidung über den Anspruch absehen muss, wenn eine Verurteilung oder Anordnung einer Maßregel nicht erfolgte. Eine solche ausdrückliche Vorschrift ist in den reformierten §§ 403 ff. StPO nicht mehr anzutreffen. Daher könnte die Ansicht vertreten werden, dass sich der Adhäsionsantrag nunmehr von selbst erledige. Dies wird jedoch im Interesse der Rechtssicherheit abgelehnt. Vielmehr sei an der alten Rechtslage festzuhalten[562]. Ein weiteres Lösungsangebot besteht darin, den Fall des fehlenden Schuldspruches nunmehr als Unterfall der Unbegründetheit aufzufassen[563].

Hier wird eine andere Lösung vorgezogen. Ein Redaktionsversehen des Gesetzgebers kann dann ausgeschlossen werden, wenn man die gesetzliche Regelung so auffasst, dass eine Absehensentscheidung immer soweit ergehen soll, wie kein Urteil gefällt oder kein Vergleich in das Protokoll aufgenommen wird. Betrachtet man die Formulierung des § 406 Abs. 1 S. 1 StPO, wonach die Entscheidung über den Adhäsionsantrag in dem Urteil erfolgt, das den Angeklagten schuldig spricht oder gegen ihn eine Maßregel anordnet, ergibt sich ein stimmiges Bild. Kam es zu keiner strafrechtlichen Entscheidung, ist auch kein Adhäsionsurteil möglich, ein Vergleich dagegen schon[564]. Wenn beide Möglichkeiten

---

[560] Vgl. zu dieser Rechtsfigur Stelkens/Bonk/Sachs-*Sachs* (2008), § 40 Rn. 56 f.; Bader/Ronellenfitsch-*Aschke* (2010), § 40 Rn. 72 ff.; *Schoch,* Jura 2004, 462, 467.

[561] BGH wistra 2003, 113, 114; BGH StraFo 2003, 133, 134; BGH NStZ 2003, 321; LR-*Hilger* (2009), § 406 Rn. 17. Entgegen der klaren Gesetzeslage wird gelegentlich der Umstand diskutiert, dass dem Antrag auch dann stattgegeben werden könne, wenn kein Schuldspruch erfolgt (*Brause,* ZRP 1985, 103, 104).

[562] *Klein* (2007), S. 99, der von einem Redaktionsversehen ausgeht.

[563] So *Meyer-Goßner* (2010), § 406 Rn. 11 und *Bahnson* (2008), S. 103.

[564] Auch ein Anerkenntnisurteil ist nach § 406 Abs. 2 StPO möglich. Dann besteht ebenfalls kein Raum für eine Absehensentscheidung.

186　Kap. 2: Rechtliche Ausgestaltung des reformierten Adhäsionsverfahrens

nicht genutzt wurden, bleibt dem Gericht nur die Absehensentscheidung. Einer eigenen gesetzlichen Bestimmung bedarf es hierfür nicht.

Immer dann, aber auch nur dann, wenn das Gericht für schuldig erkennt – also nicht bei einer Einstellung des Verfahrens nach §§ 153 f. StPO, nicht bei einem Freispruch, aber dann, wenn von Strafe abgesehen wird (§§ 60, 157, 158, 199, 233 StGB) – kann eine Adhäsionsentscheidung ergehen[565]. Auch diese Fallgruppe der Absehensentscheidung ist subsidiär.

f) Formelle Fragen der Absehensentscheidung

Die Absehensentscheidung kann vorab per Beschluss (§ 406 Abs. 5 S. 2 StPO) oder auch erst im Urteil ergehen[566]. Zuvor muss das Gericht den Antragsteller anhören[567]. Bei der Art und Weise der Anhörung ist das Gericht grundsätzlich frei. Die einfache Rückfrage genügt jedenfalls den Anforderungen. Die Erfüllung dieser Verpflichtung gestaltet sich dann als schwierig, wenn der Antragsteller abwesend ist. Die Entscheidung über den Antrag ist nicht an die Anwesenheit des Antragstellers gebunden. Dem Wortlaut der Vorschrift zufolge könnte eine Absehensentscheidung im Falle einer (verschuldeten oder unverschuldeten) Abwesenheit nie ergehen. Diese Interpretation widerspricht der ratio legis der Anhörungspflicht. Verhindert werden soll, dass eine Absehensentscheidung ergeht, ohne dass dem Antragsteller rechtliches Gehör gewährt wurde[568]. Er soll die Gelegenheit erhalten, gegebenenfalls „die Geeignetheit noch herbeizuführen". Die Anhörung kann auch in schriftlicher Form geschehen. Die Vorschrift ist so zu verstehen, dass eine Absehensentscheidung erst dann ergehen kann, wenn sich der Antragsteller substantiiert geäußert hat. Erscheint er also nicht zur Hauptverhandlung, kann das Gericht eine Absehensentscheidung treffen, wenn sich aus den Akten ergibt, dass dem Antragsteller rechtliches Gehör gewährt wurde. Nur im (sehr seltenen) Extremfall, wenn noch keinerlei Äußerungen des Antragstellers vorliegen[569], kann keine Absehensentscheidung ergehen. In diesen Fällen muss das Gericht die Hauptverhandlung unterbrechen.

---

[565] SK-*Velten* (2003), § 405 Rn. 5. Vgl. zur Einstellung nach § 153a StPO auch *Glaremin/Becker,* JA 1988, 602, 605.

[566] *Plüür/Herbst,* NJ 2005, 153, 153, die zudem darauf hinweisen, dass im Gesetz nicht von der Möglichkeit der Entscheidung erst im Urteil die Rede sei. Diese Möglichkeit sah § 405 S. 1 Var. 2 StPO a.F. jedoch ausdrücklich vor. Ein sachlicher Grund, warum diese Möglichkeit nicht mehr bestehen soll, ist nicht ersichtlich. Auch die Gesetzesbegründung schweigt.

[567] Zur umstrittenen Lage vor dem Opferrechtsreformgesetz vgl. *Klein* (2007), S. 115 f. Kritisch zur Neuregelung *Bahnson* (2008), S. 112, die auch eine Anhörung des Beschuldigten aus Gründen der „Waffengleichheit" zulassen will. Da dieser jedoch kaum hilfreich dazu beitragen dürfte, die Voraussetzungen der Absehensentscheidung zu ermitteln, ist dieser Vorschlag nicht zielführend.

[568] BT-Drs. 15/1976 S. 17.

B. Der Ablauf des reformierten Adhäsionsverfahrens

Nach § 406 Abs. 5 S. 1 StPO muss das Gericht die Verfahrensbeteiligten frühzeitig darauf hinweisen, wenn es eine Absehensentscheidung erwägt. Damit soll ihnen die Gelegenheit gegeben werden, so früh wie möglich reagieren zu können. Die Regelung zielt hauptsächlich auf den Antragsteller ab, der dadurch entweder weitere eine Absehensentscheidung vermeidende Tatsachen vortragen, oder sich damit frühzeitig auf andere Wege der Rechtsverfolgung einstellen kann. Gemeint ist dabei der Fall, in dem das Gericht von einer Entscheidung im Ganzen absehen, nicht aber, wenn es ein Grund- oder Teilurteil treffen will[570]. Die Hinweispflicht des Satzes 1 stellt damit eine spezielle Ausprägung des rechtlichen Gehörs unter dem Aspekt des Opferschutzes dar. In der Praxis dürfte dieser Hinweispflicht jedoch keine gesteigerte Bedeutung zukommen. Dass das Gericht zu einer Absehensentscheidung kommen will, wird sich in der Mehrzahl der Fälle erst nach Abschluss der Beweisaufnahme verlässlich prognostizieren lassen[571]. Da das Gericht aber nur verpflichtet ist, „so früh wie möglich"[572] hinzuweisen, wird der Hinweis oft unterbleiben. Besondere Bedeutung kommt der Hinweispflicht in der Absehensentscheidung der 1. Konstellation zu (unzulässiger Antrag). Hat das Gericht einen zur Unzulässigkeit führenden Grund ermittelt, muss es vor der Absehensentscheidung einen Hinweis geben. Gegebenenfalls kann der Antragsteller dem Mangel noch abhelfen.

Gem. § 34 StPO (je nach Konstellation erste oder zweite Variante) muss das Gericht die Absehensentscheidung begründen. In welchem Ausmaß diese Begründung geliefert werden muss, lässt sich dem Gesetz nicht ohne weiteres entnehmen. Die Begründung muss die tatsächlichen und rechtlichen Erwägungen erkennen lassen, auf denen der Beschluss beruht[573]. Das bedeutet, dass die im Einzelfall relevanten Tatsachen und die Schlussfolgerungen daraus dem Absehensbeschluss (oder dem Urteil) entnehmbar sein müssen. Dies führt dazu, dass sich das Gericht angesichts der Begründungspflicht über den unbestimmten Rechtsbegriff der Nichteignung im Klaren sein muss. Die einfache „Behauptung", dass in gerade diesem Fall der Antrag zur Entscheidung im Strafverfahren nicht geeignet sei, genügt dafür nicht. Fehlt eine Begründung, kann darin ein (absoluter) Revisionsgrund nach § 338 Nr. 7 StPO liegen[574].

---

[569] Dies dürfte angesichts der Zulässigkeitsvoraussetzungen des Antrags sehr selten der Fall sein.

[570] KMR-*Stöckel* (2005), § 406 Rn. 28. *Jaeger,* VRR 2005, 287, 293 befürchtet, dass der Hinweis in den seltensten Fällen erfolgen dürfte. Daher sei empfehlenswert, dass der Anwalt energisch für eine Entscheidung werben solle. So auch *Prechtel,* ZAP 2005, 399, 403.

[571] *Rieß* (2005), S. 436.

[572] Wortlaut des § 406 Abs. 5 S. 1 StPO.

[573] *Meyer-Goßner* (2010), § 34 Rn. 4.

[574] KK-*Maul* (2008), § 34 Rn. 10.

188 Kap. 2: Rechtliche Ausgestaltung des reformierten Adhäsionsverfahrens

Im Hinblick auf die Verteidigungsposition des Beschuldigten sollte das Gericht den Absehensbeschluss ebenfalls möglichst frühzeitig erlassen, da der Beschuldigte sich dann nicht mehr mit einer Verteidigung gegen den zivilrechtlichen Anspruch befassen muss[575].

Die Wirkung der Absehensentscheidung besteht darin, dass die Rechtshängigkeit des Anspruches entfällt. Im Zeitpunkt der gerichtlichen Entscheidung endet sie[576]. Dies bedeutet vor allem, dass eine gehemmte Verjährung nach § 204 Abs. 2 BGB weiterläuft[577].

g) Zusammenfassung und Ergebnis

Die Absehensentscheidung ist die subsidiäre Entscheidungsform für das Gericht, die immer dann in Betracht kommt, wenn kein stattgebendes Urteil (auch in Form eines Grund-, Teil- oder Anerkenntnisurteils) ergehen kann und kein Vergleich in das Protokoll aufgenommen wurde. Vier Fallgruppen sind zu unterscheiden (wegen eines unzulässigen, unbegründet erscheinenden oder nicht geeigneten Antrags und wenn keine Verurteilung oder Maßregelanordnung erfolgte). Die in der Praxis bedeutendste Absehensmöglichkeit ist diejenige wegen Nichteignung. Ein Adhäsionsantrag ist nach dem zweckorientierten Ansatz für eine Entscheidung im Strafverfahren nicht geeignet, soweit nach dem Gesamteindruck des bisherigen Verfahrensablaufs eine Adhäsionsentscheidung keine Gewähr dafür bietet, dass die Zwecke des Adhäsionsverfahrens erfüllt werden, weil es die Ziele des Strafverfahrens vereiteln würde. Einige von Rechtsprechung und Literatur beschriebene Indizien können für die Nichteignung sprechen. Die Berücksichtigung der berechtigten Interessen des Antragstellers ist nur deklaratorischer Art, da sie bereits vollständig in der Ermittlung der Nichteignung aufgeht. Die Rechtsfolge sieht eine Ermessensentscheidung vor, die allerdings zumeist eine faktische Pflichtentscheidung darstellen dürfte. In formeller Hinsicht muss das Gericht vor einer Absehensentscheidung dem Antragsteller Gelegenheit gegeben haben, dass er sich substantiiert zur vom Gericht geplanten Absehensentscheidung äußern kann.

5. Wirkung der Entscheidung

§ 406 Abs. 3 S. 1 StPO bestimmt, dass die Adhäsionsentscheidung der Entscheidung in einem zivilgerichtlichen Verfahren gleichsteht. Der Eintritt der Rechtskraft bestimmt sich nach strafprozessualen Bestimmungen. Die Wirkung

---

[575] KMR-*Stöckel* (2005), § 406 Rn. 29.

[576] *Eggert,* VersR 1987, 546, 547.

[577] Entgegen OLG Karlsruhe MDR 2000, 656 (Neubeginn). Die Entscheidung erging allerdings zum alten Recht.

B. Der Ablauf des reformierten Adhäsionsverfahrens

der Entscheidung richtet sich dagegen nach der ZPO[578] (§§ 322, 323, 325 ZPO eingeschränkt durch § 406a Abs. 3 StPO). Dies hat seinen Grund darin, dass – abgesehen von Fällen der Wiederaufnahme des Verfahrens – im Moment der Rechtskraft der Adhäsionsentscheidung die Akzessorietät aufgehoben wird. Nach Eintritt der Rechtskraft laufen Adhäsionsentscheidung und Strafurteil nicht mehr parallel. Insofern ist für die zivilrechtliche Entscheidung auch nicht mehr auf strafprozessuale Vorschriften zurückzugreifen. Hat das Gericht ein Grund- oder Teilurteil erlassen, kommt diesem die Bindungswirkung des § 318 ZPO zu[579]. Die Auswirkung dieser Bindungswirkung besteht darin, dass das Zivilgericht, das sich mit Rechtsfragen über die Höhe des Anspruchs zu befassen hat, das strafgerichtliche Urteil weder aufheben oder ändern noch von ihm abweichen darf. Der Umfang der Bindung orientiert sich dabei an der materiellen Rechtskraft der Entscheidung[580]. An sich betrifft § 318 ZPO lediglich die Bindungswirkung eines Gerichts an von ihm selbst erlassene Entscheidungen. Daher bedarf es der Vorschrift des § 406 Abs. 1 S. 2 2. HS StPO, die die entsprechende Geltung von § 318 ZPO anordnet.

Soweit über die im Antrag geltend gemachten Ansprüche nicht entschieden wurde, entfaltet die zentrale Vorschrift des § 406 Abs. 3 S. 3 StPO ihre Wirkung: Der Antragsteller kann den Anspruch jederzeit erneut geltend machen – im Zivilverfahren wie auch durch einen nochmaligen Adhäsionsantrag. Die Rechtshängigkeit endet im Zeitpunkt der Beendigung des Adhäsionsverfahrens.

Da die Adhäsionsentscheidung Teil des Strafprozesses ist, gelten auch die §§ 359 ff. StPO für die die Rechtskraft ausnahmsweise durchbrechende Wiederaufnahme des Verfahrens. Dadurch soll der Konflikt zwischen den Grundsätzen der materiellen Gerechtigkeit und der Rechtssicherheit interessengerecht gelöst werden[581]. Die §§ 359 ff. StPO werden durch die adhäsionsrechtliche Spezialvorschrift des § 406c StPO ergänzt. Dieser modifiziert die allgemeinen Wiederaufnahmevorschriften dahingehend, dass er eine Beschränkung der Wiederaufnahme allein auf den zivilrechtlichen Teil zulässt[582], und dass der Akzessorietätsgedanke des Adhäsionsverfahrens auch im Wiederaufnahmeverfahren Geltung beansprucht, wenn nur der strafrechtliche Teil des Urteils angegriffen wird. Ziel des Wiederaufnahmeverfahrens im Adhäsionsverfahren ist eine wesentlich andere

---

[578] KMR-*Stöckel* (2005), § 406 Rn. 23.

[579] KMR-*Stöckel* (2005), § 406 Rn. 26; *Schirmer,* DAR 1988, 121, 124 sowie *Lüke,* JuS 2000, 1042, 1045.

[580] Vgl. ausführlich zu Gegenstand, Inhalt, zeitlichen Grenzen und Ausnahmen der Bindung Musielak-*Musielak* (2009), § 318 Rn. 2–9 sowie LR-*Hilger* (2009), § 406 Rn. 12.

[581] BVerfGE 22, 322, 329; BVerfG StV 2003, 225, 226; Graf-*Hoffmann-Holland* (2010), § 359 Rn. 1. Ausführlich zum Wiederaufnahmeverfahren im Strafverfahren *Marxen/Tiemann* (2006), Rn. 10 ff.

[582] Wobei es dann im Unterschied zu § 370 StPO nie zu einer erneuten Hauptverhandlung kommt (§ 406c Abs. 1 S. 2 StPO).

190   Kap. 2: Rechtliche Ausgestaltung des reformierten Adhäsionsverfahrens

Entscheidung über den Anspruch. Dies ist der Fall, wenn die Verurteilung gänzlich entfällt, oder der zugesprochene Anspruch wesentlich herabgesetzt wird[583]. Der Beschuldigte kann seinen Wiederaufnahmeantrag allein auf den zivilrechtlichen Teil des Urteils beschränken. Liegen die übrigen Voraussetzungen des Wiederaufnahmeverfahrens vor, entscheidet das Wiederaufnahmegericht[584] ohne eine erneute Hauptverhandlung durch Beschluss. Ergibt das Wiederaufnahmeverfahren die Unschuld des Angeklagten (dann ist das Wiederaufnahmeverfahren erfolgreich) gilt § 406a Abs. 3 StPO entsprechend mit der Folge, dass der zivilrechtliche Teil der Entscheidung aufgehoben wird. Die entsprechende Anwendung des § 406a Abs. 3 StPO gilt dabei nur, wenn der Beschuldigte seinen Wiederaufnahmeantrag allein gegen den strafrechtlichen Teil des Urteils richtet. Richtet sich der Wiederaufnahmeantrag sowohl gegen den strafrechtlichen als auch gegen den zivilrechtlichen Teil des Urteils, findet das „gewöhnliche" Wiederaufnahmeverfahren statt, mit der Maßgabe, dass das Wiederaufnahmegericht zusätzlich über die zivilrechtlichen Ansprüche zu befinden hat.

6. Nebenentscheidungen

a) Kosten des Verfahrens

aa) Überblick

Das Gericht muss eine Kostenentscheidung im Adhäsionsverfahren treffen. Dies folgt nicht aus § 308 Abs. 2 ZPO, sondern ergibt sich aus der strafverfahrensrechtlichen Kostengrundvorschrift des § 464 Abs. 1 StPO. Auch bei den (Gerichts-)Kosten des Adhäsionsverfahrens zeigt sich dessen Charakter als Teil des Strafverfahrens deutlich. Die Art der Kostenauferlegung wird nicht nach zivilverfahrensrechtlichen Vorschriften ermittelt, sondern richtet sich ausschließlich nach der Regelung des § 472a StPO[585]. Dieser unterscheidet danach, ob das Gericht dem Antrag stattgegeben hat (Absatz 1) oder nicht (Absatz 2). Die konkrete Höhe der Gerichtskosten richtet sich nach dem GKG. Maßgeblich für die Bestimmung ist grundsätzlich die Höhe des Streitwertes (§ 3 Abs. 1 GKG), der von den Gerichten im konkreten Fall festzusetzen ist[586].

---

[583] Duttge/Dölling/Rössner-*Weiner* (2008), § 406c StPO Rn. 1; *Joecks* (2008), § 406c Rn. 1; HK-*Kurth* (2009), § 406c Rn. 2. Zum Begriff der Wesentlichkeit *Klein* (2007), S. 147 f.

[584] Vgl. § 140a GVG („ein anderes Gericht mit gleicher sachlicher Zuständigkeit"). Vgl. hierzu auch KK-*Hannich/Schmidt* (2008), § 140a GVG Rn. 1–4.

[585] § 74 JGG, der über § 109 Abs. 1 S. 1 JGG für Heranwachsende eine günstige Kostenregelung enthält, ist nach § 109 Abs. 2 S. 4 JGG im Adhäsionsverfahren nicht anzuwenden.

[586] Die Streitwertfestsetzung erfolgt dabei nach §§ 3 ff. ZPO, 12 ff. GKG. Vgl. zu „technischen" Fragen der Kostentragung, zur Vorgehensweise des Gerichts *Hartmann* (2008), Teil I (insbesondere KV 3700 Rn. 2).

B. Der Ablauf des reformierten Adhäsionsverfahrens   191

bb) Bei einer stattgegebenden Adhäsionsentscheidung: § 472a Abs. 1 StPO

Der Beschuldigte hat nach § 472a Abs. 1 StPO die entstandenen besonderen Kosten und die notwendigen Auslagen des Verletzten zu tragen, die durch die Zuerkennung des Anspruches entstanden sind. Zum ersten Fall zählen die besonderen Gerichtskosten (nach Nr. 3700 des Kostenverzeichnisses zu § 3 Abs. 2 GKG), die sich nach dem Wert des zuerkannten Anspruches richten[587]. Zu den notwendigen Auslagen des Antragstellers gehören etwa dessen Rechtsanwaltskosten[588]. Der Antragsteller dagegen muss kein Kostenrisiko befürchten, soweit seinem Antrag stattgegeben wird[589]. Im Zivilprozess kann durch ein sofortiges Anerkenntnis die Kostenpflicht abgewendet (§ 93 ZPO) werden, wenn der Beklagte nicht „zur Erhebung der Klage Veranlassung gegeben" hat, was für den Beschuldigten im Adhäsionsverfahren nicht möglich ist[590].

cc) Bei allen übrigen Entscheidungen: § 472a Abs. 2 StPO

Wenn dem Antrag nicht stattgegeben wird, trifft Absatz 2 eine andere Kostenregelung, nämlich dass das Gericht eine Kostenentscheidung nach billigem Ermessen zu treffen hat. Das Gesetz sieht drei Fälle vor: Von einer Entscheidung über den Antrag wird abgesehen (Var. 1)[591]; ein Teil des Anspruchs wird nicht zuerkannt (Var. 2)[592]; der Antragsteller nimmt seinen Antrag zurück (Var. 3). Die Ermessensentscheidung ermöglicht es dem Gericht, von ihm als ermessensrelevant erkannte Umstände in die Entscheidung einfließen zu lassen. Um die Verfahrenskosten ermitteln zu können, muss es den Streitwert festsetzen. Fraglich ist, wie zu entscheiden ist, wenn dem Antrag nur teilweise stattgegeben werden kann. Für den stattgebenden Teil gilt insoweit § 472a Abs. 1 StPO. Für den übrigen Teil ist dagegen § 472a Abs. 2 StPO anwendbar. Da keine dem § 92 ZPO nachgebildete Vorschrift vorgesehen ist, kann das Gericht nicht einfach eine Quo-

---

[587] Zur genauen Höhe vgl. § 34 GKG sowie die Gebührentabelle in Anlage 2 zum GKG.

[588] Deren genaue Höhe richtet sich im Gegensatz zu den Gerichtskosten nach dem Wert des geltend gemachten Anspruchs, hierzu *Klaus* (2000), S. 117. Im Übrigen ist auf § 464a Abs. 2 StPO hinzuweisen.

[589] Deshalb wird oft davon ausgegangen, dass die Antragstellung keinerlei Risiko berge (vgl. etwa *Heger,* JA 2007, 244, 247; Wabnitz/Janovsky-*Wagner* (2007), Kap. 28 Rn. 74). Dies ist mit Blick auf § 472a Abs. 2 StPO jedoch nicht in allen Fällen zutreffend.

[590] Vgl. *Meier/Dürre,* JZ 2006, 18, 23, die hierfür die das strafprozessuale Kostenrecht durchziehende Grundentscheidung für das „Veranlassungsprinzip" heranziehen.

[591] Bei einem Freispruch fällt die Kostenentscheidung meist gegen den Antragsteller aus (etwa LG Wiesbaden JurBüro 2005, 144: Der Antragsteller hat die dem Angeklagten durch das Adhäsionsverfahren entstandenen notwendigen Auslagen zu tragen).

[592] *Klaus* (2000), S. 117 weist zurecht darauf hin, dass Var. 2 nur ein Unterfall von Var. 1 ist.

192   Kap. 2: Rechtliche Ausgestaltung des reformierten Adhäsionsverfahrens

telung der Kosten durchführen, nach der die Kostenteile dem des jeweiligen Prozesserfolgs entsprechen. Vielmehr muss es auch hier eine Ermessensentscheidung treffen, was dazu führen kann, dass auch dem Beschuldigten oder dem Antragsteller alle Kosten auferlegt werden[593]. Das Ermessen leitende Indizien können sein, ob der Beschuldigte das Verfahren veranlasst hat[594], ob der Adhäsionsantrag von vornherein aussichtslos gewesen ist, da das Prozessverhalten des Antragstellers eine Absehensentscheidung geradezu provoziert hat[595], oder welche Art der Absehensentscheidung vorliegt. Bei einem unzulässigen Antrag spricht wenig dafür, dem Beschuldigten die Kosten aufzuerlegen, bei einem unbegründet *erscheinenden* dagegen sieht dies anders aus. Warum soll das Ermessen dafür sprechen, den Antragsteller mit den Kosten zu belasten, hat er doch berechtigterweise seinen Antrag gestellt? Warum soll aber umgekehrt der Beschuldigte mit Kosten belastet werden, wo das Gericht doch gerade das Bestehen des Anspruchs verneint hat? Eine ähnliche Konfliktlage besteht auch bei der Absehensentscheidung wegen Nichteignung. Eine gerechte Kostenentscheidung ist hier nur schwierig zu treffen. Eine Entschärfung des Konflikts gibt der Gesetzgeber in § 472a Abs. 2 S. 2 StPO selbst vor. Bei „Unbilligkeiten" können die Gerichtskosten auch der Staatskasse auferlegt werden. Allerdings bleibt es hinsichtlich der notwendigen Auslagen des Beschuldigten bei der Ermessensentscheidung, so dass dem Antragsteller ein Risiko verbleibt, gegebenenfalls auch noch mit durch das Adhäsionsverfahren entstandenen Anwaltskosten des Beschuldigten belastet zu werden[596]. Unbillig ist eine Kostenentscheidung, soweit die Verursachung der Kosten allein in der Sphäre des Gerichtes anzusiedeln ist. Dies ist etwa dann der Fall, wenn das Gericht eine besondere Auslagen hervorrufende Beweisaufnahme durchführt, danach jedoch von der Entscheidung über den Adhäsionsantrag abgesehen hat[597]. Als ermessensbestimmendes Indiz wird letztlich auch auf den Rechtsgedanken des § 92 Abs. 2 ZPO abzustellen sein. Dieser besagt, dass bei einer verhältnismäßig geringfügigen Zuvielforderung die im Wesentlichen unterliegende Partei die Kosten vollständig zu tragen hat[598]. Da

---

[593] Anders Weiner/Ferber-*Schneckenberger* (2008), Rn. 182 und Graf-*Weiner* (2010), § 472a Rn. 2, die zu Unrecht von einer Quotelung und damit von der Anwendung des § 92 ZPO ausgehen.

[594] *Meyer-Goßner/Appl* (2008), Rn. 157; *Prechtel,* ZAP 2005, 399, 407, der Anwälten des Beschuldigten empfiehlt, darauf eigens hinzuweisen. Einen Beispielfall nennen auch *Glaremin/Becker,* JA 1988, 602, 605, wo der Beschuldigte einer Schadenswiedergutmachungsauflage nicht nachgekommen ist.

[595] *Feigen* (2007), S. 891, der insoweit die Kostenentscheidung des OLG Hamburg (NStZ-RR 2006, 347, „Fall Falk") kritisiert, wo trotz (eines von vornherein aussichtslosen) Antrags in Höhe von 760 Mio. € die Kosten gegeneinander aufgehoben wurden.

[596] Dieses Risiko wird wiederum in einigen Fällen in der Praxis durch Versicherungsschutz abgemildert (vgl. § 101 VVG).

[597] LR-*Hilger* (2009), § 472a Rn. 3. Generalisierend für die Anwendung bei der Absehensentscheidung wegen Nichteignung *Meyer-Goßner* (2010), § 472a Rn. 2.

[598] Vgl. Zöller-*Herget* (2009), § 92 Rn. 10 f.

B. Der Ablauf des reformierten Adhäsionsverfahrens 193

der Antragsteller im Adhäsionsverfahren nicht unterliege, sondern „im schlimmsten Fall" von einer Entscheidung über den Antrag abgesehen werde, könne der Grundgedanke für die Kostenentscheidung nach § 472a Abs. 2 StPO erst recht herangezogen werden[599].

Bei der Rücknahme des Antrags entsteht grundsätzlich keine Ersatzpflicht für Auslagen des Beschuldigten[600]. Dies kann aber nur gelten, wenn der Antrag ohne Mängel war. Dies bedeutet, dass die Auslagenersatzpflicht ausnahmsweise doch besteht, wenn bereits der Antrag unzulässig war oder unbegründet erschien.

Erstaunlich ist, dass § 472a Abs. 2 StPO die wichtige Beendigungsmöglichkeit durch die Protokollierung eines Vergleichs (§ 405 StPO) gerade nicht erwähnt. Daher ist unklar, wie die Gerichtskosten in diesem Beendigungsfall verteilt werden. Die Kostenvorschrift des § 472a StPO wurde durch das Opferrechtsreformgesetz im Jahr 2004 nicht geändert. Mit der Neuregelung des Vergleichs hätte der Gesetzgeber an dieser Stelle ebenfalls eine Regelung treffen müssen. Daher spricht vieles dafür, dass die Regelungsnotwendigkeit schlicht übersehen wurde. Da auch die Gesetzesmaterialien keinen Anhaltspunkt enthalten, kann nicht von einer bewussten Entscheidung des Gesetzgebers ausgegangen werden. Ausgangspunkt ist, dass die Parteien selbst eine Regelung über die Kosten in den Vergleich aufnehmen können. Diese ist dann als spezielle Regelung vorrangig. Fehlt eine solche Parteivereinbarung, gilt wiederum, dass das Kostenrecht der StPO Anwendung findet. Die für das Zivilverfahren einschlägige Vorschrift des § 98 ZPO kann zumindest nicht direkt herangezogen werden. Als Lösungsmöglichkeiten bieten sich drei Wege an. Entweder wird die Vorschrift des § 472a Abs. 2 S. 1 StPO auch auf den Vergleich analog angewendet (Ermessensentscheidung). Oder man bildet eine Analogie zu § 98 ZPO (gegenseitige Aufhebung). Als letzte Möglichkeit kommt in Betracht, dass die Gerichtskosten der Staatskasse auferlegt werden (analog der Bestimmung des § 472a Abs. 2 S. 2 StPO). Für die (hier allein interessierenden) Gerichtskosten wird vorgeschlagen, die Ermessen begründende Vorschrift des § 472a Abs. 2 S. 1 StPO analog heranzuziehen. Für eine analoge Anwendung zivilverfahrenrechtlicher Vorschriften ist nur dann Raum, wenn die grundsätzlich geltenden strafprozessrechtlichen Vorschriften keinerlei Lösungsmöglichkeiten bieten. Dies ist hier nicht der Fall, so dass es eines Rückgriffs auf § 98 ZPO nicht bedarf. Auch bei einem Vergleich muss es dem Gericht überlassen bleiben, auf die im konkreten Verfahren vorgefallenen Prozessgeschehnisse einzugehen. Einigen sich – was zulässig ist – Beschuldigter und Antragsteller im Vergleich auch über die Gerichtskostentragung, kann das Gericht nur dann eine von dieser Einigung abweichende Entscheidung

---

[599] Weiner/Ferber-*Schneckenberger* (2008), Rn. 183, die insoweit zu Recht eine großzügige Anwendung empfiehlt.

[600] *Glaremin/Becker,* JA 1988, 602, 605, die darauf hinweisen, dass eine Verweisung auf § 269 Abs. 3 S. 2 ZPO (Kostentragungspflicht bei Klagerücknahme) in § 472a StPO nicht enthalten ist.

194   Kap. 2: Rechtliche Ausgestaltung des reformierten Adhäsionsverfahrens

treffen, wenn es selbst eine wesentlich andere Entscheidung getroffen hätte. Dies freilich dürfte in der Praxis nicht vorkommen.

b) Vorläufige Vollstreckbarkeit

Nach § 406 Abs. 3 S. 2 HS 1 StPO erklärt das Gericht die Entscheidung für vorläufig vollstreckbar[601]. Damit soll zugunsten des Beschuldigten verhindert werden, dass der Beschuldigte allein aus dem Grund Rechtsmittel einlegt, den Eintritt der Rechtskraft und damit die Vollstreckbarkeit hinauszuzögern[602]. Dadurch wird der Antragsteller in die für ihn günstige Lage versetzt, bereits vor Eintritt der Rechtskraft vollstrecken zu können. Die für den Beschuldigten bestehende Gefahr einer unberechtigten Vollstreckung wird durch die ausdrücklich angeordnete Anwendbarkeit der §§ 708 bis 712, 714 bis 716 ZPO ausgeglichen. Die Interessen des Schuldners (im Adhäsionsverfahren des Beschuldigten) berücksichtigt das Gesetz durch die Anordnung von vom Antragsteller zu leistenden Sicherheitsleistungen (§§ 709 bis 715 ZPO ohne § 713 ZPO). In einigen Fallkonstellationen überwiegt das Vollstreckungsinteresse des Antragstellers das Schutzinteresse des Beschuldigten, so dass hier auf eine Sicherheitsleistung verzichtet werden kann (§ 708 ZPO). Die für das Adhäsionsverfahren relevanten Konstellationen dürften besonders § 708 Nr. 1 (bei einem Anerkenntnis) und Nr. 11 (bei Leistungsurteilen bis zu einem Betrag von 1.250 €) ZPO darstellen. Die vorläufige Vollstreckbarkeit umfasst nur den Anspruch, nicht aber die Kostenentscheidung[603], die sich ausschließlich nach Vorschriften der StPO richtet.

Neben dem Verweis auf die Vorschriften der ZPO, der „zu einer einfachen Handhabung der Vorschriften beitragen" werde[604], finden sich keine weiteren gesetzlichen Vorgaben. Damit wird die Anwendung für das Strafgericht allerdings erschwert[605]. Beispielsweise kann die Beantwortung von Detailfragen[606] nicht

---

[601] Im Unterschied zur Rechtslage vor dem Opferrechtsreformgesetz ist dies nun als Muss-Vorschrift ausgestaltet. Diese Gleichstellung mit zivilprozessual ergangenen Erkenntnissen soll den Opferinteressen besser als nach altem Recht entsprechen, vgl. BT-Drs. 15/1976 S. 17.

[602] *Brögelmann,* JuS 2007, 1006; *Lüke/Ahrens* (2006), Rn. 527, der zudem darauf hinweist, dass die Beteiligten auch zur sorgfältigen Prozessführung angehalten werden sollen. Ein Muster für einen Ausspruch der vorläufigen Vollstreckbarkeit findet sich bei Weiner/Ferber-*Schneckenberger* (2008), Rn. 190.

[603] So im Zivilverfahren (Zöller-*Herget* (2009), § 709 Rn. 2; *Giers,* DGVZ 2008, 8, 9).

[604] So die Hoffnung von BT-Drs. 15/1976 S. 17.

[605] Vgl. auch die Bemerkung bei *Heghmanns/Scheffler* (2008), VII Rn. 981, wonach die vorläufige Vollstreckbarkeit für manche Richter ein „Schrecknis aus der Referendarszeit" sei, das nicht wieder aufleben sollte. Zu Unrecht sieht *Klein* (2007), S. 255 an dieser Stelle keine Probleme.

[606] Beispiele: Wie wird die Höhe der Sicherheitsleistung durch den Antragsteller bestimmt? oder: Bedarf es hierfür gleichzeitig auch eines Streitwertfeststellungsbeschlusses?

B. Der Ablauf des reformierten Adhäsionsverfahrens 195

ohne weiteres verlangt werden. Offensichtlich erlegt das Gesetz dem Strafgericht auf, sich entsprechende zivilverfahrensrechtliche Kenntnisse anzueignen. Die Gefahr besteht, dass diese nicht leicht zugängliche Materie von den Strafgerichten nicht in der vom Gesetzgeber erwarteten Genauigkeit angewendet werden kann.

IV. Die Rechtsmittel im Adhäsionsverfahren

1. Überblick

Auch im Adhäsionsverfahren ist natürlich nicht auszuschließen, dass die Beteiligten mit einer Entscheidung des Gerichts unzufrieden sind. Hiergegen stehen den Beteiligten unter bestimmten Voraussetzungen Rechtsbehelfe zur Verfügung. Die einschlägige Vorschrift findet sich in § 406a StPO[607]. Die gesetzgeberische Grundentscheidung ist dabei, dass das durch das Adhäsionsverfahren erweiterte Strafverfahren sich durch eine möglichst zurückhaltende Gewährung von Rechtsmitteln[608] gegen die Adhäsionsentscheidung nicht noch weiter mit der Behandlung zivilrechtlicher Fragen befassen müssen soll. Nur das unter der Berücksichtigung der Interessen von Antragsteller und Beschuldigten gerade noch mögliche Maß an Rechtsmitteln soll ermöglicht werden. Diese sehr abstrakt gehaltene Formulierung kann dabei nur die grobe Richtung vorgeben. Ausgangspunkt ist, was als erforderliche Beschwer angesehen werden kann. Dies ist bei Rechtsmitteln des Beschuldigten eher leichter, bei Rechtsmitteln des Antragstellers indes angesichts § 406 Abs. 3 S. 3 StPO eher schwerer zu begründen[609]. In diesem Rahmen sind vielerlei Konstruktionen denkbar. Die konkrete, möglichst optimale Ausgestaltung der Rechtsmittel im Adhäsionsverfahren ist schwierig zu bewerkstelligen[610].

Die besondere Schwierigkeit im Rechtsbehelfsystem des Adhäsionsverfahrens besteht in einer erhöhten Komplexität. Einerseits steigt die Zahl der potenziell Rechtsmittelberechtigten um den Antragsteller, und andererseits wächst auch die Zahl der potenziell anzufechtenden Entscheidungen. Stets müssen also bei der

---

[607] Die Vorschrift wurde durch das Opferrechtsreformgesetz umfangreich umgestaltet. Nicht zu behandeln sind an dieser Stelle Rechtsbehelfe, die nicht unmittelbar im Zusammenhang mit dem Adhäsionsverfahren stehen (etwa Rechtsbehelfe in der Zwangsvollstreckung, vgl. § 406b StPO) oder im Prozesskostenhilfeverfahren (vgl. hierzu OLG Stuttgart NStZ-RR 2007, 254).

[608] Rechtsmittel meint hier Beschwerde (§§ 304 ff. StPO), Berufung (§§ 312 ff. StPO) und Revision (§§ 333 ff. StPO) als spezielle Form von Rechtsbehelfen, denen ein Devolutiv- und ein Suspensiveffekt zukommt. Vgl. hierzu KK-Paul (2008), vor § 296 Rn. 1 f.

[609] Vgl. zum Erfordernis einer Beschwer KK-*Paul* (2008), vor § 296 Rn. 5 f.; *Meyer-Goßner* (2010), vor § 296 Rn. 8 ff.; sowie (auch in rechtsvergleichender Hinsicht) *Kinzig* (2000), S. 606 und 632.

[610] Vgl. schon *Schönke,* DRZ 1949, 121, 124, der die Gestaltung der Rechtsmittel als eine der schwierigsten Fragen des ganzen Adhäsionsprozesses bezeichnete.

Frage der Rechtsmittel zwei Fragen beantwortet werden: (1) Gegen welche gerichtliche Entscheidung kann das Rechtsmittel ergriffen werden? (2) Wer kann das Rechtsmittel einlegen? Diese beiden Fragestellungen bilden das Gerüst für die nachfolgenden Ausführungen über das Rechtsmittelsystem des Adhäsionsverfahrens.

Ausgangspunkt ist, dass dem Antragsteller im Adhäsionsverfahren grundsätzlich keine Rechtsmittel zustehen[611]. Er ist nämlich durch die Entscheidung des Gerichts nicht beschwert[612]. Ähnliches gilt für die Staatsanwaltschaft. Da sie grundsätzlich keinen Kontakt zum Adhäsionsverfahren hat, kann sie kein Rechtsmittel gegen die Adhäsionsentscheidung einlegen. Anders sieht das beim Beschuldigten aus. Er ist vom Strafurteil und von einer zusprechenden Adhäsionsentscheidung persönlich betroffen und beschwert. Daher muss er sowohl gegen die verurteilende strafrechtliche als auch gegen die Adhäsionsentscheidung vorgehen können.

Für die Einlegung des Rechtsmittels gelten die jeweiligen strafprozessualen Vorschriften hinsichtlich Form und Begründung[613]. Auch hier spiegelt sich wider, dass die Entscheidung über zivilrechtliche Ansprüche originärer Teil des Strafverfahrens ist.

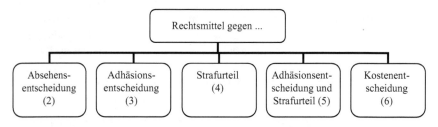

Quelle: Eigene Darstellung.

Abbildung 6: Übersicht über die einem Rechtsmittel zugänglichen Entscheidungen

2. Rechtsmittel gegen die Absehensentscheidung

a) Sofortige Beschwerde durch den Antragsteller

Seit dem Opferrechtsreformgesetz kann unter bestimmten Voraussetzungen (nur) der Antragsteller sofortige Beschwerde gegen die Absehensentscheidung einlegen, § 406a Abs. 1 S. 1 StPO. Zuvor nahm die ganz überwiegende Ansicht

---

[611] Vgl. die eindeutige Formulierung in § 406a Abs. 1 S. 2 StPO.

[612] *Ranft* (2005), Rn. 2488. Soweit der Anspruch nicht zuerkannt wird, verbleibt die Möglichkeit einer zivilrechtlichen Klage.

[613] *Ranft* (2005), Rn. 2498. Also ist etwa § 344 StPO für die Revision zu beachten.

B. Der Ablauf des reformierten Adhäsionsverfahrens 197

an, dass der Antragsteller bei einer Absehensentscheidung nicht beschwert sei[614]. Diese grundsätzliche Aussage wurde in der Vergangenheit gelegentlich angezweifelt. Die Beschwer sei gerade in der Absehensentscheidung zu erblicken, welche die bisherigen prozessualen Mühen des Antragstellers als sinnlos erscheinen lasse und ihn auf den Zivilrechtsweg verweise[615]. Weiterhin sei in einer nicht überprüfbaren Absehensentscheidung der Hauptgrund dafür zu erblicken, dass das Adhäsionsverfahren eine derartige praktische Bedeutungslosigkeit habe[616].

Solcherlei Bedenken hat der Gesetzgeber im Jahr 2004 aufgenommen und das Rechtsmittel der sofortigen Beschwerde gegen eine Absehensentscheidung ermöglicht[617]. Auch wenn dem Antragsteller bei einer Absehensentscheidung der Zivilrechtsweg weiterhin offen steht, wird seine Beschwer nun allein im Umstand erblickt, dass ihm durch die Absehensentscheidung die Möglichkeit genommen wird, rasch im Strafverfahren seine Ansprüche geltend zu machen[618].

Die Möglichkeit einer sofortigen Beschwerde besteht nur unter zwei (den Anwendungsbereich des Rechtsmittels einschränkenden) Voraussetzungen. Der Antrag muss vor Beginn der Hauptverhandlung gestellt worden sein und es darf in der Strafsache noch keine den Rechtszug abschließende Entscheidung ergangen sein. Hintergrund ist, dass dem Antragsteller zum einen ein Anreiz gegeben werden soll, den Antrag möglichst frühzeitig zu stellen. Zum anderen soll verhindert werden, dass das Beschwerdegericht mit der Beschwerde befasst wird, wenn es ersichtlich keine rechtzeitige Entscheidung mehr fällen kann[619]. Das Verfahren richtet sich mangels spezieller Regelungen in § 406a Abs. 1 StPO nach den §§ 311, 304 ff. StPO[620]. Ist die Beschwerde zulässig[621], prüft das Beschwerde-

---

[614] *Würtenberger* (1956), S. 204; LR-*Wendisch* (1978), § 406a Rn. 1; *Köckerbauer,* NStZ 1994, 305, 309; *Klaus* (2000), S. 135; SK-*Velten* (2003), § 406a Rn. 1; *Stöckel* (2004), S. 841; *K. Schroth* (2005), Rn. 364.

[615] Vgl. *Holst* (1969), S. 167: niemand lasse sich auf das Wagnis eines Prozesses ein mit der Aussicht, sich nach gewisser Zeit sagen lassen zu müssen, man habe sich an die falsche Adresse gewandt.

[616] *Schirmer,* DAR 1988, 121, 125. *Prechtel,* ZAP 2005, 399, 404 weist darauf hin, dass allein die Existenz eines Rechtsbehelfs etwas am extensiven Gebrauch der Absehensmöglichkeit ändern könne.

[617] Die Ziele des Gesetzgebers lagen einerseits in einer Selbstüberprüfung des Gerichts, andererseits darin, dass einheitliche Kriterien für die Nichteignung durch obergerichtliche Rechtsprechung entwickelt werden können (BT-Drs. 15/1976 S. 17). Der vorliegende § 406a Abs. 1 S. 1 StPO stellt eine im Gesetzgebungsverfahren gefundene Kompromisslösung dar (BT-Drs. 15/2609 S. 8) zwischen einer weiter reichenden Beschwerdemöglichkeit (BT-Drs. 15/1976 S. 4 [Art. 1 Nr. 18]) und einer völligen Streichung (BT-Drs. 15/2536 S. 11 [Nr. 17]). Die Beschwerde wird zutreffend als „Berufung gegen Zwischenentscheide" bezeichnet (KK-*Pfeiffer/Hannich* (2008), Einl. Rn. 143).

[618] BT-Drs. 15/2536 S. 11.

[619] BT-Drs. 15/2609 S. 15. Zudem habe dies der Antragsteller selbst in der Hand.

[620] Als wichtigste Stichworte des Verfahrens seien hier nur schlagwortartig erwähnt: (1) Beschwerdefrist: 1 Woche (2) einzulegen beim Ausgangsgericht (3) Beschwerdegericht: nächste Instanz, nämlich LG nach § 73 GVG oder OLG nach § 121 Abs. 1 Nr. 2

198   Kap. 2: Rechtliche Ausgestaltung des reformierten Adhäsionsverfahrens

gericht ihre Begründetheit[622]. Hier kann es entweder die Beschwerde als unbegründet verwerfen oder es erlässt nach § 309 Abs. 2 StPO bei einer begründeten Beschwerde „zugleich die in der Sache erforderliche Entscheidung". Aus dem Gesetz nicht zu entnehmen ist, was genau das Beschwerdegericht als „erforderliche Entscheidung" anzusehen hat. In der einschlägigen Kommentarliteratur wird diese Frage nicht näher erläutert. Denkbar sind verschiedene Möglichkeiten. Einmal kann das Beschwerdegericht eine eigene Adhäsionsentscheidung treffen. Zum anderen wird erwogen, dass das Beschwerdegericht angesichts der (oft) unzureichenden Sachinformationen die Sache unter Aufhebung der Absehensentscheidung an das Ausgangsgericht zurückweist[623]. Eine für alle Absehensentscheidungen gültige Lösung kann es indes nicht geben, da sich die verschiedenen Konstellationen unterscheiden. Der Ablauf des Beschwerdeverfahrens im Fall von § 406a Abs. 1 StPO wird in der Literatur nicht dargestellt. Daher soll an dieser Stelle ein sachgerechter Verfahrensgang vorgeschlagen werden.

Wie die Erforderlichkeit des § 309 Abs. 2 StPO zu bestimmen ist, hängt davon ab, worüber das Ausgangsgericht entschieden hat[624]. Dies bedeutet, dass für den Umfang der Entscheidung des Beschwerdegerichts danach zu unterscheiden ist, welche der vier Konstellationen der Absehensentscheidung vom Antragsteller mit der sofortigen Beschwerde angegriffen wurden. Die auf den ersten Blick banal wirkende Unterteilung legt den Prüfungsumfang für das Beschwerdegericht fest. Dies zeigt Tabelle 2.

Sichtbar wird, dass lediglich in der zweiten Konstellation das Beschwerdegericht eine eigene Adhäsionsentscheidung trifft[625]. Für die erste und die dritte Konstellation gilt dies nicht automatisch. Hier stellt sich die Frage, ob auch in diesen Fällen zur „erforderlichen Entscheidung" gehört, dass das Beschwerdegericht eine über die Beschwerde hinaus gehende eigene Adhäsionsentscheidung treffen soll, was zu einer „isolierten" Adhäsionsentscheidung führen würde. Hiergegen spricht zunächst, dass die Beschwerdeentscheidung nach § 309 Abs. 2 StPO nur den konkreten Beschwerdegegenstand erfasst[626]. Zudem kann so die von § 406 Abs. 1 StPO aufgestellte Forderung, dass die Adhäsionsentscheidung

---

GVG (4) grundsätzlich eigene Entscheidung des Beschwerdegerichts (5) kein Suspensiveffekt (6) Entscheidung durch Beschluss und (7) keine Abhilfe durch das Ausgangsgericht.

[621] Anderenfalls verwirft sie das Beschwerdegericht als unzulässig.

[622] Gegebenenfalls muss es nach § 308 Abs. 2 StPO eigene Ermittlungen vornehmen.

[623] So *Klein* (2007), S. 266 für Fälle der Nichteignung (§ 406 Abs. 1 S. 4 StPO).

[624] KK-*Engelhardt* (2008), § 309 Rn. 12.

[625] Wenn es darüber zu befinden hat, ob der Adhäsionsantrag begründet war, kann „die in der Sache erforderliche Entscheidung" nur in einer eigenen Begründetheitsentscheidung bestehen. Dies kann dabei auch auf eine teilweise Begründetheit erkennen.

[626] KK-*Engelhardt* (2008), § 309 Rn. 12.

B. Der Ablauf des reformierten Adhäsionsverfahrens

Tabelle 2

Entscheidungsumfang des Beschwerdegerichts

	Prüfungsumfang des Beschwerdegerichts	*Entscheidung des Beschwerdegerichts durch Beschluss*
1. Konstellation: *Unzulässigkeit*	War der Adhäsionsantrag tatsächlich unzulässig?	zulässiger/unzulässiger Antrag
2. Konstellation: *Unbegründetheit*	War der Adhäsionsantrag tatsächlich unbegründet?	begründeter/unbegründeter Antrag
3. Konstellation: *Nichteignung*	War der Adhäsionsantrag tatsächlich ungeeignet?	geeigneter/ungeeigneter Antrag
4. Konstellation: *kein Urteil/ keine Maßregelanordnung*	–[627]	–

Quelle: Eigene Darstellung.

Teil des Strafurteils ist, nicht durchgesetzt werden. Damit kann das Beschwerdegericht außer in Absehensentscheidungen wegen Unbegründetheit keine „eigene" Adhäsionsentscheidung treffen. Gegen dieses Ergebnis spricht auch nicht, dass der Gesetzgeber selbst von der Existenz „isolierter" Adhäsionsentscheidungen ausgeht, indem er in § 406a Abs. 2 S. 1 StPO dem Beschuldigten ermöglicht, das Urteil auch ohne seinen strafrechtlichen Teil anzufechten. Die prozessuale Situation liegt bei der Beschwerde und bei der Berufung anders, da die Beschwerde „nur" einen Rechtsbehelf gegen Zwischenentscheidungen darstellt.

Wie muss das Beschwerdegericht dann mit Absehensentscheidungen wegen Unzulässigkeit und vor allem wegen Nichteignung verfahren? Gegen eine Zurückverweisung zur erneuten Entscheidung über die Zulässigkeit/Geeignetheit spricht entscheidend, dass diese Möglichkeit der Zurückverweisung gesetzlich überhaupt nicht vorgesehen[628] und von der Rechtsprechung nur unter sehr engen Voraussetzungen überhaupt anerkannt ist[629]. Es liegt hier gerade keiner der „klassischen Zurückverweisungsfälle" vor, da das Ausgangsgericht nicht über die von ihm bereits entschiedene Frage erneut entscheiden muss. Hier wird eine andere Lösung vorgeschlagen. Durch die Absehensentscheidung enden zunächst

---

[627] In der vierten Konstellation ist eine sofortige Beschwerde stets unzulässig, da hier beispielsweise mit einem Freispruch eine den Rechtszug abschließende Entscheidung des Ausgangsgerichts vorliegt.

[628] Eine dem § 354 Abs. 2 StPO (Zurückverweisung bei Revision) vergleichbare Regelung fehlt.

[629] Vgl. bereits BGH NJW 1964, 2119 und OLG Düsseldorf NJW 2002, 2963, 2964. Enger noch LR-*Matt* (2003), § 309 Rn. 13; KK-*Engelhardt* (2008), § 309 Rn. 11, die von einer Zurückverweisung nur ausgehen, wenn das Beschwerdegericht aus Rechtsgründen heraus keine Entscheidung treffen könnte.

200   Kap. 2: Rechtliche Ausgestaltung des reformierten Adhäsionsverfahrens

alle mit dem Adhäsionsantrag zusammenhängenden Wirkungen, von denen hier vor allem die der Rechtshängigkeit hervorgehoben werden soll. Allerdings bewirkt die Erhebung der sofortigen Beschwerde, dass bis zur Entscheidung des Beschwerdegerichts eine Art Schwebezustand in Gang gesetzt wird. Bei einer ablehnenden Entscheidung des Beschwerdegerichts wegen einer unzulässigen oder unbegründeten Beschwerde wird die Absehensentscheidung des Ausgangsgerichts endgültig wirksam. Bei einer positiven Entscheidung endet der „Schwebezustand" in der Art, dass der ursprüngliche Adhäsionsantrag im Ausgangsverfahren ohne weiteres Zutun des Gerichts oder der Beteiligten erneut rechtshängig wird. Daher muss er vom Ausgangsgericht entschieden werden, wobei es die Entscheidung des Beschwerdegerichts zu beachten hat. Das Beschwerdegericht teilt seine Entscheidung dem Ausgangsgericht mit (§ 35 Abs. 2 StPO). Das Ausgangsgericht muss anschließend erneut prüfen, ob der geltend gemachte Anspruch begründet ist. Dabei ist es dem Ausgangsgericht nicht verwehrt, bei Vorliegen entsprechender (anderer) Gründe erneut beispielsweise eine Absehensentscheidung wegen Nichteignung anzunehmen.

Hat der Antragsteller Beschwerde eingelegt, läuft das Strafverfahren im Übrigen normal weiter und muss nicht etwa bis zur Entscheidung des Beschwerdegerichts unterbrochen werden. Gelangt das Ausgangsgericht im Strafverfahren zu einer Entscheidung, wird die sofortige Beschwerde unzulässig. Dann nämlich liegt eine „den Rechtszug abschließende Entscheidung" vor, womit eine der beiden Voraussetzungen des § 406a Abs. 1 S. 1 StPO entfällt[630]. Diese Wirkung hat zur Folge, dass das Beschwerdegericht in der Praxis in der überwiegenden Zahl der Fälle nicht über die Begründetheit der sofortigen Beschwerde entscheidet[631].

Bei bestimmten Fallgestaltungen kann sich die Rechtsfolge des § 307 Abs. 1 StPO auch negativ auf das Adhäsionsverfahren auswirken. Da der Beschwerde grundsätzlich keine aufschiebende Wirkung zukommt, die Entscheidung des Ausgangsgerichts damit sofort wirksam ist, fällt die Rechtshängigkeit des Adhäsionsantrags fort. Dies kann unter Umständen nachteilige Folgen haben, vor allem unter Verjährungsgesichtspunkten[632]. Um Härten zu vermeiden, ermöglicht es § 307 Abs. 2 StPO sowohl dem Ausgangs- als auch dem Beschwerdegericht, die Vollziehung der Absehensentscheidung auszusetzen. Wie derartige Härten auszusehen haben, ist gesetzlich nicht geregelt und liegt im Ermessen des Gerichts. Abzuwägen hat es einerseits die dem Antragsteller durch die sofortige Vollziehung drohenden Nachteile gegen das Interesse des Beschuldigten und

---

[630] „Prozessuale Überholung im Beschwerdeverfahren", vgl. Brüssow/Gatzweiler/Krekeler/Mehle-*Rieß* (2007), § 11 Rn. 35; Weiner/Ferber-*Ferber* (2008), Rn. 147. Auch dann ergeht nach § 473 Abs. 1 S. 4 StPO eine Kostenentscheidung.

[631] Daher dürften die bis hier diskutierten Probleme eine nur geringe praktische Relevanz haben.

[632] *Feigen* (2007), S. 882.

B. Der Ablauf des reformierten Adhäsionsverfahrens

auch der Öffentlichkeit an einer alsbaldigen Vollziehung[633]. Die drohende Verjährung der Ansprüche sollte hierbei jedoch als überwiegendes Interesse des Antragstellers anerkannt werden. Ansonsten wäre der Antragsteller gezwungen, eine anderweitige Verjährungshemmung herbeizuführen. Dies kann etwa durch die Erhebung einer Klage beim Zivilgericht erfolgen. Dann würde aber eine Entscheidung im Adhäsionsverfahren nicht mehr möglich sein und die Beschwerde von vornherein ins Leere laufen.

Die Einführung der sofortigen Beschwerde wird überwiegend kritisch gesehen[634]. Da der Beschwerde keine aufschiebende Wirkung für das Strafverfahren zukomme, sei die Gefahr einer Unzulässigkeit im weiteren Verfahrensverlauf sehr groß. Wenn eine den Rechtszug abschließende Entscheidung ergehe, werde eine Beschwerde unzulässig. Deswegen wird kritisiert, dass die Wahrscheinlichkeit eines „überholenden Strafurteils" so hoch sei, dass die von der Beschwerdemöglichkeit erhoffte „Disziplinierungswirkung" leicht ins Leere laufen könne[635]. Der eingeschränkte Anwendungsbereich der Beschwerde auf frühzeitig gestellte Anträge wird teilweise als Manko angesehen[636]. Zuletzt habe der Gesetzgeber den genauen Ablauf des Beschwerdeverfahrens nicht ausreichend bedacht[637].

b) Stellungnahme

Im letzten Punkt besteht auch nach hiesiger Ansicht die Hauptschwierigkeit. Zwar hat der Gesetzgeber entschieden, dass eine sofortige Beschwerde möglich ist, nicht aber, wie mit einer eingelegten Beschwerde umzugehen ist[638]. Unklar bleibt etwa, in welchem Umfang das Beschwerdegericht eigene Ermittlungen (§ 308 Abs. 2 StPO) durchführen kann. Die Existenz des Rechtsbehelfs ist dagegen positiv zu sehen. Die dadurch geschaffene Überprüfungsmöglichkeit führt dazu, dass eine Absehensentscheidung (vor allem wegen Nichteignung) vom Gericht nicht leichtfertig angenommen werden kann. Allein dieser Umstand rechtfertigt bereits die Schaffung der Beschwerdemöglichkeit.

---

[633] LR-*Matt* (2003), § 307 Rn. 5.

[634] *Meyer-Goßner* (2010), § 406a Rn. 4; *Rieß* (2005), S. 437 (Überbetonung des Rechtsschutzinteresses des Antragstellers). Sehr kritisch auch *Krey/Wilhelmi* (2007), S. 951 („dysfunktional") sowie *Heghmanns/Scheffler* (2008), VII Rn. 977 (immer noch befinde sich über dem Strafrichter, der die Entscheidung einfach ablehnt, der „blaue Himmel").

[635] *Hilger,* GA 2004, 478, 485.

[636] *Klein* (2007), S. 270, der den entscheidenden Zeitpunkt des Beginns der Hauptverhandlung als willkürlich gewählt ansieht.

[637] *Bahnson* (2008), S. 125; *Haller/Conzen* (2008), Rn. 305.

[638] Auch die Gesetzgebungsmaterialien zum Opferrechtsreformgesetz schweigen hierzu.

202 Kap. 2: Rechtliche Ausgestaltung des reformierten Adhäsionsverfahrens

Anders liegt der Fall bei der konkreten Ausgestaltung. Von einer „Ausgestaltung" kann dabei kaum die Rede sein, erschöpft sich die gesetzliche Regelung in einem bloßen Verweis auf die §§ 311, 304 ff. StPO. Hier wäre eine Regelung wünschenswert, die klarstellt, dass das Ausgangsgericht bei einer Entscheidung des Beschwerdegerichts gegebenenfalls erneut über den Adhäsionsantrag entscheiden muss.

Die Bedeutung der sofortigen Beschwerde erschöpft sich in der gegenwärtigen Ausgestaltung darin, dass sie eine bloße Willkürkontrolle für das Ausgangsgericht darstellt. Eine gewisse Disziplinierungswirkung kann ihr nicht abgesprochen werden. Dass sie darüber hinaus gehend erreicht, dass von einer Entscheidung nur in tatsächlich nicht geeigneten Fällen abgesehen wird, erscheint sehr fraglich. Dies liegt vor allem am von vornherein eingeschränkten Anwendungsbereich und daran, dass es in vielen Fällen zur „prozessualen Überholung" kommen dürfte. Auf einen weiteren Aspekt ist hier noch hinzuweisen. Es bedarf keiner großen Phantasie sich vorzustellen, dass in der Praxis die Umgehung der Hinweispflicht des § 406 Abs. 5 S. 1 StPO eine große Rolle spielen dürfte. Viele Gerichte werden die Absehensentscheidung erst im Strafurteil treffen, und damit die Anwendung der sofortigen Beschwerde von Vornherein nicht ermöglichen. Durch die beschriebene „Abschreckungswirkung" ist das Rechtsmittel dennoch ein zumindest kleiner Gewinn für die Ausgestaltung des Adhäsionsverfahrens.

3. Rechtsmittel gegen das stattgebende Adhäsionsurteil, § 406a Abs. 2 StPO

a) Für den Antragsteller und die Staatsanwaltschaft

Der Antragsteller kann gegen die Adhäsionsentscheidung nicht vorgehen. Voraussetzung für den Gebrauch eines Rechtsbehelfs ist neben formellen Anforderungen wiederum die Beschwer des Rechtsbehelfsberechtigten. Diese liegt nur dann vor, wenn die ergangene Entscheidung einen unmittelbaren Nachteil enthält, wenn also die Rechte und geschützten Interessen des „Beschwerten" eine unmittelbare Beeinträchtigung erlitten haben[639]. Die Adhäsionsentscheidung gibt dem Antragsteller jedenfalls zum Teil das, was er sich durch den Antrag erwünscht hat. Die stattgebende Entscheidung belastet ihn nie, es fehlt jegliches Risiko[640]. Vielmehr verbleibt dem Antragsteller der Weg, seine Rechte anderweitig zu verfolgen (§ 406 Abs. 3 S. 3 StPO).

Die Staatsanwaltschaft kann wie der Antragsteller grundsätzlich nicht gegen die Adhäsionsentscheidung vorgehen[641]. Grund hierfür ist, dass die Adhäsions-

---

[639] BGHSt 7, 153, 156; BGH wistra 1999, 347; *Meyer-Goßner* (2010), Vor § 296 Rn. 9.

[640] KMR-*Stöckel* (2005), § 406a Rn. 1.

B. Der Ablauf des reformierten Adhäsionsverfahrens 203

entscheidung die staatlichen Interessen nicht berührt, die die Staatsanwaltschaft wahrnimmt[642].

b) Für den Beschuldigten

Der Beschuldigte hat eine umfassende Möglichkeit, sich gegen die stattgebende Entscheidung des Gerichts mit Rechtsmitteln zur Wehr zu setzen. Er kann entweder die Entscheidung insgesamt, nur den strafrechtlichen Teil oder nur den (stattgebenden) zivilrechtlichen Teil der Entscheidung anfechten[643]. Letztere Möglichkeit – von § 406a Abs. 2 S. 1 StPO ausdrücklich zugelassen – soll hier kurz erläutert werden. Ihm steht daneben das auch „sonst zulässige Rechtsmittel" zur Verfügung. Damit sind gemeint: Berufung oder Revision. Im zweiten Absatz von § 406a StPO werden zwei Besonderheiten klar gestellt. Einmal *kann* das Rechtsmittelgericht über das Rechtsmittel auch ohne mündliche Verhandlung entscheiden[644]. Diese Regelung wird dergestalt ergänzt, dass im Fall der Berufung auf den Antrag von Beschuldigten oder Antragsteller hin eine mündliche Verhandlung statt zu finden hat. Diese Regelung hat ihren Grund darin, dass die isolierte Anfechtung nur der Adhäsionsentscheidung den strafrechtlichen Teil des Urteils unberührt lässt. Da der Anspruch aus der Straftat entstanden sein muss, der strafrechtliche Teil des Urteils mangels Anfechtung indes feststeht, soll auch die Überprüfung der zivilrechtlichen Seite ohne erneute Hauptverhandlung vonstatten gehen können. Im Fall einer Revision kann das Revisionsgericht die Sache zur Entscheidung nicht mehr an das Tatgericht zurückverweisen[645]. Der Beschuldigte muss bei der Einlegung der Revision erkennen lassen, ob das Urteil wegen einer Verletzung einer Rechtsnorm über das Verfahren oder wegen der Verletzung sachlichen Rechts angefochten ist[646]. Bei beiden Rechtsmitteln gilt, dass bei einer fehlerhaften Adhäsionsentscheidung das Rechtsmittelgericht die

---

[641] BGH NStZ-RR 2009, 309; BGH NJW 2008, 1239; BGHSt 3, 210, 211; KK-*Engelhardt* (2008), § 406a Rn. 3; *Klein* (2007), S. 146.

[642] KMR-*Stöckel* (2005), § 406a Rn. 9. Andere Ansicht nur *Klaus* (2000), S. 140, der eine Rechtsmittelbefugnis der Staatsanwaltschaft zugunsten des Beschuldigten bejaht. So wie sie verpflichtet sei, rechtswidrige Entscheidungen in der Strafsache zu verhindern, müsse sie auch gegen Adhäsionsentscheidungen vorgehen können, da das Adhäsionsverfahren Teil des Strafverfahrens sei. Dieser Meinung ist nicht zu folgen. Da durch ein Rechtsmittel allein gegen die Adhäsionsentscheidung das Strafverfahren nicht betroffen ist, kann die Staatsanwaltschaft auch nicht gegen sie vorgehen.

[643] Weiner/Ferber-*Ferber/Weiner* (2008), Rn. 205; *Göbel* (2006), Rn. 244; KMR-*Stöckel* (2005), § 406a Rn. 3; *Klein* (2007), S. 141.

[644] *Schäfer* (2007), Rn. 152. Anders bei einer „normalen" Berufung (§ 324 StPO) oder Revision (§§ 350 f. StPO).

[645] Da die Adhäsionsentscheidung keine „Rechtsfolge der Tat" gem. § 358 Abs. 2 StPO ist, kann das Revisionsgericht ohne diese Restriktion entscheiden (*Meyer-Goßner/Appl* (2008), Rn. 158).

[646] BGH NStZ 2000, 388.

204   Kap. 2: Rechtliche Ausgestaltung des reformierten Adhäsionsverfahrens

Entscheidung insoweit aufhebt und eine Absehensentscheidung trifft[647]. Der Beschuldigte kann sein Rechtsmittel auch auf einen bestimmten Betrag begrenzen. Legt auch kein anderer Verfahrensbeteiligter ein Rechtsmittel ein, erwächst der strafrechtliche Teil der Entscheidung in Rechtskraft[648].

4. Rechtsmittel gegen das Strafurteil

a) Für den Antragsteller

Dem Antragsteller stehen gegen den strafrechtlichen Teil der Entscheidung keine Rechtsmittel zu. Dies stellt das Gesetz in § 406a Abs. 1 S. 2 StPO eindeutig klar. Nur in denjenigen Fällen, in denen der Antragsteller gleichzeitig Nebenoder Privatkläger ist, hat er eine Rechtsmittelbefugnis. Diese folgt jedoch nicht aus den §§ 403 ff. StPO, sondern aus den §§ 390 oder 401 StPO. Sie besteht gewissermaßen nur zufällig und richtet sich dann auch nur gegen den strafrechtlichen und gerade nicht gegen den zivilrechtlichen Teil der Entscheidung[649]. In einer von einem anderen Verfahrensbeteiligten ausgelösten Berufungsverhandlung kann erneut ein Adhäsionsantrag gestellt werden[650].

b) Für den Beschuldigten

Beschränkt der Beschuldigte (was möglich ist) sein Rechtsmittel auf den strafrechtlichen Teil, hat dies auf die Adhäsionsentscheidung keinen Einfluss. Fraglich ist, ab welchem Zeitpunkt die Adhäsionsentscheidung in diesem Fall in Rechtskraft erwächst. Eine den Eintritt der Rechtskraft regelnde Bestimmung gibt es nicht. Nach einer Ansicht gilt, dass die Adhäsionsentscheidung erst dann in Rechtskraft erwachsen kann, wenn auch der strafrechtliche Teil rechtskräftig geworden ist[651]. Wie § 406a Abs. 3 StPO zeige, der das Schicksal des Adhäsionsurteils bei Aufhebung des Schuldspruchs betrifft, werde die Adhäsionsentscheidung in der Rechtsmittelinstanz auch aufgehoben, wenn sie nicht angefochten wurde. Dies sei eine Folge des das Adhäsionsverfahren prägenden Akzessorietätsgedankens. Nach einer anderen Ansicht erwächst die Adhäsionsentscheidung in Rechtskraft, wenn der Angeklagte sein Rechtsmittel auf den

---

[647] Findet eine mündliche Verhandlung statt, besteht zusätzlich die Möglichkeit des Vergleichs (§ 405 StPO).

[648] KMR-*Stöckel* (2005), § 406a Rn. 6; AK-*Schöch* (1996), § 406a Rn. 7; LR-*Hilger* (2009), § 406a, Rn. 11.

[649] In diesen Fällen liegt die Beschwer darin, dass der strafrechtliche Teil des Urteils den Privat- bzw. Nebenkläger gerade in dieser Stellung beschwert. Mit dem Adhäsionsverfahren hat dies aber nichts zu tun.

[650] *Ferber,* NJW 2004, 2562, 256.

[651] *Meyer-Goßner* (2010), § 406 Rn. 6; AK-*Schöch* (1996), § 406 Rn. 14; *Köckerbauer,* NStZ 1994, 305, 310.

B. Der Ablauf des reformierten Adhäsionsverfahrens 205

strafrechtlichen Teil des Urteils beschränkt[652]. § 406a Abs. 3 StPO gelte erst, wenn das Tatgericht in der Strafsache freispreche[653]. Letztere Auffassung ist vorzugswürdig. Als entscheidender Gesichtspunkt erscheint dabei, dass auch in der umgekehrten Konstellation (alleinige Anfechtung der Adhäsionsentscheidung) der Eintritt der Rechtskraft des Strafurteils unberührt bleibt. Es ist kein Grund ersichtlich, warum dies nicht auch hier gelten soll. Der Akzessorietätsgrundsatz besagt, dass die Adhäsionsentscheidung von der strafrechtlichen Entscheidung abhängt. Die Rechtskraft der Adhäsionsentscheidung kann nur dann durchbrochen werden, wenn ihr durch endgültigen Wegfall der strafrechtlichen Verurteilung die Grundlage entzogen wird[654]. Wenn im Rechtsmittelverfahren das Strafurteil aufgehoben wird, kann auch die Adhäsionsentscheidung keinen Bestand haben. Dies spricht jedoch nicht dagegen, dass die Adhäsionsentscheidung in Rechtskraft erwächst, bis die endgültige Entscheidung über das strafrechtliche Rechtsmittel vorliegt. Geht der Antragsteller aus dem durch die Adhäsionsentscheidung erlangten Titel gegen den Beschuldigten vor, obwohl sich bereits abzeichnet, dass das Strafurteil im Rechtsmittelverfahren aufgehoben wird, bleibt dem Beschuldigten eine Berufung auf die Schuldnerschutzprinzipien des Zwangsvollstreckungsrechts[655].

c) Für die Staatsanwaltschaft

Die Existenz einer Adhäsionsentscheidung ändert nichts an den Rechtsmittelmöglichkeiten der Staatsanwaltschaft gegen den strafrechtlichen Teil der Entscheidung. Die Adhäsionsentscheidung bleibt zunächst bestehen. Bei einer erfolgreichen Revision ist über die mögliche Aufhebung vom neuen Tatrichter auf der Grundlage des Ergebnisses der neuen Hauptverhandlung zu entscheiden[656].

5. Rechtsmittel gegen das gesamte Urteil (Adhäsionsentscheidung und Strafurteil gleichzeitig)

Gegen die Entscheidung des Gerichts insgesamt kann nur der Angeklagte mit den ihm zustehenden Rechtsmitteln vorgehen. Hierzu muss er lediglich kenntlich machen, dass er gegen beide Teile der Entscheidung gleichzeitig vorgehen will. Im Berufungsverfahren verhandelt das Berufungsgericht über den Anklagevorwurf und den zivilrechtlichen Anspruch erneut. Dabei sind alle Entscheidungs-

---

[652] KMR-*Stöckel* (2005), § 406a Rn. 5; LR-*Hilger* (2009), § 406a Rn. 9.

[653] Weiner/Ferber-*Ferber/Weiner* (2008), Rn. 212 mit dem Hinweis darauf, dass auch die Rechtsmittelerstreckung des § 357 StPO nichts an der Rechtskraft des nicht angefochtenen Teils ändere.

[654] BGH NJW 2008, 1239, 1240.

[655] Hierzu *Lüke/Ahrens* (2006), Rn. 508, 614 ff.

[656] BGH NJW 2008, 1239.

206   Kap. 2: Rechtliche Ausgestaltung des reformierten Adhäsionsverfahrens

konstellationen denkbar, die auch in der ersten Instanz möglich sind. Stellt das Berufungsgericht erneut die Schuld fest, ist es im Hinblick auf den zivilrechtlichen Anspruch nicht an die erstinstanzlichen Beurteilungen gebunden, sondern entscheidet über den Adhäsionsantrag so, als ob er erst im Berufungsverfahren gestellt worden wäre. Wird der Beschuldigte freigesprochen, bestimmt § 406a Abs. 3 StPO, dass die zivilrechtliche Verurteilung aufgehoben wird. Zu beachten ist, dass die Aufhebung des Urteils sich auf die Straftat beziehen muss, auf die sich der Anspruch gründet[657]. Die Regeln über die Annahme der Berufung nach § 313 StPO sind auch dann anwendbar, wenn der zivilrechtliche Teil „mitangefochten" wird[658]. Der durch eine Prozessvollmacht im Adhäsionsverfahren beauftragte Verteidiger ist berechtigt, die Berufung allein hinsichtlich des Adhäsionsausspruchs zurückzunehmen[659].

Im Revisionsverfahren gilt, dass das Revisionsgericht die Sache nicht allein wegen des zivilrechtlichen Teils an das Tatgericht zurückverweisen darf[660]. Soweit die Verurteilung aufgehoben wird und das Revisionsgericht nach § 354 Abs. 1 StPO freispricht, hebt es auch die Adhäsionsentscheidung auf (§ 406a Abs. 3 S. 1 StPO). In diesem Fall erfolgt keine Rückverweisung, sondern lediglich eine Absehensentscheidung[661]. Gleiches gilt, wenn der zivilrechtliche Teil fehlerhaft ist, der strafrechtliche aber Bestand hat. Hier muss das Revisionsgericht den fehlerhaften Teil aufheben und eine Absehensentscheidung treffen[662]. In Fällen des § 354 Abs. 2 StPO muss der Tatrichter auch über den Adhäsionsantrag nochmals entscheiden. Das Revisionsgericht muss sich mit dem zivilrechtlichen Teil nicht befassen. Die Möglichkeiten eines Teil- oder Grundurteils erweitert auch die Entscheidungsmöglichkeiten des Revisionsgerichts, was aus dem Rechtsgedanken des § 406 Abs. 1 StPO folgt[663]. Sind sowohl die strafrechtliche als auch die Adhäsionsentscheidung mangelhaft, muss die Vorinstanz über beide Teile erneut entscheiden.

---

[657] KMR-*Stöckel* (2005), § 406a Rn. 7.

[658] OLG Jena NStZ-RR 1979, 274. Vgl. zur Frage, ob dies auch gilt, wenn zwar die Grenze des § 313 StPO nicht erreicht ist, jedoch die Adhäsionsentscheidung die Berufungsgrenze (§ 511 Abs. 2 Nr. 1 ZPO: 600 €) übersteigt: *Klein* (2007), S. 142 f.

[659] KG NStZ-RR 2010, 115.

[660] Weiner/Ferber-*Ferber/Weiner* (2008), Rn. 209 mit Tenorierungsbeispiel in Rn. 210. Vgl. auch BGH NStZ-RR 2009, 382, wonach das Revisionsgericht nicht gehindert ist, wegen der Zubilligung der Entschädigung des Verletzten im Adhäsionsverfahren abweichend vom Antrag des Generalbundesanwalts zu entscheiden.

[661] BGH NStZ 1988, 237, 238; BGH NStZ 2003, 321, 322; SK-*Velten* (2003), § 406a Rn. 5; *Haller/Conzen* (2006), Rn. 306.

[662] So im Fall BGH StraFo 2006, 123.

[663] BGHSt 44, 202, 203 mit Hinweis auf die entsprechenden Möglichkeiten im Zivilprozess (Zöller-*Vollkommer* (2009), § 304 Rn. 14).

B. Der Ablauf des reformierten Adhäsionsverfahrens

6. Rechtsmittel gegen die Kostenentscheidung

Die vom Gericht ausgesprochene Kostenentscheidung im Adhäsionsverfahren nach § 472a StPO ist isoliert nur nach § 464 Abs. 3 S. 1 StPO mit dem Rechtsmittel der sofortigen Beschwerde anfechtbar[664]. Dabei gilt der in § 464 Abs. 3 S. 1 a. E. StPO zum Ausdruck kommende Grundsatz, dass die Kostenentscheidung nicht weiter anfechtbar sein kann als die Hauptsacheentscheidung[665]. Daher kann der *Antragsteller* nicht gegen die Kostenentscheidung vorgehen, wenn ihm auch gegen die Hauptsacheentscheidung kein Rechtsmittel zusteht. Von einigen Autoren wird dem Antragsteller die sofortige Beschwerde gegen die Kostenentscheidung vollständig verwehrt, da in § 406a Abs. 1 StPO eine die Rechtsmittelberechtigung im Adhäsionsverfahren abschließend regelnde Vorschrift zu sehen sei[666]. Das Kostenrisiko könne der Antragsteller in einem nachfolgenden Zivilverfahren als Schaden geltend machen[667]. Diese Ansicht kann nicht überzeugen. Da der Antragsteller gegen die Absehensentscheidung unter den Voraussetzungen des § 406a Abs. 1 S. 1 StPO vorgehen kann, kommt in diesem Fall der Ausschlussgrund des § 464 Abs. 3 S. 1 a. E. StPO nicht zum tragen. Die Verwehrung weiterer Rechtsmittel (§ 406a Abs. 1 S. 2 StPO) bezieht sich nur auf die den Adhäsionsantrag behandelnden Entscheidungen. Da eine Kostenentscheidung vom Gericht stets getroffen werden muss, also nicht nur das Adhäsionsverfahren betrifft, sind hier die kostenrechtlichen Vorschriften vorrangig. Betrachtet man die Bestimmungen der §§ 464 Abs. 3 S. 1, 472a Abs. 2 Var. 1 StPO, folgt daraus, dass der Antragsteller dann gegen die Kostenentscheidung vorgehen kann, soweit sie die Absehensentscheidung betrifft. Dies ist allerdings auch der einzige Fall.

Der *Beschuldigte* kann gegen die Kostenentscheidung nach Maßgabe des § 464 Abs. 3 S. 1 StPO vorgehen. Dies ist besonders dann relevant, wenn er sich gegen eine den Antrag zuerkennende Entscheidung richtet. Bei einer Absehensentscheidung steht ihm ein Rechtsmittel nicht zu. Dennoch können ihm nach § 472a Abs. 2 StPO Kosten auferlegt werden. Hier ist nahezu einhellig anerkannt, dass der Beschuldigte sich gegen die Kostenentscheidung zur Wehr setzen kann. Der Grund hierfür ist im Fair-Trial Grundsatz[668], sowie darin zu sehen,

---

[664] BGH NStZ-RR 2010, 140. Ansonsten wird die Kostenentscheidung anlässlich des Hauptrechtsmittels nochmals mitentschieden, vgl. KK-*Gieg* (2008), § 464 Rn. 14.

[665] KK-*Gieg* (2008), § 464 Rn. 8.

[666] KK-*Gieg* (2008), § 472a Rn. 2; *Meyer-Goßner* (2010), § 472a Rn. 4; KMR-*Stöckel* (2005), § 472a Rn. 5; *Pfeiffer* (2005), § 472a Rn. 3; LR-*Hilger* (2009), § 472a Rn. 4. Für die Möglichkeit der sofortigen Beschwerde LG Wiesbaden JurBüro 2005, 144 m. Anm. *Heilhecker*; *Klein* (2007), S. 158 mit Hinweis auf den Gesetzestext sowie bereits *Köckerbauer*, NStZ 1994, 305, 311.

[667] *Seier* (1980), S. 105; krit. LR-*Hilger* (2009), § 472a Rn. 4.

[668] *Seier* (1980), S. 105.

208 Kap. 2: Rechtliche Ausgestaltung des reformierten Adhäsionsverfahrens

dass die Kostenbeschwerde nie in den Fällen ausgeschlossen ist, in denen ein Rechtsmittel nur mangels Beschwer nicht ergriffen werden kann[669].

Zu beachten sind für Beschwerden beider Beteiligter, dass § 304 StPO sowohl in Absatz 3 als auch in Absatz 4 Wert- und Zulässigkeitsgrenzen für die Beschwerde anordnet. Das Verfahren weist ansonsten keine Besonderheiten auf[670].

7. Übersicht und Ergebnis

Eine weit reichende Rechtsmittelberechtigung besitzt allein der Beschuldigte. Bei Staatsanwaltschaft und Antragsteller ist dies anders. Auch wenn der Antragsteller durch eine gerichtliche Entscheidung beschwert ist, gewährt ihm § 406 Abs. 1 StPO nur für den Fall der Absehensentscheidung und nur unter bestimmten Voraussetzungen das Rechtsmittel der sofortigen Beschwerde.

Tabelle 3

Das Rechtsmittelsystem im Adhäsionsverfahren

wogegen?	*Absehens-entscheidung*	*nur Adhäsions-entscheidung*	*nur Strafurteil*	*Adhäsions-entscheidung und Strafurteil*	*Kosten-entscheidung nach § 472a StPO*
womit?	sofortige Beschwerde (§§ 406a Abs. 1 S. 1, 311, 304 ff. StPO)	Berufung/ Revision	Berufung/ Revision	Berufung/ Revision	sofortige Beschwerde (§§ 464 Abs. 3 S. 1, 311, 304 ff. StPO)
durch wen?	nur Antragsteller	nur Beschuldigter	Beschuldigter	nur Beschuldigter	Antragsteller im Fall einer Absehensent-scheidung
			Staatsanwalt-schaft		Beschuldigter
Folgen	Beschwerde-verfahren	verkürztes Verfahren des § 406a Abs. 2 StPO	Berufungs- oder Revi-sionsverfahren	Berufungs- oder Revi-sionsverfahren	Beschwerde-verfahren

Quelle: Eigene Darstellung.

---

[669] KK-*Gieg* (2008), § 464 Rn. 8; *Klein* (2007), S. 159.

[670] Vgl. ausführlich KK-*Gieg* (2008), § 464 Rn. 10–14. Beachte aber OLG Jena Jur-Büro 2005, 479, 480, wonach das OLG zuständiges Beschwerdegericht gegenüber dem LG ist, obwohl es im Instanzenzug im Hauptsacheverfahren nicht das nächsthöhere Gericht ist.

B. Der Ablauf des reformierten Adhäsionsverfahrens

Das Verfahren verbleibt auch dann in der „strafrechtlichen Sphäre", wenn der Beschuldigte allein gegen den zivilrechtlichen Teil vorgeht. Der Gesetzgeber geht davon aus, dass es prozessökonomischer ist, dass das Rechtsmittelgericht im Strafverfahren entscheidet und nicht ein Gericht der Zivilrechtspflege.

V. Einzelfragen

1. Vollstreckung

Im engeren Sinne nicht mehr Teil des Adhäsionsverfahrens(rechts) sind die Fragen, wie der mit der Adhäsionsentscheidung erworbene Titel vom Antragsteller vollstreckt werden kann, wenn der Beschuldigte die Ansprüche nicht von sich aus erfüllt. Seit der gesetzlichen Regelung des Adhäsionsverfahrens bestimmt § 406b S. 1 StPO, dass das Zwangsvollstreckungsrecht der ZPO und einiger Nebengesetze für die Vollstreckung von Adhäsionsentscheidungen Anwendung findet, und nicht etwa das strafprozessuale Vollstreckungsrecht der §§ 449 ff. StPO[671]. Ab dem Zeitpunkt der Rechtskraft wird das Akzessorietätsprinzip demnach weitestgehend aufgehoben. Das Strafgericht hat dann mit der Adhäsionsentscheidung – abgesehen von sehr selten[672] erfolgenden Wiederaufnahmeverfahren – grundsätzlich keine Berührung mehr. Generell bleibt das Strafgericht aber das Prozessgericht, daher erteilt etwa der Urkundsbeamte der Geschäftsstelle des Strafgerichts die Vollstreckungsklausel[673]. Die beiden weiteren Sätze des § 406b StPO beinhalten zwangsvollstreckungsrechtliche Spezialregelungen, die genauso gut in der ZPO hätten geregelt werden können. Satz 2 betrifft eine Zuständigkeitsregelung für Nachtragsentscheidungen. Hier gilt für die bestimmten Klagearten[674], dass ein Zivilgericht zuständig ist. Für die nach der ZPO dem Prozessgericht vorbehaltenen Entscheidungen ist weiterhin das Strafgericht zuständig[675]. Satz 3 trifft eine die Präklusionsvorschrift des § 767 Abs. 2 ZPO ergänzende Regelung. Einwendungen gegen den Anspruch können mit Hilfe der Vollstreckungsabwehrklage nur vorgebracht werden, soweit sie nach Schluss der Hauptverhandlung entstanden sind[676]. § 406b S. 3 StPO setzt die strafverfahrensrechtliche Ad-

---

[671] Dass das Zwangsvollstreckungsrecht erst zur Anspruchsdurchsetzung „bemüht" werden muss, wird mitunter als großer Nachteil des Adhäsionsverfahrens angesehen (so etwa schon *Kühler*, ZStW 71 (1959), 617, 629).

[672] Lediglich 1798 Wiederaufnahmeanträge im Jahr 2007 (0,2% aller erledigter Verfahren; Quelle: Statistisches Bundesamt Fachserie 10 Reihe 2.3 Abschnitte 2.1, 4.1, 7.1).

[673] § 724 Abs. 2 ZPO.

[674] Beispiele sind die Abänderungsklage nach § 323 ZPO, oder (wenn nach der ZPO das Vollstreckungsgericht zuständig ist) die Vollstreckungsabwehrklage nach § 767 ZPO.

[675] Ein wichtiger Fall ist die Erinnerung gegen die Erteilung einer Vollstreckungsklausel nach § 732 ZPO.

[676] Musielak-*Lackmann* (2009), § 767 Rn. 32; MüKo-ZPO-*K. Schmidt* (2007), § 767 Rn. 73.

210   Kap. 2: Rechtliche Ausgestaltung des reformierten Adhäsionsverfahrens

häsionsentscheidung den zivilrechtlichen Entscheidungen gleich. Auch hier gilt, dass gegen die Vollstreckung gerichtete Einwendungen nur auf Tatsachen gestützt werden können, die nach der letzten Hauptverhandlung in der ersten oder der Berufungsinstanz entstanden sind. Entscheidet das Berufungsgericht ohne mündliche Verhandlung, ist der Zeitpunkt der Hauptverhandlung in der ersten Instanz relevant[677].

2. Gebühren für Rechtsanwälte

Die Gebühren für Rechtsanwälte, die im Adhäsionsverfahren tätig sind, werden in den Nr. 4143 bis 4145 VV RVG geregelt[678]. Die Gebühren entstehen für den Rechtsanwalt in allen Konstellationen, die im Adhäsionsverfahren auftauchen können. Erfasst sind sowohl die Vertretung des Opfers bei der Geltendmachung der vermögensrechtlichen Ansprüche (gleich ob mit oder ohne gleichzeitige Vertretung bei einer Nebenklage) als auch die Abwehr dieser Ansprüche (gleich ob mit oder ohne gleichzeitige Verteidigung)[679]. Charakteristisch ist, dass diese Gebühren zusätzliche Gebühren sind, die neben allen anderen Gebühren anfallen. Es handelt sich um Wertgebühren[680]. Die konkrete Höhe der Gebühr richtet sich nach § 13 RVG in Verbindung mit den aus dem Vergütungsverzeichnis ersichtlichen Faktoren.

Die Regelung in Nr. 4143 VV RVG enthält eine besondere Gebühr für Adhäsionsverfahren in *erster Instanz*[681]. Vertritt der Rechtsanwalt des Antragstellers

---

[677] Anders *Meyer-Goßner* (2010), § 406b Rn. 3; KK-*Engelhardt* (2008), § 406b Rn. 3; SK-*Velten* (2003), § 406b Rn. 2; LR-*Hilger* (2009), § 406b Rn. 4, *Klein* (2007), S. 130, die alle Einwendungen zulassen wollen, jedoch jeweils ohne nähere Begründung. Findet jedoch keine Hauptverhandlung in der Berufungsinstanz statt, muss ausweislich des klaren Wortlautes auf den „Schluß der Hauptverhandlung des ersten Rechtszuges" abgestellt werden, auch wenn eine Entscheidung des Berufungsgerichtes vorliegt (wie hier Weiner/Ferber-*Schneckenberger* (2008), Rn. 191).

[678] Vor Inkrafttreten des RVG (BGBl. I (2004), S. 717) zum 1. Juli 2004 war zentrale Vorschrift für die Gebührenregelung für im Adhäsionsverfahren tätige Rechtsanwälte § 89 BRAGO. Diese Regelung ist im Wesentlichen weder durch das Opferrechtsreformgesetz noch durch die Gebührenrechtsreform verändert worden. Vgl. ausführlich zur alten Rechtslage Gerold/Schmidt/von Eicken/Madert/Müller-Raabe-*Madert* (2002), § 89 Rn. 2 ff. Die als unzureichend erachtete Ausgestaltung der Gebührenregelung wurde mitverantwortlich für die mangelnde praktische Relevanz des Adhäsionsverfahrens gemacht (*Betmann,* Kriminalistik 2004, 567, 569; *Eser* (1989), S. 731).

[679] Zugunsten des Antragstellers kommt möglicherweise ein Anspruch auf Kostenschutz seitens der Rechtsschutzversicherung in Betracht (hierzu Buschbell-*Schäpe* (2009), § 19 Rn. 19).

[680] *Burhoff* (2010), Rn. 79a; *Freyschmidt* (2005), Rn. 711; *Leipold* (2004), Rn. 394.

[681] Sehr ausführliche Rechenbeispiele für verschiedene Konstellationen finden sich bei Weiner/Ferber-*Weiner* (2008), Rn. 263; *Enders* (2008), Rn. 2423; Widmaier-*Kotz* (2006), § 39 Rn. 222 ff.; *Hergenröder,* AGS 2006, 158, 159 und *Burhoff,* RVGreport 2005, 16.

B. Der Ablauf des reformierten Adhäsionsverfahrens

diesen auch im Strafverfahren (nämlich dann, wenn ein Fall der Privat- oder Nebenklage vorliegt), erhält er die Gebühr für das Adhäsionsverfahren neben den Gebühren für das Strafverfahren (dort Verfahrens- und Terminsgebühren nach Nr. 4106 bis 4123). Die Gebühr entsteht, wenn der Rechtsanwalt die erste Tätigkeit im Adhäsionsverfahren entfaltet[682]. Sie entsteht in voller Höhe auch dann, wenn keine Beweisaufnahme stattfindet, wenn der Antrag zurückgenommen wird oder wenn eine Absehensentscheidung getroffen wird. Auch der Pflichtverteidiger erhält die Gebühr[683]. Neben der kann auch noch eine Einigungsgebühr nach Nr. 1000, 1003, 1004 VV anfallen[684].

Die Regelung in Nr. 4144 VV RVG enthält eine besondere Gebühr für Adhäsionsverfahren in *Berufungs- oder Revisionsverfahren*. Sie ist mit 2,5 höher als diejenige in der ersten Instanz. Die durch das Opferrechtsreformgesetz neu eingefügte Beschwerdemöglichkeit des § 406a Abs. 1 S. 1 StPO für den Antragsteller spiegelt sich auch im Gebührenrecht wieder. Für die Tätigkeit im Beschwerdeverfahren erhalten sowohl ein Wahlrechtsanwalt als auch ein vom Gericht bestellter oder beigeordneter Anwalt eine Verfahrensgebühr in Höhe von 0,5. Dies entspricht der Gebühr im Beschwerdeverfahren in bürgerlichen Rechtsstreitigkeiten nach Nr. 3300 VV RVG. Die konkrete Höhe der Verfahrensgebühr bestimmt sich nach dem Gegenstandswert des vermögensrechtlichen Anspruchs, über den das erstinstanzliche Gericht entscheiden wollte[685].

Eine Besonderheit ist die *Anrechnung der „Adhäsionsgebühr"* auf eine Verfahrensgebühr, die der Rechtsanwalt wegen desselben Anspruchs in einem nachfolgenden bürgerlichen Rechtsstreit erhält. Kommt es zu einem sich anschließenden Zivilrechtsstreit, muss sich der Rechtsanwalt gem. Nr. 4143 Abs. 2 VV RVG ein Drittel der bereits im Adhäsionsverfahren entstandenen Verfahrensgebühr anrechen lassen[686]. Auf die Terminsgebühr oder auf Auslagen erfolgt keine Anrech-

---

[682] *N. Schneider,* AGS 2009, 1, 2; *K. Schroth* (2005), Rn. 371.

[683] An dieser Stelle spielt es für die Entstehung der Gebühr eine Rolle, ob man bei der Bestellung eines Pflichtverteidigers bei notwendiger Verteidigung (§ 141 StPO) auch ohne weiteren ausdrücklichen Bestellungsakt auch die Verteidigung gegen die geltend gemachten Ansprüche im Adhäsionsverfahren umfasst ansieht. In dieser Arbeit wird vertreten, dass es keines eigenen Bestellungsaktes bedarf, so dass die Gebühr gewissermaßen automatisch anfällt. Siehe zum Streitstand die Erörterung auf Kapitel 2: B. II. 4. b) bb).

[684] Mayer/Kroiß-*Kroiß* (2008), Nrn. 4141–4147 VV Rn. 21; *Leipold* (2004), Rn. 395. Vgl. zu den Gebühren bei einem Vergleich auch OLG Köln StraFo 2009, 87.

[685] Mayer/Kroiß-*Kroiß* (2008), Nrn. 4141–4147 VV Rn. 23.

[686] Nach alter Rechtslage wurden nach § 89 Abs. 2 BRAGO zwei Drittel angerechnet. Durch diese geringere Anrechnung wird die Gebühreneinbuße des Rechtsanwalts im bürgerlichen Rechtsstreit geringer. Das soll zu einer größeren Akzeptanz des Adhäsionsverfahrens führen, und wird als gelungene Änderung bezeichnet (Mayer/Kroiß-*Kroiß* (2008), Nrn. 4141–4147 VV Rn. 19). Der Gebührenanreiz wird aber (immer noch) auch als zu gering angesehen, vgl. zu dieser Problematik *Klein* (2007), S. 155 f.

212   Kap. 2: Rechtliche Ausgestaltung des reformierten Adhäsionsverfahrens

nung[687]. Die Anrechnung unterbleibt aber dann, wenn mehr als zwei Jahre zwischen beiden Verfahren (§ 15 Abs. 5 S. 2 RVG) vergangen sind.

3. Grenzüberschreitende Sachverhalte

An dieser Stelle soll ein kurzer Hinweis auf das Adhäsionsverfahren bei grenzüberschreitenden Sachverhalten die Darstellung abrunden[688]. Eindeutig ist die Regelung, wenn nur das Recht zweier Staaten betroffen ist, also wenn ein Deutscher in Italien verletzt wurde und in einem anschließenden italienischen Strafverfahren einen Antrag stellt, oder umgekehrt wenn ein Italiener in Deutschland als Verletzter einer Straftat einen Antrag in einem deutschen Strafverfahren stellt. Ohne Einschränkungen ist die Antragstellung möglich, wenn die jeweilige Rechtsordnung überhaupt ein Adhäsionsverfahren zulässt[689]. Unübersichtlicher wird es, wenn mehrere Staaten betroffen sind. Die Frage ist etwa, ob eine griechische Verletzte einer Vergewaltigung in Spanien einen Adhäsionsantrag stellen kann, wenn etwa am LG Heilbronn deswegen ein Strafverfahren anhängig ist, was bei einem deutschen Täter wegen § 5 Nr. 8b StGB möglich ist. Umgekehrt stellt sich die Frage, ob ein deutscher Verletzter einer schweren Körperverletzung am Tribunale di Perugia einen Adhäsionsantrag im Verfahren gegen den französischen Angeklagten stellen kann. An dieser Stelle trifft das Europarecht klare Regelungen. Die Brüssel I Verordnung[690], die die internationale Zuständigkeit der Gerichte regelt, bestimmt eine Sonderzuständigkeit für Adhäsionsanträge. Vereinfacht gesagt, erfasst das Europäische Zivilverfahrensrecht auch die Durchsetzung zivilrechtlicher Ansprüche im Strafverfahren. In den beiden genannten Fallkonstellationen ist daher ein Adhäsionsantrag möglich. Welche Verbindung das nationale Recht zwischen Zivil- und Strafverfahren auch bietet, die EuGVVO akzeptiert sie und stellt das Adhäsionsverfahren einem „normalen" zivilrechtlichen Verfahren gleich. Zivilrechtliche Ansprüche, die auf eine mit Strafe bedrohte Handlung gestützt werden, können vor einem Strafgericht eines Vertragsstaates

---

[687] *Hartmann* (2008), VV 4143 Rn. 18.

[688] Siehe zur Thematik Weiner/Ferber-*Havliza/Stang* (2008), Rn. 287–294 sowie ausführlich *Mankowski* (2008), S. 785–797 und *Schoibl* (2001), S. 321–342.

[689] Zu den Staaten Weiner/Ferber-*Havliza/Stang* (2008), Rn. 291.

[690] Nr. 44/2001 (EuGVVO). Insbesondere ist Art. 5 Nr. 4 relevant, der bestimmt, dass eine Person, die ihren Wohnsitz im Hoheitsgebiet eines Mitgliedstaats hat, in einem anderen Mitgliedstaat verklagt werden kann, „wenn es sich um eine Klage auf Schadensersatz oder auf Wiederherstellung des früheren Zustands handelt, die auf eine mit Strafe bedrohte Handlung gestützt wird, vor dem Strafgericht, bei dem die öffentliche Klage erhoben ist, soweit dieses Gericht nach seinem Recht über zivilrechtliche Ansprüche erkennen kann." (so genanntes „forum connexitatis" *Mankowski* (2008), S. 789). Daneben existiert in Art. 61 EuGVVO eine Sondervorschrift, die es dem Beschuldigten, der von einem Strafgericht eines anderen Vertragsstaates wegen einer fahrlässigen Tat verfolgt wird, ermöglicht, sich in diesem Verfahren vertreten zu lassen (hierzu Saenger-*Dörner* (2007), 61 EuGVVO Rn. 2).

geltend gemacht werden, das diese Straftat zu beurteilen hat. Voraussetzung ist lediglich, dass das Recht des mit der Sache befassten Strafgerichts ein Adhäsionsverfahren kennt. Der genaue Verfahrensablauf richtet sich dann nach dem betreffenden Strafverfahrensrecht. Ebenfalls durch die Brüssel I Verordnung europarechtlich bestimmt ist die Anerkennung und Vollstreckung von Entscheidungen aus anderen Mitgliedstaaten. Die nicht ganz einfache Abwägung, bei welchem Gericht ein Adhäsionsantrag für einen Verletzten die meisten Vorteile bringt[691], kann dabei meist nur mit juristischem Beistand vorgenommen werden.

VI. Zusammenfassung

Das Opferrechtsreformgesetz hat zu einigen Veränderungen bei den Voraussetzungen und im Ablauf des Verfahrens geführt. Ziel des vorangegangenen Kapitels war es, das geltende Adhäsionsverfahrensrecht systematisch darzustellen und aus der Reform resultierende Anwendungsschwierigkeiten aufzulösen. Hinsichtlich der Zulässigkeitsvoraussetzungen für das Verfahren hat sich gezeigt, dass sie vor allem aus den §§ 403 f. StPO folgen, die den Sachurteilsvoraussetzungen einer zivilrechtlichen Klage nachempfunden sind. Antragsberechtigt sind der Verletzte, worunter jeder, der behauptet im Zeitpunkt der Tathandlung den im Antrag angegebenen Anspruch erworben zu haben, zu verstehen ist (adhäsionsspezifischer Verletztenbegriff), der Insolvenzverwalter sowie der Erbe des Verletzten.

Weiterhin wurde der Ablauf des Verfahrens beschrieben. Insbesondere die Wirkungen eines Adhäsionsantrags auf die Hauptverhandlung wurden detailliert dargestellt. Auf welche Weise die Erörterung der zivilrechtlichen Ansprüche des Verletzten in der Hauptverhandlung erfolgt, steht allein im Ermessen des Gerichts. Beschrieben wurden ebenfalls die „Vorwirkungen", die einem Adhäsionsantrag bereits im Ermittlungs- sowie im Zwischenverfahren zukommen. Ein Schwerpunkt lag darauf, die dem Antragsteller in der Hauptverhandlung zukommende Rechtsstellung zu erörtern. Diese fußt auf dem von § 404 Abs. 3 S. 2 StPO festgeschriebenen Teilnahmerecht, das durch Rechtsprechung und Wissenschaft mit einer Reihe von Befugnissen erweitert wurde, ohne dass der Gesetzgeber dies in einer klarstellenden Vorschrift bestätigt hat. Insgesamt kann nicht mehr davon gesprochen werden, dass die Rechtsstellung des Antragstellers „schwach" ausgeprägt ist. Vielmehr erscheint sie für ihren Zweck, nämlich seine zivilrechtlichen Ansprüche effektiv zu verfolgen, sachgerecht.

Eine weitere Aufgabe war es, die Systematik der Entscheidungsmöglichkeiten für das Gericht detailliert darzustellen. Hier hat sich gezeigt, dass die §§ 405 f. StPO, die die Entscheidungsmöglichkeiten zum Inhalt haben, zwar sehr unüber-

---

[691] Möglich sind die „normale" (zivilrechtliche) Klage oder ein Adhäsionsantrag und das jeweils in mehr als nur einem Mitgliedstaat.

214 Kap. 2: Rechtliche Ausgestaltung des reformierten Adhäsionsverfahrens

sichtlich geraten sind, ihnen dennoch eine klare Systematik zugrunde liegt. Das Gericht muss dem Grundsatz folgen, dass es den geltend gemachten Anspruch soweit wie möglich entscheidet. Dafür kann es eine (positive) Adhäsionsentscheidung treffen oder einen Vergleich in das Protokoll aufnehmen. Nur soweit diese Möglichkeiten nicht gegeben sind, kann es subsidiär eine Absehensentscheidung fällen. Die Voraussetzungen der Absehensentscheidung wurden ausführlich dargestellt, insbesondere der wichtigste praktische und durch das Opferrechtsreformgesetz maßgeblich veränderte Fall der Absehensentscheidung wegen Nichteignung. Nicht geeignet ist nach hier vertretener Ansicht ein Antrag, soweit nach dem Gesamteindruck des bisherigen Verfahrensablaufs eine Adhäsionsentscheidung keine Gewähr dafür bietet, dass die Zwecke des Adhäsionsverfahrens erfüllt werden, weil es die Ziele des Strafverfahrens vereiteln würde. Einige Indizien können für die Nichteignung sprechen.

Zuletzt wurden das Rechtsmittelsystem sowie einige Einzelfragen erörtert.

C. Zusammenfassung

Das Kapitel 2 der Arbeit diente dazu, die rechtliche Ausgestaltung des Adhäsionsverfahrens ausführlich darzustellen. Herausgearbeitet wurde zunächst, dass spezielle adhäsionsrechtliche Grundprinzipien die rechtliche Regelung in den §§ 403 ff. StPO prägen. Darüber hinaus stellt das Adhäsionsverfahren einen Teil des Strafverfahrens dar, was vor allem dafür Bedeutung hat, dass auf das Verfahren die Regelungen und Prinzipien der StPO Anwendung finden. Nur wo diese lückenhaft sind, muss ergänzend auf zivilverfahrenrechtliche Regelungen zurückgegriffen werden.

Angeschlossen hat sich eine detaillierte Darstellung des reformierten Verfahrensablaufs. Ein Adhäsionsverfahren kann nur dann durchgeführt werden, wenn es die vorgesehenen Zulässigkeitsvoraussetzungen erfüllt. Hinsichtlich der Erkenntnisse aus diesem Abschnitt kann auf die soeben erfolgte Zusammenfassung verwiesen werden.

Der umfassenden Darstellung der geltenden rechtlichen Ausgestaltung des Adhäsionsverfahrens sollen für eine möglichst umfassende Einschätzung des Verfahrens weitere Erkenntnisse hinzugefügt werden, bevor ein Ausblick auf die zukünftige Behandlung des Verfahrens erfolgt. Zunächst sollen die Durchführung und Ergebnisse einer eigenen empirischen Untersuchung dargestellt werden (Kapitel 3). Anschließend wird der Blick über die Grenzen nach Österreich und die Schweiz geworfen, sowie das Adhäsionsrecht in der (ehemaligen) DDR dargestellt (Kapitel 4). Hierdurch sollen Gemeinsamkeiten und Unterschiede im Mechanismus identifiziert, sowie Anregungen für weitere Reformüberlegungen ermittelt werden.

Kapitel 3

Eigene empirische Untersuchung

A. Voraussetzungen der Umfrage

I. Bisher durchgeführte empirische Untersuchungen zum Adhäsionsverfahren

Empirische Untersuchungen zum Adhäsionsverfahren sind im Gegensatz zu theoretischen Arbeiten selten. Zudem waren sie bisher nicht auf eine umfassende Informationsgewinnung angelegt, sondern versuchten, durch punktuelle Datenerhebungen die praktische Bedeutung des Adhäsionsverfahrens zu erhellen. Eine erste Untersuchung legte *Schmahl* im Jahr 1980 vor. Er richtete eine kurze Anfrage an 93 Landgerichte[1]. Ziel war, die praktische Bedeutung des Adhäsionsverfahrens in den angeschriebenen Landgerichtsbezirken zu ermitteln. Die Auswertung ergab, dass die Bedeutung des Adhäsionsverfahrens sehr gering war. So gaben z.B. nur 51 der 93 Landgerichtspräsidenten (also etwa 55%) an, dass das Verfahren in ihrem Landgericht überhaupt praktiziert werde.

Kühne untersuchte im Landgerichtsbezirk Trier aus allen ca. 24.000 im Jahr 1982 angefallenen staatsanwaltlichen Ermittlungsverfahren 1.500 zufällig ausgewählte Verfahren auf die praktische Bedeutung von Nebenklage, Klageerzwingungsverfahren und Adhäsionsverfahren[2]. In diesem Rahmen wurden alle mit Strafsachen beschäftigten Richter mit einem Fragebogen zu ihren Erfahrungen mit dem Adhäsionsverfahren befragt. In den ausgewählten Verfahren wurde kein einziger Adhäsionsantrag gestellt. Zudem gaben nur drei Richter im Fragebogen an, während ihrer gesamten Karriere überhaupt einmal mit dem Adhäsionsverfahren in Kontakt gekommen zu sein[3].

In den Jahren 1989 und 1990 evaluierte *M. Kaiser* das Opferschutzgesetz aus dem Jahr 1986 umfangreich und ging dabei auch auf das Adhäsionsverfahren ein[4]. Er wertete vorhandenes statistisches Zahlenmaterial[5] aus, führte Verletzteninterviews in ausgewählten Prozessen durch und befragte anschließend die in

---

[1] *Schmahl* (1980), S. 206.

[2] *Kühne*, MschrKrim 69 (1986), 98 ff.

[3] *Kühne*, MschrKrim 69 (1986), 98, 102.

[4] *M. Kaiser* (1992), S. 94.

[5] Strafverfolgungsstatistik Baden-Württemberg; Zählkarten für Strafverfahren im OLG Bezirk Karlsruhe.

216   Kap. 3: Eigene empirische Untersuchung

diesen Verfahren beteiligten Richter, Staatsanwälte und Rechtsanwälte mittels eines standardisierten Fragebogens. Im Rahmen der Verletzteninterviews[6] befürworteten 97% der Befragten die Möglichkeit eines Adhäsionsverfahrens. Die Befragung des Jusitzpersonals ergab vor allem praktische Mängel des Verfahrens, etwa der „beträchtliche Mehraufwand" durch das Adhäsionsverfahren[7].

Eine Untersuchung von *Staiger-Allroggen* aus dem Jahr 1992 hatte ebenfalls das Adhäsionsverfahren zum Gegenstand. Im Rahmen ihrer Untersuchung führte sie 100 ausführliche Opferbefragungen in 100 jeweils verschiedenen Strafverfahren am Amtsgericht und am Landgericht Kassel durch. Die Opfer wurden in der Hauptverhandlung nach ihrer Zeugenaussage zu verschiedenen Aspekten ihrer Zeugenrolle befragt, unter anderem auch zum Adhäsionsverfahren. Ein Ergebnis war, dass 78% der Opfer nicht darüber informiert waren, dass es die Möglichkeit eines Adhäsionsverfahrens gibt[8].

Detaillierter angelegte Untersuchungen, die etwa einzelne Adhäsionsverfahren von der Antragstellung bis zu einer Entscheidung des Gerichts systematisch auswerten oder das praktische Bedürfnis für das „nur" titelverschaffende Verfahren angesichts anderer strafprozessualer Wiedergutmachungsinstrumente[9] beleuchten, liegen dagegen nicht vor. Die bisher umfangreichste allein auf das Adhäsionsverfahren bezogene Studie stammt von *Spiess*[10]. Sie befragte mittels standardisierter Fragebögen[11] in den Landgerichtsbezirken München und Traunstein Richter und Staatsanwälte zur Bedeutung des Adhäsionsverfahrens in ihrem beruflichen Alltag[12], sowie Rechtsanwälte aus dem OLG Bezirk München[13]. Ziel war es, insgesamt 25 Hypothesen zu überprüfen, welche die praktische Ausgestaltung des Adhäsionsverfahrens betrafen[14]. Im Ergebnis zeigte sich, dass die befragten Juristen das Adhäsionsverfahren als nicht gewinnbringenden Fremdkörper im Strafverfahren ansahen[15]. Zudem ergaben sich „Detailerkenntnisse", etwa dass

---

[6] 35 Interviews in 86 ausgewählten Hauptverhandlungen.

[7] *M. Kaiser* (1992), S. 265.

[8] *Staiger-Allroggen* (1992), S. 106 f.

[9] Wiedergutmachung als Strafzumessungskriterium (§ 46 Abs. 2 StGB); Täter-Opfer-Ausgleich (§§ 46a Nr. 1 StGB, 155a StPO); Schadenswiedergutmachungsauflagen (§§ 56b Abs. 2 S. 1 Nr. 1 StGB, 153a Abs. 1 S. 2 Nr. 1 StPO); Rückgewinnungshilfe (§ 111b Abs. 5 StPO).

[10] *Spiess* (2008), S. 118 ff.

[11] Die Fragebögen für Richter/Staatsanwälte und die für Rechtsanwälte unterschieden sich dabei in Nuancen (siehe *Spiess* (2008), S. 290 und S. 297).

[12] AG München (50 Fragebögen); AG im LG-Bezirk Traunstein (23 Fragebögen); LG Traunstein (11 Fragebögen); Staatsanwaltschaften München I und II (je 25 Fragebögen). Der Rücklauf betrug 46% bei den Richtern und 53% bei den Staatsanwälten.

[13] Es wurden dabei Fragebögen an 120 zufällig aus der Anwaltssuchmaschine der Rechtsanwaltskammer ausgewählte Rechtsanwälte versendet. Der Rücklauf betrug 35%.

[14] *Spiess* (2008), S. 127–138.

[15] *Spiess* (2008), S. 268–275.

A. Voraussetzungen der Umfrage 217

die Hinweispraxis an den Verletzten als unzureichend angesehen wurde, dass die Neuregelungen durch das Opferrechtsreformgesetz tendenziell begrüßt wurden, und dass die Gebührenregelung für Rechtsanwälte als unzureichend bewertet wurden.

Resümiert man die bisherigen empirischen Erkenntnisse zum Adhäsionsverfahren, erscheinen die mitunter sehr negativen Einschätzungen aus Fachkreisen berechtigt. Allesamt belegen sie die Vermutung, dass sich das Verfahren in der Praxis bisher nicht in der Form durchsetzen konnte, wie es sich der Gesetzgeber und große Teile der Wissenschaft erhoffen.

II. Ziele der eigenen Untersuchung

Erkundet werden sollte mit der eigenen empirischen Untersuchung die Einstellung der Strafrichter[16] zum Adhäsionsverfahren. Zielgruppe der Befragung waren alle Strafrichter in Deutschland, die in der ersten Instanz bei Amts- und Landgerichten tätig waren. Dies erschien deswegen besonders aufschlussreich zu sein, weil Strafrichter von den am Verfahren beteiligten Juristen den „engsten Kontakt" mit einem Adhäsionsantrag haben. Vor der gesicherten Erkenntnis einer nur geringen praktischen Verbreitung des Verfahrens bestanden die konkreten Ziele der Umfrage in vier Aspekten:

(1) Durch die Umfrage sollte identifiziert werden, worin aus Sicht der Strafrichter die größten Anwendungshindernisse des Adhäsionsverfahrens bestehen.

(2) Zudem sollte die grundlegende Einstellung der Strafrichter zum Adhäsionsverfahren ermittelt werden.

(3) Ermittelt werden sollte, ob ein „Ost-West-Unterschied" besteht und ob die Berufserfahrung Einfluss auf die Ergebnisse hat.

(4) Durch eine offene Frage sollten schließlich konkrete Änderungsvorschläge für die Reformdiskussion ermittelt werden.

III. Herausbildung von Hypothesen

Die Umfrage sollte dazu dienen, verschiedene, an den Zielen der Befragung orientierte Hypothesen zu testen[17]. Diese ergaben sich aus folgenden Ausführungen.

Als Hauptgrund für die geringe Bedeutung des Adhäsionsverfahrens werden stets die Unvereinbarkeit von Zivil- und Strafverfahren sowie die Abneigung von

---

[16] Die Begriffe „Richter", „Person" oder „Teilnehmer" werden geschlechtsneutral verwendet.

[17] So genannte deduktive Vorgehensweise (vgl. *Bortz/Döring* (2006), S. 31).

218   Kap. 3: Eigene empirische Untersuchung

Strafrichtern genannt, sich mit zivilrechtlichen Rechtsfragen beschäftigen zu müssen. Überprüft werden soll demnach folgende erste These:

1. Die gewichtigsten Gründe für die mangelnde praktische Bedeutung sind in der Unvereinbarkeit von straf- und zivilprozessualen Grundsätzen sowie darin zu sehen, dass Strafrichter zivilrechtliche Fragen nicht (mehr) in der gebotenen Genauigkeit beantworten können.

Es wird beschrieben, das Adhäsionsverfahren sei mitunter sogar Strafrichtern unbekannt, wodurch Hinweise für die Verletzten häufig nicht gegeben würden[18]. Eine Unkenntnis der Strafrichter hinsichtlich des Adhäsionsverfahrens als solchem, die sie nicht einmal die Hinweispflicht an den Verletzten erfüllen lässt, wäre überraschend. Daraus resultiert die zweite These:

2. Der Gehalt der §§ 403 ff. StPO wird nicht oder wenn dann relativ spät in der Berufskarriere zur Kenntnis genommen. In einem frühen Stadium (bereits im Studium oder im Referendariat) kommt das Adhäsionsverfahren nur ausnahmsweise vor.

Fallgestaltungen, die einem Adhäsionsantrag zugänglich sind, also vor allem einfache Sachverhalte, die einen eher unproblematischen Subsumtionsvorgang der zivilrechtlichen Anspruchsvoraussetzungen ermöglichen, werden oft als „Paradefälle" des Adhäsionsverfahrens genannt. Dennoch erscheint sogar in diesen Fällen ein Adhäsionsantrag ein Ausnahmefall zu sein. Daraus lässt sich die dritte These bilden:

3. Auch in Verfahren, die sich prinzipiell für ein Adhäsionsverfahren eignen, werden nur sehr wenige Anträge gestellt.

Die offiziellen Statistiken geben immer nur die Zahl der Adhäsionsurteile wieder. Keine Aussagen treffen sie über die Zahl der Verfahren, in denen überhaupt ein Adhäsionsantrag gestellt wurde. Daher fallen alle Fälle heraus, die mit einer Absehensentscheidung, einem Vergleich oder einer Rücknahme des Antrags abgeschlossen werden. Die Interpretation der offiziellen Zahlen muss daher nicht unbedingt ergeben, dass das Adhäsionsverfahren tatsächlich eine so untergeordnete praktische Bedeutung hat. Dies führt zur vierten These:

4. Ein Adhäsionsverfahren kommt weitaus häufiger vor, als die offiziellen Statistiken glauben machen. Nur kommt es in diesen Fällen nicht zu einem Adhäsionsurteil.

Der Gesetzgeber möchte die Geltendmachung vermögensrechtlicher Ansprüche bereits im Strafverfahren stärken und deutlich erweitern. Den bisherigen Reformen wurde seitens der Justiz mit einigen Vorbehalten begegnet. Daher lautet These 5:

5. Einer verstärkten Anwendungshäufigkeit, die durch mögliche weitere gesetzgeberische Reformen erreicht werden soll, steht man seitens der Strafrichter skeptisch gegenüber.

---

[18] *Spiess* (2008), S. 173; *M. Kaiser* (1992), S. 150.

A. Voraussetzungen der Umfrage

Die lange Historie des Adhäsionsverfahrens und die verhältnismäßig zahlreichen Stellungnahmen in der Literatur sorgen für eine stetige Diskussion über das Adhäsionsverfahren. Zudem ist es ein zwar oft nicht gerade wertgeschätzter, dennoch vorhandener Bestandteil des Strafverfahrens. Immerhin gibt es eine wenn auch verhältnismäßig geringe Anzahl an Adhäsionsentscheidungen. Dies fasst These 6 zusammen:

6. Die grundsätzliche Einstellung der Strafrichter zum Adhäsionsverfahren ist nicht so ablehnend, dass das Ziel, die praktische Bedeutung des Adhäsionsverfahrens zu steigern, keinesfalls verfolgt werden kann oder das Verfahren gar abgeschafft werden müsste.

Oft findet sich in der Literatur die Behauptung, das Adhäsionsverfahren habe in der DDR eine reichhaltige Rechtstradition aufbauen und eine erhebliche praktische Bedeutung erlangen können[19]. These 7 fasst dies zusammen:

7. Bei Teilnehmern, die in den „neuen" Bundesländern tätig sind, ist aus der Tradition heraus eine freundlichere Grundstimmung gegenüber dem Adhäsionsverfahren vorhanden, als bei denjenigen, die in den „alten" Bundesländern Strafrichter sind.

IV. Auswahl der Erhebungsmethode

Die Ziele der Erhebung ließen sich durch eine Befragung erreichen[20]. In diesem Rahmen war zwischen mündlichen Interviews und schriftlichen Fragebögen zu entscheiden. Ein standardisierter Fragebogen ist besser vergleichbar, hat eine höhere Reichweite und ist anonymer, was das Ziel dieser Umfrage eher erreichen lässt. Innerhalb der schriftlichen Befragung wurde die Methode der Onlineumfrage gewählt. Die Vorteile dieser Form liegen in der grundsätzlich sehr großen Reichweite. Zudem besteht für die Teilnehmer der Umfrage ein viel geringerer Arbeitsaufwand als bei postalischen Befragungen. Als vorteilhaft kann weiterhin gelten, dass auch die Kosten geringer sind als bei einem Postversand der Fragebögen. Nicht zuletzt die Tatsache, dass mittlerweile alle Gerichte auch per E-Mail zu erreichen sind, spricht für dieses Vorgehen. Der Weg einer Onlineumfrage birgt aber auch Nachteile, etwa mögliche technische Probleme oder Einschränkungen in der Erreichbarkeit der Teilnehmer[21]. Trotz dieser Limitierungen schien eine Onlineumfrage vorteilhaft.

---

[19] Siehe nur *Rieß* (2005), S. 429; *Betmann*, Kriminalistik 2004, 567, 570; *Bielefeld*, DRiZ 2000, 277, 278.

[20] Die anderen quantitativen Methoden der Datenerhebung (zählen, urteilen, testen, beobachten und messen, Einteilung nach *Bortz/Döring* (2006), S. 137) kommen dafür nicht in Betracht.

[21] Vgl. hierzu *Bortz/Döring* (2006), S. 261.

220 Kap. 3: Eigene empirische Untersuchung

V. Rahmenbedingungen zur Durchführung
der Umfrage

Es wurde ein internetbasierter Fragebogen[22] mit insgesamt zehn Fragen entwickelt. Die ersten neun Fragen hatten ein geschlossenes Antwortformat, die Abschlussfrage 10 stellte dagegen eine offene Frage dar. Personenbezogene Daten wurden mit den ersten beiden Fragen erhoben, was eine Auswertung der Umfrage nach verschiedenen Bundesländern sowie nach der Berufserfahrung ermöglichen sollte. Darüber hinaus gehende teilnehmerbezogene Daten wurden nicht erhoben. Die Fragen 3 bis 5 sollten Daten zum äußeren Rahmen des Adhäsionsverfahrens ermitteln. Mit den nächsten vier Fragen wurde speziell nach individuell empfundenen inhaltlichen Aspekten des Verfahrens gefragt. Die geschätzte Bearbeitungszeit für den Fragebogen lag bei fünf bis zehn Minuten und hing auch davon ab, wie viel Zeit sich ein Teilnehmer für die Beantwortung von Frage 10 nahm. Die erste Frage war verpflichtend, konnte also nicht übersprungen werden, die übrigen neun Fragen waren freiwillig.

Technische Basis der Onlineumfrage war das Umfragetool des OpenSource Learning Management Systems ILIAS. Mit dieser Software können Umfragen durchgeführt und grafisch ansprechend dargestellt werden. Durch einen Link gelangte man auf die Startseite der Umfrage, die die Konzeption der Umfrage vorstellte sowie verständliche Instruktionen für die Bearbeitung der Umfrage enthielt. Durch den Klick auf eine Schaltfläche „Umfrage beginnen" gelangten die Teilnehmer auf die zehn Seiten mit den zehn Fragen, die jeweils durch einen „Weiter"-Button miteinander verbunden waren. Optisch hervorgehobene Buttons und vordefinierte Eingabefelder erleichterten das Beantworten der Fragen. Den Fragebogen schloss eine Seite mit einer Danksagung sowie den Kontaktdaten des Verfassers ab. Platziert war der Fragebogen auf einem Server der Universitätsbibliothek Tübingen. Er konnte durch einen Link von den Teilnehmern erreicht werden. Jeder Teilnehmer generierte durch das Ausfüllen der Umfrage einen Datensatz. Technische Vorkehrungen bei ILIAS sorgten dafür, dass die Umfrage freiwillig und völlig anonym gestaltet war. Es bestand keine Möglichkeit, eine Antwort zurückzuverfolgen. Darüber hinaus war es nicht möglich, mit der gleichen IP-Adresse die Umfrage mehrmals durchzuführen[23]. Der Umfrageserver war mit dem entsprechenden Link frei erreichbar[24] und für alle gängigen Brow-

---

[22] Der komplette Fragebogen ist im Anhang 3 abgebildet.

[23] Vollständig ausgeschlossen werden kann es dagegen nicht, dass Teilnehmer etwa von einem anderen PC nochmals an der Umfrage teilgenommen haben (hierzu *Schnell/Hill/Esser* (2005), S. 385). Da keine Incentives für die Bearbeitung vergeben wurden, entfällt allerdings ein Anreiz für derartiges Verhalten, so dass diese Möglichkeit für die Analyse nicht weiter beachtet wurde.

[24] Ein – theoretisch denkbares – gewissermaßen zufälliges Erreichen des Umfrageservers durch einen nicht angesprochenen WWW-Benutzer erscheint angesichts der Komplexität des aus über 80 Zeichen bestehenden Links ausgeschlossen.

A. Voraussetzungen der Umfrage

ser darstellbar. Durch einen doppelten Passwortschutz waren die auf dem Server hinterlegten Datensätze nur für den Verfasser und nicht für Dritte zugänglich. Kapazitätsprobleme des Servers, die zu einer Ablehnung der für die Befragung kontaktierten Strafrichter geführt hätten, traten während des Umfragezeitraums nicht auf. Ein ständiger Kontakt mit dem Verfasser war über die Homepage, per E-Mail oder persönlich gewährleistet und wurde teilweise auch gesucht.

Um alle Strafrichter an den Amts- und Landgerichten in Deutschland zu erreichen, wurden alle Präsidenten und Direktoren in einer personalisierten E-Mail mit der Bitte um Unterstützung angeschrieben (im Ganzen 778 Gerichte bundesweit, nämlich 116 Land- und 662 Amtsgerichte). In dieser E-Mail befand sich neben der detaillierten Vorstellung des Projektes der besonders hervorgehobene Link, der auf den Umfrageserver führte. Die Idee war, dass die Präsidenten und Direktoren diese E-Mail an ihre Strafrechtskollegen weiterleiten. Der Versand der E-Mails erfolgte im Zeitraum 22. Februar bis 6. März 2008. Der Erhebungszeitraum lief vom 22. Februar bis zum 19. Juli 2008, was einer Feldzeit von 148 Tagen entspricht.

Es zeigte sich vor allem durch eine entsprechende Rückmeldung einiger Gerichte, aber auch durch eine ungewöhnlich niedrige Beteiligungszahl in manchen Bundesländern, dass dieses Vorgehen nicht überall zum Erfolg führte. In einigen Ländern muss für derartige wissenschaftliche Anfragen der Weg über das jeweilige Justizministerium beschritten werden[25].

Insgesamt beteiligten sich im Erhebungszeitraum 888 Teilnehmer aus dem gesamten Bundesgebiet an der Umfrage. Nach Ende der Erhebung lagen 790 verwertbare Datensätze vor. Die übrigen 98 Datensätze resultierten aus einem endgültigen Abbruch der Beantwortung vor oder während der ersten Frage. Da nur die erste Frage zwingend beantwortet werden musste, wird die Umfrage bei einem späteren Abbruch als durchgeführt gewertet. Angesichts von ungefähr 4.600 Strafrichtern[26] liegt die Rücklaufquote somit ungefähr bei 19%.

Die Durchführung der Umfrage brachte einige Probleme mit sich. Unvorhersehbare technische Schwierigkeiten seitens der Teilnehmer (etwa nur die Möglichkeit eines Zugriffs auf ein Intranet, keine Weiterleitung möglich[27]) traten auf.

---

[25] Dieser Weg wurde in den Ländern Sachsen-Anhalt, Nordrhein-Westfalen und Mecklenburg-Vorpommern gewählt. Einwände gegen die Durchführung der Befragung wurden keine vorgebracht. Die Unterstützung seitens des Ministeriums bewirkte außer im Fall Mecklenburg-Vorpommerns, dass die Teilnehmerzahl angestiegen ist.

[26] Die aktuellste Statistik (Stand: 31.12.2006) verzeichnet 4.262,62 Richterplanstellen im Bereich Strafrechtspflege (Quelle: Gesamtstatistik der Anzahl der Richter abrufbar unter www.bmj.de). Angesichts von Teilzeitstellen kann die exakte Anzahl der Richter nicht ermittelt werden.

[27] So in Brandenburg. Manche Richter führten die Umfrage auf ihrem privaten PC durch.

Durch Rückmeldungen kam des Öfteren auch ein fehlendes Interesse an dieser Form von Befragungen zum Vorschein. Das für Online-Umfragen spezifische Problem des „Durchklickens"[28] betraf lediglich 38 der 790 Datensätze. Dort waren jeweils nur die (zwingende) erste Frage und allenfalls noch die Fragen 2 und 3 beantwortet. Diese Datensätze wurden berücksichtigt und bei nicht beantworteten Fragen wurden „keine Angabe" aufgenommen.

In zeitlicher Hinsicht stellte sich der Ablauf der Erhebung folgendermaßen dar. Von November 2007 bis Dezember 2007 wurde der Fragebogen erstellt und überarbeitet. Zudem erfolgten Testläufe am Lehrstuhl für Strafrecht und Strafprozessrecht. Im Januar 2008 wurde die Umfrage eingerichtet und für die Onlineumsetzung vorbereitet. Von Februar 2008 bis zum 19. Juli 2008 wurde die Umfrage durchgeführt. Im August 2008 erfolgte die Auswertung und im September 2008 der Abschlussbericht.

Die Ergebnisse der Umfrage können keinen Anspruch auf statistische Repräsentativität erheben. Die Grundgesamtheit „Strafrichter in der ersten Instanz in Deutschland" konnte durch diese Umfrage angesichts der Rücklaufquote von ungefähr 19% nicht repräsentativ abgebildet werden. Zudem war die Zahl der Antworten aus unterschiedlichen Gründen verzerrt, etwa konnte nicht berücksichtigt werden, wenn Richter sowohl Straf- als auch Zivilrecht bearbeiten, oder frühere Strafrichter nunmehr als Zivilrichter eingesetzt werden. Dementsprechend sind die Ergebnisse verfahrensbedingt nicht repräsentativ, sondern können lediglich Trends widerspiegeln.

B. Darstellung und Diskussion der Ergebnisse

I. Teilnehmerbezogene Fragen (Fragen 1 und 2)

Die (als einzige zwingend ausgestaltete) *Frage 1* war die Frage nach dem Bundesland, in dem der Teilnehmer im Umfragezeitpunkt tätig war. Das Ergebnis sollte als Ausgangspunkt für eine nach Ländern aufgeteilte Betrachtung anderer Fragen dienen. Das Resultat stellt sich in Abbildung 7 dar.

Auffällig war der besonders hohe Anteil der Teilnehmer aus Baden-Württemberg. Dies lässt sich mit einem gewissen „Heimvorteil" erklären, da sowohl der Titel der Umfrage die Bezeichnung Tübingens enthielt als auch der Verfasser an der dortigen Fakultät tätig war. Besonders niedrig war der Anteil Mecklenburg-Vorpommerns. Trotz Unterstützungsschreiben des Schweriner Justizministeriums konnte sich dort keine höhere Beteiligung erzielen lassen.

---

[28] Vgl. hierzu ausführlich die Beschreibung auf den Seiten des Arbeitskreises Deutscher Markt- und Sozialforschungsinstitute e. V. (abrufbar unter: www.adm-ev.de/quali_online_d.html).

B. Darstellung und Diskussion der Ergebnisse 223

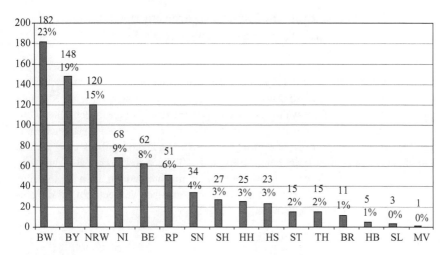

Quelle: Eigene Berechnung.

Abbildung 7: Bundesland, in dem die Teilnehmer tätig sind (n = 790 Antworten)

Mit *Frage 2* wurde die Berufserfahrung als Strafrichter abgefragt. Bewusst wurde dabei nicht nach dem Alter der Teilnehmer gefragt, da dadurch kein klarer Aussagegehalt über die Berufserfahrung erzielt werden kann. Das „Einstiegsalter" als Strafrichter ist sehr individuell. Das Ergebnis der zweiten Frage stellt sich folgendermaßen dar:

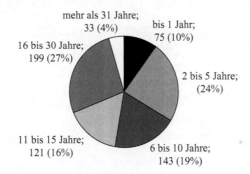

Quelle: Eigene Berechnungen.

Abbildung 8: Berufserfahrung (n = 747 Antworten)

Knapp die Hälfte der Teilnehmer (353; 47%) gab eine Berufserfahrung von mehr als 10 Jahren an. Dass jüngere Richter überrepräsentiert waren, ist wohl mit einer größeren Erfahrung im Umgang mit dem Internet zu erklären.

II. Fragen zum Adhäsionsverfahren im Berufsalltag der Teilnehmer (Fragen 3 bis 5)

Oft anzutreffen ist die Aussage, dass das Verfahren auch in Justizkreisen recht unbekannt sei[29]. Die *dritte Frage* befasste sich daher mit dem „Erstkontakt"[30] der Teilnehmer mit dem Adhäsionsverfahren. Es handelte sich um eine Multiple Choice Frage (Einfachauswahl), die als Antwortmöglichkeiten in zeitlicher Hinsicht fünf Stufen (Studium, Referendariat, Beginn der Berufstätigkeit, nach einigen Berufsjahren, durch diese Umfrage) vorgab. Ergänzend gab es eine sechste Möglichkeit, dass der Teilnehmer selbst ein Adhäsionsverfahren als Verletzter betrieben hat. Von dieser Antwortmöglichkeit machte jedoch kein Teilnehmer Gebrauch. Im Einzelnen stellt sich das Ergebnis, grafisch verdeutlicht für die ersten vier Werte, folgendermaßen dar.

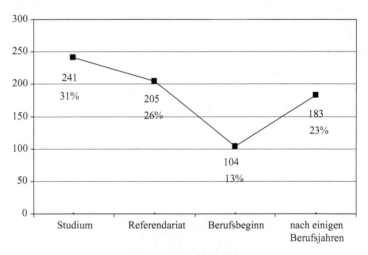

Gesamtes N = 790, darunter „keine Angaben" = 55 bzw. 7%; erster Kontakt durch die Umfrage selbst = 2 bzw. so gut wie 0%; Erstkontakt in einem privat betriebenen Verfahren = kein Fall. Die Basis für Abbildung 10 bilden demnach 733 Fälle.
Quelle: Eigene Berechnung.

Abbildung 9: Erstkontakt mit dem Adhäsionsverfahren (n = 733)

---

[29] Siehe nur *Spiess* (2008), S. 171.

[30] Die Frage ließ offen, was hinter „Kontakt mit dem Adhäsionsverfahren" zu verstehen ist. Unterstellt werden kann jedoch, dass dies keine detaillierte Kenntnisse zu den §§ 403 ff. StPO, sondern nur eine grobe Vorstellung des Verfahrens beinhaltet. Gemeint war nicht, wann der Teilnehmer in einer Strafsache über einen Adhäsionsantrag zu entscheiden hatte, sondern, wann er zum ersten Mal von den §§ 403 ff. StPO Kenntnis erlangt hat.

B. Darstellung und Diskussion der Ergebnisse 225

Bereits während der Ausbildung nahmen demnach 57% der antwortenden Teilnehmer (446) zur Kenntnis, dass es ein Adhäsionsverfahren gibt. Nimmt man den Wert „zu Beginn der Berufstätigkeit"[31] hinzu, steigt der Wert sogar auf 70% der Teilnehmer (550). Die überraschend hohe Anzahl an Richtern, die bereits in einem frühen Stadium vom Adhäsionsverfahren Kenntnis erlangten, kann möglicherweise auch mit dem Problem der „sozialen Erwünschtheit" erklärt werden; es „sieht nicht gut aus" zuzugeben, dass man erst spät von einem Rechtsinstitut erfahren hat. Selbst wenn man dies berücksichtigt, scheint das Adhäsionsverfahren mehrheitlich jedenfalls nicht so unbekannt zu sein, wie dies gelegentlich in der Literatur dargestellt wird.

Aufgeschlüsselt nach einzelnen Ländern, ergibt sich folgendes Bild[32]:

Tabelle 4

Erstkontakt mit dem Adhäsionsverfahren

1	2	3	4	5	6	7	8	9	10	11	12
		keine Angaben		im Studium		im Referendariat		zu Beginn der Berufstätigkeit		nach einigen Berufsjahren	
		N	% von 2	N	% von 2	N	% von 2	N	% von 2	N	% von 2
BW	182	15	8%	62	34%	40	22%	18	10%	47	26%
BY	148	8	5%	38	26%	41	28%	20	14%	41	28%
BE	62	4	6%	19	31%	15	24%	11	18%	13	21%
NI	68	6	9%	18	26%	20	29%	9	13%	15	22%
NRW	120	12	10%	37	31%	24	20%	17	14%	28	23%
RP	51	3	6%	13	25%	20	39%	5	10%	10	20%

Quelle: Eigene Berechnung.

Ersichtlich unterscheiden sich die Werte kaum, so dass keine regionalen Besonderheiten vorliegen. Dass die Struktur der Antworten über die Länder hinweg weitgehend identisch ist, kann als starker Beleg dafür gelten, dass die Antworten der Teilnehmer nicht systematisch gegenüber der Grundgesamtheit verzerrt sind.

---

[31] Dieser Begriff ist ebenfalls nicht bestimmt und kann gewissermaßen vom ersten Tag bis zu etwa vier Jahren reichen. Eine genauere Spezifikation erschien jedoch nicht erforderlich.

[32] Es erfolgt eine Beschränkung auf die Länder mit einem Teilnehmeranteil von über 5%, da eine geringere Anzahl wenig aufschlussreich erscheint.

226 Kap. 3: Eigene empirische Untersuchung

These 2, nach der das Adhäsionsverfahren nur ausnahmsweise bereits während der Ausbildung vorkommt, ist nach Auswertung dieser Frage nicht haltbar. Vielmehr hat ein Großteil der Teilnehmer schon während der Ausbildung die §§ 403 ff. StPO kennen gelernt.

Mit *Frage 4* wurde abgefragt, in wie vielen prinzipiell geeigneten Verfahren ein Adhäsionsantrag gestellt wurde. Untersucht werden sollte mit dieser Frage, ob der Grund für die mangelnde Anwendungshäufigkeit des Adhäsionsverfahrens tatsächlich in einer äußerst seltenen Antragstellung besteht, oder ob zwar mehr Anträge gestellt werden, diese jedoch durch Rücknahmen oder Absehens-

Tabelle 5

**Adhäsionsanträge in geeigneten Verfahren
(aufgeteilt nach denjenigen Ländern mit mehr bzw.
weniger als 5% der Teilnehmerzahl)**

	Anzahl der Teilnehmer	keine Angabe zu dieser Frage	auswertbare Fragebögen	Anteil von Verfahren mit Adhäsionsantrag an prinzipiell für ein Adhäsionsverfahren geeigneten Fällen (in%)
BE	62	4	58	**7,6**
RP	51	3	48	**6,5**
NI	68	6	62	**6,4**
BW	182	15	167	**5,7**
BY	148	8	140	**3,2**
NRW	120	12	108	**2,4**
ST	15	2	13	**13,2**
HH	25	3	22	**8,7**
SH	27	1	26	**7,3**
BR	11	1	10	**6,4**
TH	15	4	11	**6,1**
HS	23	4	19	**4,1**
SN	34	5	29	**2,6**
Rest	9	3	6	**–**
gesamt	790	112	678	**5,3**

Quelle: Eigene Berechnung.

B. Darstellung und Diskussion der Ergebnisse

entscheidungen nicht erfolgreich sind. Prinzipiell ungeeignet sind alle gesetzlich ausgeschlossenen Verfahren (z. B. im Jugendstrafverfahren) oder die unter eines der für die Nichteignung entwickelten Indizien fallen. Auf eine genauere Spezifizierung kommt es indes an dieser Stelle nicht an, denn ein genauer Wert kann auch bei der Aufstellung präziser gefasster Fallgruppen nicht ermittelt werden. Entscheidend ist die Indizfunktion, die der Frage zukommt. Es handelte sich um eine verhältnisskalierte metrische Frage, in der die Teilnehmer einen Wert zwischen 0 und 100 eingeben mussten. Dabei wurden insgesamt 30 verschiedene Prozentzahlen angegeben, die das gesamte Spektrum zwischen 0 und 100 abdeckten. Die beiden häufigsten Angaben waren dabei 1% und 5%.

Mit einem Mittelwert von 5,3% sieht es so aus, dass es nach Auffassung der Strafrichter tatsächlich in nur etwa einem Zwanzigstel aller prinzipiell geeigneten Fälle zu einem Adhäsionsantrag kommt. Dies spricht dafür, dass die mangelnde Anwendungshäufigkeit des Adhäsionsverfahrens vor allem auch ein Problem der (fehlenden) Anträge ist. Dies dürfte besonders auf fehlende Kenntnis des Verfahrens bei Verletzten zurückzuführen sein. Interessanterweise bewegen sich die (Mittel-)Werte der einzelnen Bundesländer alle in dieser Größenordnung, abgesehen von den bedingt aussagekräftigen Ländern mit nur wenigen Teilnehmern. Damit wurde die dritte These bestätigt. Auch in Verfahren, die sich prinzipiell für ein Adhäsionsverfahren eignen, werden nur sehr wenige Anträge gestellt.

Durch *Frage 5* sollte von den teilnehmenden Strafrichtern in Erfahrung gebracht werden, in wievielen Fällen mit einem Adhäsionsantrag sie auch ein (positives) Adhäsionsurteil erlassen haben. Mit dieser Frage soll annäherungsweise überprüft werden, ob die in der Statistik des Statistischen Bundesamtes wiedergegebenen Werte auch einen Schluss über die tatsächlich gestellten Adhäsionsanträge zulassen. Wiederum handelte es sich um eine verhältnisskalierte metrische Frage, in der die Teilnehmer einen Wert zwischen 0 und 100 eingeben mussten. Dabei wurden insgesamt 31 verschiedene Prozentzahlen angegeben, die ebenfalls das gesamte Spektrum zwischen 0 und 100 abdeckten. Die drei häufigsten Angaben waren dabei 0%, 50% und 100%.

Nur in knapp 1/3 aller Fälle (30,4%) wird das Adhäsionsverfahren tatsächlich mit einem Adhäsionsurteil abgeschlossen. Im Umkehrschluss bedeutet dies, dass in den übrigen zwei Drittel der Verfahren über den gestellten Adhäsionsantrag eine Absehensentscheidung erging, ein Vergleich protokolliert wurde oder der Antragsteller den Antrag zurücknahm. Damit kann der Anteil an Strafverfahren, in denen ein Adhäsionsantrag vorliegt, etwa dreimal höher angesetzt werden, als aus der amtlichen Statistik Strafverfolgung ersichtlich ist. Dies wiederum lässt den vorsichtigen Schluss zu, dass ein Adhäsionsantrag immerhin in dreimal so vielen Fällen gestellt wurde. Wiederum besteht nur ein sehr geringer regionaler Unterschied.

Tabelle 6

**Anteil der Verfahren mit einem Adhäsionsurteil
an allen durchgeführten Adhäsionsverfahren**

	Anzahl der Teilnehmer	keine Angabe zu dieser Frage	auswertbare Fragebögen	Anteil von Verfahren mit Adhäsionsurteil an allen durchgeführten Adhäsionsverfahren (in %)
NI	68	10	58	**34,9**
BW	182	27	155	**31,9**
BE	62	6	56	**30,9**
NRW	120	32	88	**29,4**
RP	51	10	40	**28,5**
BY	148	21	127	**26,2**
HH	25	4	21	**46,4**
SH	27	2	25	**40,2**
ST	15	1	14	**31,2**
TH	15	3	12	**28,9**
BR	11	3	8	**26,5**
SN	34	4	30	**24,1**
HS	23	3	20	**20,9**
Rest	9	2	7	–
gesamt	790	128	662	**30,4**

Quelle: Eigene Berechnung.

Die Auswertung dieser Frage stützt damit die vierte These, nämlich dass ein Adhäsionsverfahren häufiger vorkommt, als die Statistik vorgibt. Der statistische Wert kann mit dem Faktor 3 multipliziert werden. Umgekehrt bedeutet dies, dass in etwa 2/3 der Fälle das Verfahren durch eine Absehensentscheidung, einen Vergleich oder der Antragsrücknahme endet.

III. Inhaltliche Einschätzungen zum Adhäsionsverfahren (Fragen 6 bis 9)

In *Frage 6* sollten die Teilnehmer einschätzen, welche von einer Anzahl vorgegebener Aspekte sie für geeignet halten, die mangelnde praktische Relevanz des

B. Darstellung und Diskussion der Ergebnisse

Adhäsionsverfahrens zu erklären. Dabei standen insgesamt zwölf der in der Literatur häufig aufgeführten rechtlichen oder tatsächlichen Gründe zur Auswahl. Ergänzt wurde die Liste mit einem Button, der keine der vorgegebenen Gründe, und einem, der keine der vorgeschlagenen, allerdings andere Gründe für einschlägig erachtete[33]. Es handelte sich um eine nominale Multiple-Choice Frage, die eine Mehrfachauswahl zuließ. Insgesamt beantworteten diese Frage 688 der 790 Teilnehmer. Betrachtet man die einzelnen Antworten, ergibt sich folgende Übersicht:

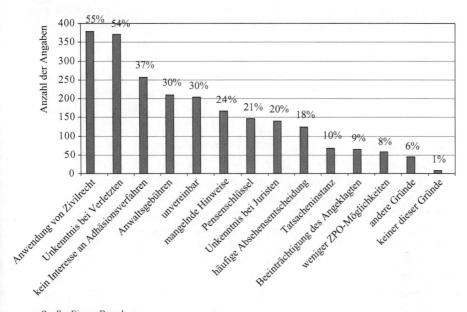

Quelle: Eigene Berechnung.

Abbildung 10: Gründe für das „Schattendasein" des Adhäsionsverfahrens (n = 688)

Nicht überraschend ist, dass über 55% der Teilnehmer angaben, die Anwendung von zivilrechtlichen Vorschriften sei nicht immer ohne weiteres zu leisten[34]. Dies spiegelt eine häufig in der Literatur beschriebene Problematik wider. Interessanterweise ist der nächste nur die Strafrichter betreffende Grund (erst) an siebter Stelle (146 Teilnehmer, 21%) im Hinweis auf die möglicherweise nicht optimale pensummäßige Berücksichtigung des Adhäsionsverfahrens zu finden. Sehr häufig wurde auch die Unkenntnis der Adhäsionsmöglichkeit bei den Verletzen genannt (370 Teilnehmer, 54%). Selbst bei den am Verfahren beteiligten

---

[33] Diese konnten die Teilnehmer bei der offenen Frage 10 berücksichtigen.
[34] Die genaue Bezeichnung der Antwortmöglichkeit findet sich im Anhang 3.

230 Kap. 3: Eigene empirische Untersuchung

Juristen war dies noch bei 140 Teilnehmern (20%) der Fall. Dass an einer Anspruchsverfolgung im Strafverfahren eher kein Interesse besteht, gaben 257 Teilnehmer (37%) an. Mit einigem Abstand (30%) werden die Anwaltsgebühren als problematisch gesehen.

Erstaunlicher als die Ergebnisse der „Spitzenplätze" sind eher diejenigen Gründe, die relativ wenige Teilnehmer nannten. So nahmen nur 64 Teilnehmer (9%) an, dass der Angeklagte durch die Befassung mit dem Adhäsionsantrag in seiner verfahrensrechtlichen Stellung beeinträchtigt werde. Dies überrascht insofern, als eine mögliche Gefährdung der prozessualen Stellung des Angeklagten häufig ins Feld geführt wird, um die mangelnde praktische Relevanz plausibel zu machen[35]. Dass lediglich 44 Teilnehmer (6%) angaben, andere Gründe als die genannten seien für das „Schattendasein" ausschlaggebend, spricht dafür, dass die relevantesten Ursachen durch Frage 6 abgedeckt wurden.

Die Auswertung von Frage 6 bestätigt die erste These. Praktische Probleme bestehen hauptsächlich in der Anwendung von Zivilrecht durch die Strafrichter.

Mit der nachfolgenden *Frage 7* sollte ergründet werden, ob das Ziel einer deutlich höheren Anwendungshäufigkeit des Adhäsionsverfahrens überhaupt als erstrebenswert angesehen wird. Da dies kaum ohne gesetzgeberische Eingriffe erreicht werden kann, wurde die Frage dahingehend ergänzt, ob weitere gesetzgeberische Reformen erfolgen sollten. Die Teilnehmer wurden gebeten, auf einer sechsstufigen Rating-Skala (1: absolut erstrebenswert, 2: erstrebenswert, 3: etwas erstrebenswert, 4: kaum erstrebenswert, 5: nicht erstrebenswert, 6: absolut nicht erstrebenswert) ihre Einschätzung abzugeben. Insgesamt beantworteten diese ordinale Frage 686 der 790 Teilnehmer (87%). Das arithmetische Mittel lag bei 3.8 (mit einer Standardabweichung von 1.6) was in etwa der Einschätzung „kaum erstrebenswert" entspricht. Damit hat sich die fünfte These bestätigt, wonach dem Adhäsionsverfahren durch die Strafrichter selbst bei gesetzgeberischen Reformen wenig Zukunft beschieden wird. Dieser Wert korrespondiert mit der Einschätzung auf die sechste Frage, dass die Beurteilung zivilrechtlicher Fragen im Strafverfahren als Hauptgrund für die mangelnde Praxisrelevanz des Adhäsionsverfahrens gilt.

Ein Vergleich länderbezogener Werte bietet sich an dieser Stelle an. Da die Teilnehmerzahlen jedoch stark variieren (siehe Frage 1), soll eine Beschränkung auf einen Vergleich der „alten" Bundesländer mit den „neuen" Bundesländern erfolgen. Dies erscheint insbesondere deswegen interessant, weil oftmals beschrieben wird, dass in der DDR das Adhäsionsverfahren „gelebter Rechtsalltag" gewesen sei[36]. Trotz der mehr als zwanzig Jahre zurückliegenden Wiedervereini-

---

[35] Hierzu etwa *Spiess* (2008), S. 126 f.

[36] Es handelt sich dabei jedoch hauptsächlich um Stellungnahmen in der Literatur (etwa bei *Dallmeyer,* JuS 2005, 327, 328).

B. Darstellung und Diskussion der Ergebnisse   231

gung erscheint es möglich, dass sich eine Kontinuität in der Wertschätzung des Adhäsionsverfahrens erhalten haben könnte. Ein t-Test für unabhängige Stichproben zeigte jedoch, dass sich die Einschätzungen der Teilnehmer bezüglich dieser Frage nicht unterschieden[37]. Der Mittelwert „Ost" (mit Berlin) lag bei 4.0 (Standardabweichung von 1.6, 126 Teilnehmer), der Mittelwert „West" bei 3.8 (Standardabweichung von 1.5, 560 Teilnehmer). These 7, wonach in den „neuen" Bundesländern eine adhäsionsfreundlichere Grundstimmung zu verzeichnen ist, bestätigt sich somit nicht. Hat es überhaupt eine positive Grundeinstellung zum Adhäsionsverfahren in der DDR gegeben, hat sich diese nicht erhalten.

Verglichen wurden auch die Werte von Teilnehmern mit hoher Berufserfahrung (mehr als zehn Jahre, 359 Teilnehmer) und Teilnehmern mit geringerer Berufserfahrung (weniger als zehn Jahre, 325 Teilnehmer). Die Mittelwerte lagen bei 3.9 (Standardabweichung 1.6) für hohe Berufserfahrung und 3.8 (bei einer Standardabweichung von 1.5) für geringere Berufserfahrene. Ein t-Test für unabhängige Stichproben zeigte zwischen diesem Vergleichspaar ebenfalls keine Unterschiede zwischen Personen mit geringerer und Personen mit höherer Berufserfahrung[38]. Selbst die beiden Extremgruppen (bis 5 Jahre Berufserfahrung, 227 Teilnehmer und ab 16 Jahren Berufserfahrung, 211 Teilnehmer) unterschieden sich nicht. Ein Vergleich erbrachte ebenfalls keine signifikanten Unterschiede, die auf die Berufserfahrung zurückführbar wären[39]. Daher kann keinerlei Zusammenhang zwischen der Berufserfahrung und der Forderung nach einem Ausbau des Adhäsionsverfahrens festgestellt werden.

In *Frage 8* wurden die Teilnehmer gefragt, ob sie ihre Grundeinstellung zu einer weiteren Reform des Adhäsionsverfahrens präzisieren könnten. Vorgegeben waren je drei positive und negative Erwägungen, die in der Literatur häufig aufgeführt werden. Ergänzt wurde die Liste mit zwei Auswahlmöglichkeiten, die andere Gründe umfassten[40]. Es handelte sich um eine nominale Multiple-Choice Frage, die eine Mehrfachauswahl zuließ. Insgesamt haben diese Frage 674 der 790 Teilnehmer beantwortet. Betrachtet man die einzelnen Antworten, ergibt sich umseitige Übersicht.

Positive sowie negative Gründe halten sich in etwa die Waage. Den häufigsten Wert stellt die Aussage dar, die Rechtsverfolgung im Adhäsionsverfahren sei für den Verletzten schneller und günstiger (301 Teilnehmer, 45 %). Die häufigsten negativen Aussagen sind, dass Zivil- und Strafverfahren unvereinbar seien (289 Teilnehmer, 43 %), sowie dass ein Adhäsionsverfahren zu einem unverhältnismä-

---

[37] $t(184.0)=1.4$, $p=.16$.

[38] $t(670.6)=0.4$, $p=.72$.

[39] $t(428.6)=0.1$, $p=.96$.

[40] Diese konnten die Teilnehmer bei der offenen Frage 10 berücksichtigen. Die genaue Formulierung der Antwortmöglichkeiten findet sich im Anhang 3.

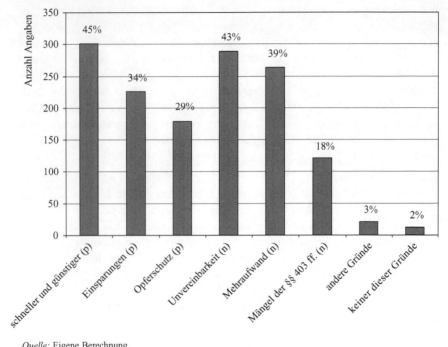

Quelle: Eigene Berechnung.

Abbildung 11: Gründe für Einstellung (n = 674; p = positiv; n = negativ)

ßigen Mehraufwand führe (264 Teilnehmer, 39%). 21 Teilnehmer (3%) gaben an, dass andere Gründe für sie eine Rolle spielen.

Mit *Frage 9* sollte abschließend die Grundeinstellung der Teilnehmer zum Adhäsionsverfahren eruiert werden. Zu diesem Zweck wurden sie gebeten, auf einer fünfstufigen Rating-Skala (1: absolut einverstanden, 2: einverstanden, 3: unentschlossen, 4: nicht einverstanden, 5: absolut nicht einverstanden) ihre Einschätzung zur Frage abzugeben, ob das Adhäsionsverfahren grundsätzlich ein sinnvolles Rechtsinstitut sei. Insgesamt beantworteten diese ordinale Frage 683 der 790 Teilnehmer. Das arithmetische Mittel lag bei 2.6 (mit einer Standardabweichung von 1.1) was zwischen den Einschätzungen „einverstanden" und „unentschlossen" liegt. Demnach ist eine vorsichtig in den positiven Bereich reichende Grundeinstellung der Teilnehmer zu verzeichnen. Die Mehrheit teilt demnach nicht die Einschätzung, dass das Adhäsionsverfahren ein überflüssiges oder abzuschaffendes Rechtsinstitut darstellt.

Auch hier ergab sich kein Unterschied der Werte der „neuen" von denjenigen der „alten" Bundesländer. Der Mittelwert „Ost" lag bei 2.5 (Standardabweichung von 1.2; 124 Teilnehmer). Der Mittelwert „West" lag bei 2.6 (Standardabwei-

B. Darstellung und Diskussion der Ergebnisse

chung von 1.1; 558 Teilnehmer). Ein Vergleich beider Werte zeigte keinerlei signifikanten Unterschiede bezüglich der Einschätzungen der Teilnehmer[41].

Ein abschließender Vergleich nach Berufserfahrung zeigte wiederum keine signifikanten Unterschiede. Ein t-Test für unabhängige Stichproben ergab keine Unterschiede zwischen Personen mit hoher Berufserfahrung (ab 10 Jahren, 325 Teilnehmer) und Teilnehmern mit geringer Berufserfahrung (bis 10 Jahre Berufserfahrung, 355 Teilnehmer). Die Mittelwerte lagen bei 2.6 (Standardabweichung 1.2) für hohe Berufserfahrung und bei 2.5 (Standardabweichung von 1.1) für geringe Berufserfahrung[42]. Dieses Ergebnis stützt auch ein Extremgruppenvergleich (erste Gruppe: mehr als 16 Jahre Berufserfahrung, 210 Teilnehmer und 2. Gruppe: bis fünf Jahre Berufserfahrung, 223 Teilnehmer). Er erbrachte ebenfalls keine signifikanten Unterschiede[43]. Die Auswertung der neunten Frage bestätigt These 6, nach der in der Mehrzahl kein „adhäsionsfeindliches" Klima zu beobachten ist. Zu bedenken ist indes, dass aus diesem Resultat im Umkehrschluss keine besonders positive Einstellung herausgelesen werden kann. Auch ein Ost-West Vergleich hat durchaus konform mit dem Resultat der siebten Frage sowie in Bestätigung von These 7 keine Unterschiede gegeben.

IV. Auswertung der (offenen) Abschlussfrage

Die Abschlussfrage 10 war wie erwähnt als offene Frage gestaltet. Damit sollte den Teilnehmern die Gelegenheit gegeben werden, zu weitergehenden Punkten Stellung zu nehmen. Insgesamt machten immerhin 320 Teilnehmer von dieser Möglichkeit Gebrauch. Die Auswertung bestand in einer quantitativen Inhaltsanalyse. Die vielfältigen und unterschiedlich umfangreichen Stellungnahmen wurden kategorisiert, um sie einer Auswertung zugänglich zu machen. Dabei handelte es sich um ein induktiv ausgearbeitetes Kategoriensystem, das heißt, das Textmaterial wurde gesichtet und anschließend kategorisiert. Dabei wurde vom konkreten Textmaterial abstrahiert und versucht, zusammenfassende Bedeutungseinheiten zu finden, die den Prinzipien der Eindeutigkeit, Vollständigkeit und Ausschließlichkeit entsprechen[44]. Bei der Betrachtung der numerischen Daten ist zu beachten, dass in der Stellungnahme eines einzelnen Teilnehmers mehrere Kategorien angesprochen werden konnten, wenn sie mehrere voneinander unterschiedliche (Teil-)Aussagen enthielt. Dies war besonders bei umfangreichen Stellungnahmen der Fall. In den meisten Fällen enthielt die Stellungnahme jedoch nur eine Aussage.

---

[41] t(176.5)=0.9, p=.40.

[42] t(660.6)=1.1, p=.27.

[43] t(415.6)=0.1, p=.17.

[44] Vgl. *Atteslander* (2008), S. 278 f.

234 Kap. 3: Eigene empirische Untersuchung

Die Aussagen lassen sich in fünf verschiedene Kategorien einteilen, wobei die fünfte eine Auffangkategorie darstellt. Aus folgender Tabelle ergibt sich die Einteilung:

Tabelle 7

Kategorien der offenen Abschlussfrage

	Kategorie (K)	Beschreibung	Anzahl
1	negative Aussage	Die Aussage enthält eine negative Einschätzung des Verfahrens. Aus der Aussage ist die Grundeinstellung des Teilnehmers zum Verfahren ersichtlich. Beispiele: „Man sollte das Verfahren abschaffen." oder: „Das Verfahren ist generell verzichtbar und wenig praktikabel."	62
2	positive Aussage	Die Aussage enthält eine positive Einschätzung des Verfahrens. Aus der Aussage ist die Grundeinstellung des Teilnehmers zum Verfahren ersichtlich. Beispiele: „Es ist in Ordnung, so wie es ist." oder: „Das Adhäsionsverfahren ist grundsätzlich positiv zu beurteilen."	53
3	Beschreibung von praktischen Problemen	Die Aussage enthält eine Beschreibung von praktischen Problemen. Diese lassen nicht immer einen Rückschluss auf die tatsächliche Einstellung des Teilnehmers im Hinblick auf das Verfahren zu (positiv/ negativ). Beispiele: „Adhäsionsverfahren führen zu zeitlichen Verzögerungen." oder: „Das Adhäsionsverfahren verkompliziert ohnehin schwierige Haftsachen"	212
4	Reformvorschläge	Die Aussage enthält einen konkreten Reformvorschlag. Beispiele: „Klarere Fassung der gesetzlichen Vorschriften, insbesondere der Erklärungsrechte" oder „Hier wäre es sinnvoll, wenn von Amts wegen zivilrechtlich eine Schmerzensgeldzahlung an den Verletzten angeordnet werden könnte"	74
5	sonstige Aussage	Die Aussage lässt sich keiner der anderen vier Kategorien zuordnen. Beispiele: „Das Adhäsionsverfahren hat in einer Wirtschaftsstrafkammer keine praktische Bedeutung." oder „Das Verfahren eignet sich für einfache Fälle"	41

Quelle: Eigene Darstellung.

Oft enthielten die Stellungnahmen eine eindeutige Einschätzung des Adhäsionsverfahrens insgesamt. Dabei überwogen die in K1 zusammengefassten negativen Einschätzungen geringfügig die positiven Aussagen aus K2. Oftmals enthielten die Stellungnahmen der Teilnehmer darüber hinaus eine Beschreibung in der Praxis auftretender Probleme. Daraus, dass diese nicht immer einen Rückschluss auf die Einschätzung des Teilnehmers zum Verfahren zuließen, erklärt sich der verhältnismäßig hohe Wert in K3. Explizite Reformvorschläge enthält K4, was zeigt, dass sich fast jeder zehnte Teilnehmer der Umfrage zu einer Reformidee äußerte. In der abschließenden K5 wurden die übrigen Aussagen zusammengefasst.

In K1 ließen sich die Aussagen auf nur drei verschiedene Unterkategorien verteilen, insofern war das Meinungsbild recht homogen. Eher vorsichtig formulierten 9 Teilnehmer allgemein, dass das Adhäsionsverfahren verzichtbar sei. 30 Teilnehmer präzisierten diese Grundhaltung dahingehend, dass mit den Rechtsinstituten wie der Einstellung des Verfahrens nach § 153a StPO, Bewährungsauflagen oder dem Täter-Opfer-Ausgleich (§ 46a StGB) preiswertere, schnellere und praktikablere Mittel zur Verfügung stünden, die einen effektiven Opferschutz auch ohne das Adhäsionsverfahren gewährleisten könnten. Ausdrücklich forderten 23 Teilnehmer die Abschaffung des Verfahrens, was – wenn man so will – die gravierendste Form einer Reformidee aus der Kategorie 4 darstellt.

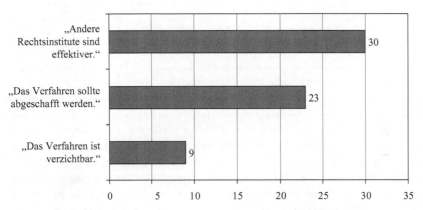

Quelle: Eigene Berechnung.

Abbildung 12: Negative Einschätzung des Verfahrens (n = 62)

Auch in der die positiven Einschätzungen zusammenfassenden Kategorie 2 lassen sich die Aussagen auf lediglich drei Unterkategorien verteilen. Die meisten Aussagen (35 Teilnehmer) ergaben, dass die derzeitige Ausgestaltung der §§ 403 ff. StPO grundsätzlich in Ordnung sei. Dies präzisierend, wiesen 15 Teilnehmer darauf hin, dass immerhin ein Grundurteil in den meisten Fällen möglich sei und helfe, oft beschriebene praktische Probleme (Verzögerung des Verfahrens usw.) zu vermeiden. 3 Teilnehmer brachten ihre positive Einschätzung in anderer Form zum Ausdruck.

Vielschichtiger ist eine Darstellung der dritten Kategorie, der sich mit 212 Aussagen die meisten Stellungnahmen der Teilnehmer zuordnen ließen. In insge-

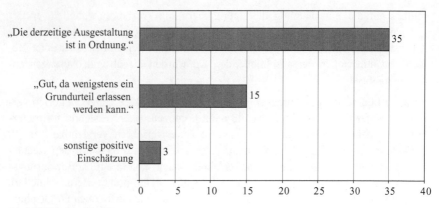

Quelle: Eigene Berechnung.

Abbildung 13: Positive Einschätzung des Verfahrens (n = 53)

samt 21 Unterkategorien konnten die Aussagen unterteilt werden. Die zehn häufigsten sollen im Folgenden vorgestellt werden. Das mit 28 Antworten *am häufigsten* beschriebene Problem war, dass die unterschiedlichen Grundsätze des Straf- und des Zivilverfahrens nicht miteinander in Einklang zu bringen seien. Als Beispiele hierfür wurden etwa die kaum mögliche Beachtung des Beschleunigungsgrundsatzes in Haftsachen sowie die unterschiedlichen Beweislastregeln angeführt. Mit 26 Aussagen *folgte* die Befürchtung, dass das Adhäsionsverfahren den normalen Ablauf des Strafverfahrens erheblich verzögere. Diese liege insbesondere an einer umfangreichen zivilrechtlichen Prüfung, besonders eines etwaigen Mitverschulden. In der Praxis bedeutsam sei ebenfalls, dass durch die Erweiterung des Kreises der Beteiligten eine Terminierung der Verhandlung wesentlich erschwert werde. Weiterhin sei bedeutsam, dass ein erst in oder kurz vor der Hauptverhandlung gestellter Adhäsionsantrag einen Angeklagten meist „überrumpelt", wodurch seiner Bitte um Aussetzung, Unterbrechung oder Verlegung kaum widersprochen werden könne[45]. An *dritter Stelle* (24 Aussagen) folgte die Beobachtung, dass die pensenmäßige Berücksichtigung von vollständig bearbeiteten Adhäsionsverfahren völlig unzureichend ausgestaltet sei. Mit 22 Aussagen an *vierter Stelle* stand die Äußerung, dass die Strafgerichte ohnehin völlig überlastet seien, was einer angemessenen Behandlung eines Adhäsionsantrags im Wege stehe. Einem weiteren Ausbau des Adhäsionsverfahrens auf der einen Seite stehe kein Ausbau der Personalstellen auf der anderen Seite gegenüber. Angesichts eines durchschnittlichen Aktenumlaufs von 50 Akten sei eine adäquate Behandlung überhaupt nicht zu gewährleisten. Ein weiterer Punkt war *fünftens* mit

---

[45] Dieses Problem existiere umso mehr, als der Angeklagte nicht anwaltlich vertreten ist.

B. Darstellung und Diskussion der Ergebnisse 237

immerhin noch 18 Antworten, dass eine adäquate Beantwortung zivilrechtlicher Fragen mitunter von Strafrichtern nicht (mehr) zu leisten sei. Dieser Aspekt ist besonders darauf bezogen, dass (Straf-)Richter schwierige zivilrechtliche Spezialmaterien, wie etwa das Schadensrecht[46], nicht mehr ohne weiteres bewältigen könnten, wenn sie die Höhe von Schmerzensgeldern festsetzen oder die richtige Vollstreckbarkeitsregelung treffen sollen. Daraus resultiere eine „Scheu" vor dem Verfahren, die ein großes Problem in der Praxis darstelle. An *sechster Stelle* wurde in 13 Aussagen die Problematik geschildert, dass der Verletzte gleichzeitig Zeuge im Strafverfahren und Partei im Adhäsionsverfahren – gewissermaßen „Zeuge in eigener Sache" – sei. Gerade in echten Problemfällen könne die Anwesenheit des Antragstellers die Unvoreingenommenheit seiner Zeugenaussage und deren Beweiswert erheblich beeinträchtigen. Dass das Verfahren generell zu unbekannt sei, war an *siebter Stelle* Kernthese von 11 Aussagen. Berichtet wurde, dass die Möglichkeit eines Adhäsionsantrags hauptsächlich Polizisten bekannt sei, nicht aber anderen Verletzten. Weiterhin folgte an *achter Stelle* (9 Aussagen) die Bemerkung, dass der Verletzte (und mitunter auch sein Rechtsbeistand) mir der Durchführung eines Adhäsionsverfahrens völlig überfordert sei. Die Antragsteller wollten entweder überzogene Ansprüche durchsetzen oder vergaßen Ansprüche, die sie an sich geltend machen können. Darüber hinaus stellten die formellen Anforderungen an einen wirksamen Adhäsionsantrag ein großes Problem für den Antragsteller dar. Der Verletzte sei oft nicht anwaltlich beraten und überfordert. Die Konsequenz stellten an sich Hinweise und eine Beratung des Gerichts dar, was aber im Sinne dessen Unparteilichkeit schon nicht mehr unbedenklich sci. Dies aufgreifend, stellten 7 Aussagen fest (*neunte Stelle*), ein Hauptproblem sei, dass die Adhäsionsanträge in vielen Fällen fehlerhaft gestellt seien. An *letzter Stelle* standen 7 Aussagen, die feststellten, dass das Hauptproblem die zu komplizierte rechtliche Ausgestaltung der §§ 403 ff. StPO sei[47].

---

[46] Man denke nur an die Frage, ob und wenn ja in welcher Höhe durch die Tat eine Erwerbsminderung des Opfers eingetreten ist, wie hoch tatsächlich der Verdienstausfall eines Selbständigen ist oder wie hoch der Restwert des Unfallwagens war.

[47] Die übrigen Aussagen seien nur kurz erwähnt. 6 Aussagen skizzierten, dass der Hauptgrund bei Anwälten zu suchen sei, die oft die vermeintlich exotische Möglichkeit des Verfahrens scheuten und manchmal lediglich von „Profitgier" geleitet seien. Ebenfalls 6 Aussagen bezogen sich auf den tatsächlich bedeutsamen Aspekt, dass mit dem Adhäsionsverfahren ja „nur" ein Titel verschafft werden könne, der angesichts häufiger Mittellosigkeit der Angeklagten inhaltsleer sei. Dass die Stellung des Angeklagten durch das Adhäsionsverfahren geschwächt werde, stellten 6 Aussagen fest. Jeweils fünfmal wurde bemerkt, dass eine Adhäsionsentscheidung niemals die gleiche juristische „Qualität" aufweisen könne, wie eine originäre Zivilentscheidung, und dass das Verfahren rechtsmissbräuchlich betrieben werde. Vier Aussagen beschrieben die vermeintliche Befürchtung von Verletzten, vor dem Strafgericht nur ein geringes Schmerzensgeld zu erhalten. Ebenfalls immerhin vier Aussagen erhielten die Vermutung, dass die häufigere Anwendung des Adhäsionsverfahrens von der Justizverwaltung lediglich aus Gründen der Personaleinsparung heraus propagiert werde. Dass Strafrichter Probleme mit der Anwendung zivilverfahrensrechtlicher Vorschriften hätten, stellten vier Aussagen fest. Drei Aussagen beschrieben die ungünstige gebührenrechtliche Ausgestaltung des Ver-

238   Kap. 3: Eigene empirische Untersuchung

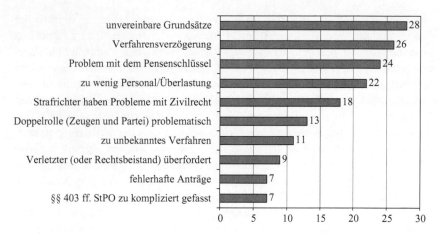

Quelle: Eigene Berechnung.

Abbildung 14: Die zehn häufigsten praktischen Probleme des Adhäsionsverfahrens (n = 220)

In der vierten Kategorie unterbreiteten 74 Aussagen Reformvorschläge, die stellenweise deckungsgleich waren. Sechs Vorschläge traten dabei mehr als zweimal auf und sollen kurz vorgestellt werden[48]. Der *häufigste* „Änderungswunsch" der StPO (16 Aussagen) bestand darin, dass eine kurzfristige Antragstellung nicht mehr erfolgen dürfe, sondern dass ein Antrag vor Beginn der Hauptverhandlung vorliegen müsse. Problematisch sei, dass sich weder das Gericht noch der Beschuldigte rechtzeitig auf den Antrag einstellen könnten. Damit werde

---

fahrens sowie eine Neigung, sich in den meisten Fällen in eine Absehensentscheidung „zu flüchten". Eine einzige Aussage befand, dass die Regelung des § 406 Abs. 1 S. 6 StPO das gewichtigste praktische Problem sei.

[48] Im Übrigen wurden noch je zweimal genannt: keine Ausdehnung auf den Bereich des Strafbefehlsverfahrens; Beschränkung des Anwendungsbereiches nur auf Schmerzensgeldansprüche; (zwingende) Beiordnung eines Rechtsanwaltes für den Verletzten.
  Eine ganze Reihe von Reformvorschlägen wurde nur einmal genannt. (1) Etwa sollte es Prozesskostenhilfe in einem Zivilverfahren nur geben, wenn vorher wenigstens ein Grundurteil im Adhäsionsverfahren angestrebt wurde. (2) Vorgeschlagen wurde die völlige Abkoppelung des Verfahrens von der ZPO. (3) Sogar ein Adhäsionsverfahren von Amts wegen wurde bei einfachen Sachen vorgeschlagen. (4) Der Antrag solle zunächst einen Antrag auf Zulassung eines Adhäsionsverfahrens enthalten, dessen Entscheidung unanfechtbar sein solle. (5) Die Hinzuziehung eines Zivilrichters (mit der erforderlichen gesetzgeberischen Vorgabe) solle bei schwierigen Fragen ermöglicht werden. (6) Der Rechtsbehelf der Beschwerde nach § 406a StPO solle wieder abgeschafft werden. (7) Eine pauschale Schmerzensgeldtabelle nur für den Strafprozess solle geschaffen werden. (8) Eine Sonderzuweisung im GVG für zivilrechtliche Ansprüche für das Strafgericht solle geschaffen werden. (9) Aus dem Kreis der Antragsberechtigten sollten Tatbeteiligte herausgenommen werden. (10) Es sollte eine weitergehende Kostenerleichterung für den Verletzten erreicht werden. (11) Die Entscheidungsmöglichkeiten sollten auf die Möglichkeit eines Verzichts- und eines Anerkenntnisurteils beschränkt werden.

B. Darstellung und Diskussion der Ergebnisse

eine stets negative „Situation des Überfahrens" geschaffen. Vorgeschlagen wurde auch die Einführung einer Frist (bis zu zwei Wochen), nach deren Ablauf ein Antrag unzulässig werde. An *zweiter Stelle* (13 Aussagen) stand die Anregung, den tatsächlichen Feststellungen im Strafurteil eine Bindungswirkung für nachfolgende Zivilverfahren zuzubilligen. Diese Forderung wurde in unterschiedlichen Facetten gestellt: Strafurteil als Grundurteil im Zivilrecht; Bindungswirkung, wenn § 823 Abs. 2 BGB erfüllt ist; Bindungswirkung nur der Protokolle. *Dritter Reformvorschlag* war mit 11 Aussagen die Beschränkung der Adhäsionsentscheidung von vornherein nur auf einen Vergleich oder ein Grundurteil. Dann nämlich würde das Betragsverfahren komplett auf den dafür vorgesehenen Zivilrechtsweg verwiesen und das Strafgericht nicht mit komplizierten Details belastet. Die schon jetzt bestehende Möglichkeit eines Grundurteils führe dennoch zunächst dazu, dass das Gericht in arbeitsintensiven Überlegungen zunächst auch die Möglichkeit eines Adhäsionsurteils als Endurteil erwägen müsse. An *vierter Stelle* (8 Aussagen) stand der Vorschlag, eine wesentlich verbesserte justizinterne Fortbildung zu installieren. Etwa könne von der Justizverwaltung eine Musterakte mit formularmäßigen Vordrucken angelegt werden, die dem Gericht ersparen würde, sich zunächst umfassend in zivil(prozess-)rechtliche Problemstellungen einzuarbeiten. *Fünftens* (6 Aussagen) wurde eine detaillierte Ausgestaltung der §§ 403 ff. StPO angeregt. Im Augenblick würden viel zu wenige Vorschriften den Ablauf des Adhäsionsverfahrens regeln. Unklar sei etwa, wie in einer laufenden Hauptverhandlung, insbesondere, wenn der Antrag spät gestellt wurde, die Ansprüche geklärt werden sollen. Gesetzlich festgehalten werden solle auch, dass ein Streitwertfeststellungsbeschluss zu treffen sei, da dies ein Strafrichter nicht mehr ohne weiteres wisse. Auch Bestimmungen, die im Kollisionsfall von zivil-

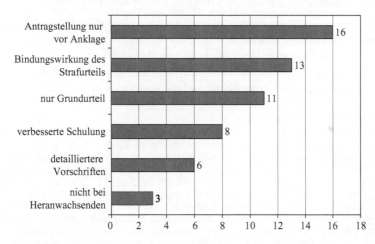

Quelle: Eigene Berechnung.

Abbildung 15: Reformideen mit mehr als zwei Nennungen (n = 74)

240   Kap. 3: Eigene empirische Untersuchung

und strafrechtlichen Verfahrensgrundsätzen eine Zweifelsregel zur Verfügung stellen, würden einige Unsicherheit im Umgang mit Adhäsionsanträgen vermeiden helfen. *Zuletzt* (3 Aussagen) wurde erwogen, die jüngst geschaffene Möglichkeit eines Adhäsionsverfahrens gegen Heranwachsende wieder zurück zu nehmen. Heranwachsende seien mit dem Verfahren völlig überfordert.

Auch in der abschließenden Kategorie 5 konnten die 41 Aussagen in Gruppen eingeteilt werden. Fünf übereinstimmende Themenbereiche mit mehr als zwei Aussagen ließen sich ausmachen[49]. Die mit gut einem Viertel der Angaben *häufigste Aussage* (10 Aussagen) bestand darin, dass sich das Adhäsionsverfahren besonders für einfach gelagerte Fälle eigne. Hier wurden mehrmals Körperverletzungsdelikte hervorgehoben, die geradezu für das Verfahren prädestiniert seien. An *zweiter Stelle* stand mit fünf Aussagen eine Gruppe, in der verschiedene Verfahrenskonstellationen beschrieben wurden, in denen die §§ 403 ff. StPO keinerlei Bedeutung hätten. So spielten sie in Wirtschafts- sowie Betäubungsmittelstrafsachen keine Rolle. An *dritter Stelle* stand der dreimalige Hinweis, dass auch das Adhäsionsverfahren angesichts der Kostenregelung des § 472a Abs. 2 StPO nicht völlig risikofrei sei. Insbesondere die notwendigen Auslagen des Angeklagten könnten nicht wie die Gerichtskosten der Staatskasse auferlegt werden. Das Risiko, gegebenenfalls auch noch mit durch das Adhäsionsverfahren entstandenen Anwaltskosten des Angeklagten belastet zu werden, dürfte vielen Adhäsionsklägern nicht bewusst sein. An *vierter Stelle* fand sich in drei Aussagen auch der Hinweis, dass die Häufigkeit des Adhäsionsverfahrens an den jeweiligen Landgerichten in den vergangenen drei bis vier Jahren zugenommen habe, in einem Fall sogar um bis zu 80%. *Schließlich* forderten drei Aussagen, dass die StPO im Ganzen grundlegend reformiert werden müsse. Unter anderem gewähre sie dem Angeklagten einen übertriebenen Schutz zu Lasten des Verletzten.

Die Auswertung der offenen Frage 10 ergibt, dass im Hinblick auf das Adhäsionsverfahren sowohl ablehnende als auch zustimmende Aussagen zu verzeichnen sind, wobei tendenziell eher eine negative Grundeinstellung auszumachen ist. Dennoch ist das Adhäsionsverfahren nicht bei allen Teilnehmern unbeliebt und in jedem Fall ungeeignet. Die große Anzahl der Beschreibung praktischer Probleme

---

[49] Je einmal wurden eine ganze Reihe weiterer Aussagen getätigt. Hierunter fällt etwa die Feststellung, dass in der richterlichen Praxis eines Teilnehmers noch nie ein Antrag gestellt worden sei. In zwei Fällen wurde ein Beispielsfall geschildert. Auch zwei Berichte über häufig protokollierte Vergleiche im Strafverfahren finden sich. Aufgetaucht sind auch die Forderungen, dass sich die Staatsanwaltschaft vermehrt mit dem Verfahren beschäftigen solle. In einem Fall wurde das Verfahren als „Teil einer misslungenen Gesamtkonzeption des Opferschutzes" betitelt. Ein Teilnehmer forderte die Streichung des § 140 Abs. 2 S. 1 ZPO ab „namentlich". Einmal wurde geäußert, dass keine Änderungswünsche bestünden, aber der Teilnehmer auch nicht unglücklich darüber sei, wenn kein Antrag gestellt werde. Drei Aussagen konnten nicht ohne weiteres verwertet werden, wenn etwa eine „Ausdehnung auf das Strafverfahren" gefordert wurde. Drei Aussagen enthielten eine Kritik an der Umfrage selbst (Formulierung der Fragen).

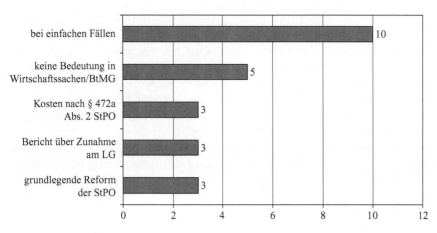

Quelle: Eigene Berechnung.

Abbildung 16: Die fünf häufigsten Fallgruppen der sonstigen Antworten (n = 41)

spiegelt die in der Literatur beschriebenen Anwendungsschwierigkeiten recht zutreffend wider. Eine Reihe von Reformideen wurden in der Umfrage formuliert, die in Kapitel 5 noch diskutiert werden sollen.

C. Ertrag der Umfrage

An der Onlineumfrage zum Adhäsionsverfahren haben sich 790 Strafrichter aus ganz Deutschland beteiligt. Ziel der Umfrage war es zunächst, die größten Anwendungsschwierigkeiten aus Sicht der Strafrichter zu ermitteln. Hier kristallisierten sich als die beiden bedeutsamsten Probleme die Anwendung zivilrechtlicher Vorschriften durch den Strafrichter sowie die Unkenntnis über das Verfahren bei den Verletzten (manchmal sogar bei Juristen) heraus. An dieser Stelle müssten Reformbestrebungen zunächst ansetzen. Ein Großteil der teilnehmenden Strafrichter hat bereits während der Ausbildung das Adhäsionsverfahren kennen gelernt. Konkrete das Adhäsionsverfahren betreffende ausgewählte Fragen konnte die Umfrage erhellen. Auch in Verfahren, die sich prinzipiell für ein Adhäsionsverfahren eignen, werden nur sehr wenige Anträge gestellt. Die Umfrage hat darüber hinaus ergeben, dass das Adhäsionsverfahren in der Praxis häufiger vorkommt, als die offizielle Statistik vorgibt. Der statistische Wert kann mit dem Faktor 3 multipliziert werden. Umgekehrt bedeutet dies, dass in etwa 2/3 der Fälle das Verfahren durch eine Absehensentscheidung, einen Vergleich oder einer Antragsrücknahme endet. Weiterhin sollte die Grundeinstellung der teilnehmenden Strafrichter zum Adhäsionsverfahren identifiziert werden. Die Auswertung der Befragung unter diesem Gesichtspunkt ergibt, dass die gegenüber dem

242 Kap. 3: Eigene empirische Untersuchung

Adhäsionsverfahren kritischen Stimmen tendenziell überwiegen. Gleichwohl ist eine flächendeckende Ablehnung des Verfahrens nicht auszumachen. Von einem regelrecht „adhäsionsfeindlichen" Klima kann bei den teilnehmenden Richtern nicht gesprochen werden. Vielmehr wird der Grundgedanke des Verfahrens häufig positiv gesehen. Dies geht einher mit einer Reihe von Reformvorschlägen, die einige in der Praxis vorhandene Probleme lösen oder mindern sollen. Eine Forderung nach Abschaffung des Verfahrens ist nicht erkennbar, dennoch wird ein weiterer Ausbau des Verfahrens durch den Gesetzgeber eher kritisch gesehen. Ein „Ost-West-Vergleich" hat keinerlei Unterschiede in den Einschätzungen ergeben. Ebenso kann kein Zusammenhang zwischen der Berufserfahrung und der Beurteilung des Adhäsionsverfahrens festgestellt werden. Konkrete Änderungsforderungen wurden hauptsächlich in Bezug auf die Antragstellung sowie hinsichtlich der Bindungswirkung des Strafurteils erhoben.

Kapitel 4

Äquivalente Rechtsinstitute
im deutschsprachigen Raum

Der Vergleich mit entsprechenden Regelungen in anderen Ländern soll einen weiteren Blick auf die Ausgestaltung des Adhäsionsverfahrens der §§ 403 ff. StPO ermöglichen. Im Folgenden soll der Regelungsmechanismus des Adhäsionsverfahrens in Österreich sowie in der Schweiz (explizit dem Kanton Zürich) dargestellt werden[1]. Ergänzt wird der Rechtsvergleich mit den Regelungen in der DDR. Diese Beschränkung auf das deutschsprachige Ausland ist dem Umstand geschuldet, dass die Ausgestaltung des Adhäsionsverfahrens in grundsätzlich ähnlichen Rechtsordnungen betrachtet werden soll. In diesem Rahmen kann es dabei nicht um eine umfassende Erläuterung des Verfahrens in den genannten Ländern gehen. Ziel der Beschreibung ist vielmehr, die Grundstrukturen der zum deutschen Adhäsionsverfahren äquivalenten Regelungen in den drei Rechtsordnungen darzustellen. Zunächst werden die dem Adhäsionsverfahren vergleichbaren Rechtsinstitute der DDR, in Österreich sowie der Schweiz vorgestellt. In einem zweiten Schritt werden dann Gemeinsamkeiten und Unterschiede zu den §§ 403 ff. StPO in ihrem jeweiligen Sachzusammenhang herausgearbeitet.

Dieser Rechtsvergleich verfolgt zwei Ziele. Einmal soll der grundlegende Mechanismus des Adhäsionsverfahrens in den untersuchten Ländern vorgestellt und auf Besonderheiten in der rechtstechnischen Ausgestaltung hingewiesen werden. Damit sollen mögliche grundlegende Unterschiede im Regelungssystem identifiziert werden. Zum zweiten sollen anders als im deutschen Recht ausgestaltete Details herausgearbeitet werden, die für die weitere Reformdiskussion von Bedeutung sein können.

Die Darstellungsweise ist dabei für jede Rechtsordnung gleich. Nach einem kurzen Überblick über das Adhäsionsverfahren in der jeweiligen Verfahrensord-

---

[1] Hier erfolgt eine Beschränkung auf Österreich und die Schweiz. Den §§ 403 ff. StPO vergleichbare Regelungen kennen dabei die Rechtsordnungen vieler Länder. Vgl. im Einzelnen die Darstellungen bei *Hu/Spiegel* (1990), S. 59 ff. (CHINA); *Schmahl* (1980), S. 9 ff. (DÄNEMARK); *Spiess* (2008), S. 228–265, *Sachsen Gessaphe,* ZZP 112 (1999), 3 ff., *Weber* (1996), S. 22–36; *Gewaltig* (1990), S. 9 ff., *Hanel* (1990), S. 40 ff. und *Beth* (1972) S. 10 ff. (FRANKREICH); *Hektor* (1990), S. 54 ff. (GROSS-BRITANNIEN); *Goutzamanis* (1990), S. 52 ff., *Birmes* (1990), S. 46 ff. (ITALIEN); *Schmahl* (1980), S. 42 ff. (NORWEGEN); *Marek,* MschKrim 1992, 115 ff. (POLEN); *Schmahl* (1980), S. 46 ff. (SCHWEDEN) und *Wessing* (1998), S. 68 ff. (SPANIEN).

244 Kap. 4: Äquivalente Rechtsinstitute im deutschsprachigen Raum

nung werden seine Voraussetzungen beschrieben. Anschließend wird auf die rechtliche Ausgestaltung insbesondere den Ablauf des Verfahrens eingegangen. Abschließend werden Besonderheiten kurz vorgestellt. Der Wortlaut der einschlägigen Vorschriften ist im Anhang 2 wiedergegeben.

A. Rückblick auf den Schadensersatz im Strafverfahren der DDR

I. Überblick

1. Allgemeines zum Schadensersatz im Strafverfahren

Nach § 24 Abs. 1 StGB-DDR[2] musste die gesamte (Straf-)Rechtspflege darauf hinwirken, dass „im Strafverfahren Schadensersatzansprüche nach den Bestimmungen des Arbeits-, Agrar- oder Zivilrechts geltend gemacht werden, um die erzieherische Wirksamkeit des Strafverfahrens zu erhöhen". Der von einer Straftat Geschädigte hatte das Recht, seine Schadensersatzansprüche im Strafverfahren geltend zu machen oder einen eigenständigen Zivilprozess anzustrengen[3].

Da das Strafverfahren der DDR seit nunmehr 20 Jahren Rechtsgeschichte ist, stellt sich die Frage, worin der Wert einer erneuten Darstellung des Schadensersatzverfahrens liegen kann. Zwei Aspekte sind hierfür relevant. In der DDR gehörte das Adhäsionsverfahren zum Rechtsalltag[4]. Daher stellt sich die Frage, inwiefern die offenkundig höhere praktische Bedeutung des Schadensersatzverfahrens an seiner rechtlichen Ausgestaltung liegt. Weiterhin soll – ebenso wie in Österreich und der Schweiz – ermittelt werden, ob aus der DDR zu übernehmende Regelungen für die weitere Reform der §§ 403 ff. StPO eine gewinnbringende Rolle spielen können. Dabei geht es nicht um einen archivarischen oder gar nostalgischen Rückblick. Vielmehr erlaubt das Schadensersatzverfahren einen lohnenden zeitgeschichtlichen Rechtsvergleich. Von ihm ausgehend kann man für die Weiterentwicklung des nun gesamtdeutschen Adhäsionsverfahrens(rechts) differenzierend feststellen, was Vergangenes auf der einen Seite, Bewahrenswertes auf der anderen Seite ist.

Hinsichtlich der Quellenlage ist festzuhalten, dass für die Darstellung des Schadensersatzverfahrens primär auf in der DDR erschienene Literatur zurückzugreifen ist. Einschlägige Aufsätze gibt es vor allem in der Zeitschrift Neue Justiz[5]. Von einer „üppigen Vielfalt" indes kann keine Rede sein. Dies belegt auch

---

[2] Zugrunde gelegt wird die Rechtslage vom 1. Januar 1989.

[3] *Luther,* NJ 1973, 392, 393.

[4] Diese Feststellung findet sich sehr oft in der Literatur. Vgl. nur (Auswahl) *Klaus* (2000), S. 21; *Rieß* (2005), S. 429; *Bielefeld,* DRiZ 2000, 277, 278; *Betmann,* Kriminalistik 2004, 567, 570; *Dallmeyer,* JuS 2005, 327, 328.

A. Rückblick auf den Schadensersatz im Strafverfahren der DDR 245

der Umstand, dass für die StPO-DDR lediglich ein vom Ministerium der Justiz herausgegebener Kommentar existiert. Urteile des Obersten Gerichts der DDR wurden nur wenige in der ebenfalls vom Ministerium herausgegebenen Entscheidungssammlung veröffentlicht. Wissenschaftliche Darstellungen gibt es kaum[6].

2. Überblick über die historische Entwicklung

Grundlage der Rechtsanwendung waren zunächst die Gesetze der Weimarer Zeit und damit auch die RStPO[7]. Ergänzende Rechtsquellen waren in der Zeit von 1945 bis 1949 Richtlinien und Befehle der Sowjetischen Militäradministration (SMAD), die für die Umsetzung der vom Alliierten Kontrollrat festgelegten Erlasse verantwortlich war. Gesetzesänderungen aus der Zeit 1933 bis 1945 kamen nur dann zur Anwendung, wenn diese Ergebnis einer unabhängigen Rechtsentwicklung waren und noch aus Reformen der Weimarer Zeit resultierten[8]. Die Bestimmungen über das Adhäsionsverfahren von 1943 waren in der Sowjetischen Besatzungszone (SBZ) – ab 1949 in der DDR – nicht mehr anzuwenden. Sie wurden im Jahr 1948 von einer Konferenz der Justizminister der SBZ-Länder abgeschafft[9]. Durch die Strafprozessordnung der DDR von 1952[10] wurde jedoch erneut die Möglichkeit geschaffen, Schadensersatzansprüche im Strafverfahren geltend zu machen. Dies wurde jedoch nicht nur begrüßt. Vor allem Teile der Praxis wandten ein, dass dies nicht „zur Aufgabe des Strafverfahrens gehöre, gehören könne und dürfe, überdies das Verfahren nur behindere, erschwere und verzögere"[11]. Gesetzgeberisches Ziel des Regelungskomplexes war vor allem der Schadensausgleich für den Verletzten. Von Beginn des Ermittlungsverfahrens an sollte alles unternommen werden, um den Schaden aufzuklären und den Schädi-

---

[5] Diese Zeitschrift erschien monatlich. Der Autorenkreis war beschränkt auf eine (recht geringe) Zahl zugelassener Personen. Eine kritische Auseinandersetzung mit aktuellen rechtlichen Problemen fand selten statt. Zur parallelen Entwicklung von wissenschaftlicher Auseinandersetzung und politischer Zeitgeschichte vgl. *Gross* (2001), S. 27–29.

[6] Einzig *von Elling* (2006), S. 20 ff. und *Gross* (2001), S. 77 ff. widmen sich an geeigneten Stellen ihrer Arbeiten, die sich allgemein mit der Stellung des Geschädigten im DDR-Strafverfahren beschäftigen, dem Schadensersatzverfahren.

[7] Mit dem Stand Januar 1933.

[8] Vgl. Kontrollratsgesetz Nr. 4 vom 30. Oktober 1945.

[9] Grund war, dass man sich primär auf Funktionsfähigkeit der Justiz und Entnazifizierung konzentrieren wollte und daher das noch junge und wenig verankerte Adhäsionsverfahren hierfür als hinderlich ansah. Einerseits wurde eine Fortgeltung der RStPO abgelehnt, andererseits stand man auch dem Adhäsionsverfahren selbst kritisch gegenüber, da es zu einer „in der gegenwärtigen Zeit nicht zu verantwortenden Belastung der Strafgerichtsbarkeit führen würde." (*Weiss*, NJ 1948, 215, 217).

[10] GBl. I (1952), S. 996. Hierzu *von Elling* (2006), S. 29 f. In diesem Jahr wurde auch der Instanzenzug Kreisgericht, Bezirksgericht und als letztinstanzliches Gericht das Oberste Gericht der DDR geschaffen.

[11] *Posch* (1990), S. 2.

246   Kap. 4: Äquivalente Rechtsinstitute im deutschsprachigen Raum

ger mit allen Mitteln des Gesetzes zur Erfüllung seiner Verpflichtungen anzuhalten[12]. Diese Koppelung von Straf- und Zivilverfahren sollte die Pflicht des Täters zur Erfüllung der zivilrechtlichen Schadensersatzansprüche mit der strafrechtlichen Sanktion sichtbar miteinander verbinden, damit die umfassende Fürsorge des Staates für die Beteiligten einer strafbewehrten Handlung offen sichtbar wird[13]. Als weitere (Neben-)Ziele wurden beschrieben: Verdeutlichung der gesellschaftlichen Schädlichkeit einer Straftat durch gemeinsame Behandlung ihrer zivil- und strafrechtlichen Aspekte[14]; Prozessökonomie[15]; Ausübung einer „erzieherischen Einflußnahme auf den Gesetzesverletzer"[16]; nicht zuletzt auch Vermeidung gesellschaftlicher Aufwendungen durch die Verbindung zweier an sich unterschiedlicher Prozesse[17]. Allgemein herrschte die Auffassung vor, dass ein Strafverfahren wegen Straftaten mit materiellen Schäden erst dann den gesetzlichen und strafpolitischen Anforderungen entspreche, wenn im notwendigen und möglichen Maße auch die Schadensersatzansprüche durchgesetzt würden[18]. Mit einer Richtlinie aus dem Jahr 1958 wurde versucht, anfängliche Ungenauigkeiten nachzubessern[19].

Mit der umfangreichen Strafprozessordnung von 1968[20] wurde der Geschädigte in den Ablauf des Strafverfahrens integriert und die Geltendmachung von Schadensersatzansprüchen im Strafverfahren gestärkt. Darüber hinaus gab es Änderungen im Jahr 1974, von denen die Ausdehnung des Schadensersatzverfahrens auch auf das Strafbefehlsverfahren die bedeutsamste war[21]. Eine weitere Aufwertung erfuhr das Schadensersatzverfahren durch eine Richtlinie des Obersten Gerichts der DDR im Jahr 1978[22].

---

[12] *Luther*, NJ 1972, 203; *Hexelschneider*, NJ 1983, 415, 415, wobei wohl die Träger sozialistischen Eigentums zunächst die Hauptmotivation für einen verstärkten Ausbau des Verfahrens waren (vgl. *Kleine*, NJ 1952, 476, 479).

[13] *Luther*, NJ 1973, 392, 393.

[14] *Hellmann/Luther*, NJ 1981, 325, 325.

[15] *Koch*, NJ 1955, 53, 54.

[16] *Grieger/Klimesch*, NJ 1987, 285; *Plitz*, NJ 1984, 330, 330; *Harrland*, NJ 1978, 490; *Strasberg*, NJ 1978, 472, 473; *Herzog/Kermann/Willamowski*, NJ 1975, 443.

[17] *Hellmann/Luther*, NJ 1981, 325; *Toeplitz*, NJ 1980, 482, 484.

[18] *Reuter*, NJ 1982, 304.

[19] GBl. II (1958), S. 93 (auch NJ 1958, 317–320), wieder aufgehoben im Jahr 1964. Vgl. auch die vorangegangenen Stellungnahmen von *Etzold*, NJ 1954, 16, 17 und *Volkland*, NJ 1953, 392, 393.

[20] GBl. I (1968), S. 1. Sie löste die bis dahin geltende RStPO ab. Hierzu eingehend *von Elling* (2006), S. 41 ff. Der zuvor noch vorhandene Begriff des zivilrechtlichen Anschlussverfahrens verschwand dabei aus den gesetzlichen Vorschriften.

[21] GBl. I (1974), S. 597. Ausführlich zu dieser Gesetzesänderung *Herzog/Kermann/Willamowski*, NJ 1975, 443 ff.

[22] GBl. I (1978), S. 369. Sie verpflichtete die Gerichte, ihre Verantwortung bei der Realisierung der Ansprüche wahrzunehmen, indem die konsequente und zügige Durchsetzung von Schadensersatzansprüchen ein Schwerpunkt der Prozessführung sein sollte. Unter anderem infolgedessen wurde die die Rechtsmittel des Geschädigten betreffende

A. Rückblick auf den Schadensersatz im Strafverfahren der DDR 247

In der DDR fand die in den anderen untersuchten Rechtsordnungen zu beobachtende langsame Herausbildung der Viktimologie nicht in der gleichen Form statt. Der Geschädigte war von Beginn an mit bedeutsamen Rechten ausgestatteter Teil des Strafverfahrens. Daher dürfte das Bedürfnis für eine derartige Entwicklung nicht so ausgeprägt gewesen sein. Eine verstärkte Auseinandersetzung mit seinen Bedürfnissen ist erst ab Mitte der 1980er Jahre zu beobachten[23].

3. Überblick über die rechtliche Ausgestaltung des Schadensersatzes im Strafverfahren

a) Zum Strafverfahrensrecht in der DDR

Die (Straf-)Justiz hatte vor allem die Funktion, die „sozialistische Gesetzlichkeit" durchzusetzen[24]. Dabei waren ihre Mitglieder unabhängig und auch sonst den Prinzipien der unvoreingenommenen Entscheidungsfindung aufgrund einer öffentlichen und mündlichen Hauptverhandlung verpflichtet[25], jedoch im Sinne der sozialistischen Ordnung parteilich. Dies bedeutete, dass die Rechtspflege ihren Beitrag zur politischen Entwicklung des Staatswesens beisteuerte, indem sie bei der Rechtsanwendung den aktuell vorgegebenen politischen Zielen Rechnung trug[26]. Das Strafverfahrenrecht sollte als „dienendes Recht" dem sozialistischen Strafrecht Geltung verschaffen, das den Hauptzielen Prävention, Wahrheit, Bewährung und Wiedergutmachung folgte[27].

Dennoch ist zwischen politischer Strafjustiz und dem weitaus größeren Anteil der „gewöhnlichen" Kriminalität zu unterscheiden. Gerade im politischen Strafrecht waren Tatbestände mit erheblichem Interpretationspotenzial keine Seltenheit[28]. Das Schadensersatzverfahren hatte in diesem Bereich des politischen Strafrechts allenfalls einen theoretisch vorstellbaren Anwendungsbereich. Einen klassischen Geschädigten, dem aus der in Rede stehenden Handlung Schadensersatz-

---

Vorschrift des § 310 StPO-DDR nochmals angepasst. Zur Bedeutung der Richtlinien vgl. *Gross* (2001), S. 10.

[23] Vgl. auch den Hinweis bei MdJ-StGB (1987), S. 211, dass die Forschungen zur Rolle des Opfers eine „relativ untergeordnete Rolle" spielten.

[24] *Rüping/Jerouschek* (2007), Rn. 333 („den von der Partei definierten Willen der Arbeiterklasse durchzusetzen"). Vgl. auch Art. 90 Abs. 1 S. 1 Verfassung-DDR (i. d. F. v. 7.10.1974, GBl. I (1974), S. 432): „Die Rechtspflege dient der Durchführung der sozialistischen Gesetzlichkeit […]."

[25] Vgl. §§ 8 Abs. 1, 241 Abs. 2 StPO-DDR.

[26] Ggf. auch erst nach Klarstellung durch die Partei (*von Elling* (2006), S. 48). Vgl. § 3 GVG-DDR, wonach die Rechtsprechung zur Gestaltung der sozialistischen Gesellschaft beizutragen hatte.

[27] *Von Elling* (2006), S. 50 f.

[28] Als Beispiele seien genannt: § 215 StGB-DDR („Rowdytum") oder § 219 StGB-DDR („Ungesetzliche Verbindungsaufnahme").

248 Kap. 4: Äquivalente Rechtsinstitute im deutschsprachigen Raum

ansprüche entstanden waren, gab es in diesem Bereich kaum. Anderes gilt jedoch für alle übrigen Fälle. Die Folgen beispielsweise einer Körperverletzung und die Bewältigung ihrer Folgen waren unabhängig von politischen Intentionen. Desweiteren unterschied sich die Ausgestaltung des materiellen Strafrechts von der des Verfahrensrechts, das weit weniger offen gehalten war. Das „Mehr" an Interpretationsfreiheit bei einigen Vorschriften des materiellen Bereichs korrespondierte nicht mit einem „Mehr" auch im Verfahrensrecht.

Der grobe Ablauf des Strafverfahrens der DDR war sehr ähnlich zum Verfahren der StPO konzipiert. Unterschiede bestehen in der detaillierten Ausgestaltung der einzelnen Verfahrensstadien. Nach einem Prüfungsstadium zur Ermittlung eines Anfangsverdachtes schloss sich das Ermittlungsverfahren an. Kam es zu einer Anklage, begann das gerichtliche Verfahren mit einer Eröffnungsprüfung. Anschließend folgte die Hauptverhandlung, der noch das Rechtsmittelverfahren folgen konnte. Die StPO-DDR sah ein Zweiinstanzensystem vor. Gegen erstinstanzliche Urteile der Kreis- oder Bezirksgerichte konnte der Verurteilte Berufung, die Staatsanwaltschaft Protest beim Bezirks- oder Obersten Gericht einlegen. Gelangte die gerichtliche Entscheidung in Rechtskraft, konnten als letzte Phase das Kassationsverfahren oder das Wiederaufnahmeverfahren durchgeführt werden.

Neben dem Strafverfahren gab es als weitere relevante Säule die so genannten gesellschaftlichen Gerichte[29]. Dies sind Konfliktkommissionen in Betrieben[30] und Schiedskommissionen in Wohngebieten[31]. Bei den gesellschaftlichen Gerichten handelte es sich gerade nicht um Staatsorgane, sondern im weitesten Sinne um Schlichtungsstellen, die mit ehrenamtlichen Laienrichtern besetzt waren. Aufgabe war es, die staatlichen Gerichte zu entlasten sowie kleinere Streitigkeiten möglichst ohne formelles Verfahren beizulegen[32]. Der Zuständigkeitsbereich umfasste einfach gelagerte zivil- bzw. arbeitsrechtliche Fälle, wenn ein Beteiligter einen Antrag gestellt hatte. Darüber hinaus – und im Zusammenhang mit dem Strafverfahren bedeutsam – konnten auch Vergehen, Verfehlungen und Ordnungswidrigkeiten entschieden werden. Im Rahmen dieser Verfahren haben auch die gesellschaftlichen Gerichte die durch die Straftat verursachten Schadensersatzansprüche einbezogen[33].

---

[29] Rechtliche Grundlage war ab 1982 das Gesetz über die gesellschaftlichen Gerichte in der DDR, GBl. I (1982), S. 269. Ausführlich zu dieser Erscheinungsform *Schönfeldt* (1999), S. 233 ff. mit weiteren Nachweisen.

[30] Sie wurden 1953 zur Lösung von Arbeitsstreitigkeiten geschaffen.

[31] Sie wurden 1963 zur Lösung von Streitigkeiten in Wohngebieten geschaffen.

[32] *Schönfeldt* (1999), S. 234; *Haerendel* (1997), S. 225.

[33] *Posch* (1990), S. 8.

A. Rückblick auf den Schadensersatz im Strafverfahren der DDR   249

b) Rechtsquellen des Schadensersatzes im Strafverfahren

Der Verletzte, der am Fortgang des Strafverfahrens mitwirkt, wird vom Gesetz als Geschädigter bezeichnet. Unter einem Geschädigten ist dabei jede natürliche oder juristische Person, die durch eine den Gegenstand des Strafverfahrens bildende Straftat moralisch, physisch oder materiell verletzt worden ist, zu verstehen[34]. Grundnormen des Schadensersatzes im Strafverfahren waren § 24 Abs. 1 StGB-DDR, der seinen Platz im System der Rechtsfolgen einer Straftat hatte, und § 17 Abs. 1 StPO-DDR[35], der zu den Grundsatzbestimmungen der §§ 1 bis 21 StPO-DDR zählte. Sie bestimmten, dass im Strafverfahren vom Geschädigten Schadensersatzansprüche geltend gemacht werden konnten. Nach § 17 Abs. 3 S. 1 StPO-DDR waren das Gericht, die Staatsanwaltschaft und die Untersuchungsorgane sogar verpflichtet, den entstandenen Schaden festzustellen[36]. Die genaue Ausgestaltung des Verfahrens regelte § 198 StPO-DDR. Im jeweiligen Sachzusammenhang ergänzten weitere Bestimmungen diese Grundnormen. Insgesamt existierten damit nur wenige einschlägige Vorschriften. Dies erklärt sich daraus, dass das Strafverfahrensrecht nicht zwischen einem „Opfer", gewissermaßen jedem Geschädigten, und einem „Adhäsionskläger", also jedem Opfer, das einen Adhäsionsantrag gestellt hatte, unterschied. Die Konstruktion der Verfahrensrechte war so beschaffen, dass jeder Geschädigte eine bestimmte, durch Regelungen an verschiedenen Stellen umrissene Stellung im Verfahren innehatte, unter anderem das Recht, einen Schadensersatzantrag zu stellen. Mit Antragstellung änderte sich seine Rechtsstellung jedoch nicht.

4. Anwendungshäufigkeit in der Praxis

Konkrete Zahlen, die die eingangs erwähnte hohe praktische Bedeutung belegen würden, existieren nicht. In der Anfangszeit nach der Einführung im Jahr 1952 wurde sogar berichtet, dass das Schadensersatzverfahren durchweg eine Ausnahmeerscheinung mit zahlreichen praktischen Problemen geblieben sei[37]. Mit einer Richtlinie aus dem Jahr 1958 wurde versucht, an dieser Situation grundlegende Änderungen herbeizuführen[38]. Im Laufe der darauf folgenden Jahre wandelte sich das Bild grundlegend, was die Stellungnahmen in der Literatur eindeutig zeigen. Die praktische Bedeutung muss sich danach eklatant von

---

[34] MdJ-StPO (1989), § 17 1.1.

[35] § 17 StPO-DDR regelt die grundsätzliche Stellung des Geschädigten.

[36] Der möglichen Kollision mit den Grundsätzen der Neutralität und Unparteilichkeit des Gerichts sollten die Bestimmungen über die Richterablehnung (§§ 159 ff. StPO-DDR) Rechnung tragen.

[37] Vgl. *von Elling* (2006), S. 34 mit einer Vielzahl von Nachweisen.

[38] GBl. II (1958), S. 93 (auch NJ 1958, 317–320). Vgl. auch die vorangegangenen Stellungnahmen von *Etzold,* NJ 1954, 16, 17 und *Volkland,* NJ 1953, 392, 393.

250 Kap. 4: Äquivalente Rechtsinstitute im deutschsprachigen Raum

der Anwendungshäufigkeit des bundesdeutschen Adhäsionsverfahrens unterschieden haben. In den Stellungnahmen wurden weitgehend nur positive Aussagen getätigt, und das über Jahrzehnte hinweg. Hinzu kommt, dass Berichte über eine praktische Bedeutungslosigkeit oder einen abnehmenden Trend völlig fehlen. Es wurde aber auch auf Mängel in der praktischen Ausgestaltung hingewiesen[39] – dies jedoch bei weitem nicht in dem Umfang, wie es vom Adhäsionsverfahren der StPO bekannt ist.

Berichtet wurde, dass vor allem in den achtziger Jahren in fast allen für einen Adhäsionsantrag geeigneten Fällen auch ein Antrag auf Schadensersatz gestellt worden sei. Die Verbindung zweier Prozessarten galt als Normalfall[40], was vor allem mit der gut funktionierenden Information des Geschädigten zusammengehangen habe[41]. Die Entscheidung über die Ansprüche bereits im Strafverfahren habe sogar deren Durchsetzung verbessert, da die beschuldigten Anspruchsgegner in diesem Falle eher zur Anspruchserfüllung bereit gewesen seien[42]. Vom Kreisgericht Wismar-Stadt wurde berichtet, dass bei annähernd 90% der Strafverfahren, in denen Straftaten auch materielle Schäden nach sich zogen, über die zivilrechtliche Seite mit entschieden worden sei[43]. Damit wäre in der ganz überwiegenden Zahl der Fälle ein Antrag auf Durchführung des Schadensersatzverfahrens gestellt worden. *Hellmann/Luther* berichteten von einer Studie, die im Kreis Schmalkalden durchgeführt wurde, und die das Schadensersatzverfahren auf dessen Wirksamkeit hin untersuchte[44]. Auch danach wurden Schadensersatzanträge in den meisten Verfahren gestellt. Jedoch wurden dort auch Probleme beschrieben, die die Erfüllung der Ansprüche bei inhaftierten Verurteilten ergäben. In einer (allerdings örtlich begrenzten) Untersuchung von *Kadner* lag der Anteil der Schadensersatzanträge bei über 50%[45].

---

[39] Beispielsweise *Gross* (2001), S. 128, der analysiert, dass die Feststellung des Schadens teilweise nur mangelhaft erfolgte sei.

[40] *Posch* (1990), S. 4. Verweisungen auf den Zivilrechtsweg habe es nur wenige gegeben, *Müller*, NJ 1984, 284, 285.

[41] *Luther*, JR 1984, 312, 314. Dass es an dieser Stelle jedoch noch Verbesserungsbedarf gegeben hätte, stellt *Gross* (2001), S. 122 f. fest.

[42] *Bley/Grieger*, NJ 1986, 92.

[43] *Kositzki/Beilke*, NJ 1977, 605, 606.

[44] *Hellmann/Luther*, NJ 1981, 325. Untersucht wurden alle Strafverfahren mit Schadensersatzanträgen, die im Jahr 1979 stattgefunden haben. Die Realisierung der Ansprüche würde demnach stark davon abhängen, ob eine Freiheitsstrafe verhängt oder nur auf Bewährung ausgesprochen wurde. Nur im letzten Fall könne von einer befriedigenden Erfüllungsquote gesprochen werden. Empfohlen wurde eine verstärkte Anwendung von Arrestbefehlen bereits während des Verfahrens.

[45] *Kadner* (1989), 3.3.2.2., nach deren Untersuchung im Kreis Leipzig-Land von 200 Geschädigten 53% einen Schadensersatzantrag gestellt hätten.

A. Rückblick auf den Schadensersatz im Strafverfahren der DDR 251

II. Voraussetzungen des Schadensersatzverfahrens

1. Antrag

Über den Schadensersatzanspruch entschied das Gericht nur auf Antrag hin. Dieser sollte so früh wie möglich gestellt werden, wobei die Staatsanwaltschaft angehalten war, sich aktiv dafür einzusetzen[46]. Der Antrag war an keine Form gebunden. Inhaltlich musste er die gestellten Ansprüche deutlich machen. Es war Aufgabe des Gerichts dafür Sorge zu tragen, dass es vom Geschädigten so viele Informationen erhielt, dass es über den Schadensersatzanspruch entscheiden konnte. Ihm oblag eine Beratungspflicht, denn es musste sogar Hinweise und Erläuterungen geben, damit der Geschädigte seinen Antrag gegebenenfalls spezifizierte oder Beweismittel vorbrachte. Diese Beratungspflicht erscheint aus heutiger Sicht sehr weitgehend, da das Gericht unter anderem den Geschädigten auch darauf hinweisen musste, wenn Ansprüche wegen weiterer materieller Verluste möglich erschienen[47].

Grundsätzlich musste der Antrag bis zur Eröffnung der Hauptverhandlung gestellt werden[48]. Diese Obliegenheit sollte den Beteiligten die Möglichkeit bieten, sich rechtzeitig auf die gleichzeitige Behandlung des Schadensersatzanspruchs einzustellen. Auch danach konnte das Gericht unter bestimmten Voraussetzungen einen Antrag einbeziehen. Bis zum Schluss der Beweisaufnahme war die Einbeziehung möglich, wenn die Entscheidung über den Schadensersatzanspruch ohne Verfahrensverzögerung möglich war und der Angeklagte zustimmte[49]. Eine Verzögerung wurde dann nicht angenommen, wenn die Beweiserhebung über Grund und Höhe des Schadensersatzanspruches mit der Feststellung des strafrechtlich relevanten Sachverhaltes zusammenfiel. Die Zustimmung sollte den schützenswerten Belangen des Angeklagten Rechnung tragen[50], war aber nach § 198 Abs. 1 S. 3 StPO-DDR dann entbehrlich, wenn der Antrag unter Wahrung der Ladungsfrist[51] zugestellt wurde. Erben waren nicht erfasst[52].

Fehlte überhaupt ein Antrag, sollte das Gericht die notwendigen Maßnahmen veranlassen, damit es zu einer Behandlung der zivilrechtlichen Ansprüche bereits im Strafverfahren kommen konnte[53]. Hierunter fiel insbesondere die Aufklärung

---

[46] *Harrland,* NJ 1978, 490.

[47] MdJ-StPO (1989), § 198 1.2.

[48] § 198 Abs. 1 S. 1 StPO-DDR.

[49] § 198 Abs. 1 S. 2 StPO-DDR.

[50] *Herzog/Kermann/Willamowski,* NJ 1975, 443, 445. Eine Verzögerung lag dann vor, wenn die Hauptverhandlung allein für den Zweck zivilrechtlicher Regressbetrachtungen unterbrochen werden musste (*Schlegel,* NJ 1978, 492, 493).

[51] Mindestens fünf Tage, § 204 Abs. 1 StPO-DDR, hierzu *Beckert,* NJ 1979, 457, 458.

[52] *Luther/Pfeil,* NJ 1990, 31, 32 wiesen aber darauf hin, dass dies in einer „künftigen StPO" geändert werden müsse.

[53] *Hexelschneider,* NJ 1983, 415, 416.

252   Kap. 4: Äquivalente Rechtsinstitute im deutschsprachigen Raum

des Geschädigten. Der Antrag konnte nach § 270 Abs. 1 S. 3 StPO-DDR auch im Strafbefehlsverfahren gestellt werden[54]. Er konnte auch ohne Folgen für eine spätere erneute Geltendmachung zurückgenommen werden[55].

2. Antragsberechtigung

Antragsberechtigt war der Geschädigte. Eine Legaldefinition dieses Begriffs gab es nicht. Als Geschädigter wurde jede natürliche oder juristische Person angesehen, der unmittelbar durch die Straftat ein Schaden entstanden war[56]. Als einzige Ausnahme konnten auch Unterhaltsberechtigte bei einem Tötungsdelikt ihre Unterhaltsansprüche geltend machen[57]. Der Hauptzweck des Strafverfahrens, nämlich die Prüfung, Feststellung und Realisierung der strafrechtlichen Verantwortlichkeit, sollte nicht durch die Ausweitung des Kreises der Antragsberechtigten in den Hintergrund treten[58].

Die Antragsberechtigung wurde durch das Gesetz in zwei Richtungen ausgedehnt. Dem Geschädigten gleichgestellt waren erstens ab dem Jahr 1974 durch § 17 Abs. 2 StPO-DDR auch die Rechtsträger sozialistischen Eigentums, auf die kraft Gesetzes oder Vertrages Schadensersatzansprüche übergegangen waren. Beispiele hierfür waren insbesondere Sozialversicherungen, die dem Geschädigten durch Leistungen verschiedenster Art den durch eine Straftat verursachten materiellen Schaden ersetzten[59]. Da hierdurch die materiellen Auswirkungen nicht mehr beim Geschädigten eintraten, billigte der Gesetzgeber den angesprochenen Trägern die Antragsberechtigung zu. Wenn der Träger sozialistischen Eigentums den Antrag gestellt hatte, wurde ein Antrag des Geschädigten nicht gegenstandslos, denn er konnte noch diejenigen Ansprüche geltend machen, die nicht vom Anspruchsübergang betroffen waren[60]. Zweitens konnte sogar die Staatsanwalt-

---

[54] Diese Bestimmung sollte zum Ausdruck bringen, dass es dem Geschädigten während des gesamten strafrechtlichen Verfahrens unabhängig von der genauen Verfahrensart möglich sein soll, seine Ansprüche geltend zu machen (vgl. zur praktischen Umsetzung *Herzog/Kermann/Willamowski,* NJ 1975, 443, 446 ff.).

[55] *Conrad,* NJ 1986, 377, 378.

[56] MdJ-StPO (1989), § 17 1.1.; *Luther/Pfeil,* NJ 1990, 31, 32. Der Begriff der „Unmittelbarkeit" war dabei denkbar unbestimmt. Eine genaue Definition hat sich auch hier nicht herausgebildet. Allgemein (und auch kritisch) zu diesem Rechtbegriff: *von Elling* (2006), S. 60 bis 70.

[57] MdJ-StPO (1989), § 17 1.1 für Anspruchsinhaber nach § 339 ZGB-DDR (Unterhalt, Ersatz der Beerdigungskosten). Eine Übersicht über die Rechtsprechung des Obersten Gerichts findet sich bei *Gross* (2001), S. 103 ff.

[58] *Hönicke,* NJ 1972, 447, 448, die als Beispiel anführte, dass bei Zechbetrügereien nicht die betroffenen Bedienungskräfte, sondern die Konsumgenossenschaft bzw. der Inhaber einer privaten Gaststätte den Antrag stellen können sollte.

[59] *Schlegel,* NJ 1973, 481, 482, der die wichtigsten Grundlagen für die Geltendmachung darstellt; *Herzog/Kermann/Willamowski,* NJ 1975, 443, 444; *Pfeil,* NJ 1986, 423, 424.

A. Rückblick auf den Schadensersatz im Strafverfahren der DDR 253

schaft selbst einen Antrag stellen, wenn es um Schadensersatzansprüche ging, die Trägern sozialistischen Eigentums zustanden[61]. Dieses selbständige Antragsrecht entsprach der Stellung des Staatsanwaltes als Vertreter der gesellschaftlichen und staatlichen Interessen und als „Hüter der sozialistischen Gesetzlichkeit"[62]. Dieses Antragsrecht hatte aber Ausnahmecharakter, da es den jeweiligen Verantwortlichen nicht abgenommen werden sollte, von ihrem Antragsrecht nach § 17 Abs. 2 StPO-DDR Gebrauch zu machen[63], und es nicht galt, wenn der Träger auf Ansprüche zuvor verzichtet hat.

3. Schadensersatzanspruch

Der geltend gemachte Anspruch musste ein Schadensersatzanspruch sein[64]. Andere Anspruchsinhalte wurden nicht für zulässig erachtet. Insbesondere Ansprüche auf Ersatz eines immateriellen Schadens (Schmerzensgeld) waren somit von vornherein ausgenommen. Damit wurden Probleme vermieden, die aus der Anwendung der Bestimmungen über die Schmerzensgeldhöhe resultierten. Ausnahmsweise auch erfasst war aber ein Ausgleichsanspruch dafür, dass der Geschädigte „nur im beschränkten Umfang am gesellschaftlichen Leben teilnehmen" konnte[65]. Bei Vorliegen eines Feststellungsinteresses konnte der Geschädigte auch einen Feststellungsantrag stellen[66]. Der Anspruch musste „durch die Straftat" entstanden sein. Dies wurde dann angenommen, wenn es aufgrund der aus der Anklage ersichtlichen Tatsachen möglich erschien, dass ein Schadensersatzanspruch des Geschädigten gegen den Beschuldigten bestand.

4. Weitere Voraussetzungen

Als ausdrückliche weitere Voraussetzung nannte § 198 Abs. 1 S. 1 StPO-DDR, dass der Anspruch nicht anderweitig rechtshängig sein durfte oder über ihn bereits entschieden worden war[67]. Stellte sich dies erst während des Verfahrens heraus, musste dem Geschädigten die Gelegenheit gegeben werden, seinen An-

---

[60] *Schlegel,* NJ 1973, 481, 482.

[61] § 198 Abs. 2 StPO-DDR.

[62] *Herzog/Kermann/Willamowski,* NJ 1975, 443, 445.

[63] *Nitsche,* NJ 1984, 46.

[64] Im Jahr 1975 löste ein neues Zivilgesetzbuch (ZGB) der DDR das bis dahin geltende BGB-DDR ab. Kennzeichnend waren eine einfache Gesetzessprache sowie besonders im Bereich der Schadensersatzansprüche eine einfache Struktur. Dieser Umstand wird auch dafür verantwortlich gemacht, dass das Schadensersatzverfahren eine große praktische Bedeutung hatte, *Posch* (1990), S. 3; *Gross* (2001), S. 99. Allgemein zu Regelungsgegenstand und Gesetzgebungstechnik des ZGB-DDR *Eckert/Hattenhauer* (1995), S. 11 ff. und *Flinder* (1999), S. 5 ff.

[65] § 338 Abs. 3 ZGB-DDR; *Posch* (1990), S. 9.

[66] MdJ-DDR (1989), § 242 5.3.

[67] Hierzu insbesondere *Hönicke,* NJ 1972, 447, 449 und *Schlegel,* NJ 1973, 481, 482.

254 Kap. 4: Äquivalente Rechtsinstitute im deutschsprachigen Raum

trag zurückzunehmen. Der Geschädigte musste partei- und prozessfähig sein. Eine Einschränkung des Anwendungsbereiches gab es nicht, so war der Antrag auch im Verfahren gegen Jugendliche vorgesehen[68].

III. Rechtliche Ausgestaltung des Schadensersatzverfahrens

1. Verfahren

Nach § 17 Abs. 3 S. 2 StPO-DDR musste der Geschädigte eng in den Ablauf des Strafverfahrens einbezogen werden. Bereits auf dem Vordruck des Anzeigenformulars befand sich ein Hinweis, der den Geschädigten in die Lage versetzen sollte, seine Rechte aus § 17 StPO-DDR wahrzunehmen. Eine umfassende Information des Geschädigten war Voraussetzung, dass er Ansprüche auch im Schadensersatzverfahren geltend machen konnte[69]. Für das Ermittlungsverfahren ordnete § 93 Abs. 2 StPO-DDR diese Pflicht für die Staatsanwaltschaft an, im Hauptverfahren war dies Aufgabe des Gerichts. Zudem war im Ermittlungsverfahren die Staatsanwaltschaft verpflichtet, von Amts wegen den durch die anzuklagende oder angeklagte Handlung entstandenen Schaden festzustellen[70].

So wie bereits im Zeitpunkt der Antragstellung oblag es dem Gericht auch im gesamten weiteren Verfahrensverlauf durch Hinweise bzw. Erläuterungen[71] zur vollständigen Klärung von Grund und Höhe des Schadensersatzanspruchs beizutragen[72]. Dazu gehörte es auch, den Geschädigten darauf hinzuweisen, wie im Strafverfahren nicht durchsetzbare Ansprüche eventuell auf andere Weise zu verwirklichen sind[73]. Zudem war es verpflichtet, dem Geschädigten zu empfehlen, spätestens zur Hauptverhandlung Urkunden oder andere Belege vorzulegen oder konkrete Beweisanträge zu stellen[74]. Formelle Mängel des Antrags sollten in Zusammenarbeit mit dem Verletzten geheilt werden. Dagegen gab es keine Pflicht, auf die Stellung entsprechender Anträge hinzuwirken[75]. Der Wortlaut des Gesetzes hätte auch ein defensiveres Verhalten des Gerichts ermöglicht, dennoch finden sich nur Stimmen, die ein aktives Vorgehen des Gerichts forderten[76]. Auch

---

[68] *Buch/Wesner,* NJ 1957, 430. Vgl. hierzu ausführlich *von Elling* (2006), S. 366 ff.

[69] *Hellmann/Luther,* NJ 1981, 325; *Schlegel,* NJ 1973, 481, 482. Berichtet wird, dass sie auch von der Praxis weitgehend umgesetzt wurde (*Hönicke,* NJ 1972, 447; *Witte,* NJ 1973, 708).

[70] § 17 Abs. 3 S. 1 StPO-DDR. Im Hauptverfahren lag diese Pflicht ebenfalls bei den Gerichten.

[71] Zu denken ist etwa an die Beibringung von Belegen und Beweisen.

[72] *Posch* (1990), S. 6.

[73] *Hexelschneider,* NJ 1983, 415, 416.

[74] *Hönicke,* NJ 1972, 447, 448.

[75] *Schlegel,* NJ 1973, 481, 482.

[76] *Hejhal,* NJ 1983, 377, 378. Diese Obliegenheit für das Gericht ging sogar soweit, dass es prüfen musste, ob der Anspruch (nur) nach allgemeinen zivilrechtlichen Voraus-

A. Rückblick auf den Schadensersatz im Strafverfahren der DDR 255

die Staatsanwaltschaft war verpflichtet, auf eine abschließende Entscheidung des Gerichts über den beantragten Schadensersatz hinzuwirken[77]. Selbst nach Abschluss des Verfahrens musste das Gericht darauf achten, dass dem Geschädigten der Inhalt der Entscheidung und die Möglichkeit seines Rechtsschutzes verständlich wurden.

Wurde der Antrag erst nach Eröffnung der Hauptverhandlung gestellt, musste das Gericht die mündlich oder schriftlich vorgebrachte Schadensersatzforderung dahingehend prüfen, ob eine Einbeziehung möglich war. War dies nicht der Fall[78], entschied das Gericht durch unanfechtbaren Beschluss darüber und belehrte den Antragsteller, dass er seinen Anspruch im Rahmen der Zivilgerichtsbarkeit geltend machen könne.

Grundsätzlich musste der geltend gemachte Schadensersatzanspruch exakt festgestellt werden. Das Gericht durfte sich weder allein auf die Angaben des Beschuldigten noch allein auf die des Geschädigten verlassen.

Wert gelegt wurde auf eine frühzeitige und stetige Einflussnahme auf den Täter. Zunächst sollte die Staatsanwaltschaft, im weiteren Verfahrensablauf das Gericht, dem Beschuldigten die erforderlichen Informationen über den Schadensersatzanspruch des Geschädigten geben und diesen auf seine Pflicht zur schnellen, vollständigen und eigenständigen Begleichung hinweisen[79]. Diese Pflicht sollte einerseits den Beschuldigten in die Lage versetzen, sich auch auf eine Verteidigung gegen den Antrag einzustellen, primär jedoch andererseits, bereits von sich aus eine Wiedergutmachung des Schadens anzustreben[80]. Spätestens mit der Ladung zur Hauptverhandlung musste dem Beschuldigten eine Abschrift des Schadensersatzantrags zugehen[81]. Darüber hinaus sollte das Gericht bei der Vernehmung des Beschuldigten seine wirtschaftlichen Verhältnisse möglichst genau untersuchen, damit rechtzeitig nötige Sicherungsmaßnahmen ergriffen werden konnten[82].

---

setzungen besteht, oder ob (für den Geschädigten oft günstigere) arbeitsrechtliche Besonderheiten zu beachten sind.

[77] *Müller,* NJ 1984, 284, 285; *Plitz,* NJ 1984, 330, 331.

[78] MdJ-StPO (1989), § 198 1.5. nennt als (allerdings wenig aussagekräftiges) Beispiel eine umfangreiche und komplizierte Prüfung des Schadensersatzanspruchs.

[79] *Müller,* NJ 1984, 284, 284. Dieses Vorgehen wird als erfolgreich geschildert, so dass eine Verurteilung zum Schadensersatz häufig nicht mehr notwendig war.

[80] *Hellmann/Luther,* NJ 1981, 325, 325. Bestrebungen zur Wiedergutmachung konnten sich positiv auf die Strafzumessung auswirken. Von der Unterrichtung des Beschuldigten über den geltend gemachten Schadensersatzanspruch erhoffte man sich einen „Motivationsschub".

[81] § 203 Abs. 2 S. 2 StPO-DDR.

[82] *Hexelschneider,* NJ 1983, 415, 415, die als geeignete Mittel Fragebögen oder gar behördliche Untersuchungen angab (vgl. die den Vernehmungsinhalt konkretisierende Vorschrift des § 106 Abs. 1 StPO-DDR). Weiterhin sind bei ihr aber auch recht unorthodoxe Handlungstipps für den Staatsanwalt zu finden, etwa die Teilnahme an Hausdurch-

256 Kap. 4: Äquivalente Rechtsinstitute im deutschsprachigen Raum

Die Beweisaufnahme selbst richtete sich nach der StPO-DDR. Mit den von ihr zur Verfügung gestellten Beweismitteln musste das Gericht alle für die Entscheidung der Schadensersatzansprüche notwendigen Tatsachen ermitteln. Aufgrund dieser Verpflichtung des Gerichts stand dem Geschädigten kein ausdrückliches Fragerecht zu[83]. Wollte der Geschädigte durch Stellungnahmen auf den Verlauf der Beweisaufnahme einwirken, konnte er über den Umweg des Gerichts den Vorsitzenden ersuchen, bestimmte Fragen stellen zu dürfen. In der sich anschließenden rechtlichen Würdigung musste das Gericht sowohl über die straf- als auch die zivilrechtliche Seite selbständig entscheiden.

2. Stellung des Geschädigten

Der Geschädigte selbst hatte eine vergleichsweise einflussreiche Stellung, nicht nur, wenn es um seinen Schadensersatzanspruch ging, sondern im Strafverfahren insgesamt, und zwar in jedem Verfahrensstadium[84]. Dies zeigt sich bereits daran, dass dem Geschädigten im Schadensersatzverfahren keine weiteren Rechte zustanden als diejenigen, die er auch ohne den Schadensersatzantrag geltend machen konnte. Diese waren allerdings sehr weitreichend ausgestaltet. Zunächst standen ihm die allgemeinen Rechte des § 17 StPO-DDR zu[85]. Daneben sind – im jeweiligen Sachzusammenhang – weitere Befugnisse genannt. Hierbei handelte es sich in den meisten Fällen um speziell ausgeformte Informationsansprüche[86] oder das Recht, gegen eine Entscheidung ein Rechtsmittel einzulegen[87]. Im gesamten Verfahren konnte der Geschädigte Einfluss nehmen durch das besonders relevante Beweisantragsrecht. Insbesondere in der Hauptverhandlung hatte dieses Recht eine enorme Bedeutung. Es war so umfassend ausgestaltet, dass der Geschädigte im Hinblick auf den straf- und auf den zivilrechtlichen Teil des Verfahrens Beweisanträge stellen konnte[88]. Ein Anwesenheitsrecht (keine -pflicht) hatte er ebenfalls, allerdings in etwas eingeschränkter Form. Da er gleichzeitig auch

---

suchungen, um einen Einblick in den Lebensstil des Beschuldigten zu gewinnen, exakte Kennzeichnung der betreffenden Gegenstände oder die Einflussnahme sowohl auf den Beschuldigten als auch dessen Umfeld (Familie, Arbeit).

[83] § 229 StPO-DDR regelte das Fragerecht des Gerichts, der Staatsanwaltschaft und des Beschuldigten, nicht aber des Geschädigten.

[84] Sehr ausführlich zur Stellung des Geschädigten im Strafverfahren *von Elling* (2006), S. 81 ff. und auch *Pompoes/Schindler/Schröder,* NJ 1972, 10 ff.

[85] Recht auf Schadensersatzverfahren, Beweisanträge zu stellen, Informationsanspruch und Beschwerderecht, sowie Recht auf Rechtsbeistand durch einen Rechtsanwalt.

[86] So etwa §§ 60 Abs. 2 S. 3 (Mitteilung an den Geschädigten), 144 Abs. 2 (Mitteilung bei Einstellung) StPO-DDR. Damit wurde sichergestellt, dass er seine Mitwirkungsrechte auch wahrnehmen konnte.

[87] So § 91 StPO-DDR bei Maßnahmen im Ermittlungsverfahren.

[88] *Luther,* JR 1984, 312, 313. Entgegen dem Wortlaut von § 17 Abs. 1 S. 2 StPO-DDR aber für eine Beschränkung auf den zivilrechtlichen Teil: *Pompoes/Schindler/Schröder,* NJ 1972, 10, 11.

A. Rückblick auf den Schadensersatz im Strafverfahren der DDR

Zeuge war – meist sogar der wichtigste – durfte er erst nach seiner Vernehmung anwesend sein[89]. Zeugen und damit auch der Geschädigte mussten den Verhandlungssaal verlassen[90]. Dies wurde aber flankiert durch die Pflicht des Gerichts, in der Abwesenheit des geschädigten Zeugen dessen Rechte zu wahren[91]. Diese „Wahrung" der Rechte sollte vor allem darin bestehen, dass das Gericht den Beschuldigten oder andere Zeugen im Hinblick auf den Schadensersatzanspruch zu befragen hatte und dem Geschädigten anschließend über den Prozessverlauf während seiner Abwesenheit zu berichten hatte[92]. Das Recht zur Richterablehnung war dagegen nicht vorgesehen. Dies war dem Beschuldigten und der Staatsanwaltschaft vorbehalten[93]. Auch zu einem Schlussvortrag war der Geschädigte nicht berechtigt[94].

3. Entscheidung

a) Zusprechende Entscheidung

Das Gericht musste im Urteil über die Begründetheit der Schadensersatzansprüche aufgrund des im Strafverfahren festgestellten Sachverhaltes[95] entscheiden (§ 242 Abs. 5 StPO-DDR). Der Regelfall war – vom Gesetzgeber auch erwünscht[96] – die abschließende Entscheidung über den Anspruch im Strafurteil. Dabei konnte es den Anspruch zusprechen, aber – und das ist eine Besonderheit der StPO-DDR – auch als unbegründet ablehnen. Hielt das Gericht den geltend gemachten Anspruch für unbegründet, musste es eine Abweisungsentscheidung (so genannte negative Sachentscheidung) treffen[97]. Legte der betroffene Geschädigte hiergegen keine Rechtsmittel ein, erwuchs die Entscheidung in Rechtskraft. Eine nochmalige Geltendmachung aus den gleichen Gründen, etwa vor einem Zivilgericht, war ausgeschlossen[98].

Eine Schätzung des Schadens im Urteil war unter den Voraussetzungen des § 336 Abs. 2 ZGB-DDR möglich[99]. Ein Teilurteil war ebenfalls denkbar[100]. Nur

---

[89] *Luther,* JR 1984, 312, 314.

[90] § 221 Abs. 1 S. 2 StPO-DDR.

[91] § 225 Abs. 5 StPO-DDR.

[92] *Herzog/Kermann/Willamowski,* NJ 1975, 443, 445.

[93] § 159 Abs. 2 StPO-DDR.

[94] § 238 StPO-DDR.

[95] *Duft,* NJ 1977, 550.

[96] GBl. I (1978), S. 370 (Nr. 2.3).

[97] Siehe hierzu sogleich.

[98] Daher war es Teil der richterlichen Hinweispflicht, den Geschädigten darauf hinzuweisen, dass es auch die Möglichkeit gab, den Antrag zurückzunehmen, um die negativen Rechtskraftfolgen zu vermeiden (so *Hönicke,* NJ 1972, 447, 449).

[99] Bei unverhältnismäßigem Aufwand bei der Schadensfeststellung, vgl. *Strasberg,* NJ 1978, 472, 474.

258 Kap. 4: Äquivalente Rechtsinstitute im deutschsprachigen Raum

wenn alle diese Möglichkeiten ausgeschöpft waren, kam die Beschränkung auf ein reines Grundurteil in Betracht. Sie war nur möglich, wenn die Schadenshöhe noch nicht feststellbar war oder Beweiserhebungen in einer Art notwendig waren, die das Verfahren extrem verlängert hätten[101]. Jedenfalls sollte eine Entscheidung nur dem Grunde nach zugunsten einer endgültigen Entscheidung über den Anspruch möglichst vermieden werden[102]. Im Fall eines Grundurteils erfolgte grundsätzlich ohne weiteres Zutun des Geschädigten eine Überweisung an die zuständige Zivil- bzw. Arbeitsrechtskammer.

Ein Anerkenntnisurteil war nicht vorgesehen. Hatte der Beschuldigte im Verfahren ein Anerkenntnis abgelegt, konnte dieses vom Gericht unter Beweisgesichtspunkten für die Schadensersatzentscheidung verwertet werden. Einen Zwang hierzu gab es allerdings nicht.

b) Abweisung

Das Gericht musste den Antrag abweisen, wenn es ihn für unzulässig oder unbegründet erachtete[103]. *Unzulässig* war der Antrag, wenn der Schadensersatzanspruch in einem anderen Verfahren anhängig war, wenn über den Anspruch schon entschieden worden war oder wenn Ansprüche geltend gemacht wurden, deren Haftungsgrund nicht die angeklagte Straftat war. Das Gericht musste den Antrag auch dann abweisen, wenn sich der Beschuldigte und der Geschädigte verbindlich außergerichtlich geeinigt hatten (es also zu einem Vergleich kam), nachdem es den Geschädigten dazu befragt hatte, inwieweit er seinen Schadensersatzantrag noch aufrechterhalten wolle[104]. Letztlich war der Antrag auch im Falle des Freispruchs unzulässig[105]. War der Antrag und damit der Anspruch aus irgendeinem materiell-rechtlichen Grund *unbegründet,* musste das Gericht ebenfalls eine Abweisungsentscheidung treffen.

Die Folge der Abweisung war zunächst, dass die Rechtshängigkeit endete. Der Geschädigte konnte seinen Anspruch im Fall der Unzulässigkeit erneut geltend machen. Bei einer Abweisung wegen eines unbegründeten Anspruchs konnte der Geschädigte den Anspruch nicht erneut geltend machen und war an die Entscheidung des Gerichts gebunden, wenn auch keine Rechtsmittel erfolgreich waren[106]. Konsequenz dieser negativen Sachentscheidung war im Übrigen, dass auch eine § 406 Abs. 3 S. 3 StPO vergleichbare Regelung nicht vorgesehen war. Da der

---

[100] OGI 1983, 9.
[101] *Posch* (1990), S. 6.
[102] *Hejhal,* NJ 1983, 377, 377.
[103] *Hönicke,* NJ 1972, 447, 449.
[104] MdJ-StPO (1989), § 242 5.2.
[105] § 244 Abs. 2 S. 1 StPO-DDR.
[106] MdJ-StPO (1989), § 244 2.1.

A. Rückblick auf den Schadensersatz im Strafverfahren der DDR 259

Antrag als unbegründet abgewiesen worden war, konnte er aufgrund gleicher Rechtsgrundlage nicht noch einmal auf dem Zivil- oder Arbeitsgerichtsweg geltend gemacht werden[107].

c) Verweisung

Neben der Entscheidung und der Abweisung existierte es als dritte Variante die Verweisung. Zunächst kam unter bestimmten Voraussetzungen[108] eine Übergabe der gesamten Strafsache an die „gesellschaftlichen Organe der Rechtspflege in Betracht". Damit waren Konflikt- oder Schiedskommissionen gemeint, in bestimmten Fällen auch die gesellschaftlichen Gerichte. In diesen Fällen wurde automatisch auch das Schadensersatzverfahren verwiesen. Relevanter als diese erste Verweisungsmöglichkeit war eine weitere. Der Gesetzgeber reagierte auch in der StPO-DDR auf das Problem, dass sich das Schadensersatzverfahren nicht für jede Fallkonstellation für eine Behandlung im Strafverfahren eignet. Daher ermöglichte § 244 Abs. 5 S. 2 StPO-DDR dem Gericht, in solchen Fällen den Anspruch nur dem Grund nach zu entscheiden, ihn hinsichtlich der Höhe aber an das zuständige Gericht zu verweisen[109]. Einzige Voraussetzung der Verweisung war, dass eine Entscheidung über die Höhe des Anspruchs „unzweckmäßig" war. Dies wurde angenommen, wenn die Schadenshöhe nicht feststellbar war oder Beweiserhebungen nötig gemacht hätte, die zur „unangemessenen Verzögerung des Verfahrens"[110] geführt hätten. Die Folge war, dass das Gericht automatisch den Anspruch an das zuständige Gericht übertragen konnte. Dieses war im Folgeverfahren an die Entscheidung über den Grund des Anspruchs gebunden (§ 242 Abs. 5 S. 3 StPO-DDR) und führte den Prozess nach den Regeln der ZPO-DDR weiter[111].

d) Sonderkonstellation: Keine Entscheidung über den Antrag

Schließlich gab es auch Konstellationen, in denen das Gericht keine weitere Entscheidung über den Schadensersatzantrag traf. Häufigster Fall war in diesem Zusammenhang die Einstellung des Verfahrens. Entschloss sich das Gericht, das

---

[107] *Luther,* NJ 1973, 392, 393; *Hönicke,* NJ 1972, 447, 449.

[108] § 58 Abs. 1 StPO-DDR: Wenn es sich um Vergehen handelte, geringe Schuld des Täters zu erwarten, eine erzieherische Einwirkung auf den Täter zu erwarten und die Überweisung zweckmäßig war.

[109] Berichtet wurde, dass die Gerichte diese Verweisungsmöglichkeit relativ selten genutzt hätten (*Hönicke,* NJ 1972, 447).

[110] MdJ-StPO (1989), § 242 5.6; *Müller,* NJ 1984, 284, 285; *Strasberg,* NJ 1978, 472, 474.

[111] *Duft,* NJ 1977, 550, 551. Diese Bindungswirkung war aber dahingehend eingeschränkt, dass sie sich nur auf den Teil des strafrechtlichen Urteils bezog, durch den das Gericht den Grundanspruch verbindlich konkretisiert hatte.

260 Kap. 4: Äquivalente Rechtsinstitute im deutschsprachigen Raum

Verfahren einzustellen, musste es einen rechtshängigen Schadensersatzantrag nicht weiter entscheiden. Es war lediglich verpflichtet, dem Geschädigten die Einstellung mitzuteilen, und musste ihn darüber unterrichten, in welcher Weise er seine Schadensersatzansprüche geltend machen konnte[112]. Die für eine weitere Rechtsverfolgung bedeutsame durch den Schadensersatzantrag bewirkte Rechtshängigkeit des Anspruchs endete in dem Zeitpunkt der Einstellung des Strafverfahrens.

4. Rechtsbehelfe

Das Rechtsbehelfssystem im Schadensersatzverfahren ist im Grundsatz einfach aufgebaut. Mögliche Rechtsbehelfe nach der StPO-DDR waren Protest, Berufung und Beschwerde. Dabei stand der Protest (nur) der Staatsanwaltschaft zu, die Berufung (nur) dem Beschuldigten und die Beschwerde in gesetzlich speziell angeordneten Fällen dem Geschädigten, dem Beschuldigten sowie der Staatsanwaltschaft.

Protest und Berufung führten zu einer Überprüfung des erstinstanzlichen Urteils – genauer seines strafrechtlichen Teiles. In der Rechtsmittelinstanz wurde das Verfahren nicht von Grund auf neu verhandelt, sondern nur soweit das Urteil angegeriffen wurde[113]. Das Rechtsmittelgericht hatte anschließend über das Rechtsmittel zu entscheiden. Auswirkungen auf den (zugesprochenen) Schadensersatzanspruch hatte dies grundsätzlich nicht. Nur wenn sich an der strafrechtlichen Seite etwas änderte, das Auswirkungen auf den Anspruch hatte, wurde (auch) das Schadensersatzverfahren neu entschieden. Ergab sich etwa in der Rechtsmittelinstanz ein Freispruch, musste die Schadensersatzentscheidung ebenfalls aufgehoben und der Antrag abgewiesen werden. Auch wenn die erstinstanzliche Schadensersatzentscheidung zunächst rechtskräftig geworden war, konnte die Rechtskraft nachträglich solange beeinflusst werden, wie sich am strafrechtlichen Teil noch Änderungen ergeben konnten. Der Geschädigte hatte das Recht, sich am Rechtsmittelverfahren zu beteiligen[114]. Festzuhalten ist daher, dass die Staatsanwaltschaft und der Beschuldigte an der Zuerkennung des Anspruchs grundsätzlich nur indirekt etwas ändern konnten, wenn sie gegen die strafrechtliche Entscheidung vorgingen.

---

[112] § 248 Abs. 5 StPO-DDR.

[113] § 291 StPO-DDR bestimmte, welche Punkte mit Protest/Berufung angegriffen werden konnten (ungenügende Aufklärung und unrichtige Feststellung des Sachverhalts; Verletzung der Vorschriften über das Gerichtsverfahren; Verletzung des Strafgesetzes durch Nichtanwendung oder unrichtige Anwendung; nach Art und Höhe unrichtige Strafe).

[114] § 292 StPO-DDR. Die Beteiligungsrechte waren dieselben wie in der ersten Instanz.

A. Rückblick auf den Schadensersatz im Strafverfahren der DDR 261

Der Geschädigte konnte Beschwerde einlegen[115]. Gegenstand dieser Beschwerde war die gerichtliche Entscheidung über den Schadensersatzanspruch, nicht aber der Schuld- oder Strafausspruch[116]. Sie konnte sich sowohl gegen Grund als auch gegen die Höhe der Entscheidung richten sowie gegen die Abweisung des Antrags wegen Unzulässigkeit oder Unbegründetheit[117]. Gegen die Verweisung an das Zivilgericht war die Beschwerde indes nicht statthaft[118]. Sie war neben Protest/Berufung möglich, unabhängig vom Beteiligungsrecht des Geschädigten im Verfahren der zweiten Instanz.

Allein gegen die Schadensersatzentscheidung konnten auch die Staatsanwaltschaft oder der Beschuldigte Beschwerde einlegen. Dann mussten sie aber auf die Einlegung von Protest oder Berufung verzichten. Beide Möglichkeiten zusammen waren ihnen verwehrt.

Hinsichtlich der Folge der Beschwerde muss unterschieden werden, ob daneben die Staatsanwaltschaft Protest oder der Beschuldigte Berufung eingelegt hatten. Existierte ein strafrechtliches Rechtsmittel neben der Beschwerde des Geschädigten, musste das (strafrechtliche) Rechtsmittelgericht auch über die Beschwerde entscheiden. Im Hinblick auf die Beweisverwertung konnte es auf die vorliegenden Erkenntnisse vollständig zurückgreifen, aber auch weitere Erkundigungen einziehen. Eine Entscheidung konnte es auch treffen, wenn bei Protest/Berufung eine Zurückverweisung an das Ausgangsgericht erfolgte. In dieser Phase wurden Schadensersatzverfahren und Strafverfahren erstmals getrennt. Gegen die Beschwerdeentscheidung konnte die Staatsanwaltschaft, nicht aber Geschädigter oder Verurteilter, den Rechtsbehelf der Kassation einlegen.

Lag nur eine Beschwerde vor, wurde über sie von einem in zweiter Instanz zuständigen Zivil- oder Arbeitsgericht entschieden. Hier erfolgte also ein „Rechtswegwechsel". Das Instanzgericht konnte wiederum auf alle Erkenntnisse des Strafverfahrens zurückgreifen, gegebenenfalls neue Beweise erheben und eine eigenständige Entscheidung über den Schadensersatzanspruch treffen.

Weitere speziell das Schadensersatzverfahren betreffende Rechtsmittel gab es keine[119]. So konnte der Geschädigte sich nicht gegen Entscheidungen des Ge-

---

[115] *Hönicke,* NJ 1972, 447, 449. Die Beschwerde (§§ 305–310 StPO-DDR) ist ganz ähnlich ausgestaltet wie die Beschwerde gem. § 304 StPO. Im Strafbefehlverfahren konnte der Geschädigte nicht gegen die Entscheidung vorgehen.

[116] MdJ-StPO (1989), § 310 1.1.; *Grieger/Klimesch,* NJ 1987, 285, 286.

[117] Dies galt erst ab den späten 1970er Jahren. Vorher war angesichts des unklaren Gesetzeswortlautes in der Literatur umstritten, ob in diesen Fällen ein Rechtsmittel für den Geschädigten in Betracht kommen konnte (vgl. *Luther,* NJ 1973, 392, 393 und *Niethammer,* NJ 1972, 322, 323).

[118] MdJ-StPO (1989), § 310 1.2.

[119] Der Geschädigte besaß im Strafverfahren der DDR jedoch weitere Beschwerderechte (z.B. § 91 StPO-DDR: Beschwerde gegen Maßnahmen im Ermittlungsverfahren), die jedoch unabhängig vom Schadensersatzverfahren bestanden.

262   Kap. 4: Äquivalente Rechtsinstitute im deutschsprachigen Raum

richts wehren, wenn das Hauptverfahren nicht eröffnet, das Strafverfahren eingestellt oder der Angeklagte freigesprochen wurde[120]. In einem solchen Fall musste
das Gericht dem Geschädigten mitteilen, auf welchem Weg er anderweitig, d.h.
vor allem vor dem Zivilgericht, seinen Anspruch verfolgen konnte. Die Versagung des Rechtsmittels in diesen Fällen war durchaus umstritten. Immerhin sind
Fälle denkbar, in denen der Angeklagte zwar freigesprochen wird, der zivilrechtliche Anspruch dennoch bestehen kann. Jedoch wurde die gesetzgeberische Entscheidung mit der Erwägung hingenommen, dass zugunsten des Beschuldigten
mit einem Freispruch das Verfahren vor dem Strafgericht ein Ende haben sollte.
Ging die Staatsanwaltschaft gegen den Freispruch mit einem Protest vor, konnte
der Geschädigte im Rechtsmittelverfahren erneut einen Schadensersatzantrag
stellen.

Gegen Entscheidungen des Rechtsmittelgerichts waren keine ordentlichen
Rechtsmittel mehr vorgesehen. Einzig die so genannte Kassation als außerordent-
licher Rechtsbehelf ermöglichte es allein der Staatsanwaltschaft, bereits rechts-
kräftige Entscheidungen nochmals zu überprüfen. Unter bestimmten Voraussetzungen[121] konnte auch eine Schadensersatzentscheidung überprüft werden. Ohne
auf den genaueren Ablauf des Verfahrens einzugehen, sei erwähnt, dass das Kas-
sationsgericht[122] über den Schadensersatzantrag selbst entscheiden konnte, wenn
bei der Rechtsmittelentscheidung das angefochtene Urteil hinsichtlich des geltend gemachten Schadensersatzanspruchs abzuändern war[123].

5. Gebühren

Hatte der Geschädigte in einem Strafverfahren einen Schadensersatzanspruch
gestellt und wurde im Verfahren über diesen Anspruch entschieden, waren hierfür keine Gerichtsgebühren zu berechnen[124]. Diese Gebührenbefreiung galt nicht
nur für den Geschädigten[125], sondern auch für den Beschuldigten. Lediglich
„besondere Auslagen", zu denen etwa die Entschädigung eines Sachverständigen
gehörte, der nur über den Schadensersatzanspruch vernommen wurde, waren je
nach Entscheidungsart dem Beschuldigten oder dem Geschädigten aufzuerlegen.
Bei einer Verweisungsentscheidung richteten sich die Kosten für das weitere Verfahren nach der jeweiligen Verfahrensart (Zivil- oder Arbeitsrechtsverfahren).

---

[120] *Posch* (1990), S. 7; *Luther,* NJ 1973, 392, 393. Ausdrücklich im Fall des Freispruchs § 244 Abs. 2 StPO-DDR.

[121] MdJ-DDR (1989), § 311 Vorbem. („Kassationsfähigkeit und Kassationsbedürftig-
keit").

[122] Welche dies genau waren, regelte das Gerichtsverfassungsgesetz der DDR.

[123] § 322 Abs. 1 Nr. 5 StPO-DDR.

[124] § 363 Abs. 1 StPO-DDR.

[125] Hierunter fallen auch die anderen Antragsberechtigten.

IV. Besonderheiten des Schadensersatzes im Strafverfahren in der DDR

1. Erlass eines Arrestbefehls

a) Zweck des Arrestbefehls

Ein wichtiges, den Schadensersatz im Strafverfahren flankierendes Rechtsinstitut stellte der Erlass eines Arrestbefehls durch den Staatsanwalt gem. § 120 StPO-DDR dar[126]. Bereits im Ermittlungsverfahren musste die Staatsanwaltschaft (im späteren Verlauf das Gericht) die künftige Realisierung der aus der zu behandelnden Straftat resultierenden Schadensersatzansprüche des Geschädigten beachten[127]. Ein Arrestbefehl konnte ergehen, wenn auf Grund der Straftat und ihrer Folgen sowie des Verhaltens des Täters die Verwirklichung einer Geldstrafe, einer Mehrerlöszahlung, die Beitreibung der Auslagen des Verfahrens oder die Durchsetzung von Schadensersatzansprüchen zu sichern waren[128]. Hier soll nur der Aspekt der Durchsetzung von Schadensersatzansprüchen interessieren. Der Arrestbefehl stellte eine zeitlich und sachlich begrenzte strafprozessuale Sicherungsmaßnahme dar[129]. Gewährleistet werden sollte, dass nach der rechtskräftigen Entscheidung über den Schadensersatz im Strafverfahren die Zahlungsverpflichtungen unverzüglich aus dem Vermögen des Verurteilten erfüllt wurden, also eine schnelle Wiedergutmachung erreicht werden konnte. Die praktische Bedeutung für den Geschädigten war herausragend[130]. Es wurde berichtet, dass der faktische Druck auf den Beschuldigten durch einen Arrest sehr weitreichend gewesen sei, so dass mitunter bereits im Ermittlungsverfahren der Schaden beglichen wurde[131].

b) Voraussetzungen und Verfahren

(Materielle) Voraussetzungen eines Arrestbefehls über das Vermögen des Beschuldigten oder eines Teils waren, dass erstens zu besorgen war, dass ohne den

---

[126] Neben § 120 StPO-DDR sind die ausführlichen Bestimmungen der 2. Durchführungsbestimmung zur StPO (GBl. I (1984), S. 379) zu beachten, die seit dem Jahr 1984 detaillierte Vorschriften zur Verfahrensweise bei Arrestbefehlen enthielten. Für die Zeit davor hatte sich eine bestehende Praxis eingebürgert (vgl. *Göder/Raabe,* NJ 1983, 334, 335), die der Gesetzgeber durch die 2. DB verbindlich zusammenfasste.

[127] *Hellmann/Luther,* NJ 1981, 325, 325. Berichtet wird auch von einer Untersuchung im Gerichtsbezirk Schmalkalden, die ergeben habe, dass zwischen Verurteilung und Erfüllung des Schadensersatzanspruchs oft eine lange Zeit verstrichen sei. In Konsequenz daraus wurde eine verstärkte Anwendung des Arrestbefehls vorgeschlagen.

[128] *Rommel/Plitz,* NJ 1985, 18; *Pompoes/Schindler/Schröder,* NJ 1972, 10.

[129] *Rommel/Plitz,* NJ 1985, 18.

[130] *von Elling* (2006), S. 125.

[131] Höherwertige Konsumartikel waren nicht immer ohne weiteres zu ersetzen. Vgl. auch *Rössner/Klaus,* NJ 1996, 288, 289; *Müller,* NJ 1984, 284, 285.

264 Kap. 4: Äquivalente Rechtsinstitute im deutschsprachigen Raum

Arrestbefehl die künftige Durchsetzung von Schadensersatzansprüchen wesentlich erschwert würde, dass es sich zweitens nicht um die Durchsetzung geringfügiger Beträge handelte, und dass sich drittens der Arrestbefehl nicht auf Gegenstände erstreckte, deren Pfändung nicht möglich war[132]. Die Besorgnis der wesentlich erschwerten Durchsetzung war gegeben, wenn Anzeichen bestanden, dass der Beschuldigte sein vorhandenes Vermögen vor Abschluss des Verfahrens aufbrauchte, um sich der Verantwortlichkeit zu entziehen, oder Vermögenswerte auf die Ehefrau übertragen würde[133]. Die Durchsetzung war dagegen nicht gefährdet, wenn die wirtschaftliche Leistungsfähigkeit des Täters nicht die Befürchtung hervorrief, dass die Erfüllung der Ansprüche gefährdet war. Auch musste zwischen dem im Arrestbefehl festgestellten Geldbetrag und den betroffenen Vermögenswerten des Beschuldigten ein ausgewogenes Verhältnis bestehen. Etwa durfte ein Kraftfahrzeug des Beschuldigten nicht vom Arrestbefehl umfasst sein, wenn die zu sichernde Forderung ein Vielfaches unter dem Wert des Fahrzeugs lag. Diese an sich einschränkende Voraussetzung wurde in der Praxis durch eine großzügige Auslegung erheblich aufgeweicht. Im Grundsatz galt, dass der Erlass des Arrestbefehls nicht deswegen unterbleiben durfte, weil der zu pfändende Vermögenswert höher war als der nach § 120 Abs. 2 StPO-DDR festgestellte Geldbetrag[134].

In formeller Hinsicht musste die Staatsanwaltschaft/das Gericht bestimmte Anforderungen erfüllen[135]. Beispielsweise musste der Arrestbefehl selbst den zu sichernden Geldbetrag nennen.

Der Geschädigte hatte keinen Anspruch auf Erlass eines Arrestbefehls. Er konnte ihn auch nicht etwa beantragen, selbst wenn er ein ausgeprägtes Interesse daran gehabt hätte. Lediglich die Möglichkeit, den Erlass anzuregen, stand ihm offen[136]. Lagen die Voraussetzungen vor, „konnte" die Staatsanwaltschaft den Befehl aussprechen (§ 120 Abs. 1 StPO-DDR). Diese auf den ersten Blick für ein Ermessen sprechende gesetzliche Formulierung wurde konkretisiert durch die 2. Durchführungsbestimmung. Die Staatsanwaltschaft war nämlich verpflichtet, einen Befehl zu erlassen, wenn die Voraussetzungen erfüllt waren[137]. Dies galt

---

[132] Vgl. etwa §§ 118 Abs. 2, 133 Abs. 1 Nr. 2 ZPO-DDR.

[133] *Göder/Raabe*, NJ 1983, 334, 335, der als weitere Beispiele nannte: unzureichender Wiedergutmachungswille, wenn bei einem Schaden von 3.500 Mark eine Ratenzahlung von 50 Mark angeboten wurde oder ein Straftäter, der sich wegen des Diebstahls eines Mopeds verantworten musste, weiterhin mit seinem eigenen Moped umherfuhr, während das Moped der Geschädigten zerstört war.

[134] *Rommel/Plitz*, NJ 1985, 18, 19. Überschüssige Werte wurden dem (dann) Verurteilten zurückgewährt. § 1 Abs. 4 der 2. DB StPO-DDR. Ein geringfügiger Betrag wurde für einen zu sichernden Geldbetrag unter 500 Mark angesehen.

[135] § 2 der 2. DB StPO-DDR.

[136] *Pompoes/Schindler/Schröder*, NJ 1972, 10, 11. Wollte der Geschädigte die Vollstreckung sichern, musste er auf zivilprozessuale Rechtsinstitute zurückgreifen.

A. Rückblick auf den Schadensersatz im Strafverfahren der DDR 265

zudem für jedes Verfahrensstadium, so dass die Staatsanwaltschaft während des Ermittlungsverfahrens und das Gericht während des Hauptverfahrens stets im Blick haben mussten, ob die Voraussetzungen nachträglich eingetreten waren.

Die Vollstreckung des Arrestbefehls richtete sich nach den Bestimmungen über die Pfändung von Vermögenswerten in der ZPO-DDR[138] und erfolgte im Ermittlungsverfahren durch den Staatsanwalt selbst. Gepfändete bewegliche Sachen hatte er zu verwahren und im Wert zu erhalten, bis entweder der Arrestbefehl wieder aufgehoben wurde oder es zu einer Verwertung der Sachen kam[139]. Konnte eine Sache beim Beschuldigten belassen werden, wurde sie mit einem Pfandsiegel entsprechend gekennzeichnet. Die einzelnen Verfahrensschritte waren gem. § 121 StPO-DDR zu protokollieren. Der Geschädigte musste allein einen Vollstreckungsantrag nach Rechtskraft des Strafurteils stellen[140]. Alles andere wurde „für ihn" von Amts wegen durchgeführt.

Ein Arrestbefehl konnte geändert werden, wenn sich während des Verfahrens herausstellte, dass die zu erwartenden Schadensersatzansprüche höher, aber auch geringer ausfielen als zunächst angenommen[141]. Dritte, die ein der Vollstreckung entgegenstehendes Recht zu haben glaubten, konnten einen Antrag auf Feststellung der Unzulässigkeit der Pfändung stellen. Auch gegen die Durchführung der Pfändung als solche gab es für den Betroffenen den Rechtsbehelf der Beschwerde nach § 91 StPO-DDR.

c) Rechtsfolgen des Arrestbefehls

Wichtigste Wirkung war die zeitliche begrenzte Einschränkung von Eigentümerbefugnissen. Etwa konnte der Eigentümer seinen antiken Wandschrank nicht mehr wirksam übereignen, wenn er arretiert wurde. Der Schadensersatz war als Gesamtbetrag zuzüglich Verzugszinsen zu leisten. Nur wenn dies nicht möglich war, waren unter Berücksichtigung der wirtschaftlichen Verhältnisse des Verurteilten Teilbeträge oder Zahlungsfristen festzulegen. Der Arrestbefehl war solange aufrecht zu erhalten, wie in das gepfändete Vermögen des Verurteilten vollstreckt wurde[142]. Er wurde aufgehoben, wenn die Vollstreckung abgeschlossen worden war. Außerdem gab es eine Reihe von gesetzlich geregelten Fällen, in denen der Arrestbefehl ebenfalls von Amts wegen aufgehoben werden musste. Ihnen allen war gemeinsam, dass das Sicherungsbedürfnis nicht mehr gegeben

---

[137] Vgl. § 1 Abs. 1 2. DB StPO-DDR. Vor Erlass der Bestimmung in diesem Sinne *Göder/Raabe,* NJ 1983, 334, 335.

[138] *Müller,* NJ 1984, 284, 285. Siehe auch §§ 96 bis 126 ZPO-DDR.

[139] *Rommel/Plitz,* NJ 1985, 18, 18.

[140] § 9 Abs. 1 der 2. DB StPO-DDR.

[141] *Rommel/Plitz,* NJ 1985, 18, 20.

[142] *Rommel/Plitz,* NJ 1985, 18, 19.

266   Kap. 4: Äquivalente Rechtsinstitute im deutschsprachigen Raum

war. So war ein Arrestbefehl aufzuheben, wenn der Verurteilte den Schaden vollständig ersetzt hatte, oder wenn das Verfahren gegen ihn eingestellt worden war[143]. In letzteren beiden Fällen waren bereits eingeleitete Pfändungsmaßnahmen ebenfalls aufzuheben.

2. Strafbefehlsverfahren

Im Strafverfahren der DDR konnte eine Schadensersatzentscheidung auch in einem Strafbefehl getroffen werden. Das Strafbefehlsverfahren war in der DDR sehr ähnlich ausgestaltet wie die §§ 407 ff. StPO. Es handelte sich um eine besondere Verfahrensart, die der schnellen Ahndung von leichteren und mittleren Straftaten in einem vereinfachten Verfahren diente[144]. Kennzeichnendes Merkmal war, dass der Strafbefehl ohne Hauptverhandlung in einem (schriftlichen) Verfahren auf Antrag der Staatsanwaltschaft erging[145]. § 270 Abs. 1 S. 3 StPO-DDR bestimmte, dass dem Beschuldigten im Strafverfahren auch der Ersatz des verursachten Schadens auferlegt werden konnte. Lag ein entsprechender Schadensersatzantrag vor, musste die Staatsanwaltschaft in ihrem Strafbefehlsantrag auch die Entscheidung über den Schadensersatzantrag aufnehmen. Dadurch, dass die Staatsanwaltschaft verpflichtet war, im Ermittlungsverfahren aktiv darauf hinzuwirken, dass der Geschädigte einen Antrag stellte, umfassten eine Vielzahl der Strafbefehle auch die Schadensersatzentscheidung. Die Durchsetzung von Schadensersatzansprüchen im Strafbefehlsverfahren wurde (erst) im Jahr 1974 geschaffen. Im Vorfeld der Gesetzesänderung festigte sich die Ansicht, dass ein Strafbefehl nicht allein deswegen unterbleiben dürfe, weil ein Schadensersatzantrag gestellt wurde[146]. Der Gesetzgeber wollte durch die Neuregelung erreichen, dass der Geschädigte seine Schadensersatzansprüche im gesamten Strafverfahren geltend machen könne, was dem umfassenden Schutz des „sozialistischen und des persönlichen Eigentums" diene[147]. Die Gesetzesänderung wurde weit überwiegend positiv aufgenommen und die Ziele der Reform als verwirklicht angesehen[148]. Als problematische und verbesserungswürdige Punkte wurde genannt, dass die im Strafbefehl selbst erforderliche Rechtsbehelfsbelehrung durch die Schadensersatzentscheidung für den Beschuldigten viel zu kompliziert gewesen und damit von (zumeist) rechtsunkundigen Beschuldigten nicht verstanden worden sei, und dass die große Gefahr bestanden habe, dass Staatsanwaltschaft und

---

[143] § 3 Abs. 2 der 2. DB StPO-DDR.

[144] MdJ-DDR (1989), § 270 1.1. Zum gerichtlichen Strafbefehl vgl. die §§ 270 bis 275 StPO-DDR.

[145] Das Ermittlungsverfahren wurde dann mit dem Strafbefehlsantrag anstelle der Anklage abgeschlossen.

[146] *Schlegel/Pompoes,* NJ 1971, 606, 609.

[147] *Herzog/Kermann/Willamowski,* NJ 1975, 443, 446.

[148] *Willamowski,* NJ 1987, 242 (Grobe Fehler seien eine „seltene Ausnahme").

A. Rückblick auf den Schadensersatz im Strafverfahren der DDR   267

Gerichte die Angaben des Geschädigten häufig unbesehen übernommen hätten[149].

Wollte die Staatsanwaltschaft einen Strafbefehl beantragen, musste sie dessen allgemeine Voraussetzungen prüfen. Darüber hinaus war sie verpflichtet, das Vorliegen eines Schadensersatzantrags zu berücksichtigen[150]. Lag kein Antrag vor, musste sie den Geschädigten informieren und gegebenenfalls hinsichtlich einer Antragstellung beraten. Im Hinblick auf eine fehlende Hauptverhandlung war sie zu besonderer Sorgfalt verpflichtet.

Das Gericht musste zum einen die Voraussetzungen des Strafbefehlsantrags, zum anderen die Voraussetzungen des Schadensersatzantrags prüfen. Weiterhin musste es im Strafbefehl über die strafrechtliche Seite und über den Schadensersatzantrag entscheiden. In strafrechtlicher Hinsicht konnte das Gericht die Sache an die Staatsanwaltschaft zurückgeben, wenn es Bedenken gegen die Entscheidung hatte[151], die Sache an ein gesellschaftliches Gericht übergeben[152] sowie den Strafbefehl wie beantragt erlassen. Die Schadensersatzentscheidung traf es zusätzlich nach Aktenlage. Dabei waren die möglichen Entscheidungen bis auf die Abweisung dieselben wie in der Hauptverhandlung (Entscheidung oder Verweisung). Hatte das Gericht Zweifel an der Zulässigkeit oder Begründetheit, konnte es den Antrag nicht abweisen, sondern musste ebenfalls die Sache an das zuständige Gericht verweisen[153]. Auch im Strafbefehlsverfahren musste das Gericht als „Minimalentscheidung" den Schadensersatzanspruch dem Grunde nach zusprechen, wenn der Schadensersatzantrag nicht unzulässig oder unbegründet war. Gegen den Strafbefehl konnte der Beschuldigte Einspruch einlegen, und zwar sowohl gegen den Strafausspruch als auch gegen die Schadensersatzentscheidung. Dem Geschädigten indes stand das Einspruchsrecht nicht zu[154]. Da er auch keine Beschwerde erheben konnte, hatte er im Strafbefehlsverfahren keine Rechtsmittel. Dies nahm der Gesetzgeber jedoch mit den Erwägungen hin, dass der Geschädigte einerseits nicht beschwert sei, andererseits das Strafbefehlsverfahren seinen Charakter als vereinfachtes Strafverfahren nicht verlieren dürfe[155].

---

[149] *Hellmann/Luther,* NJ 1981, 325.

[150] *Herzog/Kermann/Willamowski,* NJ 1975, 443, 447.

[151] § 271 Abs. 2 S. 2 StPO-DDR.

[152] § 271 Abs. 3 StPO-DDR.

[153] § 271 Abs. 5 StPO-DDR. Eine Rückgabe an die Staatsanwaltschaft aus diesem Grund war nicht möglich.

[154] MdJ-DDR (1989), § 272 1.7.

[155] *Herzog/Kermann/Willamowski,* NJ 1975, 443, 448. Dagegen nur *Leonhard,* NJ 1987, 112, 113, der jedoch den Wortlaut und die gesetzgeberische Intention eines möglichst schnellen und einfachen Verfahrens außer Acht lässt.

268 Kap. 4: Äquivalente Rechtsinstitute im deutschsprachigen Raum

V. Zusammenfassung

Dass das Schadensersatzverfahren in der DDR eine praktisch bedeutsamere Rolle gespielt hat, liegt vor allem an der Unterstützung, die es von Gesetzgeber und Rechtsprechung erfahren hat. Die gesetzliche Ausgestaltung des Schadensersatzverfahrens war darauf ausgerichtet, der Normalfall der rechtlichen Bewältigung eines strafrechtlich relevanten Vorkommnisses zu sein. Hier sind vor allem die umfangreichen Informationspflichten der Gerichte und der Staatsanwaltschaft zu nennen. Zudem führte die Pflicht zur Schadensermittlung dazu, dass in der Hauptverhandlung das Gericht oft schon die für die Beurteilung des Anspruchs nötigen Informationen beisammen hatte. Letztlich musste das Gericht auch über den Antrag entscheiden und konnte nicht in eine Absehensentscheidung ausweichen. *Gross* zufolge war die Bedeutung des Schadensersatzverfahrens als wesentlicher Bestandteil eines jeden Strafverfahrens nicht auf ein Eingehen auf die Bedürfnisse des Geschädigten zurückzuführen, sondern lediglich auf „das beharrliche Drängen der Staatsmacht", die an einer Erziehung des Beschuldigten Interesse zeigte[156]. Eine derartige Orientierung des Schadensersatzverfahrens allein am Beschuldigten ist jedoch nicht ersichtlich. Vielmehr war es gesetzgeberischer Wille, durch das Schadensersatzverfahren beim Geschädigten einen Schadensausgleich herbeizuführen. Im Recht der DDR bestand nicht dieselbe Vielfalt an rechtlichen Instrumenten, die eine Wiedergutmachung zum Ziel haben, wie in der StPO. Täter-Opfer-Ausgleich, Wiedergutmachungsauflagen oder Zurückgewinnungshilfe waren nicht vorgesehen[157]. Daher ist aus heutiger Sicht festzustel-

---

[156] *Gross* (2001), S. 140.

[157] Lediglich eine der Wiedergutmachungsauflage nach § 56 Abs. 1 S. 2 Nr. 1 StGB vergleichbare Wiedergutmachungsverpflichtung bei einer Bewährungsstrafe war in § 33 Abs. 3 StGB-DDR vorgesehen (*Grieger/Klimesch,* NJ 1987, 285). Die Vorschrift galt ab 1975 (Gesetz v. 19.12.1974; GBl. I (1975), S. 14). Vorher waren die Verurteilung zur Bewährung und die Schadenswiedergutmachung nicht zwingend miteinander verbunden. Auch ohne einen Schadensersatzantrag des Geschädigten musste das Gericht diese Verpflichtung zur Schadenswiedergutmachung selbständig vornehmen. Ziel dieser Verpflichtung war es, dass der Beschuldigte den von ihm durch die strafbare Handlung verursachten Schaden „freiwillig" und möglichst zeitnah ersetzen sollte. Dabei stellte die Vorschrift des § 33 Abs. 3 StGB-DDR keine eigene materiell rechtliche Grundlage für die Wiedergutmachung dar, sondern das Gericht musste für die Ermittlung der Schadenswiedergutmachung auf die zivilrechtlichen Normen zurückgreifen (insbesondere auf die §§ 330 ff. ZGB). Kam es zu einem späteren Zivilverfahren war das Zivilgericht an die Feststellungen im Strafurteil gebunden (*Grieger/Klimesch,* NJ 1987, 285, 286). Hielt sich der Beschuldigte nicht an die Wiedergutmachungsverpflichtung, hatte dies Auswirkungen auf die verhängte Bewährungsstrafe. Allerdings erfüllte der Betroffene die Verpflichtung bereits, wenn er sich „nach Kräften bemühte" (*Reuter,* NJ 1982, 304, 306, nach dem daher die Art und Weise der Wiedergutmachung in die Verpflichtung aufgenommen werden sollte). Diese (strafrechtliche) Verpflichtung zur Wiedergutmachung ist nicht dasselbe wie die (zivilrechtliche) Zuerkennung eines Schadensersatzanspruches, sondern beide Rechtsinstitute wurden streng voneinander getrennt. Häufig waren Verfahren, in denen der Beschuldigte zu einer Bewährungsstrafe verurteilt werden sollte (was automatisch den Erlass einer Wiedergutmachungsverpflichtung nach

A. Rückblick auf den Schadensersatz im Strafverfahren der DDR 269

len, dass der Gesetzgeber seine Bemühungen, die Folgen der angeklagten Straftat für den Geschädigten zu minimieren, auf das Schadensersatzverfahren und den Arrestbefehl konzentrierte. Damit orientierte sich der Gesetzgeber bei der Ausgestaltung eines Schadensersatzverfahrens mehr an der Position des Geschädigten als am Beschuldigten.

Ein weiterer Aspekt erscheint bedeutsam. Im Jahr 1975 wurde ein neues Zivilgesetzbuch (ZGB) erlassen, dass das bis dahin geltende BGB ablöste. Die Konzeption beider Kodifikationen war von Grund auf unterschiedlich. Während dem BGB eher eine abstrakte Rechtssprache zugrunde lag, hatte das ZGB den gegenteiligen Anspruch. Es war in der Ausgestaltung und seiner einfach gehaltenen Sprache eher auf das Verständnis durch die Bürger ausgerichtet. Für das Schadensrecht wurde in § 330 ZGB eine einprägsame Grundregel geschaffen[158]. Dieses leichter anzuwendende Recht führte auch dazu, dass vor allem Strafrechtspraktiker, aber auch der Geschädigte selbst in der Lage waren, die in Frage stehenden Ansprüche zu ermitteln. Die für die mangelnde Akzeptanz des deutschen Adhäsionsverfahrens oft angeführte Scheu von Richtern oder Strafverteidigern[159] vor einer Befassung mit der zivilrechtlichen Materie hatte demnach keinen ausgeprägten hemmenden Einfluss.

Die Art der geltend gemachten Ansprüche war begrenzt auf Schadensersatz. Im Ablauf des Verfahrens war der Geschädigte einbezogen, etwa konnte er umfassend Beweisanträge stellen. Die Entscheidungsmöglichkeiten des Gerichts umfassten auch eine so genannte negative Sachentscheidung. Besonderheiten bestehen in der Zulassung der Schadensersatzentscheidung im Strafbefehlsverfahren sowie im Arrestbefehl der Staatsanwaltschaft.

Aus heutiger Sicht erscheinen zwei Aspekte für die praktische Bedeutung entscheidend. Zunächst hervorzuheben ist der im Vergleich zum heutigen Adhäsionsverfahren wesentlich höhere Bekanntheitsgrad des Schadensersatzes im Strafverfahren bei den beteiligten Juristen, aber auch bei den Geschädigten. Darüber hinaus konzentrierten sich die Bemühungen des Gesetzgebers um eine Schadenswiedergutmachung auf das Schadensersatzverfahren und weniger auf andere Möglichkeiten.

---

sich zog) und der Geschädigte einen Schadensersatzantrag gestellt hatte. Hier musste das Gericht beide Entscheidungen treffen. Es konnte nicht etwa den Schadensersatzantrag ab- oder verweisen.

[158] *Posch* (1990), S. 3.

[159] *Janssen* (2008), Rn. 372; *Kühne* (2006), Rn. 1136.

270   Kap. 4: Äquivalente Rechtsinstitute im deutschsprachigen Raum

B. Die Privatbeteiligung in Österreich

I. Überblick

1. Zur historischen Entwicklung

Traditionell kommt der Ausgestaltung des Verfahrens in Österreich eine Vorbildrolle für die §§ 403 ff. StPO zu. Dies galt bereits bei der Einführung in das deutsche Strafverfahrensrecht im Jahr 1943[160], aber auch für spätere Reformüberlegungen[161]. In der öStPO wird das Adhäsionsverfahren als „Privatbeteiligung" bezeichnet[162]. Sie ist im Gegensatz zum deutschen Recht bereits sehr lange kodifiziert[163]. Schon in der Theresiana[164] aus dem Jahr 1768 waren adhäsionsrechtliche Vorschriften zugunsten des Geschädigten enthalten[165]. Das nachfolgende Gesetzeswerk der Josephina[166] aus dem Jahr 1787 hielt daran in etwas eingeschränkter Form fest. Diese Regelung übernahmen das Strafgesetzbücher der Jahre 1803 und 1852, sowie die Strafprozessordnungen aus den Jahren 1873, 1945 und 1975[167]. Auch in Österreich gab es im Verlauf der letzten drei Jahrzehnte eine stärkere Betonung von Opferrechten[168]. Die „Strafprozessuale Stellung des Verbrechensopfers und die Durchsetzung seiner Ersatzansprüche im Strafverfahren" war im Jahr 1997 Thema der strafrechtlichen Abteilung des Österreichischen Juristentags[169]. Dessen Erkenntnisse flossen auch in die jüngste Reform des Strafverfahrensrechts mit ein. Am 1. Januar 2008 trat eine groß an-

---

[160] *Köckerbauer* (1993), S. 36; *H.-J. Schroth,* GA 1987, 49.

[161] Beispielsweise ließ § 366 Abs. 2 öStPO a. F. ein Grundurteil bereits zu, bevor diese Möglichkeit in Deutschland durch das Opferrechtsreformgesetz eingeführt wurde.

[162] Der Ausdruck „Adhäsionsverfahren" wird ebenfalls gelegentlich benutzt, vgl. *Neidhart,* DAR 2006, 415, 416. Ein bekannter Fall aus jüngerer Zeit, in der die Privatbeteiligung eine Rolle spielte, ist der „Fall Althaus". Der Ehemann seiner bei einem Skiunfall verstorbenen Frau hat Schmerzensgeld im Weg der Privatbeteiligung gegen den angeklagten Politiker erfolgreich geltend gemacht (vgl. Der Standard v. 4.3.2009).

[163] Ausführlich zur geschichtlichen Entwicklung *Schönke* (1935), S. 117 f. sowie *H.-J. Schroth* (1990), S. 25 f.

[164] Constitutio Criminalis Theresiana, das von der österreichischen Erzherzogin Maria Theresia erlassene einheitliche Strafgesetzbuch für Österreich und Böhmen (dieses ausführlich erläuternd *Kwiatkowski* (1903), S. 5 ff.).

[165] Das Strafgericht konnte Vermögensgegenstände des Täters sicherstellen, die dann dem Geschädigten zu Gute kamen, oder Schadensersatz anordnen (so genannte *annotatio bonorum*), vgl. *H.-J. Schroth* (1990), S. 25.

[166] Österreichisches Allgemeines Strafgesetzbuch von Joseph II.

[167] Die gesetzliche Ausgestaltung wurde zudem wesentlich geprägt durch die grundlegende Abhandlung von *Schnek* (1928), S. 18 ff.

[168] Dies zeigt sich auch an gesetzgeberischer Aktivität, etwa durch den Erlass eines Verbrechensopferhilfeleistungsgesetzes (BGBl. 1973, 288). Vgl. zu dieser Entwicklung *Eder-Rieder* (1999), S. 36 und *dies.* ZStW 109 (1997), 701, 702; *Fuchs,* StPdG 26 (1998), 1, 5; *Jesionek,* juridikum 2005, 171; *Hilf* (2006), S. 60–62.

[169] Das Gutachten erstattete *Fuchs* (1997), S. 9 ff.

B. Die Privatbeteiligung in Österreich

gelegte und durch eine langjährige Reformdiskussion vorbereitete Neugestaltung des Strafverfahrensrechts in Kraft[170]. Der Schwerpunkt dieser Reform lag auf einer (zeitgemäßen) Neuregelung des Ermittlungsverfahrens. Weiterhin sollte die prozessuale Stellung des Opfers erheblich verbessert werden[171]. Daher bewirkte die Reform auch einige Änderungen der Privatbeteiligung. Neben kleineren Modifikationen wurde die Regelungssystematik grundlegend verändert, so dass ältere Literatur nur noch mit Einschränkungen herangezogen werden kann.

2. Die rechtstechnische Ausgestaltung

Strafverfahrensrecht ist in Österreich wie in Deutschland Bundesrecht. Die Rechtsquellen der Privatbeteiligung finden sich hauptsächlich in den §§ 65–69 sowie 366–379 öStPO. Das österreichische Verfahrensrecht trennt im Hinblick auf die Rechte von Verletzten zwischen Opfern (§ 65 Nr. 1 öStPO)[172], Privatbeteiligten (§ 65 Nr. 2 öStPO), Privatanklägern (§ 65 Nr. 3 öStPO)[173] und Subsidiaranklägern (§ 65 Nr. 4 öStPO)[174]. Das Gesetz gliedert in § 65 Nr. 1 lit. a bis c öStPO die Opfereigenschaft nochmals nach emotionaler Betroffenheit und Grad der Viktimisierung. Insgesamt wird ein weitreichender Kreis von Personen als Opfer erfasst, die durch die zur Verhandlung stehende Tat beeinträchtigt sein könnten[175]. Die Aufgliederung des Opferbegriffs dient dazu, bestimmten Opfern eine gewisse Vorzugsstellung einzuräumen[176]. Dem Opfer stehen insbesondere die Rechte aus § 66 öStPO zu[177]. Der Opferbegriff reicht weiter als der des Pri-

---

[170] BGBl. I 2004/19 (mit den Ergänzungen BGBl. I 2007/93 und BGBL. I 2007/109). Die Reform wurde auch zum Anlass genommen, den Rahmenbeschluss des Rates der Europäischen Union über die Stellung des Opfers im Strafverfahren (ABl. EG Nr. L 82/1 v. 22. März 2001) umzusetzen. Zum langjährigen Entstehungsprozess etwa *Schwaighofer* (2008), S. 17 ff. sowie *Bertel/Venier* (2006), Rn. 1 ff.

[171] *Koenig/Pilnacek,* ÖJZ 2008, 65, 61. Vorangegangen waren erhebliche, langjährig geführte Kontroversen um Details der Reform, vgl. *Eder-Rieder,* StPdG 26 (1998), 43, 63; *Hilf* (2006), S. 61.

[172] Der Rechtsbegriff des Opfers wurde erst mit dem aktuellen Reformgesetz in die öStPO aufgenommen und dort einheitlich gebraucht (*Eder-Rieder* (1999), S. 50).

[173] Das funktionale Äquivalent zum Privatklageverfahren nach §§ 374 ff. StPO.

[174] Das funktionale Äquivalent zum Klageerzwingungsverfahren nach § 172 StPO.

[175] *Bachner-Foregger* (2009), § 65 Anm. fasst die gesetzliche Aufzählung mit der Definition zusammen, dass Opfer eine natürliche Person sei, der aufgrund einer strafbaren Handlung ein Schaden entstanden sein könnte, sei es am Körper, an der Seele oder dem Vermögen.

[176] *Hilf/Anzenberger,* ÖJZ 2008, 886, 887; *Bertel/Venier* (2006), Rn. 84; *Seiler* (2001), S. 267. Etwa – als kurzes Beispiel – gibt es für Opfer von Sexualdelikten erleichterte Ansprüche auf Prozessbegleitung (§ 66 Abs. 2 öStPO).

[177] Etwa ein Akteneinsichtsrecht oder diverse Informationsrechte. Diese allgemeinen Opferrechte gab es vor der Reform nicht, sondern erst, wenn durch bestimmte Erklärungen eine besondere prozessrechtliche Stellung erreicht wurde, etwa die des Privatbeteiligten (*Koenig/Pilnacek,* ÖJZ 2008, 56, 61).

272 Kap. 4: Äquivalente Rechtsinstitute im deutschsprachigen Raum

vatbeteiligten, da ein Privatbeteiligter jedes Opfer ist, „das erklärt, sich am Verfahren zu beteiligen, um Ersatz ... zu begehren"[178]. Neben den (allgemeinen) Opferrechten steht dem Privatbeteiligten zur Verwirklichung seiner zivilrechtlichen Ansprüche eine weiterreichende prozessuale Stellung zu. Die Privatbeteiligung ist dabei ein Teil des Strafverfahrens[179]. Neben den §§ 65 bis 69 öStPO finden sich einschlägige Bestimmungen in den §§ 366 bis 379 öStPO[180]. Überdies sind den Privatbeteiligten betreffende Regelungen im jeweiligen Sachzusammenhang an einer Vielzahl weiterer Stellen der öStPO erwähnt[181].

3. Anwendungshäufigkeit in der Praxis

Statistische Werte, auf die zur Beurteilung der praktischen Bedeutung zurückgegriffen werden könnte, sind nicht veröffentlicht. Die Einschätzungen in der Literatur sind differenzierter Art. Geschätzt wurde, dass sich ein Viertel der möglichen Privatbeteiligten dem Verfahren anschließen, dabei aber hauptsächlich Versicherungen[182]. Jedoch hat das Verfahren der Privatbeteiligung nicht die Bedeutung erlangt, die den nicht unerheblichen Regelungsaufwand rechtfertigen könnte[183]. Hierzu passt auch die Bezeichnung als „Stiefkind der Praxis"[184]. Hinsichtlich der praktischen Bedeutung sind ähnliche Probleme wie in Deutschland zu verzeichnen. Berichtet werden Fälle, in denen Gerichte das Beweisantragsrecht des Privatbeteiligten in der Hauptverhandlung ignoriert hätten[185]. Die Verweisungsmöglichkeit auf den Zivilrechtsweg (§ 366 Abs. 2 S. 2 öStPO) hat in der Vergangenheit dieselben praktischen Probleme verursacht, wie sie auch von der Absehensmöglichkeit des § 406 Abs. 1 S. 4 StPO = § 405 S. 2 StPO a. F. be-

---

[178] § 65 Nr. 2 öStPO.

[179] *Fuchs* (1997), S. 37. Anders Fuchs/Ratz-*Spenling* (2004), vor §§ 365–379 Rn. 9, der die Privatbeteiligung als Zivilprozess in einem anderen Rahmen ansieht und daher auch grundsätzlich zivilprozessuale Regelungen anwenden will.

[180] In der vormaligen Fassung befanden sich einschlägige Regelungen in einer grundlegend verschiedenen Systematik in den §§ 4, 47, 172, 365 bis 379, 430 Abs. 6 öStPO a. F.

[181] Aus der Vielzahl der einschlägigen Vorschriften seien beispielhaft genannt: § 87 Abs. 1 öStPO (Beschwerderecht gegen einen Einstellungsbeschluss) oder § 127 Abs. 2 S. 3 öStPO (Anwesenheitsrecht gegenüber Sachverständigen).

[182] *Eder-Rieder,* StPdG 26 (1998), 43, 61. Selbst wenn Schätzungen nur tendenziell der Realität entsprächen, würde es sich um eine im Vergleich zum deutschen Recht erstaunlich hohe Zahl handeln, die indes immer noch als „verhältnismäßig wenig" angesehen wird (*Fuchs* (1997), S. 9).

[183] *Schoibl* (2001), S. 323 („keine nennenswerte Rolle"); *H.-J. Schroth,* GA 1987, 49, 50 („Auseinanderklaffen von Adhäsionsrecht und Adhäsionswirklichkeit").

[184] *Probst,* StPdG 14 (1986), 237, 241. Auch Rufe nach der Abschaffung des Rechtsinstituts gab es (*Vogl,* JBl. 1976, 524, 527), insofern ist eine ähnliche Entwicklung wie in Deutschland zu beobachten. Vgl. auch schon die Einschätzung von *Schönke* (1951), S. 361 (geringe praktische Bedeutung).

[185] *Bertel/Venier* (2006), Rn. 103.

B. Die Privatbeteiligung in Österreich 273

kannt waren. Zu häufig wird eine erhebliche Verzögerung des Strafverfahrens angenommen[186]. Die Bedeutung des Instituts der Privatbeteiligung für die tatsächliche Kompensation der Opferinteressen wird eher gering eingestuft[187]. Die jüngste Reform führt zur optimistischen Einschätzung, dass die Aussicht, bereits im Strafverfahren endgültig die privatrechtlichen Ansprüche mitzuerledigen, größer geworden sei[188]. Insgesamt spielt die Privatbeteiligung ebenso wie das deutsche Adhäsionsverfahren nur eine untergeordnete Rolle in der Praxis[189].

II. Voraussetzung der Privatbeteiligung

1. Formlose Anschlusserklärung

Ein Opfer wird nicht automatisch zum Privatbeteiligten, sondern muss dies erklären (§ 67 Abs. 2 S. 1 öStPO). Die inhaltlichen Anforderungen an die Wirksamkeit einer solchen Erklärung sind sehr gering.[190] Etwa muss die Erklärung zu ihrer Wirksamkeit nicht begründet werden. Folge der Erklärung ist, dass das Opfer (der potenzielle Verletzte der Straftat) in die prozessuale Stellung eines Privatbeteiligten aufrückt[191]. Eine über die bloße Erklärung hinausgehende Begründungspflicht besteht dann, wenn sich aus dem Akteninhalt nicht ergibt, dass dem Privatbeteiligten ein Anspruch entstanden sein könnte[192]. Die geltend gemachten Ansprüche müssen zunächst nicht beziffert werden. Dies kann der Privatbeteiligte bis zum Schluss des Beweisverfahrens nachholen[193]. Der Begründungspflicht genügt dabei eine schlüssige Behauptung, aus der hervorgeht, weswegen der Privatbeteiligte Ersatz verlangt[194]. Die erforderliche Bezifferung darf sich nicht in einem symbolischen Betrag erschöpfen, sondern muss so genau wie möglich angegeben werden[195]. Auch die allgemeine Erklärung nach Abs. 2 muss spätestens bis zum Schluss des Beweisverfahrens abgegeben werden (§ 67 Abs. 3

---

[186] *Seiler* (2008), Rn. 271; *Wessely* (2008), S. 23.

[187] *Jesionek* (2004), S. 255 und *ders.* (1997), S. 243.

[188] *Bertel/Venier* (2006), Rn. 105; *Höynck/Jesionek,* MSchrKrim 89 (2006), 88, 96.

[189] Daher lehnen *Krey/Wilhelmi* (2007), S. 938 auch eine Vorbildrolle der österreichischen Privatbeteiligung für das deutsche Adhäsionsverfahren ab.

[190] *Fabrizy* (2008), § 67 Rn. 5; EBRV StPRefG zu § 70 zitiert nach *Schwaighofer* (2008), S. 164. So bereits zum alten Recht *H.-J. Schroth,* GA 1987, 49, 58; *Fuchs* (1997), S. 22; *Platzgummer* (1997), S. 55 und (kritisch) *Bertel/Venier* (2004), Rn. 251.

[191] Zudem hat die Erklärung eine verjährungsunterbrechende Wirkung, die allerdings nur dann eintreten soll, wenn die Erklärung „individualisiert und beziffert" ist (*Spenling,* ZVR 2003, 344, 349, anders *Fuchs* (1997), S. 25).

[192] EBRV StPRefG zu § 70 zitiert nach *Schwaighofer* (2008), S. 164; *Bertel/Venier* (2006), Rn. 99.

[193] *Pleischl/Soyer* (2004), S. 148.

[194] *Fabrizy* (2008), § 67 Rn. 3 sowie § 69 Rn. 3 („eine globale Geltendmachung genügt nicht").

[195] *Bertel/Venier* (2006), Rn. 100.

274 Kap. 4: Äquivalente Rechtsinstitute im deutschsprachigen Raum

S. 2 öStPO). Adressaten der Erklärung sind im Ermittlungsverfahren die Kriminalpolizei oder die Staatsanwaltschaft, in der Hauptverhandlung das Gericht (§ 67 Abs. 3 S. 2 öStPO). Die Erklärung ist frei widerruflich.

2. Erklärungsberechtigung

Die zulässige Privatbeteiligungserklärung kann nur ein Opfer aussprechen. Die Opfereigenschaft beschreibt § 65 Nr. 1 öStPO. Daneben wird das Recht der Privatbeteiligung auch Erben des Opfers zuerkannt[196]. Die Rechtsprechung sieht als Berechtigten jedes Opfer einer Straftat an, das unmittelbar oder mittelbar einen Schaden erlitten hat[197]. Sogar Einzelrechtsnachfolger sind davon erfasst, wenn es sich um eine Legalzession handelt[198].

3. Erklärungsgegner

Eine Privatbeteiligung ist nur denkbar, wenn sich die Ansprüche gegen den Beschuldigten richten (§ 69 Abs. 1 S. 1 öStPO). Ausgeschlossen wird sie, wenn das Opfer nur anlässlich des Strafverfahrens mögliche Ansprüche gegen andere Anspruchsgegner geltend machen will. Damit entfallen etwa Fälle, in denen Versicherer in Anspruch genommen werden sollen oder Fallgestaltungen nach dem Amtshaftungsgesetz (AHG), in denen sich die Ansprüche nicht gegen den schuldigen Beamten richten, sondern gegen den Rechtsträger. Nach § 47 öStPO a. F., der die Privatbeteiligung vor dem 1.1.2008 geregelt hatte, war dies noch zugelassen. In Strafverfahren mit Amtshaftungsansprüchen können daher „nur" die allgemeinen Opferrechte geltend gemacht werden[199].

4. Erfasste Ansprüche

Erfasste Ansprüche sind nach § 69 Abs. 1 öStPO alle (privatrechtlichen[200]) Leistungs-, Feststellungs- oder Gestaltungsansprüche. Damit können fast alle

---

[196] Fuchs/Ratz-*Spenling* (2004), vor §§ 365–379 Rn. 24.

[197] EVBl. 1966/147. Daher ist auch ein Versicherer erfasst, der einen Schaden ersetzen musste (EVBl. 1968/19). Zur Problematik *Mayerhofer* (2004), § 369 Rn. 11.

[198] Nicht bei rechtsgeschäftlichen Zessionen (*Mayerhofer* (2004), § 366 Rn. 2).

[199] *Fabrizy* (2008), § 67 Rn. 12; *Bertel/Venier* (2006), Rn. 98. Anders *Seiler* (2008), Rn. 281, der auch die Amtshaftungsprozesse erfasst sieht, da dies „prozessökonomisch zweifellos sinnvoll" sei, sowie (ohne nähere Begründung) *Pleischl/Soyer* (2004), S. 141. Diese Ansicht geht auf die neue Rechtslage jedoch nicht ausreichend ein. Differenzierend Fuchs/Ratz-*Spenling* (2004), § 365 Rn. 20, der zwar von einer zulässigen Privatbeteiligung ausgeht, aber eine Verweisungspflicht des Gerichts auf den Zivilrechtsweg annimmt.

[200] *Spenling*, ZVR 2003, 344, 346; *Fabrizy* (2008), § 69 Rn. 2, der darauf hinweist, dass öffentlich-rechtliche Forderungen nicht erfasst sind.

B. Die Privatbeteiligung in Österreich

denkbaren Anspruchsarten im Weg der Privatbeteiligung geltend gemacht werden[201]. Häufigste Fälle sind die auch gesetzlich genannten Leistungsansprüche auf Schadensersatz[202] oder Entschädigung[203]. Aber auch die Feststellung der Nichtigkeit eines durch Täuschung zustande gekommenen Vertrages[204] oder Gestaltungsansprüche (etwa Berichtigung des Grundbuchs[205]) können geltend gemacht werden.

Bedeutsam ist der Bezug zur angeklagten Straftat. Nur Schäden, die *durch die Straftat* erlitten wurden, oder die Entschädigung für die Beeinträchtigung *strafrechtlich geschützter* Güter können geltend gemacht werden (§ 67 Abs. 1 S. 1 und 69 Abs. 1 S. 1 öStPO[206]). Daher muss das Gericht prüfen, ob die Ansprüche ihren Haftungsgrund gerade in der angeklagten Straftat haben. Dabei kann es nicht um eine vollständige Anspruchsprüfung gehen. Vielmehr sollen nur die Fälle ausgesiebt werden, die von vornherein nichts mit dem zu verhandelnden Verfahren zu tun haben. Daher genügt die meist zu bejahende Frage, ob es nicht ausgeschlossen ist, dass die Ansprüche ihre Haftungsbegründung gerade in der verfahrensgegenständlichen Straftat haben können[207].

5. Weitere Voraussetzungen

Die parteibezogenen Voraussetzungen für eine Zivilklage müssen auch beim Privatbeteiligten vorliegen[208]. Eine anderweitige Rechtshängigkeit bei einem Zivilverfahren soll hingegen an der Zulässigkeit der Erklärung nichts ändern[209]. Ein bereits anhängiges Zivilverfahren kann in einem solchen Fall nach § 191 öZPO unterbrochen werden.

---

[201] Eine (kleine) wohl nicht sehr relevante Einschränkung erfährt die Privatbeteiligung dadurch, dass das Bestehen einer Ehe nur als Vorfrage beurteilt werden kann (§§ 69 Abs. 1 S. 2, 371 Abs. 2 öStPO).

[202] *Bertel/Venier* (2006), Rn. 97.

[203] Geltendmachung eines immateriellen Schadens, siehe ausführlich *Eder-Rieder* (2002), S. 570 ff., die einen Schwerpunkt auf die Folgen von Sexualdelikten legt.

[204] Vgl. § 371 Abs. 1 öStPO, der dem Gericht auferlegt, die (teilweise) Ungültigkeit eines Rechtsverhältnisses stets mit zu entscheiden.

[205] *Fuchs* (1997), S. 19.

[206] Vgl. den Wortlaut: „aus der Straftat abgeleitet".

[207] *Seiler* (2008), Rn. 267 spricht zutreffend von einem „schlüssig denkbaren Zusammenhang zwischen der Tat und dem entstandenen Schaden".

[208] Fuchs/Ratz-*Spenling* (2004), vor §§ 365–379 Rn. 9.

[209] So die einhellige Meinung: SSt 55/77; EvBl. 1981/178; *Seiler* (2008), Rn. 270; *Fabrizy* (2008), § 67 Rn. 9; *Pleischl/Soyer* (2004), S. 153; Fuchs/Ratz-*Spenling* (2004), vor §§ 365–379 Rn. 26; *Fuchs* (1997), S. 25; *Platzgummer* (1997), S. 54.

276   Kap. 4: Äquivalente Rechtsinstitute im deutschsprachigen Raum

III. Rechtliche Ausgestaltung der Privatbeteiligung

1. Wirkung der Privatbeteiligung

Die zulässige Privatbeteiligung unterbricht die Verjährung, allerdings nicht bereits mit der Erklärung, sondern nach der Rechtsprechung erst in dem Moment, in dem der Privatbeteiligte „den Anspruch seiner Art nach individualisiert und beziffert hat"[210]. Ist eine Bezifferung noch nicht möglich, ist sie für die verjährungsunterbrechende Wirkung nicht erforderlich. Dem Gericht muss jedenfalls klar sein, welche Art von Schäden bei der Erklärung geltend gemacht werden sollen. Rechtshängigkeit tritt dagegen nicht ein. Der Privatbeteiligte kann den Anspruch parallel auf dem Zivilrechtsweg geltend machen.

2. Verfahrensablauf

Das Verfahren der Privatbeteiligung beginnt mit der Zulässigkeitsprüfung der Erklärung. Ist sie nicht zulässig, muss sie von der Staatsanwaltschaft oder (nach Einbringen der Anklage) vom Gericht aus den in § 67 Abs. 4 öStPO dargestellten Gründen zurückgewiesen werden[211]. Damit kann eine Zurückweisung bereits vor dem Urteil erfolgen. Dem Privatbeteiligten steht es frei, eine weitere zivilrechtliche Klage zu erheben, wenn er sich mit der vom Strafgericht ihm zuerkannten Entschädigung nicht begnügen will (§ 372 öStPO).

Da die Erklärung sehr geringe Anforderungen erfüllen muss, besteht die Obliegenheit für den Privatbeteiligten, in der Hauptverhandlung substantiiert zu seinen Ansprüchen vorzutragen[212]. Dennoch steht der weitere Verfahrensablauf unter der Geltung der Offizialmaxime. Das Gericht muss die Anspruchsvoraussetzungen von Amts wegen ermitteln[213]. Trägt der Privatbeteiligte nicht zur Klärung der Ansprüche bei, riskiert er eine Verweisungsentscheidung des Gerichts.

Nach § 245 Abs. 1 a öStPO muss der Beschuldigte eigens zum zivilrechtlichen Anspruch vernommen werden. Er muss aufgefordert werden, ob und in welchem Umfang er die geltend gemachten Ansprüche anerkennt. Ein Anerkenntnis hat dabei lediglich Beweisfunktion. Liegt ein Anerkenntnis vor, darf das Gericht nicht danach verurteilen, sondern muss prüfen, ob der Anspruch dem Grunde nach tatsächlich besteht[214]. Unterbleibt diese Vernehmung, kann keine Entschei-

---

[210] OGH ZVR 2001/92; so auch Fuchs/Ratz-*Spenling* (2004), vor §§ 365–379 Rn. 37; a. A. *Fuchs* (1997), S. 25.

[211] § 67 Abs. 4 öStPO legt als Zurückweisungsgründe fest: offensichtliche Nichtberechtigung (Nr. 1) vgl. hierzu die Beispiele bei *Fabrizy* (2008), § 67 Rn. 9, Verspätung (Nr. 2) und fehlende Bezifferung (Nr. 3).

[212] *H.-J. Schroth,* GA 1987, 49, 58.

[213] Fuchs/Ratz-*Spenling* (2004), vor §§ 365–379 Rn. 7. Nach dem neuen Recht folgt dies direkt aus § 67 Abs. 1 S. 2 öStPO.

[214] SSt 37/61; *Fabrizy* (2008), § 69 Rn. 4.

B. Die Privatbeteiligung in Österreich

dung über den Anspruch ergehen[215]. Die Vernehmung selbst muss mindestens darin bestehen, zum geltend gemachten Anspruch Stellung zu nehmen.

Eine besondere Bestimmung enthält § 67 Abs. 1 S. 2 öStPO, wonach das Ausmaß der Schäden oder der Rechtsgutsbeeinträchtigung bei der Privatbeteiligung von Amts wegen festgestellt wird. Nur wenn dies mit einem unverhältnismäßigen Aufwand verbunden wäre, muss – vor dem Hintergrund des Beschleunigungsgrundsatzes – der Privatbeteiligte auf den Zivilrechtsweg verwiesen werden. Das Gericht kann sich daher für die Schadensfeststellung bei Köperverletzungen eines Sachverständigen bedienen.

Kann nach Abschluss der Beweisaufnahme das Gericht zwar eine Entscheidung über den strafrechtlichen Verfahrensteil, nicht aber über den zivilrechtlichen Teil der Privatbeteiligung treffen, muss es eine weitergehende (nur auf den zivilrechtlichen Teil beschränkte) Beweisaufnahme durchführen. Davon kann es nur absehen, wenn die strafrechtliche Entscheidung hierdurch *erheblich verzögert* würde (§ 366 Abs. 2 S. 2 öStPO). Jedenfalls muss das Gericht in derartigen Fällen entscheiden, ob eine weitere Beweisaufnahme in Frage kommt, oder ob der Privatbeteiligte auf den Zivilrechtsweg verwiesen wird.

Gerichtskosten fallen für den Privatbeteiligten nur an, wenn er das Verfahren durch eine wissentlich falsche Anzeige veranlasst hat (§ 390 Abs. 4 öStPO). Die eigenen Rechtsverfolgungskosten muss er vorerst selbst tragen. Wird der Beschuldigte verurteilt, hat er diese Kosten zu ersetzen (§§ 389 Abs. 1, 381 Abs. 1 Nr. 8 öStPO). Im Falle einer Verweisung auf den Zivilrechtsweg zählen die Kosten der (bisherigen) Privatbeteiligung als Kosten des Zivilverfahrens (§ 393 Abs. 5 öStPO), über die das Zivilgericht zu entscheiden hat.

3. Stellung des Privatbeteiligten

Grundvorschrift ist § 10 Abs. 1 öStPO, der es Opfern von Straftaten ermöglicht, sich „nach Maßgabe des 4. Hauptstückes" am Strafverfahren zu beteiligen. Aus der umfangreichen Vorschrift des § 67 Abs. 6 öStPO erwächst eine Vielzahl von Rechten für den Privatbeteiligten. Zusammen mit den Opferrechten aus § 66 öStPO kann er vielfältig am Strafverfahren mitwirken. Ihm kommt damit eine Stellung als selbständiger Funktionsträger zu[216].

Zunächst stehen dem Privatbeteiligten die allgemeinen Opferrechte nach § 66 Abs. 1 öStPO zu. Dazu zählen unter anderem das Recht, sich vertreten zu lassen

---

[215] So die ständige Rechtsprechung, vgl. nur SSt 40/62; 53/19. Eine fehlende Vernehmung soll im Rechtsmittelverfahren nachgeholt werden können (Fuchs/Ratz-*Spenling* (2004), § 365 Rn. 29).

[216] So noch zum alten Recht *H.-J. Schroth*, GA 1987, 49, 58, der die Stellung mit der des deutschen Nebenklägers vergleicht.

278   Kap. 4: Äquivalente Rechtsinstitute im deutschsprachigen Raum

(Nr. 1), ein Akteneinsichtsrecht (Nr. 2 i.V.m. § 68 öStPO) sowie diverse Informationsrechte. Darüber hinaus kann er Rechte geltend machen, die im direkten Zusammenhang mit einer effektiven Anspruchsverfolgung stehen und durch die Beteiligungserklärung ermöglicht werden, § 67 Abs. 6 öStPO. Er kann Beweisanträge stellen, Beschwerden wegen Verfahrenseinstellung und Berufung wegen des Urteils über die Ansprüche erheben, die Anklage nach Rücktritt[217] der Staatsanwaltschaft aufrechterhalten (dann Subsidiaranklage nach § 72 öStPO) und in der Hauptverhandlung ein Schlusswort führen. Das Äußerungsrecht ist dabei auf seine Ansprüche begrenzt; zum strafrechtlichen Teil des Verfahrens (etwa der Strafzumessung) darf er sich nicht äußern.

Insbesondere das auf das Vorverfahren ausgedehnte Beweisantragsrecht ist bemerkenswert. Damit kann er bereits außerhalb der Hauptverhandlung darauf Einfluss nehmen, dass für die Beurteilung der privatrechtlichen Ansprüche notwendige Ermittlungsmaßnahmen durchgeführt werden. Auf den strafrechtlichen Teil des Verfahrens dürfen sich die Beweisanträge wiederum nicht beziehen[218]. Die Möglichkeiten von Beweisanträgen sind dort begrenzt, wo sie mehr als nur „einfache Erhebungen" nötig machen würden (§ 67 Abs. 1 S. 2 öStPO), da hier die Gefahr der Verfahrensverzögerung besteht.

§ 68 Abs. 1 öStPO gewährt Privatbeteiligten ein Akteneinsichtsrecht „soweit ihre Interessen betroffen sind". Problematisch an einem solchen Recht ist, dass der Privatbeteiligte als Opfer regelmäßig auch Zeuge im Verfahren ist. Macht er die Aussage in Kenntnis der Ermittlungsergebnisse, besteht die Gefahr, dass durch die Akteneinsicht letztlich die Wahrheitsfindung beeinträchtigt wird[219]. Der Gesetzgeber versucht dieser Gefahr durch Beschränkungen dieses Rechts zu begegnen (§ 68 Abs. 1 S. 2 öStPO), wenn „der Zweck der Ermittlungen" oder „eine unbeeinflusste Aussage als Zeuge" gefährdet wäre. Damit soll die Waffengleichheit zwischen dem Opfer und dem Beschuldigten erhalten bleiben. Das Gericht (im Ermittlungsverfahren die Staatsanwaltschaft) muss zusätzlich in jedem Einzelfall eine Interessenabwägung zwischen dem Informationsinteresse des Privatbeteiligten sowie dem Geheimhaltungsinteresse des Beschuldigten treffen[220], um entscheiden zu können, welche Teile der Akte für die Einsicht bereitgestellt werden. Fällt die Abwägung zugunsten des Beschuldigten aus, darf die Akte etwa keine personenbezogenen Daten (z.B. Einkommensnachweise) enthalten. Dies kann beispielsweise dann der Fall sein, wenn sich der Anspruch gegen einen im bisherigen Prozessverlauf kooperativen Beschuldigten richtet oder voraussichtlich ein geringer Schaden zu erwarten ist.

---

[217] Vergleichbar der deutschen Verfahrenseinstellung nach §§ 153 ff. StPO.
[218] *Bertel/Venier* (2010), Rn. 157.
[219] *Seiler* (2008), Rn. 260.
[220] *Fabrizy* (2008), § 68 Rn. 2.

B. Die Privatbeteiligung in Österreich

Der Privatbeteiligte hat das Recht auf Verfahrenshilfe durch Beigebung eines Rechtsanwaltes (§ 67 Abs. 7 öStPO). Dieses Recht hat der Gesetzgeber neu aufgenommen, da die Position des Privatbeteiligten in ihrer rechtlichen Komplexität von einem Rechtsunkundigen kaum entsprechend wahrgenommen werden kann[221]. Voraussetzungen für diesen Anspruch sind, dass kein Fall der allgemeinen Opferprozessbegleitung (§ 66 Abs. 2 öStPO) vorliegt, dass der Privatbeteiligte finanziell bedürftig ist[222], und dass ein weiterer Zivilprozess vermieden werden soll. Die Voraussetzungen sind sehr offen formuliert und konkretisierende Entscheidungen der Rechtsprechung liegen bislang nicht vor. Beispielsweise impliziert das Merkmal „zur Vermeidung eines weiteren Zivilprozesses" eine gute Aussicht, dass die Ansprüche nicht auf den Zivilrechtsweg verwiesen werden[223]. Auch die Prüfung der finanziellen Bedürftigkeit wird dem Gericht nicht ohne weiteres gelingen. Eine genaue Prüfung der Erfolgsaussichten würde bereits ein Großteil des Verfahrens ausmachen, genau wie eine detaillierte Bedürftigkeitsprüfung den im Strafverfahren erträglichen Aufwand sicher sprengen würde. Soll diese Vorschrift nicht völlig leer laufen, muss sie weit ausgelegt werden. Die tatsächlich anfallenden Kosten des Rechtsbeistandes fallen bei einer Verurteilung dem Beschuldigten zusätzlich zur Last, in anderen Fällen trägt sie (indirekt) die Staatskasse[224]. Ab dem Zeitpunkt der Beauftragung eines Privatbeteiligtenvertreters kann dieser keine Kosten als Prozessbegleiter (§ 66 Abs. 2 öStPO) mehr abgelten.

4. Entscheidung des Gerichts

Die Entscheidung über die geltend gemachten Ansprüche ist Teil des Strafurteils[225]. Die verschiedenen Entscheidungsmöglichkeiten sind genau vorgegeben. Entweder wird dem Anspruch ganz oder teilweise stattgegeben, oder er wird auf den Zivilrechtsweg verwiesen. Eine negative in Rechtskraft erwachsende

---

[221] *Hilf/Anzensberger,* ÖJZ 2008, 886, 892; *Seiler* (2008), Rn. 277. Die Forderung nach Schaffung dieser Möglichkeit wurden bereits lange erhoben (*Jesionek* (1997), S. 244. Vgl. auch den Wahrnehmungsbericht der Rechtsanwaltskammer 2000 S. 15, abrufbar unter www.rakwien.at) und wurde „sehnlichst erwartet".

[222] Die Kosten der anwaltlichen Vertretung dürfen den notwendigen Unterhalt (d.h. der Unterhalt für den Privatbeteiligten und seine Familie für eine einfache Lebensführung) nicht beeinträchtigen.

[223] *Fabrizy* (2008), § 67 Rn. 14.

[224] Indirekt deshalb, da private Vereine die Prozesskosten übernehmen. Der Bund hat mit ihnen Verträge (hinsichtlich psychosozialer und juristischer Prozessbegleitung nach § 66 Abs. 2 öStPO) und stellt diesen Vereinen einen gewissen Finanzbetrag zur Verfügung. Vgl. auch den Bericht des österreichischen Rechnungshofes (Bund 2007-16, S. 226; abrufbar unter www.rechnungshof.gv.at).

[225] Vgl. § 35 Abs. 1 öStPO sowie die §§ 366 Abs. 2 S. 1, 260 Abs. 1 Nr. 5 und 270 Abs. 2 Nr. 4 öStPO.

280 Kap. 4: Äquivalente Rechtsinstitute im deutschsprachigen Raum

Sachentscheidung gibt es auch in Österreich nicht[226]. Wird der Beschuldigte freigesprochen, ergeht keine Entscheidung hinsichtlich der Privatbeteiligung. Nach § 366 Abs. 1 öStPO wird der Privatbeteiligte mit seinen Ansprüchen in diesem Fall auf den Zivilrechtsweg verwiesen.

Wird der Beschuldigte verurteilt, muss das Gericht in der Privatbeteiligung entscheiden. Hier kann es die Ansprüche voll oder nur teilweise zuerkennen. Ein Grundurteil ist dagegen vom Gesetzgeber nicht vorgesehen[227]. Die zusprechende Entscheidung stellt einen Exekutionstitel dar (§ 373 öStPO) und ist sofort mit Rechtskraft des Urteils fällig und vollstreckbar[228]. Erfasst sind von der zusprechenden Entscheidung zudem die Kosten des Privatbeteiligten für die Vertretung.

Auch ohne Freispruch des Beschuldigten ist eine Verweisung auf den Zivilrechtsweg eine mögliche Entscheidungsform. Sie ist allerdings nur unter erschwerten Voraussetzungen möglich, die § 366 Abs. 2 öStPO näher bestimmt. Spricht das Gericht einen Schuldspruch aus, ist eine Verweisung nur unter der Bedingung zulässig, dass die „zur Beurteilung der geltend gemachten Ansprüche erforderlichen Grundlagen nur durch eine Beweisaufnahme geklärt werden können, die eine mögliche Entscheidung in der Schuld- und Straffrage erheblich verzögern würde"[229]. Genügen die Erkenntnisse aus dem Strafverfahren nicht, um die geltend gemachten Ansprüche beurteilen zu können, muss es grundsätzlich eine weitergehende (nur auf den zivilrechtlichen Teil beschränkte) Beweisaufnahme durchführen, damit die Ansprüche im Strafverfahren erledigt werden können[230]. Lediglich bei *erheblicher* Verzögerung kann es davon absehen (§ 366 Abs. 2 S. 2 öStPO). Auch aus Gründen, die zu einer unzulässigen Erklärung führen (etwa wenn das Urteil wegen einer anderen Straftat als der der Erklärung zugrunde liegenden erfolgt), muss auf den Zivilrechtsweg verwiesen werden. Lediglich bei den Gründen des § 67 Abs. 4 öStPO erfolgt keine Verweisung auf den Zivilrechtsweg, sondern die Zurückweisung der Erklärung.

Eine umfangreiche Möglichkeit, die (privatrechtliche) Streitigkeit im Vergleichsweg abzuschließen, bietet § 69 Abs. 2 öStPO. Das Gericht kann im Hauptverfahren[231] einen Vergleich zwischen dem Beschuldigten und dem Privat-

---

[226] ÖJZ-LSK 1997/23; *Bachner-Foregger* (2009), § 366 Anm. I; *Fabrizy* (2008), § 366 Rn. 4; Fuchs/Ratz-*Spenling* (2004), § 366 Rn. 5; *Platzgummer* (1997), S. 56.

[227] Der Wortlaut erfasst diese Konstellation auch in den neu gefassten Vorschriften nicht. Vgl. Fuchs/Ratz-*Spenling* (2004), § 365 Rn. 7.

[228] SSt 26/47; *Eder-Rieder*, StPdG 94 (1998), 43, 57.

[229] EBRV StPRefG zu §§ 365 bis 378 zitiert nach *Schwaighofer* (2008), S. 457.

[230] *Seiler* (2008), Rn. 271.

[231] Im Gesetzgebungsverfahren war noch eine Bestimmung erwogen worden, nach der in jedem Verfahrenszeitpunkt ein Vergleich möglich gewesen wäre (EBRV StPRefG zu § 68 zitiert nach *Schwaighofer* (2008), S. 168). Dies wurde mit der Erwägung verworfen, dass das Gericht in frühen Verfahrensstadien mit der Sache (wenn überhaupt) noch nicht in ausreichendem Maß befasst sei (*Pleischl/Soyer* (2004), S. 152).

B. Die Privatbeteiligung in Österreich

beteiligten zu Protokoll nehmen. Es kann von Amts wegen die Parteien zu einem Vergleich bewegen und muss dies tun, wenn eine der Parteien einen Antrag stellt. In der Ausgestaltung eines Vergleichs gibt der Gesetzgeber keine weiteren Vorgaben. Wird ein Vergleich geschlossen, darf die Vergleichsbereitschaft des Beschuldigten keinerlei Einfluss auf die strafrechtliche Beurteilung der Anklage haben[232]. Andererseits kann im Zustandekommen eines Vergleichs ein Milderungsgrund zugunsten des Beschuldigten liegen (§ 34 Abs. 1 Nr. 15 öStGB).

Nach § 372 öStPO steht es dem Privatbeteiligten frei, auch nach einem zivilrechtlichen Erkenntnis im Privatbeteiligungsverfahren nochmals den Zivilrechtsweg zu bestreiten, wenn er sich mit der zuerkannten Entschädigung nicht begnügen will.

5. Rechtsbehelfe

Gegen eine Verweisung kann nur der *Privatbeteiligte* einen Rechtsbehelf einlegen. Nach §§ 366 Abs. 3, 67 Abs. 6 Nr. 5, 283 Abs. 4 öStPO kann er[233] eine Verweisung trotz ausreichender Entscheidungsgrundlage mit der Berufung anfechten. Gegen eine Verweisung wegen Freispruchs kann er dem klaren Gesetzeswortlaut nach keine Berufung einlegen. Im Fall eines freisprechenden Urteils hat der Privatbeteiligte nach § 282 Abs. 2 öStPO das Recht, aus dem Grund des § 281 Abs. 1 Nr. 4 öStPO Nichtigkeitsbeschwerde zu erheben, was aber eine äußerst seltene Konstellation darstellt[234]. Bei einem stattgebenden Urteil kann der Privatbeteiligte keine Rechtsmittel einlegen[235]. Er ist dann nach § 372 öStPO gehalten, von sich aus den Zivilrechtsweg zu bestreiten. Dem Beschuldigten steht das Berufungsrecht nach §§ 283 Abs. 4 S. 2, 464 Nr. 3, 489 Abs. 1 öStPO zu. Handelt es sich um niederinstanzliche Urteile der Bezirksgerichte oder um Verfahren vor einem Einzelrichter, ermöglichen die §§ 465 Abs. 3 und 489 Abs. 1 öStPO es ausnahmsweise auch dem Privatbeteiligten, Berufung einzulegen.

Der *Beschuldigte* kann sowohl gegen die strafrechtliche als auch die zivilrechtliche Entscheidung mit der Berufung vorgehen. Er kann sein Rechtsmittel auch auf einen Teil beschränken. Der *Staatsanwaltschaft* stehen lediglich die „normalen" Rechtsmittel gegen die strafrechtliche Entscheidung zu.

---

[232] *Seiler* (2008), Rn. 272.

[233] Sowie gem. § 366 Abs. 3 öStPO auch seine Erben (vgl. hierzu Fuchs/Ratz-*Spenling* (2004), § 366 Rn. 28 bis 32).

[234] *Bertel/Venier* (2010), Rn. 160.

[235] So die ganz herrschende Ansicht mit dem Argument, dass ansonsten die Regelungen der §§ 464 Nr. 3, 489 Abs. 1 öStPO überflüssig wären. Vgl. Fuchs/Ratz-*Spenling* (2004), § 365 Rn. 15.

282 Kap. 4: Äquivalente Rechtsinstitute im deutschsprachigen Raum

IV. Besonderheiten der österreichischen Privatbeteiligung

1. Rückstellungsverfahren

Die §§ 367–369 öStPO enthalten in detaillierten Vorschriften Bestimmungen, wie mit dem Opfer und damit auch dem Privatbeteiligten gehörenden Sachen im Strafprozess zu verfahren ist. § 367 Abs. 1 öStPO bestimmt, dass im Urteil ausdrücklich bestimmt werden muss, dass dem Opfer gehörende, beschlagnahmte[236] Sachen ihm nach Rechtskraft der Entscheidung zurückzustellen sind. Einer Privatbeteiligungserklärung bedarf es hierfür nicht[237]. Es handelt sich um ein vereinfachtes Verfahren zur Rückstellung beschlagnahmter Sachen des Privatbeteiligten an diesen. Beantragt das Opfer eigens die Herausgabe, bestimmt § 367 Abs. 2 öStPO, dass dies bereits vor Eintritt der Rechtskraft unter bestimmten Voraussetzungen möglich ist. § 368 öStPO versucht einen Ausgleich bei bestehenden Rechten Dritter herzustellen. § 369 öStPO betrifft die Fälle, in denen eine Herausgabe der Sache (z.B. wegen Unmöglichkeit) nicht mehr möglich ist. Eine Privatbeteiligungserklärung ist dann für die Geltendmachung von Sekundäransprüchen (z.B. auf Schadensersatz) nicht eigens erforderlich. Das Gericht muss unter den Voraussetzungen des § 369 öStPO von Amts wegen entscheiden.

2. Anspruch auf Vorschussleistung, § 373a öStPO

Ein wesentlicher Unterschied des österreichischen Adhäsionsverfahrens zu den §§ 403 ff. StPO besteht in einem möglichen Anspruch des Privatbeteiligten auf Vorschussleistung, der gegen den Bund gerichtet ist. Streng genommen handelt es sich dabei nicht um einen Teil der Privatbeteiligung, steht aber in engem Sachzusammenhang mit ihm. Daher hat der Gesetzgeber dieses Rechtsinstitut sehr detailliert im Rahmen der Bestimmungen über die Privatbeteiligung in der umfangreichen Vorschrift des § 373a öStPO geregelt. Die 1972 eingeführte Vorschrift betrifft die Problemlage, die zwischen strafrechtlicher Sanktion und zivilrechtlicher Anspruchserfüllung besteht. Die dem Beschuldigten auferlegte Erfüllung der staatlichen Strafe behindert oft die Erfüllung privatrechtlicher Ansprüche. Diese Benachteiligung des Privatbeteiligten will die Vorschrift des § 373a StPO abmildern, indem sie versucht, Widrigkeiten aufzufangen, die durch ein Handeln des Staates (nämlich der Verhängung einer Strafe) begründet sind. Dagegen soll die Rechtsgemeinschaft zugunsten des Privatbeteiligten nicht

---

[236] Dass es sich um beschlagnahmte Sachen handelt ist dem Wortlaut nicht direkt zu entnehmen, folgt aber indirekt aus Abs. 3 sowie dem Zweck der Vorschrift und ist einhellig anerkannt (Fuchs/Ratz-*Spenling* (2004), § 367 Rn. 1). Vgl. auch *Maleczky,* ÖJZ 1997, 456, 458 ff.

[237] Sie wäre auch unzulässig, da der Beschuldigte beschlagnahmte Sachen nicht mehr herausgeben könnte.

B. Die Privatbeteiligung in Österreich

das Risiko der Vermögenslosigkeit des Schädigers auffangen. Dies ist ein wichtiger Aspekt in der Zielsetzung des Rechtsinstitutes.

Der Anspruch auf Vorschussleistung hat *vier* Voraussetzungen. Ohne einen (neben der Privatbeteiligungserklärung stehenden) *Antrag,* den Vorschuss auf die Entschädigungszahlung zu gewähren, ist gem. § 373a Abs. 2 öStPO der Anspruch von vornherein ausgeschlossen. Dieser Antrag hat keine formalen Anforderungen. *Antragsberechtigt* sind der Privatbeteiligte oder sein Erbe, § 373a Abs. 1 S. 1 öStPO. Hierunter fallen aber nur „physische", d.h. natürliche Personen[238]. Die Antragsberechtigung entfällt in drei ungeschriebenen Fallgruppen[239]: Der Antragsteller darf nicht (alternativ) an der Tat beteiligt gewesen sein, seinen Schaden selbst herbeigeführt haben, wobei es hier nur auf grob fahrlässiges oder vorsätzliches Handeln ankommt und es schuldhaft unterlassen haben, zur Aufklärung beizutragen.

Dem Antrag auf Vorschussleistung muss eine bestimmte *Antragssituation* zugrunde liegen. Dem Geschädigten muss durch ein strafrechtliches Urteil (im Verfahren der Privatbeteiligung) oder auch durch ein Zivilurteil ein Entschädigungsbetrag zugesprochen sein. Kurz: Er benötigt einen Titel. Dabei muss der Anspruchsgrund auf einer Tötung, Körperverletzung, Gesundheitsschädigung oder einer Vermögensschädigung beruhen. Dies erfasst die meisten denkbaren Ansprüche, so dass der Anwendungsbereich an dieser Stelle sehr weit gefasst ist. Zudem muss gem. § 373a Abs. 2 öStPO die tatsächliche Durchsetzung (die „alsbaldige Zahlung", § 373a Abs. 2 öStPO) dieses Titels dadurch vereitelt werden, dass an dem Verurteilten die im selben Verfahren ausgesprochene Freiheits- oder Geldstrafe vollzogen wird. Dann nämlich besteht die für den Antragsteller missliche Situation, dass der verurteilte Schädiger womöglich zunächst dem staatlichen Strafausspruch Folge leistet. Damit würde er für die Entschädigung im günstigsten Fall nur eine Zeit lang nicht zur Verfügung stehen, im schlechtesten Fall jedoch gar keine Entschädigung leisten. Die alsbaldige Zahlung wird durch jede, nicht bloß ganz unbedeutende Verzögerung vereitelt[240], wobei nach § 373a Abs. 3 öStPO eine Vereitelung in allen Fällen anzunehmen ist, in denen der Verurteilte zwar eine staatliche Geldstrafe bedient, die zivilrechtlichen Ansprüche jedoch unberücksichtigt lässt. Ist die Entschädigungssumme unabhängig vom Vollzug der Strafe wegen völliger Vermögenslosigkeit beim Verurteilten nicht einbringlich, kann auch kein Vorschussanspruch entstehen, da es insoweit am Merkmal „vereiteln" fehlt.

Schließlich darf der Anspruch auf Vorschussleistung *nicht ausgeschlossen* sein. Der Anspruch ist in mehrfacher Hinsicht subsidiär. Zum einen kann nach § 373a Abs. 5 S. 1 öStPO kein Vorschuss gewährt werden, wenn dem Antragstel-

---

[238] *Bachner-Foregger* (2009), § 373a Anm. 1.

[239] *Fabrizy* (2008), § 373a Rn. 7; *Bachner-Foregger* (2009), § 373a Anm. 1.

[240] *Fabrizy* (2008), § 373a Rn. 5.

284 Kap. 4: Äquivalente Rechtsinstitute im deutschsprachigen Raum

ler mit Rücksicht auf seine persönlichen Verhältnisse zugemutet werden kann, die Vereitelung hinzunehmen. Dann nämlich muss der Rechtsgemeinschaft nicht auferlegt werden, die Folgen der strafbaren Handlung abzumildern, sondern dies ist dann Sache des Betroffenen selbst. An die Zumutbarkeit sind jedoch keine allzu hohen Anforderungen zu stellen, so dass ein Ausschluss im Zweifel zu verneinen ist[241]. Hierfür spricht schon der Gesetzeswortlaut des § 373 Abs. 5 S. 1 öStPO, der den Ausschluss nur bei offenbarer Zumutbarkeit anordnet. Zum anderen entfällt der Vorschuss auch dann, wenn der Geschädigte einen Anspruch nach dem Verbrechensopfergesetz (VOG[242]) hat, § 373a Abs. 6 Nr. 1 öStPO. Erfasst sind damit wegen des durch § 1 VOG bestimmten Anwendungsbereichs nur Ansprüche wegen Tötung, Körperverletzung oder Gesundheitsschädigung. Zudem bestimmt § 373a Abs. 6 Nr. 2 öStPO, dass ein Anspruch auch ausgeschlossen ist, soweit Anspruchsinhalte nach dem (an sich einschlägigen) VOG nicht zu erbringen wären. Ausgeschlossen sind damit in erster Linie Ansprüche auf Schmerzensgeld und wegen Verhinderung besseren Fortkommens nach den §§ 1325 und 1326 ABGB[243]. Bei Ansprüchen wegen Vermögensschäden sind Vorschüsse auf Leistungen, die über die eigentliche Schadloshaltung hinausgehen, ausgeschlossen (§ 373a Abs. 7 öStPO)[244]. Weiterhin wird der Vorschuss nicht gewährt, soweit der Antragsteller gegen einen Dritten Anspruch auf entsprechende Leistungen hat und die Verfolgung dieses Anspruches zumutbar und nicht offenbar aussichtslos ist.

Sind die Voraussetzungen erfüllt, *entscheidet* das Gericht über den Antrag auf Zahlung eines Vorschusses durch Beschluss. Dabei steht die Entscheidung in seinem pflichtgemäßen Ermessen. An der Zuerkennung des Vorschusses kann es aber kaum vorbeikommen, wenn keine besonderen Umstände auf Seiten des Privatbeteiligten vorliegen, da ansonsten in Frage stehen würde, dass das Ermessen pflichtgemäß war[245]. Der zugesprochene Vorschuss darf nicht höher als der Betrag sein, der vom Verurteilten ohne Strafvollzug innerhalb eines Jahres hätte geleistet werden können[246]. Gegen die Entscheidung über den Antrag steht sowohl dem Staatsanwalt als auch dem Antragsteller der Rechtsbehelf der Beschwerde zu (§ 373a Abs. 8 S. 4 öStPO). Ist die Rechtsbehelfsfrist von 14 Tagen abgelaufen, ersucht das Gericht den Präsidenten des Gerichtshofes Zweiter Ins-

---

[241] *Eder-Rieder,* ZStW 109 (1997), 701, 716.

[242] VOG: Bundesgesetz über die Gewährung von Hilfeleistungen an Opfer von Verbrechen v. 9.7.1972 (BGBl. Nr. 288/1972).

[243] *Bachner-Foregger* (2009), § 373a Anm. 2.

[244] *Fabrizy* (2008), § 373a Rn. 11, der als Beispiele den Ersatz entgangenen Gewinns und den Ersatz des Affektionsinteresses (vgl. § 1331 ABGB: „Werth der besondern Vorliebe") aufzählt.

[245] Vgl. den Wortlaut des § 373a Abs. 1 S. 1 öStPO („kann … gewähren"). Daher zu Recht Fuchs/Ratz-*Spendling* (2004), § 373a Rn. 1 im Anschluss an *Kunst,* ÖJZ 1978, 484, die die Rechtsfolge als ein „bedingtes Müssen" ansehen.

[246] *Fabrizy* (2008), § 373a Rn. 12.

B. Die Privatbeteiligung in Österreich 285

tanz um Auszahlung des Vorschusses. Werden tatsächlich Vorschussleistungen gewährt, findet eine Legalzession der Ansprüche zugunsten des Bundes statt (§ 373a Abs. 9 S. 1 öStPO). Die Regressforderungen können dann durchgesetzt werden, sobald dies aussichtsreich erscheint[247].

Die Vorschrift ist wegen der fehlenden Möglichkeit, Schmerzensgeldansprüche geltend zu machen, *in der Praxis wirkungslos*[248]. Zu viele Einschränkungen machen sie derart unattraktiv, dass der Vorschussanspruch in der gerichtlichen Praxis beinahe unbekannt ist und dementsprechend selten angewendet wird. Dennoch wird die Grundidee der Vorschrift durchaus positiv gesehen und die Erweiterung des Anwendungsbereiches gefordert. Der Reformgesetzgeber hat diese „Wünsche" jedoch unberücksichtigt gelassen.

3. Anspruch auf Befriedigung, § 373b öStPO

In einem besonderen Fall kann das Opfer einen Anspruch gegen den Bund auf Befriedigung geltend machen, ohne seinen im Wege der Privatbeteiligung erworbenen Titel zu gebrauchen. Vergegenwärtigt man sich die häufigen Fälle der Vermögenslosigkeit des Beschuldigten, kann dieser Anspruch einen besonderen Wert haben. Zwei Anspruchsvoraussetzungen müssen vorliegen: Erstens muss im Strafverfahren eine Bereicherung abgeschöpft (§ 20 öStGB) oder ein Verfall erklärt (§ 20b öStGB) worden sein. Bereicherung und Verfall müssen dabei aus derselben Straftat resultieren, die auch dem Anspruch des Opfers zugrunde liegt[249]. Zweitens muss aufgrund einer Privatbeteiligungserklärung eine Entschädigung im Strafurteil zugesprochen worden sein. Liegen die Voraussetzungen vor, kann der Bund in Anspruch genommen werden, wobei der Zivilrechtsweg einschlägig ist[250]. Der Bund hat die Befriedigung dann aus den vereinnahmten Vermögenswerten zu leisten.

4. Bedenklichkeitsverfahren, §§ 375 bis 379 öStPO

Die §§ 375 bis 379 öStPO regeln detailliert das Bedenklichkeitsverfahren, das etwaige Ansprüche (noch) unbekannter Opfer sichern will[251]. Hierfür werden beim Beschuldigten gefundene Vermögenswerte, die ihm offensichtlich nicht gehören, in einem öffentlichen Verfahren dem Zugriff des Beschuldigten entzogen. Damit hat der Gesetzgeber ein weiteres Rechtsinstitut geschaffen, das eine opfer-

---

[247] Für die Fälle der offenbar aussichtslosen Beitreibung vgl. *Fabrizy* (2008), § 373a Rn. 15.
[248] *Eder-Rieder,* ZStW 109 (1997), 701, 717.
[249] *Fabrizy* (2008), § 373b Rn. 1.
[250] EvBl. 2005/72.
[251] *Fabrizy* (2008), § 375 Rn. 1.

286 Kap. 4: Äquivalente Rechtsinstitute im deutschsprachigen Raum

schützende Funktion erfüllt. Die Regelung des Komplexes im engen systematischen Zusammenhang mit der Privatbeteiligung führt dazu, dass vom Verfahren
nicht alle Gegenstände erfasst sind, sondern nur solche, auf die sich im konkreten
Verfahren Privatbeteiligungsansprüche beziehen können.

5. Exkurs: Bindungswirkung strafrechtlicher Urteile

Eine Bindungswirkung strafrechtlicher Urteile in einem nachfolgenden Zivilprozess hängt nicht direkt mit dem Adhäsionsverfahren zusammen. Dennoch
kann sie eine Bedeutung für die weitere Geltendmachung von in der Privatbeteiligung „gescheiterten" Ansprüchen haben, da sie eine erhebliche Beweiserleich-
terung mit sich bringt. Der österreichische Gesetzgeber schuf mit § 268 öZPO
a. F. eine Vorschrift, die eine Bindung des Zivilgerichts an verurteilende strafrechtliche Erkenntnisse anordnete. Diese Vorschrift ist bereits im Jahr 1990 vom
Verfassungsgerichtshof als verfassungswidrig angesehen worden[252]. Eine die
Vorgaben der Verfassung entsprechende Nachfolgevorschrift wurde nicht erlassen. Gleichwohl nimmt die zivilrechtliche Rechtsprechung eine (eingeschränkte)
Bindungswirkung für den Rechtskreis des Verurteilten an[253]. Niemand könne
sich danach im nachfolgenden Rechtsstreit einer anderen Partei gegenüber darauf
berufen, dass er eine Tat, deretwegen er strafrechtlich verurteilt wurde, nicht begangen habe[254].

V. Zusammenfassung

Die Privatbeteiligung hat in Österreich eine lange Tradition und ist zuletzt
durch die Strafprozessrechtsreform umgestaltet worden. Wert wurde darauf gelegt, dass ein Opfer, das unmittelbar oder mittelbar durch eine Straftat einen
Schaden erlitten hat, unkompliziert und rasch einen vollstreckbaren Titel im
Strafverfahren erlangen kann. Die formellen Voraussetzungen für die Privatbeteiligungserklärung sind eher gering. In der rechtlichen Ausgestaltung des Verfahrens werden dem Privatbeteiligten vielfältige Rechtspositionen zugestanden. Insbesondere ein Beweisantragsrecht bereits im Ermittlungsverfahren ist in diesem
Zusammenhang zu erwähnen. Das Verfahren wird flankiert von einem Anspruch
gegen den Staat auf Vorschussleistung, das allerdings eine noch viel geringere
Rolle in der Praxis spielt als die Privatbeteiligung selbst, sowie zwei Rechtsinstituten, die die materiellen Folgen einer Straftat für das Opfer mildern sollen.

---

[252] VfGH JBl. 1990, 104. Siehe auch *Fabrizy* (2008), § 373 Rn. 3. Die Aufhebung
trat durch BGBl. 1990/706 im Jahr 1990 in Kraft.

[253] Vgl. nur OGH (verstärkter Senat) U. v. 17.10.1995, 1 Ob 612/95 (AnwBl 1995/
900); *Oberhammer,* ecolex 1995, 790. Seitdem ständige Rechtsprechung. Zu Bedenken
an dieser Rechtsprechung siehe *Fuchs* (1997), S. 13.

[254] Hierzu *Eder-Rieder* (2002), S. 580.

C. Das Adhäsionsverfahren in der Schweiz

I. Geschichte und geltendes Recht des Adhäsionsverfahrens im Überblick

1. Besonderheit des Schweizer Strafverfahrens

In der Schweiz gab es bis zum 31. Dezember 2010 historisch bedingt keine einheitliche Strafverfahrensordnung, sondern vielmehr 26 kantonale Strafprozessordnungen, ein Bundesstrafrechtspflegegesetz sowie jeweils ein (Bundes-)Gesetz über den Militär- und den Verwaltungsstrafprozess. Diese Rechtszersplitterung im (Straf-)Verfahrensrecht lag an der bisherigen verfassungsrechtlichen Gesetzgebungskompetenzordnung, nach der für die Regelung des Verfahrens und der Gerichtsorganisation grundsätzlich die Kantone zuständig waren[255]. Der Bund war lediglich ausnahmsweise für das Verfahren bei bestimmten schweren Straftaten[256], sowie für das Verfahren zum Militär- und zum Verwaltungsstrafrecht zuständig. Im Gegensatz dazu ist das materielle Strafrecht einheitlich gesamtschweizerisch kodifiziert[257]. Dieses Nebeneinander vieler verschiedener, parallel geltender Rechtsquellen wurde im zunehmenden Maße als kritisch und ineffizient angesehen[258]. In der Bundesverfassung wurde deshalb im Jahr 1999 eine einheitliche Bundeskompetenz für das gesamte Strafverfahren geschaffen[259]. Eine einheitliche gesamtschweizerische Strafprozessordnung ist nach einem langjährigen Gesetzgebungsprozess am 1. Januar 2011 in Kraft getreten[260].

Diese Vielfalt an Rechtsquellen erfordert es, für die Darstellung der Regelungen über das Adhäsionsverfahren eine sinnvolle Auswahl zu treffen. Ein Adhäsionsverfahren hat jeder Kanton in seine Strafprozessordnung aufgenommen und ist auch in zwei der drei Bundesstrafprozessgesetze enthalten[261]. Beispielhaft für

---

[255] *Riklin,* GA 2006, 495, 497.

[256] Hierzu zählen etwa Kapitaldelikte sowie Straftaten, die sich gegen den Staat richten; vgl. Art. 336 BStP.

[257] Schweizerisches Strafgesetzbuch vom 21. Dezember 1937 (zuletzt geändert am 7. Mai 2008; AS (2008), 2227). Darüber hinaus gibt es noch im Bereich der leichten Kriminalität kantonale Strafbestimmungen.

[258] Zur Reformdiskussion *Aeschlimann* (1996), Rn. 19 („Eine verwirrende Fülle für ein kleines Land wie die Schweiz es ist!"). Zur historischen Entwicklung der Vereinheitlichungsbestrebungen vgl. BBl. 2006, S. 1094 f. und S. 1098 ff. Vgl. auch die Übersicht bei *Donatsch,* SJZ 102 (2006), 384 und *Riklin,* GA 2006, 495, 496 sowie Nachzeichnung der Entwicklungslinien bei *Donatsch/Scheidegger,* SJZ 99 (2003), 405, 406 und *Hauser,* ZStrR 109 (1992), 193 und *ders.* ZStrR 111 (1993), 264.

[259] Jetzt Art. 123 S. 1 BV (in Kraft seit 1. April 2003; vgl. BBl. 1997, S. 1; 1999, S. 8633; 2000, S. 2990; 2001, S. 4202.

[260] Der Militär- und der Verwaltungsstrafprozess blieben von der StPO-Reform ausgeklammert.

[261] *Weder,* ZStrR 113 (1995), 39, 52.

288   Kap. 4: Äquivalente Rechtsinstitute im deutschsprachigen Raum

die rechtliche Ausgestaltung sollen an dieser Stelle die Bestimmungen des Kantons Zürich sein. Dargestellt wird daher im Folgenden die bisher geltende Ausgestaltung des Adhäsionsverfahrens nach der StPO-ZH. Diese Wahl hat ihren Grund darin, dass hier durch die Größe des Kantons die Quellenlage naturgemäß besser ist als in kleineren Kantonen. Zudem hatte die Regelung der StPO-ZH auch Einfluss auf die neue gesamtschweizerische StPO. Auch in dieser ist mit der so genannten Zivilklage ein Adhäsionsverfahren enthalten, auf dessen Regelungsmechanismus ebenfalls eingegangen wird.

2. Überblick über die historische Entwicklung

Das Strafverfahren in der Schweiz orientierte sich maßgeblich an der kontinentaleuropäischen Rechtsentwicklung[262]. Der Inquisitionsprozess bildete sich ab dem späten Mittelalter auch in der Schweiz heraus und wurde maßgeblich beeinflusst von der „Carolina" Kaiser Karls V. Daher kann angenommen werden, dass sich ein Adhäsionsprozess in der gleichen Weise wie im Gebiet des heutigen Deutschlands herausgebildet hat. Zu Beginn des 19. Jahrhunderts entwickelten sich unter dem Einfluss französischer Regelungen die ersten kantonalen Strafprozessordnungen[263], die den Inquisitionsprozess hin zu einem moderneren Strafverfahren modifizierten. Der Kanton Zürich erließ im Jahr 1919 eine umfassende Strafprozessordnung[264], die, angepasst durch eine Reihe von Reformgesetzen, gegenwärtig noch gilt. Ein Adhäsionsverfahren war von Anfang an enthalten und etablierte sich seitdem aus Gründen der „Fürsorge für den Geschädigten"[265].

Die bereits beschriebene verstärkte Beachtung des Verbrechensopfers während der vergangenen vier Jahrzehnte fand auch in der Schweiz statt. Im Zuge des opferfreundlichen Diskussionsprozesses wurde als Besonderheit des schweizerischen Strafrechts das Opferhilfegesetz (OHG) im Jahr 1990 erlassen[266]. Es sollte den Opfern von Straftaten wirksam Hilfe leisten und ihre Rechtsstellung

---

[262] *Hauser/Schweri/Hartmann* (2005), § 4 Rn. 1, die jedoch auf die noch weitgehend unerforschte Geschichte des schweizerischen Strafprozesses hinweisen.

[263] In Zürich beispielsweise im Jahr 1831.

[264] Die einschlägigen Vorschriften wurden im Jahr 1995 zuletzt geändert. Für die übrigen Kantone vgl. die Auflistung bei *Hauser/Schweri/Hartmann* (2005), § 5 Rn. 35 sowie dem Rechtsvergleich bei *Samochowiec*, ZStrR 104 (1987), 416 ff.

[265] *Rehberg* (1989), S. 628; Donatsch/Schmid-*Schmid* (1997), § 192 Rn. 1. Grundlegend auch bereits *Pfenninger*, SJZ 56 (1960), 181, 187, der die Grundgedanken des Adhäsionsverfahrens aufzeigt.

[266] Bundesgesetz über die Hilfe an Opfer von Straftaten (OHG; SR 312.5) vom 4. Oktober 1991 (Inkrafttreten: 1.1.1993). Zum Gesetzgebungsverfahren *Weishaupt* (1998), S. 9 ff. Ausführlich zum Verhältnis des OHG zu den kantonalen StPO *Maurer*, ZStrR 111 (1993), 375 ff., 390–392 (speziell für das Adhäsionsverfahren) sowie *Weder*, ZStrR 113 (1995), 39, 52.

C. Das Adhäsionsverfahren in der Schweiz

verbessern[267]. Dabei legte das OHG die Mindestgrundsätze für den Opferschutz fest. Den Kantonen beließ es bei der Umsetzung des Gesetzes einen gewissen Handlungsspielraum. Die Hilfe umfasste neben Beratung und einem Anspruch auf Entschädigung auch die gesetzgeberische Grundentscheidung für ein Adhäsionsverfahren.

Die im Jahr 2000 erfolgte Ermächtigung des Bundesgesetzgebers, ein einheitliches Verfahrensrecht zu erlassen, sollte mittelfristig dazu führen, dass nicht nur Straftaten in der Schweiz einheitlich umschrieben werden, sondern diese nach denselben prozessualen Regeln verfolgt und beurteilt werden. Das Parlament hat die Schweizerische Strafprozessordnung am 5. Oktober 2007 (StPO-CH) in der Schlussabstimmung angenommen. Gegen den Erlass fand kein Referendum statt, so dass die Strafprozessordnung am 1. Januar 2011 in Kraft gesetzt werden konnte. Mit der Inkraftsetzung der Schweizerischen Strafprozessordnung werden die kantonalen Strafprozessordnungen insoweit aufgehoben, als sie bisher für die Verfolgung und Beurteilung von Straftaten nach Bundesrecht (vgl. Art. 1 Abs. 1 StPO-CH) zur Anwendung gelangten. Soweit es um Straftatbestände des kantonalen Rechts geht, können die Kantone an sich vorsehen, dass solche Delikte auch nach dem Inkrafttreten der StPO-CH weiterhin nach kantonalem Verfahrensrecht verfolgt und beurteilt werden. Allerdings dürfte hierfür ein praktisches Bedürfnis nicht vorhanden sein, so dass davon auszugehen ist, dass die Kantone auch für kantonale Straftatbestände die StPO-CH für anwendbar erklären werden.

Mehrere Evaluationen des OHG in den ersten Jahren nach seinem Inkrafttreten ergaben einen Reformbedarf[268]. Da die Gesetzgebungskompetenz für das Strafverfahren nunmehr zum entscheidenden Teil dem Bund zufällt, wurde die Reform des Strafverfahrens zum Anlass genommen, das OHG ebenfalls umfassend zu überarbeiten. Die ursprüngliche Konzeption des OHG, einen minimalen Opferschutz im kantonal geregelten Strafverfahren sicherzustellen, hat sich überholt. Nunmehr regelt es opferspezifische Fragen, die auch unabhängig von einem Strafverfahren relevant sind[269].

---

[267] Art. 1 OHG.

[268] Vgl. die Ausführungen in der Botschaft des Bundesrates (BBl. 2005, S. 7166). Zu den Ergebnissen der Evaluationen: BBl. 2005, S. 7172. (Auch kritisch) zu den Reformüberlegungen *Hofer*, ZStrR 120 (2002), 107, 120 f.

[269] Vgl. auch Art. 1 Abs. 3 OHG n. F., wonach ein Anspruch auf Opferhilfe unter anderem auch dann besteht, wenn der Täter nicht schuldhaft gehandelt hat oder er nicht einmal ermittelt werden konnte.

290 Kap. 4: Äquivalente Rechtsinstitute im deutschsprachigen Raum

3. Überblick über die rechtstechnische Ausgestaltung

Das Adhäsionsverfahren war in den verschiedenen Kantonsprozessordnungen[270] sowie in Bundesgesetzen[271] vorgesehen. Seit dem Jahr 1991 regelten auch die Art. 8 f. OHG a. F., dass es im Anwendungsbereich des OHG ein Adhäsionsverfahren geben muss, und stellen hierfür Mindestanforderungen für die verschiedenen Strafverfahrensordnungen auf. Sinn dieser bundesrechtlichen Regelung war, für die gesamte Schweiz zu gewährleisten, dass Opfer erstens möglichst einfach und rasch ohne größeres Kostenrisiko ihre Rechte geltend machen konnten und ihnen zweitens eine Konfrontation in einem weiteren Prozess mit der Straftat erspart blieb[272]. Ob die Opfereigenschaft gegeben war[273], ergaben die Sachverhaltsangaben in der Anklageschrift[274]. Durch die Reform des OHG wurden die Vorschriften des OHG umgestaltet. Nunmehr enthält das OHG n. F. keine ausdrücklichen das Adhäsionsverfahren betreffenden Vorschriften mehr[275]. Das neue OHG trat am 1. Januar 2009 in Kraft. Dies bedeutet allerdings keine Rückentwicklung, denn die einschlägigen Bestimmungen sind nunmehr Bestandteil der StPO-CH.

Im hier interessierenden Kanton Zürich finden sich einschlägige Bestimmungen in den §§ 10 Abs. 2, 192–193a StPO-ZH sowie an weiteren Stellen im jeweiligen Sachzusammenhang. Die StPO-ZH hat in § 193 die Vorgaben von Art. 9 OHG a. F. wortgleich übernommen. Damit ist die Ausgestaltung des Verfahrens in lediglich vier Vorschriften denkbar knapp ausgefallen. § 10 Abs. 2 StPO-ZH

---

[270] Vgl. etwa §§ 192–196 StPO-ZH; §§ 288, 305, 310 StPO (Bern); §§ 18, 127 Abs. 3 StPO (Basel Stadt); §§ 5–7, 179 StPO (Luzern) oder §§ 43–46 StPO (St. Gallen).

[271] §§ 34, 167, 210–213 BStP; §§ 163–165 MStP; ergänzt durch die allgemeine Vorschrift des § 9 OHG. Hinzu kommen Regelungen im Umfeld eines Adhäsionsverfahrens, etwa § 60 StGB, der die Einziehung von Gegenständen für die Erfüllung von Schadensersatzansprüchen zulässt (hierzu ausführlich Donatsch/Schmid-*Schmid* (1997), § 192 Rn. 4 ff.).

[272] Gromm/Zehntner-*Steiger-Sackmann* (2005), Art. 9 Rn. 1; *Oberholzer* (2005), Rn. 614.

[273] Der Anwendungsbereich des OHG ist im Hinblick auf die Geltendmachung von Zivilansprüchen eröffnet bei Opfern, also nach der Legaldefinition Personen, die durch eine Straftat in ihrer körperlichen, sexuellen oder psychischen Integrität unmittelbar beeinträchtigt worden sind (Art. 2 Abs. 1 S. 1 OHG) und ihnen gleichgestellte Personen, nämlich der Ehegatte, die eingetragene Partnerin oder der eingetragene Partner des Opfers, dessen Kinder und Eltern sowie andere Personen, die ihm in ähnlicher Weise nahe stehen, soweit ihnen Zivilansprüche gegenüber dem Täter zustehen (Art. 2 Abs. 2 lit. b OHG). Zur präzisen Ausgestaltung der Definition *Weder*, ZStrR 113 (1995), 39, 40–43, der bestimmte Deliktsgruppen aufzählt, deren Verletzte (keine) Opfer sein können, sowie auch die Aufzählung in der Opferhilfebroschüre der Direktion der Justiz und des Innern des Kantons Zürich (abrufbar unter: www.opferhilfe.zh.ch).

[274] *Hauser/Schweri/Hartmann* (2005), § 38 Rn. 4b.

[275] Als einzige einschlägige Vorschrift behandelt Art. 25 Abs. 3 OHG n. F. eine Fristenproblematik.

C. Das Adhäsionsverfahren in der Schweiz 291

ist Teil des 1. Abschnittes (Allgemeine Bestimmungen), die §§ 192 bis 193a StPO-ZH sind im 3. Abschnitt über das Hauptverfahren verortet. Dort wiederum sind sie Teil der Regelungen, die die Hauptverhandlung betreffen (§§ 178–197 StPO-ZH). Hieraus wird ersichtlich, dass eine andere Systematik gewählt wurde als in der bundesdeutschen StPO.

4. Anwendungshäufigkeit in der Praxis

Um die Anwendungshäufigkeit zu ermitteln, kann nicht auf amtliche Statistiken zurückgegriffen werden. Empirische Arbeiten, die untersuchen, wie oft und mit welchem Ausgang ein Adhäsionsverfahren bestritten wird, sind ebenfalls (noch) nicht durchgeführt wurden. Für die tatsächliche Bedeutung des Adhäsionsverfahrens in der Praxis kann daher nur auf Aussagen in der Literatur zurückgegriffen werden. Diese können wenigstens als vorsichtiges Indiz für die tatsächliche Bedeutung herangezogen werden.

Grundtenor dieser Beschreibungen ist auf der einen Seite, dass die praktische Bedeutung steigerungsfähig wäre. An dieser Stelle ähneln die Beschreibungen denen in Deutschland. Beschrieben wird häufig eine für das Adhäsionsverfahren ungünstige Entwicklung, nämlich die Verweisung von streitigen Zivilansprüchen auf den Zivilrechtsweg[276]. Bisweilen wird eine geradezu systematische Verweisungspraxis angeprangert[277]. Weiterhin sind eine Reihe von praktischen Problemen beschrieben worden, die einer gesteigerten Anwendungshäufigkeit entgegenstehen[278]. Beispielhaft seien aufgezählt: ungünstige Anwaltshonorare; Zunahme von Schnellverfahren, die einem Adhäsionsverfahren nicht zugänglich seien; eine taktisch eher nachteilige Position (Risiko der Verweisung auf den Zivilrechtsweg, je umfassender die Begründung ausfällt). Beschrieben wird auch, dass das Adhäsionsverfahren die angestrebte einfache Erledigung von Schadensersatzbegehren nur in „beschränktem Maße" erreicht. Dies liege allerdings nicht an der gesetzestechnischen Ausgestaltung, sondern an fehlender Initiative der Geschädigten und deren Vertreter sowie mangelhafter Anwendung der entsprechenden Bestimmungen[279].

Auf der anderen Seite wird aber auch herausgestellt, dass gerade im Vergleich zum deutschen Adhäsionsverfahren die Akzeptanz des Verfahrens in der Praxis

---

[276] So schon 1960 durch *Pfenninger,* SJZ 56 (1960), 181, 189, der den Unfug, die lästigen Zivilsachen loszuwerden, geißelt. Dieselbe Diagnose findet sich etwa bei *Spiegel* (1990), S. 37; *Hauser* (1992), S. 207 sowie *Schmid* (2004), Rn. 845. In diesem Sinne auch der Bericht „Aus 29 mach 1" der Expertenkommission *Vereinheitlichung des Strafprozessrechts* aus dem Jahr 1997 (S. 148, abrufbar unter www.ejpd.admin.ch).

[277] *Hofer,* ZStrR 120 (2002), 107, 118. Für den Kanton Zürich Donatsch/Schmid-*Schmid* (1997), § 193a Rn. 2. Bei *Pfenninger,* SJZ 56 (1960), 181, 189 findet sich eine derartige Kritik bereits in der 60er Jahren.

[278] *Spiegel* (1990), S. 38.

[279] *Rehberg* (1989), S. 646.

292 Kap. 4: Äquivalente Rechtsinstitute im deutschsprachigen Raum

stärker ausgeprägt sei[280]. Erklärt wird dies mit einem stärkeren Einfluss des romanischen Rechtskreises[281].

Zusammenfassend sprechen die in der Literatur getätigten Aussagen dafür, dass eine im Vergleich zum deutschen Adhäsionsverfahren leicht gesteigerte Anwendungshäufigkeit vorherrscht. Daneben bestehen aber einige praktische Probleme, die einer gesteigerten praktischen Bedeutung entgegenstehen.

II. Exemplarische Vertiefung detaillierter kantonaler Regelungen am Beispiel der Zürcher StPO

1. Voraussetzungen des Verfahrens

a) Antrag

Ein Adhäsionsverfahren kam nicht von Amts wegen zustande. Stattdessen forderte § 192 Abs. 1 StPO-ZH das Vorliegen eines schriftlichen oder mündlichen Begehrens beim Strafgericht. Inhaltlich musste der Antrag über die bloße Erklärung kaum hinausgehen, dass man sich am Verfahren beteiligen wolle. Erkennbar sein musste, was der Antragsteller begehrt[282]. Der Antrag musste spätestens im letzten Wort des Geschädigten (§ 248 StPO-ZH) gestellt werden[283]. Die (bejahende) Entgegnung auf die obligatorische Frage, ob und in welchem Umfang der Geschädigte Schadensersatz geltend macht, zählte dabei bereits als wirksamer Antrag, wenn sie nach § 192 Abs. 3 StPO-ZH spätestens fünf Tage vor der Hauptverhandlung beim Untersuchungsbeamten gestellt wurde[284].

b) Antragsberechtigung

Antragsberechtigt war der Geschädigte[285]. Der Geschädigtenbegriff war mit dem Opferbegriff nach dem OHG[286] nur teilweise deckungsgleich. Eine Legaldefinition enthielt der die Rechtsmittelberechtigung betreffende § 395 Abs. 1 Nr. 2 StPO-ZH. An dieser Definition orientierte sich auch die Antragsberechtigung[287].

---

[280] *Hauser* (1992), S. 207.

[281] *Bommer* (2006), S. 46.

[282] *Weishaupt* (1998), S. 263, die aber darauf hinweist, dass die Begründungspflicht zwar nicht zu streng ausgelegt werde, dennoch substantiiert zu sein habe.

[283] Donatsch/Schmid-*Schmid* (1997), § 192 Rn. 37 f.; *Weishaupt* (1998), S. 230.

[284] *Rehberg* (1989), S. 629.

[285] § 192 Abs. 1 StPO-ZH.

[286] Vgl. Art. 1 S. 1 OHG: jede Person, die durch eine Straftat in ihrer körperlichen, sexuellen oder psychischen Integrität unmittelbar beeinträchtigt worden ist.

[287] Donatsch/Schmid-*Schmid* (1997), § 192 Rn. 9. Anerkannt ist aber, dass die Vorschrift keine allgemein gültige Definition enthält (*Rehberg* (1989), S. 630; *Schmid* (2004), Rn. 502).

C. Das Adhäsionsverfahren in der Schweiz 293

Geschädigter war derjenige, dem durch die der gerichtlichen Beurteilung unterstellten Handlungen unmittelbar ein Schaden zugefügt wurde. Schwierigkeiten bereitete an dieser Definition, dass die genaue Schadensermittlung erst im Adhäsionsverfahren erfolgen sollte. Daher wurde die Geschädigteneigenschaft oftmals über eine „Fallgruppenlösung" festgelegt. Anerkanntermaßen antragsberechtigt waren die Personen, deren Rechtsgut durch die angeklagte Tat betroffen war. Bei Delikten gegen Rechtsgüter der Allgemeinheit war auch diejenige Person Geschädigter, deren private Interessen (materieller oder ideeller Natur) durch die Straftat unmittelbar (mit)beeinträchtigt wurden[288]. Auch Erben des Geschädigten konnten den Antrag stellen. Nicht antragsberechtigt waren nur indirekt Betroffene, etwa der Arbeitgeber, der Ansprüche gegen den Beschuldigten für eine seinem Arbeitnehmer zugefügte Körperverletzung geltend machte[289]. Für Rechtsnachfolger galt, dass die Antragsberechtigung für Neugläubiger bei einer Legalzession bejaht[290], für rechtsgeschäftliche Abtretungen jedoch verneint wurde[291].

Durch § 192 Abs. 2 StPO-ZH wurde bei bestimmten Straftaten der Kreis der Antragsberechtigten erweitert auf Angehörige, wenn sie eigene Ansprüche gegen den Beschuldigten geltend machten. Für einen zulässigen Antrag genügte es, wenn der Antragsteller seine Geschädigteneigenschaft glaubhaft machte.

c) Erfasste Ansprüche

Geltend gemacht werden konnten Zivilansprüche (§ 192 Abs. 1 StPO-ZH). Der Wortlaut ergab keine Einschränkungen auf verschiedene Anspruchsarten[292]. Lediglich Ansprüche aus anderen Rechtsgebieten (z.B. öffentlich-rechtliche Ansprüche) konnten nicht adhäsionsweise geltend gemacht werden. § 192 Abs. 1 StPO-ZH sprach von „Zivilansprüchen gegen den Angeklagten". Damit war jedoch nicht gemeint, dass der Geschädigte irgendwelche Ansprüche gegen den Beschuldigten geltend machen konnte, sondern er war auf die Ansprüche beschränkt, die sich aus dem strafbaren und den Gegenstand der Anklage bildenden Sachverhalt herleiteten und mit einem Straftatbestand „konnex" waren[293].

---

[288] *Hauser/Schweri/Hartmann* (2005), § 38 Rn. 1 mit verschiedenen Beispielen.

[289] *Rehberg* (1989), S. 631.

[290] *Hauser/Schweri/Hartmann* (2005), § 38 Rn. 3; *Rehberg* (1989), S. 632 mit dem Beispiel der Zession bei Versicherern (§ 72 VVG-CH). Erfasst ist aber etwa auch, wenn der Staat auf ihn übergegangene Ansprüche nach dem OHG geltend macht.

[291] Donatsch/Schmid-*Schmid* (1997), § 192 Rn. 11.

[292] *Hauser* (1992), S. 209 weist aber auf die unterschiedliche praktische Bedeutung der Anspruchsarten hin. So seien Schadensersatz- und Genugtuungsansprüche bei weitem bedeutsamer als etwa Beseitigungs- und Unterlassungsansprüche sowie solche auf Berichtigung oder Herausgabe. In anderen Kantonen ist dies teilweise anders, da dort nur bestimmte Ansprüche erfasst werden.

[293] *Bommer* (2006), S. 50; Donatsch/Schmid-*Schmid* (1997), § 192 Rn. 18.

294   Kap. 4: Äquivalente Rechtsinstitute im deutschsprachigen Raum

d) Weitere Voraussetzungen

Passivlegitimiert war der Beschuldigte. Unzulässig war ein Adhäsionsverfahren, wenn sich der Anspruch nur „anlässlich" des Strafverfahrens gegen einen nicht am Verfahren Beteiligten richtete. Zuständig war immer das Gericht, das in strafrechtlicher Hinsicht für die Anklage zuständig war[294]. Das Adhäsionsverfahren war ausgeschlossen, wenn der Geschädigte den Anspruch bereits vor einem Zivilgericht eingeklagt hatte, was nach § 192 Abs. 1 StPO-ZH möglich war. Im Hinblick auf Partei- und Prozessfähigkeit wurde auf zivilverfahrensrechtliche Vorschriften verwiesen[295]. Die Zulässigkeit des Antrags war nicht davon abhängig, dass es tatsächlich zu einer Hauptverhandlung kam. Im Unterschied zu den §§ 403 ff. StPO kannte das Zürcher Recht auch die Entscheidung über zivilrechtliche Ansprüche im Strafbefehlsverfahren. Nach §§ 317 Abs. 5 und 318 Ziff. 4 StPO-ZH konnte die Staatsanwaltschaft in ihrer Funktion als Untersuchungsrichter in einem Strafbefehl bei leichten Fällen auch über die zivilrechtlichen Ansprüche des Geschädigten entscheiden[296].

2. Rechtliche Ausgestaltung nach der StPO-ZH

Die *Wirkungen des Antrags* lagen (materiell) in der verjährungsunterbrechenden Wirkung sowie (formell) darin, dass der Anspruch für die Zeit der Rechtshängigkeit nicht mehr in einem Zivilverfahren geltend gemacht werden konnte.

Vorschriften, die den detaillierten *Ablauf* des in den Strafprozess eingebetteten Adhäsionsverfahrens regelten, enthielt das Zürcher Recht nicht. Daher musste auf allgemeine Grundsätze zurückgegriffen werden. Der Geschädigte musste bereits während des Ermittlungsverfahrens von der Staatsanwaltschaft dazu befragt werden, ob er seine zivilrechtlichen Ansprüche im Strafverfahren geltend machen wollte, was auch in der Anklageschrift an das Gericht vermerkt werden musste[297]. Unterblieb diese Nachfrage auch seitens des Gerichts, lag darin ein Nichtigkeitsgrund nach § 430 Ziff. 4 StPO-ZH[298]. Der Geschädigte konnte zur Hauptverhandlung vorgeladen werden, wenn er zuvor nicht auf die Vorladung verzichtet hatte[299]. Zwangsmaßnahmen nur zur Durchsetzung der Ansprüche durften nicht angewendet werden. Die Aufklärung der Anspruchsvoraussetzungen lief auch im Zürcher Strafprozess nach strafverfahrensrechtlichen Grundsätzen ab;

---

[294] So ausdrücklich § 192 Abs. 1 StPO-ZH.

[295] *Hauser/Schweri/Hartmann* (2005), § 38 Rn. 14.

[296] Es ergehen viel mehr Strafbefehle, als dass es zu einer Anklage an das Gericht kommt. So ist es auch häufig der Staatsanwalt, der über die Zivilansprüche oder deren Verweisung auf den Zivilrechtsweg entscheidet.

[297] § 162 Abs. 3 StPO-ZH.

[298] *Schmid* (2004), Rn. 518.

[299] §§ 192 Abs. 4, 162 Abs. 3, 10 Abs. 2 StPO-ZH.

C. Das Adhäsionsverfahren in der Schweiz

insbesondere galt grundsätzlich der Untersuchungsgrundsatz[300]. Die Mitwirkung des Geschädigten erschöpfte sich in einem Stellungnahmerecht im Hinblick auf die geltend gemachten Ansprüche[301]. Aus der Antragstellung resultierten dabei nicht mehr Rechte, als der Geschädigte aufgrund seiner Geschädigteneigenschaft ohnehin bereits geltend machen konnte. Hierunter fielen besonders die aus § 10 StPO-ZH folgenden Rechte. Bedeutsam waren hier verschiedene Informationsrechte, ein Akteneinsichtsrecht sowie (im Verfahren vor dem Bezirksgericht) ein Beweisantragsrecht[302]. Der Geschädigte konnte sich weiterhin zu seinem Antrag äußern und zu den sich anschließenden Ausführungen des Verteidigers Stellung nehmen. Weitergehende Rechte, die allein mit dem Adhäsionsantrag einhergehen, waren gesetzlich nicht vorgesehen. Dem Beschuldigten musste die Gelegenheit gegeben werden, sich zur zivilrechtlichen Seite des Verfahrens zu äußern. Er hatte auch das Schlusswort, in dem er sich ebenso auf die geltend gemachten Ansprüche beziehen konnte (§ 249 StPO-ZH[303]).

Das Gericht hatte hinsichtlich des Antrags drei *Entscheidungsmöglichkeiten*. Es konnte den Anspruch zunächst ganz oder teilweise anerkennen („Gutheißung"). Lagen die Antragsvoraussetzungen nicht vor, durfte es den Antrag darüber hinaus im Strafverfahren nicht beachten („Nicht-Eintritt")[304]. Schließlich musste es unter bestimmten Voraussetzungen den Anspruch auf den Zivilrechtsweg verweisen („Verweisung"). Hinzuweisen ist darauf, dass die Wahlmöglichkeiten des Gerichts dann eingeschränkt waren, wenn der Antragsteller als Opfer nach dem OHG zu qualifizieren war, da dann die speziellen Regelungen des OHG eingriffen[305].

Das Gericht entschied im Strafurteil[306] grundsätzlich über die zivilrechtlichen Ansprüche, durfte dabei aber nicht über den Adhäsionsantrag hinausgehen[307]. Ein Teilurteil war ebenfalls möglich[308]. Das Urteil musste so abgefasst sein, dass aus ihm die Vollstreckung erfolgen konnte. Es stellte einen Vollstreckungstitel dar, nachdem es in Rechtskraft erwachsen war.

Handelte es sich beim Antragsteller um ein *Opfer* nach dem OHG, stellte § 193 Abs. 1 StPO-ZH, der Art. 9 a. F. OHG genau nachgebildet war, den Grund-

---

[300] Donatsch/Schmid-*Schmid* (1997), § 192 Rn. 8; *Küng/Hauri/Brunner* (2005), § 192 Rn. 1; *Rehberg* (1989), S. 636; *Kieser,* SJZ 84 (1988), 353, 356.

[301] Weitergehende Opfer- oder Geschädigtenrechte bleiben davon natürlich unberührt.

[302] § 280 Abs. 2 StPO-ZH.

[303] Beachte für das bezirksgerichtliche Verfahren den insoweit ähnlichen § 283 Abs. 2 StPO-ZH.

[304] *Hauser* (1992), S. 210 f. Als Beispiel sei der fehlende Adhäsionszusammenhang genannt.

[305] Die Möglichkeit der Verweisung ist etwa enger gefasst.

[306] Wenn es eine Strafe oder eine Maßnahme verhängt (§ 285 e StPO-ZH).

[307] Gromm/Zehntner-*Steiger-Sackmann* (2005), Art. 9 Rn. 6.

[308] *Hauser* (1992), S. 209 und (1997), S. 337 mit dem Hinweis auf § 189 ZPO-ZH.

296 Kap. 4: Äquivalente Rechtsinstitute im deutschsprachigen Raum

satz auf, dass Straf- und Zivilurteil gleichzeitig ergehen. Nur wenn dies nicht möglich war, musste das Gericht für den weiteren Prozessverlauf zwischen zeitlichem Aufschub (Abs. 2)[309] und dem Erlass eines Grundurteils (Abs. 3)[310] wählen. Da mindestens auch ein Grundurteil über die zivilrechtlichen Ansprüche ergehen musste, war eine vollständige Verweisung in diesen Fällen nicht möglich. Der Erlass eines Urteils, in dem die Zivilansprüche lediglich dem Grunde nach entschieden wurden, war indes auch nur möglich, wenn die vollständige Beurteilung der Zivilansprüche einen unverhältnismäßigen Aufwand erfordert hätte. Da der Entscheid über zivilrechtliche Ansprüche immer einen Aufwand verursachte, der jedoch aufgrund der gesetzgeberischen Entscheidung für ein Adhäsionsverfahren im Interesse des Opfers in Kauf genommen werden musste, war eine Interessensabwägung vorzunehmen, ab welchem Zeitpunkt von einem unverhältnismäßigen Aufwand auszugehen war. Das Gericht hatte in dieser Frage einen Beurteilungsspielraum und musste nach einer Abwägung zwischen den Interessen des Opfers und dem Interesse an einem rechtmäßigen (d.h. insbesondere schnellen) und effizienten Strafverfahren entscheiden[311]. Dabei war zu beachten, dass der Gesetzgeber die Verweisung als Ausnahmefall vorgesehen hat, so dass im Zweifel eine vollständige Entscheidung Vorrang haben musste[312]. Geeignete Fälle für eine Verweisung waren etwa komplizierte Schadensberechnungen. War die geltend gemachte Forderung nur von „geringer Höhe", sollte das Gericht „nach Möglichkeit" über sie entscheiden, ohne den Weg des Grundurteils mit Verweisung zu gehen[313].

Bei den *übrigen Geschädigten* war nur ein Rückgriff auf die §§ 192 und 193a StPO-ZH sowie die allgemeinen Grundsätze möglich. Das OHG mit seinen privilegierenden Vorschriften fand hier keine Anwendung. Die Entscheidung des Gerichts über den Adhäsionsantrag wurde nach § 262 Ziff. 6 StPO-ZH über die die Urteilsfindung betreffenden Vorschriften erfasst. § 193a StPO-ZH betraf die

---

[309] Die Besonderheit dieser „Zweiteilung des Verfahrens" wird unten auf S. 303 dargestellt.

[310] Das Gericht kann die Ansprüche nur „dem Grundsatz nach" entscheiden. Zu beachten ist, dass der hier gewählte Terminus „Grundurteil" in der schweizerischen Rechtssprache keine Entsprechung hat. Aus Gründen der Vergleichbarkeit mit dem deutschen Adhäsionsverfahren soll er dennoch hier verwendet werden.

[311] Für die inhaltsgleiche Bestimmung in Art. 9 Abs. 3 OHG Gromm/Zehntner-*Steiger-Sackmann* (2005), Art. 9 Rn. 24. An dieser Stelle kommen Aspekte zum Tragen, die auch in der Frage der Nichteignung in der (deutschen) StPO (§ 406 Abs. 1 S. 3) die entscheidende Rolle spielen, nämlich die Schwierigkeit der Rechtsfragen und eine erhebliche Verfahrensverzögerung.

[312] So auch Gromm/Zehntner-*Steiger-Sackmann* (2005), Art. 9 Rn. 26, die darauf hinweist, dass das Gericht nicht „leichthin lediglich dem Grundsatze nach entscheiden" dürfe. Ähnlich auch *Oberholzer* (2005), Rn. 660 („zurückhaltender Gebrauch") und Donatsch/Schmid-*Schmid* (1997), § 193 Rn. 6 („restriktiv").

[313] § 193 Abs. 3 S. 2 StPO-ZH (so auch Art. 9 Abs. 3 S. 2 OHG).

C. Das Adhäsionsverfahren in der Schweiz

Fälle, in denen der Antrag nicht spruchreif[314] war. Sobald kein „sofortiger Entscheid" möglich war, konnte eine Verweisung auf den Zivilrechtsweg erfolgen. Dies stellte eine denkbar weit formulierte Verweisungsmöglichkeit dar. Im Vordergrund standen hier nicht opferschützende Überlegungen, sondern die Verfahrensbeschleunigung. Der Abschluss des Strafverfahrens sollte nicht davon abhängen, dass allein zivilrechtlich relevante Fragen offen waren[315]. Sobald etwa eine Vielzahl von Beweisanträgen gestellt wurde, war eine Verweisung sogar wahrscheinlich. Die Entscheidung hierüber lag im Ermessen des Gerichts. Die Frage der Spruchreife sollte hauptsächlich die Fälle betreffen, in denen noch nicht alle erforderlichen Tatsachen bewiesen wurden[316]. Eine Verweisung war vom Wortlaut ausdrücklich ausgeschlossen, wenn es nicht mehr um die Tatsachenermittlung ging, sondern um Rechtsfragen.

Wurde der Beschuldigte freigesprochen, konnte auch keine Entscheidung über den Zivilpunkt erfolgen[317]. In diesem Fall wurden die Ansprüche auf den Zivilgerichtsrechtsweg verwiesen. Dabei fand keine automatische Verweisung an das zuständige Zivilgericht statt, sondern der Geschädigte musste sich selbständig um die Geltendmachung seiner Ansprüche bemühen.

Das Nebeneinander von kantonalen und eidgenössischen Verfahrensordnungen machte sich auch bei den *Rechtsbehelfen* bemerkbar. Diese konnten sich aus dem kantonalen Recht ergeben, aber auch aus dem Bundesrecht. Im Grundsatz galt dabei, dass sich Rechtsbehelfe vor kantonalen Gerichten aus kantonalem Recht folgen und vor Bundesgerichten aus dem Bundesrecht[318]. Auf kantonaler Ebene konnte der *Geschädigte* grundsätzlich alle Rechtsmittel geltend machen (§ 395 Abs. 1 Nr. 2 StPO-ZH)[319]. Er konnte gegen die Adhäsionsentscheidung und gegen einen Freispruch (also eine Entscheidung, die mit dem Anspruch nichts zu tun hat) Berufung einlegen (§ 411 Ziff. 3 StPO-ZH). Darüber hinaus konnte

---

[314] So genannte Illiquidität des Rechtsbegehrens (*Hauser* (1992), S. 210).

[315] *Hauser* (1997), S. 337.

[316] Donatsch/Schmid-*Schmid* (1997), § 193 a Rn. 2.

[317] Dies war in anderen Kantonen explizit anders geregelt (etwa Art. 46 StPO St. Gallen, hierzu *Oberholzer* (2005), Rn. 616) und wird auch vom OHG nicht ausgeschlossen (*Weishaupt* (1998), S. 256). Eine derartige Regelung war auch im Gesetzgebungsverfahren zur StPO-CH noch im Gespräch (vgl. Art. 132 Abs. 4 Vorentwurf bei Spruchreife des Sachverhaltes), konnte sich aber nicht durchsetzen. A.A. Donatsch/Schmid-*Schmid* (1997), § 192 Rn. 63, der aus dem Sinn und Zweck des Verfahrens folgert, dass die Ansprüche dennoch entschieden werden müssten.

[318] Hier spielt insbesondere die Beschwerde in Strafsachen (Art. 78 ff. BGG) eine entscheidende Rolle. Vgl. zur umfassenden Reform des BGG im Rahmen der Totalrevision der Bundesrechtspflege, die auch zu einer Umgestaltung der bundesrechtlichen Rechtsmittel führte, *Nay* (2007), S. 1469; *Riklin,* GA 2006, 495, 499 und *Seiler/von Werdt/Güngerich* (2007), S. 25 f.

[319] Detailliert zu den dem Geschädigten zustehenden Rechtsmitteln Donatsch/Schmid-*Schmid* (1997), § 192 Rn. 69 ff.

298 Kap. 4: Äquivalente Rechtsinstitute im deutschsprachigen Raum

er in einigen wenigen Fällen die (kantonale) Nichtigkeitsbeschwerde erheben. Auf Bundesebene kam nach Ausschöpfen der kantonalen Rechtsmittel die Beschwerde in Strafsachen in Betracht, die auch Zivilansprüche umfasste, wenn diese zusammen mit der Strafsache zu behandeln waren. Der *Beschuldigte* konnte gegen die strafrechtliche oder die zivilrechtliche Entscheidung oder gegen beide mit der Berufung vorgehen, sowie auf Bundesebene die Beschwerde in Strafsachen erheben. Die *Staatsanwaltschaft* hatte im Bezug auf den zivilrechtlichen Anspruch keine Rechtsmittel.

Die *Kosten* des Adhäsionsverfahrens trug der Verurteilte[320]. Dies galt nicht nur für die Fälle, in denen der Anspruch zuerkannt wurde, sondern auch, wenn der Zivilanspruch im Adhäsionsverfahren abgewiesen wurde[321]. Gegen eine rechtsmissbräuchliche Antragstellung und unbillige Härten zu Lasten des Beschuldigten schützte § 189 Abs. 3 StPO-ZH, wonach die Kosten dem auferlegt wurden, der durch ein verwerfliches Verhalten unnötige Kosten verursacht hatte.

III. Nach der Gesamtreform:
Die Zivilklage in der neuen StPO-CH

1. Überblick

Das Adhäsionsverfahren im gesamtschweizerischen Strafverfahren wird als Zivilklage bezeichnet. Entsprechende Regelungen finden sich in den Art. 122 ff. StPO-CH[322]. Die besondere Regelungssystematik im schweizerischen Recht bewirkte bis Ende des Jahres 2008, dass die Bestimmungen des bundesrechtlichen OHG die kantonalen Verfahrensordnungen verdrängten[323]. Dies ist durch die Änderung des OHG nicht mehr der Fall. Für das Adhäsionsverfahren spielt das OHG keine Rolle mehr. Die kantonalen Strafprozessordnungen haben nur noch für kantonale Straftatbestände Bedeutung.

Im dritten Titel „Parteien und andere Verfahrensbeteiligte" befasst sich das dritte Kapitel in den Art. 115 bis 126 StPO-CH mit der geschädigten Person, dem Opfer und der Privatklägerschaft. Der Opferbegriff ist dabei in Korrelation mit dem Opferhilfegesetz enger gefasst als derjenige der geschädigten Person[324]. Die

---

[320] § 188 StPO-ZH. Vgl. *Hauser/Schweri/Hartmann* (2005), § 108 Rn. 4–35.

[321] Donatsch/Schmid-*Schmid* (1997), § 192 Rn. 66.

[322] BBl. 2007, S. 6977–7147. In dieser Form soll sie am 1. Januar 2011 in Kraft treten.

[323] Vgl. Art. 42 Abs. 1 i.V.m. Art. 3 BV. Betrachtet man die Vorschriften über das Adhäsionsverfahren, kommt man zu dem Ergebnis, dass die (recht weiten) Rahmenbedingungen, die das OHG vorgibt, durch die StPO-ZH vollständig aufgenommen wurden. Dies gilt allerdings nur für das Adhäsionsverfahren. Andere Rechte aus dem OHG hat der Kanton Zürich Geschädigten, die nicht auch Opfer sind, nicht zuerkannt.

C. Das Adhäsionsverfahren in der Schweiz 299

Unterscheidung hat Auswirkungen auf die Geltendmachung strafverfahrensrechtlicher Rechte. Beide können sich am Strafverfahren mittels einer Erklärung beteiligen (Art. 118 S. 1 StPO-CH), was die verfahrensrechtliche Stellung als Zivilkläger zur Folge hat. Bei der Privatklägerschaft wird weiterhin unterschieden, ob eine so genannte Strafklage oder eine Zivilklage Inhalt der Erklärung waren (Art. 119 S. 2 StPO-CH), wobei die Rechtsstellung bei beiden Formen dieselbe ist[325].

Durch den hier interessierenden Fall der Zivilklage kann der Zivilkläger adhäsionsweise privatrechtliche Ansprüche geltend machen, die aus der Straftat abgeleitet werden (so die Legaldefinition des Art. 119 S. 2 lit. b StPO-CH). Mit dieser Erklärung wird die Zivilklage rechtshängig. Regelungen über die Rechtsstellung des Zivilklägers finden sich über die gesamte StPO-CH verstreut im jeweiligen Sachzusammenhang der einzelnen Verfahrensabschnitte. Spezielle Regelungen, die allein die Privatklägerschaft in Form der Zivilklage betreffen, enthalten darüber hinaus die Art. 122 bis 126 StPO-CH, also verhältnismäßig wenige Vorschriften[326]. Die Geschädigten- bzw. die Opfereigenschaft und aus ihr folgende Rechtspositionen entstehen somit kraft Gesetz, die (noch speziellere) Rechtsposition des Privat(zivil)klägers entsteht dagegen nur durch seine Erklärung. Auch in der Schweiz gibt es damit kein „Zwangsadhäsionsverfahren". Die ganz präzisen Formulierungen wären somit Privatzivilklage und Privatzivilkläger. Der Einfachheit halber sollen aber die Begriffe Zivilklage und Zivilkläger verwendet werden.

2. Voraussetzungen für die Zivilklage

Die Voraussetzungen der Zivilklage unterscheiden sich nicht von denjenigen der StPO-ZH. Die geschädigte Person (oder ein Angehöriger des Opfers)[327] kann durch eine Erklärung eine Zivilklage im Strafverfahren einleiten. Die Zuständigkeit richtet sich nach der sachlichen Zuständigkeit des Strafgerichts[328]. Sie wird bereits durch die wirksame Erklärung rechtshängig. Sie muss eine Bezifferung und eine Begründung enthalten, wobei diese „nach Möglichkeit" bereits im Zeit-

---

[324] Vgl. Art. 115 Abs. 1 StPO-CH (Als geschädigte Person gilt die Person, die durch die Straftat in ihren Rechten unmittelbar verletzt worden ist) und Art. 119 Abs. 1 StPO-CH (Als Opfer gilt die geschädigte Person, die durch die Straftat in ihrer körperlichen, sexuellen oder psychischen Integrität unmittelbar beeinträchtigt worden ist.).

[325] Art. 119 Abs. 2 StPO-CH. Die Strafklage führt dazu, dass im Verfahren die Interessen der Privatkläger verstärkt beachtet werden müssen. Etwa kann die Staatsanwaltschaft von der Strafverfolgung nicht absehen, wenn überwiegende Interessen der Privatklägerschaft entgegenstehen (Art. 8 Abs. 2 StPO-CH).

[326] Wobei der Gesetzgeber davon ausgeht, dass die Vorschriften „über den Gesetzestext hinaus kaum näherer Erläuterung" bedürften (BBl. 2006, S. 1171).

[327] Art. 122 Abs. 1 und 2 i.V.m. Art. 116 Abs. 2 StPO-CH.

[328] BBl. 2006, S. 1173.

300 Kap. 4: Äquivalente Rechtsinstitute im deutschsprachigen Raum

punkt der Erklärung abgegeben werden soll, spätestens aber im Zeitpunkt des Parteivortrags erfolgen muss[329]. Der Streitwert der geltend gemachten Ansprüche ist dabei unerheblich. Die Folge ist, dass das Strafgericht über die geltend gemachten Ansprüche mitentscheiden muss. Im Strafbefehlsverfahren[330] ist ein Zivilklageantrag dagegen nicht vorgesehen. Das Gericht muss den Antragsteller in diesen Fällen auf den Zivilrechtsweg verweisen. Liegt in dieser Situation ein Antrag vor, werden zivilrechtliche Forderungen im Strafbefehl „vorgemerkt"[331], wenn der Beschuldigte Ansprüche des Zivilklägers anerkannt hat. Auch in einem „beschleunigten Verfahren" ist der Zivilklageantrag möglich. In den Art. 358 ff. StPO-CH ist ein abgekürztes Verfahren vorgesehen. Die beschuldigte Person kann gegenüber der Staatsanwaltschaft bis zur Anklageerhebung die Durchführung des abgekürzten Verfahrens beantragen[332], wenn sie den Sachverhalt, der für die rechtliche Würdigung wesentlich ist, eingesteht und die Zivilansprüche zumindest im Grundsatz anerkennt.

3. Rechtliche Ausgestaltung der Zivilklage

Während des Ermittlungsverfahrens hat der Privatbeteiligte (noch) keinen Einfluss auf die Beurteilung des Zivilklageantrags. Wird Anklage erhoben, stellt die Staatsanwaltschaft die Anklageschrift auch dem Zivilkläger zu[333]. Im *Hauptverfahren* selbst hat der Zivilkläger grundsätzlich eine Anwesenheitspflicht[334]. Der Zivilkläger kann im Hauptverfahren Beweisanträge stellen[335] und somit auch zur Begründung der Zivilansprüche notwendige Beweismittel ins Verfahren einbringen. Der Beschuldigte muss die Gelegenheit haben, sich in geeigneter Form zur Zivilklage zu äußern, wobei ausreichend sein soll, dies erst im Plädoyer zu tun. Die genaue Ausgestaltung bleibt dem Gericht überlassen. Je nach Praktikabilität kann es entscheiden, wann und wie es dem Beschuldigten Gelegenheit gibt, sich zur Zivilklage zu äußern. Hat der Beschuldigte keinen Verteidiger, muss das Gericht im Rahmen seiner Fürsorgepflicht darauf hinwirken, dass sich der Beschuldigte auch zu den Zivilansprüchen äußert[336]. Nach Abschluss des Beweisverfahrens stellen und begründen die Parteien ihre Anträge. Der Vortrag des Zivilklä-

---

[329] Art. 123 Abs. 1 StPO-CH. Kommt der Zivilkläger dieser Obliegenheit nicht nach, hat dies für ihn insofern keine nachteilige Wirkung, als die Zivilklage in diesem Fall an das zuständige Zivilgericht verwiesen wird.

[330] Art. 352 ff. StPO-CH.

[331] Art. 353 Abs. 2 StPO-CH.

[332] Damit kann sich der Beschuldigte ein langes Strafverfahren ersparen.

[333] Art. 327 Abs. 1 lit. b StPO-CH.

[334] Art. 338 Abs. 1 StPO-CH. Auf seinen Antrag hin, kann ihn das Gesuch aber von der Anwesenheit entbinden.

[335] Art. 332 StPO-CH.

[336] Vgl. hierzu den Begleitbericht zum Vorentwurf für eine Schweizerische Strafprozessordnung S. 93 (abrufbar unter www.ejpd.admin.ch).

C. Das Adhäsionsverfahren in der Schweiz

gers folgt dabei auf den der Staatsanwaltschaft und liegt in zeitlicher Hinsicht zwingend vor dem Schlussvortrag des Beschuldigten[337]. Der Zivilkläger wird nicht als Zeuge vernommen, sondern hat die besondere Stellung einer Auskunftsperson, gewissermaßen eines „qualifizierten Zeugen"[338]. Im Unterschied zu gewöhnlichen Zeugen ist der Zivilkläger in dieser Position stets zur Aussage verpflichtet[339]. Grund hierfür ist, dass seine Einvernahme vergleichbar ist mit der Parteibefragung im Zivilprozess, bei der üblicherweise ebenfalls kein Aussageverweigerungsrecht vorgesehen ist.

Die *Stellung* und die Ausgestaltung der Rechte des Zivilklägers müssen nach Art eines Schalenmodells betrachtet werden. Zunächst kommen ihm alle Befugnisse zu, die das Gesetz mit der Privatklägerschaft verbindet[340]. Nach Art. 104 Abs. 1 lit. b StPO-CH ist der Zivilkläger Partei[341]. Damit kann er (zudem) alle Befugnisse ausüben, die den Parteien gestattet sind. Herausragendes Beispiel hierfür ist die Möglichkeit, Beweisanträge zu stellen und einen Schlussvortrag zu halten. Weiterhin hat er die Möglichkeit der Akteneinsicht[342]. Ist er (wie häufig) gleichzeitig Opfer, kann er darüber hinaus die in Art. 117 StPO-CH fest gehaltenen Opferrechte geltend machen. Zuletzt folgen aus der Zivilklage der Privatklägerschaft ganz spezielle Rechtspositionen, etwa wenn Art. 136 StPO-CH unter bestimmten Voraussetzungen die unentgeltliche Rechtspflege gewährt. Bei einer Anklageerweiterung oder -änderung muss das Gericht neben den Interessen des Beschuldigten auch die Interessen des Zivilklägers ausreichend berücksichtigen[343]. Insgesamt gesehen hat die Privatklägerschaft (also auch der Zivilkläger) weitgehend die gleichen Verfahrensrechte wie der Beschuldigte[344].

Das Gericht hat zwei *Entscheidungsmöglichkeiten* hinsichtlich des Antrags. Es entscheidet über die Zivilklage im Urteil[345], wenn die beschuldigte Person schul-

---

[337] Vgl. Art. 346 StPO-CH.

[338] Art. 178 lit. a StPO-CH. Dies gilt für den gesamten Bereich der „Privatklägerschaft", also auch der Strafklage.

[339] Art. 180 Abs. 2 S. 1 StPO-CH. Allerdings hat die ungerechtfertigte Zeugnisverweigerung keine negativen Folgen für den Zivilkläger, da Art. 176 StPO-CH durch Art. 180 Abs. 2 S. 2 StPO-CH abbedungen ist.

[340] Beispielhaft seien genannt: Art. 327 Abs. 1 lit. b StPO-CH (Anspruch auf Zusendung der Anklageschrift); Art. 333 Abs. 4 StPO-CH (Änderung der Anklage nur bei Wahrung der Privatklägerrechte).

[341] Die „geschädigte Person" ist dagegen genau wie beispielsweise Sachverständige oder Zeugen „nur" Verfahrensbeteiligter nach Art. 105 StPO-CH mit weniger weit reichenden Befugnissen.

[342] Art. 101 Abs. 1 StPO-CH. Dabei trifft die StPO keine eigene Regelung im Hinblick auf den Zivilkläger. Die Durchführung der Akteneinsicht steht unter der Verantwortung des Gerichts, das auch verpflichtet ist, einen Missbrauch zu verhindern.

[343] Art. 333 Abs. 4 StPO-CH.

[344] *Riklin,* GA 2006, 495, 508.

[345] Die Entscheidung über die Zivilklage ist im Dispositiv enthalten (Art. 81 S. 4 lit. b StPO-CH).

302   Kap. 4: Äquivalente Rechtsinstitute im deutschsprachigen Raum

dig gesprochen wird[346] oder wenn sie zwar frei gesprochen wird, der (zivilrecht-liche) Sachverhalt aber spruchreif ist[347]. Die alternative Entscheidungsmöglich-keit besteht für das Gericht in einer Verweisung an das zuständige Zivilge-richt[348]. Die Verweisung indes erfolgt nicht automatisch, sondern der Zivilkläger muss seinerseits erneut vor dem Zivilgericht klagen. Selbst wenn die Beurteilung des Verfahrens unverhältnismäßig aufwendig ist, muss es mindestens ein Grund-urteil erlassen[349]. Eine Abweisung des Antrags wegen Unzulässigkeit ist nicht vorgesehen. Auch in diesen Fällen muss das Gericht die Ansprüche auf den Zi-vilrechtsweg verweisen. Die sehr weite Verweisungsmöglichkeit, die etwa in der StPO-ZH für außerhalb des OHG angesiedelte Fälle gegeben ist, wurde in der Form nicht in die StPO-CH übernommen. Eine Besonderheit besteht, wenn der Zivilkläger gleichzeitig Opfer ist. In diesem Fall kann das Gericht vorerst nur den strafrechtlichen Teil beurteilen und erst anschließend als Einzelgericht nach einer weiteren Parteiverhandlung die Zivilklage beurteilen[350].

Hinsichtlich der *Kosten* bestimmt Art. 136 S. 1 StPO-CH, dass unter bestimm-ten Voraussetzungen der Zivilkläger keine Verfahrenskosten zu tragen hat. An-sonsten legt Art. 427 S. 1 StPO-CH fest, dass dem Zivilkläger die Verfahrenskos-ten auferlegt werden können (Ermessen!), wenn das „Scheitern" des Verfahrens in seiner Sphäre liegt. Dies ist zum Beispiel der Fall, wenn die Zivilklage vor Abschluss der erstinstanzlichen Hauptverhandlung zurückgezogen wird.

Für die *Rechtsbehelfe* bleibt auf Folgendes hinzuweisen. Der *Zivilkläger* kann gegen die strafrechtliche Sanktion kein Rechtsmittel einlegen. Gegen den Zivil-punkt kann der Zivilkläger die Berufung ergreifen. Das Rechtsmittelgericht prüft dabei das erstinstanzliche Urteil nur insoweit, als es das an diesem Gerichtsstand anwendbare Zivilprozessrecht zulassen würde[351]. In seiner Entscheidung ist es im Gegensatz zum strafrechtlichen Teil an die Anträge der berufungsführenden Par-tei gebunden. Wenn das Urteil nur im Zivilpunkt angefochten wurde, kann sich das die Berufung beurteilende Gericht auf ein schriftliches Verfahren beschrän-ken[352]. Die Entscheidung hebt das Berufungsgericht gegebenenfalls auf und ent-scheidet neu; bei wesentlichen Mängeln der angefochtenen Entscheidung weist es die Entscheidung zurück. Ist eine Berufung nicht möglich, da ihre Zulässigkeits-

---

[346] Art. 126 S. 1 lit. a StPO-CH.

[347] Art. 126 S. 1 lit. b StPO-CH. Ist das Gericht aufgrund der im bisherigen Prozess-verlauf gesammelten Beweise von der Begründetheit des Anspruchs überzeugt, kann es diesen demnach ohne Verurteilung zusprechen.

[348] Art. 126 S. 2 StPO-CH.

[349] Art. 126 S. 3 StPO-CH. Zu beachten ist dabei, dass sich der unverhältnismäßige Aufwand nur auf die Beweiserhebung, nicht aber auf die rechtliche Beurteilung der zi-vilrechtlichen Ansprüche bezieht.

[350] Art. 126 S. 4 StPO-CH (Zweiteilung des Verfahrens).

[351] Art. 398 Abs. 5 StPO-CH.

[352] Art. 406 Abs. 1 lit. b StPO-CH.

C. Das Adhäsionsverfahren in der Schweiz 303

voraussetzungen nicht erfüllt waren, kommt subsidiär eine Beschwerde in Betracht[353]. Eine Beschwerde gegen die Verweisungsentscheidung des Gerichts ist nicht vorgesehen. Grund hierfür ist, dass dem Geschädigten wenigstens ein Grundurteil zugute kommt. Weil er hinsichtlich der Höhe den Zivilrechtsweg beschreiten kann, ist er nicht beschwert[354]. Der *Beschuldigte* kann gegen die strafrechtliche und die zivilrechtliche Entscheidung vorgehen. Er kann auch nur einen Teil anfechten. Der *Staatsanwaltschaft* stehen Rechtsmittel nur gegen den strafrechtlichen Teil der Entscheidung zu.

IV. Besonderheiten im schweizerischen Adhäsionsverfahren

1. Zweiteilung des Verfahrens

Auch im Schweizer Strafverfahren ist der Beschleunigungsgrundsatz in der Hauptverhandlung vor allem als Konzentrationsmaxime ausgeprägt. Sowohl nach der StPO-ZH[355] als auch im gesamtschweizerischen Strafprozess[356] ist als Ausnahme hierzu vorgesehen, dass das Gericht bei einem rechtshängigen Adhäsionsantrag den Prozess teilen kann[357]. Die Zweiteilung bewirkt, dass das Gericht zunächst den Adhäsionsantrag außer Acht lässt und nur die strafrechtliche Seite (Schuld und Strafzumessung) beurteilt. Mit dieser „bemerkenswerten Lösung"[358] soll der Anreiz für das Gericht verringert werden, den strafrechtlichen Teil zu behandeln und den zivilrechtlichen Teil auf den Zivilrechtsweg zu verweisen. Die Ausnahme vom Beschleunigungsgrundsatz ist nach Ansicht des Gesetzgebers dadurch gerechtfertigt, dass das Ziel der Prozessökonomie der Zivilklage erreicht werden kann, wenn ansonsten eine Verweisung auf den Zivilweg erfolgen würde[359]. Hauptvorteil ist, dass das Strafgericht mit dem Sachverhalt bereits ver-

---

[353] Art. 393 StPO-CH.

[354] Dass dieser Weg möglicherweise umständlicher ist als eine Entscheidung bereits im Strafverfahren, erkennt der Gesetzgeber nicht als ausreichenden Beschwerdegrund an.

[355] Allerdings eingeschränkt auf Opfer nach Art. 2 OHG: § 193 Abs. 2 StPO-ZH. Vgl. für den Bereich des OHG auch Art. 9 Abs. 2 OHG. Die Übernahme dieser Regelungen in das OHG (die Regelung in der StPO-ZH fußen wiederum auf dem OHG) wurden Anfang der 1990er Jahre beeinflusst durch entsprechende Vorschriften in den StPO der Kantone Schwyz, Aargau und Neuenburg.

[356] Art. 126 Abs. 4 StPO-CH.

[357] An dieser Stelle sei erwähnt, dass der Begriff der Zweiteilung hier *nicht* die Bedeutung hat, für die er gebräuchlicher ist, nämlich die aus dem anglo-amerikanischen Rechtskreis stammende Aufteilung der Hauptverhandlung in eine Tatbeurteilung und in eine Strafzumessungsbeurteilung (so genanntes Tat- oder Schuldinterlokut). Vgl. hierzu *Hauser/Schweri/Hartmann* (2005), § 82 Rn. 29; *Dedes* (1989), S. 749 ff.; *Schunck* (1982), S. 14 ff.

[358] *Hauser* (1992), S. 212.

[359] Gromm/Zehntner-*Steiger-Sackmann* (2005), Art. 9 Rn. 11.

304 Kap. 4: Äquivalente Rechtsinstitute im deutschsprachigen Raum

traut ist. Ist die strafrechtliche Seite auf diese Weise erledigt und der zugrunde liegende Sachverhalt ermittelt, befasst sich das Gericht mit den zivilrechtlichen Ansprüchen. Dabei handelt es sich um einen zusätzlichen Verfahrensschritt im selben Strafverfahren. Auf diese Weise ist es möglich, dass das Gericht zunächst nur den Strafpunkt behandelt. Das Gesetz knüpft die Zweiteilung nicht an Voraussetzungen[360], überlässt die Entscheidung und die Durchführung der Zweiteilung also dem Strafgericht. Den auf diese Weise aufgeschobenen Adhäsionsantrag beurteilt es dann anschließend in einem weiteren Termin. Die damit vorliegenden zwei Entscheide sind auch selbständig anfechtbar. Wie das Gericht die Phase nach dem Strafurteil gestalten soll, um die geltend gemachten Ansprüche zu entscheiden, gibt das Gesetz nicht vor. Es ist diesbezüglich sehr frei, wird aber versuchen, die fehlenden Tatsachen aufzuhellen, damit wenigstens ein Grundurteil gefällt werden kann[361]. Mit der Zweiteilung verknüpft ist auch die Erwartung, dass ein Vergleich zwischen Beschuldigtem und Zivilkläger eher möglich wird, wenn die strafrechtliche Seite zunächst abgeschlossen ist[362].

Es stellt sich die Frage, welche Auswirkung die Rechtskraft oder die Einlegung eines Rechtsmittels gegen die Strafentscheidung auf den zivilrechtlichen Anspruch haben, wenn das Gericht über sie noch nicht entschieden hat. Gesetzliche Regelungen für diesen Fall gibt es nicht. Anerkannt ist, dass jedenfalls das Strafgericht über die Ansprüche entscheiden muss, bei dem der Adhäsionsantrag rechtshängig war, unabhängig von der Rechtskraft des Strafurteils oder einem Tätigwerden der Rechtsmittelinstanz[363]. Daher muss das Gericht grundsätzlich auch bei einer Zweiteilung des Verfahrens über die Ansprüche entscheiden. Dabei darf es die Rechtskraft der Strafentscheidung abwarten, ist aber an den opferrechtlichen Grundsatz gebunden, dass es die Ansprüche „innert nützlicher Frist nach dem Entscheid über den Strafpunkt" beurteilt[364]. Dabei kann das Gericht stets auch Grund- oder Teilurteile erlassen.

---

[360] Da im Grundsatz Strafurteil und Adhäsionsentscheidung gleichzeitig ergehen müssen, kommt die Zweiteilung nur in Betracht, wenn die Ansprüche nicht anerkannt oder spruchreif sind (*Weishaupt* (1998), S. 240).

[361] Anders Donatsch/Schmid-*Schmid* (1997), § 193 Rn. 4, der dem Gericht die Verweisung nach § 193a StPO-ZH zubilligt. Dies ist jedoch nicht mit dem Wortlaut vereinbar, da kein „übriger Fall" nach § 193a StPO-ZH vorliegt, da gerade ein Fall des § 192 Abs. 2 StPO-ZH verhandelt wird.

[362] So schon der Gesetzgeber bei Erlass des OHG BBl. 1990 II, S. 988.

[363] Gromm/Zehntner-*Steiger-Sackmann* (2005), Art. 9 Rn. 15. In diesem Sinne bestimmt auch die StPO (Solothurn), dass die Zivilklage beim erstinstanzlichen Richter hängig bleibt, bis das Instanzgericht über den Strafpunkt entscheiden hat (§ 174 Abs. 2 S. 2).

[364] Gromm/Zehntner-*Steiger-Sackmann* (2005), Art. 9 Rn. 17.

C. Das Adhäsionsverfahren in der Schweiz 305

2. Prozesskostensicherheit

Eine weitere Besonderheit des gesamtschweizerischen Strafverfahrens ist, dass es aus dem Zivilverfahren das Institut der Prozesskostensicherheit in das Strafverfahren übernimmt. Verhindert werden soll, dass der Beschuldigte im Strafverfahren schlechter steht, als er in einem „gewöhnlichen" Zivilprozess stünde. Dort hat der Beklagte einen so genannten Anspruch auf Prozesskostensicherheit, den der Kläger unter gewissen Voraussetzungen und auf Antrag des Beklagten zu leisten hat[365]. Damit soll ein möglicherweise im Verfahrensverlauf entstehender Anspruch des Beklagten auf Aufwendungsersatz abgesichert werden.

Die StPO-CH bestimmt in Art. 432 Abs. 1, dass die „obsiegende beschuldigte Person" gegenüber der Privatklägerschaft „einen Anspruch auf angemessene Entschädigung für die durch die Anträge zum Zivilpunkt verursachten Aufwendungen" hat. Dieser Anspruch kann entstehen, wenn der geltend gemachte Anspruch auf den Zivilrechtsweg verwiesen wird. Er wird abgesichert durch das Institut der Prozesskostensicherheit. Voraussetzung ist, dass der Beschuldigte einen Antrag auf Prozesskostensicherheit stellt, der Zivilkläger kein Opfer ist[366] und zu befürchten ist, dass der Zivilkläger für Ansprüche des Beschuldigten nicht einsteht[367]. Der Antrag auf Prozesskostensicherheit kann erst im Hauptverfahren gestellt werden. Das Gericht entscheidet über den Antrag in einem nicht anfechtbaren Beschluss[368] über die Höhe der Sicherheit. Eine nachträgliche Veränderung ist möglich[369]. Wird die Sicherheit vom Zivilkläger nicht geleistet, muss das Gericht den Anspruch auf den Zivilrechtsweg verweisen.

3. Strafbefehlsverfahren

In vielen Kantonen, so auch in Zürich, ist auch im Strafbefehlsverfahren eine Entscheidung über die Zivilklage möglich. Im Strafbefehl werden dann, wenn ein Begehren des Geschädigten vorliegt, auch Anordnungen über die zivilrechtlichen Ansprüche aus der Tat getroffen[370]. Nach §§ 317 Abs. 5 und 318 Ziff. 4 StPO-ZH kann die Staatsanwaltschaft (ohne weitere Beteiligung eines Gerichts) sogar

---

[365] Das schweizerische Zivilverfahrensrecht befindet sich in einem vergleichbaren Reformprozess wie das Strafverfahrensrecht. Vgl. die ausführlichen Informationen unter www.zpo.ch. Das Institut der Prozesskostensicherheit kennt etwa das Zivilverfahrensrecht von Basel (Land), vgl. § 70 Abs. 1 ZPO-BL.

[366] Art. 125 Abs. 1 StPO-CH.

[367] Etwa wenn über sein Vermögen Konkurs eröffnet wurde (Art. 125 Abs. 1 lit. b StPO-CH).

[368] Beim Einzelrichter: Verfügung.

[369] Art. 125 Abs. 4 StPO-CH.

[370] *Hauser/Schweri/Hartmann* (2005), § 86 Rn. 6. Die Möglichkeit einer Adhäsionsentscheidung im Strafbefehl war nicht in allen Kantonen verwirklicht, etwa nicht in Schwyz oder Neuenburg.

306 Kap. 4: Äquivalente Rechtsinstitute im deutschsprachigen Raum

selbst in ihrer Funktion als Untersuchungsrichter in einem Strafbefehl bei leichten Fällen auch über die zivilrechtlichen Ansprüche des Geschädigten entscheiden. Neben den allgemeinen Voraussetzungen für den Erlass eines Strafbefehls[371], muss hierfür ein Adhäsionsantrag vorliegen, über den ein „sofortiger Entscheid" möglich ist. Ist der „sofortige Entscheid" nicht möglich, kann die Staatsanwaltschaft den Antrag auf den Zivilrechtsweg verweisen. Dem Beschuldigten verbleibt nur das Rechtsmittel der Einsprache[372], um die Rechtskraft der Entscheidung abzuwenden. Legt er es ein, geht das Strafbefehlsverfahren in ein „normales" Strafverfahren über.

Das reformierte Strafverfahrensrecht kennt keine derart weitreichende Adhäsionsentscheidung im Strafbefehlsverfahren mehr. Vielmehr enthält § 353 Abs. 2 StPO-CH lediglich die Anordnung, dass allein ein Anerkenntnis des Beschuldigten über die Ansprüche des Zivilklägers im Strafbefehl vermerkt wird. Erhebt der Beschuldigte gegen den Strafbefehl keine Einsprache, erwächst diese Feststellung in Rechtskraft, worin der Wert für den Zivilkläger besteht[373]. Nicht anerkannte Forderungen werden indes auf den Zivilweg verwiesen.

V. Zusammenfassung

Die Darstellung der rechtlichen Ausgestaltung des Adhäsionsverfahrens in der Schweiz ist geprägt von dem im Umbruch befindlichen Strafprozessrecht. Sowohl die kantonalen Verfahrensordnungen als auch die soeben in Kraft getretene Schweizer StPO sehen die Möglichkeit eines Adhäsionsverfahrens vor. Beispielhaft wurde die Regelung im Kanton Zürich dargestellt. Mit einer einfachen Erklärung kann sich der Geschädigte einem Strafverfahren mit dem Ziel anschließen, einen vollstreckbaren Titel gegen den Beschuldigten wegen Ansprüchen aus der Straftat zu erhalten. Besondere Rechte sind mit dieser Erklärung nicht verbunden. Er kann die (allerdings bereits weitreichenden) Rechte geltend machen, die einem Geschädigten ohnehin zustehen. Eine Entscheidung über die Zivilklage ist dort bereits im Strafbefehlsverfahren möglich. Die StPO-CH regelt das Adhäsionsverfahren als Zivilklage. Auch hier genügt eine Erklärung des Geschädigten. Das Gericht muss mindestens ein Grundurteil erlassen. Besonderheiten des Schweizer Rechts bestehen in der Zweiteilung des Verfahrens sowie der Prozesskostensicherheit.

---

[371] Vgl. § 317 S. 1 StPO-ZH.

[372] § 321 ff. StPO-ZH.

[373] Dieser Teil des Strafbefehls stellt nach Art. 80 SchKG (Gesetz über Schuldbeitreibung und Konkurs; SR 281.1).

D. Darstellung und Bewertung der Gemeinsamkeiten und Unterschiede

I. Zur Frage der Vergleichbarkeit

Alle behandelten Rechtsordnungen weisen eine identische Grundstruktur des Strafverfahrens auf. Das Strafverfahren besteht aus mehreren Verfahrensschritten, die mit einem Ermittlungsverfahren beginnen. Die (erstinstanzliche) gerichtliche Entscheidung wird nach einem Zwischenverfahren aufgrund einer Hauptverhandlung getroffen, die nach den Grundsätzen der Mündlichkeit und der Öffentlichkeit ausgerichtet ist. Die Entscheidung kann in einem Rechtsmittelverfahren überprüft werden. Neben dem regulären Verfahren sind vereinfachte Verfahrensarten wie ein beschleunigtes Verfahren oder ein Strafbefehlsverfahren vorgesehen. Diese grundsätzliche Ähnlichkeit in der Verfahrensausgestaltung führt dazu, dass die Ausgestaltung des Adhäsionsverfahrens in allen vier Rechtsordnungen nebeneinander gestellt werden kann, ohne dass grundlegende strukturelle Besonderheiten Berücksichtigung finden müssten.

Im Folgenden soll auf fünf Fragenkreise eingegangen werden, nämlich die Voraussetzungen des Adhäsionsverfahrens (II.), sein Ablauf (III.), die Entscheidungsmöglichkeiten des Gerichts über den Antrag (IV.), die Ausgestaltung der Rechtsmittel (V.) sowie sonstige auffällige Unterschiede (VI.). Ziel des Rechtsvergleiches ist es nicht, jedes Detail, das sich in einem Rechtssystem anders darstellt als in dem anderen, enzyklopädisch darzustellen. Dies würde den Rahmen sprengen und ist auch nicht zielführend. Vielmehr sollen erstens grundlegende Gemeinsamkeiten und Unterschiede im Mechanismus des Adhäsionsverfahrens herausgearbeitet werden und zweitens diejenigen Unterschiede identifiziert werden, die für die weitere Reformdiskussion in Deutschland relevant sein könnten.

II. Die Voraussetzungen des Adhäsionsverfahrens

Das Adhäsionsverfahren kommt in jeder Rechtsordnung nur auf Initiative des Verletzten hin zustande. Zivilrechtliche Ansprüche werden nicht von Amts wegen im Strafverfahren „miterledigt". Auch wenn die Bezeichnungen variieren[374], muss der Verletzte immer einen Antrag stellen, damit das Gericht sich mit den zivilrechtlichen Ansprüchen auseinander setzt. Die inhaltlichen Anforderungen unterscheiden sich indes. Im Unterschied zu § 404 StPO, der sich umfassend an den Voraussetzungen einer Klage im Zivilprozess orientiert, sind die inhaltlichen Anforderungen an den Antrag sowohl in Österreich und der Schweiz als auch insbe-

---

[374] Antrag (§ 404 Abs. 1 StPO, § 198 Abs. 1 StPO-DDR), Erklärung (§ 67 Abs. 2 öStPO, Art. 118 Abs. 1 StPO-CH), Begehren (§ 192 Abs. 1 StPO-ZH).

308   Kap. 4: Äquivalente Rechtsinstitute im deutschsprachigen Raum

sondere in der DDR geringer. Der Antrag muss zu erkennen geben, dass der Verletzte mit dem Antrag zivilrechtliche Ansprüche geltend machen möchte. Weitergehende formelle Anforderungen für die Zulässigkeit stellt keine der untersuchten Rechtsordnungen auf.

Weitere Unterschiede ergeben sich, wenn man den letztmöglichen Zeitpunkt für die Antragstellung betrachtet. Während im neuen Schweizer Recht sowie grundsätzlich auch in der DDR eine Antragstellung nur bis zur Eröffnung des Hauptverfahrens vorgesehen ist, kann der Antrag im Kanton Zürich und in Österreich noch in der Hauptverhandlung gestellt werden. Auch der deutsche Gesetzgeber hat sich in § 404 Abs. 1 S. 1 StPO für einen späten letzten Antragszeitpunkt entschieden.

Auch bei den erfassten Ansprüchen zeigen sich Unterschiede. Sehr weit ist dabei das Schweizer Recht, das eine Geltendmachung von allen Zivilansprüchen ermöglicht. Auf vermögensrechtliche Ansprüche, die nicht aus einem Arbeitsverhältnis resultieren, beschränkt sich die deutsche StPO. In Österreich kann nur Schadensersatz und Schmerzensgeld verlangt werden. Die StPO-DDR beschränkte das Adhäsionsverfahren auf Schadensersatzansprüche.

Zwischen Anspruch und der angeklagten strafrechtlich relevanten Handlung muss in allen Rechtsordnungen ein Adhäsionszusammenhang bestehen. Niemals können Ansprüche nur „anlässlich" eines Strafverfahren geltend gemacht werden. In der Ausgestaltung unterscheiden sich die Rechtsordnungen nur in Nuancen. Eine genauere gesetzgeberische Festlegung gibt es in keinem Verfahrensrecht, so dass sich beeinflusst von Rechtsprechung und Literatur Fallgruppen herausgebildet haben, in denen die Verbindung zwischen Straftat und Anspruch vorliegen soll. Als Gemeinsamkeit kann herausgearbeitet werden, dass diese Verbindung für einen zulässigen Antrag dann vorliegt, wenn nicht von vornherein ausgeschlossen werden kann, dass der in der Anklage enthaltene Sachverhalt auch zur Anspruchsentstehung geführt hat.

Festzustellen ist, dass im Gegensatz zum deutschen Recht stets Zessionare einer Legalzession antragsberechtigt sind[375]. Die deutschen Befürchtungen, dass das Strafgericht bei der Zulassung von Zessionaren zusätzlich die Wirksamkeitsvoraussetzungen des Anspruchsübergangs prüfen muss, was seine Aufgabe bei weitem übersteige[376], werden von keiner untersuchten Rechtsordnung geteilt.

In der StPO-DDR gab es einen erweiterten Kreis der Antragsberechtigten sowie verminderte formelle Anforderungen, die das Gesetz an einen wirksamen Antrag stellte. Das Gericht musste solange beim Geschädigten nachhaken, bis

---

[375] Vgl. nur für das Schweizer Strafverfahrensrecht Art. 121 Abs. 2 StPO-CH. Beispiele sind: Art. 7 Abs. 1 OHG (Übergang auf Kanton); Art. 72 Abs. 1 VVG (Übergang auf Versicherer).

[376] *Klein* (2007), S. 44.

D. Darstellung und Bewertung der Gemeinsamkeiten und Unterschiede 309

Tabelle 8

Verfahrensvoraussetzungen (Synopse)

	StPO	*Österreich*	*Schweiz (ab 2011)*	*Kanton Zürich*	*DDR*
Antrags-erfordernis	ja	ja	ja	ja	ja
Zeitpunkt des Antrags	Beginn der Schluss-vorträge	Schluss des Beweis-verfahrens	Abschluss des Vorverfahrens (Art. 118 Abs. 3 StPO-CH)	noch im Schlusswort des Geschädigten	grds. bis zur Eröffnung des Hauptverfah-rens (§ 198 Abs. 1 StPO-DDR) ausn. bis zum Schluss der Be-weisaufnahme wenn Voraus-setzungen
Feststellung des Schadens von Amts wegen	nein	ja (§ 67 Abs. 1 S. 2 öStPO)	nein	nein	ja (§§ 110 Abs. 1, 222 Abs. 2 StPO-DDR)
Antrags-berechtigung	Verletzter und Erbe	Opfer	geschädigte Person und Erbe, wenn kein Verzicht zu Lebzeiten (Art. 121 Abs. 2 StPO-CH)	Geschädigter	Geschädigter (§ 198 StPO-DDR) (nicht: Erbe), Träger soz. Eigen-tums, Staatsan-waltschaft
Antragsbefugnis bei Legal-zessionen	nein	ja	ja (Art. 121 Abs. 2 StPO-CH)	ja	ja
erfasste Ansprüche	vermögens-rechtliche Ansprüche (§ 403 StPO)	Schadens-ersatz- und Schmerzens-geldansprü-che (§ 67 Abs. 1 öStPO)	privatrecht-liche Ansprü-che (Art. 119 Abs. 2 lit. b. StPO-CH)	Zivilansprü-che (§ 192 Abs. 1 StPO-ZH und Art. 9 OHG)	nur Schadens-ersatzansprü-che § 17 Abs. 2 StPO-DDR
Ansprüche aus Arbeits-verhältnissen	nein	ja	ja	ja	ja
Adhäsionsverfah-ren trotz ander-weitiger Rechts-hängigkeit	nein	ja	nein	nein	nein

Quelle: Eigene Darstellung.

310   Kap. 4: Äquivalente Rechtsinstitute im deutschsprachigen Raum

aus seiner Sicht ein wirksamer Antrag vorlag. Über das absolute formelle Mindestmaß hinaus konnte es sogar darauf hinwirken, dass der Geschädigte weitere Ansprüche, an die er möglicherweise zuvor gar nicht gedacht hat, geltend machen konnte. Diese sehr weit reichende Beratungspflicht stellt den bedeutsamsten Unterschied zu den anderen Regelungssystemen dar.

III. Der Verfahrensablauf

Neben dem grundsätzlichen Ablauf des Verfahrens sollen zwei Einzelfragen betrachtet werden. Zum einen wird dargestellt, welche Regelungen in Österreich, der Schweiz und der DDR dafür sorgen sollen, dass die Behandlung des Adhäsionsantrags nicht zu einer unverhältnismäßigen Verletzung des in allen Rechtsordnungen geltenden Beschleunigungsgrundsatzes führt. Zum anderen wird beleuchtet, wie die Verfahrenspositionen von Beschuldigten und Verletzten in der Hauptverhandlung in einen sinnvollen Ausgleich gebracht werden.

1. Die Einbettung in den Ablauf des Strafverfahrens

In Österreich, der Schweiz sowie der DDR ist Rechtsfolge des Adhäsionsantrags, dass der Verletzte neben Beschuldigtem, Gericht und Staatsanwaltschaft zu einem weiteren Protagonisten („(Neben-)Partei") des Verfahrens wird. Dies liegt daran, dass die Stellung als Privatbeteiligter/Geschädigter/Zivilkläger weiter reicht als in den §§ 403 ff. StPO, wo nach der Antragsteller „nur" als privilegierter Verletzter bezeichnet werden kann. Die bedeutsamste Stellung verleiht die StPO-DDR dem Verletzten. Dort nämlich unterscheidet das Gesetz überhaupt nicht zwischen „allgemeinen" Verletzten und dem Antragsteller im Adhäsionsverfahren, sondern behandelt unabhängig von einer Antragstellung den Verletzten immer gleich. Der Antrag bewirkt hier lediglich, dass sich das Strafgericht auch mit den zivilrechtlichen Ansprüchen befassen muss, hat aber auf die Stellung des Verletzten im Strafverfahren keinen Einfluss.

Allen Rechtsordnungen gemeinsam ist, dass das Gericht in der Verfahrensleitung völlig frei ist. Wann es Erhebungen zur zivilrechtlichen Seite machen möchte, bleibt seinen prozessleitenden Entscheidungen vorbehalten. Eine gesetzliche Bestimmung, die detailliert den konkreten Ablauf des Adhäsionsverfahrens in Ermittlungsverfahren bzw. Hauptverhandlung festlegt, gibt es nicht. Weiterhin muss das Gericht in allen Ländern die zivilrechtliche Seite grundsätzlich umfassend behandeln. Auch Einwendungen des Beschuldigten muss es berücksichtigen, wobei in derartigen Fällen die Verzögerungsgefahr wächst, was gegebenenfalls Einfluss auf die Entscheidung über den Adhäsionsantrag haben kann. Allein in der StPO-CH ist dem Antragsteller für die Hauptverhandlung eine Anwesenheitspflicht auferlegt.

D. Darstellung und Bewertung der Gemeinsamkeiten und Unterschiede 311

2. Beschleunigungsgrundsatz vs. Adhäsionsverfahren

Wenn im Strafverfahren zusätzlich über zivilrechtliche Ansprüche entschieden werden soll, kommt es nahezu zwangsläufig zu einer Verzögerung des Verfahrens. Dies muss allerdings bis zu einem gewissen Grad akzeptiert werden, da ansonsten eine Adhäsionsentscheidung unter keinen Umständen denkbar wäre. Fraglich ist, wo dieser „gewisse Grad" in den Rechtsordnungen liegt. Problematisch ist dabei insbesondere die Ermittlung von Tatsachen, die für die strafrechtliche Entscheidung nicht von Relevanz sind und nur eine Bedeutung für die zivilrechtlichen Anspruchsvoraussetzungen haben[377]. In allen untersuchten Rechtsordnungen haben zwei Aspekte besondere Bedeutung. Der erste ist die Ausgestaltung der Rechtsstellung des Antragstellers im Verfahren. Je mehr Einflussmöglichkeiten ihm zugestanden werden, desto eher wird auch das Verfahren verlängert. Den zweiten Aspekt stellen die Voraussetzungen dar, unter denen das Gericht nicht über den Adhäsionsantrag entscheiden muss. In keiner Rechtsordnung muss das Gericht über die Ansprüche stets vollständig urteilen. Vielmehr hat es eine Reihe von Entscheidungsmöglichkeiten. Eine Absehensentscheidung nach § 406 Abs. 1 S. 3 ff. StPO gibt es in unterschiedlichen Ausprägungen in allen Rechtsordnungen. Sie führt dazu, dass das Strafverfahren von der zivilrechtlichen Seite „entlastet" wird.

In *Österreich* hat der Privatbeteiligte eine vergleichbare Stellung wie der Verletzte in Deutschland. Unterschiede bestehen zum einen darin, dass die ihm zustehenden Rechte gesetzlich geregelt sind, während in Deutschland die Rechte aus dem Teilnahmerecht des § 404 Abs. 3 S. 2 StPO von Rechtsprechung und Literatur gefolgert werden[378]. Zum anderen gehen sie stellenweise etwas weiter, etwa wenn das Beweisantragsrecht sich auch auf das Ermittlungsverfahren bezieht oder der Privatbeteiligte gegen die gerichtliche Einstellung des Verfahrens Beschwerde einlegen kann.

Das Gericht muss über den Anspruch auch in Österreich nicht stets eine positive Entscheidung treffen. Es muss jedoch von Amts wegen alle Tatsachen ermitteln, die durch „einfache zusätzliche Erhebungen" festgestellt werden können. Die Beurteilung, was „einfach" ist, bleibt dem Gericht überlassen. Konkretisierungen finden sich in Rechtsprechung und Literatur keine. Nur wenn die Feststellung durch eine „die Entscheidung ... nicht erheblich verzögernde Beweisaufnahme ermittelt werden" kann (§ 366 Abs. 2 S. 2 öStPO) und auch keine Teilentscheidung möglich ist, kann das Gericht den Privatbeteiligten auf den Zivilrechtsweg verweisen. In Österreich kann die Verweisung nur aufgrund der Verzögerungsgefahr erfolgen, während in Deutschland in allen Fällen der Nicht-

---

[377] Hierzu zählt beispielsweise, ob eine Anfechtungserklärung fristgemäß abgegeben wurde.

[378] Vgl. hier nur BGH NJW 1956, 1767; BVerfG NJW 2007, 1670, 1671; *Meyer-Goßner* (2010), § 404 Rn. 6.

312   Kap. 4: Äquivalente Rechtsinstitute im deutschsprachigen Raum

eignung eine Absehensentscheidung erfolgen kann. Da jedoch die für die Nicht-eignung entwickelten Fallgruppen (z. B. Schwierigkeit der Rechtsfrage) nahezu automatisch mit einer Verzögerung einhergehen, unterscheidet sich das öster-reichische Strafverfahren in der Sache kaum von der deutschen Regelung.

Im *Kanton Zürich* unterscheidet sich die Rechtsstellung des Geschädigten, der einen Adhäsionsantrag gestellt hat, nicht von der Stellung des „allgemeinen" Ge-schädigten. Er kann alle diesem zustehenden Rechte geltend machen. Besitzt er zusätzlich auch die Opfereigenschaft, ermöglicht es ihm die StPO, einige weitere Rechte geltend zu machen, die aber auf den Ablauf des Adhäsionsverfahrens kei-nerlei Einfluss haben. Der Gesetzgeber hat sich hier somit dafür entschieden, den das Verfahren prägenden Beschleunigungsgrundsatz bereits durch allgemeine Geschädigtenrechte einzugrenzen. Ein Adhäsionsantrag ändert das Verfahren vor dem Hintergrund der Rechtsstellung des Antragstellers nicht mehr.

Hinsichtlich der Verweisungsmöglichkeit muss nach der StPO-ZH unterschie-den werden, ob ein Antrag des Geschädigten vorliegt, oder ob er zusätzlich ein Opfer nach dem Opferhilfegesetz darstellt. Im ersten Fall kann das Gericht den Antrag auf den Zivilrechtsweg verweisen, wenn kein sofortiger Entscheid mög-lich ist (§ 193a StPO-ZH). Anerkannt ist die Pflicht des Gerichts, für die An-spruchsbegründung relevante Beweise nur in den Fällen zu erheben, in denen die Beweiserhebung „ohne großen Aufwand" durchgeführt werden kann[379]. Im Be-reich des Opferhilfegesetzes ist die Verweisung ebenfalls möglich, allerdings besteht bei einem „unverhältnismäßigen Aufwand" (§ 193 Abs. 3 StPO-ZH) der Beweiserhebung für das Gericht die Pflicht, wenigstens ein Grundurteil zu erlas-sen. Eine Verweisung ist nur hinsichtlich des Betrages möglich. Hier wird dem-nach stärker in den Beschleunigungsgrundsatz eingegriffen.

Im *gesamtschweizerischen* Strafverfahren sind spezielle Opferrechte und allge-meine Rechte, die der geschädigten Person zustehen, vorgesehen. Darüber hinaus sind mit der Rechtsstellung als Zivilkläger nur wenige weitere Rechte verbunden. Ein im Hinblick auf den Beschleunigungsgrundsatz negativer Einfluss auf den Ablauf des Strafverfahrens ist dabei kaum vorstellbar, da es sich etwa um einen Anspruch auf Zusendung der Anklageschrift handelt. Auch hier hat sich der Gesetzgeber also dafür entschieden, unabhängig von der Zivilklage in den Be-schleunigungsgrundsatz durch allgemeine Geschädigtenrechte einzugreifen.

Im Hinblick auf die Tatsachenermittlung, die nur die zivilrechtlichen Ansprü-che betreffen würde, ist festzuhalten, dass das Gericht grundsätzlich eine Beweis-erhebung durchführen muss. Allein, wenn „die vollständige Beurteilung des Zivil-anspruchs unverhältnismäßig aufwändig" ist (Art. 126 Abs. 3 S. 1 StPO-CH), kann das Gericht lediglich ein Grundurteil erlassen. Diesbezüglich muss es aller-

---

[379] Donatsch/Schmid-*Schmid* (1997), § 192 Rn. 52.

D. Darstellung und Bewertung der Gemeinsamkeiten und Unterschiede   313

dings die Beweiserhebung solange durchführen, bis feststeht, dass der Haftungsgrund des Anspruchs gegeben ist oder nicht. Hier hat sich der Gesetzgeber entschieden, den Beschleunigungsgrundsatz zugunsten wenigstens eines Grundurteils in den Hintergrund treten zu lassen.

Auch das Strafverfahren der *DDR* musste dem Beschleunigungsgrundsatz genügen. Dort war jedoch zu beobachten, dass die möglichst umfassende Beurteilung der Schadensersatzansprüche im Vordergrund stand. Daher konnte der Beschleunigungsgrundsatz weiter gehend eingeschränkt werden als etwa in Österreich oder der Schweiz.

Die Rechtsstellung des Antragstellers unterschied sich nicht von derjenigen jedes Geschädigten. Der Gesetzgeber wollte die Geschädigtenrechte jedem Verletzten zukommen lassen. Die Geltendmachung von Ansprüchen ergab keinerlei Zusatzrechte. Daher hatte das Schadensersatzverfahren hinsichtlich der Rechte des Antragstellers keinen weitergehenden Einfluss auf den Verfahrensablauf. Bedeutsam, aber vom Gesetzgeber erwünscht und gefordert[380], war eine weit reichende Beratungs- und Informationspflicht des Gerichts. Die Wahrnehmung dieser Pflicht bewirkte zum einen, dass rein quantitativ mehr Anträge gestellt wurden, und zum anderen, dass fehlende Informationen vom Geschädigten in den Prozess eingeführt wurden. Dies hatte naturgemäß Auswirkungen auf den zeitlichen Ablauf des Verfahrens, wurde aber akzeptiert vor dem Hintergrund, dass der Beschleunigungsgrundsatz hinter eine umfassende und abschließende Anspruchsentscheidung zurückzutreten habe. Da die zivilrechtliche Entscheidung – zumindest auch – im Interesse des Beschuldigten getroffen werde[381], müsse er gewissermaßen „froh" sein, dass im Strafverfahren eine Entscheidung zur umfassenden rechtlichen Bewältigung der Straftat erfolgt. Aus diesem Grund war eine weitgehende Einschränkung des Beschleunigungsgrundsatzes geradezu erwünscht[382]. Diese Einstellung zeigte sich auch in den Fällen, in denen eine vollständige Entscheidung über den Anspruch nicht möglich war. Nur bei Unzweckmäßigkeit[383] durfte das Gericht ein Grundurteil erlassen. Im Übrigen konnte es den Anspruch nur der Höhe nach auf den Zivilrechtsweg verweisen. Eine auch nur den Anspruch betreffende Beweisaufnahme musste es also durchführen, bis feststand, dass der Haftungsgrund des Anspruchs gegeben war oder nicht.

---

[380] § 17 Abs. 3 S. 2 StPO-DDR.

[381] Siehe etwa *Hellmann/Luther,* NJ 1981, 325.

[382] Dazu passt auch, dass der Beschuldigte bei einer (für ihn günstigen) abweisenden Gerichtsentscheidung nicht mehr mit einer anderweitigen Geltendmachung der Ansprüche rechnen musste, da das Gericht auch „negative Sachentscheidungen" treffen konnte.

[383] § 242 Abs. 5 S. 2 StPO-DDR. Siehe auch Kapitel 4: A. III. 3. c).

314 Kap. 4: Äquivalente Rechtsinstitute im deutschsprachigen Raum

3. Die Rechtsstellung von Beschuldigtem und Antragsteller im Hauptverfahren

Die Rechtsstellungen des Beschuldigten und des Antragstellers bergen einiges Konfliktpotenzial. Betrachtet man die Informations- und Fragerechte des Privatbeteiligten sowie dessen Möglichkeit, Anträge unterschiedlichster Art zu stellen, besteht aus Sicht des Beschuldigten die Gefahr, dass die grundsätzlich zu fordernde „Waffengleichheit" nicht gewahrt wird. Werden einem weiteren Verfahrensbeteiligten weitere Rechte eingeräumt, ist demnach zu fragen, wie im Ausgleich dazu versucht wird, die verfahrensrechtliche Stellung des Beschuldigten zu bewahren, die in jeder untersuchten Rechtsordnung verfassungsrechtlich geschützt ist.

Dieses Problem besteht auch im *österreichischen* Strafverfahren. Der Gesetzgeber versucht, die Konfliktlage zu entschärfen. So wird durch die Geltung der Offizialmaxime weitgehend verhindert, dass das Strafverfahren seinen Charakter hin zu einem reinen Parteiverfahren ändert. Die Dominanz des Gerichtes auch bei der Entscheidung über privatrechtliche Ansprüche ist weitgehend gewährleistet. Vom Gesetzgeber angestrebt ist auch, dass die Privatbeteiligung zwar im Rahmen des Strafverfahrens als sein Teil durchgeführt, in ihren Voraussetzungen und Entscheidungen aber getrennt vom Strafverfahren behandelt wird. So dürfen Wiedergutmachungsbestrebungen seitens des Beschuldigten in der Privatbeteiligung durch Anerkenntnis oder Vergleichsabsichten niemals einen negativen Einfluss auf die strafrechtliche Seite haben und auch nicht als Eingeständnis angenommen werden. Die Rechte des Privatbeteiligten sind dann beschränkt, wenn die Stellung des Beschuldigten und seine Verteidigungspositionen beeinträchtigt werden. Hinter dieser sehr allgemein gehaltenen Aussage steckt die Pflicht für das Gericht, den Privatbeteiligten bei der Ausübung seiner Rechte gegebenenfalls „zu bremsen". Der Gesetzgeber hat diese Aufgabe absichtlich dem prozessleitenden Gericht überlassen. Beispielhaft sei das Akteneinsichtsrecht[384] genannt. Hier muss der Privatbeteiligte sein Interesse darstellen, um überhaupt das Recht zu erlangen. Zusätzlich entscheidet das Gericht (im Ermittlungsverfahren die Staatsanwaltschaft) in einer Abwägung über den Umfang des Akteneinsichtsrechts.

Im *Kanton Zürich* gibt es keine einschlägigen gesetzlichen Bestimmungen. Die Rechtspositionen zwischen „allgemeinem" und „antragstellendem" Geschädigten unterscheiden sich nicht. Daher gibt es keine weiteren rechtlichen Vorkehrungen, die ein „Mehr" an verfahrensrechtlichen Befugnissen eines „antragstellenden" Geschädigten ausgleichen müssten. Auch im kommenden Strafverfahren der *Schweiz* sieht der Entwurf der StPO-CH keine Ausgleichsbestimmungen vor. Es

---

[384] § 68 öStPO („... soweit ihre [der Privatbeteiligten, d. Verf.] Interessen betroffen sind ...").

D. Darstellung und Bewertung der Gemeinsamkeiten und Unterschiede 315

ist Aufgabe des Gerichts durch seine Prozessleitung zu gewährleisten, dass keine Prozesspartei in ihrer Stellung beeinträchtigt wird.

Im Schadensersatzverfahren der *DDR* konnte der Beschuldigte verhindern, dass ein erst in der Hauptverhandlung gestellter Schadensersatzantrag vom Gericht noch entschieden werden musste[385]. Ansonsten gab es keine Rechte, die dem Antragsteller im Schadensersatzverfahren gegenüber „einfachen" Geschädigten zustanden. Aus diesem Grund hat der Gesetzgeber bei der Ausgestaltung des Schadensersatzverfahrens auch keine Regelungen getroffen, die für einen Ausgleich der beiden Rechtspositionen gesorgt hätten. Die Fürsorge für den Beschuldigten oblag dem Gericht. Es musste Sorge tragen, dass er seine Rechte in vollem Umfang geltend machen konnte. Beispielhaft seien an dieser Stelle nur einige Pflichten erwähnt, mit denen versucht wurde, die Position des Beschuldigten vor einer zu starken Beeinträchtigung zu bewahren. Das Gericht musste die Beurteilung von Strafsache und Schadensersatzanspruch trennen, es durfte ein Anerkenntnis nicht als Geständnis werten. Zudem musste es dem Beschuldigten den nötigen Raum geben, sich auch gegen den Schadensersatzanspruch angemessen verteidigen zu können[386]. Weiterhin musste sich das Gericht auf ein Grundurteil beschränken und eine „unzweckmäßige"[387] weitere Entscheidung über die Höhe verweisen. Auch durch das bis zur eigenen Zeugenaussage eingeschränkte Anwesenheitsrecht des Geschädigten wollte der Gesetzgeber vermeiden, dass die Unbefangenheit der Aussage verändert wird.

Zusammenfassend kann man feststellen, dass sich das Problem des Ausgleichs zwischen Beschuldigtem und Verletztem überall dort stellt, wo mit der Antragstellung auch ein Zuwachs an verfahrensrechtlichen Rechtspositionen einhergeht. Dies ist in Österreich der Fall, nur sehr eingeschränkt jedoch in der Schweiz und der DDR. Zu beobachten ist die Tendenz, dass sich der Gesetzgeber in dieser Frage zurückgehalten hat. Die dafür zur Verfügung gestellten Instrumente verbleiben in der Hauptsache in der Hand des Gerichts, auf dessen prozesslenkende Kraft der Gesetzgeber ganz massiv vertraut. Nur ausnahmsweise existieren gesetzliche Bestimmungen, die zwischen Beschuldigtem und Verletztem ausgleichend wirken.

---

[385] § 198 Abs. 1 S. 2 StPO-DDR.

[386] Etwa, indem es Unterbrechungen der Hauptverhandlung zuließ.

[387] § 242 Abs. 5 StPO-DDR. Der „Charakter der strafrechtlichen Beweisaufnahme" (MdJ-DDR (1989), § 242 5.6) sollte nicht verändert werden. Offen kann bleiben, ob diese Regelung geschaffen wurde, um zwischen Beschuldigten und Geschädigten einen Ausgleich zu schaffen. Jedenfalls entfaltet sie, ob bewusst oder nur „reflexweise", eine dem Beschuldigten entgegenkommende Wirkung.

316   Kap. 4: Äquivalente Rechtsinstitute im deutschsprachigen Raum

Tabelle 9
Verfahrensablauf (Synopse)

	StPO	*Österreich*	*Schweiz (ab 2011)*	*Kanton Zürich*	*DDR*
verfahrensrechtlicher Unterschied zwischen (allgemeinem) Opfer und Adhäsionsantragsteller	ja (Antragsteller – Verletzter)	ja (Privatbeteiligter – Opfer)	ja (Zivilkläger – geschädigte Person – Opfer)	nein (nur Unterschied zwischen Geschädigter und Opfer)	nein (hier: mit vielen Rechten verbundene Geschädigteneigenschaft)
Information des Geschädigten über Möglichkeit eines Adhäsionsverfahrens	ja aber nur „soll"-Vorschrift (§ 406h Abs. 2 StPO)	umfassend und verpflichtend (§ 70 öStPO)	umfassend und verpflichtend (Art. 305 StPO-CH)	ja, obligatorische Frage (§§ 19 Abs. 2, 162 Abs. 3 StPO-ZH)	unbedingte Hinweispflicht im Ermittlungsverfahren (§ 93 Abs. 2 StPO-DDR); umfassender Rechtsbeistand im Hauptverfahren
Anwesenheitspflicht des Geschädigten	nein		ja	nein	
Behandlung des Anspruchs innerhalb des Ablaufs Hauptverhandlung	im Ermessen des Gerichts				
Ausgestaltung der Rechte des Antragstellers	Teilnahme (u.a. [Rspr.]: Beweisantragsrecht, Richterablehnung), Information	gesetzlich geregelt (§ 67 Abs. 6 öStPO): umfangreicher Katalog; etwas weiter	wenige zusätzliche Rechte im Vergleich zu geschädigter Person und Opfer	keine zusätzlichen Rechte im Vergleich zu Geschädigtem und Opfer	keine zusätzlichen Rechte im Vergleich zu Geschädigtem
Beachtung des Beschleunigungsgrundsatzes (Absehensentscheidung)	bei Nichteignung Absehensentscheidung (§ 406 Abs. 1 S. 4 StPO)	bei zusätzlichem unverhältnismäßigen Aufwand Verweisung (§ 366 Abs. 2 S. 2 öStPO)	bei unverhältnismäßigem Aufwand Grundurteil (Art. 126 Abs. 3 S. 1 StPO-CH)	bei zusätzlichem unverhältnismäßigem Aufwand Verweisung, im Bereich des OHG Grundurteil (Art. 9 Abs. 3 OHG)	bei Unzweckmäßigkeit Grundurteil (§ 242 Abs. 5 StPO-DDR)
Recht zur Richterablehnung	ja (BVerfG)	ja (§ 43 Abs. 1 Nr. 1 öStPO)	ja (§ 58 Abs. 1 StPO-CH: „Ausstandsgesuch")	ja (§ 95 GVG-ZH)	nein (h.M.)

D. Darstellung und Bewertung der Gemeinsamkeiten und Unterschiede   317

	StPO	Österreich	Schweiz (ab 2011)	Kanton Zürich	DDR
Problematik von gleichzeitiger Zeugen- und Verletztenstellung		im Ermessen des Gerichts			Geschädigter hat erst nach Zeugenaussage ein Anwesenheitsrecht (§ 225 StPO-DDR)
Stellung der Staatsanwaltschaft im Verfahren		Stellungnahmerecht (keine Pflicht)			Pflicht, aktiv auf eine Entscheidung hinzuwirken

Quelle: Eigene Darstellung.

IV. Die gerichtlichen Entscheidungsmöglichkeiten

Die verschiedenen Entscheidungsmöglichkeiten über den Antrag ähneln sich in Österreich, in der Schweiz sowie in der DDR stark. Entweder spricht das Gericht dem Antragsteller den Anspruch zu oder nicht. Kann es den Anspruch nicht zusprechen, muss es ihn auf den Zivilrechtsweg verweisen[388] (§ 406 Abs. 1 StPO; Kanton Zürich; DDR). Teilweise (Österreich; Schweiz) muss das Gericht für die Entscheidungsform darauf achten, ob es den Anspruch aus Gründen eines unzulässigen Adhäsionsantrags nicht zusprechen kann, oder ob es den Anspruch aus materiell-rechtlichen Gründen für unbegründet hält. Dieser Mechanismus ist in allen Ländern gleich, und er liegt auch dem deutschen System in § 406 StPO zu Grunde. Zudem folgt das Adhäsionsverfahren in allen Fällen im Grundsatz dem Akzessorietätsgedanken. Eine zusprechende Adhäsionsentscheidung kann nur soweit ergehen, wie auch eine strafrechtliche Verurteilung erfolgt. Eine Ausnahme hiervon sieht lediglich das *Schweizer* Recht vor. Dort fällt besonders auf, dass die aus dem deutschen Recht bekannte Akzessorietät des Adhäsionsurteils mit dem Strafurteil nicht immer vorliegen muss. Von der geplanten StPO-CH wird sie fast ganz aufgegeben. So ist ein Adhäsionsurteil auch bei einem Freispruch denkbar[389]. Ziel ist, dass Fallgestaltungen, in denen auf Grund der im

---

[388] In dieser Formulierung besteht auch ein bemerkenswerter Unterschied zur deutschen Absehensentscheidung. Auf den ersten Blick mag man darin nur eine andere Etikettierung erblicken, da abgesehen vom Recht der StPO-DDR, der Antragsteller vor einem Zivilgericht seine Ansprüche einklagen kann. Dennoch macht es einen Unterschied für den Antragsteller, ob das Gericht über seinen Antrag entscheidet „Von einer Entscheidung über den Antrag wird abgesehen" oder „Der Antrag wird auf den Zivilrechtsweg verwiesen". Im letzteren Fall besteht um einiges mehr Klarheit für den Betroffenen, wie er weiter vorgehen soll, zumal der Erlass einer Absehensentscheidung nach der StPO nicht zwingend mit einer Information des Betroffenen einhergeht.

[389] Diese auf den ersten Blick vielleicht überraschende Konstellation kann etwa in Fällen auftreten, in denen fahrlässiges Handeln nicht (straf-)tatbestandsmäßig ist, das

318 Kap. 4: Äquivalente Rechtsinstitute im deutschsprachigen Raum

Tabelle 10

Entscheidungsmöglichkeiten (Synopse)

	StPO	*Österreich*	*Schweiz (ab 2011)*	*Kanton Zürich*	*DDR*
Entscheidungs-formen	Urteil, Vergleich oder Absehensentscheidung	Urteil, Vergleich oder Verweisung (nicht automatisch)	Urteil oder Verweisung (nicht automatisch)	Gutheißung, Nicht-Eintritt, Verweisung	Urteil, Abweisung, Verweisung
Teilurteil	ja (§ 406 Abs. 1 S. 2 StPO)	ja (h. M.)	ja (h. M.)	ja (h. M.)	ja (h. M.)
Grundurteil möglich	ja (§ 406 Abs. 1 S. 2 StPO)	nein (h. M.)	ja (Art. 126 Abs. 3 StPO-CH)	ja (h. M.)	ja (h. M.)
mindestens Grundurteil verpflichtend	nein	nein	ja (Art. 126 Abs. 3 StPO-CH)	nur im Bereich des OHG	ja (§ 242 Abs. 5 S. 2 StPO-DDR)
Absehens-entscheidung	§§ 406 S. 3–6 StPO: recht häufig möglich	Verweisung an Zivilgericht (§ 366 Abs. 2 öStPO)	Verweisung an Zivilgericht (Art. 126 Abs. 2 StPO-CH)	nicht vorgesehen	nicht vorgesehen
Aner-kenntnisurteil	ja (§ 406 Abs. 2 StPO)	nein (nur Einfluss auf Beweisbarkeit der Ansprüche)	nein (nur Einfluss auf Beweisbarkeit der Ansprüche)	nein (nur Einfluss auf Beweisbarkeit der Ansprüche)	nein (nur Einfluss auf Beweisbarkeit der Ansprüche)
Adhäsionsent-scheidung ohne Verurteilung	grds. nein; ausn. bei Anerkenntnis	nein	ja, bei Freispruch, wenn Anspruch spruchreif (Art. 126 Abs. 1 lit. b StPO-CH)	nein	nein
negative Sach-entscheidung möglich	nein	nein	nein	nein	ja

Quelle: Eigene Darstellung.

D. Darstellung und Bewertung der Gemeinsamkeiten und Unterschiede 319

bisherigen Verfahren – wohl vor allem im Zusammenhang mit der Strafsache – gesammelten Beweise ohne Verzögerung entschieden werden kann, auch tatsächlich entschieden werden[390].

Im Schadensersatzverfahren der StPO-*DDR* gab es im Unterschied zu den anderen Adhäsionsverfahren eine so genannte negative Sachentscheidung. Wurde ein Antrag als unbegründet abgewiesen, konnte der Geschädigte den Anspruch nicht mehr aus den gleichen Rechtsgründen vor einem Zivilgericht geltend machen. Zunächst war er verpflichtet, sich mit einem Rechtsbehelf gegen die Entscheidung zu wehren. Der Zivilrechtsweg war ihm versperrt.

Eine *österreichische* Besonderheit ist, dass die Privatbeteiligung der öStPO keine dem aus dem deutschen Recht bekannten Grundurteil äquivalente Entscheidungsform besitzt.

Ein Anerkenntnisurteil ist nur nach deutschem Recht vorgesehen. In allen anderen Verfahrensordnungen kann das Gericht bei Vorliegen eines Anerkenntnisses dieses nicht für das Adhäsionsurteil zu Grunde legen. Jedoch ist ein Anerkenntnis auch dort nicht bedeutungslos. Vielmehr muss das Gericht das Anerkenntnis bei der Beweiswürdigung beachten. Es muss die Glaubwürdigkeit des Anerkenntnisses des Beschuldigten und das Vorliegen der Anspruchsvoraussetzungen unter Einbeziehung des Anerkenntnisses prüfen und im Urteil vermerken. Letztlich sind jedoch kaum Fälle vorstellbar, in denen sich die Entscheidungen in den verschiedenen Rechtsordnungen bei einem Anerkenntnis wesentlich unterscheiden[391].

V. Die Rechtsmittel im Adhäsionsverfahren

Allen Verfahrensordnungen *gemeinsam* ist eine sehr eingeschränkte Rechtsmittelsberechtigung des Antragstellers. Damit wollen alle Gesetzgeber dem Beschleunigungsgrundsatz Rechnung tragen. Der Beschuldigte dagegen kann sich umfangreich gegen die Entscheidung des Strafgerichts wehren. Dies ist in den untersuchten Rechtsordnungen nicht anders, als es auch die StPO vorsieht. Der Staatsanwaltschaft ist grundsätzlich ein Rechtsbehelf gegen den zivilrechtlichen Teil versagt. Wird in der Rechtsbehelfsinstanz die strafrechtliche erstinstanzliche Entscheidung abgeändert, kann dies wegen des Grundsatzes der Akzessorietät auf die Adhäsionsentscheidung durchschlagen. Solange die strafrechtliche Ent-

---

Verhalten dennoch eine zivilrechtliche Haftung auslöst. Ein diesen Sachverhalt verdeutlichendes Beispiel nach deutschem Recht ist eine fahrlässige Sachbeschädigung, die trotz Straflosigkeit eine Haftung nach § 823 Abs. 1 BGB nach sich zieht.

[390] Begleitbericht zum Vorentwurf für eine Schweizerischen Strafprozessordnung S. 94.

[391] Als Besonderheit wird in der StPO-CH ein Anerkenntnis auch auf dem Strafbefehl vermerkt.

320   Kap. 4: Äquivalente Rechtsinstitute im deutschsprachigen Raum

Tabelle 11
Rechtsmittel (Synopse)

		StPO	*Österreich*	*Schweiz (ab 2011)*	*Kanton Zürich*	*DDR*
Rechtsbehelfe des Antragstellers	nur gegen die Adhäsionsentscheidung	nein	nein	ja (Berufung Art. 382 Abs. 1 StPO-CH)	ja (Berufung; § 411 Ziff. 3 StPO-ZH)	ja (Beschwerde)
	nur gegen das Strafurteil	nein			ja bei Freispruch	nein
	gegen Absehens-/Verweisungsentscheidung	ja (sofortige Beschwerde; § 405a StPO)	ja (Berufung: §§ 366 Abs. 3, 67 Abs. 6 Nr. 5, 283 Abs. 4 öStPO)	nein	nein	nein
	Rechtsbehelfsgericht Straf- oder Zivilgericht	nächstinstanzliches Strafgericht als Beschwerdegericht	nächstinstanzliches Strafgericht	nächstinstanzliches Strafgericht	nächstinstanzliches Strafgericht	nächstinstanzliches Strafgericht; wenn *nur* Beschwerde: Zivilgericht
Rechtsbehelfe des Beschuldigten/Angeklagten	nur gegen die Adhäsionsentscheidung	ja (Berufung oder Revision)	ja (Berufung)	ja (Berufung)	ja (Berufung	ja (Beschwerde)
	nur gegen das Strafurteil	ja (Normalfall eines Strafverfahrens)				
	gegen Absehens-/Verweisungsentscheidung	nein				
	Rechtsbehelfsgericht Straf- oder Zivilgericht	nächstinstanzliches Strafgericht				nächstinstanzliches Strafgericht; wenn *nur* Beschwerde: Zivilgericht

D. Darstellung und Bewertung der Gemeinsamkeiten und Unterschiede 321

		StPO	Österreich	Schweiz (ab 2011)	Kanton Zürich	DDR
Rechtsbehelfe der Staatsanwaltschaft	nur gegen die Adhäsionsentscheidung			nein		ja (Beschwerde)
	nur gegen das Strafurteil			ja (Normalfall eines Strafverfahrens)		
	gegen Absehens-/Verweisungsentscheidung			nein		

Quelle: Eigene Darstellung.

scheidung nicht in Rechtskraft erwachsen ist, sind durch ihre Änderungen noch Rückwirkungen auf die Adhäsionsentscheidung möglich.

Besonderheiten bestehen in Detailfragen. In *Österreich* kann der Antragsteller gegen die Verweisung auf den Zivilrechtsweg Berufung einlegen mit der Begründung, das Strafgericht hätte bereits über den Anspruch entscheiden können. Gegen die Adhäsionsentscheidung selbst steht ihm die Berufung nur bei einer Privatbeteiligung vor dem Bezirksgericht zu. Wie in Deutschland kann in Österreich der Privatbeteiligte isoliert gegen die Verweisungsentscheidung vorgehen.

In der *Schweiz* ist für den Kanton Zürich darauf hinzuweisen, dass der Geschädigte auch dann Berufung gegen die gerichtliche Entscheidung einlegen kann, wenn es den Beschuldigten freigesprochen hat. Im vorgesehenen gesamtschweizerischen Strafverfahren ist ein einfach strukturiertes Rechtsmittelsystem vorgesehen. Sowohl Beschuldigter als auch Zivilkläger können sich gegen die Zivilklageentscheidung mit dem Rechtsmittel der Berufung wehren. Hierin besteht kein Unterschied zu § 406a StPO mehr.

In der *DDR* besteht die Besonderheit in der Rechtsmittelbefugnis der Staatsanwaltschaft auch gegen die zivilrechtliche Entscheidung, was in ihrer grundsätzlich anders ausgestalteten Rechtsstellung begründet ist.

VI. Sonstige Gemeinsamkeiten und Unterschiede

Allen Verfahrensordnungen ist *gemeinsam,* dass sie ein beschleunigtes Verfahren vorsehen. Auch in diesem verkürzten Strafverfahren kann stets ein Antrag gestellt werden. Auch die Anwendbarkeit im Strafverfahren gegen Jugendliche

322   Kap. 4: Äquivalente Rechtsinstitute im deutschsprachigen Raum

ist – entgegen der bisherigen Einstellung des deutschen Gesetzgebers – ohne weiteres in Österreich, im Kanton Zürich sowie der neuen StPO-CH und im DDR Strafverfahren vorgesehen. Lediglich einige bestimmte Rechte können im Verfahren gegen Jugendliche ausgeschlossen sein[392]. Dieser Aspekt verdient Beachtung auch für die deutsche Reformdiskussion.

Das *österreichische* Verfahren der Privatbeteiligung beinhaltet in der eigentlichen Verfahrensausgestaltung keine weiteren Besonderheiten, sondern nur in dessen Umfeld. Vor allem dem Anspruch auf Vorschussleistung und der richterrechtlich geprägten Bindungswirkung kommt dabei eine besondere Bedeutung zu.

Hervorzuheben ist im *Schweizer* Verfahren zunächst das Rechtsinstitut der Zweiteilung der Hauptverhandlung. Eine solche Möglichkeit bietet keine andere der untersuchten Rechtsordnungen. Auch die Implikation der (zivilprozessualen) Prozesskostensicherheit ist eine Schweizer Besonderheit. Auf diese Weise gibt der Gesetzgeber dem Beschuldigten die Möglichkeit, eigene Ansprüche abzusichern, die im Zusammenhang mit der Zivilklage entstehen können. Noch bedeutsamer ist, dass eine Entscheidung über die zivilrechtlichen Ansprüche nach der StPO-ZH auch im Strafbefehlsverfahren möglich ist. Nach der neuen StPO-CH wird nur noch ein vorliegendes Anerkenntnis des Beschuldigten in einem Strafbefehl vermerkt.

Der wesentliche Unterschied im Schadensersatzverfahren der *DDR* bestand im Arrestbefehl des Staatsanwaltes sowie der Zulassung des Verfahrens im Strafbefehlsverfahren. Auch das deutsche Recht kennt in den §§ 111b ff. StPO vorläufige Maßnahmen zur Sicherstellung von Verfalls- und Einziehungsgegenständen (§§ 73–75 StGB), darunter etwa den dinglichen Arrest (§ 111d StPO zur Sicherung von Zahlungsansprüchen der Staatskasse gegen den Beschuldigten). Diese sind jedoch grundlegend anders strukturiert. Im Vordergrund steht nicht wie beim Arrestbefehl nach § 120 StPO-DDR die Erfüllung der mit der Straftat zusammenhängenden Ansprüche, sondern das Ziel, unrechtmäßig erlangten Vermögenszuwachs abzuschöpfen, also eine rechtswidrige Bereicherung zu beseitigen. Während § 120 StPO-DDR lediglich drei leicht zu erfüllende Voraussetzungen aufstellt, bestehen für die Vollstreckungssicherung nach der StPO höhere Hürden. Die sehr weiten Voraussetzungen sowie die stets bestehende Pflicht, den Erlass eines Arrestbefehls zu prüfen, führten dazu, dass in der DDR der Arrest sehr häufig erging. Die darin liegende Gefahr einer Vorverurteilung des Beschuldigten hat der Gesetzgeber hingenommen, obwohl in § 4 S. 4 StGB-DDR die Unschuldsvermutung ausdrücklich kodifiziert war. Eine derart weit reichende Ausgestaltung des Arrestbefehls führt jedoch dazu, dass der Beschuldigte gerade nicht mehr als unschuldig behandelt wird. In dieser Form kann der Arrestbefehl

---

[392] So etwa das Recht des Privatbeteiligten auf Stellung einer Privatanklage (vgl. § 44 Abs. 2 öJGG).

D. Darstellung und Bewertung der Gemeinsamkeiten und Unterschiede   323

mithin von Vornherein kein Vorbild für eine weitere Reform des deutschen Adhäsionsrechts sein. Im Strafbefehlsverfahren war ein Schadensersatzantrag möglich. Dass hier eine Schadensersatzentscheidung nach Aktenlage erging, ohne dass sich der Betroffene äußern konnte, nahm der Gesetzgeber bewusst in Kauf. Die Möglichkeit des Einspruchs für den Beschuldigten wurde als ausreichend für die Wahrung seiner Interessen angesehen.

Tabelle 12
Sonstiges (Synopse)

	StPO	*Österreich*	*Schweiz (ab 2011)*	*Kanton Zürich*	*DDR*
Anwendbarkeit im beschleunigten Verfahren	ja	ja	ja (Art. 358 ff. StPO-CH)	ja	ja
Anwendbarkeit im Verfahren gegen Jugendliche	nein (§ 81 JGG)	ja	ja	ja	ja
Vorschussanspruch	nein	ja (§ 373a öStPO)	nein	nein	nein
Bindungswirkung von Strafurteilen	nein	begrenzt (Rspr.)	nein	nein	nein
Zweiteilung des Verfahrens	nein	nein	ja	ja	nein
Prozesskostensicherheit	nein	nein	ja	nein	nein
Arrestbefehl	nein	nein	nein	nein	§ 120 StPO-DDR: niedrige Voraussetzungen
Anwendbarkeit im Strafbefehlsverfahren	nein	nein	nein (aber bei Anerkenntnis, Vermerk im Strafbefehl Art. 353 Abs. 2 S. 1 StPO-CH)	nein	ja (§ 270 Abs. 1 S. 3 StPO-DDR)

Quelle: Eigene Darstellung.

VII. Zusammenfassung und Bewertung des Rechtsvergleichs

Dem Adhäsionsverfahren äquivalente Rechtsinstitute gibt es auch in Österreich, der Schweiz und der DDR. Die Begrifflichkeiten unterscheiden sich zwar. Im Hinblick auf die rechtliche Ausgestaltung kann man jedoch feststellen, dass der grundlegende Mechanismus sehr ähnlich ist. Hier gibt es keine bedeutenden Unterschiede zu den §§ 403 ff. StPO. Insofern hat der Rechtsvergleich ergeben, dass die rechtliche Konstruktion in allen dargestellten Rechtsordnungen weitgehend dieselbe ist. In Detailregelungen bei der konkreten rechtlichen Ausgestaltung lassen sich indes Unterschiede ausmachen. Zu untersuchen bleibt, welche dieser Unterschiede für eine weitere Reform des deutschen Adhäsionsverfahrens fruchtbar gemacht werden können. Folgende Fragen sollen daher im nächsten Kapitel dahingehend beantwortet werden, ob eine Übertragung in die §§ 403 ff. StPO sinnvoll ist.

- Sollten in Erweiterung der Antragsberechtigung auch Zessionare einer Legalzession einen Adhäsionsantrag stellen können?[393]
- Sollte der letztmögliche Antragszeitpunkt vorverlegt werden?[394]
- Sollte der Ausschluss von Ansprüchen aus einem Arbeitsverhältnis aufrecht erhalten bleiben?[395]
- Sollte die Absehensentscheidung abgeschafft oder zumindest wesentlich erschwert werden?[396]
- Sollte das Gericht auch bei einem Freispruch eine Adhäsionsentscheidung treffen können, wenn dies die Beweissituation zulässt?[397]
- Sollte der Antragsteller auch gegen eine zusprechende Adhäsionsentscheidung ein Rechtsmittel einlegen können?[398]
- Sollte der Akzessorietätsgrundsatz durchbrochen werden, wenn der zivilrechtliche Anspruch spruchreif ist?[399]
- Sollte das nächstinstanzliche Strafgericht weiterhin eine Adhäsionsentscheidung treffen, wenn *nur* gegen die erstinstanzliche Adhäsionsentscheidung ein Rechtsbehelf eingelegt wurde?[400]

---

[393] Siehe Kapitel 5: B. III. 2.
[394] Siehe Kapitel 5: B. VI. 2.
[395] Siehe Kapitel 5: B. III. 5.
[396] Siehe Kapitel 5: B. III. 6.
[397] Siehe Kapitel 5: B. III. 4. b).
[398] Siehe Kapitel 5: B. VI. 3.
[399] Siehe Kapitel 5: B. III. 4. a).
[400] Siehe Kapitel 5: B. VI. 3.

D. Darstellung und Bewertung der Gemeinsamkeiten und Unterschiede   325

– Sollte der Staatsanwaltschaft eine umfassende Rechtsbehelfsberechtigung eingeräumt werden?[401]

– Sollte die Möglichkeit einer Zweiteilung des Verfahrens geschaffen werden, um das eigentliche Strafverfahren von der Behandlung schwieriger ausschließlich zivilrechtlich relevanter Aspekte zu entlasten?[402]

– Sollte der Anwendungsbereich des Adhäsionsverfahrens auch auf Strafverfahren gegen Jugendliche ausgedehnt werden?[403]

– Sollte eine Adhäsionsentscheidung auch im Strafbefehlsverfahren ergehen können?[404]

Hinsichtlich der Anwendungshäufigkeit in der Praxis hat der Rechtsvergleich ergeben, dass die Vorstellung, das Adhäsionsverfahren sei in den Nachbarländern weit verbreitet und nur in Deutschland völlig untypisch, so nicht zutreffend ist. Im Vergleich zu Deutschland kann nicht von einer wesentlich höheren Bedeutung in Österreich ausgegangen werden. In der Schweiz sprechen die Stellungnahmen dafür, dass die praktische Bedeutung etwas höher als in Deutschland ist. Die Ausgestaltung in der DDR stellt in diesem Zusammenhang einen Sonderfall dar. Erwiesenermaßen hatte das Schadensersatzverfahren im dortigen Strafverfahren einen wesentlich höheren Stellenwert als in jeder anderen untersuchten Rechtsordnung. Im Ergebnis ist auch im deutschsprachigen Ausland ein in der Praxis weit verbreitetes und akzeptiertes Adhäsionsverfahren keineswegs selbstverständlich[405].

---

[401] Siehe Kapitel 5: B. VI. 3.

[402] Siehe Kapitel 5: B. IV. 3.

[403] Siehe Kapitel 5: B. III. 3. b).

[404] Siehe Kapitel 5: B. III. 4. c).

[405] So auch *Krey/Wilhelmi* (2007), S. 943.

Kapitel 5

Chancen für das Adhäsionsverfahren

Ziel von Kapitel 5 ist es, für praktische Probleme des Adhäsionsverfahrens geeignete Lösungsansätze darzustellen und -vorschläge zu entwickeln. Zunächst ist dafür erforderlich, sich vor Augen zu führen, welche Erwartung sinnvollerweise an das Adhäsionsverfahren und seine Funktion im gesamten Strafverfahren herangetragen werden kann (A.). Davon ausgehend werden sechs relevante Problemfelder des Verfahrens vorgestellt und Lösungsansätze diskutiert (B.). Abschließend werden Konsequenzen für die zukünftige Behandlung des Adhäsionsverfahrens gezogen (C.).

A. Das Adhäsionsverfahren als Teil des Strafverfahrens

Vor der Darstellung von Problemfeldern muss bestimmt werden, welche Bedeutung dem Adhäsionsverfahren im Strafverfahren sinnvollerweise zukommen sollte. Zu diesem Zweck wird auf die Frage eingegangen, in welchem Ausmaß das Ziel einer wesentlichen Steigerung seiner praktischen Bedeutung angestrebt werden sollte (I.). Abschließend werden die wichtigsten praktischen Konstellationen vorgestellt, in denen ein Adhäsionsantrag sinnvoll sein kann (II.).

I. Ziel einer Anwendungssteigerung?

Die grundsätzliche Legitimation des Adhäsionsverfahrens steht fest. Dennoch stellt sich die Frage, wie bedeutend das Adhäsionsverfahren in der StPO sein soll. Welche tatsächliche Bedeutung soll es haben? Soll es Ziel sein, dass jedes geeignete Strafverfahren auch mit einer Adhäsionsentscheidung abgeschlossen wird? Oder soll es (zurückhaltender) eine Ergänzung zu anderen der Wiedergutmachung dienenden Rechtsinstitute sein?

Für eine realistische Betrachtung der praktischen Bedeutung des Adhäsionsverfahrens ist es erforderlich, zu untersuchen, was das Verfahren leisten kann und was nicht. Seine Aufgaben sind mit seinen beiden Zwecken umrissen: Justizökonomie und Opferschutz. Aus Sicht des Verletzten ist relevant, was er mit einem Adhäsionsantrag erreichen kann. Resultat eines erfolgreichen Adhäsionsverfahrens ist nie die tatsächliche Anspruchserfüllung, sondern (zunächst: „nur") die Schaffung eines Titels. Daher geht die grundsätzliche Kritik am Adhäsionsverfahren mit dem Argument, das Verfahren könne von vornherein wenig durch-

A. Das Adhäsionsverfahren als Teil des Strafverfahrens   327

schlagend sein, da es keinen tatsächlichen Schadensersatz ermögliche[1], fehl. Mit dem durch das Adhäsionsverfahren bewirkten Titel kann der Verletzte anschließend die Zwangsvollstreckung betreiben, wenn der Beschuldigte (immer noch) nicht leistet[2]. Die Gefahr eines vermögenslosen Täters ist im Strafverfahren durchaus vorhanden. Daran ändert auch eine nachfolgende Zwangsvollstreckung nichts[3]. Das gesteigerte Risiko, auf einem faktisch wertlosen Titel sitzen zu bleiben, besteht allerdings auch in einem parallel zum oder nach einem Strafverfahren stattfindenden Zivilprozess. Ist der Beschuldigte vollständig vermögenslos, ist eine Wiedergutmachung beim Verletzten zumindest in materieller Hinsicht auch mit anderen strafrechtlichen Rechtsinstituten wie etwa einer Wiedergutmachungsauflage nach § 153a Abs. 1 S. 2 Nr. 1 StPO nicht gewährleistet. Daher kann dem Adhäsionsverfahren nicht vorgeworfen werden, dass es nicht zu einer tatsächlichen Anspruchserfüllung beitrage[4]. Das Adhäsionsverfahren ist ein Angebot des Gesetzgebers an den Verletzten. Falls er – mangels Kooperation des Anspruchsgegners – für seine Anspruchsverfolgung staatliche Dienste in Anspruch nehmen muss, hat er die Wahl, ob er seine behaupteten Ansprüche vor dem Zivilgericht oder vor dem Strafgericht geltend machen will. Stellt man beide Möglichkeiten gegenüber, sprechen einige Vorteile[5] (vor allem finanzieller Art) dafür, trotz mancher praktischer Probleme den Weg des Adhäsionsverfahrens zu bestreiten.

Das Adhäsionsverfahren ist die *einzige* Möglichkeit für den Verletzten, einen Titel im Strafverfahren zu erlangen. Mit dem Titel hat er zumindest einen Schritt hin zu einer tatsächlichen Kompensation gemacht[6]. Das Ziel des Opferschutzes trägt das Adhäsionsverfahren maßgeblich. Entscheidend ist, dass die Möglichkeit eines mit dem Antrag in Gang gesetzten Adhäsionsverfahrens, seine Chancen und Grenzen, überhaupt vom Verletzten zur Kenntnis genommen werden. Auf Seiten des Verletzten bedeutet dies, dass er einen Adhäsionsantrag in das Arsenal verschiedener Reaktionsmöglichkeiten, die er nach einer erlittenen Straftat hat, aufnimmt. Wenn er sich bewusst gegen einen Antrag entscheidet, und zwar nicht

---

[1] *Marticke* (1990), S. 65 („Steine statt Brot"); vgl. auch *Achenbach* (1985), S. 10; *Weigend,* ZStW 96 (1984), 761, 792.

[2] Auch hierin kommt zum Ausdruck, dass nach § 406 Abs. 3 S. 1 StPO die Entscheidung einem „im bürgerlichen Rechtsstreit ergangenen Urteil" gleichsteht.

[3] Dennoch ist nicht ausgeschlossen, dass sich an der Vermögenssituation wieder etwas ändert. Insbesondere die (oft unterschätzten) Zinsansprüche helfen, dass ein zukünftiger Vollstreckungsversuch auch nach Jahren noch Sinn macht.

[4] Streng genommen besteht hier sogar ein Vorteil des Adhäsionsverfahrens gegenüber dem Zivilverfahren, da es aus Sicht des Antragstellers billiger und zumeist auch schneller ist.

[5] Vgl. nur die Auflistungen bei Weiner/Ferber-*Weiner* (2008), Rn. 5 ff. und *Bielefeld,* DRiZ 2000, 277 f.

[6] Hieran ändert zunächst auch der Umstand nichts, dass der Titel wegen der Mittellosigkeit des Beschuldigten oftmals wertlos ist.

328   Kap. 5: Chancen für das Adhäsionsverfahren

aus der Erwägung heraus, dass er ohnehin sinnlos sei, sondern weil in seiner speziellen Situation etwa außergerichtliche Vergleichsverhandlungen oder ein Täter-Opfer-Ausgleich eine geeignetere Option darstellen, wäre bereits eine wesentliche Verbesserung des gegenwärtigen Zustands erreicht. Dies bedeutet, dass das Hauptziel keine vom Gesetzgeber „verordnete" Anwendungssteigerung sein sollte[7]. Das Adhäsionsverfahren ist nur eine Möglichkeit unter mehreren, für den Verletzten Kompensation zu erreichen[8].

Es ist nicht sinnvoll, dass möglichst jedes geeignete Strafverfahren auch mit einer Adhäsionsentscheidung abgeschlossen wird. Es erscheint ausreichend, sicher zu stellen, dass Staatsanwaltschaften und Gerichte den Verletzten einer Straftat über das Adhäsionsverfahren hinreichend informieren. Sodann sollte der Fokus darauf gerichtet werden, weitere Attraktivitätsverbesserungen anzustreben[9]. Dies sollte jedoch nicht mit dem Ziel geschehen, die praktische Bedeutung merklich zu steigern, sondern mit der Zielrichtung, demjenigen, der sich bewusst für einen Adhäsionsantrag entscheidet, eine funktionierende Möglichkeit, einen zivilrechtlichen Titel zu erhalten, an die Hand zu geben. Das Ziel einer Anwendungssteigerung ist kein Wert an sich. Vielmehr ist es der Aspekt des Opferschutzes, der den Gesetzgeber leiten sollte. Werden weitere praktische Probleme des Adhäsionsverfahrens abgestellt, dürfte sich eine moderate Steigerung der praktischen Bedeutung des Adhäsionsverfahrens gewissermaßen von selbst ergeben.

II. Geeignete Konstellationen für einen Adhäsionsantrag

Nachdem geklärt wurde, in welchem Ausmaß das Ziel einer Anwendungssteigerung verfolgt werden sollte, bleibt zu erörtern, welche Konstellationen für ein Adhäsionsverfahren geeignet sind. Da etwa weder der Verletzte gegen andere

---

[7] So auch *Freund,* GA 2002, 82, 84, der das Ziel der häufigeren Anwendung durch gesetzgeberische Maßnahmen für wenig erfolgversprechend hält. Vgl. auch *Rieß* (2005), S. 437, der zu Recht darauf hinweist, dass der Gesetzgeber Gefahr läuft, seine Ressourcen zu verschwenden, wollte er die Wiedergutmachung auf das Adhäsionsverfahren konzentrieren.

[8] Neben einem Ausbau des Adhäsionsverfahrens sind weitere Rechtsinstitute denkbar. Im Vergleich zu einer Umgestaltung des (bereits vorhandenen) Adhäsionsverfahrens wären sie aber ungleich schwieriger zu realisieren und würden einen schwerwiegenden Reformschritt darstellen. Alle haben gemeinsam, dass einem Adhäsionsverfahren dann nur ein geringer Anwendungsbereich verbliebe. Daher soll an dieser Stelle nur kurz ein Hinweis auf derartige Modelle erfolgen. *Foerster* (2008), S. 505 erwägt einen Transfer der Ergebnisse von Strafverfahren in nachfolgende Zivilverfahren durch asymmetrische Rechtskrafterstreckung. *Völzmann* (2006), S. 194 tritt für eine Bindungswirkung von Strafurteilen im Zivilprozess ein. *Schöch,* NStZ 1984, 385, 390 schlägt die Schaffung eines eigenen strafrechtlichen Restitutionsverfahrens vor. Vgl. in diesem Zusammenhang auch die Diskussion um eine eigenständige Wiedergutmachungsstrafe de lege ferenda *Meier* (2009), S. 346; *Streng* (2002), Rn. 805 ff.; *Roxin* (1993), S. 310; *Weigend* (1990), S. 19; *Staiger-Allroggen* (1992), S. 166 und *Sessar* (1983), S. 158.

[9] *Rieß* (1984), S. 38.

B. Probleme des Adhäsionsverfahrens und Lösungsansätze 329

Personen als den Beschuldigten, noch andere Personen als der Verletzte gegen den Beschuldigten Ansprüche geltend machen können, fallen vor allem die Konstellationen aus dem Anwendungsbereich heraus, in denen Versicherer involviert sind. Damit ist der praktisch bedeutsame Bereich der Verkehrsstraftaten zwar nicht von vornherein versperrt, aber doch sehr eingeschränkt[10]. Ansonsten können grundsätzliche alle vermögensrechtlichen Ansprüche im Verfahren geltend gemacht werden. Innerhalb dieser Gruppe bilden Schadensersatz und Schmerzensgeldansprüche wiederum den Schwerpunkt[11]. Aus den Fallgruppen, die eine Absehensentscheidung wegen Nichteignung wahrscheinlich machen[12], kann gefolgert werden, dass das Verfahren seine Stärke insbesondere bei rechtlich einfachen und tatsächlich klar liegenden Fällen ausspielt. Von den angeklagten Deliktsgruppen erscheinen Körperverletzungs-, Beleidigungs-, Sexual-, Eigentums- oder Vermögensdelikte sehr geeignet, da bei ihnen Schadensersatzansprüche entstehen und der Schaden in vielen Fällen ohne Schwierigkeiten ermittelt werden kann. Damit ist bereits ein sehr weiter Bereich von Straftaten abgedeckt. Geeignet ist das Verfahren auch, wenn prozessuale Schwierigkeiten den Weg zum Zivilgericht erschweren. Wenn etwa der Aufenthaltsort des Täters nicht bekannt ist, kann eine zivilrechtliche Klage des Verletzten nicht rechtshängig werden. Darüber hinaus kann mit einem Adhäsionsantrag eine laufende Verjährung leichter gehemmt werden, da die Zulässigkeitsvoraussetzungen im Vergleich zur Klage geringer sind. Zuletzt liegen geeignete Konstellationen auch dann vor, wenn die Beweislage schwierig ist, insbesondere in „klassischen" Aussage gegen Aussage Konstellationen. Hier muss der Verletzte keine Beweisangebote erbringen, sondern kann von der Geltung des Amtsermittlungsgrundsatzes im Strafverfahren profitieren.

B. Probleme des Adhäsionsverfahrens und Lösungsansätze

I. Informationsdefizit bei Verletzten und bei Juristen

1. Problemstellung

Zu Adhäsionsanträgen kann es nur dann kommen, wenn der Verletzte diese Möglichkeit in seine Überlegungen einbezieht. § 406h S. 1 Nr. 2 StPO schreibt vor, dass der Verletzte von den Justizbehörden darüber informiert werden muss,

---

[10] *Krumm,* SVR 2007, 41, 43; *Loos,* GA 2006, 195, 197; *K. Schroth* (2005), Rn. 330; *Jaeger,* VRR 2005, 287, 288; *Nilius* (1990), S. 63.

[11] Weiner/Ferber-*Weiner* (2008), Rn. 15; *Krumm,* SVR 2007, 41, 42; *Pfeiffer* (2005), Vor § 403 Rn. 1. Andere Anspruchsarten spielen eine untergeordnete Rolle. Etwa macht ein Antrag wegen Herausgabeansprüchen angesichts der §§ 111b ff. StPO wenig Sinn.

[12] Insbesondere bei Haftsachen besteht aus Sicht des Verletzten die Gefahr, dass das Gericht von einer Entscheidung absieht („erhebliche Verzögerung").

330 Kap. 5: Chancen für das Adhäsionsverfahren

dass und in welcher Weise er den Adhäsionsantrag stellen kann. Diese Verpflichtung besteht dabei „in der Regel und so früh wie möglich". Diese durch das Opferrechtsreformgesetz erweiterte Regelung[13] sollte die Informationspraxis verbessern. Es finden sich viele Hinweise darauf, dass von der Hinweispflicht bis dahin nur selten in ausreichendem Maß Gebrauch gemacht wurde[14]. Die Folge war, dass Verletzte bereits kaum Adhäsionsanträge stellen. Diese Problematik zumindest merklich abzumildern, war Aufgabe der Gesetzesänderung[15]. Die Erfahrungen seit der Änderung im Jahr 2004 zeigen bisher indes allenfalls eine unwesentliche Verbesserung[16]. Auch die Umfrageergebnisse bestätigen diesen Befund. 54% der Teilnehmer sehen die Unkenntnis bei Verletzten über die Möglichkeit des Adhäsionsverfahrens als Grund für das „Schattendasein" an.

Weiterhin ist entscheidend, inwieweit die am Verfahren beteiligten Juristen Kenntnisse über die §§ 403 ff. StPO haben. Ein Gericht, das sich einem Adhäsionsantrag gegenüber sieht, aber kaum mit ihm umzugehen weiß, trägt sicherlich dazu bei, dass dem Verfahren keine gesteigerte praktische Bedeutung zukommt. Genauso kann auf Seiten der Rechtsanwälte ein Informationsdefizit dazu führen, dass ein Mandant nur unzureichend über seine prozessualen Möglichkeiten aufgeklärt wird. Die Umfrageergebnisse zeigen, dass etwa 20% der Teilnehmer die Unkenntnis bei Juristen als Problem ansehen[17].

Zuletzt wird beanstandet, dass die Regelung des Adhäsionsverfahrens in der StPO vom Gesetzgeber nicht klug gewählt sei[18].

---

[13] Zuvor bestimmte § 403 Abs. 2 StPO a. F. allein, dass der Verletzte über das Verfahren in Kenntnis gesetzt werden sollte.

[14] *Klein* (2007), S. 182; *Bielefeld,* DRiZ 2000, 277, 278.

[15] BT-Drs. 15/1976 S. 18.

[16] So berichtet *Spiess* (2008), S. 178, dass die Belehrungssituation noch „erheblich verbesserungswürdig" sei, da die entsprechenden Hinweise noch zu selten erteilt würden. Als Hauptgründe führt sie an, dass der Hinweis wegen der üblichen Routine häufig vergessen werde, und dass der Mehraufwand für die Polizeidienststellen bzw. die Staatsanwaltschaften hoch sei.

[17] Vgl. oben S. 229. Siehe auch *Kintzi,* DRiZ 1998, 65, 71 sowie die Ergebnisse bei *Spiess* (2008), S. 173, die praktische Informationsdefizite hinsichtlich des Adhäsionsverfahrens bei Richtern und Rechtsanwälten beklagt, und bei *M. Kaiser* (1992), S. 289, der fordert: „Aufklärung tut Not".

[18] *Wessing* (1998), S. 220 kritisiert, dass das „Mauerblümchendasein" und der faktische Stellenwert des Adhäsionsverfahrens auch damit zusammenhänge, dass die §§ 403 ff. StPO in einem Teil der StPO platziert seien, der nur in den seltensten Fällen den Blick des Rechtskundigen auf sich lenke. Zudem gibt er als Gegenbeispiel den Hinweis, dass in Spanien sogar im Zivilgesetzbuch eine Norm existiere (Art. 1092 CC), nach der für die zivilrechtliche Haftung aus einer Straftat die Vorschriften des spanischen Strafgesetzbuches gelten sollen, und die Regelung im Strafgesetzbuch sehr ausdifferenziert seien (Art. 109–129 CP).

B. Probleme des Adhäsionsverfahrens und Lösungsansätze 331

2. In der Literatur vertretene Lösungsansätze

Der Ruf nach einer besseren Information des Verletzten und daraus resultierende Vorschläge gehören zu den „Evergreens" im Diskussionsprozess um das Adhäsionsverfahren[19]. Als Lösungsmöglichkeiten bietet sich an, die gesetzliche Ausgestaltung des § 406h S. 1 Nr. 2 StPO nochmals zu ändern oder im Rahmen der bestehenden Regelung die Umsetzung der gesetzgeberischen Vorgabe zu optimieren, also etwa die Qualität der Informationen zu steigern[20]. Im Hinblick auf den Kenntnisstand bei den mit Adhäsionsverfahren beteiligten Juristen werden vor allem Informationsveranstaltungen befürwortet[21].

3. Stellungnahme

Sinn der Hinweispflicht ist es, dass der Verletzte in die Lage versetzt wird, die im Adhäsionsverfahren liegende Erweiterung seiner Handlungsoptionen zu erkennen. Zudem soll er sich gegebenenfalls weiterführenden Rat bei einem Rechtsanwalt besorgen. Die jetzige Ausgestaltung der Hinweispflicht scheint hierfür ausreichend zu sein. Da dennoch weiterhin praktische Probleme beklagt werden, ist eine erneute Veränderung der Hinweispflicht durch den Gesetzgeber zu erwägen. Eine möglichst frühe Mitwirkung des Verletzten kann dazu beitragen, dass die von ihm dargelegten Tatsachen eine notwendige Tatverdachtsprüfung wesentlich erleichtern[22].

Gegen die Forderung, die gegenwärtige Regelung zu einer ausnahmslosen Hinweis*pflicht* zu verstärken[23], spricht, dass dann auch Hinweise erteilt werden müssten, wenn sie völlig unzweckmäßig sind. Beispielsweise können in beschlagnahmten Unterlagen eines Anlagebetrügers tausende Adressen von Opfern auf-

---

[19] Eine kleine (!) Auswahl der Forderungen nach einer besseren Information: *Würtenberger* (1956), S. 197 und *Scholz,* JZ 1972, 725, 730 (obligatorische Hinweispflicht); *Jescheck,* JZ 1958, 591, 594 (Überwachung der Hinweiserteilung durch Dienstaufsicht); *H.-J. Schroth,* GA 1987, 49, 54; *Brokamp* (1990), S. 173; *Staiger-Allroggen* (1992), S. 108; *Rössner/Klaus,* ZRP 1998, 162, 163.

[20] Unverständlich abgefasste Informationsblätter sollten vermieden werden. Anekdotenhaft lässt sich zur Verdeutlichung ein Beispiel von *Rössner/Klaus,* ZRP 1998, 162, 164 anführen. Sie berichten von einer älteren Dame, die von einem Staatsanwalt mittels Übersendung eines Formulars von der Möglichkeit eines Adhäsionsantrags informiert wurde. In einem Anruf fragte sie den Staatsanwalt erstaunt, warum gegen sie ermittelt würde und was gegen sie vorliege.

[21] Vgl. auch die Umfrage oben Kapitel 3: B. IV.

[22] Dagegen spricht auch nicht, dass möglicherweise in einer frühen Phase des Verfahrens die Antragstellung ins Leere gehen kann, da mitunter noch nicht klar ist, ob das Verfahren zu einer Hauptverhandlung gelangt. Kommt es im weiteren Verlauf nicht zu einem Adhäsionsverfahren, könnten dadurch beim Verletzten falsche Erwartungen an das Adhäsionsverfahren ausgelöst werden (so *Rieß* (2005), S. 435).

[23] Eine derartige Pflicht war beispielsweise in § 17 Abs. 2 S. 2 StPO-DDR vorgesehen.

332   Kap. 5: Chancen für das Adhäsionsverfahren

tauchen, die alle belehrt werden müssten. Müssten hier alle potenziellen Antragsteller angeschrieben werden, bestünde ein erheblicher Aufwand, der außer Verhältnis zum erwartbaren Nutzen steht. Daher ist ein „Regel-Ausnahme-Verhältnis" ausgewogener als eine unbedingte Pflicht. Ein derartiges „Regel-Ausnahme-Verhältnis" kann aber auf verschiedene Weise erreicht werden. Nach § 406 Abs. 2 StPO soll der Hinweis „in der Regel" erfolgen. Denkbar ist auch, eine gesetzliche Hinweispflicht für alle Fälle anzuordnen, dann aber Ausnahmen zuzulassen. Dies wäre mit dem Gesetzeszweck identisch, welcher der derzeitigen Regelung zugrunde liegt, in der Formulierung jedoch etwas verbindlicher[24]. Im Ergebnis ist die derzeitige Regelung als sachgerecht anzusehen und nicht mehr zu optimieren. Würden die gesetzlichen Vorgaben tatsächlich in der Praxis umgesetzt, wäre eine ausreichende Information des Verletzten gewährleistet. Daher ist an diesem Punkt anzusetzen und nicht der Gesetzestext erneut zu modifizieren.

Eine Möglichkeit wäre die Vereinfachung der Hinweispflicht. Hier sollte ein stärkeres Augenmerk darauf gelegt werden, dass Verletzte einen Adhäsionsantrag mit Hilfe eines Formulars stellen können[25]. Diesem Formularblatt sollte ein erläuterndes Beiblatt beiliegen, das die wichtigsten Anforderungen an einen zulässigen Adhäsionsantrag enthalten sollte. Keinen Wert hätte es, wenn wie in einem juristischen Formularbuch vielfältige und kleingedruckte Erläuterungen aufgeführt würden[26]. Ein Nebeneffekt wäre, dass die Information des Verletzten durch Staatsanwaltschaft und Gericht einfacher erfolgen könnte. Sinnvoll erscheint nicht nur der Hinweis darauf, dass ein Adhäsionsantrag in Frage kommt, sondern auch wie es im anschließenden Verfahrensgang mit dem Antrag weitergeht. Hierzu sollten bundeseinheitliche Formularblätter erstellt werden. Zwar gibt es in verschiedenen Oberlandesgerichtsbezirken Hinweisblätter. Diese sind jedoch nicht miteinander abgestimmt und unterscheiden sich sowohl optisch als auch inhaltlich. Damit das Formular die Zulässigkeitsvoraussetzungen an einen Adhäsionsantrag erfüllt, muss es Angaben zum Anspruchsgrund und zum Anspruchsgegenstand abfragen. Auch die Organisation der Verletzteninformation wird ganz unterschiedlich gehandhabt. Sinnvoll ist hier ein Aktenvermerk der Staatsanwalt-

---

[24] Vgl. auch den Vorschlag bei *Klein* (2007), S. 240, der eine Informationspflicht fordert, von der nur abgesehen werden könne, wenn kein Schaden vorliege, die Erteilung des Hinweises praktisch undurchführbar oder offensichtlich ungeeignet sei.

[25] Grund ist, dass allein eine formulargestützte Antragsstellung zu mehr Anträgen führen dürfte, als wenn der Verletzte „vom weißen Blatt Papier" aus den Antrag formulieren müsste. Vorschläge für ein derartiges Formular finden sich bei Weiner/Ferber-*Wolf* (2008), Rn. 273; *Klein* (2007), S. 283; *K. Schroth* (2003), Rn. 494 ff.; *Klaus* (2000), S. 231 f.; *Rössner/Klaus,* NJ 1996, 288, 293.

[26] Enthalten sein sollte jedenfalls ein Hinweis auf die Form des Antrags (Angabe des Anspruchsgrundes und -gegenstandes). Ein erläuternder Hinweis auf die Prozessfähigkeit des Antragstellers ist dagegen jedenfalls entbehrlich (vgl. auch die Darstellung in der Opferfibel des BMJ, S. 45, abrufbar unter www.bmj.de). Vgl. auch das Beispiel der Staatsanwaltschaft Traunstein (*Spies* (2008), S. 306 f.).

B. Probleme des Adhäsionsverfahrens und Lösungsansätze 333

schaft, sobald sie dem Verletzten den Hinweis gegeben hat. Wird das Gericht spätestens im Zwischenverfahren mit der Sache befasst, kann es an einem fehlenden Vermerk erkennen, ob es die Belehrung des Verletzten noch nachholen muss.

Im Hinblick auf die Information und damit auf die verbesserte Kenntnis bei den am Verfahren beteiligten Juristen kann nur auf Fortbildung gesetzt werden. Bei den Strafrichtern erscheint der bereits eingeschrittene Weg[27] von Informationsschriften aber auch Informationsveranstaltungen als vielversprechend. Die Justizverwaltungen sollten an dieser Stelle ihre Aktivitäten konsequent fortführen. Insbesondere die Anlage einer bundeseinheitlichen ausführlich kommentierten Musterakte erscheint dabei Erfolg versprechend. Ein bestimmtes Landgericht sollte federführend eine solche Musterakte erstellen und stets aktualisieren. Diese sollte den Gang eines gewöhnlichen Adhäsionsverfahrens abbilden, sowie formularmäßige Vordrucke zu Entscheidungsmöglichkeiten und Hinweise auf häufige Problemstellungen – etwa die Konstellationen einer Absehensentscheidung nach § 406 Abs. 1 S. 4 StPO oder die Darstellung deliktsrechtlicher Fallbeispiele – enthalten. Dies würde es den Gerichten ersparen, sich zunächst umfassend in zivilrechtliche Problemstellungen einzuarbeiten. Die Staatsanwaltschaft dagegen ist zwar grundsätzlich nicht vom Verfahren betroffen, muss jedoch den Hinweis nach § 406h S. 1 Nr. 2 StPO erteilen. Dies geht verständlicherweise nur dann, wenn bei Einführungsveranstaltungen für neu übernommene Staatsanwälte das Adhäsionsverfahren vorgestellt wird. Bei Rechtsanwälten erscheinen Informationen durch die jeweilige Kammer ausreichend.

II. Psychologische Hemmschwelle bei der Anwendung der §§ 403 ff. StPO

1. Problemstellung

Dass das Adhäsionsverfahren im besonderen Maße auch auf psychologische Probleme der Umsetzung beim Justizpersonal trifft, wird oft beschrieben[28]. Richter, die nie mit zivilrechtlichen Fragen, sondern hauptsächlich mit Strafrecht befasst sind, hätten eine unüberwindbare Scheu vor der (zumindest theoretisch) abschließenden Beurteilung zivilrechtlicher Ansprüche. Die Überlastung, die mit der Bearbeitung zivilrechtlicher Fragen schnell eintreten kann, führe aus Furcht

---

[27] Vgl. hier die sehr hilfreichen und eine Vielzahl praktischer Fälle erfassenden Informationen von *Plüür/Herbst* (2010), S. 5 ff. sowie die Hinweise von *Spiess* (2008), S. 278 f. auf die Lage in Bayern.

[28] *Janssen* (2008), Rn. 372; *Kühne* (2006), Rn. 1136; *Sachsen Gessaphe,* ZZP 112 (1999), 3, 10. So auch die Einschätzung von *Mahrahrens,* Anhörung S. 40 (abrufbar unter www.bundestag.de): „Mit 30 Jahren einmal Strafrichter und mit 65 immer noch Strafrichter – ich will mit Zivilrecht nichts am Hut haben".

334   Kap. 5: Chancen für das Adhäsionsverfahren

vor komplizierten und damit fehlerträchtigen Entscheidungen zu einer unüberwindbaren psychischen Barriere[29]. Die auf Strafrecht spezialisierten Anwälte und Richter seien oftmals nicht mehr auf „der Höhe der Zeit". Dies unterstütze eine „Tendenz, das Verfahren klein zu halten" und leiste Ausweichtendenzen über eine Absehensentscheidung, den Erlass eines Strafbefehls oder der Einstellung des Verfahrens in starkem Maß Vorschub. Dieser Aspekt ist besonders darauf bezogen, dass (Straf-) Richter schwierige zivilrechtliche Spezialmaterien, wie etwa das Schadensrecht[30], nicht mehr ohne weiteres bewältigen könnten, wenn sie die Höhe von Schmerzensgeldern festsetzen oder die richtige Vollstreckbarkeitsregelung treffen sollen. Daraus resultiere eine Abneigung vor dem Verfahren, die ein großes Problem in der Praxis darstelle[31]. Auch umgekehrt bestehe ein Problem, wenn auf Zivilrecht spezialisierte Anwälte nichts mit Strafrecht zu tun haben wollten[32].

Diese Abwehrhaltung wird auch mit tiefer liegenden Ursachen erklärt. Es scheine, dass die strikte Trennung zwischen strafrechtlicher Sanktion und zivilrechtlicher Anspruchserfüllung gefestigter Bestandteil der westlichen Rechtskultur sei und deshalb beides nicht in einem Verfahren kombiniert werden könne[33].

2. In der Literatur vertretene Lösungsansätze

Mitunter wird das Problem nicht als solches anerkannt. Der Aspekt der Sachfremdheit, der zu einer Hemmung in der Anwendung führe, sei nicht einschlägig. Auch im Jugendstrafrecht etwa müsse das Gericht Fragen beantworten, die über die Bestimmung der Strafbarkeit und der strafrechtlichen Rechtsfolgen weit hinausgehen[34]. Zudem könne erwartet werden, dass Richter mit der Normumsetzung klarkämen[35]. Angesichts der Ausbildung könne sowohl von ihnen als auch

---

[29] *Freund,* GA 2002, 82, 84. Vgl. auch *Hirsch* (1989), S. 716, der darauf hinweist, dass die forensische Verschiedenheit der Aufgaben von Straf- und Zivilrichtern sich dahingehend auswirke, dass erstere zivilrechtlichen Fragen stark enträckt seien. Siehe auch *Jung,* ZStW 93 (1981), 1147, 1158 („handfestes Ressortdenken"), sowie *Kintzi,* DRiZ 1998, 65, 72 (der „seit dem Studium verinnerlichte apodiktische Gegensatz zwischen Zivil- und Strafrecht"). Vergleiche auch den von *Bahnson* (2008), S. 154 genannten Beispielsfall.

[30] Man denke nur an die Frage, ob und wenn ja in welcher Höhe durch die Tat eine Erwerbsminderung des Opfers eingetreten ist, wie hoch tatsächlich der Verdienstausfall eines Selbständigen ist oder wie hoch der Restwert des Unfallwagens war.

[31] Vgl. auch die Umfrageergebnisse S. 185.

[32] *Krumm,* SVR 2007, 41. So gesehen habe das Adhäsionsverfahren vor allem ein „Marketingproblem" (*Plümpe,* ZInsO 2002, 409, 414).

[33] *Nilius* (1990), S. 62 mit Berufung auf *Hellmer,* AcP 155 (1956), 527, 533 ff.

[34] So formulierte bereits *Kühler,* ZStW 71 (1959), 617, 626, dass man „die Entscheidung über die Unterbringung in einer Heilanstalt, in Sicherungsverwahrung, über Erziehungsmaßnahmen u. a. auch nicht etwa dem Vormundschaftsrichter" sondern dem Strafgericht überlasse, obwohl es sich nicht um Strafen handele.

B. Probleme des Adhäsionsverfahrens und Lösungsansätze 335

von Rechtsanwälten erwartet werden, dass sie sich mit (wenn auch nicht ganz alltäglichen) Zivilrechtsfragen auseinandersetzen[36]. Des Weiteren wird vorgeschlagen, eine Spezialisierung der Richter abzubauen, indem eine Geschäftsverteilung gewählt werde, die dem einzelnen Richter Zuständigkeiten sowohl für Straf- als auch für Zivilsachen zuteilt[37].

Ein anderer Vorschlag nimmt den Antragsteller in die Pflicht. Es sei auch Aufgabe des Antragstellers (insbesondere seines Rechtsbeistandes) dem Strafrichter, der möglicherweise lange Zeit keine zivilrechtlichen Fälle behandelt hat, „die Angst vor dem Adhäsionsverfahren zu nehmen", indem er die passenden Anträge stellt[38].

3. Stellungnahme

Dass eine derartige psychologische Hemmschwelle insbesondere auf Seiten der Gerichte bestehen kann, erscheint durchaus möglich. Allerdings ist nicht zu verkennen, dass auch im Zivilprozess durchaus vergleichbare Schwierigkeiten auftreten können. Man denke nur an den Wechselprozess (§§ 602 ff. ZPO), der mittlerweile noch seltener sein dürfte als ein Adhäsionsverfahren. Dort kann das Zivilgericht[39] auch nicht den Fall abgeben, weil die Problematik vor allem für unerfahrene Richter schwierig ist. Um an dieser Stelle Abhilfe zu schaffen, müsste keine grundlegende Umgestaltung der Geschäftsverteilung organisiert werden. Auch hier sind Informationsschriften und Schulungsveranstaltungen[40] der einzig Erfolg versprechende Weg. Durch verbesserte Kenntnisse sinken psychologische Hemmschwellen automatisch. Den Richtern muss klar sein, wie ein Adhäsionsverfahren in den Strafprozess integriert werden kann. Dass damit nicht gemeint sein kann, alle Details zu kennen, versteht sich von selbst. Aber der Ablauf und die Entscheidungsmöglichkeiten, insbesondere dass eine Absehensentscheidung nicht die Regel sein darf, sondern ausnahmsweise nur der „Notausstieg" aus dem Verfahren sein kann, müsste vermittelt werden. Die rechtliche Ausgestaltung der §§ 403 ff. StPO gibt dem Gericht genügend Möglichkeiten an die Hand, adäquat über den Antrag zu entscheiden.

---

[35] So noch die etwas rigide Aussage von *G. Meyer*, SüJZ 1950, 191, 198, dass die gleichzeitige zivilrechtliche Betrachtung des Falles und seiner Auswirkungen der strafrechtlichen Beurteilung nur förderlich sein könne.

[36] *Elling* (2006), S. 436.

[37] So *Fuchs*, StPdG 26 (1998), 1, 23 mit einem sehr weit gehenden Vorschlag, dass derselbe Richter in seiner Buchstabengruppe Fälle aller Art erledigen solle (bei einer erforderlichen Absehensentscheidung würde er den Fall dennoch „behalten").

[38] *Krumm*, SVR 2007, 41, 44.

[39] Zuständig ist zwar die Kammer für Handelssachen (vgl. §§ 95 Abs. 1 Nr. 2 und 3 sowie 96, 98 GVG), jedoch dürfte diese Verfahrensart auch dort nicht zum Alltagsgeschäft gehören.

[40] Vorstellbar sind auch Pflichtseminare.

336 Kap. 5: Chancen für das Adhäsionsverfahren

Ein weiterer Aspekt erscheint bedeutsam. Der Wortlaut der §§ 403 ff. StPO lässt nicht auf den ersten Blick erkennen, in welcher Weise das Adhäsionsverfahren in den Strafprozess eingebunden wird. Dies gilt insbesondere für die Rechtsstellung des Antragstellers in der Hauptverhandlung oder die in § 406 Abs. 1 StPO sehr unübersichtlich geregelten Entscheidungsmöglichkeiten für das Gericht. Würde hier der Wortlaut der §§ 403 ff. StPO an die tatsächliche Ausgestaltung des Verfahrens angepasst[41], könnte allein deswegen die psychologische Hemmschwelle abgemildert werden. Insbesondere die Aufnahme einer § 397 StPO nachgebildeten Vorschrift über die Rechtsstellung des Antragsstellers erscheint angesichts der unklaren Auslegung des dem Verletzten zustehenden Teilnahmerechts (§ 404 Abs. 3 S. 2 StPO) erforderlich. Darüber hinaus empfiehlt sich eine übersichtlichere Fassung des § 406 Abs. 1 StPO.

Eine weitere Möglichkeit besteht vor allem bei Landgerichten darin, dass in anspruchsvolleren Adhäsionsverfahren, wenn es etwa um die Bemessung von Schmerzensgeld geht, ein zivilrechtlich erfahrener Richter, der naturgemäß mehr Erfahrung in der Behandlung zivilrechtlicher Fälle hat, Mitglied der Strafkammer wird[42]. Dieser würde dann dafür Gewähr bieten, dass das Adhäsionsverfahren ordnungsgemäß bearbeitet wird. Der Einsatz des Zivilrichters müsste dann pensenmäßig erfasst werden. Diese Konstellation ist zwar nicht identisch mit der des ersuchten Richters, jedoch vergleichbar. Im Adhäsionsverfahren besteht dann das Rechtshilfegesuch nach §§ 223 StPO, 157 GVG nicht z.B. in einer Zeugenvernehmung durch den ersuchten Richter, sondern in der Unterstützung bei zivilrechtlich relevanten Fragen. Da das Strafgericht weiterhin die Prozessleitung innehat, kommt es zu keiner Kollision mit dem in Art. 101 GG festgeschriebenen Recht auf den gesetzlichen Richter.

Sobald ein höherer Kenntnisstand vorhanden ist, dürfte sich das Problem der psychologischen Hemmschwelle zumindest minimieren. Anschließend immer noch bestehende Vorbehalte sind dann kein „Hemmschwellenproblem" mehr. Die Anwendung der in den meisten Fällen einschlägigen Anspruchsgrundlage des § 823 Abs. 2 BGB kann auch ohne größere zivilrechtliche Kenntnisse erwartet und geleistet werden.

---

[41] In § 404 StPO sollte der Gesetzgeber einen an § 397 StPO angelehnten neuen Absatz 6 einfügen, der die Rechtsstellung des Antragstellers regelt. Weiterhin sollten die §§ 405 ff. StPO übersichtlicher gefasst werden, indem sie die Systematik der Entscheidungsmöglichkeiten klar widerspiegeln. Beides sind allein klarstellende Formulierungen, die an der Gesetzeslage nichts ändern, die Rechtsanwendung indes erleichtern.

[42] Dem Verf. sind derartige Gestaltungen aus dem Landgericht Waldshut bekannt.

B. Probleme des Adhäsionsverfahrens und Lösungsansätze   337

III. Begrenzter Anwendungsbereich des Adhäsionsverfahrens

1. Problemstellung

Das Adhäsionsverfahren ist in seinem Anwendungsbereich begrenzt. Die Antragsberechtigung ist auf den Verletzten begrenzt. Antragsgegner kann nur der Beschuldigte sein[43]. Daher ist die untergeordnete praktische Bedeutung bereits aus diesem Grund zum Teil „hausgemacht". Zu einer Adhäsionsentscheidung kann es abgesehen von Anerkenntnisurteil und Vergleich nur kommen, wenn eine Hauptverhandlung durchgeführt wird, die mit einem Strafurteil endet. Da besonders bei amtsgerichtlichen Verfahren weniger als die Hälfte der erledigten Verfahren mit einem Urteil enden[44], sind knapp 50 Prozent der Verfahren für eine Adhäsionsentscheidung versperrt. Die Überlegung ist, dass die Bedeutung des Adhäsionsverfahrens seine opferschützende und justizökonomische Zielsetzung gewissermaßen von selbst besser erfüllen würde, entschlösse sich der Gesetzgeber, Erweiterungen beim Anwendungsbereich zuzulassen.

2. Erweiterung der Antragsberechtigung auf Legalzessionare

Nach geltendem Recht sind nur der Verletzte und sein Erbe antragsberechtigt. Andere Rechtsnachfolger sind nicht erfasst. Die Erweiterung des Kreises der Antragsberechtigten auf Versicherer oder Sozialversicherungsträger, aber auch auf Einzelrechtsnachfolger wie etwa Zessionare, wird oft vorgeschlagen[45]. Insbesondere der große Bereich der Straßenverkehrsdelikte ist dem Adhäsionsverfahren nach geltendem Recht praktisch vorenthalten, da in diesem Bereich nur in ganz seltenen Ausnahmen kein Versicherer beteiligt ist[46]. Gegen die Folgen von Personenschäden sind nahezu alle Verletzte versichert[47]. Auch viele weitere Risiken sind ebenfalls durch Versicherungen abgedeckt.

---

[43] Dies lässt etwa *Loos,* GA 2006, 195, 197 am Erfolg der Reform zweifeln.

[44] Vgl. für das Jahr 2007: 390 086 Urteile bei 843 859 erledigten Verfahren vor den Amtsgerichten und 10 341 Urteile bei 14 326 erledigten Verfahren vor den Landgerichten (Quelle: Statistisches Bundesamt, Fachserie 10, Reihe 2.3, Strafgerichte 2007, 2.2 und 4.2).

[45] *Spiess* (2008), S. 284; *Sachsen Gessaphe,* ZZP 112 (1999), 3, 34; *Brause,* ZRP 1985, 103, 104.

[46] *Prechtel,* ZAP 2005, 399; *Hirsch,* ZStW 102 (1990), 534, 554. Grundsätzlich ist natürlich ein Adhäsionsverfahren auch bei Straßenverkehrsdelikten möglich. Der Verletzte hat aber meist kein Bedürfnis an einem Adhäsionsantrag, soweit er von seinem Versicherer bereits Leistungen empfangen hat (der Versicherer wiederum kann keinen Adhäsionsantrag stellen). Ein Antrag macht auch deshalb praktisch keinen Sinn, da sich der Verletzte mit dem Direktanspruch des § 115 VVG direkt an den Versicherer des Beschuldigten halten kann.

[47] Annähernd 100%. Vgl. Statistisches Bundesamt, Sozialleistungen: Angaben zur Krankenversicherung, Fachserie 13 Reihe 1.1 (2007), 1.2.; KasselerKommentar-*Peters* (2008), Vorbem. SGB V Rn. 22; *Marticke* (1990), S. 65.

338 Kap. 5: Chancen für das Adhäsionsverfahren

Zu klären ist daher, ob es erstrebenswert ist, dass ein Versicherer, der nach einer Straftat dem Verletzten gegenüber aus einem Versicherungsverhältnis heraus zur Leistung verpflichtet war, im Strafverfahren einen Adhäsionsantrag stellen kann. Eine derartige Erweiterung wäre mit dem Strafverfahren nur schwer zu vereinbaren. Folge der Einbeziehung wäre, dass das Gericht zunächst stets prüfen müsste, ob die angeklagte Handlung zu einem Anspruch des Verletzten geführt hat. Zusätzlich hätte es eine erweiterte – versicherungsrechtliche – Prüfungspflicht, ob der Anspruch auch auf den Versicherer übergegangen ist[48]. Allein diese Ausweitung lässt die Sinnhaftigkeit zweifelhaft erscheinen. Als weiteres entscheidendes Gegenargument muss gelten, dass hier Personen in den Strafprozess einbezogen werden, die mit der eigentlichen Straftat überhaupt nicht in Verbindung stehen[49]. Die Ziele des Adhäsionsverfahrens würden nicht gefördert. Aus justizökonomischer Sicht erscheint es sehr zweifelhaft, dass bei einer Beteiligung von Versicherern die rechtlichen Folgen der Straftat in nur einem Verfahren bewältigt werden können[50]. Auch das Element des Opferschutzes kommt nicht zur Anwendung. Ein Versicherer kann nicht als von der Zielsetzung erfasstes „Opfer" der Straftat angesehen werden. Zuletzt haben Versicherer die teure und mitunter langwierige Auseinandersetzung im Einzelfall durch Schadensteilungsabkommen und Pauschalsätze ersetzt. In den Versicherungsfällen, in denen umfangreiche zivilrechtliche Auseinandersetzungen anstehen, werden die Akten aus einem Strafverfahren beigezogen. Eine Erweiterung der Antragsberechtigung auf Versicherer ist daher strikt abzulehnen[51].

Diese Überlegungen sprechen auch dagegen, andere Einzelrechtsnachfolger zuzulassen. Für rechtsgeschäftliche Nachfolger liegt dies auf der Hand. Dann wäre es Aufgabe des Strafgerichtes zu prüfen, ob zwischen zwei Personen eine wirksame Abtretung zustande gekommen ist. Der Rechtsvergleich hat gezeigt, dass sowohl in Österreich und der Schweiz als auch nach der StPO-DDR eine

---

[48] Dies ist mitunter sehr schwer zu beurteilen (Stichworte zu den Problemen des § 86 VVG: Quotenvorrecht, Regeressvereitelung, Familienprivileg), vgl. nur van Büren-*van Bühren* (2008), § 1 Rn. 44 ff.; *Meixner/Steinbeck* (2008), § 2 Rn. 44. Die Technik der Legalzession ist im Sozialversicherungsrecht zwar im Detail unterschiedlich (vgl. § 116 SGB X, hierzu Wulffen-*Bieresborn* (2008), § 116 Rn. 2). Für die hier interessierende Frage sind private Versicherer und Sozialversicherer aber gleich zu behandeln.

[49] *Klein* (2007), S. 214 befürchtet gar eine Degradierung des Strafverfahrens zu einem bloßen „Schadensregulierungsverfahren".

[50] Auch die Absehensentscheidung des § 406 Abs. 1 S. 4 StPO müsste verändert werden, da sie ansonsten nahezu automatisch bei jedem Fall zur Anwendung gelangen dürfte.

[51] So auch *Köckerbauer,* NStZ 1994, 305, 306; *Klein* (2007), S. 214. Im Übrigen erscheint es keineswegs sicher, dass Versicherer den Weg eines Adhäsionsantrags aus eigenem Antrieb heraus bestreiten würden (vgl. hierzu bereits *Emmerich,* VersR 1960, 202, 203).

B. Probleme des Adhäsionsverfahrens und Lösungsansätze 339

Antragsberechtigung des Zessionars einer Legalzession vorgesehen ist[52]. Eine Adhäsionsentscheidung soll dort nicht allein wegen des gesetzlichen Forderungsübergangs vereitelt werden. Allerdings bestehen dieselben Vorbehalte wie bei Versicherern, deren Ansprüche gegenüber dem Beschuldigten allein aus einer Legalzession herrühren können. Wiederum wäre dem Strafgericht auferlegt, zur Beurteilung der Antragsberechtigung zunächst die Wirksamkeit des Anspruchübergangs überprüfen zu müssen[53]. Da diese Prüfung völlig losgelöst von der angeklagten Straftat ist, sollte sie von vornherein vermieden werden. Daher ist die Ausweitung abzulehnen.

Im Ergebnis sollte die Antragsberechtigung auf den Verletzten und seinen Erben beschränkt bleiben. Nur derjenige, der behauptet, im Zeitpunkt der Tathandlung (spätestens des Erfolgseintritts) der angeklagten Tat den im Antrag angegebenen Anspruch erworben zu haben, kann antragsberechtigt sein.

3. Einbeziehung weiterer Antragsgegner

a) Versicherer

Auch eine Erweiterung des Kreises der Antragsgegner wird gelegentlich diskutiert[54]. Bedeutung hat dies wiederum im versicherungsrechtlichen Bereich. In Betracht kommt als Hauptfall die Geltendmachung eines Direktanspruchs gegen einen Versicherer nach § 115 Abs. 1 VVG[55]. Aber auch eine solche Erweiterung sollte nicht vorgenommen werden. Zwar entsteht der Anspruch hier (im Unterschied zur eben behandelten Legalzession) im Zeitpunkt der Tathandlung. Dadurch besteht eine nähere Verbindung zum Strafverfahren. Dennoch müsste sich das Strafgericht auch in dieser Konstellation mit Fragen beschäftigen, die es von der bloßen Anspruchsbeurteilung wegführen. Die Gefahr ist, dass die das Versicherungsverhältnis betreffenden Fragen – etwa Einwendungen des Versicherers gegen den Versicherungsnehmer – in das Strafverfahren eingeführt werden. Das wiederum würde den das Adhäsionsverfahren überhaupt rechtfertigenden Bezug

---

[52] Vgl. oben Kapitel 4, D. II.

[53] Die praktische Bedeutung ist allerdings auch eher gering, da manche Legalzessionen für das Adhäsionsverfahren allenfalls theoretisch in Betracht kommen (vgl. etwa den Forderungsübergang auf den Ablösungsberechtigten nach § 268 Abs. 3 BGB mit Einzelregelungen in §§ 1142, 1143, 1150, 1249 BGB oder auf den Bürgen nach § 774 Abs. 1 S. 1 BGB).

[54] Breyer/Endler/Thurn-*Franz* (2009), § 11 Rn. 85. Vgl. auch *Spiess* (2008), S. 284, vor allem mit Blick auf die französische *action civile*.

[55] Vor der VVG-Reform der (im Vergleich zu § 115 VVG n. F. eingeschränkte) § 3 Nr. 1 S. 1 PflVG a. F., vgl. eingehend *Meixner/Steinbeck* (2008), § 3 Rn. 35 ff.; *Rüffer/Halbach/Schimikowski*-Schimikowski (2009), VVG § 115 Rn. 2; *Römer/Langheid* (2009), § 115 Rn. 2; *Wandt* (2010), Rn. 1085; Feyock/Jacobsen/Lemor-*Jacobsen* (2009), § 3 PflVG Rn. 2.

340 Kap. 5: Chancen für das Adhäsionsverfahren

zur angeklagten Straftat aushebeln. Dem kann auch nicht entgegnet werden, dass bei schwierigen Konstellationen eine Absehensentscheidung nach § 406 Abs. 1 S. 4 StPO möglich sei[56]. Nur in wirklichen Ausnahmekonstellationen dürfte ein Direktanspruch ohne Weiteres zu bejahen sein. Letztlich besteht auch kein praktisches Bedürfnis, da die Versicherer den Direktanspruch regelmäßig unproblematisch erfüllen. Antragsgegner sollte daher allein der Beschuldigte bleiben.

b) Jugendliche

Der Ausschluss des Adhäsionsverfahrens im Jugendstrafverfahren hat in § 81 JGG seinen Niederschlag gefunden. Zweck dieser Regelung ist es, das spezielle jugendförmige Verfahren zu sichern, indem es gerade nicht durch zivilrechtliche Interessen des Verletzten belastet wird[57]. Alternativ bestehen hier gegenüber dem allgemeinen Strafrecht mehr und intensiver genutzte Möglichkeiten der Wiedergutmachung und des Täter-Opfer-Ausgleichs[58]. Vermehrt finden sich dennoch Stimmen, die eine Einführung des Adhäsionsverfahrens im Verfahren gegen Jugendliche begrüßen (wozu die Regelung des § 81 JGG abgeschafft werden müsste[59]).

Befürworter eines Adhäsionsverfahrens im Jugendstrafverfahren argumentieren, dass ein Adhäsionsverfahren gegen Jugendliche auch im Interesse des Jugendlichen liege. Die (im Idealfall) gemeinsame Erledigung der mit der Straftat verbundenen rechtlichen Fragen führe zu einem Schlussstrich und der Chance zum Neuanfang. Darin könne auch ein erheblicher erzieherischer Wert liegen, auch wenn die Wiedergutmachung nicht im Weg der jugendrichterlichen Auflage oder des Täter-Opfer-Ausgleichs erfolge[60]. Auch der Umstand, dass dem jugend-

---

[56] So *Spiess* (2008), S. 284.

[57] *Ostendorf* (2009), Grdl. z. §§ 79–81 Rn. 5; *Eisenberg* (2009), § 81 Rn. 4; *Diemer/ Schoreit/Sonnen* (2007), § 81 Rn. 2; *Hinz*, ZRP 2002, 475, 477. Bereits im Jahr 1943 (bei Einführung des Adhäsionsverfahrens sowie der völligen Umgestaltung des JGG) wurde bezweckt, dass im Jugendstrafverfahren die Verletzteninteressen hinter dem Erziehungsauftrag des JGG zurücktreten sollen, vgl. *Kümmerlein,* DJ 1943, 553, 562.

[58] Vgl. etwa §§ 15 Abs. 1 Nr. 1; 23; 45 Abs. 1 S. 2; 47 Abs. 1 Nr. 2 JGG sowie §§ 10 Abs. 1 Nr. 7; 45 Abs. 2 und 3, 47 Abs. 1 Nr. 2 JGG.

[59] Derartige Versuche hat es bereits gegeben. Vgl. den Gesetzentwurf der CDU/ CSU-Bundestagsfraktion vom 16.4.2002 (BT-Drs. 14/8788; insbesondere die Begründung auf S. 3) und die seit 2000 verfolgte rechtspolitische Forderung des Weißen Rings. Vgl. eingehend auch *Spiess* (2008), S. 87–96. Befürworter einer Erweiterung: *Siegismund* (2002), S. 872; *von Elling* (2006), S. 428. Gegner einer Erweiterung: *Ostendorf* (2009), Grdl. z. §§ 79–81 Rn. 5; *Streng* (2008), Rn. 207; *Laubenthal/Baier* (2006), Rn. 375; *Höynck,* ZJJ 2005, 34, 37; *Sieveking/Eisenberg/Heid,* ZRP 2005, 188, 192. Kritisch auch *Hinz,* ZRP 2002, 475, 478; *Goerdeler,* ZJJ 2004, 184, 186; *Schaffstein/ Beulke* (2002), S. 274. Unentschieden *Albrecht* (2002), S. D 137, der eine Entscheidung über die Einführung im Jugendstrafverfahren nicht unabhängig von der Reform des Adhäsionsverfahrens in der StPO für möglich hält.

[60] *Siegismund* (2002), S. 866.

B. Probleme des Adhäsionsverfahrens und Lösungsansätze   341

lichen Täter dadurch eindringlich klar werde, dass er für die Folgen seiner Tat auch zivilrechtlich hafte, spreche für eine Gesetzesänderung[61]. Die Konfrontation des jugendlichen Täters mit dem angerichteten Schaden habe sogar einen hohen erzieherischen Wert, weil ihm in pädagogisch wünschenswerter Weise vor Augen geführt werde, dass es nicht damit getan sei, einen Schuldspruch entgegen zu nehmen, sondern, dass bei seinem Opfer etwas gut zu machen ist[62]. Darüber hinaus werden zusätzlich Argumente angeführt, die auch für das Adhäsionsverfahren im Erwachsenenstrafverfahren ins Feld geführt werden. Die häufigsten sind, dass auf diese Weise ein schneller finanzieller Ausgleich erfolgen könne, dass das Verfahren auch für den Angeklagten kostenrechtlich vorteilhaft sei, oder dass der Verletzte seine Opferrolle nicht zweimal durchleben müsse[63]. Letztlich sei es aus Sicht des Opfers auch nicht überzeugend, dass es sich nur deshalb mit einer schwächeren Verfahrensposition abfinden solle, weil der Beschuldigte zur Tatzeit zufällig noch unter 18 Jahre alt war[64]. Insbesondere die durch einen Adhäsionsantrag geschaffene Vergleichsmöglichkeit sei als Argument für die Zulassung geeignet.

Gegen die Zulassung wird angeführt, dass der Jugendliche in einem gegen ihn gerichteten Strafverfahren noch mehr Zentralgestalt als im „normalen" Strafverfahren sei, da die positive Einwirkung auf den Jugendlichen im Vordergrund stehe. Daher bedürfe es der zusätzlichen Einbeziehung des Verletzten durch ein Adhäsionsverfahren nicht[65]. Durch eine gleichzeitig mit dem Strafverfahren durchgeführte Anspruchsbeurteilung bestehe die Gefahr der Verzögerung und der Ablenkung von der Konzentration auf die erzieherisch sinnvollste Reaktion auf die Straftat[66]. Insbesondere bei einem „starken" Verletzten sei eine „ungute Akzentverschiebung" in Richtung eines „kontradiktorischen Verfahrens" zu befürchten, da der Verletzte die Geltendmachung seiner Ansprüche ohne Rücksicht auf den Ablauf des Jugendstrafverfahrens und seine Zwecke geltend machen werde[67]. Weiterhin werden Argumente vor allem tatsächlicher Natur vorgetragen. So wird angeführt, dass das Adhäsionsverfahren für den Verletzten ohnehin wenig attraktiv sei, da der straffällig gewordene Jugendliche sehr oft völlig mittellos sein werde. Zudem seien die betreffenden Richter in den meisten Fällen derartig

---

[61] *Siegismund* (2002), S. 872 weist zudem darauf hin, dass weder der Beschuldigte noch der Antragsteller sich auf einen Zivilprozess einlassen sollten, wenn eine abschließende Entscheidung bereits im Strafverfahren möglich und aus Erziehungsgründen hilfreich wäre.

[62] Vierte strafrechtspolitische Forderung des Weißen Rings e. V. zur Verbesserung des Opferschutzes (abrufbar unter: www.weisser-ring.de).

[63] BT-Drs. 14/8788 S. 3.

[64] *Siegismund* (2002), S. 861.

[65] *Eisenberg* (2009), § 81 Rn. 5; *Hinz,* ZRP 2002, 475, 477.

[66] *Bahnson* (2008), S. 68; *Höynck,* ZJJ 2005, 34, 38.

[67] *Schaffstein/Beulke* (2002), S. 274.

342 Kap. 5: Chancen für das Adhäsionsverfahren

auf Jugendstrafrecht spezialisiert, dass zivilrechtliche Fragen mehr noch als im Erwachsenenstrafrecht für sie eine gänzliche fachfremde Materie darstellten. Nicht zuletzt wird das Argument bemüht, dass der Verletzte zu befürchten habe, dass der Jugendrichter wegen „seines grenzenlosen Verständnisses für konfliktträchtiges Verhalten junger Menschen", nicht nur die jugendstrafrechtliche Sanktion besonders moderat gestalte, sondern daneben gleich noch den zivilrechtlichen Anspruch[68].

Der Rechtsvergleich hat ergeben, dass die deutschen Vorbehalte gegen die Einbeziehung Jugendlicher von den untersuchten Rechtsordnungen nicht geteilt werden. Dort ist ein Adhäsionsverfahren bei Beteiligung Jugendlicher möglich. Vor allem Österreich sieht die Verbindung von Zivil- und Strafverfahren für den angeklagten Jugendlichen als förderlich an. Dort sind allein bestimmte Verfahrensrechte des Privatbeteiligten ausgeschlossen.

Erstaunlicherweise wird sowohl für den Ausschluss, als auch die Forderung nach einer Zulassung des Adhäsionsverfahrens der Erziehungsgedanke herangezogen. Verschiedentlich wurden sogar (Kompromiss-)Vorschläge unterbreitet, wie das Adhäsionsverfahren anzupassen sei, um auch für das Jugendstrafrecht geeignet zu sein[69]. Gegen eine Zulassung im Jugendstrafverfahren spricht vor allem, dass das JGG schon jetzt zahlreiche Möglichkeiten zur Verfügung stellt, die auf einen Ausgleich mit dem Verletzten gerichtet sind. Der Verletzte hält dann zwar keinen vollstreckbaren Titel in Händen, seine Interessen werden dennoch in ausreichendem Maß berücksichtigt. Wenn ein Adhäsionsantrag – wie es häufig der Fall sein dürfte – erst wenige Tage vor der Hauptverhandlung gestellt wird, würde die in Jugendsachen wichtige zügige Verfahrensabwicklung gestört. Ähnlich wie in Haftsachen kommt im Jugendstrafverfahren dem Beschleunigungsgrundsatz ein besonderes Gewicht zu[70]. Es kommt hinzu, dass der typische Beschuldigte, mit dem sich ein Jugendgericht zu befassen hat, noch mehr als im Erwachsenenstrafrecht gar nicht in der Lage sein dürfte, Schadensersatz in nennenswertem Umfang zu leisten, d.h. viele Zivilurteile, die im Adhäsionsverfahren ergehen, dürften zumindest auf mittlere Sicht das Papier nicht wert sein, auf dem sie stehen. Insgesamt überwiegen im Interesse eines jugendgemäßen Verfahrens die genannten Gründe, die gegen eine Zulassung des Adhäsionsverfahrens sprechen. Eine Ausweitung auf das Jugendstrafverfahren ist abzulehnen[71].

---

[68] *Hinz,* ZRP 2002, 475, 478.

[69] Vgl. *Hinz,* ZRP 2002, 475, 478: Zwischenfeststellungsurteil mit Rechtskraftvorteil.

[70] OLG Celle NdsRpfl 2008, 374; *Streng* (2008), Rn. 22.

[71] Vgl. auch die diese Einstellung bestätigenden Untersuchungsergebnisse bei *Spiess* (2008), S. 166 ff.

B. Probleme des Adhäsionsverfahrens und Lösungsansätze 343

4. Erweiterung des Adhäsionsverfahrens

Erweiterungen sind auch im Hinblick auf das gesamte Adhäsionsverfahren denkbar. Dazu müsste der Grundsatz der Akzessorietät der Adhäsionsentscheidung zum Strafurteil oder zur Maßregelverhängung weiter gelockert werden[72]. Die Frage ist, ob das Gericht eine Adhäsionsentscheidung auch ohne ein Strafurteil treffen können sollte. In Betracht kommen hierfür die Konstellationen, in denen es das Verfahren nach § 153a Abs. 2 StPO vorläufig einstellt, das Gericht einen Strafbefehl erlässt oder den Beschuldigten freispricht. In allen drei Fällen muss das Strafgericht nach geltendem Recht eine Absehensentscheidung treffen.

a) Adhäsionsentscheidung bei einer Einstellung nach § 153a Abs. 2 StPO

Nach § 153a Abs. 2 StPO kann das Gericht mit Zustimmung von Staatsanwaltschaft und Beschuldigten im Bereich geringerer oder mittlerer Kriminalität unter Erteilung von Auflagen oder Weisungen das Verfahren vorläufig einstellen[73]. Die Besonderheit dieser Einstellungsart ist, dass der Tatverdacht einen höheren Grad als bei der Einstellung nach § 153 StPO erreichen muss[74]. Es muss nach dem Verfahrensstand mit hoher Wahrscheinlichkeit von einer Verurteilung ausgegangen werden, weil nur dann dem Beschuldigten die Übernahme der ihm auferlegten Pflichten zugemutet werden kann[75]. Wenn also der Sachverhalt sowie die (wenn auch geringe) Schuld des Beschuldigten und die übrigen Voraussetzungen gegeben sind, stellt sich die Frage, ob das Gericht dann nicht einen Adhäsionsantrag positiv bescheiden können sollte[76]. Ausgangspunkt für eine derartige Überlegung ist, dass dem Antragsteller bei einer de lege lata erfolgenden Absehensentscheidung das Kostenrisiko des § 472a Abs. 2 StPO verbleibt, und dass durch die Zulassung einer Adhäsionsentscheidung dem Verfahrensziel des Opferschutzes genüge getan würde.

Grund für die Akzessorietät der Adhäsionsentscheidung ist, dass ein Strafgericht nicht ausschließlich eine zivilrechtliche Entscheidung treffen soll. Erst die

---

[72] Ein Anerkenntnisurteil (§ 406 Abs. 2 StPO) sowie ein Vergleich (§ 405 StPO) sind bereits möglich.

[73] Ziel dieser im Jahr 1974 geschaffenen Möglichkeit war eine einfache und zweckmäßige Verfahrenserledigung im Bereich der kleineren und mittleren Kriminalität mit einem Beschleunigungs- und Entlastungseffekt (*Meyer-Goßner* (2010), § 153a Rn. 2; LR-*Beulke* (2008), § 153a Rn. 3). Vgl. im Einzelnen zu den Voraussetzungen LR-*Beulke* (2008), § 153a Rn. 124 ff.

[74] *Meyer-Goßner* (2010), § 153a Rn. 7; LR-*Beulke* (2008), § 153a Rn. 39; KK-*Schoreit* (2008), § 153a Rn. 10; Graf-*Beukelmann* (2010), § 153a Rn. 14.

[75] *Meyer-Goßner* (2010), § 153a Rn. 7; *Pfeiffer* (2005), § 153a Rn. 2. Ansonsten muss das Gericht nach § 170 Abs. 2 StPO einstellen.

[76] So *Glaremin/Becker,* JA 1988, 602, 605.

344 Kap. 5: Chancen für das Adhäsionsverfahren

Verknüpfung mit einer nachgewiesenen Straftat erlaubt es dem Strafgericht, ausnahmsweise zivilrechtlich zu entscheiden. Dieser Ausgangspunkt liegt der gegenwärtigen gesetzlichen Konstruktion zugrunde. Zwingend ist sie indes nicht. Vielmehr folgt sie Zweckmäßigkeitserwägungen und nicht einer inneren Notwendigkeit. Durchaus denkbar sind Modelle, in denen das Strafgericht weit umfangreichere zivilrechtliche Entscheidungen treffen kann. Gerade das Ziel der Justizökonomie würde dafür sprechen, die Adhäsionsentscheidung nicht davon abhängig zu machen, wie die Strafsache letztlich ausgeht. Auch bei einer Verfahrenseinstellung ergäbe sich eine Ersparnis von Aufwand und Zeit daraus, dass dem Strafgericht bereits die Umstände des Verfahrens geläufig sind, in das sich ein Zivilgericht einarbeiten müsste. Ließe man eine weitergehende Adhäsionsentscheidung zu, müssten jedoch weiter reichende Fragen geklärt werden. Begonnen bei Fragen der Personalausstattung der Strafgerichte, der Aus- und Weiterbildung der Strafrichter bezüglich rechtlicher Fragen des Verfahrensablaufs oder der Rechtsmittel wären komplexe Folgeprobleme vom Gesetzgeber zu bewältigen. Verglichen damit, bietet die gegenwärtige strenge Akzessorietät die Gewähr, dass die Strafgerichte nicht über Gebühr mit zivilrechtlichen Fragen belastet werden. Sinnvolle Ausnahmen sind bereits jetzt zugelassen, nämlich bei Erlass eines Anerkenntnisurteils und der Protokollierung eines Vergleichs.

Zunächst wäre es wegen der soeben aufgezeigten Folgeproblematik nicht damit getan, die Adhäsionsentscheidung einfach zuzulassen. Weiterhin stellt sich angesichts der Schadenswiedergutmachungsauflage des § 153a Abs. 1 S. 2 Nr. 1 StPO[77] auch die Frage der Erforderlichkeit. Denn eines Adhäsionsverfahrens bedarf es im Anwendungsbereich des § 153a StPO gar nicht, da ja eine auf Kompensation gerichtete Regelung bereits vorhanden ist. Zwar unterscheiden sich die auf tatsächlichen Schadensausgleich gerichtete Auflage und das titelverschaffende Adhäsionsurteil in ihrer Rechtsfolge. Inhaltlich stellt die Auflage keine endgültige Fixierung des Schadens dar[78] und hat überdies einen eher begrenzten Anwendungsbereich[79]. Der Druck für die Erfüllung der Auflage ist indes für den Beschuldigten womöglich stärker als der eines zivilrechtlichen Titels[80]. Beide Rechtsinstitute sind demnach unterschiedlich ausgestaltet. Dann können beschriebene Ausweichtendenzen (die „Flucht des Richters in die Einstellung", um eine Adhäsionsentscheidung zu vermeiden)[81] keine Rolle spielen[82]. Im Ergebnis ist eine Ausdehnung auf Einstellungen nach § 153a Abs. 2 StPO abzulehnen. Die

---

[77] Die praktische Bedeutung der Auflage ist erstaunlicherweise eher gering (LR-*Beulke* (2008), § 153a Rn. 51).

[78] *Meyer-Goßner* (2010), § 153a Rn. 15.

[79] Vergehen; kein Entgegenstehen der Schwere der Schuld; Wiedergutmachungsfrist 6 Monate.

[80] *Klein* (2007), S. 193.

[81] Vgl. *Loos,* GA 2006, 195, 201.

B. Probleme des Adhäsionsverfahrens und Lösungsansätze   345

Möglichkeiten eines Anerkenntnisurteils oder eines Vergleichs verbleiben dem Gericht als Entscheidungsvarianten[83].

b) Adhäsionsentscheidung bei einem Freispruch

Soweit das Gericht den Beschuldigten freispricht, kann keine Adhäsionsentscheidung ergehen[84]. Dennoch gibt es Konstellationen, in denen sich trotz eines Freispruchs zivilrechtliche Ersatzansprüche aus der angeklagten Straftat ergeben können. Daher stellt sich die Frage, ob auch hier eine positive Adhäsionsentscheidung möglich sein soll[85]. Im Schweizer Strafverfahren etwa kann eine Adhäsionsentscheidung auch ergehen, soweit ein Freispruch erfolgt, wenn die Sache spruchreif ist[86].

Dann müsste das deutsche Adhäsionsverfahren jedoch grundlegend überarbeitet werden, da dann nicht mehr aus einer *im Urteil festgestellten Straftat* erwachsene Ansprüche beurteilt würden, sondern solche aus dem *angeklagten Geschehensablauf*. Dies kann jedoch nicht mit einer kleinen gesetzgeberischen Korrektur des § 406 Abs. 1 S. 1 StPO erreicht werden. Das Argument, dass diese Erweiterung dem Akzessorietätsgedanken des Adhäsionsrechts widersprechen würde, hat zwar keinen Wert an sich. Dennoch ist es sinnvoll, dass das Strafgericht nur über diejenigen Ansprüche entscheiden soll, die aus einer Straftat resultieren. Die Privilegierung des Verletzten im Adhäsionsverfahren ist an das Vorliegen einer Straftat gebunden. In Freispruchskonstellationen liegt indes gerade keine Straftat vor. Zudem erscheint sehr zweifelhaft, dass die geltend gemachten Ansprüche ohne weitere Nachprüfungen seitens des Strafgerichts zugesprochen werden könnten. Es müsste darüber hinaus auch Ansprüche aus verschuldensunabhängiger Haftung betrachten, da die Beschränkung auf die (schuldhafte) Straftat als Korrektiv entfiele. Damit würde das Gericht allerdings allein als Zivilgericht tätig werden. Dies ist weder aus opferschützenden noch aus justizökonomischen Gründen erforderlich. Wie bei der Einstellung nach § 153a Abs. 2 StPO ergäben sich Folgeprobleme, die die Ausdehnung des Adhäsionsverfahrens auf Fälle, in denen das Gericht den Beschuldigten freigesprochen hat, als nicht empfehlenswert erscheinen lassen. Eine Ausdehnung ist daher abzulehnen.

---

[82] Zwar würde dann der Anwendungsbereich des Adhäsionsverfahrens geschmälert, jedoch kommt es aus Sicht des Verletzten eher darauf an, *dass* eine Kompensation erfolgt und erst in zweiter Linie *wie*.

[83] Vgl. für die Möglichkeit einen Vergleich ins Protokoll aufzunehmen, *Göbel* (2006), Rn. 244.

[84] Wird eine Maßregel angeordnet, kann jedoch trotz Freispruchs ein Adhäsionsurteil ergehen (Weiner/Ferber-*Weiner* (2008), Rn. 32).

[85] So etwa *Brause,* ZRP 1985, 103, 104.

[86] Vgl. Art. 126 Abs. 1 lit. b StPO-CH.

346   Kap. 5: Chancen für das Adhäsionsverfahren

c) Adhäsionsentscheidung in einem Strafbefehl

aa) Zulässigkeit einer Erweiterung

Die von § 407 Abs. 2 StPO für den Strafbefehl vorgesehenen Rechtsfolgen kann das Strafgericht auf Antrag der Staatsanwaltschaft ohne Hauptverhandlung schriftlich festsetzen. Dieses nur summarische Verfahren, in dem die strafprozessualen Prinzipien der Mündlichkeit, der Öffentlichkeit und des rechtlichen Gehörs eine nur ganz untergeordnete Rolle spielen, dient dazu, Fälle minderschwerer Kriminalität schnell und vor allem unkompliziert abzuhandeln[87]. Angesichts der großen praktischen Bedeutung des Strafbefehlsverfahrens[88] stellt sich jedoch die Frage, ob das Strafgericht nicht de lege ferenda auch im Strafbefehl eine Adhäsionsentscheidung treffen können soll[89]. Nach derzeit geltendem Recht ist die Durchführung einer Hauptverhandlung für ein Adhäsionsverfahren zwingende Voraussetzung[90]. Deswegen ist es auch im beschleunigten Verfahren, im Privatklageverfahren sowie der Nebenklage statthaft. Im Strafbefehlsverfahren dagegen kommt es nur in Ausnahmefällen zu einer Hauptverhandlung. Daher ist es nach beinahe einhelliger Ansicht gerade wegen der fehlenden Hauptverhandlung nicht für das Adhäsionsverfahren geeignet[91].

Für die Erweiterung des Adhäsionsverfahrens auf das Strafbefehlverfahren sprechen mehrere Aspekte. Die vom Adhäsionsverfahren verfolgten Ziele, insbesondere der Opferschutz, würde vor allem in Fällen, in denen ein Adhäsionsantrag bereits im Ermittlungsverfahren gestellt wurde, gestärkt werden. Desweiteren wäre eine Flucht in das Strafbefehlsverfahren dann für das Gericht nicht mehr geeignet, einer möglicherweise ungeliebten Entscheidung über einen Adhä-

---

[87] *Beulke* (2010), Rn. 526. Zur Kritik am Strafbefehlsverfahren *Roxin/Schünemann* (2009), § 68 Rn. 2; *Kühne* (2006), Rn. 1127, jedoch mit dem zutreffenden Hinweis, dass die Masse der bagatellarischen Straftaten ein summarisches Verfahren unter kriminalpolitischen Aspekten unbedingt notwendig erscheinen lässt.

[88] Im Jahr 2006 standen 581 713 Anträge auf Erlass eines Strafbefehls 549 940 Anklagen vor dem Amtsgericht und 10 487 Anklagen vor dem Landgericht gegenüber. Sogar in der Hauptverhandlung (§ 408a StPO) wurden noch im Jahr 2006 24 705 Verfahren mit einem Strafbefehl erledigt (Quelle: Statistisches Bundesamt, Fachserie 10, Reihe 2.3, S. 64). Vgl. auch *Haller/Conzen* (2008), Rn. 697.

[89] In der StPO-DDR sowie der StPO-ZH ist eine Adhäsionsentscheidung im Strafbefehlsverfahren vorgesehen. Eine diesbezüglicher Gesetzesantrag („Entwurf eines Gesetzes zur Verbesserung der Position der Opfer im Strafverfahren") des Landes Schleswig-Holstein wurde Ende 2007 im Bundesrat eingebracht (BR-Drs. 793/07).

[90] *Klein* (2007), S. 67. Dies folgt aus § 406 Abs. 1 StPO a.F. sowie, trotz dessen Änderung, aus §§ 404 Abs. 1 S. 3, 406b S. 3 StPO.

[91] Statt aller BGH NJW 1982, 1047, 1048; LR-*Hilger* (2009), § 403 Rn. 20; *Pentz,* MDR 1953, 155. Andere Ansicht de lege lata nur *Sommerfeld/Guhra,* NStZ 2004, 420, 424; *Kuhn,* JR 2005, 397, 400. Ein Adhäsionsverfahren wird erst dann (wieder) statthaft, wenn es auch in einem Strafbefehlsverfahren zu einer Hauptverhandlung kommt. Dann besteht kein Unterschied mehr zum Regelverfahren.

B. Probleme des Adhäsionsverfahrens und Lösungsansätze 347

sionsantrag ausweichen zu können[92]. Zuletzt wäre der Grundsatz der Akzessorietät auch beim Strafbefehlsverfahren eingehalten. Dies sind erstrebenswerte Zielsetzungen, die für eine Ausweitung des Adhäsionsverfahrens sprechen. Nicht möglich wäre sie indes, wenn die unterschiedlichen Strukturen von Strafbefehls- und Adhäsionsverfahren sie verhindern oder wenn andere gewichtige Argumente dagegen sprächen.

Gegen die Verknüpfung des Strafbefehls- mit dem Adhäsionsvefahren spricht nicht grundsätzlich, dass mit dem Strafbefehlsverfahren ein vor dem Hintergrund der im Vergleich zum Regelverfahren verkürzten prozessualen Möglichkeiten „problematisches" Verfahren[93] auch noch mit zivilrechtlichen Fragen belastet würde. Diesem Aspekt kann jedoch eine gewisse Bedeutung nicht abgesprochen werden. Daher müsste er als Leitlinie bei der konkreten Ausgestaltung beachtet werden. Ein Stück weit folgen Strafbefehls- und Adhäsionsverfahren sogar denselben Zielsetzungen. Während das Strafbefehlsverfahren ein summarisches Verfahren zur Erledigung einfach gelagerter Fälle von geringer Tat- und Schuldschwere darstellt[94], ist auch das Adhäsionsverfahren tendenziell dann anwendbar, wenn keine schwierigen zivilrechtlichen Fragestellungen zu bearbeiten sind[95]. Dadurch können sich Schnittmengen ergeben, auch wenn die „Schwierigkeit" bei den strafrechtlichen Problemen anders zu beurteilen sein kann als bei den zivilrechtlichen.

Dass auf diese Weise eine zivilrechtliche Entscheidung ergeht, die dem von § 128 ZPO aufgestellten Mündlichkeitsgrundsatz nicht gerecht wird, erscheint nicht als zulässiger Einwand. Denn das Mündlichkeitsprinzip bedarf schon der Ergänzung durch schriftliche Elemente, um überhaupt zweckmäßig zu sein[96]. Zudem bietet der Zivilprozess einige Möglichkeiten, um einen Rechtsstreit ohne mündliche Verhandlung zu entscheiden[97]. Im Übrigen erscheint zweifelhaft, ob § 128 ZPO im Adhäsionsverfahren überhaupt Anwendung findet. Auch das Strafverfahren folgt nämlich dem Grundsatz der Mündlichkeit[98]. Dieser wiederum

---

[92] So die Befürchtung von *Loos,* GA 2006, 195, 197.

[93] *Kühne* (2006), Rn. 1128 („Auf dem Altar der Effizienz werden die wichtigsten Errungenschaften des modernen Strafverfahrens aufgegeben").

[94] KK-*Fischer* (2008), vor § 407 Rn. 1.

[95] Ansonsten kann es zu einer Absehensentscheidung wegen Nichteignung (§ 406 Abs. 1 S. 4 StPO) kommen.

[96] *Lüke/Ahrens* (2006), Rn. 27.

[97] Siehe etwa die Titelverschaffung im (ausschließlich) schriftlichen Mahnverfahren (§§ 688 ff. ZPO, insbesondere der Vollstreckungsbescheid nach § 699 ZPO, hierzu *Salten/Gräve* (2007), S. 132) oder die Möglichkeit eines Versäumnisurteils schon im schriftlichen Vorverfahren (§ 331 Abs. 3 S. 1 ZPO). Zudem bilden die Fälle des § 128 Abs. 2 und 3 ZPO und § 129 ZPO Durchbrechungen des (zivilverfahrensrechtlichen) Mündlichkeitsgrundsatzes (vgl. auch *Sommerfeld/Guhra,* NStZ 2004, 420, 422; *Kuhn,* JR 2004, 397, 400).

[98] KK-*Pfeiffer/Hannich* (2008), Einl. Rn. 8.

348 Kap. 5: Chancen für das Adhäsionsverfahren

wird ebenfalls eingeschränkt durch Ausnahmen, etwa durch §§ 249 Abs. 2, 257a, 420 StPO oder eben durch das Strafbefehlsverfahren. Beim Strafbefehlsverfahren bietet insbesondere die Einspruchsmöglichkeit die Gewähr, dass der Betroffene in das Regelverfahren übergehen kann. Darin liegt gerade kein „Abspeisen mit einem Rechtsmittel"[99], sondern dadurch wird überhaupt erst eine Hauptverhandlung bewirkt. Unter diesem Aspekt ist eine Verknüpfung nicht ausgeschlossen.

Zuletzt kann einer Verknüpfung der beiden Verfahren auch nicht entgegen gehalten werden, dass die Durchführung einer Hauptverhandlung Voraussetzung einer Adhäsionsentscheidung ist. Zutreffend ist, dass die §§ 403 ff. StPO auf die Durchführung einer Hauptverhandlung angelegt sind. Daraus ist allerdings nicht ein Grundsatz abzulesen, dass eine Hauptverhandlung unbedingt nötig ist. Bei Licht besehen ist die Durchführung einer Hauptverhandlung lediglich die Folge des Akzessorietätsgrundsatzes, nämlich der Verknüpfung von Strafurteil und Adhäsionsentscheidung. Der Normalfall eines Strafurteils ergibt sich aus der Beweisaufnahme, die nach § 261 StPO wiederum Resultat der aus dem Inbegriff der Verhandlung geschöpften Überzeugung ist. Eine Verknüpfung des Strafbefehlsverfahrens mit dem Adhäsionsverfahren würde mit den Grundprinzipien des Adhäsionsverfahrens übereinstimmen. Auch dann wäre eine Akzessorietät mit einer verurteilenden strafrechtlichen Entscheidung gegeben[100].

Dennoch muss beachtet werden, dass sich auch nach einer Zulassung von Adhäsionsentscheidungen im Strafbefehlsverfahren Schwierigkeiten praktischer Art einstellen. So dürfte in nur wenigen Fallkonstellationen der Sachverhalt so eindeutig sein, dass eine hinreichende Klarheit zur Anspruchshöhe zu gewinnen ist[101]. Immerhin wäre jedoch der Erlass eines Grundurteils möglich, sodass darin kein strukturelles Hindernis zu erblicken wäre. Weiterhin könnte die Antragstellung für den Verletzten im Strafbefehlsverfahren problematisch sein, da er in der Regel keine Kenntnis vom Verfahrensstand und der Beantragung eines Strafbefehls hat. Er wird in meisten Fällen auch gar nicht wissen, bei welchem von mehreren zuständigen Gerichten der Strafbefehl beantragt wird. Die praktische Bedeutung hängt daher entscheidend von der Information des Verletzten ab.

bb) Konzeption de lege ferenda

Nunmehr stellt sich die Frage, wie eine gesetzliche Ausgestaltung aussehen kann. Zu kurz gegriffen ist der Vorschlag, die Regelungen der §§ 403 ff. StPO

---

[99] Der Einspruch nach § 410 StPO stellt kein Rechtsmittel dar (KK-*Pfeiffer/Hannich* (2008), § 410 Rn. 1).

[100] Das ist auch der entscheidende Unterschied einer Ausdehnung des Adhäsionsverfahrens auf das Strafbefehlsverfahren zu den (abzulehnenden) Erwägungen, das Verfahren bei einem Freispruch oder einer Einstellung nach § 153a Abs. 2 StPO zuzulassen.

[101] *Loos,* GA 2006, 195, 198.

B. Probleme des Adhäsionsverfahrens und Lösungsansätze 349

auf das Strafbefehlsverfahren „entsprechend" anzuwenden[102]. Vielmehr muss die Auswirkung der Behandlung zivilrechtlicher Ansprüche während des gesamten Ablaufs des Strafbefehlsverfahrens beachtet werden. Eines eigenen, allgemeinen Hinweises zur Zulässigkeit des Adhäsionsverfahrens im Strafbefehlsverfahren bedarf es dafür nicht. Vielmehr genügen für die Ausgestaltung Detailbestimmungen an den entsprechenden Stellen.

Die Staatsanwaltschaft beantragt beim Amtsgericht nach § 407 Abs. 1 StPO den Strafbefehl. Liegt ein Adhäsionsantrag des Verletzten im Ermittlungsverfahren vor, müsste die Staatsanwaltschaft in ihrem Strafbefehlsantrag auch aufnehmen, dass das Amtsgericht über diesen Adhäsionsantrag im Strafbefehl entscheiden soll. Die erforderliche gesetzliche Regelung kann in einem Satz 5 in § 407 Abs. 1 StPO erfolgen, der festlegt, dass der Antrag auf Erlass eines Strafbefehls die Entscheidung über einen Antrag nach § 404 Abs. 1 StPO enthalten kann. Dabei muss vermieden werden, dass die Staatsanwaltschaft von sich aus die genaue zivilrechtliche Rechtsfolge ermittelt[103]. Es muss auch im Strafbefehlsverfahren der Grundsatz gelten, dass die Staatsanwaltschaft auf den Ablauf des Adhäsionsverfahrens keinen Einfluss hat. Ihre Aufgabe muss sich darin erschöpfen, für einen reibungslosen Ablauf des Strafbefehlsverfahrens zu sorgen. Daher darf man ihr nicht auferlegen, bereits im Strafbefehlsantrag einen zivilrechtlichen Tenorierungsvorschlag zu unterbreiten. Vielmehr darf Inhalt eines Strafbefehlsantrags allein sein, dass das Amtsgericht auch über den vorliegenden Adhäsionsantrag zu entscheiden hat[104]. Damit wäre auch die von § 408 Abs. 3 StPO geforderte Übereinstimmung von Strafbefehlsantrag und Strafbefehl erfüllt[105]. Fraglich ist, ob die Kombination von Strafbefehls- und Adhäsionsverfahren auf bestimmte Fallkonstellationen beschränkt bleiben sollte[106]. Einer ziffernmäßigen Begrenzung der Anspruchshöhe bedarf es nicht, da die Anspruchshöhe kaum ein Indiz für die Eignung respektive die rechtliche Schwierigkeit darstellt und die genaue Anspruchshöhe ohne weitere Ermittlungen kaum feststehen wird. Auch weitere Einschränkungen, etwa nur bei bestimmten Straftatbeständen oder nur auf bestimmte Anspruchsarten, sind nicht empfehlenswert[107]. Insofern bleibt es beim pauschalen Verweis auf § 403 StPO.

---

[102] So aber BR-Drs. 793/07.

[103] So zu Unrecht die Befürchtung bei *Bahnson* (2008), S. 56.

[104] Die entsprechende Passage in § 407 Abs. 4 StPO n. F. müsste lauten: „Liegt ein Antrag nach § 404 Abs. 1 S. 1 StPO vor, muss der Strafbefehlsantrag der Staatsanwaltschaft den Antrag enthalten, dass das Gericht im Strafbefehl über ihn entscheidet." Für den Erlass des Strafbefehls müsste § 409 Abs. 1 S. 1 StPO um eine Nr. 6a („die Entscheidung über einen Antrag nach § 404 Abs. 1 S. 1 StPO") ergänzt werden.

[105] KK-*Fischer* (2008), § 407 Rn. 6.

[106] So der Vorschlag BR-Drs. 793/07 S. 3, der eine Begrenzung auf Beträge von nicht mehr als 1.500 € vorschlägt.

[107] Die unterschiedlichen Anspruchsarten unterscheiden sich nicht von Vornherein im Subsumtionsaufwand. So können vermeintlich schwierige Schmerzensgeldansprüche

350　　　　Kap. 5: Chancen für das Adhäsionsverfahren

Fraglich ist, wie die Staatsanwaltschaft verfahren muss, wenn der Adhäsions-antrag bei ihr eingeht, nachdem sie bereits beim Amtsgericht einen Strafbefehl beantragt hat. Nach Nr. 174 Abs. 2 RiStBV muss sie den Antrag dem Gericht beschleunigt zuleiten. Geklärt werden muss, ob das Gericht, wenn der Adhä-sionsantrag direkt bei ihm eingeht, ebenfalls im Strafbefehl eine Adhäsionsent-scheidung treffen kann. Dann nämlich hat die Staatsanwaltschaft sie im Strafbe-fehlsantrag nicht beantragt. Ohne eine eigene Regelung müsste das Gericht von einer Entscheidung absehen, da § 408 Abs. 3 StPO den Grundsatz aufstellt, dass eine vollständige Übereinstimmung zwischen Strafbefehlsantrag der Staats-anwaltschaft und Strafbefehl in der rechtlichen Bewertung der Tat bestehen muss[108]. Indes spricht bei einer Zulassung einer Adhäsionsentscheidung im Straf-befehl nichts dagegen, dass das Gericht auch ohne den Strafbefehlsantrag der Staatsanwaltschaft eine Adhäsionsentscheidung in den Strafbefehl aufnehmen kann. Dazu müsste etwa im Absatz 3 von § 408 StPO eine ergänzender Satz auf-genommen werden.

Die Entscheidungsmöglichkeiten für das Gericht sind grundsätzlich dieselben wie im normalen Strafverfahren. Eine wichtige Einschränkung für die positive Adhäsionsentscheidung im Strafbefehl sollte in die Regelung aufgenommen wer-den. Damit das Strafbefehlsverfahren seinen summarischen Charakter behält, er-scheint eine Regelung notwendig, dass das Gericht keine weiteren Ermittlungen vornehmen darf, die allein den zivilrechtlichen Anspruch betreffen. Die Verbin-dung kann nur dann ohne Belastung des auf Schnelligkeit und Verfahrenserleich-terung angelegten Strafbefehlsverfahrens erfolgen, wenn dies gesetzlich festge-legt ist. Ausgangspunkt für die Entscheidung über den Adhäsionsantrag darf al-lein der im Strafbefehlsantrag von der Staatsanwaltschaft umrissene Sachverhalt sein[109]. Nur wenn aus diesem die im Adhäsionsantrag geltend gemachten An-sprüche dem Grund und der Höhe nach folgen, kann es im Strafbefehl den An-spruch tenorieren. Dabei muss es die Möglichkeit eines Grundurteils in Betracht ziehen. Wenn sich die Anspruchshöhe nicht ohne weitere Beweiserhebung fest-stellen lässt, kann das Gericht keine Adhäsionsentscheidung fällen. Dieses Vor-gehen ist gegenüber der „gewöhnlichen" Absehensentscheidung eingeschränkt, da dort bis zur Grenze der wesentlichen Verfahrensverzögerung weitere Ermitt-lungen möglich und sogar erforderlich sind. Kann der Sachverhalt keine Grund-lage für einen Anspruch des Antragstellers gegen den Beschuldigten sein, muss das Gericht von einer Entscheidung absehen[110]. Diese Absehensentscheidung führt dazu, dass der Verletzte erneut einen Antrag stellen muss, wenn es doch

---

im Einzelfall leicht zu beurteilen sein und vermeintlich leichte Schadensersatzansprü-che schwierig.

[108] LR-*Gössel* (2001), § 408 Rn. 38; KK-*Fischer* (2008), § 408 Rn. 16; Graf-*Tem-ming* (2010), § 408 Rn. 11.

[109] Vgl. § 409 Abs. 1 S. 1 Nr. 3 StPO.

B. Probleme des Adhäsionsverfahrens und Lösungsansätze 351

noch zu einer Hauptverhandlung kommt. Ein Vergleich nach § 405 StPO ist angesichts des schriftlichen Verfahrens nicht möglich.

Die im Strafbefehl vorgeschriebene Belehrung (§ 409 Abs. 1 S. 1 Nr. 7 StPO) muss um die Möglichkeiten eines Rechtsmittels gegen die Adhäsionsentscheidung erweitert werden. Ebenfalls muss die Adhäsionsentscheidung einen Einfluss auf die Rechtsmittelmöglichkeiten des Beschuldigten haben. Er kann nach § 410 StPO Einspruch gegen den Strafbefehl einlegen, dem dann die in § 411 StPO genannten Folgen zukommen. Er kann den Einspruch gegen den Strafbefehl nach § 410 Abs. 2 StPO auch auf bestimmte Beschwerdepunkte beschränken. Legt er ihn nur gegen den strafrechtlichen Teil ein, wird die Adhäsionsentscheidung rechtskräftig und nach § 411 Abs. 1 S. 2 StPO ein Termin zur Hauptverhandlung hinsichtlich des strafrechtlichen Teils anberaumt. Gleiches geschieht, wenn er den Einspruch sowohl gegen den strafrechtlichen Teil als auch gegen die Adhäsionsentscheidung einlegt. Ab der Anberaumung der Hauptverhandlung handelt es sich gewissermaßen um ein „normales" Strafverfahren mit einem Adhäsionsantrag. In der Praxis kaum vorstellbar, aber dennoch möglich, ist ein Einspruch, der allein die Adhäsionsentscheidung umfasst. Hier erwächst allein der strafrechtliche Teil in Rechtskraft[111]. Hier müsste de lege ferenda eine gesetzliche Regelung getroffen werden, die das weitere Vorgehen festlegt. Denkbar ist, auf § 406a Abs. 2 StPO abzustellen. Dann würde das Strafgericht über den Einspruch in nichtöffentlicher Sitzung durch Beschluss entscheiden. Anders als in der von § 406a Abs. 2 StPO erfassten Konstellation hätte aber im Strafbefehl noch überhaupt keine mündliche Verhandlung stattgefunden. Weder Beschuldigter noch Antragsteller hätten zu irgendeinem Zeitpunkt zum Antrag Stellung genommen. Vor dem Hintergrund des das Strafverfahren prägenden Mündlichkeitsgrundsatzes erschiene eine solche Verweisung eher bedenklich. Im Zivilprozess gibt es indes die Möglichkeit, gänzlich ohne eine mündliche Verhandlung zu einem Titel zu gelangen[112]. Eine Ausnahme vom Mündlichkeitsgrundsatz wird hier aber nicht befürwortet. Der Fall eines isolierten Einspruchs gegen eine Adhäsionsentscheidung im Strafbefehlsverfahren unterscheidet sich von entspre-

---

[110] Der Adhäsionsantrag erhält nur dann eine Bedeutung, wenn es anschließend noch zu einer Hauptverhandlung kommt. Ein Vergleich als dritte Entscheidungsmöglichkeit ist ausgeschlossen.

[111] KK-*Fischer* (2008), § 410 Rn. 15.

[112] Hier ist etwa § 495a Abs. 1 ZPO zu nennen, wonach die Amtsgerichte in Streitigkeiten im Werte bis zu 600 Euro ohnehin das Verfahren nach billigem Ermessen bestimmen, also auch von einer mündlichen Verhandlung absehen können. Weiterhin ist eine mündliche Verhandlung in einigen Fällen fakultativ (Beispiele: §§ 37, 46, 91a, 109 Abs. 3 ZPO), vgl. die ausführliche Aufzählung bei MüKo-*Wagner* (2008), § 128 Rn. 15. Zudem bestimmt § 128 Abs. 2 bis 4 ZPO, dass eine mündliche Verhandlung entbehrlich sein kann. Ein wichtiges Beispiel ist zuletzt der auf einen Mahnbescheid ergehende Vollstreckungsbescheid (§ 699 ZPO), der einem vorläufig vollstreckbaren Versäumnisurteil gleich steht und damit einen vollstreckbaren Titel ohne mündliche Verhandlung darstellt (hierzu Musielak-*Voit* (2009), § 699 Rn. 2 ff.).

352 Kap. 5: Chancen für das Adhäsionsverfahren

chenden Konstellationen im Zivilverfahrensrecht, in denen eine mündliche Verhandlung entbehrlich ist. Dort kann nur dann auf eine Verhandlung verzichtet werden, wenn der Streitwert gering ist, die Parteien in irgendeiner Form bei der Entscheidung über eine mündliche Verhandlung mitwirken, oder wenn sich eine Partei offensichtlich nicht für den Ausgang des Verfahrens „interessiert", was dadurch zum Ausdruck kommt, dass sie überhaupt nichts zur Verteidigung vorträgt. Alle diese Konstellationen treffen im hier interessierenden Fall nicht zu. Dies spricht dafür, sowohl dem Beschuldigten als auch dem Anspruchssteller die Gelegenheit zu geben, sich zu äußern. Dies kann durch eine Hauptverhandlung oder (etwas weniger weitreichend) durch eine bloße Anhörung der Beteiligten geschehen. Gegen die Durchführung einer Hauptverhandlung, die sich allein mit dem zivilrechtlichen Anspruch befassen würde, spricht, dass dann das Strafgericht allein und hauptsächlich mit der Erörterung zivilrechtlicher Fragestellungen befasst wäre. Dies sucht das Adhäsionsrecht so weit wie möglich zu vermeiden. Da der Beschuldigte den strafrechtlichen Teil des Strafbefehls bereits anerkannt hat, ist damit auch der feststehende Sachverhalt umrissen. Insofern erscheint es ausreichend, wenn die Beteiligten, also Beschuldigter und Antragsteller, nicht aber die Staatsanwaltschaft zum Anspruch mündlich angehört werden[113]. Dass das Strafgericht hier allein zivilrechtlich entscheidet, ist ausnahmsweise hinzunehmen, da es mit dem Sachverhalt bereits vertraut ist. Diesbezüglich muss allerdings eine Regelung in § 411 StPO getroffen werden. Dem Antragsteller sollten keine Rechtsmittel gegen die Adhäsionsentscheidung im Strafbefehl zustehen, da dies dem auf Schnelligkeit und Einfachheit angelegten Strafbefehlsverfahren zuwiderliefe. Die Argumente, die zur Schaffung der sofortigen Beschwerde nach § 406 a Abs. 1 StPO gegen eine Absehensentscheidung wegen Nichteignung geführt haben, sind beim Strafbefehl nicht einschlägig, da der Antragsteller außer dem Adhäsionsantrag noch nicht tätig geworden ist, eine Beschwer angesichts § 406 Abs. 3 S. 3 StPO zu verneinen ist.

Da die Adhäsionsentscheidung im Strafbefehl einen vollstreckbaren Titel nach § 794 ZPO darstellen würde, müsste der Strafbefehl auch dem Antragsteller zugestellt werden. Auch diese Ausfertigung müsste den Hinweis enthalten, dass der Beschuldigte noch Einspruch erheben kann[114]. Weiterhin sollte die Entscheidung vorläufig vollstreckbar sein (§ 406 Abs. 3 S. 2 StPO). Ein Schutz des Beschuldigten wird durch die zwangsvollstreckungsrechtlichen Rechtsinstitute, wie das einer einstweiligen Anordnung nach § 769 ZPO, ausreichend gewährleistet.

Zuletzt muss auf Modifikationen der §§ 403 ff. StPO eingegangen werden, die den Besonderheiten des Strafbefehlsverfahren Rechnung tragen. Nicht alle Be-

---

[113] Auch § 406a Abs. 2 S. 3 StPO sieht eine derartige Anhörung vor, allerdings nur auf Antrag eines Beteiligten. Beim Strafbefehl müsste eine mündliche Anhörung obligatorisch sein.

[114] Wobei hier Wert auf Verständlichkeit auch für rechtsunkundige Antragsteller gelegt werden sollte.

B. Probleme des Adhäsionsverfahrens und Lösungsansätze

stimmungen, insbesondere diejenigen, die an der Durchführung einer Hauptverhandlung anknüpfen, spielen auch im Strafbefehlsverfahren eine Rolle. Eine Zustellung des Antrags (§ 404 Abs. 1 S. 3 StPO) an den Beschuldigten etwa ist entbehrlich. Ihr Zweck, dass der Beschuldigte sich auf die gleichzeitige Behandlung von Straf- und Zivilsache in der Hauptverhandlung einstellen soll[115], kann im Strafbefehlsverfahren nicht erfüllt werden. § 404 Abs. 2 StPO hat wegen der fehlenden Hauptverhandlung keinen Anwendungsbereich, ebenso § 404 Abs. 5 StPO. Eine Antragsrücknahme, die nach § 404 Abs. 4 StPO möglich ist, sollte dann wieder möglich sein, wenn der Beschuldigte gegen den Strafbefehl Einspruch eingelegt hat[116]. Der Strafbefehl wirkt nur dann wie ein Urteil, wenn der Beschuldigte keinen Einspruch eingelegt hat. Ansonsten lebt das Verfahren in der Weise wieder auf, als ob die Staatsanwaltschaft sogleich öffentliche Klage erhoben hätte.

d) Ergebnis

Am Akzessorietätsgrundsatz des Adhäsionsverfahrens ist festzuhalten. Das Strafgericht soll nur aus der Straftat erwachsene Ansprüche titulieren dürfen. Eine Ausdehnung auf Fälle, in denen das Vorliegen einer Straftat nicht feststeht, ist nicht empfehlenswert. Für die Verknüpfung des Adhäsionsverfahrens mit der Einstellung des Verfahrens nach § 153 a Abs. 2 StPO fehlt zudem ein Bedürfnis, da die dort geregelte Möglichkeit der Schadenswiedergutmachungsauflage das Kompensationsinteresse des Verletzten in ausreichendem Maß bedienen kann.

Die Ausdehnung des Verfahrens auf den Bereich des Strafbefehls ist dagegen empfehlenswert. Hierfür spricht, dass die Ziele des Adhäsionsverfahrens (insbesondere der opferschützende Aspekt) gestärkt werden. Indem der praktisch bedeutsame Bereich der Strafbefehlsverfahren für das Adhäsionsverfahren geöffnet wird, kann der Verletzte einen zivilrechtlichen Titel ohne eigenes Zivilverfahren erlangen. Zudem lässt sich diese Neuerung nahezu reibungslos in die dogmatische Struktur des Verfahrens integrieren. Allerdings genügt nicht der einfache Hinweis einer „entsprechenden Geltung der §§ 403 ff. StPO", sondern es bedarf einiger neuer Bestimmungen, die das Adhäsionsverfahren für die Bedürfnisse des Strafbefehlsverfahrens modifizieren.

5. Arbeitsrechtliche Ansprüche

Ein Adhäsionsantrag ist nur zulässig, wenn der Antragsteller mit ihm vermögensrechtliche Ansprüche geltend macht. Nicht erfasst sind etwa Ansprüche des Arbeitnehmers aus unerlaubten Handlungen im Rahmen eines Arbeitsverhältnisses oder Ansprüche des Arbeitgebers im Rahmen einer schadensgeneigten Ar-

---

[115] Weiner/Ferber-*Havliza/Stang* (2008), Rn. 69.
[116] So ein Vorschlag von *Sommerfeld/Guhra,* NStZ 2004, 420, 423.

354 Kap. 5: Chancen für das Adhäsionsverfahren

beit[117]. Grund für diesen Ausschluss ist der besondere Charakter des Arbeitsrechts. Es ist in einem derart starken Maß richterrechtlich geprägt, dass eine sachgerechte Handhabung durch ein Strafgericht zu stark erschwert würde[118]. Daher sollen diese Ansprüche von vornherein ausgenommen sein.

Der bestehende Ausschluss rechtfertigt sich nur dann, wenn die Anwendung arbeitsrechtlicher Prinzipien den befürchteten Aufwand tatsächlich nach sich zieht. Dies scheint nicht der Fall zu sein. Auch für eine strafrechtliche Beurteilung müssen mitunter arbeitsrechtliche Vorschriften herangezogen werden. Darüber hinaus gehende Kenntnisse, etwa des kollektiven Arbeitsrechts, sind für die Entscheidung zivilrechtlicher Haftungsfragen nicht erforderlich. In den meisten Fällen macht es keinen Unterschied, welcher Lebenssachverhalt einem Anspruch zugrunde liegt[119]. Befürchtungen, dass das Arbeitsrecht stets Spezialkenntnisse erfordere[120], sind unbegründet, da in den meisten Fällen geradezu typisches Deliktsrecht ohne arbeitsrechtliche Besonderheiten anzuwenden ist. Die Gefahr einer erheblichen Mehrbelastung[121] ist nicht zu erkennen. Die subsidiäre Möglichkeit der Absehensentscheidung nach § 406 Abs. 1 S. 4 StPO ist ein ausreichendes Regularium, um bei besonders schwierig zu beurteilenden Ansprüchen unzulässige Verzögerungen des Strafverfahrens zu vermeiden. Hierfür sprechen auch die Erkenntnisse aus dem Rechtsvergleich. Die Ausklammerung der arbeitsrechtlichen Ansprüche kennt keine der untersuchten Rechtsordnungen[122].

Im Ergebnis sollten im Adhäsionsverfahren auch arbeitsrechtliche Ansprüche geltend gemacht werden können[123].

6. Einschränkung der Absehensentscheidung wegen Nichteignung

Die Absehensmöglichkeit wird als Hauptgrund für die Bedeutungslosigkeit des Adhäsionsverfahrens angesehen[124], dies sogar noch nach der durch das Opferrechtsreformgesetz erfolgten Verschärfung[125]. Der Antragsteller müsse mit der

---

[117] *Stöckel* (2004), S. 833.

[118] *Erich* (1953) S. 23; *Schmanns* (1987), S. 151.

[119] *Wessing* (1998), S. 25.

[120] So aber *Bahnson* (2008), S. 72; *Köckerbauer* (1993), S. 188; auch *Rieß* (2005), S. 435.

[121] So *Schmanns* (1987), S. 151 sowie die Erwägungen im Gesetzgebungsverfahren zum Opferrechtsreformgesetz BT-Drs. 15/2536 S. 10.

[122] Praktische Probleme werden nicht befürchtet. Die Komplexität der Rechtsmaterie ist grundsätzlich vergleichbar (vgl. *Elling* (2006), S. 426 für die Rechtslage in der DDR).

[123] Rechtstechnisch müsste in § 403 StPO der Passus „Zuständigkeit der ordentlichen Gerichte gehört" gestrichen werden.

[124] LR-*Hilger* (2009), vor § 403 Rn. 16; *Pfeiffer* (2005), vor § 403 Rn. 2; *Granderath,* NStZ 1984, 399, 400.

[125] *Elling* (2006), S. 433.

B. Probleme des Adhäsionsverfahrens und Lösungsansätze 355

ständigen Unsicherheit leben, ob das Strafgericht nicht doch noch zu einer Absehensentscheidung gelangt, was dazu führt, dass sich der bisherige Aufwand als sinnlos erweise. Das Risiko sei umso höher, als vor allem die Absehensentscheidung wegen Nichteignung von wenig berechenbaren Kriterien abhänge[126].

Daher wird vorgeschlagen, die Möglichkeit der Absehensentscheidung stark einzuschränken[127] oder sogar ganz abzuschaffen[128]. Dennoch bedarf es der Absehensmöglichkeit, da der ansonsten bestehende Entscheidungszwang in Einzelfällen dazu führen würde, dass die Erörterung der Strafsache völlig in den Hintergrund geriete. Nicht alle Ansprüche sind für eine Behandlung im Strafverfahren geeignet. Sonst könnte dies zu einer ernstzunehmenden Gefahr für die rechtsstaatlichen Maximen des Strafprozesses führen[129]. Ohne eine Absehensentscheidung wegen Nichteignung käme es zu einer Art „Zwangsadhäsion"[130] für alle Anspruchsarten und nicht nur bei Schmerzensgeldansprüchen.

Die Absehensmöglichkeit muss der Gesetzgeber auch künftig beibehalten. Fraglich ist nur, in welcher Weise sie ausgestaltet sein muss. Eine weite Absehensmöglichkeit lädt geradezu dazu ein, auch von ihr häufig Gebrauch zu machen. Die Ziele des Adhäsionsverfahrens können aber nur dann erreicht werden, wenn es in den meisten Fällen auch zu einem positiven Adhäsionsurteil kommt. Aus diesem Grund sollte die Absehensentscheidung wegen Nichteignung in keinem Fall die Regelentscheidung darstellen. Die frühere Formulierung (§ 405 S. 2 StPO a. F.) bewirkte allerdings genau diesen Effekt, weshalb sie im Grunde als „funktionslose Phrase"[131] angesehen wurde.

Grundsätzlich ist die Absehensentscheidung subsidiär. Bevor das Gericht von einer Entscheidung absehen kann, muss es ein Urteil oder einen Vergleich in Erwägung ziehen. Nur wenn keine der beiden Entscheidungen möglich ist, bleibt der Weg der Absehensentscheidung. Warum kein Urteil möglich war, muss es in

---

[126] AK-*Schöch* (1996), vor § 403 Rn. 6; *Keiser,* FPR 2002, 1, 8.

[127] So ein Vorschlag im Gesetzgebungsverfahren zum Opferrechtsreformgesetz (BT-Drs. 15/814 S. 9), der eine Absehensmöglichkeit bei bestimmten Privatklagedelikten ausschließen wollte.

[128] *Hinz,* ZRP 2002, 475, 478; *Bielefeld,* DRiZ 2000, 277, 278; *Kintzi,* DRiZ 1998, 65, 72; *Granderath,* NStZ 1984, 399, 400.

[129] So völlig zu Recht *Klein* (2007), S. 215.

[130] Der Begriff steht in anderem Zusammenhang auch für die (hier nicht erörterte) gleichzeitige Beurteilung von Zivil- und Strafsache durch das Strafgericht *von Amts wegen,* also ohne dass es eines Adhäsionsantrags seitens des Verletzten bedarf (*Brause,* ZRP 1985, 103, 104). Dies zu schaffen, wurde jedoch seit jeher abgelehnt (vgl. bereits *Schönke* (1935), S. 154, der darin zu Recht eine übertriebene amtliche Fürsorge für den Geschädigten sah. Eine solche Möglichkeit würde das Adhäsionsverfahren zudem völlig verändern. Folge wäre eine Aufblähung der Strafjustiz und eine ausgeprägte Verfahrensverzögerung. Bedenken bestehen vor allem mit Blick auf die zivilprozessuale Dispositionsmaxime. Eine derartige Umgestaltung könnte (wenn überhaupt) nur in einem umfassend angelegten Reformvorhaben bewältigt werden.

[131] *Klein* (2007), S. 216.

356   Kap. 5: Chancen für das Adhäsionsverfahren

der Absehensentscheidung begründen. Diese Systematik bildet bereits einen recht engen Rahmen für eine Absehensentscheidung. Sie in der Weise zu verschärfen, dass das Gericht bei bestimmten angeklagten Straftaten nicht mehr von der Entscheidung absehen darf, ist nicht erforderlich. Die „weite" Absehensklausel ist bereits durch das Opferrechtsreformgesetz durch eine „enge" ersetzt worden. Zu erwägen ist jedoch ein anderer Weg. Bisher ist die „erhebliche Verfahrensverzögerung" der einzige benannte Fall der Nichteignung. Ähnlich der auch bei der Ablehnung eines Beweisantrags im § 244 Abs. 2 StPO gewählten Gesetzgebungstechnik könnte der Gesetzgeber einen abschließenden Katalog derjenigen Fallkonstellationen schaffen, in denen eine Absehensentscheidung möglich ist. Die für die Nichteignung vorhandenen Fallgruppen können weitere benannte Regelungen darstellen. Hiergegen spricht allerdings, dass jede der Fallgruppen auch einen Überschneidungsbereich mit der Verfahrensverzögerung hat, und dass bei einem abschließenden Katalog Fallgestaltungen nicht mehr erfasst werden können, die unter die allgemeine Nichteignung gefallen wären. Insofern erscheint die gegenwärtige Ausgestaltung derzeit am sachgerechtesten.

Im Bereich der StPO-CH ist ein „Zwangs-Grundurteil" vorgesehen[132]. Damit wird gewährleistet, dass immerhin über einen bedeutsamen Teil des geltend gemachten Anspruchs entschieden wird. Dieser Gedanke wird vereinzelt auch in der Literatur unterstützt[133]. Diesem Vorschlag ist aber entgegen zu halten, dass er nach derzeit geltender Rechtslage praktisch bereits verwirklicht ist. Eine Absehensentscheidung ist nur subsidiär, kann also nur ergehen, soweit kein Urteil (also auch kein Grundurteil) ergehen oder kein Vergleich in das Protokoll aufgenommen werden kann.

Im Ergebnis ist die derzeitige Konstruktion der Absehensentscheidung sachgerecht. Weitere Veränderungen sind nicht erforderlich.

7. Erweiterungen im rechtlichen Umfeld des Adhäsionsverfahrens

a) Prozesskostenhilfe

Das Adhäsionsverfahren dient der Justizökonomie. Erwägenswert ist, diese Zielrichtung über einen „zivilverfahrensrechtlichen Umweg" zu stärken. Im Zivilverfahren kann dem Kläger auf seinen Antrag hin unter bestimmten Voraussetzungen Prozesskostenhilfe nach den §§ 114 ff. ZPO bewilligt werden. Neben einer Bedürftigkeit und einer gewissen Erfolgsaussicht des Klagebegehrens ist zusätzlich erforderlich, dass die beabsichtigte Rechtsverfolgung nicht mutwillig ist. Mit diesem Merkmal soll ausgeschlossen werden, dass eine bedürftige Partei auch dann ein Zivilverfahren anstrengt, wenn eine vermögende Partei, die für die

---

[132] Ein Vorbild liefert auch Art. 126 Abs. 3 StPO-CH.

[133] *Volckart,* JR 2005, 181, 185; *Kropp,* JA 2002, 328, 333.

B. Probleme des Adhäsionsverfahrens und Lösungsansätze 357

Kosten selbst aufkommen müsste, auf die entsprechende Rechtsverfolgung oder -verteidigung vernünftigerweise verzichten würde[134]. Mutwilligkeit wird angenommen, wenn das Klageziel einfacher erreicht werden kann, oder wenn von zwei prozessualen Wegen der kostspieligere beschritten wird[135].

Der Gedanke liegt nahe, diese Mutwilligkeit auch dann anzunehmen, wenn der Kläger, der gleichzeitig Verletzter im Sinne von § 403 StPO ist, in einem anhängigen Strafverfahren gegen den Beklagten noch keinen Adhäsionsantrag gestellt hat. Die Folge wäre, dass im Fall eines Strafverfahrens ein bedürftiger Verletzter zunächst den Weg des Adhäsionsverfahrens bestreiten müsste. Muss dem Verletzten also die beantragte Prozesskostenhilfe im Zivilverfahren versagt werden, wenn ihm die Geltendmachung in einem parallel laufenden Strafverfahren durch einen Adhäsionsantrag möglich ist? Diese Frage wurde (allerdings noch zur alten Rechtslage) vom LG Itzehoe verneint[136]. Zunächst erscheine das Adhäsionsverfahren kostengünstiger und im Hinblick auf eine mögliche psychische Belastung des Verletzten vorteilhafter. Dennoch seien die mit dem Verfahren in Verbindung gebrachten Probleme[137] so bedeutsam, dass unter dem Strich das Adhäsionsverfahren gerade keine schnellere und das Klageziel einfacher zu erreichende Möglichkeit darstelle. Daher sei ein Prozesskostenhilfeantrag nicht mutwillig.

Diese Entscheidung kann nicht mehr überzeugen[138]. Durch das Opferrechtsreformgesetz ist die Absehensentscheidung sachgerecht umgestaltet worden, so dass deren Mängel nicht mehr einschlägig sind. Zudem kann der Verletzte auch im Adhäsionsverfahren Protesskostenhilfe erhalten, steht also nicht schlechter als im Zivilverfahren. Insbesondere, wenn der Verletzte bereits als Nebenkläger im Strafverfahren auftritt, dürfte der Aspekt der Vermeidung eines weiteren Zivilprozesses ausschlaggebend sein. Daher musse nun Mutwilligkeit angenommen und die Prozesskostenhilfe versagt werden, wenn ein Adhäsionsantrag zur Rechtsverfolgung möglich ist.

Da die Beurteilung der Mutwilligkeit jedoch dem Gericht überlassen ist, scheint eine einheitliche Auslegung nicht gewährleistet. Um an dieser Stelle ein Zeichen für das Adhäsionsverfahren zu setzen, bedürfte es eines klarstellenden Hinweises durch den Gesetzgeber. In praktischer Hinsicht ist dann jedoch problematisch, woher das den Prozesskostenhilfeantrag prüfende Zivilgericht überhaupt wissen soll, dass wegen der betreffenden Handlung ein Strafverfahren an-

---

[134] MüKo-*Motzer* (2008), § 114 Rn. 85; Zöller-*Philippi* (2009), § 114 Rn. 30; Musielak-*Fischer* (2009), § 114 Rn. 30.

[135] Zöller-*Philippi* (2009), § 114 Rn. 31; Stein/Jonas-*Bork* (2004), § 114 Rn. 27.

[136] LG Itzehoe NJOZ 2002, 1849.

[137] Das Landgericht nennt das sehr große Risiko der Absehensentscheidung (§ 405 S. 2 StPO a. F.) sowie die eingeschränkten zivilverfahrensrechtlichen Möglichkeiten (etwa kein Anerkenntnisurteil; zweifelhafte Vergleichsmöglichkeit).

[138] Siehe auch Weiner/Ferber-*Schneckenberger* (2008), Rn. 236.

358 Kap. 5: Chancen für das Adhäsionsverfahren

hängig ist. Dies ist insbesondere dann schwierig, wenn der Prozesskostenhilfeantragsteller im Prozesskostenhilfeantrag unerwähnt lässt, dass ein Strafverfahren gegen den (potenziellen) Beklagten läuft. Die Lösung kann nur darin bestehen, dass das Gericht im Rahmen eigener Erhebungen nach § 118 Abs. 2 S. 2 ZPO bei den in Frage kommenden Strafgerichten die Auskunft einholen muss, ob ein Strafverfahren in der zu entscheidenden Angelegenheit läuft. Da der Beweisantritt durch Einholung von Auskünften dann nicht erforderlich ist, wenn entsprechende Unterlagen unschwer durch die Partei selbst beigebracht werden können[139], sollte das Gericht zunächst den Antragsteller befragen, ob er von einem Strafverfahren Kenntnis erlangt hat. Wenn das Zivilgericht überhaupt keine Anhaltspunkte für ein Strafverfahren gegen den Beschuldigten hat, kann es das Merkmal „nicht mutwillig" bejahen.

Daher sollte in der Zivilprozessordnung klargestellt werden, dass dem Opfer einer Straftat Prozesskostenhilfe für ein Zivilverfahren wegen der Ansprüche aus der Straftat erst gewährt werden kann, wenn er zuvor einen Adhäsionsantrag im Strafverfahren gestellt hat.

b) Rechtsschutzversicherung

Auch eine Änderung im Rechtsschutzversicherungsrecht erscheint Erfolg versprechend. Die Deckungszusage für die gerichtliche Rechtsverfolgung im Zivilverfahren soll nur dann erfolgen, wenn der Versicherungsnehmer, der gleichzeitig Verletzter im Sinne von § 403 StPO ist, in einem anhängigen Strafverfahren gegen den Beklagten noch keinen Adhäsionsantrag gestellt hat (Vorrang des Adhäsionsverfahrens). Die Kosten eines Adhäsionsverfahrens gehören zum Leistungsumfang der Rechtsschutzversicherung als Leistungsart des Opferrechtsschutzes[140]. Eine Regelung zur Abhängigkeit der Deckungszusage für Zivilprozesse im Zusammenhang mit einer Straftat sehen weder das reformierte VVG noch die ARB[141] vor. Der Grund dafür dürfte in der mangelnden praktischen Relevanz des derzeitigen Adhäsionsverfahrens liegen.

Grundsätzlich ist der Anteil der Rechtsschutzfälle, in denen Schadenersatzansprüche auf Grund einer Straftat geltend gemacht werden, sehr niedrig. Dennoch,

---

[139] MüKo-*Motzer* (2008), § 118 Rn. 19.

[140] Harbauer-*Stahl* (2010), Teil B vor §§ 21 ff. Rn. 36.

[141] Seit der Liberalisierung im Jahr 1994 besteht keine Genehmigungspflicht für die ARB mehr (*van Bühren/Plote* (2008), Einl. Rn. 7; Prölss/Martin-*Prölss/Armbrüster* (2010), Teil III K II Rn. 1). Die meisten ARB beruhen auf so genannten Musterbedingungen, die vom Gesamtverband der Deutschen Versicherungswirtschaft herausgegeben werden. Die Muster-ARB wurden zuletzt im Jahr 2008 vor allem im Hinblick auf die VVG-Reform angepasst (*Bauer,* NJW 2008, 1496, 1497). Sie sind zur fakultativen Verwendung, so dass Versicherer von ihnen abweichen können (Rüffer/Halbach/Schimikowski-*Münkel* (2009), ARB 2008 § 1 Rn. 1).

B. Probleme des Adhäsionsverfahrens und Lösungsansätze 359

so der Gedanke, könnte insbesondere der justizökonomische Aspekt des Adhäsionsverfahrens gesteigert werden, wenn dem Adhäsionsverfahren zunächst der Vorrang vor einem Zivilverfahren eingeräumt wird. Dafür sprechen die Vorteile des Adhäsionsverfahrens für den Versicherungsnehmer. Da das Adhäsionsverfahren grundsätzlich günstiger als ein Zivilprozess ist, würde der Versicherer ebenfalls profitieren. Würden die geltenden Vorschriften der §§ 403 ff. StGB sachgerecht angewendet, wäre die Gefahr von Absehensentscheidungen geringer. Ein zwingender Grund, der gegen eine solche Konstruktion spricht, ist nicht ersichtlich.

Auch der Rechtsschutzversicherer leistet nicht bei jedem vorstellbaren Fall[142], sondern nur für „für die Interessenwahrnehmung erforderliche Kosten" (vgl. § 1 ARB 2008). Dieser Begriff ist an den Voraussetzungen für die Gewährung von Prozesskostenhilfe orientiert. Allerdings fehlt in den ARB eine Bestimmung der „Mutwilligkeit", was dazu führt, dass der soeben bei der Prozesskostenhilfe vorgestellte Mechanismus hier nicht übertragen werden kann. Denkbar sind also nur eine gesetzliche Regelung oder eine Ergänzung der ARB.

Eine gesetzliche Regelung des Vorranges des Adhäsionsverfahrens (etwa durch eine neue Vorschrift im VVG) ist abzulehnen. Die Folge eines solchen Zwanges wäre, dass auch in Fällen, in denen ein Adhäsionsverfahren von vornherein unzulässig wäre, zunächst auf das Strafverfahren verwiesen werden müsste. Es verspricht auch keinen Vorteil, wenn man die Norm so gestalten würde, dass der Vorrang des Adhäsionsverfahrens nur dann gelten soll, wenn es zulässig ist. Dies kann weder der Versicherer noch der Versicherungsnehmer beurteilen, sondern erst das Strafgericht. Gegen den Zwang spricht außerdem, dass zusätzliche Zivilverfahren, die nach einer Absehensentscheidung wahrscheinlich sind, kosten- und damit auch prämientreibend sind. Gewonnen wäre in diesem Fall weder für den Versicherungsnehmer noch für den Versicherer etwas.

Daher sollte nur eine Ergänzung der ARB erwogen werden[143]. Der Nachteil dieser Lösung bestünde freilich in der mangelnden Rechtsverbindlichkeit. Von den ARB kann ohne weiteres abgewichen werden. Dennoch hat die Idee des Vorrangs des Adhäsionsverfahrens durchaus ihren Reiz. Vor dem Hintergrund, dass Reformbestrebungen aber aus einem Dualismus aus verbesserter Information sowie leicht zu verwirklichenden, kleineren Attraktivitätssteigerungen bestehen sollten, ist die Aufnahme des Vorranges des Adhäsionsverfahrens in die ARB zu befürworten.

---

[142] Rüffer/Halbach/Schimikowski-*Münkel* (2009), ARB 2008 § 17 Rn. 1; *van Bühren/Plote* (2008), § 1 Rn. 42; *Böhme* (2000), § 1 Rn. 7.

[143] Dass eine solche Klausel als „überraschend" nach § 305c Abs. 1 BGB anzusehen sein könnte, erscheint angesichts der in diesem Punkt äußerst zurückhaltenden bisherigen Rechtsprechung sehr unwahrscheinlich (vgl. OLG Oldenburg RuS 2008, 105–108; LG Düsseldorf VersR 2005, 399 m. Anm. *Woitkewitsch*).

360 Kap. 5: Chancen für das Adhäsionsverfahren

8. Ergebnis

Verbesserungen der praktischen Bedeutung über eine Ausweitung des Anwendungsbereiches des Adhäsionsverfahrens zu erzielen, erscheinen nur teilweise geeignet. Nicht umgesetzt werden sollte eine Erweiterung des Kreises der Antragsberechtigten und Antragsgegner. Insbesondere Versicherer sollten nicht in das Adhäsionsverfahren einbezogen werden. Keine Adhäsionsentscheidung soll weiterhin bei Einstellungen des Verfahrens nach § 153a Abs. 2 StPO und bei Freisprüchen möglich sein.

Eine sinnvolle Erweiterung ist dagegen in folgenden Maßnahmen zu sehen: Eine Öffnung des Strafbefehlsverfahrens sowie eine kleine Änderung des Prozesskostenhilferechts können zu einer gesteigerten Attraktivität des Adhäsionsverfahrens beitragen. Auch besteht kein Grund, weiterhin Ansprüche, für die die Arbeitsgerichte zuständig sind, im Adhäsionsverfahren nicht zuzulassen.

IV. Unvereinbarkeit zwischen Zivil- und Strafrecht

1. Problemstellung

Ein wesentliches Problem des Adhäsionsverfahrens wird darin gesehen, dass die strukturellen Unterschiede zwischen Zivil- und Strafrecht dazu führen, dass beide Rechtskomplexe nicht in einem Verfahren behandelt werden können[144]. Die unterschiedlichen Voraussetzungen von strafrechtlicher Schuld und zivilrechtlichen Schadensersatzansprüchen würden so wenig übereinstimmen, dass eine Integration zivilrechtlicher Fragestellungen in das Strafverfahren schlechterdings nicht möglich sei[145]. Unterschiedliche Kausalitätsbegriffe, ein anderer Verschuldensmaßstab und eine abweichende Beweiswürdigung führten zu einem Haupthindernis für ein wirkungsvolles Adhäsionsverfahren. Auch die Ergebnisse der Umfrage zeigen, dass diese Problematik von den Teilnehmern als gewichtiges praktisches Problem angesehen wird[146]. In all diesen Erwägungen liegen Nachteile, die gegen die Möglichkeit einer Effektivierung des Verfahrens sprechen[147].

2. In der Literatur vertretene Lösungsansätze

Häufig lässt man diesen Einwand nicht gelten[148]. Materiellrechtliche oder verfahrensrechtliche Unterschiede könnten nicht als Bedenken gegen das Verfahren

---

[144] Vgl. etwa nur die Darstellungen bei SK-*Velten* (2003), vor §§ 403 Rn. 5; *Scholz,* JZ 1972, 725, 728 sowie Büchting-*Andrejtschitsch/Walischewski* (2007), A Rn. 192.

[145] *Brokamp* (1990), S. 148; LR-*Wendisch* (1978), vor § 403 Rn. 9; *Amelunxen,* ZStW 86 (1974), 457, 468; *Kickton* (1947), S. 13.

[146] Siehe oben Kapitel 3 B. IV.

[147] SK-*Velten* (2003), vor §§ 403 Rn. 5.

B. Probleme des Adhäsionsverfahrens und Lösungsansätze   361

erhoben werden. Auch komme es häufig zu Ressortwechseln bei Richtern, so dass die Problematik ohnehin wesentlich geringer sei. Darüber hinaus sollte von Richtern erwartet werden können, dass sie auch dann mit zivilrechtlichen Fragestellungen umgehen können, wenn sie lange Zeit allein im strafrechtlichen Bereich tätig waren[149].

Eine Möglichkeit, dieses Problem zu vermeiden, ist eine „Zweiteilung des Verfahrens". Eine solche ist vor allem aus dem schweizerischen Recht bekannt[150]. Auch in Österreich wurde im Zuge der Strafprozessrechtsreform diese Idee diskutiert, dann jedoch nicht verwirklicht[151]. Ihr Vorteil liegt klar auf der Hand. Das Strafverfahren würde zunächst von den zivilrechtlichen Ansprüchen entlastet. In dieser Hinsicht bestünde dann weder eine Verzögerungsgefahr noch die Schwierigkeit, mehr oder weniger gleichzeitig unterschiedliche Rechtsregeln anzuwenden. Zunächst würde das Gericht während der Verhandlung den Adhäsionsantrag ausklammern und erst nach Rechtskraft der strafrechtlichen Entscheidung eine Adhäsionsentscheidung treffen. Würde die Verhandlung zweigeteilt, so die Idee, könne sich das Gericht voll auf beide Entscheidungen konzentrieren.

3. Eigene Stellungnahme

Zunächst erscheinen die strukturellen Unterschiede nicht derart ausgeprägt, dass diese das Hauptproblem darstellen. Nicht verkannt wird dabei, dass die unterschiedliche Ausprägung von Zivil- und Strafrecht die Beurteilung eines Strafverfahrens mit Adhäsionsantrag anspruchsvoller macht. Jedoch ist dieses „Defizit" nicht als prägend anzusehen. Entscheidend ist dabei, dass die Grundstruktur des Adhäsionsverfahrens recht einfach ist. Das Strafgericht wendet materiell Zivilrecht an und in verfahrensrechtlicher Hinsicht Strafprozessrecht. Der Unterschied des Adhäsionsverfahrens zum Zivilverfahren ist, dass das „dienende Recht", mit dem das materielle Zivilrecht durchgesetzt werden soll, hier das Strafverfahrensrecht und nicht das Zivilverfahrensrecht ist[152]. Die Beweisermittlung und -würdigung folgt daher der StPO. Aus dem Zivilprozessrecht bekannte Rechtsinstitute, wie etwa der Anscheinsbeweis spielen keine Rolle[153]. Ausgehend von diesem Grundmechanismus wird dem Gericht lediglich abverlangt, materielles Zivilrecht anzuwenden. Erwägenswert wären Fortbildungsveranstaltungen für

---

[148] *Schmanns* (1988), S. 36; *Brokamp* (1990), S. 149.

[149] *Brokamp* (1990), S. 150.

[150] Die Schweizer Regelung der Zweiteilung dient primär dazu, eine Kollision mit dem strafverfahrensrechtlichen Beschleunigungsgrundsatz zu vermeiden (*Gromm/ Zehntner* (2005), Art. 9 Rn. 11). Siehe oben Kapitel 4 C. IV. 1.

[151] *Fuchs,* StPdG 26 (1998), 1, 24 und (1997), 103 f., der allerdings praktische Schwierigkeiten einräumt.

[152] Vgl. zum Begriff des „dienenden Rechts" im Strafrecht *Rieß,* JR 2006, 269, 270.

[153] Hierzu ausführlich *Rosenberg/Schwab/Gottwald* (2004), § 114 II 3.

362 Kap. 5: Chancen für das Adhäsionsverfahren

Richter[154], die die wichtigsten Entwicklungen vor allem im Deliktsrecht zum Inhalt haben sollten. Dadurch würden strukturelle Unterschiede als weniger problematisch erscheinen. Weiterhin sollte eine Musterakte zum Adhäsionsverfahren auch typische Fragenkreise für die Rechtsanwendung aufbereitet darstellen, beispielsweise auf welche Weise das Gericht ein Mitverschulden des Antragstellers sachgerecht berücksichtigen kann[155].

Eine gesetzliche Bestimmung, die sich an der Schweizer Regelung zur Zweiteilung des Verfahrens orientieren würde, wird hier nicht befürwortet. Sie erscheint nicht erforderlich. Denn das Gericht ist nicht gehindert im Rahmen seiner aus § 238 Abs. 1 StPO folgenden Verhandlungsleitung eine faktische „Zweiteilung des Verfahrens" auch ohne eine eigene gesetzliche Bestimmung durchzuführen. Die mangelnde Regelungsdichte, wie genau das Verfahren in der Hauptverhandlung ausgestaltet sein soll, kann insoweit auch als Vorteil aufgefasst werden. Das Strafgericht kann ohne weiteres zunächst allein die Strafsache und nach Abschluss der Beweisaufnahme noch den Adhäsionsantrag behandeln. Diese dem Gericht überlassene Prozessleitungskraft genügt nach hier vertretener Ansicht dafür, strukturelle Unterschiede zwischen Zivil- und Strafrecht abzumildern, ohne dass es einer eigenen gesetzlichen Regelung zu einer Zweiteilung bedarf[156].

V. Geringe Attraktivität des Adhäsionsverfahrens für die Beteiligten

1. Für das Gericht

a) Problemstellung: Pensen

Ein Grund für die mangelnde praktische Bedeutung des Adhäsionsverfahrens wird in vielen Stellungnahmen darin gesehen, dass seine Durchführung regelmäßig im Pensenschlüssel des Richters nicht berücksichtigt werde[157]. Für das Gericht stelle das Adhäsionsverfahren gewissermaßen nur eine lästige und nicht honorierte Zugabe dar[158]. Eine ohnehin überlastete Justiz[159] könne aber nur durch

---

[154] Zielgruppe sind dabei nur diejenigen, die nicht ohnehin durch einen Ressortwechsel kaum Bedarf an derartigen Informationen haben dürften.

[155] So der Fall bei BGH NJW 2002, 3560, 3561.

[156] Die praktische Ausgestaltung einer solchen Zweiteilung müsste (die auch in der Schweiz) kaum ausreichend geklärte Frage behandeln, wie zu verfahren ist, wenn zwischenzeitlich der Beschuldigte gegen das vorab ergangene Strafurteil Rechtsmittel eingelegt hat (hierzu *Gromm/Zehntner* (2005), Art. 9 Rn. 11 ff.).

[157] *Sachsen Gessaphe,* ZZP 112 (1999), 3, 10; AK-*Schöch* (1996), vor § 403 Rn. 7.

[158] *Klein* (2007), S. 185.

B. Probleme des Adhäsionsverfahrens und Lösungsansätze 363

„Fluchttendenzen" auf die Arbeitsbelastung reagieren. Vor allem die vor dem Opferrechtsreformgesetz recht leicht mögliche Absehensentscheidung wegen Nichteignung konnte das Gericht dafür verwenden, Zeit und Mühe für eine positive Adhäsionsentscheidung zu ersparen. Die mangelhafte Ausgestaltung der Pensen wurde auch in der Umfrage als großes Problem benannt[160].

b) In der Literatur vertretene Lösungsansätze

Oft gefordert wurde eine Aufwertung des Adhäsionsverfahrens im Pensenschlüssel der Richter[161]. Seit dem Jahr 2005 gilt das „Personalbedarfsberechnungssystem"[162], das den Bundespensenschlüssel abgelöst hat[163]. In pebb§y wurde in Teil I[164] für die Bearbeitung eines Adhäsionsantrags ein eigener Erledigungspunkt eingeführt[165]. Insoweit existiert eine Ausgleichsmöglichkeit für die sonstige (nicht günstige[166]) Bewertung der Arbeit insbesondere der Großen Strafkammern und Schwurgerichtskammern. Für die Durchführung von Adhäsionsverfahren wird die Basiszahl[167] des Spruchkörpers durch einen Zuschlag auf das 1,5-fache erhöht[168]. Der Faktor 1,5 wurde gewählt, um einerseits dem erhöhten

---

[159] Siehe hierzu *Schulte-Kellinghaus,* ZRP 2006, 169, 170 f. Vgl. auch die diesbezüglichen Diskussionen der Abteilung Justiz auf dem 66. Deutschen Juristentag im Jahr 2006 (Stuttgart).

[160] 21% der Befragten nannten einen mangelnden Pensenschlüssel als Grund für das „Schattendasein" des Adhäsionsverfahrens (Frage 6). In der offenen Frage 10 wurde die mangelnde pensenmäßige Berücksichtigung als vierthäufigstes praktisches Problem angegeben.

[161] *Klein* (2007), S. 218; *Jerouschek,* JZ 2000, 185, 191; *Kintzi,* DRiZ 1998, 65, 72.

[162] Das allgemein anerkannte Akronym pebb§y soll auch hier verwendet werden.

[163] Vgl. allgemein zur Entwicklung von pebb§y sowie seiner drei Unterprojekte die Überblicke beim Justizministerium Baden-Württemberg (abrufbar unter www.justiz. baden-wuerttemberg.de; Organisationsreferat) sowie beim Niedersächsischen Justizministerium (abrufbar unter www.mj.niedersachsen.de; Personal; pebb§y).

[164] Personalbedarfsberechnungssystem für den richterlichen, staatsanwaltlichen, amtsanwaltlichen und Rechtspflegerdienst in der ordentlichen Gerichtsbarkeit (Im Unterschied zu pebb§y Teil 2 [Beamte Mittlerer Dienst] und pebb§y Fach [richterlicher und nichtrichterlicher Dienst in den Fachgerichtsbarkeiten]).

[165] *Haupt/Weber* (2003), Rn. 307. Dieser Umstand scheint in der Literatur teilweise nicht bekannt gewesen zu sein, so findet sich etwa bei *Klein* (2007), kein diesbezüglicher Hinweis.

[166] Vgl. nur die Stellungnahmen des Vereins der Richter und Staatsanwälte in Baden-Württemberg e. V. S. 17 (abrufbar unter: www.richterverein-bw.de) und *Schulte-Kellinghaus,* ZRP 2006, 169, 171 mit grundsätzlicher Kritik an den in pebb§y festgelegten Zeitansätzen.

[167] Die Basiszahl beschreibt die durchschnittliche (in Minuten dargestellte) Bearbeitungszeit für einzelne Verfahrensarten. Die Basiszahl wurde nach einer Formel ermittelt, die eine Wirtschaftsberatergesellschaft aufgestellt hat.

[168] Beispiel: Basiszahl allgemeine Strafsachen beim Strafrichter 170 x Faktor 1,5 = neue Basiszahl 255.

364   Kap. 5: Chancen für das Adhäsionsverfahren

Aufwand Rechnung zu tragen und andererseits eine doppelte pensenmäßige Bewertung der nur einmal durchgeführten Beweisaufnahme zu vermeiden[169]. Aus Vereinfachungsgründen erfolgt die Erhöhung beim jeweiligen Spruchkörper und nicht um 50% der Basiszahl, die der jeweilige Fall in Zivilsachen hätte[170].

c) Eigene Stellungnahme

Seit dem Jahr 2005 wird das Adhäsionsverfahren pensenmäßig berücksichtigt. Jedoch kann sich die Frage stellen, ob es *ausreichend* berücksichtigt wird. Kritisch eingewendet werden kann etwa, dass – pointiert formuliert – dem Zivilrichter eine Pensennummer abgenommen, dem Strafrichter für die Arbeit des Zivilrichters nur eine halbe Pensennummer gegeben wird. Muss die Bewertungszahl also weiter erhöht werden? Hier stehen sich zwei Ansätze gegenüber. Einmal könnte – wie im geltenden System – die Basiszahl für eine Strafsache erhöht werden. Dann stellt sich die Frage, um wie viel diese Erhöhung sinnvollerweise ausfallen soll. Oder es könnte ein Bruchteil der entsprechenden Basiszahl für die Zivilsache auf die Basiszahl der Strafsache angerechnet werden. Auch dann stellt sich die Frage, wie hoch der Bruchteil aussehen soll[171].

Hier wird ersteres System bevorzugt. Da das Adhäsionsverfahren Teil des Strafverfahrens ist, sollte auch von den dort geltenden Basiszahlen ausgegangen werden. Dass das Adhäsionsverfahren berücksichtigt werden muss, steht außer Frage und ist seit der Einführung von pebb§y auch anerkannt. Jedoch ist die derzeitige Regelung mit dem Faktor 1,5 überdenkenswert. Die Basiszahl oder der Faktor für das Adhäsionsverfahren sollten leicht erhöht werden, damit die tatsächlich anfallende Arbeit realitätsnah Berücksichtigung finden kann. Eine pensenmäßige Addition von Zivil- und Strafverfahren kann es indes nicht geben, da die Beweisaufnahme tatsächlich nur einmal durchgeführt wird. Im Ergebnis kann die mangelnde praktische Bedeutung des Verfahrens nicht allein mit einem Hinweis auf eine angebliche Nichtberücksichtigung bei den Pensen erklärt werden. Die derzeitige Ausgestaltung durch pebb§y berücksichtigt die Bearbeitung eines Adhäsionsantrags. Der Faktor für die Basiszahl sollte auf 1,75 erhöht werden[172].

---

[169] *Herrler,* DRiZ 2004, 229, 234.

[170] So ein Vorschlag von *Spiess* (2008), S. 283. Außer Acht bleibt die Möglichkeit einer eigenen Basiszahl für das Adhäsionsverfahren, da diese Option nicht in die Systematik von pebb§y integriert werden könnte.

[171] Nimmt man mit *Spiess* (2008), S. 283 einen Bruchteil von 50% an, würde die Basiszahl höher ausfallen.

[172] Hierfür spricht auch die Tatsache, dass die Befragten in der Umfrage nur zu 21% einen mangelnden Pensenschlüssel als Grund für das „Schattendasein" des Adhäsionsverfahrens anführten (Frage 6).

B. Probleme des Adhäsionsverfahrens und Lösungsansätze 365

2. Für Rechtsanwälte

a) Problemstellung: Gebühren

Die Ausgestaltung der Gebühren für Rechtsanwälte wird ebenfalls häufig als Problempunkt genannt[173]. Da sich die Durchführung eines Adhäsionsverfahrens im Vergleich zu einem regulären Zivilverfahren mit höheren Gebühren nicht lohne, hätten sie kein gesteigertes Interesse an der Durchführung eines Adhäsionsverfahrens und rieten dem Verletzten davon ab, einen Adhäsionsantrag zu stellen. Da auch nach der Gebührenrechtsreform die Gebühren von Zivil- und Adhäsionsverfahren unterschiedlich ausgestaltet sind, wird weiterhin dem Gebührenrecht eine „Mitschuld" an einer nur untergeordneten praktischen Bedeutung der §§ 403 ff. StPO gegeben[174]. Im Vergleich zur Altregelung des § 89 BRAGO ist die neue Regelung in Nr. 4143 und 4144 VV RVG kaum verändert worden[175]. Lediglich die Anrechnung der Adhäsionsverfahrensgebühren in einem nachfolgenden Zivilverfahren sind für Anwälte attraktiver ausgestaltet worden[176]. Dennoch kommt es immer noch zu einer Anrechnung zu einem Drittel.

b) In der Literatur vertretene Lösungsansätze

Lösungsvorschläge gehen dahin, dass es zu einer vollkommenen Angleichung der Gebührensätze in Adhäsions- und Zivilverfahren kommen solle, da nur auf diese Weise ein spürbarer Impuls für eine veränderte Mandatsführung zu erreichen sei[177]. Der Grund für die geringere Gebühr war der Gedanke, dass es für den Verletzten einen merklichen Gebührenvorteil im Adhäsionsverfahren geben solle, damit er von sich aus eher einen Antrag stellt. Dieser Vorteil für den Verletzten werde jedoch dann zu einem Scheinargument, wenn ihm die Vorteile des Adhäsionsverfahrens verwehrt blieben, da die Anwälte von vornherein keinen Ehrgeiz verspüren, ein solches Verfahren in Gang zu setzen[178]. Aus Sicht der Anwälte dürfe eine getrennte Verfolgung nicht attraktiver sein, auch wenn nicht der Verletzte als Mandant die Kosten zu tragen hat, sondern der Täter.

---

[173] *Hassemer/Reemtsma* (2002), S. 87; AK-*Schöch* (1996), vor § 403 Rn. 5; *Weigend* (1990), S. 15; *Brokamp* (1990), S. 176; *Schmanns* (1987), S. 155.

[174] Vgl. nur *Prechtel*, ZAP 2005, 399, 407, der große Zweifel an einer positiven Auswirkung wegen der nur leichten Anpassungen im Gebührenrecht hegt.

[175] Früher: 2/1 Gebühr gegen 4/1 im Zivilprozess. Heute: 2/1 Gebühr gegen 3,15 im Zivilprozess. Eine detaillierte Gegenüberstellung der neuen und alten Rechtslage findet sich bei *Klein* (2007), S. 151–155.

[176] Zu einem Drittel (Nr. 4143 Abs. 2 VV RVG) statt zu zwei Dritteln zuvor.

[177] *Spiess* (2008), S. 280; *Klein* (2007), S. 218. Vgl. bereits *Brokamp* (1990), S. 177, der sich zudem strikt gegen eine „Opferhilfe auf Kosten der Anwälte" (S. 176) ausspricht.

[178] Vgl. auch *Spiess* (2008), S. 223, deren Umfrage ergeben hat, dass auch nach der Neuregelung die Gebührenhöhe für die Tätigkeit im Adhäsionsverfahren als zu gering eingeschätzt wird.

c) Eigene Stellungnahme

Fest steht, dass die geltende Ausgestaltung des Gebührenrechts zumindest nicht als zusätzlicher Anreiz für Anwälte angesehen werden kann, das Adhäsionsverfahren zu bestreiten. Fraglich bleibt dann lediglich, ob die Verfahrensgebühr im Adhäsionsverfahren auf die im Zivilverfahren geltenden Sätze angehoben oder ihnen zumindest weiterhin angenähert werden sollte. Dies kann nur mit einem Vergleich der regelmäßigen Anforderungen an die Prozessführung im Adhäsionsverfahren und im regulären Zivilverfahren entschieden werden. Nicht außer Acht gelassen werden darf nämlich, dass die Verfahrensführung im Adhäsionsverfahren auch Vorteile für den Anwalt mit sich bringt. Weiterhin entstehen die Gebühren im Adhäsionsverfahren bereits mit der Entgegennahme von Informationen durch den Mandanten[179]. Desweiteren können auch Vereinfachungen der Prozessführung infolge des im Strafverfahren geltenden Amtsermittlungsgrundsatzes nicht außer Acht bleiben. Die Aufgabe des Rechtsanwaltes besteht im Adhäsionsverfahren vor allem in der detaillierten Verfassung des Adhäsionsantrags. Der weitere Verfahrensverlauf liegt – anders als im Zivilprozess – nicht primär in seiner Hand. Er muss lediglich darauf hinwirken, dass eine im Raum stehende Absehensentscheidung möglicherweise doch noch abgewendet oder ein für den Verletzten Gewinn versprechender Vergleich abgeschlossen wird. Diese Tätigkeiten sind aber durch das geltende Gebührenrecht ausreichend berücksichtigt[180]. Dass die Durchführung eines Adhäsionsverfahrens einem Anwalt im Vergleich zum Zivilverfahren eher mehr, als weniger Einsatz abverlange[181], erscheint eine Problematik zu sein, die durch eine bessere Information über die Möglichkeiten des Adhäsionsverfahrens eher in den Griff bekommen werden kann, als durch eine Erhöhung der Gebühren. Auch die Anrechnungsregelung ist sachgerecht. Immerhin kann der Rechtsanwalt im Regelfall auf erhebliche im Strafverfahren geleistete Vorarbeiten zurückgreifen.

3. Für den Verletzten

a) Problemstellung

Stellenweise werden auch Nachteile für den Verletzten benannt, die die praktische Bedeutung des Adhäsionsverfahrens mindern. Besonders vier mutmaßliche

---

[179] So die ganz h.M. *Hartmann* (2008), VV 4143 Rn. 14; Gerold/Schmidt/von Eicken/Madert/Müller-Raabe-*Madert* (2010), VV 4141–4146 Rn. 60; Weiner/Ferber-*Weiner* (2008), Rn. 246; *Jaeger,* VRR 2005, 287, 294. Anders die Geschäftsgebühr im Zivilrechtsstreit, die erst mit Tätigwerden nach außen entsteht (vgl. Nr. 2300 VV RVG).

[180] Vgl. auch Weiner/Ferber-*Weiner* (2008), Rn. 8 („entgegen landläufiger Ansicht").

[181] So die Behauptung von *Hartmann* (2008), VV 4143 Rn. 6, der darauf hinweist, dass so mancher Strafrichter mangels ständiger auch zivilrechtlicher Arbeit in Wahrheit deutlich weniger sachkundig verfahre als ein erfahrener Zivilrichter.

B. Probleme des Adhäsionsverfahrens und Lösungsansätze 367

Nachteile sollen hier angesprochen werden. Erstens wird das *Kostenrisiko* des § 472a Abs. 2 StPO ins Feld geführt[182]. Die Gerichtskosten entstehen immer, wenn von einer Entscheidung über den Antrag abgesehen wird. Da aus Sicht des Verletzten völlig unkalkulierbar sei, ob das Gericht eine Absehensentscheidung fällt, setze er sich einem unnötigen Kostenrisiko aus[183]. Der zweite Aspekt besteht darin, dass ein Adhäsionsantrag deutlich *geringere Schmerzensgeldbeträge* erbringe, da die strafrechtliche Beurteilung (wenn auch unbewusst) bei der Entscheidung eine Rolle spiele[184]. Drittens wird die *prozessuale Doppelrolle* des Antragstellers als Partei und als Zeuge im Strafverfahren nachteilig gesehen, da sie faktisch nicht miteinander vereinbar sei[185]. Die Glaubwürdigkeit des Verletzten als Zeuge sei sehr stark eingeschränkt, da er eigenen vermögensrechtlichen Interessen den Vorrang einräume. Zuletzt bringe ein Adhäsionsverfahren in tatsächlicher Hinsicht für den Antragsteller *keine Vorteile,* weil der erstrittene Titel angesichts einer Vermögenslosigkeit des Beschuldigten in vielen Fällen wertlos sei und die (in den meisten Fällen erforderliche) Vollstreckung des Titels mit der Vollstreckung einer etwaigen Geldstrafe konkurriere[186].

b) Eigene Stellungnahme

Konkrete Vorschläge, wie die Attraktivität des Adhäsionsverfahrens für den Verletzten gesteigert werden kann, liegen soweit ersichtlich nicht vor.

Die Kritik an der Ausgestaltung der *Kostenregelung* geht fehl. Zuzugeben ist, dass der Antragsteller mit Kosten belegt werden kann, insbesondere wenn die Kosten des Vertreters des Beschuldigten hinzukommen. Auf der anderen Seite stehen aber entscheidende Vorteile. Einmal ist die Durchführung des Adhäsionsverfahrens im Vergleich zum Zivilverfahren stets deswegen attraktiver, da keinerlei Prozesskostenvorschuss zu leisten ist. Zudem können die gerichtlichen Auslagen nach § 472a Abs. 2 Satz 2 StPO der Staatskasse auferlegt werden[187]. Dies gilt aber nicht für die notwendigen Auslagen des Beschuldigten im Adhäsionsverfahren. Dieses Risiko erscheint aber noch zumutbar. Immerhin ist die Kostenentscheidung des § 472a Abs. 2 StPO als Ermessensentscheidung ausgestaltet.

---

[182] *Weigend* (1990), S. 14 f.; *Seiser* (1988), S. 23.

[183] *Weigend* (1990), S. 15.

[184] *Lösch,* Streit 2007, 152, 157; *Schroeder* (2007), Rn. 352.

[185] *Schirmer,* DAR 1988, 121, 123.

[186] Vgl. zur Problematik Weiner/Ferber-*Wolf* (2008), Rn. 286; *Hassemer/Reemtsma* (2002), S. 164; *Schmidt-Hieber,* NJW 1992, 2001, 2002; *Hirsch,* ZStW 102 (1990), 534, 554; *Stöckel,* JA 1988, 599, 604; *H.-J. Schroth,* GA 1987, 49, 64; *Tenter/Schleifenbaum,* NJW 1988, 766; *Weigend,* NJW 1987, 1170, 1176; *Schünemann,* NStZ 1986, 193, 200; *Peters* (1985), S. 588.

[187] Das Risiko, möglicherweise auch noch mit durch das Adhäsionsverfahren entstandenen Anwaltskosten des Beschuldigten belastet zu werden, dürfte vielen Antragstellern nicht bewusst sein.

368   Kap. 5: Chancen für das Adhäsionsverfahren

Leitbild für diese gesetzliche Regelung kann nicht nur der schutzbedürftige Verletzte sein, dem möglichst kostengünstig zu einem Titel verholfen werden muss. Vielmehr müssen alle Konstellationen erfasst werden. Darunter fallen auch die, in denen ein Adhäsionsantrag von vornherein ohne Erfolgsaussichten gestellt worden ist. Daher erscheint ein (geringes) Kostenrisiko für den Verletzten erträglich.

Die ganz praktische Gefahr, dass ein Verletzter sich positiv gegen eine Antragstellung entscheidet, da im Adhäsionsverfahren *nicht genug Schmerzensgeld* herauskomme[188], erscheint nicht als ausschlaggebendes Anwendungshindernis für das Adhäsionsverfahren. Ganz aus der Luft gegriffen ist die Befürchtung indes wohl nicht. Ihr kann allerdings nur entgegen gesteuert werden, indem sich das Gericht vor allem bei Schmerzensgeldansprüchen an den gängigen mit Indizfunktion ausgestatteten Tabellen orientiert. Durch entsprechende Hinweise etwa in der Musterakte muss das Gericht angeleitet werden, dass die für die Beurteilung der Strafsache relevanten rechtlichen Aspekte grundsätzlich keine Auswirkungen auf den vermögensrechtlichen Anspruch haben. Im Übrigen können manche Fälle vor einem Strafgericht sogar besser aufgehoben sein als bei einem Zivilgericht. Dies spielt etwa eine Rolle, wenn spezialisierte Kammern etwa bei Sexualdelikten eine größere Erfahrung bei der Bewältigung der Fälle haben[189].

Die „eigentümliche *Doppelstellung*"[190] des Verletzten kann in der Tat ein Problem darstellen. Dass der Antragsteller ein Interesse an der positiven Entscheidung über seinen Antrag hat, kann die Zeugenpflicht zur Objektivität konterkarieren[191]. Jedoch dürfte sich ein so genannter Opferzeuge auch ohne Adhäsionsantrag der zivilrechtlichen Bedeutung seiner Aussage bewusst sein[192]. Zudem kann die Doppelstellung auch eine positive Seite haben, denn mit zusätzlicher Sachkenntnis können auch Widersprüche in der Aussage des Beschuldigten aufgedeckt und ergänzende Vorhalte gemacht, sowie zusätzliche Argumente für die Urteilsbegründung und damit Revisionsfestigkeit gewonnen werden[193]. Eine gesetzliche Lösung dieses Konfliktes erscheint nur schwer vorstellbar. Hier kann ein Ausweg nur in einer pragmatischen Prozessführung des Gerichts bestehen. Es muss darauf hinweisen, dass übertriebener Verfolgungseifer durchaus bemerkt und dadurch der Wert der Zeugenaussage gemindert oder gar völlig un-

---

[188] *Schroeder* (2007), Rn. 352.

[189] *Lösch,* Streit 2007, 152, 157, die zu Recht darauf hinweist, dass besondere Kenntnisse der Aussagepsychologie nicht zum Standardwissen der Zivilgerichte gehören dürften.

[190] *Schirmer,* DAR 1988, 121, 123.

[191] *Loos,* GA 2006, 195, 201.

[192] Vgl. in diesem Zusammenhang bereits *Kleinfeller,* GS 88 (1922) 1, 9, der feststellt, dass der „gewöhnliche Opferzeuge" während seiner Aussage kaum nur an den staatlichen Strafanspruch, nicht aber an seine eigene materielle Befriedigung denke.

[193] *Plümpe,* ZInsO 2002, 409, 413.

B. Probleme des Adhäsionsverfahrens und Lösungsansätze   369

brauchbar werden kann[194]. Für den praktischen Ablauf der Hauptverhandlung empfiehlt sich die Einvernahme des Antragstellers als ersten Zeugen. Darüber hinaus sollte das Gericht den Verletzten darauf hinweisen, dass für die Beurteilung seiner Glaubwürdigkeit unproblematischer ist, wenn er bei anwaltlicher Vertretung während der Vernehmung des Beschuldigten den Sitzungssaal freiwillig verlässt, obgleich er ein Anwesenheitsrecht hat[195].

Zum vierten Punkt, der *den praktischen Nutzen* des Verfahrens in Frage stellt: Das Risiko der Vermögenslosigkeit des Beschuldigten kann in keinem Fall als strukturelles Defizit dem Adhäsionsverfahren entgegen gehalten werden. Selbst wenn man das Verfahren wegdenkt, wäre die Situation für den Verletzten keine andere. Er könnte dann den Zivilrechtsweg bestreiten, jedoch besteht dann das Problem der Vermögenslosigkeit weiterhin. Im Gegenteil erscheint das Verfahren gerade bei einer Vermögenslosigkeit des Beschuldigten im Vergleich zum ungleich teureren Zivilverfahren als der attraktivere Weg, einen Titel zu erlangen. Ein weiterer Punkt ist auch, dass die Ausgestaltung der Adhäsionsregeln eine Vielzahl von Konstellationen abdecken muss. Nicht alle Beschuldigten sind auch vermögenslos. Vielmehr dürften die Fallgestaltungen, in denen das Verfahren zur tatsächlichen Kompensation führt, sogar überwiegen.

Die Konkurrenz zur Vollstreckung der Geldstrafe ist im Grunde keine Problematik des Adhäsionsverfahrens, dessen Aufgabe primär in der Verschaffung eines Vollstreckungstitels besteht. Unbefriedigend ist die Situation für den Verletzten verständlicherweise, wenn der Titel faktisch leer läuft. Es ist allerdings eine grundsätzliche Schwäche im deutschen Strafverfahrensrecht[196], dass die strafrechtliche Sanktion die Leistungsbereitschaft und -fähigkeit des Beschuldigten in zivilrechtlicher Hinsicht beeinträchtigen kann. Dies gilt insbesondere für die Geldstrafe, bei der im Fall der Uneinbringlichkeit eine Ersatzfreiheitsstrafe (§ 43 StGB) verhängt werden kann und damit der Erfüllungsdruck wesentlich höher ist als bei einem zivilrechtlichen Titel. Der Gesetzgeber hat versucht, dieses Problem bei der Geldstrafe mit einer „vollstreckungsrechtlichen Lösung" in den Griff zu bekommen[197]. Denn seit dem Jahr 2006 sieht § 42 S. 3 StGB vor, dass Zahlungserleichterungen auch gewährt werden, wenn ohne die Bewilligung die Wiedergutmachung des durch die Straftat verursachten Schadens durch den Verurteilten erheblich gefährdet wäre. Dadurch räumt das Gesetz den Wiedergutma-

---

[194] Widmaier-*Kauder* (2006), § 53 Rn. 59.

[195] Siehe zur genauen Ausgestaltung dieser Empfehlungen oben S. 128.

[196] Die Problematik ist auch anderen Rechtsordnungen bekannt. Allerdings haben auch Lösungsansätze wie der von § 373a öStPO gewährte Anspruch auf Vorschussleistung gegen die Staatskasse (vgl. zur rechtlichen Ausgestaltung oben Kapitel 4 B. IV. 2.) mit praktischen (und nicht zuletzt fiskalischen) Problemen zu kämpfen.

[197] Bei der Freiheitsstrafe gibt es eine derartige Regelung nicht, wodurch sich die Problematik für den Verletzten umso stärker zeigt. Zumindest etwas kann die Geltung des OEG die Folgen abmildern.

370   Kap. 5: Chancen für das Adhäsionsverfahren

chungsansprüchen des Verletzten bei der Vollstreckung von Geldstrafen den Vorrang ein. Diese Regelung ist begrüßenswert, da hier das Tätervermögen bei der Geldstrafe im Interesse des Schadensausgleichs zugunsten des Verletzten geschont wird[198].

VI. Schwächen der derzeitigen rechtlichen Ausgestaltung des Adhäsionsverfahrens

1. Ausweichtendenzen der Gerichte zur Vermeidung einer Adhäsionsentscheidung

Problematisch an der derzeitigen Ausgestaltung des Adhäsionsverfahrens seien zwei legale Wege für Staatsanwaltschaften und Gerichte, dem Umgang mit den „ungeliebten zivilrechtlichen Nebenpunkten" zu vermeiden[199]. Mit der Einstellung des Verfahrens nach § 153a StPO sowie dem Erlass eines Strafbefehls sei es für Staatsanwaltschaften und vor allem für Gerichte ein leichtes, das Adhäsionsverfahren zu umgehen.

Es gibt Konstellationen, in denen der Weg über die Einstellung nach § 153a Abs. 2 S. 2 Nr. 1 StPO auch für den Antragsteller erfolgversprechender ist. Schwieriger ist es, wenn statt der Schadenswiedergutmachungsauflage nach Abs. 2 S. 2 Nr. 1 eine andere Auflage oder Weisung vom Gericht ausgewählt wird. Dann steht der Antragsteller zunächst tatsächlich „mit leeren Händen" da. Zwischen den verschiedenen Auflagen und Weisungen besteht kein Vorrangverhältnis. Dass die Schadenswiedergutmachung „möglichst oft" im Interesse des Verletzten angeordnet werden soll[200], bedeutet nicht, dass das Gericht dazu verpflichtet ist[201]. Eine verletztenfreundliche Handhabung von § 153a Abs. 2 S. 2 Nr. 1 StPO durch die Gerichte würde das Problem der Ausweichtendenz abschwächen. Einen vollstreckbaren Titel freilich kann der Verletzte ohnehin erst in einem nachfolgenden Zivilverfahren erstreiten.

---

[198] Die Regelung wurde durch das 2. JuMoG (BGBl. I (2006), S. 3416; dort Art. 22 Nr. 1) aufgenommen und ersetzt den bis dahin geltenden inhaltsgleichen § 459a Abs. 1 S. 2 StPO a.F. Dadurch gewährt bereits das Gericht im Urteil Zahlungserleichterungen (Stundungen, Ratenzahlungen) und nicht erst die Vollstreckungsbehörde während des Vollstreckungsverfahrens. Sofern das Gericht nicht von dieser Vorschrift Gebrauch gemacht hat, trifft die Vollstreckungsbehörde die Entscheidung über die Gewährung von Zahlungserleichterungen nach denselben Regeln. Vgl. auch Ansätze zu einer „compensation order" (*Streng* (2002), S. 412 m.w.N.), welche die Problematik umgehen wollen, dass es auch bei Zahlungserleichterungen stark auf ein freiwilliges Handeln des Verurteilten ankommt.

[199] *Loos,* GA 2006, 195, 197.

[200] KK-*Schoreit* (2008), § 153a Rn. 16; *Meyer-Goßner* (2010), § 153a Rn. 15.

[201] Hier spricht auch die geringe praktische Bedeutung der Auflage Bände, vgl. LR-*Beulke* (2008), § 153a Rn. 51.

B. Probleme des Adhäsionsverfahrens und Lösungsansätze 371

Bei einem Strafbefehl gewichtet der Gesetzgeber den vorläufigen aber sehr zügigen Abschluss des Strafverfahrens höher als die Möglichkeit der Titelerlangung für den Verletzten. Zudem erscheint die „Ausweichproblematik" beim Strafbefehl eher geringer ausgeprägt als bei der Einstellung des Verfahrens, denn die Initiative muss hier stets von der Staatsanwaltschaft ausgehen. Diese ist aber mit einem Adhäsionsantrag grundsätzlich nicht befasst.

Aus diesen Gründen sind die in der Literatur genannten Ausweichtendenzen der Gerichte zur Vermeidung einer Adhäsionsentscheidung nicht überzubewerten.

2. Zu später Zeitpunkt der Antragstellung im Adhäsionsverfahren

In der Praxis werden Adhäsionsanträge oft noch kurz vor der Hauptverhandlung gestellt, so dass sich der Beschuldigte und das Gericht wegen der bereits erfolgten Terminierung erst sehr spät darauf einstellen können. Dies ist gesetzlich so vorgesehen, da § 404 Abs. 1 S. 1 StPO die Antragstellung bis zum Beginn der Schlussvorträge gestattet. Für einen späten Antragszeitpunkt spricht, dass dadurch auch Adhäsionsentscheidungen ergehen können, wenn sich erst im Verlauf der Hauptverhandlung Tatsachen ergeben haben, die zur Anspruchsentstehung beitragen. Eine späte Antragstellung kann aber problematisch sein. Dies ist etwa der Fall, wenn in einem Verfahren wegen sexuellen Missbrauchs eines Kindes die Nebenklagevertretung nach zahlreichen Verhandlungstagen erst am Ende einer mehrtägigen Hauptverhandlung ankündigt, sie werde noch einen Adhäsionsantrag auf Zahlung eines Schmerzensgeldes stellen. Eine späte Antragstellung ist für den Verletzten kaum vorteilhaft. Der Extremfall einer Antragstellung direkt vor dem Beginn des Schlussvortrags des Staatsanwalts dürfte gewissermaßen automatisch – und völlig zu Recht – eine Absehensentscheidung wegen Nichteignung nach sich ziehen. Auch aus Sicht des Beschuldigten ist die Störung der Verhandlungsführung sowie möglicherweise auch seiner Verteidigungsstrategie bei einer späten Antragstellung durch den Verletzten nachteilhaft. Daher stellt sich die Frage, ob nicht der letztmögliche Zeitpunkt für eine Antragstellung vorverlagert werden sollte. Dies wird auch von den Teilnehmern der Umfrage als wünschenswert erachtet[202].

Zu verhindern ist, dass ein Antrag von vornherein keine Chance hat, entschieden zu werden. Der Blick nach Österreich und in die Schweiz zeigt, dass dort einmal der Schluss der Beweisaufnahme bzw. – schon früher – der Abschluss des Vorverfahrens die relevanten Zeitpunkte sind. Die StPO-DDR verfolgt eine differenzierte Lösung, wonach die Antragstellung nach Eröffnung des Hauptverfahrens von der Zustimmung des Beschuldigten abhängt. Ist für die Zulässigkeit des Adhäsionsantrags die Zustimmung des Beschuldigten notwendig, scheint ein Antrag nur in seltenen Ausnahmefällen erfolgversprechend. Der Regelfall dürfte

---

[202] Siehe oben S. 238 f.

372 Kap. 5: Chancen für das Adhäsionsverfahren

sein, dass der Beschuldigte nicht zustimmt. Dies könnte man als „Sanktion" für eine erst spät erfolgte Antragstellung begreifen. Indes können sich auch erst in der Hauptverhandlung Aspekte ergeben, beispielsweise ein Geständnis des Beschuldigten, die einen Adhäsionsantrag erst Erfolg versprechend erscheinen lassen. Daher ist eine „Zustimmungslösung" kritisch zu sehen.

Die Umfrage hat den Vorschlag erbracht, dass das Gericht im Moment der Zustellung der Anklage zusätzlich dem Verletzten eine Frist von zwei Wochen vor Beginn der Hauptverhandlung auferlegen sollte, um einen Adhäsionsantrag im anhängigen Strafverfahren zu stellen[203]. Verstreicht diese Frist, wäre gewährleistet, dass keine überraschenden Adhäsionsanträge mehr gestellt würden. Nach Fristende vorliegende Adhäsionsanträge wären unzulässig. Der Verfügung müsste ein umfassendes Informationsblatt für den Verletzten beigegeben werden, das ihn über seine Handlungsmöglichkeiten aufklärt[204]. Damit würde auch das in der Umfrage als großes Manko identifizierte Problem sehr spät vorliegender Anträge vermieden. Rechtstechnisch müsste hierfür § 404 Abs. 1 S. 1 StPO geändert werden. Diese „Fristenlösung" hat den Reiz, dass sie den Verfahrensbeteiligten Klarheit darüber verschafft, ob im laufenden Verfahren noch ein Adhäsionsantrag zu erwarten ist. Gegen sie spricht indes, dass sie auch dazu taugt, den Verletzten frühzeitig vom Verfahren fernzuhalten. Die Lösung scheint nicht geeignet, die Verfahrensziele des Adhäsionsverfahrens zu stärken. Ergeben sich erst im Hauptverfahren neue Tatsachen, die einen Anspruch des Verletzten begründen, so könnte er keine Adhäsionsentscheidung mehr herbeiführen, falls er die Frist zuvor versäumt hat. Eine möglichst umfassende Adhäsionsmöglichkeit ist vor dem Hintergrund des Opferschutzes vorzugswürdig.

Begrüßenswert ist die Zielsetzung, dass keine von vornherein sinnlosen Anträge den Lauf des Strafverfahrens beeinträchtigen sollen. Ein gesetzgeberisches Eingreifen wäre erst dann erforderlich, wenn dieses Ziel nicht auf andere Weise erreicht werden kann[205]. Zunächst erscheint es zielführender, durch eine – ohnehin wünschenswerte – verstärkte Information auf eine rechtzeitige Antragstellung hinzuwirken. Informationsblätter für den Verletzten müssten den deutlichen Hinweis enthalten, welche Folgen eine (sehr) späte Antragstellung haben kann[206]. Rechtsanwälte sollten diese Folge bei ihrer Beratung bedenken. Eine Antragstellung, die in der Hauptverhandlung nicht direkt nach Beginn der Beweisaufnahme

---

[203] Siehe oben S. 238.

[204] Es müsste Informationen über die Antragstellung enthalten, über den Ablauf des Verfahrens, die Entscheidungsmöglichkeiten des Gerichts (insbesondere die „Gefahr einer Absehensentscheidung") sowie die Möglichkeit der Prozesskostenhilfe.

[205] Dann müssten verschiedene Zeitpunkte (z. B. spätestens zur Eröffnung des Hauptverfahrens; spätestens vier Wochen vor der Hauptverhandlung; zu Beginn/Ende der Beweisaufnahme) abgewogen werden.

[206] Nämlich das Risiko einer Absehensentscheidung wegen Nichteignung (§ 406 Abs. 1 S. 4 StPO) sowie die etwaige Kostenfolge (§ 472a Abs. 2 StPO).

B. Probleme des Adhäsionsverfahrens und Lösungsansätze   373

vorliegt, dürfte in der Regel wenig erfolgversprechend sein. Der Angeklagte muss die Möglichkeit haben, sich auf die Verteidigung gegen den Antrag namentlich auch zur Höhe einzustellen. Dennoch sollte der zeitlich mögliche Bereich der Antragstellung nicht durch den Gesetzgeber vorgezogen werden[207].

3. Beschränkte Rechtsmittel

Die Ausgestaltung des Rechtsbehelfssystems im Adhäsionsverfahren ist ebenfalls ein kritikwürdiger Punkt. Dieser bezog sich vor allem auf einen fehlenden Rechtsbehelf gegen die Absehensentscheidung (§ 405 S. 2 StPO a. F.). Die neu geschaffene Beschwerde ist in der praktischen Handhabung jedoch schwierig[208]. Darüber hinaus stehen dem Antragsteller keine Rechtsbehelfe zu. Der Rechtsvergleich hat im Rechtsmittelsystem Unterschiede zu den §§ 403 ff. StPO offenbart. Diese sollen an dieser Stelle auf ihre Übertragbarkeit in das deutsche Recht untersucht werden.

Zunächst stellt sich die Frage, ob auch dem Antragsteller gegen eine zusprechende Adhäsionsentscheidung ein Rechtsmittel zustehen sollte. Dies ist allerdings von vornherein abzulehnen. Das Rechtsmittel würde der Antragsteller nur einlegen, wenn die Adhäsionsentscheidung des Strafgerichts hinter seinen Erwartungen zurückgeblieben ist, wenn beispielsweise das Gericht nur ein Grundurteil erlassen hat oder der Umfang eines Schmerzensgeldes als zu gering angesehen wird. Nach der derzeitigen Konzeption kann der Antragsteller lediglich auf dem Zivilrechtsweg Klage einreichen. Dabei sollte es auch verbleiben. Sicherlich wäre es aus Sicht des Antragstellers positiv, wenn er noch im Strafverfahren ein Rechtsmittel einlegen könnte. Eine solche Möglichkeit widerspräche indes völlig der Rechtsmittelsystematik. Die erforderliche Beschwer ist beim Antragsteller nicht zu erkennen, wenn die Adhäsionsentscheidung lediglich hinter seinen Erwartungen zurückbleibt. Für den (aus seiner Sicht) „fehlenden" Teil ist der Zivilrechtsweg offen. Anders als bei der Absehensentscheidung kann die Beschwer auch nicht aus den bis dahin aufgewendeten, sich als sinnlos herausstellenden Mühen der Rechtsverfolgung hergeleitet werden[209]. Er konnte durch den Adhäsionsantrag zumindest einen Teilerfolg erzielen. Daher empfiehlt sich eine Änderung an dieser Stelle nicht.

Die StPO-DDR sah vor, dass nicht mehr das Strafgericht entscheiden muss, wenn allein gegen die Adhäsionsentscheidung ein Rechtsmittel eingelegt wur-

---

[207] Vorstellbar ist, dass die Regelung nochmals diskutiert werden muss, wenn es in künftigen Verfahren vermehrt Beschwerden über eine sehr späte Antragstellung und deren (negative) Folgen gibt.

[208] Siehe die Ausführungen in Kapitel 2 B. IV. 2. b).

[209] Dies ist der wesentliche Gedanke für die Rechtfertigung der sofortigen Beschwerde (§ 406a Abs. 1 S. 1 StPO).

374 Kap. 5: Chancen für das Adhäsionsverfahren

de[210]. Sinn dieser Regelung war, dass das Strafgericht nicht allein eine zivilrecht-liche Entscheidung treffen sollte. Nach § 406a Abs. 2 S.1 StPO entscheidet in derartigen Fällen allein das Strafgericht. Daraus ergibt sich die Frage, ob über ein allein gegen die Adhäsionsentscheidung eingelegtes Rechtsmittel des Be-schuldigten[211] das Zivilgericht entscheiden sollte. Die Folge wäre ein „Rechts-wegwechsel". Hierfür spricht tatsächlich, dass das Strafgericht dann davor be-wahrt bleibt, allein zivilrechtliche Fragen zu entscheiden. Dagegen spricht, dass das Strafgericht mit dem Sachverhalt vertraut ist. Weiterhin ändert sich bei der isolierten Anfechtung der Adhäsionsentscheidung der Sachverhalt auch nicht mehr, da er durch das in Rechtskraft erwachsene Urteil bereits umrissen ist. Müsste sich ein Zivilgericht wieder in die Materie einarbeiten, wäre dies aus justizökonomischen Gründen eher kontraproduktiv. Eine diesbezügliche Ände-rung sollte daher unterbleiben.

Zuletzt ist die Frage zu klären, ob der Staatsanwaltschaft eine umfassende Rechtsmittelberechtigung in Bezug auf die Adhäsionsentscheidung zukommen sollte, wie es die neue Schweizer StPO vorsieht und die StPO-DDR vorsah. Grund für eine solche Ausweitung könnte sein, dass dadurch die Staatsanwalt-schaft die Möglichkeit erhielte, aus ihrer Sicht vorhandene rechtliche Fehler auch im Hinblick auf die Adhäsionsentscheidung zu rügen[212]. Eine solche Ausweitung ist aber gänzlich abzulehnen. Allein ein Hinweis auf die personellen Ressourcen der Staatsanwaltschaften spricht bereits dagegen. Letztlich ist auch nur schwer vorstellbar, dass die Staatsanwaltschaft von sich aus die Rechtsmittelinitiative er-greift.

4. Ergebnis

Die dargestellten Schwächen der rechtlichen Ausgestaltung lassen sich abmil-dern. Möglichen Ausweichtendenzen der Gerichte vor einer positiven Adhäsions-entscheidung kann begegnet werden, wenn sie auch im Strafbefehlsverfahren zu-gelassen wird und Richter bei der Einstellung des Verfahrens vermehrt Wieder-gutmachungsauflagen anordnen. Einer späten Antragstellung sollte nicht mit einer gesetzlichen Vorverlegung des letztmöglichen Antragszeitpunkts begegnet werden. Vielmehr sollten Informationsblätter auf die Nachteile einer späten An-tragstellung hinweisen. Eine Ausweitung des Rechtsmittelsystems ist abzulehnen.

---

[210] Die Zuständigkeit wechselte vielmehr je nach Anspruchsart zum Zivil- oder Ar-beitsgericht.

[211] Dem Antragsteller steht ein Rechtsmittel nicht zu.

[212] Nach der StPO-DDR war die Staatsanwaltschaft von Gesetzes wegen zur aktiven Hilfestellung zugunsten des Verletzten verpflichtet.

VII. Zusammenfassung

In praktischer Hinsicht sind es vor allem sechs Problemkreise, die einer Steigerung der praktischen Bedeutung des Adhäsionsverfahrens im Weg stehen. Als wichtigster Aspekt erscheint dabei, dass ein erhebliches Informationsdefizit auf Seiten des Verletzten auszumachen ist. In geringem Maß gilt dies auch für die am Verfahren beteiligten Juristen. Der Gesetzgeber hat zwar Hinweispflichten vorgesehen, die bisher allerdings nicht die gewünschte Breitenwirkung entfaltet haben[213]. Ohne eine Beseitigung oder zumindest die Verringerung dieses Defizits kann eine Stärkung des Verfahrens nicht gelingen.

Ein hiermit verwandtes Problem kann in einer „psychologischen Hemmschwelle" bei Richtern im Umgang mit dem Adhäsionsverfahren gesehen werden. Durch seine Seltenheit fehlen bei den Gerichten Erfahrungswerte, wie ein solches Verfahren effizient in das Strafverfahren integriert werden kann. Dies begünstigt die Tendenz, möglichst von einer Adhäsionsentscheidung abzusehen. Eine verbesserte Fort- und Weiterbildung für die Strafrichter sollte dazu führen, derartige Hemmschwellen abzubauen. Insbesondere die Anwendung der deliktsrechtlichen Anspruchsgrundlage aus § 823 Abs. 2 BGB sollte in rechtlicher Hinsicht keine Probleme bereiten.

Eine Erweiterung der Zulässigkeitsvoraussetzungen könnte gewissermaßen „automatisch" dazu beitragen, die praktische Bedeutung des Verfahrens zu steigern und damit seine Zielsetzungen zu verwirklichen. Die Untersuchung des Anwendungsbereichs zeigte, dass die gesetzlichen Voraussetzungen bereits recht weit sind. Die meisten der in der Literatur vorgeschlagenen Erweiterungen sind daher nicht zu empfehlen. Erwogen werden sollte dagegen die Ausdehnung auf den Bereich des Strafbefehlsverfahrens, die Zulassung arbeitsrechtlicher Ansprüche sowie die Versagung von Prozesskostenhilfe im Zivilverfahren, wenn ein vorhergehender Adhäsionsantrag möglich ist.

Strukturelle Unterschiede zwischen Straf- und Zivilprozess waren nicht in einem solchen Ausmaß festzustellen, dass die gesetzlichen Bestimmungen angepasst werden müssten.

Die pensenmäßige Berücksichtigung des Adhäsionsverfahrens hat sich als Hemmschuh für einen wesentlichen Akteur im Adhäsionsverfahren, das Gericht, herausgestellt. An dieser Stelle könnte ein großzügigerer Schlüssel recht leicht zu einer erhöhten Attraktivität führen, da dann nicht mehr befürchtet werden müsste, dass Gerichte aus diesem Grund Zuflucht in anderen Erledigungsformen suchen.

Weiterhin hat sich gezeigt, dass eine „Flucht in den Strafbefehl oder die Einstellung" de lege ferenda abgemildert werden, indem eine Adhäsionsentschei-

---

[213] Vgl. auch Bockemühl-*Hohmann* (2009), F3 Rn. 3, der zu Recht feststellt, dass die „Papierform" des Adhäsionsverfahrens besser als ihr Ruf sei.

376   Kap. 5: Chancen für das Adhäsionsverfahren

dung im Strafbefehlsverfahren zugelassen wird, und wenn die Gerichte bei Einstellungen nach § 153 a StPO vermehrt auf die Schadenswiedergutmachungsauflage wert legen. Eine im Prozessverlauf sehr späte Antragstellung kann durch eine verbesserte Information des Antragstellers vermieden werden. Das Rechtsmittelsystem erwies sich im Adhäsionsverfahren als sachgerecht.

Insgesamt erscheinen die meisten in der Praxis beschriebenen Probleme ihre Ursache nicht in einer unzureichenden gesetzlichen Ausgestaltung zu haben. Die fehlende Effektivität des Verfahrens liegt vielmehr an fehlenden Kenntnissen über Aufgabe, Voraussetzungen und Ablauf des Adhäsionsverfahrens und in seiner nicht gesetzeskonformen Handhabung.

C. Zusammenfassung:
Konsequenzen für die zukünftige Behandlung des Adhäsionsverfahrens

I. Folgen für die am Adhäsionsverfahren Beteiligten

Auch sechs Jahre nach seiner Reform ist das Adhäsionsverfahren keineswegs ein „Selbstläufer". Die hier für unbedingt notwendig erachtete Verbesserung der Informationssituation um das Adhäsionsverfahren hat primär Folgen für die Strafrechtspflege. Im Hinblick auf den Verletzten ist es erforderlich, dass schon die Staatsanwaltschaft im Ermittlungsverfahren den ihr nach Nr. 173 RiStBV zukommenden Pflichten nachkommt. Wünschenswert ist hier ein abgestimmtes, bundeseinheitliches Informationsblatt[214]. Die Antragstellung sollte formulargestützt möglich sein. Generell sollte das Gericht zunächst überprüfen, ob die nach § 406h StPO erforderlichen Hinweise gegeben wurden, wenn Verfahrensakten von der Staatsanwaltschaft zum Gericht übergehen. Gegebenenfalls kann es ihn dann zeitnah nachholen. Gefordert wird hier allein eine fundierte Hinweisstellung, nicht etwa eine ausführliche Rechtsberatung. Dies erscheint ohne größeren personellen und zeitlichen Aufwand möglich zu sein. Die hier favorisierte Steigerung der Informationsdichte sollte zu einer moderaten Anwendungssteigerung des Adhäsionsverfahrens führen. Dies wiederum würde die Zielsetzungen des Verfahrens stärken. Damit wird sicherlich eine Mehrbelastung in der Strafrechtspflege einhergehen. Ein sprunghafter Anstieg, der nicht bewältigt werden kann, ist aber kaum zu erwarten. Im Rahmen der justizinternen Informationen, Schulungen und Weiterbildungen ist insbesondere die Justizverwaltung gefordert, eine

---

[214] Begrüßenswerte Vorschläge, wie ein solches inhaltlich gestaltet sein sollte, gibt es genügend, vgl. Weiner/Ferber-*Wolf* (2008), Rn. 273; *Klein* (2007), S. 283; *K. Schroth* (2003), Rn. 494 ff.; *Klaus* (2000), S. 231 f.; *Rössner/Klaus,* NJ 1996, 288, 293.

C. Zusammenfassung

qualitativ und quantitativ ausreichende Fortbildung für Richter zu gewährleisten[215]. Als sinnvoll wird zunächst die bundeseinheitliche Anlage einer Musterakte angesehen, die über die mittlerweile flächendeckend vorhandenen elektronischen Informationsquellen jedem Richter zugänglich sein sollte. In ihr sollte die Einbettung des Adhäsionsverfahrens in den Ablauf des Strafverfahrens anschaulich dargestellt werden. Darüber hinaus sollte sie Beispiele für die verschiedenen Entscheidungsmöglichkeiten aufweisen. Die häufigsten zivilrechtlichen Tenorierungen sollten aufgenommen werden. Weiterhin sollte im Rahmen von justizinternen Veranstaltungen die Grundstruktur des Adhäsionsverfahrens erläutert werden. Insbesondere erscheint es wichtig, dass die Anwendung deliktsrechtlicher Anspruchsgrundlage – und hier insbesondere § 823 Abs. 2 BGB – in vielen Fällen ohne größeren Aufwand zu einer zusprechenden Adhäsionsentscheidung führen dürfte. Auf diese Weise können psychologische Hemmschwellen abgebaut werden.

Das Adhäsionsverfahren ist ein wertvoller Baustein innerhalb der verschiedenen Optionen, die es für die Wiedergutmachung der aus einer Straftat resultierenden Folgen gibt. Das Verfahren kann seine Zielsetzungen erfüllen, indem es einen vollstreckbaren Titel gegen den Beschuldigten beschafft. Daher ist es zweckmäßig für den Gesetzgeber, das Adhäsionsverfahren weiterhin zu verfolgen. Die Ausgestaltung der §§ 403 ff. StPO ist grundsätzlich sachgerecht. Während der Gesetzgeber angesichts der bereits bestehenden gesetzlichen Hinweispflichten kaum tätig werden muss, ist er jedoch gefordert, zu einer Attraktivitätssteigerung beizutragen. Vor diesem Hintergrund bestehen folgende konkrete Änderungsempfehlungen:

– Die §§ 403 ff. StPO sollten umformuliert werden, um ihren Regelungsgehalt zu verdeutlichen. Insbesondere die Aufnahme einer § 397 StPO nachgebildeten Vorschrift über die Rechtsstellung des Antragsstellers erscheint erforderlich. Darüber hinaus empfiehlt sich eine übersichtlichere Fassung des § 406 Abs. 1 StPO, der die Entscheidungsmöglichkeiten des Gerichts regelt.

– Das Adhäsionsverfahren sollte grundsätzlich im Rahmen des Strafbefehlsverfahren zugelassen werden. Die genaue Ausgestaltung muss darauf Rücksicht nehmen, dass das Strafbefehlsverfahren seinen Charakter als schnelles und einfaches Verfahren bewahrt. Dennoch sollte das Gericht aufgrund des im Strafbefehlsantrag umrissenen Sachverhaltes auch zivilrechtliche Ansprüche des Antragstellers tenorieren dürfen, wenn keinerlei weitere Erhebungen mehr nötig sind[216]. Konkret müssen hierfür einige Änderungen vorgenommen werden.

---

[215] Vgl. zur Diskussion um die Gestaltung einer effektiven Richterfortbildung den im Gesetzgebungsprozess zum 2. Justizmodernisierungsgesetz vorgesehenen, aber nicht umgesetzten § 43 a DRiG, der die Fortbildung der Richter zum Gegenstand hatte (ausführlich BT-Drs. 16/3038 S. 27) sowie *Balzer*, DRiZ 2007, 88.

[216] Vgl. zur genauen Konzeption oben S. 348.

378 Kap. 5: Chancen für das Adhäsionsverfahren

Zunächst sollte ein Satz 5 in § 407 Abs. 1 StPO klarstellen, dass der Strafbefehlsantrag der Staatsanwaltschaft auch enthält, dass das Gericht über den vorliegenden Adhäsionsantrag entscheiden soll. Ergänzend muss geregelt werden,
dass sich die Tätigkeit der Staatsanwaltschaft darin erschöpft, die gerichtliche
Entscheidung zu beantragen. Damit wird verhindert, dass die Staatsanwaltschaft einen Tenorierungsvorschlag unterbreitet. Die den Inhalt des Strafbefehls bestimmende Vorschrift des § 409 Abs. 1 S. 1 StPO muss um die Adhäsionsentscheidung nach § 406 Abs. 1 S. 1 StPO ergänzt werden, ebenso die in
§ 409 Abs. 1 S. 1 Nr. 7 StPO vorgesehene Belehrung. Für den Einspruch des
Beschuldigten, der sich allein gegen die Adhäsionsentscheidung des Strafbefehls richten kann, muss in § 410 StPO eine entsprechende Geltung von
§ 406a Abs. 2 StPO angeordnet werden. Zuletzt sind verschiedene Regelungen der §§ 403 ff. StPO im Strafbefehlsverfahren für nicht anwendbar zu erklären. Hierzu gehören die Zustellung des Antrags (§ 404 Abs. 1 S. 3 StPO)
und die Möglichkeit der Prozesskostenhilfe (§ 404 Abs. 5 StPO).

– Der Gesetzgeber sollte das Adhäsionsverfahren auch für Ansprüche öffnen, für
die das Arbeitsgericht zuständig ist. Dies kann durch Streichung der Wendung
„der zur Zuständigkeit der ordentlichen Gerichte gehört" in § 403 StPO leicht
verwirklicht werden[217].

– Im Recht der Prozesskostenhilfe sollte angeordnet werden, dass für ein Zivilverfahren nur dann Prozesskostenhilfe gewährt werden kann, wenn wegen desselben Anspruchs nicht auch ein vorhergehender Adhäsionsantrag gestellt werden könnte. Ansonsten handelt der Prozesskostenhilfeantragsteller „mutwillig"
gem. § 114 Abs. 1 S. 1 ZPO.

Durch diese Änderungen würde weder in den Ablauf des Strafverfahrens in zu
starkem Ausmaß eingegriffen, noch in einem unerlaubten Maß in die verfassungsrechtlich geschützte Stellung des Beschuldigten.

II. Resümee

Die Arbeit beabsichtigte, einen dogmatischen, rechtstatsächlichen und rechtsvergleichenden Beitrag zum Adhäsionsverfahren zu leisten. Trotz jahrhundertelanger Rechtsentwicklung und einer über 65 jährigen Regelungstradition in der
StPO kommt dem Adhäsionsverfahren im deutschen Strafrecht nur eine untergeordnete praktische Bedeutung zu. Diese Arbeit versuchte, fünf Jahre nach dem
Opferrechtsreformgesetz eine umfassende Bestandsaufnahme des Adhäsionsverfahrens zu unternehmen und aus ihr Folgerungen für dessen künftige Entwicklung zu ziehen.

---

[217] Vgl. oben S. 353.

C. Zusammenfassung

Die Zwecke des Adhäsionsverfahrens sind justizökonomischer und opferschützender Art. Der Opferschutzgedanke ist dabei die tragende Säule, da er es dem Verletzten ermöglichen soll, zügig zu einem zivilrechtlich vollstreckbaren Titel zu gelangen. Die Durchsetzung dieser Zwecke kann mit den Zielen und Aufgaben des Strafverfahrens allgemein kollidieren. Adhäsions- und Strafverfahren stehen in einer Wechselwirkung. Ein Adhäsionsverfahren kann nur solange Teil des Strafverfahrens sein, wie dessen Zwecke noch erreicht werden können. Wird das Strafverfahren in zu starkem Maß vom Adhäsionsverfahren dominiert, besteht für die Behandlung zivilrechtlicher Ansprüche im Strafverfahren kein Raum. Dann muss das Strafgericht von einer Entscheidung über den Antrag absehen.

Das Adhäsionsverfahren kommt nur auf einen Antrag des Verletzten hin zustande. Seine zivilrechtlichen Ansprüche werden also nicht von Amts wegen im Strafverfahren behandelt. Eine negative Sachentscheidung muss der Antragsteller nicht befürchten, vielmehr kann das Gericht allenfalls von einer Entscheidung über die geltend gemachten Ansprüche absehen. Der Zivilrechtsweg bleibt dem Verletzten weiterhin offen. Grundsätzlich kann eine Adhäsionsentscheidung nur dann ergehen, wenn das Gericht den Beschuldigten wegen der zur Anspruchsentstehung führenden Handlung auch gleichzeitig verurteilt oder eine Maßregel verhängt (Akzessorietät). Rechtsbehelfe stehen dem Antragsteller, abgesehen von der unter engen Voraussetzungen stehenden sofortigen Beschwerde nach § 406a Abs. 1 S. 1, nicht zu. Für das Strafgericht besteht die Pflicht, den zivilrechtlichen Anspruch möglichst weitreichend zu entscheiden. Eine Absehensentscheidung ist nur dann möglich, wenn weder ein Urteil (auch als Teilentscheidung) noch ein Vergleich in Frage kommt. Das Adhäsionsverfahren folgt den Regeln der StPO. Auf zivilverfahrensrechtliche Bestimmungen ist nur dann zurückzugreifen, wenn keine ausdrückliche strafprozessrechtliche Regelung existiert und sich die Regelungslücke auch nicht mit der Anwendung strafprozessualer Grundsätze schließen lässt.

Breiten Raum nahm die Darstellung des geltenden Adhäsionsrechts ein. Antragsberechtigter Verletzter ist jeder, der behauptet, im Zeitpunkt der Tathandlung (spätestens des Erfolgseintritts) der angeklagten Tat den im Antrag angegebenen Anspruch erworben zu haben. Dieser adhäsionsspezifische Verletztenbegriff knüpft an den zivilrechtlichen Anspruch an. Die Arbeit zeigte, auf welche Weise ein Adhäsionsantrag in den Ablauf der Hauptverhandlung integriert werden kann. Das Gericht muss zunächst die Zulässigkeitsvoraussetzungen des Antrags prüfen. Wann es Beweis über die den Anspruch betreffenden Tatsachen erhebt, liegt dagegen in seinem Ermessen. Ausführlich erörtert wurde die Rechtsstellung des Verletzten. Gesetzlich bestimmt ist lediglich ein Teilnahmerecht an der Hauptverhandlung. In verfassungskonformer Auslegung (Art. 103 Abs. 1 GG) umfasst das Teilnahmerecht weitere Befugnisse, die dazu führen, dass die Rechtsstellung des Antragstellers insgesamt weder als schwach noch als unzureichend beschrieben werden kann. Ihm steht das Recht auf Unterstützung eines ihn bera-

380 Kap. 5: Chancen für das Adhäsionsverfahren

tenden Rechtsanwalts, auf Stellungnahme zu den geltend gemachten Ansprüchen sowie auf Einflussnahme im Strafverfahren zu. Alle diese Rechte sind beschränkt auf die Geltendmachung des Anspruchs. Bei letzterem ist insbesondere bedeutsam, dass der Antragsteller Beweisanträge stellen kann. Entscheidende Grenze für die Ausübung seiner Rechte ist, dass er nur dann und nur soweit tätig werden kann, wie zumindest auch die zivilrechtliche Seite betroffen ist. Unzulässig ist jede Handlung, die allein den strafrechtlichen Prozessgegenstand betrifft.

Ein weiterer Schwerpunkt bestand in der Darstellung der drei Entscheidungsmöglichkeiten des Gerichts über den Adhäsionsantrag, nämlich Urteil, Vergleich und Absehensentscheidung. Sie können kombiniert werden, wenn etwa nur ein Teil des Anspruches zugesprochen wird, über den Rest aber eine Absehensentscheidung ergeht. Die Absehensentscheidung ist subsidiär zu den anderen beiden Entscheidungsformen; sie kann nur dann und nur soweit ergehen, wie kein Adhäsionsurteil möglich ist und das Gericht auch keinen Vergleich in das Protokoll aufnimmt. Die Absehensentscheidung des Gerichts wurde systematisch dargestellt und erläutert. Der in der Praxis bedeutsamste Fall ist derjenige, dass der Adhäsionsantrag zu einer Entscheidung im Strafverfahren nicht eignet. Dies ist dann gegeben, wenn nach dem Gesamteindruck des bisherigen Verfahrensablaufs eine Adhäsionsentscheidung keine Gewähr dafür bietet, dass die Zwecke des Adhäsionsverfahrens erfüllt werden. Einige Indizien (z.B. Unterbrechung der Hauptverhandlung; Vielzahl von Anträgen) können für eine Nichteignung sprechen.

Den bisher nur dem Beschuldigten zustehenden Rechtsmitteln im Adhäsionsverfahren hat das Opferrechtsreformgesetz die sofortige Beschwerde nach § 406a Abs. 1 S. 1 StPO hinzugefügt. Mit ihr kann der Antragsteller eine Absehensentscheidung wegen Nichteignung anfechten. Ihre Ausgestaltung ist mit praktischen Schwierigkeiten verbunden. Ihr enger Anwendungsbereich und der fehlende Devolutiveffekt führen dazu, dass sie nicht die ihr zugedachte Aufgabe erfüllen kann. Ihr Wert besteht allein in einer gering ausgeprägten Abschreckungswirkung.

Zur Ergänzung der Bestandsaufnahme wurde eine Onlineumfrage unter deutschen Strafrichtern durchgeführt. Die Ergebnisse von insgesamt 790 auswertbaren Fragebögen bestätigte die verbreitete Einschätzung, dass dem Adhäsionsverfahren in der gerichtlichen Praxis keine entscheidende Rolle zukommt. Dennoch konnte nicht von einem „adhäsionsfeindlichen" Klima unter den Teilnehmern gesprochen werden. Weiterhin diente die Umfrage dazu, praktische Problemstellungen zu identifizieren. Diese bestehen besonders in einem ausgeprägten Informationsdefizit über das Verfahren und in Schwierigkeiten für die Gerichte, Zivil- und Strafrecht zu kombinieren. Dies kann zu einer „psychologischen Hemmschwelle" führen.

In einem rechtsvergleichenden Teil skizzierte die Arbeit das Adhäsionsverfahren in Österreich sowie der Schweiz, ergänzt um die Darstellung des Verfahrens

C. Zusammenfassung 381

in der DDR. Das Verfahren folgt in allen drei Rechtsordnungen demselben Grundmechanismus. In Österreich und der Schweiz sind ganz ähnliche Phänomene der aus Deutschland bekannten Anwendungsschwierigkeiten und der daraus resultierenden praktischen Bedeutungslosigkeit festzustellen. Jedoch scheint dem Verfahren dort eine – wenn auch nur leicht – größere Akzeptanz zu teil zu werden. Das Verfahren in der DDR unterschied sich hiervon insbesondere dadurch, dass im Vergleich zum heutigen Adhäsionsverfahren eine wesentlich höherer Bekanntheitsgrad bei den beteiligten Juristen aber auch bei den Geschädigten vorlag, und dass sich die Bemühungen des Gesetzgebers um eine Schadenswiedergutmachung auf das Schadensersatzverfahren und weniger auf andere Möglichkeiten konzentrierten. Es ergaben sich Unterschiede in der rechtlichen Ausgestaltung, die für die Diskussion der künftigen Behandlung des deutschen Verfahrens verwendet werden konnten.

III. Ausblick

Das Adhäsionsverfahren sollte weiter verfolgt werden. Dabei kann es nicht darum gehen, eine wesentliche Steigerung der Anwendungszahlen erreichen zu wollen. Denn es ist kein zentrales Element innerhalb der opferschützenden Rechtsinstitute[218], aber dennoch ein wertvolles. Es ist nicht als privilegierte Durchsetzung zivilrechtlicher Ansprüche[219] anzusehen, sondern als Option, als Angebot des Gesetzgebers an den Verletzten, eine andere Art der Anspruchsverfolgung zu wählen.

Das Adhäsionsverfahren hat eine Zukunft. Und damit ist nicht gemeint, dass es weiterhin als – um mit *Jeschecks* viel zitierter Aussage zu sprechen[220] – „totes Recht" in der kommenden Entwicklung der StPO und des gesamten Strafverfahrens „mitgeschleppt" wird. Vielmehr erscheint eine moderate Steigerung der Anwendungszahlen auf leichte Art möglich. Der entscheidende Aspekt dafür liegt in einer wesentlich verbesserten Information der Beteiligten[221]. Flankiert werden kann dies durch einige behutsame Attraktivitätssteigerungen, die der Gesetzgeber problemlos in das Verfahren integrieren könnte. Hier sind zu nennen: eine moderate Ausdehnung des Anwendungsbereichs des Adhäsionsverfahrens auf das Strafbefehlsverfahren; eine Erweiterung auf Ansprüche, die auf dem Arbeitsgerichtsweg behandelt werden; eine klarstellende Umformulierung von § 406

---

[218] Stichwortartig seien genannt: umfassende Informationsrechte; Zeugenschutzmaßnahmen; Formen der Beteiligung am Strafverfahren; Rechtsinstitute zur Wiedergutmachung.

[219] *Köckerbauer,* NStZ 1994, 305, 307.

[220] *Jescheck,* JZ 1958, 591, 593.

[221] Vgl. die Vorschläge unter Kapitel 5: B. I. 3. (einheitliche Hinweisblätter, formulargestützte Antragstellung, Musterakte).

Abs. 1 StPO; eine Regelung der Rechtsstellung des Antragstellers im Adhäsionsverfahren und des konkreten Ablaufs des Verfahrens in der Hauptverhandlung.

Einschätzungen der praktischen Bedeutung des Adhäsionsverfahrens sollten in Zukunft nicht mehr als erstes darin bestehen, seine Seltenheit und Exotik betonen zu müssen. Sowohl die Verletzten einer Straftat als auch die Rechtspflege insgesamt würden davon profitieren.

Anhang 1

Statistiken des Statistischen Bundesamtes

Quelle: Eigene Berechnung und Statistisches Bundesamt, Statistik Rechtspflege Strafgerichte, Fachserie 10 Reihe 2.3, Jahre 1999 bis 2009.

N = Anzahl der Adhäsionsentscheidungen.

Adhäsionsurteile der Oberlandesgerichte werden in der Statistik nicht berücksichtigt,
da ihre Zahl verschwindend gering ist. So gab es vor allen Oberlandesgerichten in den
Jahren 2009 und 2008 nur 1 bzw. 3 Adhäsionsurteile (jeweils OLG Düsseldorf), im Jahr
2007 ein Urteil (OLG München) und im Jahr 2006 nur zwei Urteile (OLG Düsseldorf).

I. Gesamtzahl der erstinstanzlichen Adhäsionsentscheidungen in den Jahren 1999 bis 2009

1. Bundesweit

1	2	3	4	5	6	7	8	9	10
			Insgesamt			*davon Grundurteile*		*davon Vergleiche*	
Jahr	*Verfahren*	*Verurt.*	N	% v. 3	% v. 2	N1	% v. 4	N2	% v. 4
1999	876.775	416.658	2.663	0,64%	0,30%	179	6,72%	–	–
2000	860.133	411.077	3.242	0,79%	0,38%	81	2,50%	–	–
2001	852.397	406.642	3.674	0,90%	0,43%	261	7,10%	–	–
2002	871.250	418.375	5.212	1,25%	0,60%	295	5,66%	–	–
2003	893.366	430.244	4.262	0,99%	0,48%	406	9,53%	–	–
2004	904.693	433.391	6.182	1,43%	0,68%	806	13,04%	–	–
1999–2004	5.258.614	2.516.387	25.235	1,00%	0,48%	2.028	8,04%	–	–
2005	905.867	429.441	5.202	1,21%	0,57%	577	11,09%	–	–
2006	864.221	406.592	2.948	0,73%	0,34%	570	19,34%	–	–
2007	858.185	400.427	4.279	1,07%	0,50%	518	12,11%	–	–
2008	858.434	399.507	5.554	1,39%	0,65%	417	7,51%	1.866	33,60%
2009	832.517	383.525	4.579	1,19%	0,55%	496	10,83%	1.217	26,58%
2005–2009	4.319.224	2.019.492	22.562	1,12%	0,52%	2.578	11,43%	–	–

2. Getrennt nach alten und neuen Ländern

1	2	3	4	5	6	7	8	9	10
neue Länder (ohne Berlin)									
			Insgesamt			*davon Grundurteile*		*davon Vergleiche*	
Jahr	*Verfahren*	*Verurt.*	N	% v. 3	% v. 2	N1	% v. 4	N2	% v. 4
1999	169.685	74.535	389	0,52%	0,23%	9	2,31%	–	–
2000	166.429	73.423	815	1,11%	0,49%	14	1,72%	–	–
2001	162.706	71.789	1.205	1,68%	0,74%	42	3,49%	–	–
2002	165.520	73.687	1.575	2,14%	0,95%	110	6,98%	–	–
2003	169.450	76.507	1.614	2,11%	0,95%	79	4,89%	–	–
2004	166.382	75.298	1.691	2,25%	1,02%	215	12,71%	–	–
1999–2004	1.000.172	445.239	7.289	1,64%	0,73%	469	6,43%	–	–
2005	158.506	71.826	1.028	1,43%	0,65%	218	21,21%	–	–
2006	148.476	65.803	619	0,94%	0,42%	127	20,52%	–	–
2007	145.955	64.101	666	1,04%	0,46%	127	19,07%	–	–
2008	145.298	63.322	1.434	2,26%	0,99%	164	11,44%	803	56,00%
2009	138.742	59.465	1.084	1,82%	0,78%	236	21,77%	319	29,43%
2005–2009	736.977	324.517	4.831	1,49%	0,66%	872	18,05%	–	–
alte Länder									
			Insgesamt			*davon Grundurteile*		*davon Vergleiche*	
Jahr	*Verfahren*	*Verurt.*	N	% v. 3	% v. 2	N1	% v. 16	N2	% v. 4
1999	707.090	342.123	2.274	0,66%	0,32%	21	0,92%	–	–
2000	693.704	337.654	2.427	0,72%	0,35%	17	0,70%	–	–
2001	689.691	334.853	2.469	0,74%	0,36%	49	1,98%	–	–
2002	705.730	344.688	3.637	1,06%	0,52%	120	3,30%	–	–
2003	723.916	353.737	2.648	0,75%	0,37%	90	3,40%	–	–
2004	738.311	358.093	4.491	1,25%	0,61%	268	5,97%	–	–
1999–2004	4.258.442	2.071.148	17.946	0,87%	0,42%	565	3,15%	–	–
2005	747.361	357.615	4.174	1,17%	0,56%	249	5,97%	–	–
2006	715.745	340.789	2.329	0,68%	0,33%	117	5,02%	–	–
2007	712.230	336.326	3.613	1,07%	0,51%	138	3,82%	–	–
2008	713.136	336.185	4.120	1,23%	0,58%	253	6,14%	1.063	25,80%
2009	693.775	324.060	3.495	1,08%	0,50%	260	7,44%	898	25,69%
2005–2009	3.582.247	1.694.975	17.731	1,05%	0,49%	1.017	5,74%	–	–

Anhang 1: Statistiken des Statistischen Bundesamtes 385

II. Gesamtzahl der erstinstanzlichen Adhäsionsentscheidungen in den Jahren 1999 bis 2009 vor den Landgerichten

1. Bundesweit

1	2	3	4	5	6	7	8	9	10
			Insgesamt			davon Grundurteile		davon Vergleiche	
Jahr	Verfahren	Verurt.	N	% v. 3	% v. 2	N1	% v. 4	N2	% v. 4
1999	14.394	10.360	124	1,20%	0,86%	16	12,90%	–	–
2000	13.952	10.146	104	1,03%	0,75%	7	6,73%	–	–
2001	13.638	9.934	164	1,65%	1,20%	15	9,15%	–	–
2002	14.204	10.305	163	1,58%	1,15%	22	13,50%	–	–
2003	14.596	10.556	154	1,46%	1,06%	13	8,44%	–	–
2004	14.066	10.319	333	3,23%	2,37%	77	23,12%	–	–
1999–2004	84.850	61.620	1.042	1,69%	1,23%	150	14,40%	–	–
2005	14.224	10.254	354	3,45%	2,49%	45	12,71%	–	–
2006	14.476	10.387	440	4,24%	3,04%	60	13,64%	–	–
2007	14.326	10.341	468	4,53%	3,27%	53	11,32%	–	–
2008	14.010	10.034	612	6,10%	4,37%	57	9,31%	159	25,98%
2009	13.924	9.805	589	6,01%	4,23%	59	10,02%	145	24,62%
2005–2009	70.960	50.821	2.463	4,85%	3,47%	274	11,12%	–	–

2. Getrennt nach alten und neuen Ländern

1	2	3	4	5	6	7	8	9	10
neue Länder (ohne Berlin)									
			Insgesamt			*davon Grundurteile*		*davon Vergleiche*	
Jahr	*Verfahren*	*Verurt.*	N	% v. 3	% v. 2	N1	% v. 4	N2	% v. 4
1999	2.121	1.393	18	1,29%	0,85%	2	11,11%	–	–
2000	1.988	1.295	19	1,47%	0,96%	2	10,53%	–	–
2001	1.974	1.314	39	2,97%	1,98%	4	10,26%	–	–
2002	1.978	1.316	39	2,96%	1,97%	6	15,38%	–	–
2003	2.045	1.360	12	0,88%	0,59%	1	8,33%	–	–
2004	1.961	1.330	81	6,09%	4,13%	12	14,81%	–	–
1999–2004	12.067	8.008	208	2,60%	1,72%	27	12,98%	–	–
2005	2.061	1.365	94	6,89%	4,56%	7	7,45%	–	–
2006	1.989	1.303	130	9,98%	6,54%	35	26,92%	–	–
2007	2.011	1.354	110	8,12%	5,47%	21	19,09%	–	–
2008	1.927	1.262	123	9,75%	6,38%	17	13,82%	24	19,51%
2009	1.980	1.308	126	9,63%	6,36%	15	11,90%	43	34,13%
2005–2009	9.968	6.592	583	8,84%	5,85%	95	16,30%	–	–
alte Länder									
			Insgesamt			*davon Grundurteile*		*davon Vergleiche*	
Jahr	*Verfahren*	*Verurt.*	N	% v. 3	% v. 2	N1	% v. 4	N2	% v. 4
1999	12.273	8.967	106	1,18%	0,86%	14	13,21%	–	–
2000	11.964	8.851	85	0,96%	0,71%	5	5,88%	–	–
2001	11.664	8.620	125	1,45%	1,07%	11	8,80%	–	–
2002	12.226	8.989	124	1,38%	1,01%	16	12,90%	–	–
2003	12.551	9.196	142	1,54%	1,13%	12	8,45%	–	–
2004	12.105	8.989	252	2,80%	2,08%	65	25,79%	–	–
1999–2004	72.783	53.612	834	1,56%	1,15%	123	14,75%	–	–
2005	12.163	8.889	260	2,92%	2,14%	38	14,62%	–	–
2006	12.487	9.084	310	3,41%	2,48%	25	8,06%	–	–
2007	12.315	8.987	358	3,98%	2,91%	32	8,94%	–	–
2008	12.083	8.772	489	5,57%	4,05%	40	8,18%	135	27,61%
2009	11.944	8.497	463	5,45%	3,88%	44	9,50%	102	22,03%
2005–2009	60.992	44.229	1.880	4,25%	3,08%	179	9,52%	237	12,61%

Anhang 1: Statistiken des Statistischen Bundesamtes 387

III. Gesamtzahl der erstinstanzlichen Adhäsionsentscheidungen in den Jahren 1999 bis 2009 vor den Amtsgerichten

1. Bundesweit

1	2	3	4	5	6	7	8	9	10
			Insgesamt			davon Grundurteile		davon Vergleiche	
Jahr	Verfahren	Verurt.	N	% v. 3	% v. 2	N1	% v. 4	N2	% v. 4
1999	862.381	406.298	2.539	0,62%	0,29%	163	6,42%	–	–
2000	846.181	400.931	3.138	0,78%	0,37%	74	2,36%	–	–
2001	838.759	396.708	3.510	0,88%	0,42%	246	7,01%	–	–
2002	857.046	408.070	5.049	1,24%	0,59%	273	5,41%	–	–
2003	878.770	419.688	4.108	0,98%	0,47%	393	9,57%	–	–
2004	890.627	423.072	5.849	1,38%	0,66%	729	12,46%	–	–
1999–2004	5.173.764	2.454.767	24.193	0,99%	0,47%	1.878	7,76%	–	–
2005	891.643	419.187	4.848	1,16%	0,54%	532	10,97%	–	–
2006	849.745	396.205	2.508	0,63%	0,30%	510	20,33%	–	–
2007	843.859	390.086	3.811	0,98%	0,45%	465	12,20%	–	–
2008	844.424	389.473	4.942	1,27%	0,59%	360	7,28%	1.707	34,54%
2009	818.593	373.720	3.990	1,07%	0,49%	437	10,95%	1.072	26,87%
2005–2009	4.248.264	1.968.671	20.099	1,02%	0,47%	2.304	11,46%	–	–

388 Anhang

2. Getrennt nach alten und neuen Ländern

1	2	3	4	5	6	7	8	9	10
neue Länder									
			Insgesamt			*davon Grundurteile*		*davon Vergleiche*	
Jahr	*Verfahren*	*Verurt.*	N	% v. 3	% v. 2	N1	% v. 4	N2	% v. 4
1999	167.564	73.142	371	0,51%	0,22%	7	1,89%	–	–
2000	164.441	72.128	796	1,10%	0,48%	12	1,51%	–	–
2001	160.732	70.475	1.166	1,65%	0,73%	38	3,26%	–	–
2002	163.542	72.371	1.536	2,12%	0,94%	104	6,77%	–	–
2003	167.405	75.147	1.602	2,13%	0,96%	78	4,87%	–	–
2004	164.421	73.968	1.610	2,18%	0,98%	203	12,61%	–	–
1999–2004	988.105	437.231	7.081	1,62%	0,72%	442	6,24%	–	–
2005	156.445	70.461	934	1,33%	0,60%	211	22,59%	–	–
2006	146.487	64.500	489	0,76%	0,33%	92	18,81%	–	–
2007	143.944	62.747	556	0,89%	0,39%	106	19,06%	–	–
2008	143.371	62.060	1.311	2,11%	0,91%	147	11,21%	779	59,42%
2009	136.762	58.157	958	1,65%	0,70%	221	23,07%	276	28,81%
2005–2009	727.009	317.925	4.248	1,34%	0,58%	777	18,29%	–	–
alte Länder									
			Insgesamt			*davon Grundurteile*		*davon Vergleiche*	
Jahr	*Verfahren*	*Verurt.*	N	% v. 3	% v. 2	N1	% v. 4	N2	% v. 4
1999	694.817	333.156	2.168	0,65%	0,31%	7	0,32%	–	–
2000	681.740	328.803	2.342	0,71%	0,34%	12	0,51%	–	–
2001	678.027	326.233	2.344	0,72%	0,35%	38	1,62%	–	–
2002	693.504	335.699	3.513	1,05%	0,51%	104	2,96%	–	–
2003	711.365	344.541	2.506	0,73%	0,35%	78	3,11%	–	–
2004	726.206	349.104	4.239	1,21%	0,58%	203	4,79%	–	–
1999–2004	4.185.659	2.017.536	17.112	0,85%	0,41%	442	2,58%	–	–
2005	735.198	348.726	3.914	1,12%	0,53%	211	5,39%	–	–
2006	703.258	331.705	2.019	0,61%	0,29%	92	4,56%	–	–
2007	699.915	327.339	3.255	0,99%	0,47%	106	3,26%	–	–
2008	701.053	327.413	3.631	1,11%	0,52%	213	5,87%	928	25,56%
2009	681.831	315.563	3.032	0,96%	0,44%	216	7,12%	796	26,25%
2005–2009	3.521.255	1.650.746	15.851	0,96%	0,45%	838	5,29%	–	–

Anhang 2

Auflistung verschiedener in der Darstellung verwendeter Vorschriften

1. StPO a. F. (Stand: 31.12.2003)

§ 403: Voraussetzungen

(1) Der Verletzte oder sein Erbe kann gegen den Beschuldigten einen aus der Straftat erwachsenen vermögensrechtlichen Anspruch, der zur Zuständigkeit der ordentlichen Gerichte gehört und noch nicht anderweit gerichtlich anhängig gemacht ist, im Strafverfahren geltend machen, im Verfahren vor dem Amtsgericht ohne Rücksicht auf den Wert des Streitgegenstandes.

(2) Der Verletzte oder sein Erbe soll von dem Strafverfahren möglichst frühzeitig Kenntnis erhalten; dabei soll er auf die Möglichkeit, seinen Anspruch auch im Strafverfahren geltend zu machen, hingewiesen werden.

§ 405: Absehen von einer Entscheidung

[1]Das Gericht sieht von einer Entscheidung über den Antrag im Urteil ab, wenn der Angeklagte einer Straftat nicht schuldig gesprochen und auch nicht eine Maßregel der Besserung und Sicherung gegen ihn angeordnet wird oder soweit der Antrag unbegründet erscheint. [2]Es sieht von der Entscheidung auch dann ab, wenn sich der Antrag zur Erledigung im Strafverfahren nicht eignet, insbesondere wenn seine Prüfung das Verfahren verzögern würde oder wenn der Antrag unzulässig ist; dies kann in jeder Lage des Verfahrens auch durch Beschluß geschehen.

§ 406: Entscheidung

(1) [1]Soweit der Antrag nach dem Ergebnis der Hauptverhandlung begründet ist, gibt ihm das Gericht im Urteil statt. [2]Die Entscheidung kann sich auf den Grund oder einen Teil des geltend gemachten Anspruchs beschränken; § 318 der Zivilprozeßordnung gilt entsprechend.

(2) [1]Das Gericht kann die Entscheidung für vorläufig vollstreckbar erklären. [2]Es kann die vorläufige Vollstreckung von einer Sicherheitsleistung abhängig machen; es kann auch dem Angeklagten gestatten, sie durch Sicherheitsleistung abzuwenden. [3]Diese Anordnungen können durch unanfechtbaren Beschluß auch nachträglich getroffen, geändert oder aufgehoben werden.

(3) [1]Die Entscheidung über den Antrag steht einem im bürgerlichen Rechtsstreit ergangenen Urteil gleich. Soweit der Anspruch nicht zuerkannt ist, kann er anderweit gel-

390   Anhang

tend gemacht werden. [2]Ist über den Grund des Anspruchs rechtskräftig entschieden, so findet die Verhandlung über den Betrag nach § 304 Abs. 2 der Zivilprozeßordnung vor dem zuständigen Zivilgericht statt.

(4) Der Antragsteller erhält eine Abschrift des Urteils mit Gründen oder einen Auszug daraus.

2. StPO (Österreich, Stand: 31.12.2008)

Beteiligung der Opfer § 10.

(1) Opfer von Straftaten sind nach Maßgabe der Bestimmungen des 4. Hauptstückes berechtigt, sich am Strafverfahren zu beteiligen.

(2) Kriminalpolizei, Staatsanwaltschaft und Gericht sind verpflichtet, auf die Rechte und Interessen der Opfer von Straftaten angemessen Bedacht zu nehmen und alle Opfer über ihre wesentlichen Rechte im Verfahren sowie über die Möglichkeit zu informieren, Entschädigungs- oder Hilfeleistungen zu erhalten.

(3) Alle im Strafverfahren tätigen Behörden, Einrichtungen und Personen haben Opfer während des Verfahrens mit Achtung ihrer persönlichen Würde zu behandeln und deren Interesse an der Wahrung ihres höchstpersönlichen Lebensbereiches zu beachten. Dies gilt insbesondere für die Weitergabe von Lichtbildern und die Mitteilung von Angaben zur Person, die zu einem Bekanntwerden der Identität in einem größeren Personenkreis führen kann, ohne dass dies durch Zwecke der Strafrechtspflege geboten ist. Staatsanwaltschaft und Gericht haben bei ihren Entscheidungen über die Beendigung des Verfahrens stets die Wiedergutmachungsinteressen der Opfer zu prüfen und im größtmöglichen Ausmaß zu fördern.

Form gerichtlicher Entscheidungen § 35.

(1) [1]Mit Urteil entscheiden die Gerichte im Haupt- und Rechtsmittelverfahren über Schuld, Strafe und privatrechtliche Ansprüche, über ein Verfahrenshindernis oder eine fehlende Prozessvoraussetzung, über die Anordnung freiheitsentziehender Maßnahmen, über selbstständige Anträge nach § 441, über die im § 445 genannten vermögensrechtlichen Anordnungen und über ihre Unzuständigkeit nach den §§ 261 und 488 Z 6. [2]Soweit im Einzelnen nichts anderes bestimmt wird, sind Urteile nach öffentlicher mündlicher Verhandlung zu verkünden und auszufertigen.

(2) …

Ausgeschlossenheit von Richtern § 43.

(1) Ein Richter ist vom gesamten Verfahren ausgeschlossen, wenn

1. er selbst oder einer seiner Angehörigen (§ 72 StGB) im Verfahren Staatsanwalt, Privatankläger, Privatbeteiligter, Beschuldigter, Verteidiger oder Vertreter ist oder war oder durch die Straftat geschädigt worden sein könnte, wobei die durch Ehe begründete Eigenschaft einer Person als Angehörige auch dann aufrecht bleibt, wenn die Ehe nicht mehr besteht,

Anhang 2: Auflistung verschiedener Vorschriften

2. bis 3. ...

(2) bis (4) ...

Definitionen § 65.

Im Sinne dieses Gesetzes ist

1. „Opfer"

a. jede Person, die durch eine vorsätzlich begangene Straftat Gewalt oder gefährlicher Drohung ausgesetzt oder in ihrer sexuellen Integrität beeinträchtigt worden sein könnte,

b. der Ehegatte, der Lebensgefährte, die Verwandten in gerader Linie, der Bruder oder die Schwester einer Person, deren Tod durch eine Straftat herbeigeführt worden sein könnte, oder andere Angehörige, die Zeugen der Tat waren,

c. jede andere Person, die durch eine Straftat einen Schaden erlitten haben oder sonst in ihren strafrechtlich geschützten Rechtsgütern beeinträchtigt worden sein könnte,

2. „Privatbeteiligter" jedes Opfer, das erklärt, sich am Verfahren zu beteiligen, um Ersatz für den erlittenen Schaden oder die erlittene Beeinträchtigung zu begehren,

3. „Privatankläger" jede Person, die eine Anklage oder einen anderen Antrag auf Einleitung des Hauptverfahrens wegen einer nicht von Amts wegen zu verfolgenden Straftat bei Gericht einbringt (§ 71),

4. „Subsidiarankläger" jeder Privatbeteiligte, der eine von der Staatsanwaltschaft zurückgezogene Anklage aufrecht hält.

Opferrechte § 66.

(1) Opfer haben – unabhängig von ihrer Stellung als Privatbeteiligte – das Recht,

1. sich vertreten zu lassen (§ 73),

2. Akteneinsicht zu nehmen (§ 68),

3. vor ihrer Vernehmung vom Gegenstand des Verfahrens und über ihre wesentlichen Rechte informiert zu werden (§ 70 Abs. 1),

4. vom Fortgang des Verfahrens verständigt zu werden (§§ 25 Abs. 3, 177 Abs. 5, 194, 197 Abs. 3, 206 und 208 Abs. 4),

5. Übersetzungshilfe zu erhalten, für die § 56 sinngemäß gilt,

6. an einer kontradiktorischen Vernehmung von Zeugen und Beschuldigten (§ 165), an einer Befundaufnahme (§ 127 Abs. 2) und an einer Tatrekonstruktion (§ 150 Abs. 1) teilzunehmen,

7. während der Hauptverhandlung anwesend zu sein und Angeklagte, Zeugen und Sachverständige zu befragen sowie zu ihren Ansprüchen gehört zu werden,

8. die Fortführung eines durch die Staatsanwaltschaft eingestellten Verfahrens zu verlangen (§ 195 Abs. 1).

392 Anhang

(2) [1]Opfern im Sinne des § 65 Z 1 lit. a oder b ist auf ihr Verlangen psychosoziale und juristische Prozessbegleitung zu gewähren, soweit dies zur Wahrung der prozessualen Rechte der Opfer unter größtmöglicher Bedachtnahme auf ihre persönliche Betroffenheit erforderlich ist. [2]Psychosoziale Prozessbegleitung umfasst die Vorbereitung der Betroffenen auf das Verfahren und die mit ihm verbundenen emotionalen Belastungen sowie die Begleitung zu Vernehmungen im Ermittlungs- und Hauptverfahren, juristische Prozessbegleitung die rechtliche Beratung und Vertretung durch einen Rechtsanwalt. [3]Der Bundesminister für Justiz ist ermächtigt, bewährte geeignete Einrichtungen vertraglich mit der Prozessbegleitung von Opfern im Sinne des § 65 Z 1 lit. a oder b zu beauftragen.

Privatbeteiligung § 67.

(1) [1]Opfer haben das Recht, den Ersatz des durch die Straftat erlittenen Schadens oder eine Entschädigung für die Beeinträchtigung ihrer strafrechtlich geschützten Rechtsgüter zu begehren. [2]Das Ausmaß des Schadens oder der Beeinträchtigung ist von Amts wegen festzustellen, soweit dies auf Grund der Ergebnisse des Strafverfahrens oder weiterer einfacher Erhebungen möglich ist. [3]Wird für die Beurteilung einer Körperverletzung oder Gesundheitsschädigung ein Sachverständiger bestellt, so ist ihm auch die Feststellung der Schmerzperioden aufzutragen.

(2) [1]Opfer werden durch Erklärung zu Privatbeteiligten. [2]In der Erklärung haben sie, soweit dies nicht offensichtlich ist, ihre Berechtigung, am Verfahren mitzuwirken, und ihre Ansprüche auf Schadenersatz oder Entschädigung zu begründen.

(3) [1]Eine Erklärung nach Abs. 2 ist bei der Kriminalpolizei oder bei der Staatsanwaltschaft, nach Einbringen der Anklage beim Gericht einzubringen. [2]Sie muss längstens bis zum Schluss des Beweisverfahrens abgegeben werden; bis dahin ist auch die Höhe des Schadenersatzes oder der Entschädigung zu beziffern. [3]Die Erklärung kann jederzeit zurückgezogen werden.

(4) Eine Erklärung ist zurückzuweisen, wenn

1. sie offensichtlich unberechtigt ist,

2. sie verspätet abgegeben wurde (Abs. 3) oder

3. die Höhe des Schadenersatzes oder der Entschädigung nicht rechtzeitig beziffert wurde.

(5) Die Zurückweisung einer Erklärung nach Abs. 4 obliegt der Staatsanwaltschaft, nach Einbringen der Anklage dem Gericht.

(6) Privatbeteiligte haben über die Rechte der Opfer (§ 66) hinaus das Recht,

1. die Aufnahme von Beweisen nach § 55 zu beantragen,

2. die Anklage nach § 72 aufrechtzuerhalten, wenn die Staatsanwaltschaft von ihr zurücktritt,

3. Beschwerde gegen die gerichtliche Einstellung des Verfahrens nach § 87 zu erheben,

4. zur Hauptverhandlung geladen zu werden und Gelegenheit zu erhalten, nach dem Schlussantrag der Staatsanwaltschaft ihre Ansprüche auszuführen und zu begründen.

5. Berufung wegen ihrer privatrechtlichen Ansprüche nach § 366 zu erheben.

Anhang 2: Auflistung verschiedener Vorschriften   393

(7) Privatbeteiligten ist – soweit ihnen nicht juristische Prozessbegleitung zu gewähren ist (§ 66 Abs. 2) – Verfahrenshilfe durch unentgeltliche Beigebung eines Rechtsanwalts zu bewilligen, soweit die Vertretung durch einen Rechtsanwalt im Interesse der Rechtspflege, vor allem im Interesse einer zweckentsprechenden Durchsetzung ihrer Ansprüche zur Vermeidung eines nachfolgenden Zivilverfahrens erforderlich ist, und sie außerstande sind, die Kosten ihrer anwaltlichen Vertretung ohne Beeinträchtigung des notwendigen Unterhalts zu bestreiten. Als notwendiger Unterhalt ist derjenige anzusehen, den die Person für sich und ihre Familie, für deren Unterhalt sie zu sorgen hat, zu einer einfachen Lebensführung benötigt. Für die Beigebung und Bestellung eines solchen Vertreters gelten die Bestimmungen der §§ 61 Abs. 4, 62 Abs. 1, 2 und 4 sinngemäß.

Akteneinsicht § 68.

(1) [1]Privatbeteiligte und Privatankläger sind zur Akteneinsicht berechtigt, soweit ihre Interessen betroffen sind; hiefür gelten die §§ 51, 52 Abs. 1, Abs. 2 Z 1 und 3 sowie 53 sinngemäß. [2]Im Übrigen darf die Akteneinsicht nur verweigert oder beschränkt werden, soweit durch sie der Zweck der Ermittlungen oder eine unbeeinflusste Aussage als Zeuge gefährdet wäre.

(2) Dieses Recht auf Akteneinsicht steht auch Opfern zu, die nicht als Privatbeteiligte am Verfahren mitwirken.

(3) Das Verbot der Veröffentlichung nach § 54 gilt für Opfer, Privatbeteiligte und Privatankläger sinngemäß.

Privatrechtliche Ansprüche § 69.

(1) [1]Der Privatbeteiligte kann einen aus der Straftat abgeleiteten, auf Leistung, Feststellung oder Rechtsgestaltung gerichteten Anspruch gegen den Beschuldigten geltend machen. [2]Die Gültigkeit einer Ehe kann im Strafverfahren jedoch immer nur als Vorfrage (§ 15) beurteilt werden.

(2) [1]Das Gericht hat im Hauptverfahren jederzeit einen Vergleich über privatrechtliche Ansprüche zu Protokoll zu nehmen. [2]Es kann den Privatbeteiligten und den Beschuldigten auch auf Antrag oder von Amts wegen zu einem Vergleichsversuch laden und einen Vorschlag für einen Vergleich unterbreiten. [3]Kommt ein Vergleich zustande, so sind dem Privatbeteiligten, der Staatsanwaltschaft und dem Beschuldigten Vergleichsausfertigungen auszufolgen.

(3) Im Fall einer Sicherstellung nach § 110 Abs. 1 Z 2 hat die Staatsanwaltschaft die Rückgabe des Gegenstandes an das Opfer anzuordnen, wenn eine Beschlagnahme aus Beweisgründen nicht erforderlich ist und in die Rechte Dritter dadurch nicht eingegriffen wird.

Recht auf Information § 70.

(1) [1]Sobald ein Ermittlungsverfahren gegen einen bestimmten Beschuldigten geführt wird, hat die Kriminalpolizei oder die Staatsanwaltschaft Opfer über ihre wesentlichen Rechte (§§ 66 und 67) zu informieren. [2]Dies darf nur solange unterbleiben, als dadurch

394 Anhang

der Zweck der Ermittlungen gefährdet wäre. [3]Opfer im Sinn des § 65 Z 1 lit. a oder b sind spätestens vor ihrer ersten Befragung über die Voraussetzungen der Prozessbegleitung zu informieren.

(2) …

Vertreter § 73.

[1]Vertreter stehen Haftungsbeteiligten, Opfern, Privatbeteiligten, Privatanklägern und Subsidiaranklägern beratend und unterstützend zur Seite.

[2] und [3] …

Beschwerden § 87.

(1) Gegen gerichtliche Beschlüsse steht der Staatsanwaltschaft, dem Beschuldigten, soweit dessen Interessen unmittelbar betroffen sind, und jeder anderen Person, der durch den Beschluss unmittelbar Rechte verweigert werden oder Pflichten entstehen oder die von einem Zwangsmittel betroffen ist, gegen einen Beschluss, mit dem das Verfahren eingestellt wird, auch dem Privatbeteiligten Beschwerde an das Rechtsmittelgericht zu, soweit das Gesetz im Einzelnen nichts anderes bestimmt.

(2) und (3) …

Ermächtigung zur Strafverfolgung § 92.

(1) …

(2) [1] und [2] … [3]Die Erklärung, als Privatbeteiligter am Verfahren mitzuwirken (§ 67), gilt als Ermächtigung.

Sicherstellung § 110.

(1) Sicherstellung ist zulässig, wenn sie

1. aus Beweisgründen,

2. zur Sicherung privatrechtlicher Ansprüche (§ 367) oder

3. zur Sicherung der Abschöpfung der Bereicherung (§ 20 StGB), des Verfalls (§ 20b StGB), der Einziehung (§ 26 StGB) oder einer anderen gesetzlich vorgesehenen vermögensrechtlichen Anordnung erforderlich scheint.

(2) bis (4) …

Information bei Sicherstellung § 111.

(1) bis (3) …

(4) [1]… [2]Von einer Sicherstellung zur Sicherung einer Entscheidung über privatrechtliche Ansprüche (§ 110 Abs. 1 Z 2) ist, soweit möglich, auch das Opfer zu verständigen.

Anhang 2: Auflistung verschiedener Vorschriften 395

Beschlagnahme § 115.

(1) Beschlagnahme ist zulässig, wenn die sichergestellten Gegenstände voraussichtlich

1. …,

2. privatrechtlichen Ansprüchen (§ 367) unterliegen oder

3. …

(2) bis (6) …

Sachverständige und Dolmetscher § 127.

(1) …

(2) [1] und [2] … [3]Bei der Befundaufnahme haben sie überdies der Staatsanwaltschaft, dem Opfer, dem Privatbeteiligten, dem Beschuldigten und deren Vertretern Gelegenheit zur Anwesenheit zu geben, soweit dies von den Umständen her möglich ist und die Aufnahme des Befunds oder berechtigte Interessen von Personen nicht gefährdet.

(3) bis (5) …

Durchführung der Tatrekonstruktion § 150.

(1) [1]Der Staatsanwaltschaft, dem Beschuldigten, dem Opfer, dem Privatbeteiligten und deren Vertretern ist Gelegenheit zu geben, sich an der Tatrekonstruktion zu beteiligen. [2]Sie haben das Recht, Fragen zu stellen sowie ergänzende Ermittlungen und Feststellungen zu verlangen. Soweit die Kriminalpolizei nicht an der Durchführung beteiligt wird, ist sie vom Termin zu verständigen.

(2) [1]Der Beschuldigte kann von der Teilnahme vorübergehend ausgeschlossen werden, wenn seine Anwesenheit den Zweck des Verfahrens gefährden könnte oder besondere Interessen dies erfordern (§ 250 Abs. 1). [2]Dem Opfer und dem Privatbeteiligten ist die Beteiligung vorübergehend zu versagen, wenn zu besorgen ist, dass seine Anwesenheit den Beschuldigten oder Zeugen bei der Ablegung einer freien und vollständigen Aussage beeinflussen könnte. [3]In diesen Fällen ist den betroffenen Beteiligten sogleich eine Kopie des Protokolls zu übermitteln. [4]Die Beteiligung des Verteidigers darf jedoch in keinem Fall eingeschränkt werden. [5]Im Übrigen ist § 97 anzuwenden.

Aussagebefreiung § 156.

(1) Von der Pflicht zur Aussage sind befreit:

1. Personen, die im Verfahren gegen einen Angehörigen aussagen sollen (§ 72 StGB), wobei die durch eine Ehe begründete Eigenschaft einer Person als Angehörige für die Beurteilung der Berechtigung zur Aussageverweigerung aufrecht bleibt, auch wenn die Ehe nicht mehr besteht,

2. Personen, die durch die dem Beschuldigten zur Last gelegte Straftat verletzt worden sein könnten und zur Zeit ihrer Vernehmung das vierzehnte Lebensjahr noch nicht

396 Anhang

vollendet haben oder in ihrer Geschlechtssphäre verletzt worden sein könnten, wenn die Parteien Gelegenheit hatten, sich an einer vorausgegangenen kontradiktorischen Einvernahme zu beteiligen (§§ 165, 247).

(2) Nach Abs. 1 Z 1 ist eine erwachsene Person, die als Privatbeteiligte am Verfahren mitwirkt (§ 67), von der Aussage nicht befreit.

(3) ...

Kontradiktorische Vernehmung des Beschuldigten
oder eines Zeugen § 165.

(1) ...

(2) [1]Die kontradiktorische Vernehmung hat das Gericht auf Antrag der Staatsanwaltschaft in sinngemäßer Anwendung der Bestimmungen der §§ 249 und 250 durchzuführen (§ 104). [2]Das Gericht hat der Staatsanwaltschaft, dem Beschuldigten, dem Opfer, dem Privatbeteiligten und deren Vertretern Gelegenheit zu geben, sich an der Vernehmung zu beteiligen und Fragen zu stellen.

(3) bis (6) ...

Vernehmung des Angeklagten § 245.

(1) ...

(1 a) Der Angeklagte ist auch über die gegen ihn erhobenen privatrechtlichen Ansprüche (§§ 67 Abs. 1 und 1 Abs. 3) zu vernehmen und zur Erklärung aufzufordern, ob und in welchem Umfang er diese anerkennt (§ 69 Abs. 2).

(2) bis (3) ...

Gründe für Nichtigkeitsbeschwerde § 281.

(1) Die Nichtigkeitsbeschwerde kann gegen ein freisprechendes Urteil nur zum Nachteile, gegen ein verurteilendes sowohl zum Vorteile als auch zum Nachteile des Angeklagten ergriffen werden, jedoch, sofern sie nicht nach besonderen gesetzlichen Vorschriften auch in anderen Fällen zugelassen ist, nur wegen eines der folgenden Nichtigkeitsgründe:

Nr. 1 bis 3 ...

Nr. 4. wenn während der Hauptverhandlung über einen Antrag des Beschwerdeführers nicht erkannt worden ist oder wenn durch einen gegen seinen Antrag oder Widerspruch gefassten Beschluss Gesetze oder Grundsätze des Verfahrens hintangesetzt oder unrichtig angewendet worden sind, deren Beobachtung durch grundrechtliche Vorschriften , insbesondere Art. 6 der Europäischen Konvention zum Schutz der Menschenrechte und Grundfreiheiten BGBl. Nr. 210/1958 oder sonst durch das Wesen eines die Strafverfolgung und die Verteidigung sichernden, fairen Verfahrens geboten ist;

Nr. 5 bis 11 ...

(2) und (3) ...

Anhang 2: Auflistung verschiedener Vorschriften 397

Berufung § 282.

(1) ...

(2) [1]Zum Nachteil des Angeklagten kann die Nichtigkeitsbeschwerde nur vom Staatsanwalt oder vom Privatankläger sowie vom Privatbeteiligten, jedoch von diesem nur im Fall eines Freispruchs und aus dem Grund des § 281 Abs. 1 Z 4 ergriffen werden. [2]Der Privatbeteiligte kann den zuvor angeführten Nichtigkeitsgrund überdies nur insoweit geltend machen, als er wegen des Freispruchs auf den Zivilrechtsweg verwiesen wurde und erkennbar ist, dass die Abweisung eines von ihm in der Hauptverhandlung gestellten Antrags einen auf die Geltendmachung seiner privatrechtlichen Ansprüche nachteiligen Einfluss zu üben vermochte.

Berufung § 283.

(1) Die Berufung kann nur gegen den Ausspruch über die Strafe und den Ausspruch über die privatrechtlichen Ansprüche ergriffen werden.

(2) und (3) ...

(4) [1]Gegen die Entscheidung über die privatrechtlichen Ansprüche können nur der Angeklagte und dessen gesetzliche Vertreter und Erben Berufung einlegen. [2]Gegen die Verweisung auf den Zivilrechtsweg können nach Maßgabe des § 366 Abs. 3 der Privatbeteiligte und seine Erben Berufung einlegen.

Privatrechtliche Ansprüche § 366.

(1) Wird der Angeklagte freigesprochen, so ist der Privatbeteiligte mit seinen Ansprüchen auf den Zivilrechtsweg zu verweisen.

(2) [1]Wird der Angeklagte verurteilt, so ist im Urteil (§§ 260 Abs. 1 Z 5 und 270 Abs. 2 Z 4) über die privatrechtlichen Ansprüche des Privatbeteiligten zu entscheiden (§§ 395, 407 und 409 ZPO). [2]Bieten die Ergebnisse des Strafverfahrens keine ausreichende Grundlage für eine auch nur teilweise Beurteilung des geltend gemachten privatrechtlichen Anspruchs (§ 69 Abs. 1), so ist der Privatbeteiligte auch in diesem Fall auf den Zivilrechtsweg zu verweisen, es sei denn, dass die erforderlichen Entscheidungsgrundlagen durch eine die Entscheidung in der Schuld- und Straffrage nicht erheblich verzögernde Beweisaufnahme ermittelt werden können.

(3) Wird der Privatbeteiligte trotz Verurteilung auf den Zivilrechtsweg verwiesen, so steht diesem, seinem Nachlass und seinen Erben die Berufung aus dem Grund zu, dass über den privatrechtlichen Anspruch bereits gemäß Abs. 2 hätte entschieden werden können.

Privatrechtliche Ansprüche § 367.

(1) [1]Ist eine Sache, von der das Gericht sich überzeugt, daß sie dem Opfer gehöre, unter den Habseligkeiten des Angeklagten, eines Mitschuldigen oder eines Teilnehmers an der strafbaren Handlung oder an einem solchen Orte gefunden worden, wohin sie von diesen Personen nur zur Aufbewahrung gelegt oder gegeben wurde, so ordnet das

398 Anhang

Gericht an, daß sie nach eingetretener Rechtskraft des Urteiles zurückzustellen sei. [2]Mit ausdrücklicher Zustimmung des Beschuldigten kann jedoch die Ausfolgung auch sogleich geschehen.

(2) Ein solcher Gegenstand kann auch vor diesem Zeitpunkt auf Antrag des Opfers nach Anhörung des Beschuldigten und der übrigen Beteiligten, und zwar im Hauptverfahren durch das erkennende Gericht, im Ermittlungsverfahren jedoch durch die Staatsanwaltschaft zurückgestellt werden, wenn

1. der Gegenstand zur Herstellung des Beweises nicht oder nicht mehr benötigt wird und

2. weder der Beschuldigte oder ein Dritter bestimmte Tatsachen behaupten, aus denen sich ein Recht auf die Sache ergeben könnte, das der Ausfolgung an den Antragsteller entgegensteht, noch sonst Umstände vorliegen, welche die Rechte des Antragstellers zweifelhaft erscheinen lassen.

(3) Wird einem Ausfolgungsantrag nach Abs. 2 aus dem Grund der Z. 2 nicht stattgegeben, so ist die Beschlagnahme aufzuheben und der Gegenstand nach § 1425 des Allgemeinen bürgerlichen Gesetzbuches bei dem für den Sitz des Gerichtes zuständigen Bezirksgericht zu hinterlegen.

Verweisung auf Zivilrechtsweg bei gutgläubigen Dritten § 368.

Ist das entzogene Gut bereits in die Hände eines Dritten, der sich an der strafbaren Handlung nicht beteiligt hat, auf eine zur Übertragung des Eigentumes gültige Art oder als Pfand geraten oder ist das Eigentum des entzogenen Gegenstandes unter mehreren Opfern streitig oder kann das Opfer sein Recht nicht sogleich genügend nachweisen, so ist das auf Zurückstellung des Gutes gerichtete Begehren auf den ordentlichen Zivilrechtsweg zu verweisen.

Verfahren bei unauffindbaren Gegenständen § 369.

(1) Wenn das dem Opfer entzogene Gut nicht mehr zurückgestellt werden kann, sowie in allen Fällen, in denen es sich nicht um die Rückstellung eines entzogenen Gegenstandes, sondern um den Ersatz eines erlittenen Schadens oder entgangenen Gewinnes oder um Tilgung einer verursachten Beleidigung handelt (§ 1323 des Allgemeinen bürgerlichen Gesetzbuches), ist im Strafurteile die Schadloshaltung oder Genugtuung zuzuerkennen, insofern sowohl ihr Betrag als auch die Person, der sie gebührt, mit Zuverlässigkeit bestimmt werden kann.

(2) Ergeben sich aus den gepflogenen Erhebungen Gründe zu vermuten, daß das Opfer seinen Schaden zu hoch angebe, so kann ihn das Gericht nach Erwägung aller Umstände, allenfalls nach vorgenommener Schätzung durch Sachverständige ermäßigen.

Nichtigkeit eines Rechtsverhältnisses § 371.

(1) Ergibt sich aus der Schuld des Angeklagten die gänzliche oder teilweise Ungültigkeit eines mit ihm eingegangenen Rechtsgeschäftes oder eines Rechtsverhältnisses, so

Anhang 2: Auflistung verschiedener Vorschriften 399

ist im Strafurteil auch hierüber und über die daraus entspringenden Rechtsfolgen zu erkennen.

(2) Der rechtswirksame Ausspruch, daß eine Ehe nichtig sei, bleibt jedoch stets dem Zivilgerichte vorbehalten. Das Strafgericht kann die Nichtigkeit einer Ehe nur als Vorfrage beurteilen (§§ 15 und 69 Abs. 1).

Zivilrechtsweg nach Strafurteil § 372.

Dem Privatbeteiligten steht es frei, den Zivilrechtsweg zu betreten, wenn er sich mit der vom Strafgericht ihm zuerkannten Entschädigung nicht begnügen will.

Rechtskraft des zivilrechtlichen Teils § 373.

Ist das über die privatrechtlichen Ansprüche ergangene strafgerichtliche Erkenntnis in Rechtskraft erwachsen, so ist jeder Beteiligte berechtigt, vom Gerichte, das in erster Instanz erkannt hat, die Anmerkung der Rechtskräftigkeit des Erkenntnisses auf dem Urteile zu begehren; ein solches Erkenntnis hat dann die Wirkung, daß um seine Exekution unmittelbar beim Zivilgericht angesucht werden kann.

Vorschuss auf die Entschädigungssumme § 373 a.

(1) [1]Ist dem Privatbeteiligten rechtskräftig eine Entschädigung wegen Tötung, Körperverletzung oder Gesundheitsschädigung oder wegen einer Schädigung am Vermögen zuerkannt worden, so kann der Bund dem Privatbeteiligten oder seinen Erben nach Maßgabe der folgenden Bestimmungen einen Vorschuß auf die Entschädigungssumme gewähren. [2]Der Zuerkennung einer Entschädigung im Strafurteil steht die Erlangung eines anderen im Inland vollstreckbaren Exekutionstitels gegen den Verurteilten wegen der den Gegenstand der Verurteilung bildenden strafbaren Handlung durch das Opfer gleich.

(2) Ein Vorschuß kann nur auf Antrag des Anspruchsberechtigten und nur insoweit gewährt werden, als es offenbar ist, daß die alsbaldige Zahlung der Entschädigungssumme oder eines entsprechenden Teiles davon ausschließlich oder überwiegend dadurch vereitelt wird, daß an dem Verurteilten die im selben Verfahren ausgesprochene Freiheits- oder Geldstrafe vollzogen wird.

(3) Eine Vereitelung der alsbaldigen Zahlung einer Entschädigung im Sinne des Abs. 2 ist ohne weiteres anzunehmen, wenn der Verurteilte zwar die über ihn verhängte Geldstrafe, sei es auch in Teilbeträgen, zahlt oder diese Geldstrafe sonst von ihm eingebracht wird, Zahlungen an das Opfer oder seine Erben aber nicht erfolgen und auch im Wege einer Zwangsvollstreckung nicht erwartet werden können.

(4) [1]Einzelrechtsnachfolgern, auf die der Entschädigungsanspruch kraft Gesetzes übergegangen ist, kann ein Vorschuß nicht gewährt werden. [2]§ 8 Abs. 1 des Bundesgesetzes über die Gewährung von Hilfeleistungen an Opfer von Verbrechen, BGBl. Nr. 288/1972, gilt dem Sinne nach.

(5) [1]Die Gewährung eines Vorschusses ist ausgeschlossen, wenn dem Antragsteller mit Rücksicht auf seine Einkommens- und Vermögensverhältnisse, auf die ihm von Ge-

setzes wegen obliegenden Unterhaltsverpflichtungen und auf seine sonstigen persönlichen Verhältnisse offenbar zugemutet werden kann, die Vereitelung hinzunehmen. [2]Ein Vorschuß kann ferner nicht gewährt werden, soweit der Antragsteller gegen einen Dritten Anspruch auf entsprechende Leistungen hat und die Verfolgung dieses Anspruches zumutbar und nicht offenbar aussichtslos ist. [3]Der Vorschuß darf jenen Entschädigungsbetrag nicht übersteigen, der vom Verurteilten ohne den Strafvollzug innerhalb eines Jahres hätte geleistet werden können (Abs. 2).

(6) Die Gewährung eines Vorschusses ist auch ausgeschlossen,

1. soweit ein Anspruch nach dem Bundesgesetz über die Gewährung von Hilfeleistungen an Opfer von Verbrechen gegeben ist;

2. soweit der Anspruch sich auf Leistungen erstreckt, die im Falle des Bestehens von Ansprüchen nach dem in der Z. 1 genannten Bundesgesetz nicht zu erbringen wären.

(7) Vorschüsse auf Ansprüche wegen Schädigung am Vermögen sind nur bis zum Ausmaß der eigentlichen Schadloshaltung (§ 1323 des Allgemeinen bürgerlichen Gesetzbuches) zu gewähren.

(8) [1]Über Anträge auf Gewährung von Vorschüssen entscheidet der Vorsitzende durch Beschluß. [2]Der Beschluß kann anordnen, daß der Vorschuß innerhalb eines Jahres in Teilbeträgen auszuzahlen ist. [3]Der Beschluß ist dem Antragsteller und dem Verurteilten zuzustellen. [4]Dem Staatsanwalt und dem Antragsteller steht dagegen die binnen vierzehn Tagen nach Bekanntmachung einzubringende Beschwerde an das übergeordnete Gericht zu. [5]Sobald der Beschluß über die Gewährung eines Vorschusses rechtskräftig ist, hat die Einbringungsstelle beim Oberlandesgericht Wien um die Auszahlung, allenfalls nach Maßgabe der hierüber getroffenen Anordnung, zu ersuchen.

(9) [1]Soweit der Bund einen Vorschuß geleistet hat, gehen die Ansprüche des Antragstellers von Gesetzes wegen auf den Bund über. [2]Für die Wirksamkeit dieses Forderungsüberganges gegenüber dem Verurteilten gelten der letzte Satz des § 1395 und der erste Satz des § 1396 des Allgemeinen bürgerlichen Gesetzbuches dem Sinne nach. [3]Sobald die Ansprüche auf den Bund übergegangen sind, hat der Verurteilte Zahlungen bis zur Höhe des gewährten Vorschusses an die Einbringungsstelle beim Oberlandesgericht Wien zu erbringen.

(10) [1]Soweit der Verurteilte keine Zahlungen (Abs. 9) leistet, hat die Einbringungsstelle beim Oberlandesgericht Wien die Forderung zwangsweise hereinzubringen. [2]Soweit eine sofortige zwangsweise Hereinbringung mit Rücksicht auf den Vollzug der Strafe offenbar aussichtslos wäre, kann sie bis nach dessen Beendigung aufgeschoben werden.

Verfahren bei einer Abschöpfung der Bereicherung § 373 b.

Ist im Fall einer Abschöpfung der Bereicherung nach § 20 StGB oder eines Verfalls nach § 20b StGB dem durch die strafbare Handlung Geschädigten eine Entschädigung zwar rechtskräftig zuerkannt, aber noch nicht geleistet worden, so hat das Opfer unbeschadet des § 373a das Recht zu verlangen, daß seine Ansprüche aus dem vom Bund vereinnahmten Vermögenswert befriedigt werden.

Anhang 2: Auflistung verschiedener Vorschriften 401

Verfahren bei neuen Tatsachen § 374.

Um Änderung des rechtskräftigen strafgerichtlichen Ausspruches über privatrechtliche Ansprüche wegen neu aufgefundener Beweismittel sowie um Aufhebung seiner Vollstreckung wegen eines nachgefolgten Tatumstandes kann außer dem Fall einer aus anderen Gründen stattfindenden Wiederaufnahme des Strafverfahrens vom Verurteilten und dessen Rechtsnachfolgern nur vor dem Zivilrichter angesucht werden.

Eigentumsermittlung § 375.

(1) Werden bei einem Beschuldigten nach allem Anschein fremde Vermögenswerte aufgefunden, deren Eigentümer er nicht angeben kann oder will, so sind sie zu beschlagnahmen (§ 115 Abs. 1 Z 2) und in einem Edikt (§ 376) so zu beschreiben, dass der Eigentümer den Vermögenswert zwar als den seinen erkennen kann, jedoch der Beweis des Eigentumsrechts der Bezeichnung wesentlicher Unterscheidungsmerkmale vorbehalten wird.

(2) Für das Verfahren auf Grund von erhobenen Ansprüchen gelten die Bestimmungen der §§ 367 bis 369.

Beschreibung des fremden Gegenstandes § 376.

(1) [1]Eine solche Beschreibung ist durch Aufnahme in die Ediktsdatei öffentlich bekannt zu machen (§ 89j Abs. 1 GOG). [2]In diesem Edikt ist der Eigentümer aufzufordern, sich binnen eines Jahres ab Bekanntmachung zu melden und sein Recht nachzuweisen.

(2) Die Auffindung von Gegenständen, derentwegen eine unverzügliche abgesonderte Bekanntmachung nicht notwendig erscheint, kann von Zeit zu Zeit in gemeinsamen Edikten bekanntgemacht werden.

Verfahren bei für die Aufbewahrung ungeeigneten Gegenständen § 377.

[1]Ist das fremde Gut von solcher Beschaffenheit, daß es sich ohne Gefahr des Verderbens oder eines sonstigen raschen Wertverlustes nicht durch ein Jahr aufbewahren läßt, oder wäre die Aufbewahrung mit Kosten verbunden, so hat das Gericht die Veräußerung des Gutes durch öffentliche Versteigerung, bei sinngemäßem Vorliegen der im § 280 der Exekutionsordnung bezeichneten Voraussetzungen aber auf die dort vorgesehene Weise einzuleiten. [2]Der Kaufpreis ist beim Strafgerichte zu erlegen. [3]Zugleich ist eine genaue Beschreibung jedes verkauften Stückes unter Angabe des Käufers und des Kaufpreises auf die im § 376 beschriebene Weise zu veröffentlichen.

Verfahren nach Ablauf der Ediktalfrist § 378.

(1) Wenn binnen der Ediktalfrist niemand ein Recht auf die beschriebenen Gegenstände dartut, so sind sie, wenn sie aber der Dringlichkeit wegen verkauft wurden, so ist ihr Erlös dem Beschuldigten auf sein Verlangen auszufolgen, sofern nicht durch einen

402 Anhang

Beschluß des zur Entscheidung in erster Instanz berufenen Gerichtes ausgesprochen ist, daß die Rechtmäßigkeit des Besitzes des Beschuldigten nicht glaubwürdig sei.

(2) Gegen diese Beschlüsse, die vom Vorsitzenden zu fassen sind, steht dem Ankläger und dem Beschuldigten die binnen vierzehn Tagen einzubringende Beschwerde an den übergeordneten Gerichtshof zu.

Veräußerung der Gegenstände § 379.

[1]Gegenstände, die dem Beschuldigten nicht ausgefolgt werden, sind auf die im § 377 angeordnete Weise zu veräußern. [2]Der Kaufpreis ist an die Bundeskasse abzugeben. Dem Berechtigten steht jedoch frei, seine Ansprüche auf den Kaufpreis gegen den Bund binnen dreißig Jahren vom Tage der dritten Einschaltung des Ediktes im Zivilrechtswege geltend zu machen.

Kein Adhäsionsverfahren im Fall von § 21 StGB § 430.

(1) Zur Entscheidung über den Antrag auf Unterbringung in einer Anstalt für geistig abnorme Rechtsbrecher nach § 21 Abs. 1 StGB ist das Gericht berufen, das für ein Strafverfahren auf Grund einer Anklage oder eines Strafantrages gegen den Betroffenen wegen seiner Tat zuständig wäre; an Stelle des Einzelrichters ist jedoch das Landesgericht als Schöffengericht berufen.

(2) Das Gericht entscheidet über den Antrag nach öffentlicher mündlicher Hauptverhandlung, die in sinngemäßer Anwendung der Bestimmungen des 14. und 15. Hauptstückes durchzuführen ist, durch Urteil.

(3) Während der ganzen Hauptverhandlung muß bei sonstiger Nichtigkeit ein Verteidiger des Betroffenen anwesend sein, der zur Stellung von Anträgen zugunsten des Betroffenen auch gegen dessen Willen berechtigt ist.

(4) Der Hauptverhandlung ist bei sonstiger Nichtigkeit ein Sachverständiger (§ 429 Abs. 2 Z. 2) beizuziehen.

(5) [1]Soweit der Zustand des Betroffenen eine Beteiligung an der Hauptverhandlung innerhalb angemessener Frist nicht gestattet oder von einer solchen Beteiligung eine erhebliche Gefährdung seiner Gesundheit zu besorgen wäre, ist die Hauptverhandlung in Abwesenheit des Betroffenen durchzuführen. [2]Hierüber entscheidet das Gericht nach Vernehmung der Sachverständigen und Durchführung der allenfalls sonst erforderlichen Erhebungen mit Beschluß. [3]Der Beschluß kann auch schon vor der Hauptverhandlung vom Vorsitzenden gefaßt werden und ist in diesem Fall durch das binnen vierzehn Tagen einzubringende Rechtsmittel der Beschwerde gesondert anfechtbar. [4]Ein Beschluß, die Hauptverhandlung zur Gänze in Abwesenheit des Betroffenen durchzuführen, darf nur gefaßt werden, nachdem sich der Vorsitzende vom Zustand des Betroffenen überzeugt und mit ihm gesprochen hat. [5]Wird von der Vernehmung des Betroffenen ganz oder teilweise abgesehen, wurde er aber im Ermittlungsverfahren vernommen, so ist das hierüber aufgenommene Protokoll zu verlesen oder die Ton- oder Bildaufnahme einer solchen Vernehmung vorzuführen.

(6) Ein Anschluß an das Verfahren wegen privatrechtlicher Ansprüche ist unzulässig.

Anhang 2: Auflistung verschiedener Vorschriften 403

Rechtsmittel gegen Urteile der Bezirksgerichte,
Berufungsmöglichkeit § 464.

Die Berufung kann ergriffen werden:

1. wegen vorliegender Nichtigkeitsgründe;

2. wegen des Ausspruches über die Schuld und die Strafe, wegen des Strafausspruches jedoch nur unter den im § 283 bezeichneten Voraussetzungen; wegen des Ausspruches über die privatrechtlichen Ansprüche.

Berechtigung zur Berufung § 465.

(1) [1]Zugunsten des Angeklagten kann die Berufung sowohl von ihm selbst als auch von seinem Ehegatten, seinen Verwandten in auf- und absteigender Linie, seinem gesetzlichen Vertreter und im Falle der Minderjährigkeit des Angeklagten von seinen Eltern und seinem gesetzlichen Vertreter auch gegen seinen Willen ergriffen werden. [2]Die Staatsanwaltschaft kann stets auch gegen den Willen des Angeklagten zu dessen Gunsten die Berufung ergreifen.

(2) Erben des Angeklagten, die nicht in einem der erwähnten Verhältnisse zum Angeklagten standen, können die Berufung nur wegen der im Urteil allenfalls enthaltenen Entscheidung über privatrechtliche Ansprüche ergreifen oder fortsetzen.

(3) Zum Nachteile des Angeklagten kann die Berufung nur vom Ankläger und vom Privatbeteiligten, von diesem aber nur wegen Nichtigkeit unter den in § 282 Abs. 2 geregelten Voraussetzungen und wegen seiner privatrechtlichen Ansprüche ergriffen werden.

3. StPO-Kanton Zürich (Stand: 31.12.2009)

§ 9: [Rechte des Geschädigten]

(1) [1]Der Geschädigte ist berechtigt, falls nicht seine persönliche Anwesenheit gefordert wird, sich durch einen Bevollmächtigten vertreten zu lassen. [2]Er kann sich jederzeit eines Beistandes bedienen.

(2) ...

§ 10: [Grundnorm Adhäsionsverfahren]

(1) Dem Geschädigten ist Gelegenheit zu geben, den Einvernahmen der Zeugen und Sachverständigen beizuwohnen und an sie Fragen zu stellen, welche zur Aufklärung der Sache dienen können.

(2) [1]Der Geschädigte ist berechtigt, dem Untersuchungsbeamten die zur Feststellung des Schadens geeigneten Anträge zu stellen. [2]Er wird zur Erklärung angehalten, ob und in welchem Umfang er Zivilansprüche stelle und ob er Vorladung zur Hauptverhandlung verlange. [3]Die Erklärung kann durch Mitteilung an den Untersuchungsbeamten nachträglich geändert werden.

(3) [1]Dem Geschädigten ist Gelegenheit zu geben, Einsicht in die Aktenzu nehmen und den Einvernahmen des Angeschuldigten beizuwohnen, soweit dies ohne Gefähr-

dung des Untersuchungszwecks geschehen kann. [2]Der Untersuchungsbeamte ist jedoch berechtigt, im Interesse der Untersuchung oder auf Wunsch des Angeschuldigten diesen auch in Abwesenheit des Geschädigten einzuvernehmen.

(4) Dem Opfer einer Straftat, durch die dieses in seiner körperlichen, sexuellen oder psychischen Integrität beeinträchtigt worden ist, werden auf Verlangen wesentliche Verfahrensentscheide, insbesondere über die Inhaftierung oder Entlassung des Angeschuldigten aus der Haft sowie die Anklagezulassung, zugestellt.

(5) [1]Wenn es die Interessen und die persönlichen Verhältnisse des Geschädigten erfordern, wird ihm auf sein Verlangen ein unentgeltlicher Rechtsbeistand beigegeben. [2]Die Zuständigkeit richtet sich nach § 13 Abs. 2.

(6) Der Geschädigte wird nur soweit einvernommen, als es zur Abklärung des Sachverhalts nötig ist.

(7) [1]Im Verfahren wegen einer Straftat, durch welche das Opfer in seiner körperlichen, sexuellen oder psychischen Integrität unmittelbar beeinträchtigt worden ist, kann es sich durch eine Vertrauensperson begleiten lassen, wenn es als Zeuge oder Auskunftsperson befragt wird. [2]Betrifft das Verfahren eine Straftat gegen die sexuelle Integrität, so ist das Opfer auf sein Begehren hin durch eine Person gleichen Geschlechts einzuvernehmen.

§ 10a:

Der Ehegatte, die eingetragene Partnerin oder der eingetragene Partner des Opfers im Sinne von Art. 2 des Opferhilfegesetzes10, dessen Kinder und Eltern sowie andere ihm in ähnlicher Weise nahestehenden Personen haben die gleichen Verfahrensrechte wie das Opfer, soweit sie Zivilansprüche gegenüber dem Angeschuldigten geltend machen.

§ 162:

(1) und (2) …

(3) In der Anklageschrift oder in einem Verzeichnis sind die Geschädigten aufzuführen, und es ist besonders zu vermerken, ob sie Schadenersatz verlangt oder auf Vorladung zur Hauptverhandlung verzichtet haben.

§ 192:

(1) Geschädigte können Zivilansprüche gegen den Angeklagten entweder selbstständig auf dem Weg des Zivilprozesses oder durch schriftliches oder mündliches Begehren an das für den Entscheid über die Anklage zuständige Strafgericht geltend machen.

(2) Bei Straftaten im Sinne von Art. 2 des Opferhilfegesetzes kommt dieses Recht auch dem Ehegatten, der eingetragenen Partnerin oder dem eingetragenen Partner des Opfers, den Kindern und Eltern des Opfers sowie anderen Personen zu, die ihm in ähnlicher Weise nahe stehen, soweit sie gegenüber dem Angeklagten eigene Zivilansprüche geltend machen.

Anhang 2: Auflistung verschiedener Vorschriften 405

(3) Das Begehren gilt auch dann als beim Strafgericht eingereicht, wenn es spätestens fünf Tage vor der Hauptverhandlung beim Untersuchungsbeamten gestellt worden ist.

(4) Der Geschädigte wird fakultativ zur Hauptverhandlung vorgeladen, wenn er es verlangt hat (§§ 10 Abs. 2 und 162 Abs. 3).

§ 193:

(1) Das Strafgericht entscheidet auch über die bei ihm geltend gemachten Zivilansprüche der in Art. 2 des Opferhilfegesetzes genannten Personen, wenn es den Angeklagten nicht freispricht oder das Verfahren gegen ihn durch einen Prozessentscheid erledigt.

(2) Das Gericht kann vorerst nur im Strafpunkt urteilen und die Zivilansprüche später behandeln.

(3) Würde die vollständige Beurteilung der Zivilansprüche einen unverhältnismässigen Aufwand erfordern, so kann das Strafgericht die Ansprüche nur dem Grundsatz nach entscheiden und das Opfer im Übrigen an das Zivilgericht verweisen. Ansprüche von geringer Höhe beurteilt es jedoch nach Möglichkeit vollständig.

§ 193a:

In den übrigen Fällen kann das Gericht das Begehren auf den Zivilweg verweisen, wenn ihm auf Grund der Akten und Vorbringen der Parteien kein sofortiger Entscheid über die Zivilansprüche möglich ist.

§ 248: [Letztes Wort des Geschädigten]

(1) Dem Geschädigten steht hinsichtlich des Schadenersatzes das Wort zu.

(2) Der Staatsanwalt kann die Wahrung der Interessen des Geschädigten auf dessen Antrag übernehmen.

§ 280: [Beweisanträge vor Bezirksgericht]

(1) ...

(2) Auf Beweisanträge eines Geschädigten, der nicht Ankläger im Ehrverletzungsprozess ist, wird nur eingetreten, wenn sie sich auf den Zivilpunkt beziehen und die Kosten binnen einer ihm anzusetzenden Frist vertröstet werden.

§ 285e: [Entscheidung bei Maßnahme]

[1]Bei Anordnung einer Massnahme entscheidet das Gericht über die bei ihm geltend gemachten Zivilansprüche der in Art. 2 des Opferhilfegesetzes genannten Personen. [2]§§ 193 Abs. 3 und 193a sind anwendbar.

406 Anhang

§ 318: [Inhalt des Strafbefehls]

Im Strafbefehl werden aufgeführt:

1. das dem Angeschuldigten zur Last gelegte Verhalten und die dadurch erfüllten Straftatbestände;

2. die Beweismittel;

3. die festgesetzte Strafe und der kurz begründete Entscheid über die Gewährung des bedingten Strafvollzugs;

4. der Entscheid über die Kosten, die Prozessentschädigung sowie die Zivilansprüche, sofern der Geschädigte nicht auf den Zivilweg verwiesen wird;

5. die Anordnung von Freigabe oder Einziehung beschlagnahmter Gegenstände und Vermögenswerte.

§ 395: [Rechtsmittelberechtigung]

(1) Zur Ergreifung der in diesem Abschnitt bezeichneten Rechtsmittel sind befugt

Nr. 1 ...

Nr. 2 die Personen, welchen durch die der gerichtlichen Beurteilung unterstellten Handlungen unmittelbar ein Schaden zugefügt wurde oder zu erwachsen drohte (Geschädigte). Als solche gelten auch die Personen gemäss Art. 2 Abs. 2 des Opferhilfegesetzes10, sofern sie gegen den Angeschuldigten eigene Zivilansprüche geltend gemacht haben

(2) bis (5) ...

4. Opferhilfegesetz a. F. (Schweiz)

Art. 8 Verfahrensrechte

(1) Das Opfer kann sich am Strafverfahren beteiligen. Es kann insbesondere:

a. seine Zivilansprüche geltend machen;

b. und c. ...

(2) [1]Die Behörden informieren das Opfer in allen Verfahrensabschnitten über seine Rechte. [2]Sie teilen ihm Entscheide und Urteile auf Verlangen unentgeltlich mit.

Art. 9 Zivilansprüche

(1) Solange der Täter nicht freigesprochen oder das Verfahren nicht eingestellt ist, entscheidet das Strafgericht auch über die Zivilansprüche des Opfers.

(2) Das Gericht kann vorerst nur im Strafpunkt urteilen und die Zivilansprüche später behandeln.

(3) Würde die vollständige Beurteilung der Zivilansprüche einen unverhältnismässigen Aufwand erfordern, so kann das Strafgericht die Ansprüche nur dem Grundsatz

Anhang 2: Auflistung verschiedener Vorschriften

nach entscheiden und das Opfer im übrigen an das Zivilgericht verweisen. Ansprüche von geringer Höhe beurteilt es jedoch nach Möglichkeit vollständig.

(4) Die Kantone können für Zivilansprüche im Strafmandatsverfahren sowie im Verfahren gegen Kinder und Jugendliche abweichende Bestimmungen erlassen.

5. StPO (Schweiz) (Stand: 1.1.2011)

Art. 115 Geschädigte Person

(1) Als geschädigte Person gilt die Person, die durch die Straftat in ihren Rechten unmittelbar verletzt worden ist.

(2) Die zur Stellung eines Strafantrags berechtigte Person gilt in jedem Fall als geschädigte Person.

Art. 116 Begriffe

(1) Als Opfer gilt die geschädigte Person, die durch die Straftat in ihrer körperlichen, sexuellen oder psychischen Integrität unmittelbar beeinträchtigt worden ist.

(2) Als Angehörige des Opfers gelten seine Ehegattin oder sein Ehegatte, seine Kinder und Eltern sowie die Personen, die ihm in ähnlicher Weise nahe stehen.

Art. 117 Stellung

(1) Dem Opfer stehen besondere Rechte zu, namentlich:

a. das Recht auf Persönlichkeitsschutz (Art. 70 Abs. 1 Bst. a, 74 Abs. 4, 152 Abs. 1);

b. das Recht auf Begleitung durch eine Vertrauensperson (Art. 70 Abs. 2, 152 Abs. 2);

c. das Recht auf Schutzmassnahmen (Art. 152–154);

d. das Recht auf Aussageverweigerung (Art. 169 Abs. 4);

e. das Recht auf Information (Art. 305, 330 Abs. 3);

f. das Recht auf eine besondere Zusammensetzung des Gerichts (Art. 335 Abs. 4).

(2) Bei Opfern unter 18 Jahren kommen darüber hinaus die besonderen Bestimmungen zum Schutz ihrer Persönlichkeit zur Anwendung, namentlich betreffend:

a. Einschränkungen bei der Gegenüberstellung mit der beschuldigten Person (Art. 154 Abs. 4);

b. besondere Schutzmassnahmen bei Einvernahmen (Art. 154 Abs. 2–4);

c. Einstellung des Verfahrens (Art. 319 Abs. 2).

(3) Machen die Angehörigen des Opfers Zivilansprüche geltend, so stehen ihnen die gleichen Rechte zu wie dem Opfer.

408 Anhang

Art. 118 Begriff und Voraussetzungen [der Privatklägerschaft]

(1) Als Privatklägerschaft gilt die geschädigte Person, die ausdrücklich erklärt, sich am Strafverfahren als Straf- oder Zivilklägerin oder -kläger zu beteiligen.

(2) Der Strafantrag ist dieser Erklärung gleichgestellt.

(3) Die Erklärung ist gegenüber einer Strafverfolgungsbehörde spätestens bis zum Abschluss des Vorverfahrens abzugeben.

(4) Hat die geschädigte Person von sich aus keine Erklärung abgegeben, so weist sie die Staatsanwaltschaft nach Eröffnung des Vorverfahrens auf diese Möglichkeit hin.

Art. 119 Form und Inhalt der Erklärung

(1) Die geschädigte Person kann die Erklärung schriftlich oder mündlich zu Protokoll abgeben.

(2) In der Erklärung kann die geschädigte Person kumulativ oder alternativ:

a. die Verfolgung und Bestrafung der für die Straftat verantwortlichen Person verlangen (Strafklage);

b. adhäsionsweise privatrechtliche Ansprüche geltend machen, die aus der Straftat abgeleitet werden (Zivilklage).

Art. 120 Verzicht und Rückzug

(1) [1]Die geschädigte Person kann jederzeit schriftlich oder mündlich zu Protokoll erklären, sie verzichte auf die ihr zustehenden Rechte. [2]Der Verzicht ist endgültig.

(2) Wird der Verzicht nicht ausdrücklich eingeschränkt, so umfasst er die Straf- und die Zivilklage.

Art. 121 Rechtsnachfolge

(1) Stirbt die geschädigte Person, ohne auf ihre Verfahrensrechte als Privatklägerschaft verzichtet zu haben, so gehen ihre Rechte auf die Angehörigen im Sinne von Artikel 110 Absatz 1 StGB in der Reihenfolge der Erbberechtigung über.

(2) Wer von Gesetzes wegen in die Ansprüche der geschädigten Person eingetreten ist, ist nur zur Zivilklage berechtigt und hat nur jene Verfahrensrechte, die sich unmittelbar auf die Durchsetzung der Zivilklage beziehen.

4. Abschnitt: Zivilklage

Art. 122 Allgemeine Bestimmungen

(1) Die geschädigte Person kann zivilrechtliche Ansprüche aus der Straftat als Privatklägerschaft adhäsionsweise im Strafverfahren geltend machen.

Anhang 2: Auflistung verschiedener Vorschriften   409

(2) Das gleiche Recht steht auch den Angehörigen des Opfers zu, soweit sie gegenüber der beschuldigten Person eigene Zivilansprüche geltend machen.

(3) Die Zivilklage wird mit der Erklärung nach Artikel 119 Absatz 2 Buchstabe b rechtshängig.

(4) Zieht die Privatklägerschaft ihre Zivilklage vor Abschluss der erstinstanzlichen Hauptverhandlung zurück, so kann sie sie auf dem Zivilweg erneut geltend machen.

Art. 123 Bezifferung und Begründung

(1) Die in der Zivilklage geltend gemachte Forderung ist nach Möglichkeit in der Erklärung nach Artikel 119 zu beziffern und, unter Angabe der angerufenen Beweismittel, kurz schriftlich zu begründen.

(2) Bezifferung und Begründung haben spätestens im Parteivortrag zu erfolgen.

Art. 124 Zuständigkeit und Verfahren

(1) Das mit der Strafsache befasste Gericht beurteilt den Zivilanspruch ungeachtet des Streitwertes.

(2) Der beschuldigten Person wird spätestens im erstinstanzlichen Hauptverfahren Gelegenheit gegeben, sich zur Zivilklage zu äussern.

(3) Anerkennt sie die Zivilklage, so wird dies im Protokoll und im verfahrenserledigenden Entscheid festgehalten.

Art. 125 Sicherheit für die Ansprüche gegenüber der Privatklägerschaft

(1) Die Privatklägerschaft, mit Ausnahme des Opfers, hat auf Antrag der beschuldigten Person für deren mutmassliche, durch die Anträge zum Zivilpunkt verursachten Aufwendungen Sicherheit zu leisten, wenn:

a. sie keinen Wohnsitz oder Sitz in der Schweiz hat;

b. sie zahlungsunfähig erscheint, namentlich wenn gegen sie der Konkurs eröffnet oder ein Nachlassverfahren im Gang ist oder Verlustscheine bestehen;

c. aus anderen Gründen eine erhebliche Gefährdung oder Vereitelung des Anspruchs der beschuldigten Person zu befürchten ist.

(2) Die Verfahrensleitung des Gerichts entscheidet über den Antrag endgültig. Sie bestimmt die Höhe der Sicherheit und setzt eine Frist zur Leistung.

(3) Die Sicherheit kann in bar oder durch Garantie einer in der Schweiz niedergelassenen Bank oder Versicherung geleistet werden.

(4) Sie kann nachträglich erhöht, herabgesetzt oder aufgehoben werden.

410 Anhang

Art. 126 Entscheid

(1) Das Gericht entscheidet über die anhängig gemachte Zivilklage, wenn es die beschuldigte Person:

a. schuldig spricht;

b. freispricht und der Sachverhalt spruchreif ist.

(2) Die Zivilklage wird auf den Zivilweg verwiesen, wenn:

a. das Strafverfahren eingestellt oder im Strafbefehlsverfahren erledigt wird;

b. die Privatklägerschaft ihre Klage nicht hinreichend begründet oder beziffert hat;

c. die Privatklägerschaft die Sicherheit für die Ansprüche der beschuldigten Person nicht leistet;

d. die beschuldigte Person freigesprochen wird, der Sachverhalt aber nicht spruchreif ist.

(3) Wäre die vollständige Beurteilung des Zivilanspruchs unverhältnismässig aufwendig, so kann das Gericht die Zivilklage nur dem Grundsatz nach entscheiden und sie im Übrigen auf den Zivilweg verweisen. Ansprüche von geringer Höhe beurteilt das Gericht nach Möglichkeit selbst.

(4) In Fällen, in denen Opfer beteiligt sind, kann das Gericht vorerst nur den Schuld- und Strafpunkt beurteilen; anschliessend beurteilt die Verfahrensleitung als Einzelgericht nach einer weiteren Parteiverhandlung die Zivilklage, ungeachtet des Streitwerts.

Art. 136 Voraussetzungen [unentgeltlicher Rechtspflege]

(1) Die Verfahrensleitung gewährt der Privatklägerschaft für die Durchsetzung ihrer Zivilansprüche ganz oder teilweise die unentgeltliche Rechtspflege, wenn:

a. die Privatklägerschaft nicht über die erforderlichen Mittel verfügt; und

b. die Zivilklage nicht aussichtslos erscheint.

(2) Die unentgeltliche Rechtspflege umfasst:

a. die Befreiung von Vorschuss- und Sicherheitsleistungen;

b. die Befreiung von den Verfahrenskosten;

c. die Bestellung eines Rechtsbeistands, wenn dies zur Wahrung der Rechte der Privatklägerschaft notwendig ist.

Art. 305 Information des Opfers über seine Rechte

(1) Die Polizei und die Staatsanwaltschaft informieren das Opfer oder seine hinterbliebenen Angehörigen bei der jeweils ersten Einvernahme umfassend über seine oder ihre Rechte und Pflichten im Strafverfahren.

(2) Die Polizei oder die Staatsanwaltschaft informiert bei gleicher Gelegenheit zudem über:

a. die Adressen und die Aufgaben der Opferberatungsstellen;

b. die finanziellen Leistungen nach dem Opferhilfegesetz vom 4. Oktober 1991 und die Frist zur Einreichung eines Gesuchs.

Anhang 2: Auflistung verschiedener Vorschriften 411

(3) Sie übermitteln Name und Adresse des Opfers umgehend an eine Opferberatungsstelle, wenn das Opfer dies nicht ablehnt.

(4) Die Einhaltung der Bestimmungen dieses Artikels ist zu protokollieren.

Art. 313 Beweiserhebungen im Zusammenhang mit Zivilklagen

(1) Die Staatsanwaltschaft erhebt die zur Beurteilung der Zivilklage erforderlichen Beweise, sofern das Verfahren dadurch nicht wesentlich erweitert oder verzögert wird.

(2) ...

Art. 320 Einstellungsverfügung

(1) und (2) ...

(3) [1]In der Einstellungsverfügung werden keine Zivilklagen behandelt. [2]Der Privatklägerschaft steht nach Eintritt der Rechtskraft der Verfügung der Zivilweg offen.

(4) ...

Art. 382 Legitimation der übrigen Parteien

(1) ...

(2) Die Privatklägerschaft kann einen Entscheid hinsichtlich der ausgesprochenen Sanktion nicht anfechten.

(3) ...

Art. 391 Entscheid

(1) Die Rechtsmittelinstanz ist bei ihrem Entscheid nicht gebunden an:

a. die Begründungen der Parteien;

b. die Anträge der Parteien, ausser wenn sie Zivilklagen beurteilt.

(2) ...

(3) Sie darf Entscheide im Zivilpunkt nicht zum Nachteil der Privatklägerschaft abändern, wenn nur von dieser ein Rechtsmittel ergriffen worden ist.

Art. 398 Zulässigkeit und Berufungsgründe

(1) bis (4) ...

(5) Beschränkt sich die Berufung auf den Zivilpunkt, so wird das erstinstanzliche Urteil nur so weit überprüft, als es das am Gerichtsstand anwendbare Zivilprozessrecht vorsehen würde.

412   Anhang

*Art. 427 Kostentragungspflicht der Privatklägerschaft
und der antragstellenden Person*

(1) Der Privatklägerschaft können die Verfahrenskosten, die durch ihre Anträge zum Zivilpunkt verursacht worden sind, auferlegt werden, wenn:

a. das Verfahren eingestellt oder die beschuldigte Person freigesprochen wird;

b. die Privatklägerschaft die Zivilklage vor Abschluss der erstinstanzlichen Hauptverhandlung zurückzieht;

c. die Zivilklage abgewiesen oder auf den Zivilweg verwiesen wird.

(2) bis (4) …

*Art. 432 Ansprüche gegenüber der Privatklägerschaft
und der antragstellenden Person*

(1) Die obsiegende beschuldigte Person hat gegenüber der Privatklägerschaft Anspruch auf angemessene Entschädigung für die durch die Anträge zum Zivilpunkt verursachten Aufwendungen.

(2) Obsiegt die beschuldigte Person bei Antragsdelikten im Schuldpunkt, so können die antragstellende Person, sofern diese mutwillig oder grob fahrlässig die Einleitung des Verfahrens bewirkt oder dessen Durchführung erschwert hat, oder die Privatklägerschaft verpflichtet werden, der beschuldigten Person die Aufwendungen für die angemessene Ausübung ihrer Verfahrensrechte zu ersetzen.

6. StGB-DDR (Stand: 1.1.1989)

§ 24: Wiedergutmachung des Schadens

(1) Bei Straftaten, die materielle Schäden zur Folge haben, ist darauf hinzuwirken, daß im Strafverfahren Schadensersatzansprüche nach den Bestimmungen des Arbeits-, Agrar- oder Zivilrechts geltend gemacht werden, um die erzieherische Wirksamkeit des Strafverfahrens zu erhöhen.

(2) Liegen bei einer derartigen Straftat die Voraussetzungen für die Übergabe an ein gesellschaftliches Organ der Rechtspflege nicht vor, kann jedoch der Erziehungszweck des Strafverfahrens durch eine Verurteilung zum Schadensersatz erreicht werden, ist das Verfahren auf diese Art zum Abschluß zu bringen und von Strafe abzusehen.

§ 33: Verurteilung auf Bewährung

(1) und (2) …

(3) [1]Bei Straftaten, die materielle Schäden verursacht haben, ist der Verurteilte zu verpflichten, den angerichteten Schaden durch Schadensersatzleistung oder, mit Einverständnis des Geschädigten, durch eigene Arbeit wiedergutzumachen. [2]Das Gericht kann hierfür Fristen festsetzen.

(4) …

Anhang 2: Auflistung verschiedener Vorschriften 413

7. StPO-DDR (Stand: 1.1.1989)

§ 17: Stellung des Geschädigten

(1) [1]Jeder durch eine Straftat Geschädigte hat das Recht, die Strafverfolgung zu verlangen und am Strafverfahren mitzuwirken. [2]Er ist insbesondere berechtigt,

– Schadensersatzansprüche zu stellen;

– Beweisanträge zu stellen;

– von abschließenden Entscheidungen unterrichtet zu werden;

– Beschwerde einzulegen.

(2) Dem Geschädigten gleichgestellt sind Rechtsträger sozialistischen Eigentums, auf die kraft Gesetzes oder Vertrages Schadensersatzansprüche übergegangen sind.

(3) [1]Das Gericht, die Staatsanwaltschaft und die Untersuchungsorgane sind verpflichtet, mit der strafrechtlichen Verantwortlichkeit den entstandenen Schaden festzustellen. [2]Sie haben den Geschädigten auf seine Rechte hinzuweisen und ihn bei Ihrer Verwirklichung zu unterstützen. [3]Der Geschädigte kann sich zur Geltendmachung seines Schadensersatzanspruchs eines Rechtsanwaltes bedienen. [4]Von abschließenden Entscheidungen ist der Geschädigte zu unterrichten. [5]Er ist auch über die Zulässigkeit der Beschwerde zu belehren.

§ 93: Anzeigen und Mitteilungen

(1) ...

(2) Der durch die Straftat Geschädigte ist auf die Möglichkeit der Geltendmachung eines Schadensersatzanspruches und auf seine Rechte gemäß § 17 im Strafverfahren hinzuweisen.

§ 120: Arrestbefehl des Staatsanwalts

(1) [1]Der Staatsanwalt kann über das Vermögen oder Teile des Vermögens des Beschuldigten einen Arrestbefehl erlassen, wenn zu besorgen ist, daß sonst die Verwirklichung einer Geldstrafe, die Beitreibung der Auslagen des Verfahrens oder die Durchsetzung eines Schadensersatzanspruches wesentlich erschwert werden würde. [2]Zur Sicherung geringfügiger Beträge ergeht kein Arrestbefehl.

(2) Im Arrestbefehl wird der zu sichernde Geldbetrag festgestellt.

(3) Die Vollziehung des Arrestbefehls erfolgt durch den Staatsanwalt, der sich hierbei des Gerichtsvollziehers bedienen kann.

(4) Der Arrestbefehl wird durch Verfügung des Staatsanwalts aufgehoben, wenn die Voraussetzungen für die weitere Aufrechterhaltung nicht mehr vorliegen.

(5) Im gerichtlichen Verfahren stehen die Befugnisse nach Absätzen 1 bis 4 dem Prozeßgericht zu.

414 Anhang

§ 121: Richterliche Bestätigung

[1]Beschlagnahmen, Durchsuchungen und Arrestbefehle bedürfen der richterlichen Bestätigung. [2]Die Bestätigung ist innerhalb von 48 Stunden einzuholen. [3]Zuständig für diese Entscheidung ist das Kreisgericht oder das Prozeßgericht. [4]Wird die Bestätigung rechtskräftig abgelehnt, sind die getroffenen Maßnahmen innerhalb weiterer 24 Stunden aufzuheben.

§ 198: Geltendmachung von Schadensersatzansprüchen

(1) [1]Der durch die Straftat Geschädigte kann bis zur Eröffnung des Hauptverfahrens beantragen, daß der Angeklagte zum Ersatz des entstandenen Schadens verurteilt wird, sofern der Anspruch nicht anderweitig anhängig oder darüber bereits entschieden ist. [2]Das Gericht kann einen später gestellten Antrag auf Schadensersatz bis zum Schluss der Beweisaufnahme durch Beschluss in das Verfahren einbeziehen, wenn die Entscheidung über den Antrag ohne Verzögerung des Verfahrens möglich ist und der Angeklagte der Einbeziehung zustimmt. [3]Der Zustimmung des Angeklagten bedarf es nicht, wenn der Antrag ihm unter Wahrung der Ladungsfrist zugestellt wurde.

(2) Der Staatsanwalt ist unter den gleichen Voraussetzungen berechtigt, Schadensersatzansprüche von Rechtsträgern sozialistischen Eigentums und auf diese übergegangene Schadensersatzansprüche von Geschädigten selbständig geltend zu machen.

§ 202: Ladungen und Benachrichtigungen

(1) bis (3) ...

(4) Der Geschädigte ist vom Termin der Hauptverhandlung zu benachrichtigen.

§ 203: Ladung des Angeklagten

(1) ...

(2) [1]... [2]Die Abschrift des Schadensersatzantrags kann auch nach der Ladung zur Hauptverhandlung wirksam zugestellt werden, wenn hierbei die Ladungsfrist gewahrt wird.

(3) ...

§ 205: Ladung des Verteidigers

(1) ...

(2) [1]Die Anklageschrift, der Eröffnungsbeschluß und die Abschrift eines Schadensersatzantrages sind dem Verteidiger spätestens mit der Ladung zur Hauptverhandlung unter den gleichen Voraussetzungen zuzustellen wie dem Angeklagten. [2] und [3] ...

§ 221: Beginn der Hauptverhandlung

(1) [1]... [2]Er fordert die erschienenen Zeugen auf, bis zu ihrer Vernehmung den Sitzungssaal zu verlassen. [3]...

(2) bis (5) ...

Anhang 2: Auflistung verschiedener Vorschriften 415

§ 222: Inhalt und Umfang der Beweisaufnahme

(1) Das Gericht ist verpflichtet, als Grundlage seiner Entscheidung über die strafrechtliche Verantwortlichkeit des Angeklagten, die Art und Weisender Begehung der Straftat, ihre Ursachen und Bedingungen, den entstandenen Schaden, die Persönlichkeit des Angeklagten, seine Beweggründe, die Art und Schwere seiner Schuld, sein Verhalten vor und nach der Tat in belastender und entlastender Hinsicht allseitig und unvoreingenommen festzustellen.

(2) Diesen Aufgaben dient die Vernehmung des Angeklagten zur Person und zur Sache, die darauf folgende weitere Erhebung und Überprüfung der Beweise sowie die Besichtigung von Orten und Gegenständen.

(3) Die in der Beweisaufnahme zu treffenden Feststellungen bilden die alleinige Grundlage für das Urteil.

§ 225: Vernehmung von Zeugen

(1) bis (4) ...

(5) [1]Wird der Geschädigte als Zeuge vernommen, hat das Gericht zu gewährleisten, daß seine Rechte auch während seiner Abwesenheit gewährleistet werden. [2]Soweit erforderlich, ist er vom Vorsitzenden darüber zu unterrichten, was während seiner Abwesenheit verhandelt wurde.

§ 242: Urteil

(1) bis (4) ...

(5) [1]Im Urteil ist über den geltend gemachten Schadensersatzanspruch zu entscheiden. [2]Ist die Entscheidung über dessen Höhe im Strafverfahren unzweckmäßig, ist die Sache insoweit zur Verhandlung über die Höhe an das zuständige Gericht zu verweisen. [3]Dieses ist an die Entscheidung über den Grund des Anspruches gebunden.

§ 244: Freispruch

(1) [1]Das Gericht spricht den Angeklagten frei, wenn sich die Anklage nicht als begründet erweist. [2]In den Urteilsgründen muss der Sachverhalt dargelegt und umfassend gewürdigt werden. [3]§ 242 Absatz 3 gilt entsprechend. [4]Formulierungen, welche die Unschuld des Freigesprochenen in Zweifel ziehen, sind unzulässig.

(2) [1]In diesem Falle ist ein gestellter Schadensersatzantrag als unzulässig abzuweisen. [2]Es bleibt dem Geschädigten unbenommen, den Anspruch aus anderen rechtlichen Gesichtspunkten als dem des Schadensersatzes wegen der der Anklage zugrunde liegenden Straftat vor dem zuständigen Gericht zu verfolgen.

§ 248: Endgültige Einstellung

(1) bis (4) ...

(5) Lag ein Schadensersatzantrag vor, ist der Geschädigte darüber zu unterrichten, in welcher Weise er seine Schadensersatzansprüche geltend machen kann.

416 Anhang

§ 270: Voraussetzungen [eines Strafbefehls]

(1) [1] bis [4] ... [5]Dem Beschuldigten kann auch der Ersatz des verursachten Schadens auferlegt werden.

(2) und (3) ...

§ 271: Entscheidung über den Antrag
[des Staatsanwaltes auf Erlass eines Strafbefehls]

(1) Der Antrag ist auf eine bestimmte Strafe und, wenn ein Schadensersatzanspruch geltend gemacht wird, auf den Ersatz des verursachten Schadens zu richten.

(2) und (3) ...

(4) [1]Wird über den geltend gemachten Schadensersatzanspruch nur dem Grunde nach entschieden, ist die Sache insoweit zur Verhandlung über die Höhe des Anspruches an das zuständige Gericht zu verweisen. [2]Dieses ist an die Entscheidung über den Grund des Anspruches gebunden.

(5) [1]Hat das Gericht Bedenken, im Strafbefehl über den Schadensersatzanspruch zu entscheiden, hat es die Sache insoweit zur Entscheidung an das zuständige Gericht zu verweisen. [2]Die Rückgabe der Sache an den Staatsanwalt aus diesem Grunde ist ausgeschlossen.

§ 274: Verfahren nach Einspruch [gegen den Strafbefehl]

(1) und (2) ...

(3) Richtet sich der Einspruch allein gegen die Verpflichtung zur Schadensersatzleistung, hat das Gericht nur hierüber zu entscheiden.

§ 289: Wirkung der Einlegung [des Strafbefehls]

(1) [1]Durch rechtzeitige Einlegung des Protestes und der Berufung wird die Rechtskraft des Urteils hinsichtlich des vom Rechtsmittel Betroffenen gehemmt. [2]Das gleiche gilt, wenn gegen die Entscheidung über den Schadensersatz rechtzeitig Beschwerde eingelegt wird. [3]...

(2) ...

§ 292: Beteiligung des Geschädigten

[1]Wird Protest oder Berufung gegen ein Urteil eingelegt, kann sich der Geschädigte, über dessen Schadensersatzanspruch im Verfahren erster Instanz entschieden wurde, auch an dem Verfahren zweiter Instanz beteiligen. [2]Er ist von der Hauptverhandlung zu benachrichtigen.

Anhang 2: Auflistung verschiedener Vorschriften 417

§ 305: Zulässigkeit [einer Beschwerde]

(1) ...

(2) Auch Verteidiger, Zeugen, Sachverständige, Geschädigte und andere Personen können gegen Beschlüsse, durch welche sie betroffen sind, Beschwerde erheben.

(3) ...

§ 310: Beschwerde gegen die Entscheidung über den Schadensersatz

(1) [1]Wurde in einem Strafverfahren über einen Schadensersatzanspruch entschieden, kann der Geschädigte gegen die Entscheidung über den Schadensersatz Beschwerde einlegen. [2]Dieses Recht hat auch der Staatsanwalt, wenn er keinen Protest einlegt. [3]Das gleiche gilt für den Angeklagten, falls er vom Recht der Berufung nicht Gebrauch macht. [4]Wurde der Schadensersatzantrag wegen Freispruchs des Angeklagten als unzulässig abgewiesen, ist die Beschwerde nicht zulässig.

(2) Das Verfahren ist, soweit weder Protest noch Berufung eingelegt wurde, insoweit dem Senat zu überweisen, der für die Entscheidung über diesen Anspruch in zweiter Instanz zuständig ist.

§ 363: Auslagen bei Geltendmachung von Schadensersatz

(1) [1]Hat der Geschädigte in einem Strafverfahren einen Schadensersatzanspruch gestellt und wird im Verfahren über diesen Anspruch entschieden, sind hierfür keine Gerichtsgebühren zu berechnen. [2]Sind durch die Geltendmachung des Schadensersatzanspruches besondere Auslagen entstanden, finden die §§ 362, 364 Absatz 1 für diese Auslagen Anwendung.

(2) Wird über den Schadensersatzanspruch im Strafverfahren nur dem Grunde nach entschieden oder hat das Gericht Bedenken, im Strafbefehl über den Schadensersatzanspruch zu entscheiden, und wird die Sache aus diesen Gründen zur Entscheidung über den Anspruch gemäß §§ 242 Absatz 5, 271 Absätze 4 und 5 an das zuständige Gericht verwiesen, gelten für das weitere Verfahren die Vorschriften über die Kosten der jeweiligen Verfahrensart.

8. Europäische Rechtsquellen

Rahmenbeschluss des Rates vom 15. März 2001 über die Stellung des Opfers im Strafverfahren (Abl. EG Nr. L 82/1 v. 22. März 2001).

Artikel 9: Recht auf Entschädigung im Rahmen des Strafverfahrens

(1) Die Mitgliedstaaten gewährleisten, dass Opfer einer Straftat ein Recht darauf haben, innerhalb einer angemessenen Frist eine Entscheidung über die Entschädigung durch den Täter im Rahmen des Strafverfahrens zu erwirken, es sei denn, das einzelstaatliche Recht sieht in bestimmten Fällen vor, dass die Entschädigung in einem anderen Rahmen erfolgt.

418 Anhang

(2) Die Mitgliedstaaten treffen die erforderlichen Maßnahmen, um die Bemühungen um eine angemessene Entschädigung des Opfers durch den Täter zu begünstigen.

(3) Im Rahmen des Strafverfahrens sichergestelltes Eigentum des Opfers, das für eine Rückgabe in Frage kommt, wird diesem unverzüglich zurückgegeben, es sei denn, der Rückgabe stehen zwingende Gründe im Zusammenhang mit der Verfahrensführung entgegen.

Anhang 3

Fragebogen der Onlineumfrage

1. Frage: Bundesland

In welchem Bundesland sind Sie derzeit tätig?

o Baden-Württemberg

o Bayern

o Berlin

o Brandenburg

o Bremen

o Hamburg

o Hessen

o Mecklenburg-Vorpommern

o Niedersachsen

o Nordrhein-Westfalen

o Rheinland-Pfalz

o Saarland

o Sachsen

o Sachsen-Anhalt

o Schleswig-Holstein

o Thüringen

2. Frage: Berufserfahrung

Wie viele Jahre Berufserfahrung als Richter an einem Strafgericht haben Sie?

o bis 1 Jahr

o 2 bis 5 Jahre

o 6 bis 10 Jahre

o 11 bis 15 Jahre

o 16 bis 30 Jahre

o mehr als 31 Jahre

3. Frage: Erstkontakt

Können Sie sich erinnern, wann Sie erstmals das Adhäsionsverfahren als Rechtsinstitut im Strafverfahren wahrgenommen haben?

o bereits während des Studiums

o im Rahmen des Referendariats

o gleich zu Beginn meiner Berufstätigkeit

o erst nach mehreren Berufsjahren

o durch ein privat betriebenes Adhäsionsverfahren

o erst durch diese Umfrage

420 Anhang

4. Frage: Verfahren mit Kontakt zum Adhäsionsverfahren

Können Sie ungefähr sagen, in wie vielen der von Ihnen als Richter am Strafgericht behandelten Fälle, die sich prinzipiell für ein Adhäsionsverfahren eigneten, ein Adhäsionsantrag gestellt wurde? (in Prozent)

5. Frage: Anteil der Adhäsionsurteile

Die Statistiken geben immer nur die Zahl der Adhäsionsurteile wieder. Keine Aussagen treffen sie über die Zahl der Verfahren, in denen überhaupt ein Adhäsionsantrag gestellt wurde. Daher fallen alle Fälle heraus, die mit einer Absehensentscheidung, einem Vergleich oder einer Rücknahme des Antrags abgeschlossen werden.

Können Sie ungefähr sagen, in wie vielen Ihrer Fälle, in denen ein Adhäsionsantrag gestellt wurde, es tatsächlich auch zu einem Adhäsionsurteil kam? (in Prozent)

6. Frage: Gründe für das Schattendasein

Welche der folgenden Aspekte halten Sie für besonders entscheidend, um die mangelnde Praxisrelevanz zu erklären? (Mehrfachnennungen möglich)

o Anwälte haben einen gebührenrechtlichen Nachteil.

o Zivilrechtliche Fragestellungen sind für einen Strafrichter nicht ohne Weiteres zu beantworten.

o Das Adhäsionsverfahren wird nicht ausreichend im Pensenschlüssel berücksichtigt.

o Von der Absehensmöglichkeit (§ 406 Abs. 1 StPO) wird zu oft Gebrauch gemacht.

o Das Verfahren ist mit den Grundsätzen des Strafprozesses unvereinbar.

o An einer Anspruchsverfolgung im Strafverfahren besteht eher kein Interesse.

o Die Hinweispflicht an den Verletzten wird oft nicht erfüllt.

o Das Adhäsionsverfahren ist bei dem Verletzten einer Straftat unbekannt.

o Das Adhäsionsverfahren ist bei den am Strafverfahren beteiligten Juristen unbekannt.

o Fehlende zivilprozessuale Möglichkeiten für den Verletzten (z.B. keine Streitverkündung).

o Eine Tatsacheninstanz geht verloren.

o Der Angeklagte wird in seiner Stellung beeinträchtigt.

o Keiner dieser Aspekte.

o Keiner dieser Aspekte, aber ein anderer Grund (bitte bei der letzten Frage berücksichtigen).

Anhang 3: Fragebogen der Onlineumfrage

7. Frage: Vermehrte Anwendung

Finden Sie, dass das Ziel einer deutlich höheren Anwendungshäufigkeit erstrebenswert ist? Sollten diesbezüglich weiterere gesetzgeberische Reformen erfolgen?

- o absolut erstrebenswert
- o etwas erstrebenswert
- o nicht erstrebenswert
- o erstrebenswert
- o kaum erstrebenswert
- o absolut nicht erstrebenswert

8. Frage: Rechtspolitische Gründe

Können Sie Ihre Grundeinstellung zur weiteren Reform präzisieren, indem Sie die Gründe angeben? (Mehrfachnennungen möglich)

- o unter dem Strich Einsparung justizieller Ressourcen
- o verstärkter Opferschutz
- o für den Verletzten schneller und günstiger
- o Unvereinbarkeit von Zivil- und Strafverfahren
- o unverhältnismäßiger Mehraufwand
- o Mängel in der Ausgestaltung der §§ 403 ff.
- o keine dieser Aspekte
- o keine dieser Aspekte, aber ein anderer Grund (bitte bei der letzten Frage berücksichtigen)

9. Frage: Grundsatzfrage

Wie stehen Sie zu folgender Aussage: Das Adhäsionsverfahren ist grundsätzlich ein sinnvolles Rechtsinstitut?

- o absolut einverstanden
- o unentschlossen
- o absolut nicht einverstanden
- o einverstanden
- o nicht einverstanden

10. Frage: Abschlussfrage

Welche abschließenden Bemerkungen möchten Sie zum Adhäsionsverfahren noch machen?

Was sollte Ihrer Ansicht nach am Adhäsionsverfahren geändert werden (rechtliche Ausgestaltung, Ausdehnung/Einschränkung des Anwendungsbereich oder ähnliches)?

Literaturverzeichnis

Achenbach, Hans (Hrsg.): Alternativkommentar zur Strafprozeßordnung; Band 3 §§ 276–477; Neuwied u. a. 1996; zit. AK-*Bearbeiter* (1996), § Rn.

– Vermögensrechtlicher Opferschutz im strafprozessualen Vorverfahren, in: Schwind, Hans-Dieter/Berz, Ulrich/Geilen, Gerd/Herzberg, Rolf-Dietrich (Hrsg.); Festschrift für Günter Blau zum siebzigsten Geburtstag am 18. Dezember 1985; Berlin u. a. 1985; S. 7–23; zit. *Achenbach* (1985), S.

Achenbach, Hans/*Ransiek,* Andreas (Hrsg.): Handbuch Wirtschaftsstrafrecht; 2. Aufl., Heidelberg 2007; zit. Achenbach/Ransiek-*Bearbeiter* (2007), Abschnitt Rn.

AE-WGM (Alternativentwurf Wiedergutmachung): Hrsg. v. Arbeitskreis Deutscher, Österreichischer und Schweizerischer Strafrechtslehrer; München 1992; zit. AE-WGM (1992), S.

Aeschlimann, Jürg: Einführung in das Strafprozessrecht; Bern u. a. 1996; zit. *Aeschlimann* (1996), Rn.

AHStR (Anwalts-Handbuch Strafrecht): Hrsg. v. Cramer, Peter/Cramer, Steffen; Köln 2002; zit. AHStR-*Bearbeiter* (2002), Kap. Rn.

AK: Alternativkommentar zur Strafprozeßordnung; Band 3 §§ 276–477, hrsg. v. Achenbach, Hans; Neuwied u. a. 1996; zit. AK-*Bearbeiter* (1996), § Rn.

Albrecht, Hans-Jörg: Ist das deutsche Jugendstrafrecht noch zeitgemäß?, Gutachten D für den 64. Deutschen Juristentag; München 2002; zit. *Albrecht* (2002), S.

Ambrosius, [Vorn. unbek.]: Das Adhäsionsverfahren im Strafprozeß; DR 1934, 282–283

– Für und wider das Adhäsionsverfahren; GS 107 (1936), 143–165

Amelunxen, Clemens: Die Entschädigung des durch eine Straftat Verletzten; ZStW 86 (1974), 457–470

AnwK: Anwaltkommentar Strafprozessordnung, hrsg. v. Krekeler, Wilhelm/Löffelmann, Markus; 2. Aufl., Bonn 2010; zit. AnwK-*Bearbeiter* (2006), § Rn.

Atteslander, Peter: Methoden der empirischen Sozialforschung; 12. Aufl., Köln 2008; zit. *Atteslander* (2008), S.

Bachner-Foregger, Helene: Strafprozessordnung; 19. Aufl., Wien 2009; zit. *Bachner-Foregger* (2009), § Anm.

Bader, Johann/*Ronellenfitsch,* Michael (Hrsg.): Beck'scher Online-Kommentar zum VwVfG; Stand: 1. Januar 2010; Edition 6; München 2010 zit. Bader/Ronellenfitsch-*Bearbeiter* (2010), § Rn.

Bahnson, Inger: Das Adhäsionsverfahren nach dem Opferrechtsreformgesetz 2004; Regensburg 2008; zit. *Bahnson* (2008), S.

Literaturverzeichnis 423

Balzer, Christian: Rechtsprechungsqualität und Richterüberlastung; DRiZ 2007, 88–92

Bamberger, Heinz Georg/*Roth,* Herbert (Hrsg.): Kommentar zum Bürgerlichen Gesetzbuch; Bd. 2., §§ 611–1296, GG, ErbbauVO, WEG; 2. Aufl., München 2008; zit. Bamberger/Roth-*Bearbeiter* (2008), § Rn.

Barthelmeß, Martin: Anmerkung zu LG Stuttgart Beschl. v. 25.9.1997 (7 KLs 141 Js 23241/94-4/97); wistra 1998, 239

Bauer, Günter: Rechtsentwicklung bei den Allgemeinen Bedingungen für die Rechtsschutzversicherung bis Anfang 2008; NJW 2008, 1496–1501

Bauer, Hans-Joachim/*Oefele,* Helmut von: Grundbuchordnung; 2. Aufl., München 2006; zit. Bauer/Oefele (2006), § Rn.

Becker, Jörg: Aus der Rechtsprechung des BGH zum Strafverfahrensrecht; NStZ-RR 2004, 225–230

Beckert, Rudi: Durchsetzung von Schadensersatzansprüchen im Strafverfahren; NJ 1979, 457–458

Beduhn, Elke: Schadensersatz wegen sexuellen Kindesmissbrauchs; Münster 2004; zit. *Beduhn* (2004), S.

Bennecke, Hans/*Beling,* Ernst: Lehrbuch des deutschen Reichs-Strafprozeßrechts; Breslau 1900; zit. *Bennecke/Beling* (1900), S.

Berger, Bernhard/*Güngerich,* Andreas: Zivilprozessrecht: unter Berücksichtigung des Entwurfs für eine schweizerische Zivilprozessordnung, der bernischen Zivilprozessordnung und des Bundesgerichtsgesetzes; Bern 2008; zit. *Berger/Güngerich* (2008), S.

Bertel, Christian/*Venier,* Andreas: Strafprozessrecht; 4. Aufl., Wien 2010; zit. *Bertel/Venier* (2010), Rn.

– Einführung in die neue Strafprozessordnung; 2. Aufl., Wien u.a. 2006; zit. *Bertel/Venier* (2006), Rn.

– Grundriss des österreichischen Strafprozessrechts; 8. Aufl., Wien 2004; zit. *Bertel/Venier* (2004), Rn.

Beth, Alfred: Die Geltendmachung zivilrechtlicher Schadensersatzansprüche im französischen Strafverfahren; Freiburg 1972; zit. *Beth* (1972), S.

Betmann, Christian: Das Adhäsionsverfahren im Lichte des Opferrechtsreformgesetz; Kriminalistik 2004, 567–572

Beulke, Werner: Strafprozessrecht; 11. Aufl., Heidelberg 2010; zit. *Beulke* (2010), Rn.

Bielefeld, Siegfried: Das Adhäsionsverfahren – von der Praxis abgehängt; DRiZ 2000, 277–278

Birkmeyer, Karl von: Deutsches Strafprozeßrecht; Berlin 1898; zit. *Birkmeyer* (1898), S.

Birmes, Katrin: Das Adhäsionsverfahren in Italien, in: Michael R. Will (Hrsg.), Schadensersatz im Strafverfahren; Kehl am Rhein u.a. 1990; 46–51; zit. *Birmes* (1990), S.

Bittmann, Folker: Das 2. Opferrechtsreformgesetz; JuS 2010, 219–222

424 Literaturverzeichnis

Bley, Gotthold/*Grieger,* Helmut: Wiedergutmachung von Schäden und Schutz des sozialistischen Eigentums; NJ 1986, 92–94

Bockemühl, Jan (Hrsg.): Handbuch des Fachanwalts Strafrecht; 4. Aufl., Köln 2009; Bockemühl-*Bearbeiter* (2009), Kap. Rn.

Böhme, Wolfgang: Allgemeine Bedingungen für die Rechtsschutzversicherung; 11. Aufl., Karlsuhe 2000; zit. *Böhme* (2000), § Rn.

Bohne, Steffen: Eins vor und zwei zurück: wie das deutsche Recht Straftätern weiterhin die Tatbeute belässt; Anmerkung zum Gesetz zur Stärkung der Rückgewinnungshilfe und Vermögensabschöpfung bei Straftaten; NStZ 2007, 552–555

– Die Rechtsstellung des Verletzten im Ermittlungsverfahren; Kriminalistik 2005, 166–174

Bommer, Felix: Offensive Verletztenrechte im Strafprozess; Bern 2006; zit. *Bommer* (2006), S.

– Warum soll sich der Verletzte am Strafverfahren beteiligen können?, ZStrR 121 (2003), 172–194

Bortz, Jürgen/*Döring,* Nicola: Forschungsmethoden und Evaluation für Human- und Sozialwissenschaftler; 4. Aufl., Heidelberg 2006; zit. *Bortz/Döring* (2006), S.

Böttcher, Reinhard: Das neue Opferschutzgesetz; JZ 1987, 133–141

Brause, Hans Peter: Für einen Adhäsionsprozeß neuer Art; ZRP 1985, 103–104

Breuling, [Vorn. unbek.]: Der Adhäsionsprozeß – Ein Beitrag zur Justizreform; DRiZ 1928, 439–443

Breyer, Steffen/*Endler,* Maximilian/*Thurn,* Bernhard: Strafrecht; 2. Aufl., Bonn 2009; zit. Breyer/Endler/Thurn-*Bearbeiter* (2009), § Rn.

Brodag, Wolf-Dietrich: Strafverfahrensrecht; 12. Aufl., Stuttgart u. a. 2008; zit. *Brodag* (2008), Rn.

Brögelmann, Jens: Anordnung der vorläufigen Vollstreckbarkeit in Zivilurteilen; JuS 2007, 1006–1011

Brokamp, Michael: Das Adhäsionsverfahren – Geschichte und Reform; München 1990; zit. *Brokamp* (1990), S.

Brunner, Rudolf/*Dölling,* Dieter: Jugendgerichtsgesetz; 12. Aufl., Berlin u. a. 2008

Brüssow, Rainer/*Gatzweiler,* Norbert/*Krekeler,* Wilhelm/*Mehle,* Volkmar: Strafverteidigung in der Praxis; 4. Aufl., Bonn 2007; zit. Brüssow/Gatzweiler/Krekeler/Mehle-*Bearbeiter* (2007), § Rn.

Buch, Heinz/*Wesner,* Charlotte: Für die Anwendung des Adhäsionsverfahrens in Jugendstrafsachen; NJ 1957, 430–432

Büchting, Hans-Ulrich (Hrsg.): Beck'sches Rechtsanwalts-Handbuch, 9. Aufl., München 2007; zit. Büchting-*Bearbeiter* (2007), Kap. Rn.

Bühren, Hubert W. van (Hrsg.): Handbuch Versicherungsrecht; 4. Aufl., Bonn 2008; zit. van Büren-*Bearbeiter* (2008), § Rn.

Literaturverzeichnis

Bühren, Hubert W. van/*Plote,* Helmut: Allgemeine Bedingungen für die Rechtsschutzversicherung; 2. Aufl., München 2008; zit. *van Bühren/Plote* (2008), § Rn.

Burghard, Waldemar: Mehr Rechte für Verbrechensopfer; Kriminalistik 1987, 135–136

Burhoff, Detlef: Handbuch für die strafrechtliche Hauptverhandlung; 6. Aufl., Münster 2010; zit. *Burhoff* (2010), Rn.

– Erstreckung der Bestellung eines Rechtsanwalts auch auf das Adhäsionsverfahren?; RVGreport 2008, 249–250

– Verfahrenstips und Hinweise für Strafverteidiger (I/2007); ZAP 2007, 477–490

– Allgemeine Gebühren in Straf- und Bußgeldsachen; RVGreport 2005, 16–19

Burmann, Michael: Reform des Strafverfahrens – Opferschutz; München 1987; zit. *Burmann* (1987), S.

Buschbell, Hans (Hrsg.): Münchener Anwaltshandbuch Straßenverkehrsrecht; München 2009; zit. Buschbell-*Bearbeiter* (2009), § Rn.

Buttig, Katja: Die Wiedergutmachung der Folgen einer Straftat; Göttingen 2007; zit. *Buttig* (2007), S.

Conrad, Heinz: Differenzierte Behandlung von Schadensersatzanträgen im Strafverfahren; NJ 1986, 377–378

Cramer, Peter/*Cramer,* Steffen (Hrsg.): Anwalts-Handbuch Strafrecht; Köln 2002; zit. AHStR-*Bearbeiter* (2002), Kap. Rn.

Dahs, Hans: Handbuch des Strafverteidigers; 7. Aufl., Köln 2005; zit. *Dahs* (2005), Rn.

– Zum Persönlichkeitsschutz des „Verletzten" als Zeuge im Strafprozeß; NJW 1984, 1921–1927

Dallmeyer, Jens: Das Adhäsionsverfahren nach der Opferrechtsreform; JuS 2005, 327–330

Dedes, Christos: Schuldinterlokut – Eine altgriechische Weisheit, in: Dornseifer, Gerhard/Horn, Eckhard/Schilling, Georg/Schöne, Wolfgang/Struensee, Eberhard/Zielinski, Diethart (Hrsg.), Gedächtnisschrift für Armin Kaufmann, Köln u. a. 1989; S. 749–759; zit. *Dedes* (1989), S.

Deimling, Otto von: Die Stellung des Verletzten im künftigen Strafprozeß; Schramberg 1938; zit. *Deimling* (1938), S.

Diemer, Herbert/*Schoreit,* Armin/*Sonnen,* Bernd-Rüdeger: Jugendgerichtsgesetz; 5. Aufl., Heidelberg 2008; zit. *Diemer/Schoreit/Sonnen* (2008), § Rn.

Dölling, Dieter: Zur Stellung des Verletzten im Strafverfahren, in: Müller, Egon/Müller-Dietz, Heinz/Kunz, Karl-Ludwig/Radtke, Henning/Britz, Guido/Momsen, Carsten/Koriath, Heinz (Hrsg.), Festschrift für Heike Jung, Baden-Baden 2007; S. 77–86; zit. *Dölling* (2007), S.

Donatsch, Andreas: Entwicklungen im Strafprozessrecht/Le point sur le droit de la procédure pénale; SJZ 102 (2006), 384–388

Donatsch, Andreas/*Scheidegger,* Alexandra: Entwicklungen im Strafprozessrecht; SJZ 99 (2003), 405–409

426 Literaturverzeichnis

Donatsch, Andreas/*Schmid,* Niklaus: Kommentar zur Strafprozessordnung des Kantons Zürich; Zürich Loseblattkommentar (Stand: Dezember 2008); zit. Donatsch/ Schmid-*Bearbeiter* (Jahr), § Rn.

Duft, Heinz: Zum Verhältnis von strafrechtlicher und materieller Verantwortlichkeit; NJ 1977, 550–553

Duttge, Gunnar/*Dölling,* Dieter/*Rössner,* Dieter (Hrsg.): Gesamtes Strafrecht: StGB, StPO, Nebengesetze; Baden-Baden 2008; zit. Duttge/Dölling/Rössner-*Bearbeiter* (2008), § Rn.

Eckert, Jörn/*Hattenhauer,* Hans: Das Zivilgesetzbuch der DDR vom 19. Juni 1975; Goldbach 1995; zit. *Eckert/Hattenhauer* (1995), S.

Eder-Rieder, Maria A.: Behandlung des minderjährigen Opfers eines sexuellen Missbrauchs im Strafprozess und Befriedigung seines Schmerzensgeldanspruches, in: Dölling, Dieter/Erb, Volker (Hrsg.), Festschrift für Karl Heinz Gössel zum 70. Geburtstag, Heidelberg 2002; S. 565–584; zit. *Eder-Rieder* (2002), S.

– Die Entwicklung des Opferschutzes als kriminalpolitisches Anliegen, in: Gössel, Karl-Heinz/Trifterer, Otto, Gedächtnisschrift für Heinz Zipf, Heidelberg 1999; S. 35–54; zit. *Eder-Rieder* (1999), S.

– Neue Tendenzen zur Stellung des Privatbeteiligten; StPdG 26 (1998), S. 43–78

– Der Opferschutz: Schutz und Hilfe für Opfer einer Straftat in Österreich; Wien u. a. 1998; zit. *Eder-Rieder* (1998), S.

– Der Schutz des Verbrechensopfers in Österreich; ZStW 109 (1997), 701–724

Eggert, Hans-Joachim: Rechtshängigkeit der Schmerzensgeldklage durch Entschädigungsantrag im Adhäsionsverfahren; VersR 1987, 546–548

Eisenberg, Ulrich: Jugendgerichtsgesetz; 13. Aufl., München 2009; zit. *Eisenberg* (2009), § Rn.

– Beweisrecht der StPO – Spezialkommentar; 7. Aufl., München 2010; zit. *Eisenberg* (2010), § Rn.

– Kriminologie; 6. Aufl., München 2005; zit. *Eisenberg* (2005), § Rn.

Elling, Bernhard von: Die Stellung des Geschädigten im Strafverfahren der DDR; Berlin 2006; zit. *von Elling* (2006), S.

Emmerich, Heinrich: Adhäsionsverfahren und Haftpflichtversicherung; VersR 1960, 202–203

Enders, Horst-Reiner: RVG für Anfänger; 14. Aufl., München 2008; zit. *Enders* (2008), Rn.

Epping, Volker/*Hillgruber,* Christian (Hrsg.): Beck'scher Online-Kommentar zum GG; Stand: 1. Oktober 2010; Edition 8; München 2010; zit. Epping/Hillgruber-*Bearbeiter* (2010), Art. Rn.

Erich, Curt: Das Adhäsionsverfahren als einzige Form einer Beteiligung des Verletzten am Strafverfahren; Köln 1952; zit. *Erich* (1952), S.

Eser, Albin: Zur Renaissance des Opfers im Strafverfahren; Dornseifer, Gerhard/Horn, Eckhard/Schilling, Georg/Schöne, Wolfgang/Struensee, Eberhard/Zielinski, Diethart

Literaturverzeichnis 427

(Hrsg.), Gedächtnisschrift für Armin Kaufmann; S. 723–747; Köln u. a. 1989; zit. *Eser* (1989), S.

Etzold, Fritz: Über die Anwendbarkeit zivilprozessualer Grundsätze auf das zivilrechtliche Anschlussverfahren; NJ 1954, 16–19

Fabrizy, Ernst Eugen: StPO und wichtige Nebengesetze; 10. Aufl., Wien 2008; zit. *Fabrizy* (2008), § Rn.

Fastie, Friesa: Kinder und Jugendliche als Verletzte von Sexualdelikten, Misshandlung und häuslicher Gewalt auf dem Weg durch das Strafverfahren, in: Fastie, Friesa (Hrsg.), Opferschutz im Strafverfahren, 2. Aufl., Opladen und Farmington Hills 2008; S. 21–28; zit. *Fastie* (2008), S.

Feigen, Hanns W.: Adhäsionsverfahren auch in Wirtschaftsstrafsachen?, in: Dannecker, Gerhard/Langer, Winrich/Ranft, Otfried (Hrsg.), Festschrift für Harro Otto, Köln 2007, S. 879–899; zit. *Feigen* (2007), S.

Ferber, Sabine: Das Opferrechtsreformgesetz; NJW 2004, 2562–2565

Fey, Wolfgang: Ist das Adhäsionsverfahren endlich tot?; AnwBl. 1986, 491

Feyock, Hans/*Jacobsen,* Peter/*Lemor,* Ulf D.: Kraftfahrtversicherung; 3. Aufl., München 2009; zit. Feyock/Jacobsen/Lemor-*Bearbeiter* (2009), § Rn.

Fischer, Thomas: Strafgesetzbuch; 58. Aufl., München 2011; zit. *Fischer* (2011), § Rn.

Flinder, Marcus: Die Entstehungsgeschichte des Zivilgesetzbuches der DDR; Frankfurt/M. u. a. 1999; zit. *Flinder* (1999), S.

Foerster, Max: Transfer der Ergebnisse von Strafverfahren in nachfolgende Zivilverfahren; Tübingen 2008; zit. *Foerster* (2008), S.

Freund, Georg: Stellungnahme eines Arbeitskreises der Strafrechtslehrer zum „Eckpunktepapier" zur Reform des Strafverfahrens; GA 2002, 82–97

Freyschmidt, Oliver: Verteidigung in Straßenverkehrssachen; 8. Aufl., Heidelberg 2005; zit. *Freyschmidt* (2005), Rn.

Fuchs, Helmut: Das Opfer im Strafrecht; StPdG 26 (1998), 1–42

– Die strafprozessuale Stellung des Verbrechensopfers und die Durchsetzung seiner Ersatzansprüche im Strafverfahren; Strafrechtliches Gutachten für den 13. Österreichischen Juristentag 1997 in Salzburg; Wien 1997; zit. *Fuchs* (1997), S.

Fuchs, Helmut/*Ratz,* Eckart (Hrsg.): Wiener Kommentar zur Strafprozessordnung (Loseblattsammlung); 22. Lieferung der §§ 365–379; Wien 2004; zit. Fuchs/Ratz-*Bearbeiter* (2004), § Rn.

Galen, Margarethe Gräfin von: Stärkung der Verletztenrechte – Gefahr für den rechtsstaatlichen Strafprozess oder grundrechtlich gebotene Emanzipation?; BRAK-Mitt. 2002, S. 110–115

Geib, Karl Gustav: Geschichte des römischen Kriminalprozesses bis zum Tode Justinians; Leipzig 1842; zit. *Geib* (1842), S.

Geiger, Harald: Die Zulässigkeit unbestimmter Rechtsbegriffe; SVR 2009, 41–47

Geipel, Andreas: Modernisierung der Justiz?; ZRP 2003, 426

428 Literaturverzeichnis

Gerold, Wilhelm/*Schmidt,* Herbert/*Eicken,* Kurt von/*Madert,* Wolfgang/*Müller-Raabe,* Stefan: Rechtsanwaltsvergütungsgesetz; 19. Aufl., München 2010; zit. Gerold/ Schmidt/von Eicken/Madert/Müller-Raabe-*Bearbeiter* (2010), § Rn.

– Bundesgebührenordnung für Rechtsanwälte; 15. Aufl., München 2002; zit. Gerold/ Schmidt/von Eicken/Madert/Müller-Raabe-*Bearbeiter* (2002), § Rn.

Gewaltig, Stefan: Die action civile im französischen Strafverfahren; Frankfurt/M. u. a. 1990; zit. *Gewaltig* (1990), S.

Giers, Michael: Die vorläufige Vollstreckbarkeit; DGVZ 2008, 8–12

Glaremin, Friedhelm/*Becker,* Jörg: Das Adhäsionsverfahren und die gerichtliche Einstellung des Strafverfahrens gemäß § 153 a StPO; JA 1988, 602–605

Gleispach, Wenzeslaus von: Die Entschädigung des Verletzten; Franz Gürtner (Hrsg.), Das kommende deutsche Strafverfahren; Berlin 1938; S. 509–537; zit. *Gleispach* (1938), S.

Göbel, Klaus: Strafprozess; 6. Aufl., München 2006; zit. *Göbel* (2006), Rn.

Göder, Marianne/*Raabe,* Gerda: Höhere Wirksamkeit von Strafbefehlen auch durch Anwendung von Arrestbefehlen; NJ 1983, 334–335

Goerdeler, Jochen: Tut sich was?; ZJJ 2004, 184–187

Göhler, Erich: Das Einführungsgesetz zum Strafgesetzbuch; NJW 1974, 825–836

Goutzamanis, Christos: Das Adhäsionsverfahren in Griechenland, in: Michael R. Will (Hrsg.), Schadensersatz im Strafverfahren; Kehl am Rhein u. a. 1990; S. 52–53; zit. *Goutzamanis* (1990), S.

Graf, Jürgen Peter (Hrsg.): Beck'scher Online-Kommentar zur StPO; Stand: 1. März 2010; Edition 6; München 2010; zit. Graf-*Bearbeiter* (2009), § Rn.

Granderath, Reinhard: Opferschutz – totes Recht?; NStZ 1984, 399–401

Grau, Carsten/*Blechschmidt,* Vanessa/*Frick,* Stefan: Stärken und Schwächen des reformierten Adhäsionsverfahrens; NStZ 2010, 662–670

Grau, Fritz: Die dritte Verordnung zur Vereinfachung der Strafrechtspflege vom 29.5. 1943; DJ 1943, 331–336

Grebing, Gerhardt: Die Verhandlungen der III. Sektion über das Thema „Die Entschädigung des durch eine Straftat Verletzten"; ZStW 87 (1975), 472–489

Greeve, Gina: Verstärkte Rückgewinnungshilfe und Vermögensabschöpfung seit dem 1.1.2007; NJW 2007, 14–16

Grieger, Helmut/*Klimesch,* Dieter: Zivilrechtlicher Schadensersatzanspruch und strafrechtliche Wiedergutmachung; NJ 1987, 285–286

Gromm, Peter/*Zehntner,* Dominik (Hrsg.): Kommentar zum Opferhilfegesetz; Bern 2005; zit. Gromm/Zehntner-*Bearbeiter* (2005), Art. Rn.

Groß, Karl-Heinz: Anmerkung zu BGH Beschl. v. 21.8.2002 (5 StR 291/02; JR 2003, 257); JR 2003, 258–260

Gross, Michael: Der Geschädigte im Strafverfahren der DDR; Aachen 2001; zit. *Gross* (2001), S.

Literaturverzeichnis 429

Groth, Klaus-Ulrich: Die Rechtsstellung des Verletzten im Strafprozeß; ZRP 1984, 336

Haerendel, Holger: Gesellschaftliche Gerichtsbarkeit in der Deutschen Demokratischen Republik; Frankfurt/M. 1997; zit. *Haerendel* (1997), S.

Hahn, Carl (Hrsg.): Die gesamten Materialien zu den Reichs-Justizgesetzen, 3. Band 1. Abteilung: Die gesammelten Materialien zur Strafprozessordnung und den Einführungstexten derselben vom 1. Januar 1877; Berlin 1880; zit. *Hahn* (1880), S.

Haller, Klaus/*Conzen,* Klaus: Das Strafverfahren; 5. Aufl., Heidelberg 2006; zit. *Haller/Conzen* (2008), Rn.

Hamm, Rainer: Recht des Verletzten zur Richterablehnung im Strafverfahren?; NJW 1974, 682–683

Hamm, Rainer/*Hassemer,* Winfried/*Pauly,* Jürgen: Beweisantragsrecht; 2. Aufl., Heidelberg 2006; zit. *Hamm/Hassemer/Pauly* (2006), Rn.

Hamm, Rainer/*Leipold,* Klaus (Hrsg.): Beck'sches Formularbuch für den Strafverteidiger; 5. Aufl., München 2010; zit. Hamm/Leipold-*Bearbeiter* (2010), Gliederungspunkt

Hammerstein, Gerhard: Referat zur Rechtsstellung des Verletzten im Strafverfahren; Ständige Deputation des DJT (Hrsg.), Verhandlungen des 55. DJT, Band 2 (Sitzungsberichte), Teil L, München 1984, S. 7–28; zit. *Hammerstein* (1984), S.

Hanel, Helge: Das Adhäsionsverfahren in Frankreich, in: Michael R. Will (Hrsg.), Schadensersatz im Strafverfahren; Kehl am Rhein u. a. 1990; S. 40–45; zit. *Hanel* (1990), S.

Hannich, Rolf (Hrsg.): Karlsruher Kommentar zur Strafprozeßordnung und zum Gerichtsverfassungsgesetz mit Einführungsgesetz; 6. Aufl., München 2008; zit. KK-*Bearbeiter* (2008), § Rn.

Hansen, Hauke/*Wolff-Rojczyk,* Oliver: Schadenswiedergutmachung für geschädigte Unternehmen der Marken- und Produktpiraterie – das Adhäsionsverfahren; GRUR 2009, 644–648

Harbauer, Walter (Hrsg.): Rechtschutzversicherung; 8. Aufl., München 2010; zit. Harbauer-*Bearbeiter* (2010), Teil § Rn.

Harrland, Harri: Aufgaben der Staatsanwaltschaft bei der Durchsetzung von Schadensersatzansprüchen; NJ 1978, 490

Hartmann, Peter: Kostengesetze; 38. Aufl., München 2008; zit. *Hartmann* (2008), Teil Rn.

Hassemer, Winfried/*Reemtsma,* Jan Philipp: Verbrechensopfer; München 2002; zit. *Hassemer/Reemtsma* (2002), S.

Haupt, Holger/*Weber,* Ulrich: Handbuch Opferschutz und Opferhilfe; 2. Aufl., Baden-Baden 2003; zit. *Haupt/Weber* (2003), Rn.

Hauser, Robert: Opferhilfe und Opferschutz im schweizerischen Strafrecht, in: Huber, Christian/Jesionek, Udo/Miklau, Roland (Hrsg.), Festschrift für Reinhard Moos zum 65. Geburtstag, Wien 1997; S. 333–340; zit. *Hauser* (1997), S.

– Die Entwicklung der schweizerischen Strafrechtsgesetzgebung im Jahre 1991 (1992); ZStrR 109 (1992), 193–208; 111 (1993), 264–278

430 Literaturverzeichnis

– Das Adhäsionsurteil, in: Gauthier, Jean (Hrsg.), Aktuelle Probleme der Kriminalitätsbekämpfung: Festschrift zum 50jährigen Bestehen der Schweizerischen Kriminalistischen Gesellschaft (ZStrR 110); Bern 1992; S. 207–218; zit. *Hauser* (1992), S.

Hauser, Robert/*Schweri,* Erhard/*Hartmann,* Karl: Schweizerisches Strafprozessrecht; 6. Aufl., Basel u. a. 2005; zit. *Hauser/Schweri/Hartmann* (2005), § Rn.

Hees, Volker: Die Zurückgewinnungshilfe: Der Zugriff des Verletzten auf gemäß §§ 111b ff. StPO sichergestellte Vermögenswerte des Straftäters; Berlin 2003; zit. *Hees* (2003), S.

Heger, Martin: Die Rolle des Opfers im Strafverfahren; JA 2007, 244–248

Heghmanns, Michael/*Scheffler,* Uwe: Handbuch zum Strafverfahren; München 2008; zit. *Heghmanns/Scheffler* (2008), Abschnitt Rn.

Heilhecker, Karl: Anmerkung zur Entscheidung LG Wiesbaden vom 06.12.2004 (16 Qs 72/04 D); JurBüro 2005, 145

Heintschel-Heinegg, Bernd von/*Stöckel,* Heinz (Hrsg.): Kommentar zur Strafprozessordnung, Loseblattkommentar; Neuwied; §§ 403 ff. (Stand: August 2005); zit. *KMR-Bearbeiter* (2005), § Rn.

Heinz, Dirk: Opferentschädigungsgesetz; Stuttgart 2007; zit. *Heinz* (2007), Teil Rn.

Hejhal, Gottfried: Konsequente Durchsetzung von Schadensersatzansprüchen; NJ 1983, 377–378

Hektor, Doris: Schadensersatz im englischen Strafverfahren, in: Michael R. Will (Hrsg.), Schadensersatz im Strafverfahren; Kehl am Rhein u. a. 1990; S. 54–58; zit. *Hektor* (1990), S.

Hellmann, Brigitte/*Luther,* Horst: Durchsetzung von Schadensersatzansprüchen im Strafverfahren; NJ 1981, 325–326

Hellmann, Uwe: Strafprozessrecht; 2. Aufl., Berlin 2006; zit. *Hellmann* (2006), Rn.

Hellmer, Joachim: Wiedergutmachung und Strafe; AcP 155 (1956), 527–542

Helmich, Walter: Das Adhäsionsverfahren im künftigen Recht: unter bes. Berücks. d. Entw. u. amtl. Entw. e. Einführungsgesetzes z. Allg. Dt. Strafgesetzbuch u. z. Strafvollzugsgesetz aus d. J. 1928 u. 1929; Bonn 1935; zit. *Helmich* (1935), S.

Henkel, Heinrich: Strafverfahrensrecht; 2. Aufl., Stuttgart 1968; zit. *Henkel* (1968), S.

Hergenröder, Carmen Silvia: Die Gebühren im Adhäsionsverfahren; AGS 2006, 158–161

Herrler, Elmar: Die neuen Pensen; DRiZ 2004, 229–235

Herrmann, Gero: Zur Bindung des Zivilrichters an Strafurteile in Deutschland, Österreich und der Schweiz; Bonn 1985; zit. *Herrmann* (1985), S.

Herzog, Werner/*Kermann,* Ekkehard/*Willamowski,* Horst: Wirksamere Durchsetzung von Schadensersatzansprüchen im Strafverfahren; NJ 1975, 443–448

Hexelschneider, Annemarie: Verwirklichung von Schadensersatzansprüchen aus Körperverletzungen; NJ 1983, 415–416

Literaturverzeichnis

Hilf, Marianne: Opferinteressen im Strafverfahren, in: Feltes, Thomas/Pfeiffer, Christian/Steinhilper, Gernot (Hrsg.), Kriminalpolitik und ihre wissenschaftlichen Grundlagen: Festschrift für Hans-Dieter Schwind zum 70. Geburtstag, Heidelberg 2006; S. 57–71; zit. *Hilf* (2006), S.

Hilf, Marianne/*Anzenberger,* Philipp: Opferrechte; ÖJZ 2008, 886–894

Hilger, Hans: Neuere Fragen zur Privatklage und zum Adhäsionsverfahren, in: Wesslau, Edda/Wohlers, Wolgang (Hrsg.), Festschrift für Gerhard Fezer zum 70. Geburtstag am 29. Oktober 2008, Berlin 2008; S. 577–585; zit. *Hilger* (2008), S.

- Über den Begriff des Verletzten im Fünften Buch der StPO; GA 2007, 287–295

- Über das Opferrechtsreformgesetz; GA 2004, S. 478–486

- Anmerkung zu LG Stuttgart Beschl. v. 25.9.1997 (7 KLs 141 Js 23241/94-4/97; JR 1998, 84); JR 1998, S. 84–85

Hinz, Werner: Nebenklage und Adhäsionsantrag im Jugendstrafverfahren?; ZRP 2002, 475–479

- Opferschutz, Genugtuung, Wiedergutmachung; DRiZ 2001, 321–334

Hirsch, Hans-Joachim: Wiedergutmachung des Schadens im Rahmen des materiellen Strafrechts; ZStW 102 (1990), 534–562

- Zur Stellung des Verletzten im Straf- und Strafverfahrensrecht; Dornseifer, Gerhard/ Horn, Eckhard/Schilling, Georg/Schöne, Wolfgang/Struensee, Eberhard/Zielinski, Diethart (Hrsg.), Gedächtnisschrift für Armin Kaufmann; Köln u. a. 1989; S. 714–721; zit. *Hirsch* (1989), S.

HK: Heidelberger Kommentar zur Strafprozessordnung, hrsg. v. Julius, Karl-Peter/ Gercke, Björn/Kurth, Hans-Joachim/Lemke, Michael/Pollähne, Helmut/Rautenberg, Erardo C./Temming, Dieter/Woynar, Ines/Zöller, Mark A.; 4. Aufl., Heidelberg 2009; 3. Aufl., Heidelberg 2001; zit. HK-*Bearbeiter* (Jahr), § Rn.

Hofer, Martin: Opfer- und Geschädigtenstellung im Wandel; ZStrR 120 (2002), 107–121

Hofmann, Olaf: Die Schadenswiedergutmachung im Strafrecht unter besonderer Berücksichtigung der Strafvollzugsreform; Mannheim 1973; zit. *Hofmann* (1973), S.

Holst, Ortwin Benedikt von: Der Adhäsionsprozess; Hamburg 1969; zit. *Holst* (1969), S.

Hönicke, Erhard: Durchsetzung von Schadensersatzansprüchen im Strafverfahren; NJ 1972, 447–450

Höynck, Theresia: Stärkung der Opferrolle im Jugendstrafverfahren?; ZJJ 2005, S. 34–41

Höynck, Theresia/*Jesionek,* Udo: Das Rolle des Opfers im Strafverfahren in Deutschland und Österreich nach den jüngsten opferbezogenen Reformen des Strafverfahrensrechts: Österreich als Modell?; MSchrKrim 89 (2006), 88–106

Hu, Zhi-Yu/*Spiegel,* Nico: Das Adhäsionsverfahren in Griechenland, in: Michael R. Will (Hrsg.), Schadensersatz im Strafverfahren; Kehl am Rhein u. a. 1990; S. 59–61; zit. *Hu/Spiegel* (1990), S.

432 Literaturverzeichnis

Huber, Michael: Das Zweite Gesetz zur Modernisierung der Justiz; JuS 2007, 236–241

– Modernisierung der Justiz?; ZRP 2003, 268–272

Hubig, Stefanie: Die historische Entwicklung des Opferschutzes im Strafverfahren, in: Fastie, Friesa (Hrsg.), Opferschutz im Strafverfahren, 2. Aufl., Opladen und Farmington Hills 2008; S. 285–303; zit. *Hubig* (2008), S.

Hufen, Friedhelm: Staatsrecht II, Grundrechte: 2. Aufl., München 2009; zit. *Hufen* (2009), § Rn.

Hügel, Stefan: Beck'scher Online-Kommentar zur GBO; Stand: 1. Januar 2010; Edition 8; München 2010; zit. Hügel-*Bearbeiter* (2010), § Rn.

Jaeger, Lothar: Vorteile und Fallstricke des neuen Adhäsionsverfahrens; VRR 2005, 287–295

– Schmerzensgeld bei Verletzung des Rechts auf sexuelle Selbstbestimmung gem. § 253 Abs. 2 BGB n. F.; VersR 2003, 1372–1376

– Verjährung des Schmerzensgeldanspruchs; ZGS 2003, 329–333

Jäger, Michael C.: Die Stellung des Opfers im Strafverfahren unter besonderer Berücksichtigung der Rechte des Beschuldigten; Mannheim 1996; zit. *Jäger* (1996), S.

Jähnke, Burkhard/*Laufhütte,* Heinrich Wilhelm/*Odersky,* Walter (Hrsg.): Leipziger Kommentar zum StGB; Band 6 (§§ 223–263 a); 11. Aufl., Berlin 2005; zit. LK-*Bearbeiter* (2005), § Rn.

Janssen, Gerhard: Gewinnabschöpfung im Strafverfahren; Heidelberg 2008; zit. *Janssen* (2008), Rn.

Jerouschek, Günter: Straftat und Traumatisierung; JZ 2000, 185–194

Jescheck, Hans-Heinrich: Die Entschädigung des Verletzten nach deutschem Strafrecht; JZ 1958, 591–595

Jesionek, Udo: Die Wiederentdeckung des Verbrechensopfers; juridikum 2005, 171–174

– Das Verbrechensopfer im künftigen österreichischen Strafprozessrecht, in: Grafl, Christian/Medigovic, Ursula (Hrsg.), Festschrift für Manfred Burgstaller zum 65. Geburtstag, Wien u. a. 2004; S. 253–265; zit. *Jesionek* (2004), S.

– Die Stellung des Opfers im österreichischen Strafprozess, in: Huber, Christian/Jesionek, Udo/Miklau, Roland (Hrsg.), Festschrift für Reinhard Moos zum 65. Geburtstag, Wien 1997; S. 239–258; zit. *Jesionek* (1997), S.

Joachimski, Jupp/*Haumer,* Christine: Strafverfahrensrecht; 5. Aufl., Stuttgart u. a. 2006; zit. *Joachimski/Haumer* (2006), S.

Joecks, Wolfgang: Strafprozessordnung; 2. Aufl., München 2008; zit. *Joecks* (2008), § Rn.

Joecks, Wolfgang/*Miebach,* Klaus (Hrsg.): Münchener Kommentar zum StGB; Band 2/1 §§ 52–79b; München 2005; zit. MüKo-StGB-*Bearbeiter* (2005), § Rn.

Jordan, Sylvester: Adhäsionsprozeß, in: Weiske, Julius von (Hrsg.), Rechtslexikon für Juristen aller teutschen Staaten: enthaltend die gesammte Rechtswissenschaft; Band 1 (A – Bergrecht); Leipzig 1839; S. 122–124; zit. *Jordan* (1839), S.

Literaturverzeichnis

Jung, Heike: Über den schwierigen Spagat zwischen Täter und Opfer; JZ 2003, 1096–1099

– Zur Renaissance des Opfers – ein Lehrstück kriminalpolitischer Zeitgeschichte; ZRP 2000, 159

– Zur Rechtsstellung des Verletzten im Strafverfahren; JR 1984, 309–312

– Die Stellung des Verletzten im Strafprozeß; ZStW 93 (1981), 1147–1176

Kabus, Ina: Der Inquisitionsprozeß im Mittelalter und der frühen Neuzeit, in: Jerouschek, Günter/Rüping, Hinrich (Hrsg.), „Auss liebe der gerechtigkeit vnd umb gemeines nutz willenn": historische Beiträge zur Strafverfolgung, Tübingen 2000; S. 29–57; zit. *Kabus* (2000), S.

Kadner, Sybill: Die Stellung von durch Straftaten geschädigten Bürgern im Strafverfahren erster Instanz – untersucht am Beispiel von Eigentumsdelikten und vorsätzlichen Körperverletzungen im Kreis Leipzig-Land; Leipzig 1989; zit. *Kadner* (1989), Gliederungspunkt

Kaiser, Günther: Kriminologie; 10. Aufl., Heidelberg 1997; zit. *G. Kaiser* (1997), S.

Kaiser, Michael: Die Stellung des Verletzten im Strafverfahren: Implementation und Evaluation des „Opferschutzgesetzes"; Freiburg 1992; zit. *M. Kaiser* (1992), S.

Kalthoener, Elmar/*Büttner,* Helmut/*Wrobel-Sachs,* Hildegard: Prozesskostenhilfe und Beratungshilfe; 5. Aufl., München 2009; zit. *Kalthoener/Büttner/Wrobel-Sachs* (2009), S.

Kasseler Kommentar zum Sozialversicherungsrecht: Hrsg. v. Niesel, Klaus; 57. Ergänzungslieferung München 2008; zit. KasselerKommentar-*Bearbeiter* (2008), § Rn.

Keiser, Claudia: Mehr Opferschutz durch veränderte Verjährungsvorschriften für deliktische Ansprüche?; FPR 2002, 1–8

Kempf, Eberhard: Opferschutzgesetz und Strafverfahrensänderungsgesetz 1987 Gegenreform durch Teilgesetze; StV 1987, 215–223

Kempfer, Jacqueline: Das Adhäsionsverfahren – Ein Dauerpatient der Strafrechtspflege und sein Verhältnis zum Täter-Opfer-Ausgleich; TOA-Infodienst Nr. 39, 2010, 7–13

Kern, Eduard: Die Buße und die Entschädigung des Verletzten, in: Engisch, Karl/Maurach, Reinhart (Hrsg.), Festschrift für Edmund Mezger, München u. a. 1954, S. 407–413; zit. *Kern* (1954), S.

Kickton, Wolfgang: Bedeutung des Adhäsions-Verfahrens der Novelle vom 29.5.1943; Bonn 1947; zit. *Kickton* (1947), S.

Kieser, Ueli: Die Auswirkungen des Zivilprozessrechts auf den Adhäsionsprozess; SJZ 84 (1988), 353–359

Kiethe, Kurt: Zum Akteneinsichtsrecht des Verletzten (§ 406e StPO); wistra 2006, 50–54

Kilchling, Michael: Opferschutz und der Strafanspruch des Staates – Ein Widerspruch?; NStZ 2002, 57–63

– Opferinteressen und Strafverfolgung; Freiburg 1995; zit. *Kilchling* (1995), S.

434 Literaturverzeichnis

Kindhäuser, Urs: Strafprozessrecht; Baden-Baden 2006; zit. *Kindhäuser* (2006), § Rn.

Kintzi, Heinrich: Verbesserung des Opferschutzes im Strafverfahren; DRiZ 1998, 65–74

Kinzig, Jörg: Rechtsvergleichender Querschnitt, in: Becker, Monika/Kinzig, Jörg (Hrsg.), Rechtsmittel im Strafrecht, Band 1: Rechtsvergleichender Teil; Freiburg 2000; S. 553–676; zit. *Kinzig* (2000), S.

Kischel, Uwe: Die Begründung: zur Erläuterung staatlicher Entscheidungen gegenüber dem Bürger; Tübingen 2003; zit. *Kischel* (2003), S.

KK: Karlsruher Kommentar zur Strafprozeßordnung und zum Gerichtsverfassungsgesetz mit Einführungsgesetz, hrsg. v. Hannich, Rolf; 6. Aufl., München 2008; zit. *KK-Bearbeiter* (2008), § Rn.

Klaus, Thomas: Neuere Beiträge zur Lehre vom Adhäsionsprozeß; Hamburg 2000; zit. *Klaus* (2000), S.

Klee, Karl: Die Entschädigung des Verletzten im Strafverfahren; ZAkDR 1943, 226–228

Klein, Lars Falc Alexander: Das Adhäsionsverfahren nach der Neuregelung durch das Opferrechtsreformgesetz; Hamburg 2007; zit. *Klein* (2007), S.

Kleine, Helene: Das gerichtliche Verfahren erster Instanz; NJ 1952, 476–479

Kleinfeller, Georg: Die Verfolgung von Schadensersatzansprüchen im Strafverfahren; GS 88 (1922), 1–69

KMR: Kommentar zur Strafprozessordnung, Loseblattkommentar, Stand: August 2005, hrsg. v. Heintschel-Heinegg, Bernd von/Stöckel, Heinz; Neuwied; zit. *KMR-Bearbeiter* (2005), § Rn.

Knauer, Christoph/*Wolf,* Christian: Zivilprozessuale und strafprozessuale Änderungen durch das Erste Justizmodernisierungsgesetz – Teil 2: Änderungen der StPO; NJW 2004, 2932–2938

Koch, Wolfgang: Die Kosten für das zivilrechtliche Anschlussverfahren; NJ 1955, 53–54

Köckerbauer, Hans Peter: Die Geltendmachung zivilrechtlicher Ansprüche im Strafverfahren – der Adhäsionsprozeß; NStZ 1994, 305–311

– Das Adhäsionsverfahren nach der Neuregelung durch das Opferschutzgesetz 1987 und seine rechtliche Problematik; Frankfurt/M. u. a. 1993; zit. *Köckerbauer* (1993), S.

Koenig, Friedrich Alexander/*Pilnacek,* Christian: Das neue Strafverfahren – Überblick und Begriffe; ÖJZ 2008, S. 56–64

Kositzki, Robert/*Beilke,* Karl-Heinz: Schadensersatz- und Regreßansprüche im Strafverfahren; NJ 1977, 605–606

Köstner, Endel: Das Entschädigungsverfahren; Tübingen 1943; zit. *Köstner* (1943), S.

Kramer, Bernhard: Grundbegriffe des Strafverfahrensrechts; 6. Aufl., Stuttgart 2004; zit. *Kramer* (2004), Rn.

Literaturverzeichnis 435

Kreft, Gerhard (Hrsg.): Insolvenzordnung; 5. Aufl., Heidelberg 2008; zit. Kreft-*Bearbeiter* (2008), § Rn.

Krekeler, Wilhelm/*Löffelmann,* Markus (Hrsg.): Anwaltkommentar Strafprozessordnung; Bonn 2006; zit. AnwK-*Bearbeiter* (2006), § Rn.

Kretschmer, Joachim: Die Staatsanwaltschaft; Jura 2004, 452–458

Krey, Volker: Deutsches Strafverfahrenrecht Band 1; Stuttgart 2006; zit. *Krey* (2006), Rn.

Krey, Volker/*Wilhelmi,* Theresa: Ausbau des Adhäsionsverfahrens: Holzweg oder Königsweg?, in: Dannecker, Gerhard/Langer, Winrich/Ranft, Otfried (Hrsg.), Festschrift für Harro Otto, Köln u. a. 2007, 933–953; zit. *Krey/Wilhelmi* (2007), S.

Kropp, Christian: Viktimologie – Die Lehre vom Opfer; JuS 2005, 686–689

– Das Opfer im Strafverfahren; JA 2002, 328–334

Krumm, Carsten: Das Adhäsionsverfahren in Verkehrsstrafsachen; SVR 2007, 41–47

Kühler, Hans: Die Entschädigung des Verletzten in der Rechtspflege; ZStW 71 (1959), 617–634

Kuhn, Sascha: Das neue Adhäsionsverfahren; JR 2004, 397–400

Kühne, Hans-Heiner: Strafprozessrecht; 7. Aufl., Heidelberg 2007; zit. *Kühne* (2007), Rn.

– Die tatsächliche Bedeutung von Opferrechten in der Deutschen Strafprozeßordnung; MschrKrim 69 (1986), 98–102

Kümmerlein, Heinz: Das neue Reichsjugendgerichtsgesetz; DJ 1943, 553–564

Küng, Manfred/*Hauri,* Claude/*Brunner,* Thomas: Handkommentar zur Zürcher Strafprozessordnung; Bern 2005; zit. *Küng/Hauri/Brunner* (2005), § Rn.

Kunst, Günther: Zum Anspruch des Verletzten auf Gewährung eines Vorschusses gem. § 373a StPO; ÖJZ 1978, 484–486

Kwiatkowski, Ernest von: Die constitutio criminalis Theresiana; Innsbruck 1903; zit. *Kwiatkowski* (1903), S.

Lackner, Karl/*Kühl,* Kristian: Strafgesetzbuch; 26. Aufl., München 2007; zit. *Lackner/Kühl* (2007), § Rn.

Lang, August: Verbesserung der Rechtsstellung des Verletzten im Strafverfahren; ZRP 1985, 32–35

Laubenthal, Klaus/*Baier,* Helmut: Jugendstrafrecht; Berlin u. a. 2006; zit. *Laubenthal/Baier* (2006), Rn.

Leipold, Klaus: Anwaltsvergütung in Strafsachen; München 2004; zit. *Leipold* (2004), Rn.

Lemke, Michael/*Julius,* Karl-Peter/*Krehl,* Christoph/*Kurth,* Hans-Joachim/*Rautenberg,* Erardo C./*Temming,* Dieter (Hrsg.): Heidelberger Kommentar zur Strafprozessordnung; 4. Aufl., Heidelberg 2009, 3. Aufl., Heidelberg 2001; zit. HK-*Bearbeiter* (Jahr), § Rn.

436 Literaturverzeichnis

Leonhard, Gunnar: Ist ein Einspruch oder eine Beschwerde des Geschädigten im Strafbefehlsverfahren zulässig?; NJ 1987, 112–114

Liepe, Horst: Vergütung mit Hilfe des Staatsanwaltes – zivilrechtliche Anspruchsverfolgung im strafrechtlichen Adhäsionsverfahren; BauR 2001, S. 157–158

LK: Leipziger Kommentar zum StGB, hrsg. v. Jähnke, Burkhard/Laufhütte, Heinrich Wilhelm/Odersky, Walter; Band 6 (§§ 223–263a); 11. Aufl., Berlin 2005; zit. LK-*Bearbeiter* (2005), § Rn.

Löffelmann, Markus: Das Opfer im Strafverfahren; BewHi 2006, 364–385

Loos, Fritz: Probleme des neuen Adhäsionsverfahrens; GA 2006, 195–210

– Zur Kritik des „Alternativentwurfs Wiedergutmachung"; ZRP 1993, 51–56

Lörsch, Martina: Schmerzensgelder bei Sexualdelikten; Streit 2007, 152–160

Lossen, Jutta: Die rechtliche Vertretung der Verletzten und das Adhäsionsverfahren, in: Fastie, Friesa (Hrsg.), Opferschutz im Strafverfahren, 2. Aufl., Opladen und Farmington Hills 2008; S. 109–127; zit. *Lossen* (2008), S.

LR: Löwe-Rosenberg, Die Strafprozeßordnung und das Gerichtsverfassungsgesetz, hrsg. v. Rieß, Peter u.a.; Band 1 (Einl. u. §§ 1–47), 26. Aufl., Berlin u.a. 2006; Band 3 (§§ 137–212b), 25. Aufl., Berlin u.a. 2004; Band 4 (§§ 112–150), 26. Aufl., Berlin u.a. 2007; Band 4 (§§ 359–474, EGStPO); 23. Aufl., Berlin u.a. 1978; Band 5 (§§ 296–373a), 25. Aufl., Berlin u.a. 2003; Band 5 (§§ 151–212b), 26. Aufl., Berlin u.a. 2008; Band 6 (§§ 374–495, EGStPO), 25. Aufl., Berlin u.a. 2001; zit. LR-*Bearbeiter* (Jahr), § Rn.

Lüke, Gerhard: Die Bindungswirkung im Zivilprozeß; JuS 2000, 1042–1046

Lüke, Wolfgang/*Ahrens,* Peter: Zivilprozessrecht; 9. Aufl., München 2006; zit. *Lüke/Ahrens* (2006), Rn.

Luther, Horst: Die Rechtsstellung des Geschädigten (Verletzten), im Strafverfahren der DDR; JR 1984, 312–314

– Zur Stellung des Geschädigten im Strafverfahren; NJ 1973, 392–394

– Nochmals: Zur Stellung des Geschädigten im Strafverfahren der DDR; NJ 1972, 203–204

Luther, Horst/*Pfeil,* Hartmut: Zur Stellung und zu den Rechten des Geschädigten im Strafverfahren; NJ 1990, 31–34

Maleczky, Oskar: Das Schicksal beschlagnahmter Gegenstände im Strafprozeß; ÖJZ 1997, 456–463

Mankowski, Peter: Zivilverfahren vor Strafgerichten und die EuGVVO, in: Bammer, Armin/Holzinger, Gerhart/Vogl, Mathias/Wenda, Gregor (Hrsg.), Rechtsschutz gestern – heute – morgen: Festgabe zum 80. Geburtstag von Rudolf Machacek und Franz Matscher, Wien u.a. 2008; S. 785–797; zit. *Mankowski* (2008), S.

Marek, Andrzej: Überlegungen zur Wiedergutmachung im polnischen und deutschen Strafrechtssystem; MschKrim 1992, 115–120

Martens, Hans-Hermann: Beitragswesen – Adhäsionsverfahren als Rechtsweg?; WzS 1988, 42–44

Literaturverzeichnis 437

Marticke, Hans-Ulrich: Die Beteiligung von Versicherungen am Adhäsionsverfahren am Beispiel der Abwicklung von Schäden aus Verkehrsunfällen, in: Michael R. Will (Hrsg.), Schadensersatz im Strafverfahren; Kehl am Rhein u.a. 1990; S. 65–73; zit. *Marticke* (1990), S.

Marxen, Klaus/*Tiemann,* Frank: Die Wiederaufnahme in Strafsachen; 2. Aufl., Heidelberg 2006; zit. *Marxen/Tiemann* (2006), Rn.

Maurer, Thomas: Das Opferhilfegesetz und die kantonalen Strafprozessordnungen; ZStrR 111 (1993), 375–391

Mayer, Hans-Jochem/*Kroiß,* Ludwig (Hrsg.): Rechtsanwaltsvergütungsgesetz; 3. Aufl., Baden-Baden 2008; zit. Mayer/Kroiß-*Bearbeiter* (2008), Nr. Rn.

Mayerhofer, Christoph: Das österreichische Strafrecht, 2. Teil: StPO; Teilband 1 (§§ 1–270), 5. Aufl., Wien 2004; Teilband 2 (§§ 271–513), 5. Aufl., Wien 2004; zit. *Mayerhofer* (2004), § Rn.

Meier, Bernd-Dieter: Strafrechtliche Sanktionen; 3. Aufl., Berlin u.a. 2009; zit. *Meier* (2009), S.

Meier, Bernd-Dieter/*Dürre,* Nina: Das Adhäsionsverfahren; JZ 2006, S. 18–25

Meixner, Oliver/*Steinbeck,* René: Das neue Versicherungsvertragsrecht; München 2008; zit. *Meixner/Steinbeck* (2008), § Rn.

Meyer, Dieter: Kein Anerkenntnisurteil im Adhäsionsverfahren?; JurBüro 1991, 1153–1156

– Zur Beschwerdebefugnis der Staatskasse bei Prozeßkostenhilfebewilligung im Adhäsionsverfahren; JurBüro 1990, 1105–1108

– Über die Möglichkeiten eines zivilrechtlichen Vergleichs in der strafrechtlichen Hauptverhandlung; JurBüro 1984, 1121–1126

Meyer, Gerhard: Zur Zuständigkeit im Adhäsionsprozeß; JZ 1953, 216

– Zur Geltendmachung von Schadensersatzansprüchen im Strafverfahren; SüJZ 1950, 192–198

Meyer-Goßner, Lutz: Strafprozessordnung; 53. Aufl., München 2010; zit. *Meyer-Goßner* (2010), § Rn.

– Strafprozessordnung; 47. Aufl., München 2004; zit. *Meyer-Goßner* (2004), § Rn.

– Die Rechtsstellung des Verletzten im Strafprozeß; ZRP 1984, 228–233

Meyer-Goßner, Lutz/*Appl,* Ekkehard: Die Urteile in Strafsachen; 28. Aufl., München 2008; zit. *Meyer-Goßner/Appl* (2008), Rn.

Michael, Lothar/*Morlok,* Martin: Grundrechte; Baden-Baden 2008; zit. *Michael/Morlok* (2008), Rn.

Miklau, Roland: Rechtspolitische Anmerkungen zur Stellung des Opfers im Strafverfahren, in: Grafl, Christian/Medigovic, Ursula (Hrsg.), Festschrift für Manfred Burgstaller zum 65. Geburtstag, Wien u.a. 2004; S. 293–306; zit. *Miklau* (2004), S.

Ministerium der Justiz (Hrsg.): Strafprozeßrecht der DDR, Kommentar; 3. Aufl., Berlin 1989; zit. MdJ-StPO (1989), § Gliederungspunkt

438   Literaturverzeichnis

– Strafrecht der DDR, Kommentar; 5. Aufl., Berlin 1987; zit. MdJ-StGB (1987), S.

Moll, Martin: Rechtsetzung im Führerstaat: die NS-Rechtslehre, die Geschichtswissenschaft und die Legislative durch Führer-Erlasse 1939–1945, in: Thier, Andreas (Hrsg.); Kontinuitäten und Zäsuren in der europäischen Rechtsgeschichte; Frankfurt/M. 1999; S. 313–333; zit. *Moll* (1999), S.

Mommsen, Theodor: Römisches Strafrecht; Darmstadt 1955; zit. *Mommsen* (1955), S.

MüKo-StGB: Münchener Kommentar zum Strafgesetzbuch, hrsg. v. Joecks, Wolfgang/ Miebach, Klaus; Band 2/1 §§ 52–79b; München 2005; zit. MüKo-StGB-*Bearbeiter* (2005), § Rn.

MüKo-ZPO: Münchener Kommentar zur Zivilprozessordnung, hrsg. v. Rauscher, Thomas/Wax, Peter/Wenzel, Joachim; Band 1 (Einleitung, §§ 1–510c), 3. Aufl., München 2008; Band 2 §§ 511–945, 3. Aufl., München 2007; Band 3: §§ 946–1086, EGZPO, GVG, EGGVG, UKlaG, Internationales Zivilprozessrecht, 3. Aufl., München 2008; zit. MüKo-ZPO-*Bearbeiter* (Jahr), § Rn.

Müller, Harri: Wiedergutmachung des Schadens und prozessuale Sicherung seiner Durchsetzung; NJ 1984, S. 284–285

Murmann, Uwe: Über den Zweck des Strafprozesses; GA 2004, 65–86

Musielak, Hans-Joachim (Hrsg.): Kommentar zur Zivilprozessordnung mit Gerichtsverfassungsgesetz; 6. Aufl., München 2008; zit. Musielak-*Bearbeiter* (2008), § Rn.

Nagler, Johannes: Echter und unechter Strafprozeß (Anschlußverfahren); GS 112 (1939), 133–168

Nay, Guisep: Das Bundesgerichtsgesetz im Kontext der Justizreform, in: Breitenmoser Stephan/Ehrenzeller, Bernhard/Sassoli, Marco/Stoffel, Walter/Wagner Pfeifer, Beatrice (Hrsg.), Human Rights, Democracy and the Rule of Law. Menschenrechte, Demokratie und Rechtsstaat. Droits de l'homme, démocratie et Etat de droit. Liber amicorum Luzius Wildhaber; Zürich u. a. 2007; S. S. 1469–1489; zit. *Nay* (2007), S.

Neidhart, Hermann: Adhäsionsverfahren – ein kurzer Ländervergleich; DAR 2006, 415–418

Neuhaus, Ralf: Das Opferrechtsreformgesetz 2004; StV 2004, 620–627

Nicolai, Heinz: Das Adhäsionsverfahren nach dem Entwurf eines Einführungsgesetzes zum Allgemeinen Deutschen Strafgesetzbuch und zum Strafvollzugsgesetz vom Jahre 1930 unter besonderer Berücksichtigung des geltenden Bußprozesses und des österreichischen Adhäsionsprozesses; Leipzig 1930; zit. *Nicolai* (1931), S.

Niethammer, Fritz: Welche Rechtsmittel hat der Geschädigte, dessen Schadensersatzanspruch im erstinstanzlichen Verfahren abgewiesen worden ist?; NJ 1972, S. 322–324

Nilius, Klaus: Das Adhäsionsverfahren unter rechtspolitischen Aspekten, in: Michael R. Will (Hrsg.), Schadensersatz im Strafverfahren; Kehl am Rhein u. a. 1990; S. 62–64; zit. *Nilius* (1990), S.

Nitsche, Hellgard: Sicherung des Schadensersatzes zum Schutz sozialistischen Eigentums durch das Antragsrecht des Staatsanwaltes; NJ 1984, 46–47

Literaturverzeichnis

Oberhammer, Paul: Anmerkung zu OGH 17.10.1995, 1 Ob 612/95 (verstärkter Senat), JAP 1995/96, 124–130 (Bindungswirkung von Strafurteilen für den Zivilprozeß); ecolex 1995, 790

Oberholzer, Nikolaus: Grundzüge des Strafprozessrechts dargestellt am Beispiel des Kantons St. Gallen; 2. Aufl., Bern 2005; zit. *Oberholzer* (2005), Rn.

Odersky, Walter: Referat zur Rechtsstellung des Verletzten im Strafverfahren; Ständige Deputation des DJT (Hrsg.), Verhandlungen des 55. DJT, Band 2 (Sitzungsberichte), Teil L, München 1984, S. 29–50; zit. *Odersky* (1984), S.

Ostendorf, Heribert: Jugendgerichtsgesetz; 3. Aufl., Köln u. a. 2003; zit. *Ostendorf* (2003), § Rn.

Otto, Harro: Die Verfolgung zivilrechtlicher Ansprüche als „berechtigtes Interesse" des Verletzten auf Akteneinsicht im Sinne des § 406e Abs. 1 StPO; GA 1989, 289–307

Park, Tido (Hrsg.): Kapitalmarktstrafrecht; 2. Aufl., Baden-Baden 2008; zit. Park-*Bearbeiter* (2008), Kap. Rn.

Pasker, Hans-Uwe: Anmerkung zu BGH Beschl. v. 18.12.1990 (4 StR 532/90; BGHSt 37, 263–264); NStZ 1991, 503

Pecher, Hans Peter: Über zivilrechtliche Vergleiche im Strafverfahren; NJW 1981, 2170–2171

Pentz, Adolf: Zum Adhäsionsverfahren; MDR 1953, 155

Peters, Karl: Strafprozeß; 4. Aufl., Heidelberg 1985; zit. *Peters* (1985), S.

Pfeiffer, Gerd: Strafprozessordnung; 4. Aufl., München 2002, 5. Aufl., München 2005; zit. *Pfeiffer* (Jahr), § Rn.

Pfeil, Hartmut: Schadensersatzprobleme in Verkehrsstrafsachen; NJ 1986, 423–424

Pfenninger, Hans Felix: Der Verletzte im schweizerischen Strafverfahren; SJZ 56 (1960), 181–190

Planck, Julius Wilhelm: Systematische Darstellung des deutschen Strafverfahrens auf Grundlage der neueren Strafprozessordnungen seit 1848; Göttingen 1857; zit. *Planck* (1857), S.

Platzgummer, Winfried: Grundzüge des österreichischen Strafverfahrens; 7. Aufl., Wien u. a. 1997; zit. *Platzgummer* (1997), S.

Pleischl, Werner/*Soyer,* Richard: StPO: IdF des Strafprozessreformgesetzes. In-Kraft-Treten: 1.1.2008; Wien 2004; zit. *Pleischl/Soyer* (2004), S.

Plitt, Johann Friedrich (Hrsg.): Repertorium für das peinliche Recht, Band 2; Frankfurt/M. 1790; zit. Plitt-*Bearbeiter* (1790), S.

Plitz, Heinz: Bewährte Methoden zur Durchsetzung von Schadensersatzansprüchen und zur Verwirklichung von Geldstrafen; NJ 1984, S. 330–332

Plümpe, Andreas: Das Adhäsionsverfahren – gangbare Alternative zur Durchsetzung von Schadensersatzansprüchen aus Wirtschafts- und Insolvenzstraftaten?; ZInsO 2002, S. 409–414

440 Literaturverzeichnis

Plüür, Georg/*Herbst,* Kai-Uwe: Das Adhäsionsverfahren; Internetpublikation, abrufbar unter www.kammergericht.de; Stand: 1. November 2010; zit. *Plüür/Herbst* (2010), S.

- Das Adhäsionsverfahren in der staatsanwaltschaftlichen Praxis; NJ 2008, S. 14–16

- Das Adhäsionsverfahren im Strafprozess; NJ 2005, S. 153–156

Pompoes, Herbert/*Schindler,* Richard/*Schröder,* Horst: Zur Stellung des Geschädigten im Strafverfahren; NJ 1972, S. 10–12

Posch, Martin: Zivilrechtlicher Schadensersatz im Strafverfahren in der Deutschen Demokratischen Republik, in: Michael R. Will (Hrsg.), Schadensersatz im Strafverfahren; Kehl am Rhein u. a. 1990; S. 1–10; zit. *Posch* (1990), S.

Prechtel, Günter: Das Adhäsionsverfahren; ZAP 2005, S. 399–408

Probst, Karlheinz: Aspekte der privaten Beteiligung am Strafverfahren; StPdG 14 (1986), S. 237–252

Prölss, Erich/*Martin,* Anton (Hrsg.): Versicherungsvertragsgesetz; 28. Aufl., München 2010; zit. Prölss/Martin-*Bearbeiter* (2010), Teil Rn.

Ranft, Otfried: Strafprozeßrecht; 5. Aufl., Stuttgart u. a. 2005; zit. *Ranft* (2005), Rn.

- Das beschleunigte Strafverfahren; Jura 2003, 382–392

Rauschenberger, Friederike: Verbesserung der Opferrechte durch das Opferrechtsreformgesetz; Kriminalistik 2004, 564–566

Rauscher, Thomas/*Wax,* Peter/*Wenzel,* Joachim (Hrsg.): Münchener Kommentar zur Zivilprozessordnung; Band 1 (Einleitung, §§ 1–510c), 3. Aufl., München 2008; Band 2 §§ 511–945, 3. Aufl., München 2007; Band 3: §§ 946–1086, EGZPO, GVG, EGGVG, UKlaG, Internationales Zivilprozessrecht, 3. Aufl., München 2008; zit. MüKo-ZPO-*Bearbeiter* (Jahr), § Rn.

Rehberg, Jörg: Zum zürcherischen Adhäsionsprozess, in: Forstmoser, Peter/Giger, Hans/Heini, Anton/Schluep, Walter R. (Hrsg.); Festschrift für Max Keller zum fünfundsechzigsten Geburtstag; Zürich 1989; S. 627–646; zit. *Rehberg* (1989), S.

Rehwagen, Werner: Der Verletzte im Strafverfahren: seine Rechtsstellung nach der Strafprozessordnung und nach dem sowjetischen Strafprozessrecht; München 1974; zit. *Rehwagen* (1974), S.

Rein, Wilhelm: Das Kriminalrecht der Römer; Leipzig 1844; zit. *Rein* (1844), S.

Reuter, Lothar: Materielle Verantwortlichkeit, Schadenswiedergutmachung und Strafe; NJ 1982, 304–306

Rieß, Peter: Über die Aufgaben des Strafverfahrens; JR 2006, 269–277

- Einige Bemerkungen über das sog. Adhäsionsverfahren, in: Lesch, Heiko H./Müssig, Bernd/Widmaier, Gunter (Hrsg.), Festschrift für Hans Dahs, Köln 2005, S. 425–439; zit. *Rieß* (2005), S.

- Zeugenschutz bei Vernehmungen im Strafverfahren – Das neue Zeugenschutzgesetz vom 30.4.1998; NJW 1998, 3240–3243

- Der Strafprozeß und der Verletzte – eine Zwischenbilanz; Jura 1987, 281–291

- Die Änderungen im Strafverfahrensrecht zum 1.4.1987; StV 1987, 212–215

Literaturverzeichnis

– Die Rechtsstellung des Verletzten im Strafverfahren, Gutachten C für den 55. Deutschen Juristentag; München 1984; zit. *Rieß* (1984), S.

– Diskussionsbeitrag; Ständige Deputation des DJT (Hrsg.), Verhandlungen des 55. DJT, Band 2 (Sitzungsberichte), Teil L, München 1984, S. 147–148; zit. *Rieß* (1984a), S.

– Prolegomena zu einer Gesamtreform des Strafverfahrensrechts, in: Hassenpflug, Helwig (Hrsg.), Festschrift für Karl Schaefer zum 80. Geburtstag am 11. Dezember 1979, Berlin u. a. 1980; S. 155–222; zit. *Rieß* (1980), S.

Rieß, Peter/*Hilger,* Hans: Das neue Strafverfahrensrecht – Opferschutzgesetz und Strafverfahrensänderungsgesetz 1987; NStZ 1987, 145–157

Riklin, Frank: Die Strafprozessrechtsreform in der Schweiz; GA 2006, 495–514

Römer, Wolfgang/*Langheid,* Theo: Versicherungsvertragsgesetz; 3. Aufl., München 2009; zit. *Römer/Langheid* (2009), § Rn.

Rommel, Gerhard/*Plitz,* Heinz: Erlaß und Vollziehung von Arrestbefehlen nach § 120 StPO; NJ 1985, S. 18–20

Rosenberg, Leo/*Schwab,* Karl Heinz/*Gottwald,* Peter: Zivilprozessrecht; 16. Aufl., München 2004; zit. *Rosenberg/Schwab/Gottwald* (2004), § Abschn.

Rössner, Dieter/*Bannenberg,* Britta: Das System der Wiedergutmachung im StGB unter besonderer Berücksichtigung von Auslegung und Anwendung des § 46 a StGB, in: Graul, Eva/Wolf, Gerhard (Hrsg.), Gedächtnisschrift für Dieter Meurer, Berlin u. a. 2002; S. 157–179; zit. *Rössner/Bannenberg* (2002), S.

Rössner, Dieter/*Klaus,* Thomas: Für eine opferbezogene Anwendung des Adhäsionsverfahrens; NJ 1996, S. 288–294

– Dem Adhäsionsverfahren eine Chance!; ZRP 1998, S. 162–164

Roxin, Claus: Strafe und Wiedergutmachung, in: Rauscher, Thomas/Mansel, Heinz-Peter (Hrsg.), Festschrift für Werner Lorenz zum 80. Geburtstag; München 2001; S. 51–65; zit. *Roxin* (2001), S.

– Die Wiedergutmachung im strafrechtlichen Sanktionensystem, in: Badura, Peter/Scholz, Rupert (Hrsg.), Wege und Verfahren des Verfassungslebens: Festschrift für Peter Lerche zum 65. Geburtstag; München 1993; S. 301–315; zit. *Roxin* (1993), S.

– Die Stellung des Opfers im Strafsystem; RuP 1988, 69–76

Roxin, Claus/*Schünemann,* Bernd: Strafverfahrensrecht; 26. Aufl., München 2009; zit. *Roxin/Schünemann* (2009), § Rn.

Rudolphi, Hans-Joachim/*Wolter,* Jürgen (Hrsg.): Systematischer Kommentar zur Strafprozessordnung und zum Gerichtsverfassungsgesetz, Loseblattkommentar; Neuwied; §§ 403 ff. (Stand: September 2003); zit. SK-*Bearbeiter* (2003), § Rn.

Rüffer, Wilfried/*Halbach,* Dirk/*Schimikowski,* Peter (Hrsg.): Versicherungsvertragsgesetz; München 2009; zit. Rüffer/Halbach/Schimikowski-*Bearbeiter* (2009), Gesetz § Rn.

Rüping, Hinrich: Das Strafverfahren; 2. Aufl., München 1983; zit. *Rüping* (1983), S.

442 Literaturverzeichnis

Rüping, Hinrich/*Jerouschek,* Günter: Grundriss der Strafrechtsgeschichte; 5. Aufl., München 2007; zit. *Rüping/Jerouschek* (2007), Rn.

Sachs, Michael (Hrsg.): Grundgesetz; 5. Aufl., München 2008; zit. Sachs-*Bearbeiter* (2008), Art. Rn.

Sachsen Gessaphe, Karl August Prinz von: Das kränkelnde deutsche Adhäsionsverfahren und sein französischer Widerpart der action civile; ZZP 112 (1999), S. 3–35

Saenger, Ingo (Hrsg.): Zivilprozessordnung; 2. Aufl., Baden-Baden 2007; zit. Saenger-*Bearbeiter* (2007), § Rn.

Salten, Uwe/*Gräve,* Karsten: Gerichtliches Mahnverfahren und Zwangsvollstreckung; 3. Aufl., Köln 2007; zit. *Salten/Gräve* (2007), S.

Samochowiec, Jolanta: Die Stellung des Verletzten im Strafprozess aus rechtsvergleichender Sicht; ZStrR 104 (1987), 416–439

Schäfer, Gerhard: Die Praxis des Strafverfahrens; 7. Aufl., Stuttgart u.a. 2007; zit. *Schäfer* (2007), Rn.

Schaffstein, Friedrich/*Beulke,* Werner: Jugendstrafrecht; 14. Aufl., Stuttgart 2002; zit. *Schaffstein/Beulke* (2002), S.

Schirmer, Helmut: Das Adhäsionsverfahren nach neuem Recht – die Stellung der Unfallbeteiligten und deren Versicherer; DAR 1988, 121–128

Schlegel, Joachim: Wiedergutmachung und Schadensersatz nach Verkehrsstraftaten; NJ 1978, 492–493

– Zur Geltendmachung von Schadensersatzansprüchen im Strafverfahren; NJ 1973, 481–482

Schlegel, Joachim/*Pompoes,* Herbert: Geldstrafe und Strafbefehlsverfahren; NJ 1971, 606–609

Schlüchter, Ellen: Das Strafverfahren; 2. Aufl., Köln 1983; zit. *Schlüchter* (1983), Rn.

Schmahl, Hans Ludwig: Das Adhäsionsverfahren im dänischen Recht; Itzehoe/Holstein 1980; zit. *Schmahl* (1980), S.

Schmanns, Stephan: Das Adhäsionsverfahren in der Reformdiskussion; München 1987; zit. *Schmanns* (1987), S.

Schmid, Niklaus: Strafprozessrecht; 4. Aufl., Zürich u.a. 2004; zit. *Schmid* (2004), Rn.

Schmidt, Andreas (Hrsg.): Hamburger Kommentar zur Insolvenzordnung; 2. Aufl., Münster 2007; zit. Schmidt-*Bearbeiter* (2007), § Rn.

Schmidt, Eberhard: Einführung in die Geschichte der deutschen Strafrechtspflege; 3. Aufl., Göttingen 1965; zit. *E. Schmidt* (1965), §

– Lehrkommentar zur Strafprozessordnung und zum Gerichtsverfassungsgesetz, Teil 2: Erläuterungen zur Strafprozessordnung und zum Einführungsgesetz zur Strafprozessordnung; Göttingen 1957; zit. *E. Schmidt* (1957), § Rn.

Schmidt-Hieber, Werner: Ausgleich statt Geldstrafe; NJW 1992, 2001–2004

Schmitt, Bertram: Die überlange Verfahrensdauer und das Beschleunigungsgebot in Strafsachen; StraFo 2008, 313–321

Literaturverzeichnis

Schmitz-Garde, Julia: Täter-Opfer-Ausgleich, Wiedergutmachung und Strafe im Strafrecht; Hamburg 2006; zit. *Schmitz-Garde* (2006), S.

Schneider, Hans Joachim: Die gegenwärtige Situation der Verbrechensopfer in Deutschland; JZ 2002, 231–237

Schneider, Norbert: Abrechnung im strafrechtlichen Adhäsionsverfahren; AGS 2009, 1–3

Schnek, Friedrich: Der Adhäsionsprozess nach österreichischem Recht; Wien 1928; zit. *Schnek* (1928), S.

Schnell, Rainer/*Hill,* Paul B./*Esser,* Elke: Methoden der empirischen Sozialforschung; 7. Aufl., München u.a. 2005; zit. *Schnell/Hill/Esser* (2005), S.

Schoch, Friedrich: Das verwaltungsbehördliche Ermessen; Jura 2004, 462–469

Schöch, Heinz: Wege und Irrwege der Wiedergutmachung im Strafrecht, in: Schünemann, Bernd/Achenbach, Hans/Bottke, Wilfried/Haffke, Bernhard/Rudolphi, Hans-Joachim (Hrsg.), Festschrift für Claus Roxin zum 70. Geburtstag; Berlin u.a. 2001; S. 1045–1064; zit. *Schöch* (2001), S.

– Empfehlen sich Änderungen und Ergänzungen bei den strafrechtlichen Sanktionen ohne Freiheitsentzug?; Gutachten C für den 59. Deutschen Juristentag; München 1992; zit. Schöch (1992), S.

– Die Rechtsstellung des Verletzten im Strafverfahren; NStZ 1984, 385–391

Schoibl, Norbert A.: Adhäsionsverfahren und Europäisches Zivilverfahrensrecht, in: Ballon, Oskar J./Burgstaller, Alfred/Bydlinski, Michael/König, Bernhard (Hrsg.), Historiarum ignari semper sunt pueri: Festschrift Rainer Sprung zum 65. Geburtstag, Wien 2001; S. 321–342; zit. *Schoibl* (2001), S.

Scholz, Rupert: Erweiterung des Adhäsionsverfahrens – rechtliche Forderung oder rechtspolitischer Irrweg?; JZ 1972, 725–731

Schönfeldt, Hans-Andreas: Gesellschaftliche Gerichte in der DDR; Recht im Sozialismus 1999, S. 233–260; zit. *Schönfeldt* (1999), S.

Schönfeldt, Margarete/*Schönfeldt,* Hans: Durchsetzung von Schadensersatzforderungen im Adhäsionsverfahren; NJ 1992, 448–450

Schönke, Adolf: Studien zum Adhäsionsprozess; Francesco, Canelutti (Hrsg.), Studi in onore di Enrico Redenti nel XL anno del suo insegnamento, Mailand 1951, S. 345–365; zit. *Schönke* (1951), S.

– Einige Bemerkungen über den Adhäsionsprozess; DRZ 1949, 121–125

– Die Änderungen des Strafrechts und des Strafverfahrensrechts durch die Novellen vom 29. Mai 1943; DR 1943, 721–732

– Beiträge zur Lehre vom Adhäsionsprozeß; Berlin und Leipzig 1935; zit. *Schönke* (1935), S.

Schoreit, Armin/*Groß,* Ingo-Michael: Beratungshilfe, Prozesskostenhilfe – Kommentar; 9. Aufl., Heidelberg 2008; zit. *Schoreit/Groß* (2008), S.

Schork, Stefanie: Die Stellung des Opfers im Strafverfahren; Jura 2003, S. 304–310

Schork, Stefanie/*König,* Stefan: Das Opferrechtsreformgesetz; NJ 2004, 537–541

444 Literaturverzeichnis

Schroeder, Friedrich-Christian: Strafprozessrecht; 4. Aufl., München 2007; zit. *Schroeder* (2007), Rn.

Schroth, Hans-Jürgen: Das Adhäsionsverfahren des österreichischen Strafprozeßrechts im Lichte der Reformüberlegungen in der Bundesrepublik Deutschland; GA 1987, 49–65

– Das Adhäsionsverfahren in Österreich, in: Michael R. Will (Hrsg.), Schadensersatz im Strafverfahren; Kehl am Rhein u. a. 1990; S. 25–32; zit. *H.-J. Schroth* (1990), S.

Schroth, Klaus: Die Rechte des Opfers im Strafprozess; Heidelberg 2005; zit. *K. Schroth* (2005), Rn.

Schulte-Kellinghaus, Thomas: Die Ressourcengarantie für die Dritte Gewalt – Verfassungsrechtliche Forderungen zur Gewährleistung einer unabhängigen Rechtsprechung; ZRP 2006, 169–172

Schulz, Jan: Beiträge zur Nebenklage; Berlin 1982; zit. *Schulz* (1982), S.

Schunck, Bernd: Die Zweiteilung der Hauptverhandlung; Göttingen 1982; zit. *Schunck* (1982), S.

Schünemann, Bernd: Zur Stellung des Opfers im System der Strafrechtspflege; NStZ 1986, 193–200

Schuschke, Winfried: Kein großer Wurf – Das Rechtspflegevereinfachungsgesetz 1988; ZRP 1988, 371–373

Schütze, Theodor Reinhold: Lehrbuch des Deutschen Strafrechts; 2. Aufl., Leipzig 1874; zit. *Schütze* (1874), § S.

Schwab, Martin: Grundzüge des Zivilprozessrechts; 2. Aufl., Heidelberg 2007; zit. *Schwab* (2007), Rn.

Schwaighofer, Klaus: Die neue Strafprozessordnung; Wien 2008; zit. *Schwaighofer* (2008), S.

Schwarz, Günter Christian/*Wandt,* Manfred: Gesetzliche Schuldverhältnisse; 3. Aufl., München 2009; zit. *Schwarz/Wandt* (2009), § Rn.

Schwind, Hans-Dieter: Kriminologie; 19. Aufl., Heidelberg 2009; zit. *Schwind* (2009), § Rn.

Seelmann, Kurt: Dogmatik und Politik der „Wiederentdeckung des Opfers", in: Schmidt, Karsten (Hrsg.), Rechtsdogmatik und Rechtspolitik, Berlin 1990; S. 159–173; zit. *Seelmann* (1990), S.

– Paradoxien der Opferorientierung im Strafrecht; JZ 1989, 670–676

Seier, Jürgen: Das Rechtsmittel der sofortigen Beschwerde gegen strafprozessuale Nebenentscheidungen; Berlin 1980; zit. *Seier* (1980), S.

Seiler, Hansjörg/*Werdt,* Nicolas von/*Güngerich,* Andreas: Bundesgerichtsgesetz (BGG); Bern 2007; zit. *Seiler/von Werdt/Güngerich* (2007), S.

Seiler, Stefan: Strafprozessrecht; 9. Aufl., Wien 2008; zit. *Seiler* (2008), S.

Literaturverzeichnis 445

– Opferrechte im Spannungsfeld zu den Verteidigungsrechten, in: Strafverfahren – Menschenrechte – Effektivität, Schriftenreihe des Bundesministeriums für Justiz; Wien 2001; S. 243–280; zit. *Seiler* (2001), S.

Seiser, Klaus-Jürgen: Die Rolle des Opfers in den Strafrechtssystemen der Bundesrepublik Deutschland, Österreichs und der Schweiz, in: Kühne, Hans Heiner (Hrsg.); Opferrechte im Strafprozeß/Ein europäischer Vergleich; Kehl u. a. 1988; S. 16–45; zit. *Seiser* (1988), S.

Seitz, Helmut: Das Zeugenschutzgesetz (ZSchG); JR 1998, 309–313

Sessar, Klaus: Schadenswiedergutmachung in einer künftigen Kriminalpolitik, in: Kerner, Hans-Jürgen/Göppinger, Hans/Streng, Franz (Hrsg.), Festschrift für Heinz Leferenz, Heidelberg 1983, S. 145–163; zit. *Sessar* (1983), S.

Siegismund, Eberhard: Zur Verbesserung des Opferschutzes im Jugendstrafverfahren, in: Hanack, Ernst-Walter/Hilger, Hans/Mehle, Volkmar/Widmaier, Gunter (Hrsg.), Festschrift für Peter Rieß, Berlin u. a. 2002, S. 857–872; zit. *Siegismund* (2002), S.

Sieveking, Ruth/*Eisenberg,* Ulrich/*Heid,* Ulrike: Politische Bestrebungen zu Lasten des Jugendstrafrechts; ZRP 2005, 188–192

SK: Systematischer Kommentar zur Strafprozessordnung und zum Gerichtsverfassungsgesetz, Loseblattkommentar, hrsg. v. Rudolphi, Hans-Joachim/Wolter, Jürgen; Neuwied; §§ 403 ff. Stand 2003; zit. *SK-Bearbeiter* (2003), § Rn.

Sommer [Vorn. unbek.]: Zur Anwendung des Entschädigungsverfahrens im Strafprozeß; DR 1944, 475–478

Sommerfeld, Michael: Die Adhäsionsentscheidung im Strafbefehl bald doch möglich!(?); ZRP 2008, 258–261

Sommerfeld, Michael/*Guhra,* Emanuel: Zur „Entschädigung des Verletzten" im „Verfahren bei Strafbefehlen"; NStZ 2004, 420–424

Sowada, Christoph: Der gesetzliche Richter im Strafverfahren; Berlin u. a. 2002; zit. *Sowada* (2002), S.

Spenling, Anton: Das Anschluss- oder Adhäsionsverfahren; ZVR 2003, 344–355

Spiegel, Nico: Das Adhäsionsverfahren in der Schweiz, in: Michael R. Will (Hrsg.), Schadensersatz im Strafverfahren; Kehl am Rhein u. a. 1990; S. 33–39; zit. *Spiegel* (1990), S.

Spiess, Kerstin: Das Adhäsionsverfahren in der Rechtswirklichkeit; Berlin u. a. 2008; zit. *Spiess* (2008), S.

Staiger-Allroggen, Peony: Auswirkungen des Opferschutzgesetzes auf die Stellung des Verletzten im Strafverfahren; Göttingen 1992; zit. *Staiger-Allroggen* (1992), S.

Stangl, Wolfgang: Die Reintegration von Opfern in das Strafverfahren; NK 2008, 15–18

Stein, Friedrich/*Jonas,* Martin (Begr.): Zivilprozessordnung; Band 2 (§§ 41–127a), 22. Aufl., Tübingen 2004; Band 3 (§§ 128–252), 22. Aufl., Tübingen 2005; zit. Stein/Jonas-*Bearbeiter* (Jahr), § Rn.

Stelkens, Paul/*Bonk,* Heinz Joachim/*Sachs,* Michael (Hrsg.): Verwaltungsverfahrensgesetz; 7. Aufl., München 2008; zit. Stelkens/Bonk/Sachs-*Bearbeiter* (2008), § Rn.

446 Literaturverzeichnis

Stern, Steffen: Verteidigung in Mord- und Totschlagssachen; 2. Aufl., Heidelberg 2005; zit. *Stern* (2005), Rn.

Stiebig, Volker: Opfersorge oder Täterpflege? – Eine Zwischenbilanz vor dem Hintergrund des Opferrechtsreformgesetzes; Jura 2005, S. 592–597

Stöckel, Heinz: Das Adhäsionsverfahren – Durchsetzung zivilrechtlicher Forderungen im Strafverfahren; Krause, Rüdiger/Veelken, Winfried/Vieweg, Klaus (Hrsg.), Gedächtnisschrift für Wolfgang Blomeyer, Berlin 2004, S. 829–843; zit. *Stöckel* (2004), S.

– Das Opfer krimineller Taten, lange vergessen – Opferschutz, Opferhilfe heute –; JA 1998, 599–609

Stransky, Oskar: Der Adhäsionsprozeß; Würzburg 1939; zit. *Stransky* (1939), S.

Strasberg, Werner: Aufgaben der Rechtsprechung zur Verwirklichung außervertraglicher Schadensersatzansprüche; NJ 1978, 472–474

Streng, Franz: Jugendstrafrecht; 2. Aufl., Heidelberg 2008; zit. *Streng* (2008), Rn.

Tampe, Evelyn: Verbrechensopfer: Schutz, Beratung, Unterstützung; Stuttgart u.a. 1992; zit. *Tampe* (1992), S.

Tenter, Dieter/*Schleifenbaum,* Reinhold: Opferschutz – Fortschritt in kleinen Schritten?; NJW 1988, 1766–1768

Teplitzky, Otto: Auswirkungen der neueren Verfassungsrechtsprechung auf Streitfragen der Richterablehnung wegen Befangenheit; MDR 1970, 106–107

Tittmann, Carl August: Handbuch der Strafrechtswissenschaft und der deutschen Strafgesetzkunde; Halle 1824; zit. *Tittmann* (1824), S.

Toeplitz, Heinrich: Die Leitung der Rechtsprechung durch das Oberste Gericht nach dem IX. Parteitag der SED; NJ 1980, 482–485

Trousil, Thomas Josef: Die Bindung des Zivilrichters an strafgerichtliche Erkenntnisse; Köln 2005; zit. *Trousil* (2005), S.

Ventzke, Klaus-Ulrich: Fragerecht des Verletztenbeistands; NStZ 2005, 396–397

Vogel, Joachim: Juristische Methodik; Berlin u.a. 1998; zit. *Vogel* (1998), S.

Vogl, Heinrich: Gedanken zu einer Reform des Strafprozessrechts; JBl. 1976, 524–529

Volckart, Bernd: Opfer in der Strafrechtspflege; JR 2005, 181–187

Volk, Klaus: Grundkurs StPO; 6. Aufl., München 2008; zit. *Volk* (2008), § Rn.

– (Hrsg.): Münchener Anwalts-Handbuch Verteidigung in Wirtschafts- und Steuerstrafsachen; München 2006; zit. Volk-*Bearbeiter* (2006), § Rn.

Volkland, Eberhard: Bemerkungen zum Thema: Schadensersatz im Strafverfahren; NJ 1953, 392–394

Vollkommer, Gregor: Bindungswirkung des rechtskräftigen Strafurteils im nachfolgenden Schadensersatzprozess des Geschädigten; ZIP 2003, 2061–2063

Vollkommer, Max: Der Grundsatz der Waffengleichheit im Zivilprozeß – eine neue Prozeßmaxime?, in: Gottwald, Peter/Prütting, Hanns (Hrsg.), Festschrift für Karl

Literaturverzeichnis

Heinz Schwab zum 70. Geburtstag; München 1990; S. 503–520; zit. *M. Vollkommer* (1990), S.

Vollrath, Kurt: Der Adhäsionsprozess; Jena 1924; zit. *Vollrath* (1924), S.

Völzmann, Alexander: Die Bindungswirkung von Strafurteilen im Zivilprozess; Köln u. a. 2006; zit. *Völzmann* (2006), S.

Vormbaum, Thomas: Einführung in die moderne Strafrechtsgeschichte; Berlin u. a. 2009; zit. *Vormbaum* (2009), S.

Wabnitz, Heinz-Bernd/*Janovsky,* Thomas (Hrsg.): Handbuch des Wirtschafts- und Steuerstrafrechts; 3. Aufl., München 2007; zit. Wabnitz/Janovsky-*Bearbeiter* (2007), Kap. Rn.

Wächter, Carl Georg von: Deutsches Strafrecht; Leipzig 1881; zit. *Wächter* (1881), § S.

Waldstein, Wolfgang/*Rainer,* J. Michael: Römische Rechtsgeschichte; 10. Aufl., München 2005; zit. *Waldstein/Rainer* (2005), § Rn.

Walther, Susanne: Interessen und Rechtstellung des Verletzten im Strafverfahren; JR 2008, 405–410

– Strafverteidigung zwischen Beschuldigten- und Opferinteressen; StraFo 2005, 452–455

Wandt, Manfred: Versicherungsrecht; 5. Aufl., Köln u. a. 2010; zit. *Wandt* (2010), Rn.

Wank, Rolf: Die Auslegung von Gesetzen; 4. Aufl., Köln u. a. 2008; zit. *Wank* (2008), S.

Weber, Thorsten: Produkthaftung und strafprozessuales Adhäsionsverfahren; Karlsruhe 1996; zit. *Weber* (1996), S.

Weder, Ulrich: Das Opfer, sein Schutz und seine Rechte im Strafverfahren, unter besonderer Berücksichtigung des Kantons Zürich; ZStrR 113 (1995), 39–55

Weigend, Thomas: „Die Strafe für das Opfer"? – Zur Renaissance des Genugtuungsgedankens im Straf- und Strafprozessrecht; Rechtswissenschaft 1 (2010), 39–57

– Schadensersatz im Strafverfahren, in: Michael R. Will (Hrsg.), Schadensersatz im Strafverfahren; Kehl am Rhein u. a. 1990; S. 11–24; zit. *Weigend* (1990), S.

– Deliktsopfer und Strafverfahren; Berlin 1989; zit. *Weigend* (1989), S.

– Das Opferschutzgesetz – kleine Schritte zu welchem Ziel?; NJW 1987, 1170–1177

– Viktimologische und kriminalpolitische Überlegungen zur Stellung des Verletzten im Strafverfahren; ZStW 96 (1984), 761–793

Weiner, Bernhard/*Ferber,* Sabine (Hrsg.): Handbuch des Adhäsionsverfahrens; Baden-Baden 2008; zit. Weiner/Ferber-*Bearbeiter* (2008), Rn.

Weishaupt, Eva: Die verfahrensrechtlichen Bestimmungen des Opferhilfegsetzes (OHG) unter besonderer Berücksichtigung ihrer Auswirkungen auf das Zürcher Verfahrensrecht; Zürich 1998; zit. *Weishaupt* (1998), S.

Weiss, Wolfgang: Einheitliches Strafverfahrensrecht für die sowjetische Besatzungszone; NJ 1948, 215–218

Wendisch, Günter: Anmerkung zu BGH Beschl. v. 18.12.1990 (4 StR 532/90, BGHSt 37, 263–264); JR 1991, 297–298

448 Literaturverzeichnis

Wenske, Marc: Weiterer Ausbau der Verletztenrechte? – Über zweifelhafte verfassungsgerichtliche Begehrlichkeiten; NStZ 2008, 434–437

Wessely, Wolfgang: Strafprozessrecht; 4. Aufl., Wien 2008; zit. *Wessely* (2008), S.

Wessing, Paul: Der Entschädigungsanspruch des Straftatopfers in Deutschland und Spanien im Rechtsvergleich; Münster 1998; zit. *Wessing* (1998), S.

Widmaier, Gunter (Hrsg.): Münchener Anwalts-Handbuch Strafverteidigung; München 2006; zit. Widmaier-*Bearbeiter* (2006), § Rn.

Wilhelmi, Theresa: Internationales Privatrecht im Adhäsionsverfahren; IPRax 2005, 236–238

Willamowski, Horst: Durchsetzung von Schadensersatzansprüchen im Strafbefehlsverfahren; NJ 1987, 242–244

Witte, Paul: Rationelle Gestaltung von Strafverfahren, in denen Schadensersatzansprüche geltend gemacht werden; NJ 1972, 708–709

Wohlers, Wolfgang: Die Zurückweisung eines Adhäsionsantrages wegen Nichteignung des geltend gemachten Anspruchs; MDR 1990, 763–767

Wolff, Hans J./*Bachof,* Otto/*Stober,* Rolf/*Kluth,* Winfried: Verwaltungsrecht I; 12. Aufl., München 2007; zit. *Wolff/Bachof/Stober/Kluth* (2007), § Rn.

Wulf, Rüdiger: Opferschutz im Strafprozeß; DRiZ 1981, 374–382

– Opferausgleich und Strafverfahren; DRiZ 1980, 205–209

Wulffen, Matthias von (Hrsg.): Zehntes Buch Sozialgesetzbuch – Sozialverwaltungsverfahren und Sozialdatenschutz; 6. Aufl., München 2008; zit. Wulffen-*Bearbeiter* (2008), § Rn.

Würtenberger, Thomas: Über Rechte und Pflichten des Verletzten im deutschen Adhäsionsprozeß, in: Frey, Erwin R. (Hrsg.), Festschrift für Hans Felix Pfenninger, Zürich 1956, S. 193–205; zit. *Würtenberger* (1956), S.

Zander, Sebastian: Das System der Wiedergutmachung im Strafverfahren; JuS 2009, 284–288

Zimmermann, Walter: Zivilprozessordnung; 8. Aufl., Münster 2008; zit. *Zimmermann* (2008), § Rn.

Zippelius, Reinhold: Juristische Methodenlehre; 9. Aufl., München 2005; zit. *Zippelius* (2005), S.

Zöller, Richard (Begr.): Zivilprozessordnung; 28. Aufl., Köln 2009; zit. Zöller-*Bearbeiter* (2009), § Rn.

Sachverzeichnis

Abgeltungsklausel 161

Ablehnung eines Richters 118

Absehensentscheidung 63
- Begründung 187
- Einschränkung 354
- Form 186
- Hinweis des Gerichts 187
- Indizien 182
- Nichteignung 63, 74, 93, 168, 172, 354
- Rechtsfolge 184
- Systematik 166

Abweisungsentscheidung (DDR) 258

Abwesenheit des Antragstellers 136

Adhäsionsantrag 59, 80
- Antragsberechtigung 97
- Form 81
- Inhalt 81
- Mängel 84
- Rücknahme 91
- Wirkungen 88
- Zeitpunkt 87, 117, 371
- Zustellung 112

Adhäsionsverfahren
- Ablauf 80
- Entscheidungsmöglichkeiten 147
- geschichtliche Entwicklung 32, 50
- Grundsätze 71
- Kosten 64, 190
- Legitimation 60
- Nachteile 61
- Rechtsbehelfe 195
- Rechtsquellen 29
- Sinn und Zweck 52
- Terminologie 30

Adhäsionsverfahren (CH)
- Anwendungspraxis 291
- Ausgestaltung 290
- Entwicklung 288

Adhäsionsverfahren (ZH) 292
- Ablauf 294
- Entscheidungsmöglichkeiten 295, 317
- Kosten 298
- Rechtsbehelfe 297, 321
- Voraussetzungen 292, 308

Adhäsionszusammenhang 94, 149

Akzessorietät zur Verurteilung 73, 162, 209, 343, 348

allgemeine Opferrechte (A) 277

Alliierter Kontrollrat 245

Amtsaufklärungspflicht 121

Amtsermittlungsgrundsatz 56, 64, 116, 329

Amtshaftungsgesetz (A) 274

Anerkenntnisurteil 73, 345
- fehlerhaftes 157
- ohne strafrechtliche Verurteilung 156

Anhörungsrecht
- des Antragstellers 129, 186
- des Beschuldigten 138

Anrechnung der Gebühr 211

Anscheinsbeweis 66

Anschlusserklärung (A) 273

Anspruch auf Vorschussleistung (A) 282

Anspruchsgegenstand 83

Anspruchsgrund 83

Anspruchshöhe 177

Antragsteller
- Begriff 30
- berechtigte Interessen 183
- Rechte 125
- Zeugenstellung 38, 237, 367

450 Sachverzeichnis

Anwendung zivilrechtlicher Vorschriften 229
Anwendungspraxis 39, 43, 47
ARB 358
Arbeitsgerichtsweg 104, 353
Arrestbefehl (DDR) 263
Aufrechnung 170
aufschiebende Wirkung 200
Auslagenvorschuss 76
Ausschlussfrist 90

Beanstandungsrecht 132
Bedenklichkeitsverfahren (A) 285
Begründung
– Anforderung 187
– Revisionsgrund 152, 187, 368
Beiordnung eines Rechtsanwaltes 146
Beratungspflicht (DDR) 251
Berufung 203
Berufungsverfahren 87
beschleunigtes Verfahren 106
Beschleunigungsgrundsatz 77
Beschuldigter 103, 180
– Passivlegitimation 103
– Rechtsmittel 203
– Stellung 61, 112, 115, 138
Beschwerde (DDR) 261
Beschwerdegericht 198, 200
Beweisantrag 131
Beweisaufnahme 119, 348
Beweislast 84
Beweiswürdigung 360
Bindungswirkung (A) 286
Bindungswirkung (§ 318 ZPO) 189
Bindungswirkung strafrechtlicher Urteile 69, 239

Darlegungslast 84
Denunziationprozess 34
Digesten 33
Direktanspruch 339
Dispositionsmaxime 79, 120
divergierende Entscheidungen 61

Ehegatte 143
eingeschränkte Sachentscheidungsbefugnis 72
Einstellung des Strafverfahrens 343
Einzelrechtsnachfolge 338
EMRK 65
Entlastung der Justiz 52, 61
Entscheidungsformen
– Absehensentscheidung 166
– Urteil 148
– Vergleich 44, 158
Erbe 101
Erbschein 103
Ermittlungsverfahren 110, 376
Ersatzfreiheitsstrafe 369
Erstkontakt 224
Erziehungsgedanke 104
– im Jugendstrafrecht 342
EuGVVO 212

Fair-Trial-Grundsatz 77
Feststellungsantrag 93
Formular 332
Fragerecht 117, 131
Freispruch 345
Fürsorgepflicht 85

geeignete Fallgestaltungen 329
Geldstrafe 369
Gerichtskostengesetz 190
Geschädigter (DDR) 249, 252, 256
Geschädigter (ZH) 295
gesellschaftliche Gerichte (DDR) 248
Gewichtsverlagerung 178
Glaubwürdigkeit 65
Grundsatz der freien richterlichen Beweiswürdigung 76
Grundsätze
– Akzessorietät zur Verurteilung 73
– Antragserfordernis 71
– eingeschränkte Sachentscheidungsbefugnis 72, 92

Sachverzeichnis

– Pflicht zur umfassenden Entscheidung 74
– Rechtsbehelfsbeschränkung 74
Grundurteil 150, 170, 189, 239, 348
Grundurteil (CH) 302, 356
Güteverhandlung 107

Haft 177, 236, 342
Haftungsverschärfung 90
Hauptverfahren 115
Hauptverhandlung 105, 348
– Unterbrechung 180
– Wiederholung 118
Hemmung der Verjährung 90, 201
Heranwachsende 104, 240
Herausgabeansprüche 94
Hinweispflicht 85, 111, 331

in dubio pro reo 77
Information des Verletzten 110
Informationsdefizit 218, 229, 237, 329
Insolvenzverwalter 100
Internationales Privatrecht 67, 170

Jugendliche 103, 340
Jugendliche (A) 342

Kassationsverfahren (DDR) 248
Kausalität 360
– zur Straftat 94
Klagerücknahme 91
Kompositionsverfahren 33
Kosten 240
Kostenentscheidung, Ermessensentscheidung 191, 207
Kostenrisiko 367
Kostenverzeichnis 191
Kriminologie 42

Lebenspartner 143
Legalzession 337

Mahnung 90
Mitverschulden 66
Mündlichkeitsgrundsatz 347
Musterakte 239, 333, 362, 368
Mutwilligkeit 145, 357

Nachweis der Antragsberechtigung 102
Naumburger Modell 45
Nebenentscheidungen 190
Nebenklage 100, 125, 128, 135, 146, 204, 346
Nebenstrafrecht 95

öffentliches Testament 103
Opferhilfegesetz (CH) 288, 295, 302
Opferrechtsreformgesetz 28, 41, 90, 110, 154, 158, 176, 196, 330
– Auswirkungen 49
– Gesetzgebungsverfahren 42
– Inhalt 42
Opferschutz 54, 174, 338, 346
Opferschutzgesetz 37, 43, 143
– Evaluation 215
– Reformvorschläge 41

Partikularrechte 34
Pauschalsätze 338
pebb§y 363
Pensen 236, 336, 362
Personalbedarfsberechnungssystem 363
Pfändbarkeit 90
Pflicht zur umfassenden Entscheidung 74
Pflichtverteidiger 139
– Beiordnung 140
– Gebühren 211
– Kosten 140
– von Amts wegen 141
Privatautonomie 79
Privatbeteiligter (A) 277
Privatbeteiligung (A) 270
– Ablauf 276, 310
– Anwendungspraxis 272

452 Sachverzeichnis

– Ausgestaltung 271
– Entscheidungsmöglichkeiten 279, 317
– Entwicklung 270
– Rechtsbehelfe 281, 321
– Voraussetzungen 273, 307
Privatklage 68, 100, 105, 125, 204, 346
Probleme in der Praxis 228, 235
Protokoll 162
Prozesskostenhilfe 140, 143, 356
– Verfahren 145
– Voraussetzungen 144
Prozesskostensicherheit (CH) 305
Prozesskostenvorschuss 367
Prozessmaximen
– des Strafverfahrens 75, 218, 360
– des Zivilverfahrens 78, 217, 236, 360
Prozessökonomie 52, 174
Prozessverschleppungsabsicht 92
Prozesszinsen 90

Quotelung 192

Rahmenbeschluss 42
Rat der Europäische Union 42
Recht zur Richterablehnung 132
rechtliches Gehör 89, 122, 124, 127, 137, 143, 186
Rechtsanwaltsgebühren 210, 365
Rechtsanwaltsvergütungsgesetz 210, 365
Rechtsbehelfe
– gegen das Adhäsionsurteil 202
– gegen das gesamte Urteil 205
– gegen das Strafurteil 204
– gegen die Absehensentscheidung 196
– gegen die Kostenentscheidung 207
– Systematik 195
Rechtsbehelfsbeschränkung 73, 196
Rechtshängigkeit 90, 108
Rechtsschutzversicherung 358
Reform des Strafprozesses (A) 270
Reform des Strafprozesses (CH) 289
Reformvorschläge 377

Reichsjustizgesetze 35
Reichsstrafprozessordnung 35
Ressortwechsel 361
Revision 203
Römisches Recht 33
Rückgewinnungshilfe 68
Rückstellungsverfahren (A) 282

Sachverständiger 118, 135
Schadensermittlung 121
Schadensersatz im Strafverfahren (DDR) 244
– Ablauf 254, 310
– Antrag 251
– Anwendungspraxis 249
– Beweisaufnahme 256
– Entscheidungsformen 257
– Entscheidungsmöglichkeiten 317
– Entwicklung 245
– Rechtsbehelfe 260, 321
– Voraussetzungen 251, 308
Schadensschätzung 79
Schadensteilungsabkommen 338
Schadenswiedergutmachungsauflage 68, 327, 344
Schlussvorträge 29, 83, 87, 92, 371
Schmerzensgeld 84, 93, 169, 329, 336, 367
Schuld 360
Sexualdelikte 95
Sicherheitsleistung 194
sofortige Beschwerde 196, 373
sofortiges Anerkenntnis 191
Sozialversicherungsträger 337
Staatsanwaltschaft 113, 115, 142, 202, 205, 332
Staatsanwaltschaft (DDR) 252
Staatskasse 192
Standardfall 66, 218, 240
Statistisches Bundesamt 43, 47, 218
Stellung des Beschuldigten 61
Strafantrag 62
Strafbefehl 349, 371

Sachverzeichnis

Strafbefehlsverfahren 106, 346
Strafbefehlsverfahren (CH) 305, 322
Strafbefehlsverfahren (DDR) 266, 322
Strafbefehlsverfahren (ZH) 322
Strafprozessrecht (CH) 287
Strafverfahren (DDR)
– Ablauf 248
– Struktur 247
Strafzumessung 68
Straßenverkehrsdelikte 329, 337
Sühneversuch 68

Täter-Opfer-Ausgleich 68, 155, 235, 328, 340
Teilnahmerecht 88, 117, 125, 336
Teilurteil 151, 170, 189
Terminverlegung 131
Titel 29, 55, 326, 369
– Anerkenntnis 157
– Vergleich 163
Träger sozialistischen Eigentums (DDR) 253

Umfrage
– Ergebnisse 222
– Erhebungsmethode 219
– Hypothesen 217
– Rahmenbedingungen 220
– Teilnehmer 222
– Ziele 217
Unterlassungsansprüche 94
Untersuchungen zum Adhäsionsverfahren 40, 49, 215
Untersuchungsgrundsatz 75
Urhebergesetz 94
Urkundsbeweis 70
Urteil 148
– Auswirkung 188
– Begründung 153
– Form 152
– Vollstreckung 209
– vorläufige Vollstreckbarkeit 194

Verfahrensverzögerung 176, 236, 356
Verfügungsbefugnis 100
Vergleich 44, 119, 158, 355
– Antrag 160
– Gegenstand 161
– Kosten 161, 193
– Unwirksamkeit 163
– Verhandlungen im Strafverfahren 165
– Widerruf 161
Vergleich (A) 280
Verhandlungsleitung 116, 362
Verjährung 201
Verletztenrechte 115
Verletzter 31, 97
vermögensrechtliche Ansprüche 92
Vernehmung 119
Verschuldensmaßstab 66, 360
Versicherer 339
Versicherungsvertragsgesetz 339, 358, 359
Verständigung im Strafverfahren 65
Vertretung 100, 101, 128, 210
Verweisung (A) 280
Verweisungsentscheidung (DDR) 259
Vielzahl an Adhäsionsanträgen 179
Viktimologie 38, 247
Vollstreckung 209, 327
vorläufige Vollstreckbarkeit 194

Wahrheitspflicht 139
Wechselprozess 335
Wiederaufnahme des Verfahrens 189
Wiedergutmachung 68
Wirtschaftsstrafgesetz 94

Zeuge 56, 62, 64, 118, 123, 126, 127, 237
Ziele des Strafverfahrens 57, 59, 63, 125
Zivilklage (CH) 298
– Ablauf 300, 310
– Ausgestaltung 298
– Entscheidungsmöglichkeiten 301, 317

454 Sachverzeichnis

– Kosten 302
– Rechtsbehelfe 302, 321
– Voraussetzungen 299
Zivilkläger (CH) 301
Zuständigkeit des Gerichts 104, 105

Zustellung 88
Zweiteilung des Verfahrens (CH) 303, 361
Zweites Justizmodernisierungsgesetz 46
Zwischenverfahren 114

Beweisverwertungsverbote

Grundlagen und Kasuistik – internationale
Bezüge – ausgewählte Probleme

Von

Kai Ambos

Schriften zum Prozessrecht, Band 220
172 S. 2010 (978-3-428-13393-2) € 68,–

Im Lichte der aktuellen Diskussion um die Beweisverwertungsverbote beschäftigt sich der Autor nach einer Grundlegung und Systematisierung des geltenden Rechts mit drei großen aktuellen Problemkreisen mit internationalem Bezug. Zunächst wird die völkerrechtliche Einwirkung auf das nationale Prozessrecht am Beispiel des Rechts auf konsularischen Beistand und der grenzüberschreitenden Beweisrechtshilfe (Fall Schreiber) untersucht. In beiden Fällen stellt sich die – nur in Ausnahmen zu bejahende – Frage, ob und inwieweit Völkerrechtsverletzungen zu Beweisverboten führen können. Sodann wird die Beweisbeschaffung Privater anhand der aktuellen Fälle Liechtenstein (Kauf Steuerdaten) und Siemens analysiert. In jenem Fall führt die Strafrechtswidrigkeit des staatlichen Vorgehens – im Einklang mit den allgemeinen Grundsätzen – nicht automatisch zu einem Verwertungsverbot; vielmehr hängt die Verwertbarkeit von einer Abwägung ab, die in casu eher für eine Verwertung spricht. Zuletzt wird die Fernwirkungslehre und vor allem ihre Ausnahmen im US-amerikanischen Recht untersucht, um auf dieser Grundlage eine moderate Anwendung im deutschen Recht vorzuschlagen.

Internet: www.duncker-humblot.de

Duncker & Humblot · Berlin

Schriften zum Prozessrecht

192 **Der Einsatz von Vomitivmitteln zur Beweissicherung im Strafverfahren.** Zur Diskussion um die Zulässigkeit unter besonderer Berücksichtigung des Grundsatzes „nemo tenetur se ipsum accusare". Von A. Hackethal. 182 S. 2005 ⟨978-3-428-11611-9⟩ € 58,–

193 **Haft und Festnahme gemäß § 127 b StPO im Spannungsfeld von Effektivität und Rechtsstaatlichkeit.** Von J. F. Giring. 473 S. 2005 ⟨978-3-428-11334-6⟩ € 98,–

194 **Die elektronische Justiz.** Ein Beitrag zum elektronischen Rechtsverkehr und zur elektronischen Akte unter Berücksichtigung des Justizkommunikationsgesetzes. Von M. Schwoerer. 178 S. 2005 ⟨978-3-428-11844-1⟩ € 68,–

195 **Masseverwaltung durch den insolventen Schuldner.** Von S. Wehdeking. 162 S. 2005 ⟨978-3-428-11842-7⟩ € 64,–

196 **Das Konsensprinzip strafprozessualer Absprachen.** Zugleich ein Beitrag zur Reformdiskussion unter besonderer Berücksichtigung der italienischen Regelung einvernehmlicher Verfahrensbeendigung. Von K. Weichbrodt. 455 S. 2006 ⟨978-3-428-11930-1⟩ € 86,–

197 **Das Bescheidungsurteil als Ergebnis einer Verpflichtungsklage.** Streitgegenstand, verfassungsrechtliche Grundlagen, verwaltungsprozeßrechtliche Voraussetzungen, Wirkungen. Von C. Bickenbach. 247 S. 2006 ⟨978-3-428-11804-5⟩ € 62,–

198 **Verwertbarkeit im Ausland gewonnener Beweise im deutschen Strafprozess.** Von F. P. Schuster. 303 S. 2006 ⟨978-3-428-11980-6⟩ € 68,–

199 **Das sichere Geleit** unter besonderer Berücksichtigung des Zivilprozessrechts. Von G. M. Bauer. 271 S. 2006 ⟨978-3-428-11965-3⟩ € 74,–

200 **Die kumulative Anordnung von Informationsbeschaffungsmaßnahmen im Rahmen der Strafverfolgung.** Eine Untersuchung unter rechtlichen, rechtstatsächlichen und kriminologischen Aspekten. Von J. Puschke. 1 Tab., 2 Abb.; 206 S. 2006 ⟨978-3-428-12021-5⟩ € 78,–

201 **Streitgegenstand und Bindungswirkung im Urkundenprozess.** Zugleich ein Beitrag zur Rechtsnatur des Vorbehaltsurteils. Von P. Chr. Behringer. 167 S. 2007 ⟨978-3-428-12169-4⟩ € 68,–

202 **Obligatorische Beratung und Mediation.** Ein Verfahrensmodell für die außergerichtliche Streitbeilegung im Rahmen des § 15a EGZPO. Von A. Schreiber. 339 S. 2007 ⟨978-3-428-12077-2⟩ € 86,–

203 **Die Erledigung in der Rechtsmittelinstanz.** Von A. Stuckert. 333 S. 2007 ⟨978-3-428-12303-2⟩ € 82,–

204 **Bild- und Tonaufnahmen im Umfeld der strafgerichtlichen Hauptverhandlung.** Von M. Fink. 642 S. 2007 ⟨978-3-428-12332-2⟩ € 98,–

205 **Die subjektiven Grenzen der Rechtshängigkeitssperre im deutschen und europäischen Zivilprozessrecht.** Von S. Otto. 333 S. 2007 ⟨978-3-428-12388-9⟩ € 78,–

206 **Ineinandergreifen von EuGVVO und nationalem Zivilverfahrensrecht am Beispiel des Gerichtsstands des Sachzusammenhangs, Art. 6 EuGVVO.** Von W. Winter. 166 S. 2007 ⟨978-3-428-12542-5⟩ € 58,–

207 **Unterschiede und Gemeinsamkeiten des zivilprozessualen und des strafprozessualen Arrestes.** Von M. Schönberger. 232 S. 2007 ⟨978-3-428-12270-7⟩ € 78,–